collection omnibus

Guy Breton

Histoires d'amour de l'Histoire de France

2

Quand l'amour était « sans-culotte »
Napoléon et les femmes
L'amour sous l'Empire
La Restauration galante
Du Second Empire à la IIIe République

PRESSES DE LA CITÉ

SOMMAIRE

Les quarante rois qui, selon l'expression fameuse, ont fait la France en mille ans n'auraient peut-être pas aussi bien réussi sans la présence à leurs côtés de femmes espiègles, ambitieuses, intrigantes et ravissantes.
C'est ce que j'ai tenté de démontrer dans le premier volume de cet ouvrage.
Dans celui-ci, on verra d'autres dames aussi espiègles, aussi ambitieuses, aussi intrigantes — et aussi ravissantes — détruire avec soin l'œuvre de leurs devancières en aidant au renversement de la Monarchie et au succès de la Révolution...
Puis d'autres encore viendront, avec le même charme et les mêmes yeux troublants, collaborer dans l'ombre à l'établissement de l'Empire et à la création de la République...
C'est Mme de Genlis incitant le duc d'Orléans à la rébellion, Théroigne de Méricourt dirigeant les massacres de Septembre, Thérésia Cabarrus amenant Tallien à renverser Robespierre, Joséphine de Beauharnais faisant avoir à Bonaparte le commandement de l'armée d'Italie, Désirée Clary aidant à la réussite du coup d'État du 18 Brumaire, Caroline poussant Murat à trahir l'empereur, Mme du Cayla dirigeant Louis XVIII, Mme Dosne « créant » Adolphe Thiers, Miss Howard finançant le coup d'État du 2 décembre, Mme de Castiglione séduisant Napoléon III au point qu'il organise la campagne d'Italie pour ses beaux yeux, Léonie Léon transformant Gambetta en collégien amoureux, Mme de Bonnemains paralysant le général Boulanger et sauvant la République, Mme Steinheil faisant mourir de plaisir le président Félix Faure, etc.
Après quoi viendront les égéries de la IVe puis de la Ve République... Ainsi se perpétuent les usages sous le ciel de notre beau pays.
Car Aurélien Scholl avait raison lorsqu'il disait : « En France, on compare généralement la politique à un échiquier. On a tort : c'est un jeu de dames !... »

G.B.

Livre VI

QUAND L'AMOUR ÉTAIT « SANS-CULOTTE »

> Tant que les femmes ne s'en mêlent, il n'y a pas de révolution véritable.
>
> MIRABEAU

A la mémoire de mon grand-père
le docteur Paul Breton

1

Mme de Montesson et Mme de Genlis poussent le
duc d'Orléans et son fils à la rébellion

Le feu qui brûlait dans l'intimité de ces deux
femmes devait allumer la Révolution.

JULIEN DARBOIS

Le 2 mai 1766 vers dix heures du matin, une jeune danseuse de l'Opéra, Rosalie Duthé, se présenta au poste de garde du Palais-Royal en s'efforçant de tortiller de la croupe comme une dame de qualité. Elle avait quinze ans, des yeux malicieux, des cheveux blonds, un sourire adorable et une poitrine qui pointait résolument vers l'avenir.

— Monseigneur le duc d'Orléans m'attend, dit-elle [1].

On la conduisit auprès du duc qui la reçut immédiatement, la fit s'asseoir et la considéra un instant avec une satisfaction non dissimulée.

— Voici, mademoiselle, dit-il enfin, pourquoi j'ai pris la liberté de vous faire venir chez moi. Des amis m'ont vanté vos charmes et certains talents qui, paraît-il, sont des plus agréables.

Rosalie parut flattée.

— Monseigneur, je serai très heureuse si vous pouvez trouver quelque agrément à mon humble personne...

Le duc sourit.

— Il ne s'agit pas de moi, dit-il, mais de mon fils, le duc de Chartres, qui me tourmente beaucoup. A dix-huit ans, il est encore encombré de sa vertu et ne semble pas en souffrir. Il est indolent, nonchalant et porte si peu d'intérêt aux femmes que nous nous demandons avec angoisse s'il ne va pas songer à prendre son plaisir sur des rivages défendus...

L'éventualité d'une telle perversion inquiétait beaucoup le duc qui craignait de voir son fils tomber dans le travers de son trisaïeul Monsieur, frère de Louis XIV, dont les goûts spéciaux étaient encore la honte de la famille.

Rosalie Duthé commençait à comprendre ce que l'on attendait d'elle. Elle prit un air studieux.

Le duc poursuivit :

— Instruit de vos talents exceptionnels, j'ai pensé que vous pourriez nous être d'un grand secours pour attacher à tout jamais mon fils aux charmes de votre sexe...

1. Il s'agit de Louis-Philippe d'Orléans, fils du Régent. Né en 1725, il était veuf depuis 1759.

La jeune danseuse, comme toutes les artistes de notre grand théâtre lyrique, était fort experte en matière de libertinage[2]. Elle accepta de s'occuper de l'adolescent et promit de faire de son mieux.

— Quand dois-je commencer ?

— Tout de suite !

Le duc d'Orléans fit appeler son fils.

— Je vais vous laisser avec lui. Il ne connaît rien de mes intentions, ses réactions seront donc plus naturelles. Instruisez-le et vous n'aurez pas affaire à un ingrat.

A ce moment, le duc de Chartres entra.

C'était un grand garçon timide, au teint frais. Il salua poliment Rosalie et alla s'asseoir en serrant les genoux d'un air pudique. Son père ne perdit pas de temps.

— Mademoiselle Rosalie Duthé, qui est une de nos plus jolies ballerines de l'Opéra, dit-il, a quelque chose à vous confier en particulier... J'espère que vous saurez lui répondre... A tout à l'heure.

Il se leva et sortit, laissant les deux jeunes gens en tête à tête.

L'instant d'après, sur un sofa, Rosalie donnait avec brio sa première leçon au duc de Chartres.

L'adolescent, bien que timide, montra les plus heureuses dispositions, et le duc d'Orléans, qui observait la scène par le trou de la serrure, put constater que son fils « était digne de le remplacer dans la carrière... ».

Lorsque le cours lui parut terminé, le duc d'Orléans rentra dans le salon. Allongé sur le sofa, Philippe reprenait haleine. En voyant apparaître son père, il se leva respectueusement ; « toutefois, nous dit M. de Bouillé, il y avait maintenant dans son attitude quelque chose de viril dont le père s'avisa avec un grand plaisir. Rosalie, en un tournemain éblouissant, avait transformé son timide élève en un homme que la connaissance des femmes rendait déjà hautain et assuré »[3].

— Alors, que pensez-vous de votre écolier ? demanda le duc d'Orléans à la ballerine.

« Pour toute réponse, ajoute M. de Bouillé, Rosalie Duthé se jeta au cou de son jeune athlète et le couvrit de baisers. Alors, le père, les larmes aux yeux, les attira vers lui et les embrassa l'un et l'autre. »

Touchante scène de famille, on en conviendra...

Le fait d'avoir retiré son pucelage au duc de Chartres donna un éclat considérable à Rosalie Duthé. Tous les amateurs de bagatelle voulurent connaître les charmes et le savoir-faire d'une aussi célèbre initiatrice. Réclamée, invitée, elle ne sut bientôt plus où donner de la tête, si j'ose ainsi m'exprimer.

Tandis que Rosalie se faisait une belle situation dans la galanterie dorée, Philippe, mis en verve, se jetait à corps perdu dans le libertinage.

2. Le policier Marais nous dit que la complexion de Rosalie faisait miracle et que, « pour dix louis, tout mortel pouvait la palper à son aise... ».
3. Baron DE BOUILLÉ, *Mémoires*.

Il fréquenta le salon des entremetteuses et s'y fit rapidement une étonnante réputation.

Écoutons le policier Marais qui était chargé de le suivre :
« Le duc de Chartres a enfin débuté chez la Brissaude. Il est venu chez elle et elle lui a présenté le morceau le plus friand dont elle dispose. C'est la demoiselle Lavigne, dite Durancy, qui a eu le plaisir d'emmener Son Altesse, et ils ne se sont séparés qu'à la troisième reprise. Le prince a paru enchanté de sa monture et a donné quinze louis. Depuis, il a fait dire à la Brissaude qu'il serait flatté de renouveler cette course ; mais la Durancy n'a pas voulu s'y prêter ; elle trouve le prince extrêmement grossier dans ses caresses, n'ayant aucune délicatesse et jurant comme un cabaretier. Plusieurs demoiselles l'ont trouvé tel, et tout annonce en lui un fonds de libertinage crapuleux.
» Pour rectifier un semblable caractère, il serait à souhaiter qu'il devînt amoureux véritablement d'une femme honnête qui eût assez d'ascendant sur lui pour l'obliger à prendre un ton plus galant et à se défaire de termes qui feraient rougir la plus vile créature. Jamais le prince ne vaudra Monsieur son père. Il a été aussi jeune que lui en fait de plaisirs, mais il les menait bien différemment... et toutes les jolies femmes enviaient sa conquête... [4] »

Ce goût pour le libertinage allait déterminer le destin du futur Philippe-Égalité et celui du royaume de France...

La grossièreté du jeune duc prit bientôt de telles proportions que la plupart des filles de joie, choquées, refusèrent de l'avoir pour client.

Repoussé par les prostituées, le malheureux n'eut plus qu'une ressource : s'adresser aux comédiennes et aux femmes du monde.

Il organisa rue Saint-Lazare, avec le chevalier de Coigny, le duc de Fronsac, le comte de Besenval et le comte d'Osmond, de petits soupers où toutes les extravagances étaient permises.

Un soir, au cours d'un de ces dîners-surprises, Philippe fit servir à ses invités un énorme vol-au-vent.

— Le cuisinier a placé dans cette pièce pâtissée, dit-il, un morceau de choix qui ravira les plus difficiles... Aimez-vous la caille ? Notre homme m'a assuré que nous allions trouver là la plus appétissante, la plus savoureuse petite caille du monde [5].

Il frappa dans ses mains. Brusquement, la calotte du vol-au-vent sauta en l'air, et une ravissante blonde de quinze ans, entièrement nue, qui, nous dit Pierre Naudin, « se tenait cachée dans sa petite maison de croûte », surgit tel un diable de sa boîte [6].

Ayant bondi sur le tapis, elle traversa la pièce. Comme les convives

4. Marais, Rapports journaliers, B.N., manuscrits.
5. On sait que les femmes qui plaisaient alors — petites et dodues — étaient nommées des « caillettes ».
6. Une scène du même genre se déroula à la cour du roi Stanislas Leczinski. Mais la jeune fille y était remplacée par le célèbre nain Bébé, qui sortit, l'épée à la main, d'un vol-au-vent ayant la forme d'une forteresse.

la lorgnaient avec gourmandise, le duc précisa que tout le monde aurait le droit d'y goûter, mais que, « pour être certain de servir un mets délectable à ses invités, il entendait en faire l'essai auparavant ».

Il y eut des murmures.

— Ne protestez point, dit-il en souriant. Je vous traite comme on traite le roi à Versailles.

Philippe faisait allusion à l'*essay,* mesure de précaution en usage à la cour de France depuis des siècles. Les souverains avaient une telle hantise du poison qu'ils exigeaient que les mets sur la table restassent couverts « afin qu'on n'y pût mettre quelque venin »[7]. En outre, un officier de cuisine goûtait chaque plat. Si, au bout de quelques minutes, le brave homme était encore en vie, « l'aliment » était présenté au roi. Si, au contraire, l'officier mourait dans d'atroces douleurs, on jetait le mets. Ce procédé très simple permettait de ne donner au monarque qu'une nourriture saine...

L'*essay* proposé par Philippe n'avait pas le même but. Et le comte de Besenval se permit de le dire avec sa franchise coutumière :

— Je vous ferai humblement remarquer que l'officier chargé d'essayer la cuisine royale n'a jamais « poivré » les mets qu'il goûtait.

Le mot fit rire. On racontait en effet que, depuis quelque temps, le duc de Chartres, qui allait traîner ses bottes dans les endroits les plus douteux, avait attrapé une mauvaise maladie et — comme on disait alors — qu'il était « poivré »...

Philippe ne se fâcha point. Au contraire, il répondit par une série de grosses obscénités, ce qui était chez lui la marque d'une bonne humeur.

Puis il s'occupa de l'adolescente...

Les convives, mis en appétit, se trémoussaient sur leurs chaises.

— Ne vous impatientez pas, tas de cochons, dit gentiment le duc. Je vais vous faire servir de la garniture de vol-au-vent.

Il frappa dans ses mains. La porte s'ouvrit, et un valet fit entrer une demi-douzaine de demoiselles de l'Opéra, complètement nues, âgées de dix-huit à vingt-cinq ans, moins tendres que la première, mais apparemment aussi vicieuses.

Aussitôt le divertissement commença.

Friand de bizarreries, Philippe organisa quelque temps après, pour son ami Fitz-James qui se mariait, un curieux « souper de veuves », auquel avaient été conviées toutes les maîtresses du futur époux. Le repas fut servi dans un appartement tendu de noir où les filles cachaient imparfaitement leur nudité dans des voiles de crêpe...

Cette vie libertine finit par inquiéter le duc d'Orléans. A la fin de 1767, il décida de marier son fils, espérant ainsi l'assagir.

Après bien des hésitations, le duc fixa son choix sur la blonde et ravissante princesse Louise-Marie-Adélaïde, fille du comte de Bourbon-

---

7. La locution « mettre le couvert » rappelle aujourd'hui cet usage.

Penthièvre et descendante du comte de Toulouse, fils de Louis XIV et de Mme de Montespan. Cette jeune personne, âgée de quinze ans, était, avec son frère le prince de Lamballe[8], l'héritière d'une fortune considérable. En l'épousant, Philippe faisait des d'Orléans la famille la plus riche de France, plus riche même que les Bourbons régnants[9]...

Le mariage eut lieu le 5 avril 1769.

Après un dîner fastueux, les nouveaux époux se préparèrent pour la cérémonie du « coucher » dont la famille d'Orléans avait fait une extravagante représentation publique. Dans une antichambre rigoureusement fermée, Marie-Adélaïde, très émue, passa sa chemise de nuit ; dans une autre pièce, non moins close, Philippe, en présence du roi, retira son chapeau et son épée.

Quand les deux mariés furent prêts, ils entrèrent ensemble dans la chambre nuptiale et l'on ouvrit les portes. Aussitôt, la foule envahit la pièce et s'installa au pied du lit afin de ne rien perdre du spectacle pour lequel elle s'était dérangée. Le grand aumônier bénit la couche où la tremblante mariée allait devenir femme et se retira en feignant de ne point remarquer les regards égrillards des assistants.

Devant trente personnes narquoises, Marie-Adélaïde, aidée de deux de ses dames de compagnie, se glissa dans les draps.

Philippe, pendant ce temps, était allé se déshabiller dans un salon voisin. Il revint bientôt en chaussons et nu sous une robe de chambre.

Le public, sachant ce qui allait se passer, se tourna vers le marié qui laissa tomber son vêtement. Chacun put alors constater qu'en observance d'un usage remontant au règne d'Henri III, le jeune duc s'était entièrement épilé...

André Castelot, qui conte le fait, ajoute que « les princes estimaient ainsi honorer leur épouse en leur faisant l'hommage de leur toison le jour de leurs noces »...

Philippe ayant reçu sa chemise des mains de Louis XV, l'enfila, et pénétra dans le lit, le bonnet de nuit à la main. Aussitôt, le comte de Paris et la marquise de Polignac tirèrent les rideaux des deux côtés de la couche. Le troisième resta ouvert un moment pour permettre à la foule de venir contempler le couple bordé jusqu'au nez ; puis, quand tout le monde eut défilé, ce dernier voile fut tiré.

Cette fois, les jeunes époux, enfin seuls, purent se livrer aux joies saines de l'amour physique...

Quatre jours après son mariage, Philippe emmena Marie-Adélaïde à l'Opéra. Lorsqu'elle fut installée dans la loge qui leur était réservée, la

---

8. Mari de Mme de Lamballe, favorite de Marie-Antoinette.
9. A ce propos, on a prétendu que Philippe avait fait attraper une « bonne galanterie » au prince de Lamballe pour le faire mourir de sa mort et se réserver ainsi tout l'héritage. Le prince est bien mort d'une mauvaise maladie contractée avec des filles de second choix, mais Philippe n'y est pour rien. André Castelot l'a démontré au moyen de documents irréfutables dans son remarquable ouvrage : *Philippe-Égalité, le Prince rouge*.

petite duchesse battit des mains comme une enfant. Soudain, elle murmura :

— Pourquoi y a-t-il tant de femmes vêtues de noir ? Est-il décent de venir au spectacle lorsqu'on est en deuil ?

La pauvre ne pouvait savoir que toutes ces jolies personnes vêtues du costume des veuves, qui jetaient de pitoyables regards vers la loge ducale, étaient les anciennes maîtresses de son mari...

Cette manifestation d'un goût douteux n'avait pas de sens. Les femmes légères de Paris devaient rapidement s'en apercevoir. Philippe, en effet, reprit bientôt ses habitudes de libertin et organisa de nouveau — cette fois, rue Blanche — des petits soupers dévêtus où le plat de résistance n'avait pas toujours été préparé à la cuisine [10]...

Affolé à la vue du moindre jupon, le duc de Chartres se précipitait sur toutes les jeunes femmes qu'il voyait et leur mettait la main dans le corsage... La plupart ne voyaient là qu'une marque d'estime et s'en montraient flattées. Quelques-unes pourtant se rebiffaient. C'est ainsi que Philippe subit un échec humiliant avec Rose Bertin, la petite couturière qui devait devenir la célèbre marchande de modes de Marie-Antoinette.

Agée de vingt-deux ans, Rose avait été chargée du trousseau de Marie-Adélaïde qui la prit naïvement sous sa protection. Bien entendu, Philippe s'intéressa aussitôt à la demoiselle...

Émile Langlade nous conte cette aventure peu connue qui faillit se terminer par un enlèvement.

« Il arriva, écrit-il, que le duc de Chartres la remarqua un jour qu'elle venait au Palais-Royal présenter des fournitures à la duchesse ; qu'après l'avoir remarquée, il lui parla, et lui fit même des avances, lui offrant des diamants, des chevaux, des voitures, et même une maison meublée au dernier goût du jour, si seulement elle consentait à devenir sa maîtresse. Le duc de Chartres en fut pour ses frais d'éloquence et ses madrigaux. Il n'obtint rien. Mais plus il était rebuté, plus il s'obstinait, et non seulement il convoitait la belle modiste, mais il était comme piqué au jeu par sa résistance ; si bien qu'il avait même formé le plan de l'enlever, et tenait toute prête, en vue de faire aboutir ce projet, une petite maison qu'il avait à Neuilly pour y cacher ses bonnes fortunes. Rose, qui fut mise au courant de cette trame par un valet de chambre dont le duc ne s'était pas méfié, tremblait à chaque fois qu'elle devait reporter de l'ouvrage au Palais-Royal, n'osait plus sortir la nuit venue, et ne vivait plus, dans la crainte perpétuelle de tomber dans quelque traquenard.

» Elle était trop bien avertie des mœurs des grands seigneurs de son temps, qui ne faisaient que se modeler sur le roi Louis XV en personne, pour ne pas savoir qu'une prudence de toutes les minutes lui était nécessaire, le jour comme la nuit, et qu'on avait vu réussir des

---

10. Le policier Marais, qui était chargé de surveiller Philippe d'Orléans, qualifiait cet endroit de « séjour de volupté... »

enlèvements autrement hardis que celui d'une simple modiste, obligée constamment de courir la ville [11]. »

Or, un jour, Rose Bertin se rendit pour une commande importante chez la comtesse d'Usson. Elle était en train de montrer des échantillons de tissus à sa cliente lorsqu'on annonça le duc de Chartres. La comtesse, laissant Rose, se précipita au-devant de son illustre visiteur et le fit s'asseoir.

La modiste, dont on ne s'occupait plus, vint alors, de l'air le plus naturel du monde, s'installer dans un fauteuil auprès du duc. Mme d'Usson, suffoquée, lui dit sévèrement :

— Mademoiselle Rose, vous oubliez que vous êtes devant Son Altesse !

— Non, madame, assurément, je ne l'oublie pas.

— Et comment pouvez-vous donc vous conduire ainsi ?

— C'est que madame la comtesse ne sait pas que, si je le voulais, je serais ce soir duchesse de Chartres.

Le duc, gêné, baissa la tête, et la comtesse d'Usson parut très ennuyée d'être ainsi mêlée à une affaire d'alcôve devant le principal intéressé.

— Oui, madame, reprit Rose, on m'a offert tout ce qui peut tenter une pauvre fille, et parce que je l'ai refusé, on ne m'a menacée de rien de moins que de m'enlever. Ainsi, mesdames, si vos jolis bonnets manquent, si aucun de vos ajustements n'est prêt et qu'on vous dise que la pauvre Rose est disparue, vous la demanderez à Monseigneur ; il saura où la trouver.

La comtesse pensa qu'il valait mieux prendre le parti d'en rire.

— Que dites-vous de cela, Monseigneur ? dit-elle.

— Que je crois, répondit le prince, qu'on ne peut faire autrement, quand il s'agit de vaincre une rebelle, et qu'on ne peut me blâmer de désirer les bonnes grâces d'une aussi aimable personne.

Rose ricana :

— Oh ! vous avez raison, Monseigneur, de préférer une marchande de modes à votre auguste femme, à la princesse qui réunit le plus de qualités aimables et estimables ; mais aussi, convenez, madame la comtesse, que celle dont on veut, malgré toutes les convenances, faire sa compagne, peut agir familièrement avec vous : que Monseigneur n'oublie pas son rang, et je me souviendrai de l'extrême distance qui existe entre lui et moi...

Sur ces mots, Rose, s'étant levée, salua profondément le duc qui lui dit à mi-voix :

— Vous êtes un petit serpent !

Cependant, Philippe se le tint pour dit. A partir de ce jour, il cessa d'importuner la petite modiste, qui put de nouveau fréquenter le Palais-Royal sans avoir à craindre de trouver à chaque coin de couloir les mains du prince prêtes à soupeser sa jeune poitrine...

11. ÉMILE LANGLADE, La marchande de modes de Marie-Antoinette, Rose Bertin.

Tout en s'occupant ainsi avec les dames, le duc de Chartres, qui venait d'être élu grand maître de la franc-maçonnerie de France, soutenait le Parlement dans sa lutte contre le pouvoir royal. On sait que les magistrats, dont la puissance augmentait d'année en année, formaient alors un véritable et dangereux État dans l'État. « Les Parlements, écrit Jacques Bainville, dont les attributions s'étaient grossies au cours des âges, étaient devenus un obstacle au gouvernement. L'opposition des cours souveraines, celles des provinces marchant d'accord avec celles de Paris, finissait par être un péril politique. Les cours étaient allées jusqu'à proclamer leur unité et leur indivisibilité. Elles agissaient de concert, repoussaient les édits sous la direction du Parlement de Paris, décernaient même des prises de corps contre les officiers du roi. "Cette étonnante anarchie, dit Voltaire, ne pouvait subsister. Il fallait que la Couronne reprît son autorité ou que les Parlements prévalussent." C'était un pouvoir qui se dressait contre le pouvoir, et, en effet, l'un ou l'autre devait succomber [12]. »

Il était donc étrange de voir le duc de Chartres, cousin du roi, soutenir cette turbulente opposition.

En 1771, Louis XV, agacé, exila plus de sept cents parlementaires et demanda à Maupeou de former une nouvelle juridiction. Cette réforme, « acte d'une politique hardie », fut naturellement critiquée par l'opposition. Le bon peuple, qui eût dû se réjouir puisque la vénalité des charges était abolie et que la justice devenait gratuite, répéta les slogans qu'on lui soufflait et cria au scandale.

Naturellement, le duc d'Orléans, prenant la même position que son fils — position insolite pour des princes du sang —, refusa d'aller siéger au nouveau Parlement.

Interdits à la cour à la suite de ce refus, et privés d'une partie de leurs revenus, les deux ducs firent rapidement, aux yeux du peuple, figure de victimes. Leur popularité devint considérable. On les acclama dans les rues, et certains commencèrent à murmurer que ces d'Orléans seraient peut-être fort bien sur le trône...

Or l'attitude des deux hommes était dictée — comme toujours — par une femme. Le gros duc d'Orléans était tombé follement amoureux de la charmante marquise de Montesson, sœur de Mme de Gourges, alliée par son mari à Lamoignon de Malesherbes, célèbre membre du Parlement, qui dirigeait la révolte des robins.

« Aussi, écrit André Castelot, par l'intermédiaire de Mmes de Gourges et de Montesson, les chefs de la Fronde parlementaire dirigeaient-ils, au mieux de leurs intérêts, les faits et gestes du malléable obèse [13]. »

Pour asseoir définitivement son pouvoir, la marquise désira bientôt se faire épouser. Le duc d'Orléans — qu'elle appelait familièrement « gros père » — accepta bien entendu, « tout heureux, comme le dit

12. JACQUES BAINVILLE, *Histoire de France.*
13. ANDRÉ CASTELOT, *Philippe-Égalité, le Prince rouge.*

un mémorialiste, à la pensée de pouvoir, jusqu'à la fin de ses jours, user d'un corps aussi charmant malgré son excessive ventripotence »[14].

Mais Philippe, furieux de voir son père admettre le principe d'une telle mésalliance, se déclara nettement hostile à ce mariage. Alors Mme de Montesson, connaissant la lubricité du duc de Chartres, décida d'aplanir les difficultés en faisant entrer sa jeune nièce au Palais-Royal...

Cette sémillante personne, nommée Stéphanie-Félicité de Saint-Aubin, avait vingt-six ans. Elle était mariée depuis peu à un officier, le comte de Genlis...

Elle entra au service de la duchesse de Chartres en qualité de dame d'honneur.

Philippe fut ébloui par la grâce, le charme, la beauté et la culture de la future femme de lettres. Il l'écouta jouer de la harpe, la suivit dans la bibliothèque, consentit, malgré une grande paresse d'esprit, à s'intéresser avec elle à la chimie, à la physique, à la peinture, à la botanique, et, finalement, l'ayant conquise, la fit entrer sans effort dans son lit[15]...

Il s'aperçut alors qu'il avait affaire à une femme experte qui savait admirablement lui donner la réplique.

De deux ans plus âgée que lui, Félicité avait acquis au contact de messieurs polissons ce qu'un auteur appelle joliment « l'art du détail » qui fait plaisir »...

Imaginative et douée d'un esprit inventif (elle aura un jour l'idée d'enseigner la physique au moyen d'une lanterne magique), « elle transformait, nous dit-on, le lit en un terrain de gymnastique ». A vrai dire, les figures qu'elle exécutait avec ses amants étaient plus connues des auteurs du Kama Soutra que de nos moniteurs de Joinville...

Après une série de passes brillantes qui les conduisit successivement sous le lit, dans une baignoire et entre trois fauteuils, les deux partenaires se retrouvèrent sur le parquet dans la position connue de quelques rares spécialistes et dite du « liseron entortillé »... Jamais Philippe n'avait soupçonné de tels raffinements. Il demanda grâce, ravi d'avoir enfin trouvé la femme qui lui convenait.

Cette fois, les chefs de l'opposition allaient pouvoir diriger à leur guise les d'Orléans...

14. Le duc d'Orléans était, en effet, fort gros. Un jour, au retour d'une partie de chasse, il dit à un ami :
— J'ai manqué tomber dans un fossé !
— Oh, monseigneur, répliqua l'autre, il en eût été comblé !...
15. Mme de Genlis, il est vrai, n'était pas de vertu farouche. Plus tard, lorsqu'elle aura publié des romans, on lui décochera cette épigramme restée célèbre :

Genlis à six francs le volume,
Disait un jour un amateur,
Dans le temps que son poil valait mieux que sa plume,
Pour un écu, j'avais l'auteur.

Au début de l'été 1772, Marie-Adélaïde sombra dans une grande mélancolie. Malgré les bons offices de Philippe, qui, tous les soirs, venait la rejoindre dans son lit, elle ne sentait poindre en elle aucune espérance de maternité.

Constatant que les moyens les plus éprouvés pouvaient avoir des défaillances, elle décida de ne point compter seulement sur son mari pour donner le jour à un enfant, et se prépara à aller prendre les eaux de Forges, qui avaient la réputation de féconder les femmes stériles. Chaque année, des milliers d'épouses venaient s'y plonger sous l'œil goguenard des sceptiques.

Elles devaient être seules, la fécondation, assurait-on, n'étant possible qu'en l'absence du mari. Cette condition, exigée par les médecins, donnait naturellement matière aux plaisanteries que l'on devine, d'autant que les sources étaient, le plus souvent, entourées d'épais taillis dont on disait qu'ils jouaient peut-être un rôle dans l'opération du mystère.

Lorsque la cure avait réussi et que la dame rentrait chez elle dans l'attente de l'heureux événement, le mari offrait une fête à ses amis et, nous dit Fernand Engerand, faisait passer dans les gazettes une annonce de ce genre : « Mme la Présidente de la Chevière, de Grenoble, a reçu à Forges-les-Eaux la satisfaction de maternité contre l'opinion des médecins. »

Il n'ajoutait pas : « Sans aucune collaboration du mari », mais tout le monde comprenait...

La duchesse de Chartres partit pour Forges le 1er juillet, en emportant, à tout hasard, un curieux ouvrage qui venait de paraître et dont le titre lui semblait prometteur. Il s'agissait de *L'art de faire des garçons ou Nouveau Tableau conjugal,* par D. Tissot, docteur en médecine de la Société royale de Londres, de la Société économique de Rome et de la Société physique expérimentale de Rotterdam.

Ce livre ne pouvait être, à Forges-les-Eaux, d'une grande utilité à Marie-Adélaïde. Son auteur y professait, en effet, des théories un peu particulières. On en aura une idée par ce savoureux extrait d'un chapitre consacré « au moyen de faire à volonté des garçons ou des filles » :

« Il n'y a, je crois, point d'homme qui ignore qu'il a un testicule un peu plus gros et plus élevé que son compagnon.

» Chaque testicule a son canal, appelé déférent, par où la semence se rend dans les vésicules séminaires.

» Les vésicules séminaires sont plus grosses d'un côté que de l'autre.

» Ces variétés constantes à l'égard d'organes d'ailleurs parfaitement semblables ont augmenté le soupçon dans lequel j'étois qu'un des testicules ne servoit à faire que des mâles, l'autre que des femelles, et qu'il en était ainsi des ovaires.

» Dans cette hypothèse, il est évident qu'il seroit fort aisé d'avoir à son gré des garçons ou des filles. Il n'y auroit qu'à se faire enlever le testicule ou l'ovaire destiné pour le sexe qu'on ne voudroit pas avoir.

» Je conviens qu'il pourroit se trouver des personnes qui auroient quelque peine à faire personnellement usage de cet expédient. Mais on pourroit, en faveur de ceux qui ne voudroient pas s'y exposer, trouver d'autres expédients moins sûrs, à la vérité, mais aussi plus doux. J'en ai un dans l'idée qui dépendroit uniquement de l'adresse des femmes.

» Pour le bien concevoir, il faut observer qu'un homme ne peut pas, à son choix, faire couler sa semence des vésicules séminaires qui sont à la droite, plutôt que de celles qui sont à la gauche. La femme, au contraire, peut la diriger vers celui de ses ovaires qui lui plaît. Elle n'a qu'à se pencher toujours de son côté lorsqu'elle travaille à devenir mère. La liqueur séminale sera, par sa propre pesanteur, déterminée à s'insinuer dans la trompe qui aboutit à l'ovaire qu'elle a en vue.

» Il est vrai qu'on me demandera maintenant de quel côté une femme doit se pencher pour avoir des filles ? Quel est l'ovaire, quel est le testicule destiné pour les produire ? C'est ce que je ne sais pas encore trop bien moi-même. »

Ce charmant docteur ajoute pourtant :

« J'ai moi-même déjà tenté quelques expériences avec ma seconde femme ; car j'en ai eu deux : et, avec la première, je ne songeois tout au plus qu'à avoir des enfants qu'en général ; mais toutes les fois que je travaillois à remplir les vœux de la dernière, qui désiroit des garçons, *j'avois soin de la faire pencher du côté gauche,* et, soit par hasard, ou par adresse, j'en ai eu trois enfants qui tous trois sont du sexe qu'elle souhaitoit... »

Bien décidée à pencher désormais du côté gauche en compagnie de son mari, Marie-Adélaïde arriva à Forges, le 2 juillet, accompagnée de Mme de Genlis. Naturellement, Philippe n'était pas du voyage, et la pauvre Stéphanie, tourmentée par son tempérament exigeant, passa dans la station balnéaire de très mauvaises nuits. Chaque matin, elle se levait, l'œil brillant, les traits tirés, ayant tournoyé dans sa chambre pendant des heures.

Le 6, le duc de Chartres arriva à Forges. Aussitôt, les deux amants allèrent se coucher et se donnèrent mutuellement de grandes satisfactions.

Philippe demeura auprès de Stéphanie pendant treize jours. Or, d'après certains historiens, ces deux semaines devaient être capitales dans la vie du duc de Chartres et dans l'histoire de notre pays.

Ce serait, en effet, à ce moment que la future femme de lettres aurait, sur l'oreiller, dicté à Philippe son attitude et ses goûts. Écoutons Julien Darbois : « Mme de Genlis, qui se mêlait de tout, même de politique, écrit-il, entendait diriger son amant dans ce domaine comme elle le faisait dans les jeux du lit. Influencée par sa tante, Mme de Montesson, et guidée par ses sympathies pour les philosophes qui préparaient la destruction du régime, elle jeta dans ce terrain déjà bien préparé la semence qui devait produire les chardons de la rébellion et les ronces de la révolte. Mme de Genlis, consciemment ou non, était le porte-parole des membres du Parlement que Louis XV avait exilés et qui rêvaient de se venger. Par elle, ces messieurs parvinrent à dresser le duc de Chartres contre le roi et à lui faire prendre la tête d'un mouvement antimonarchiste. Avec beaucoup d'adresse, elle réussit, lorsqu'elle était à Forges, à faire partager à ce gros benêt peu cultivé ses propres idées de femme écervelée. Comme la plupart des aristocrates de cette époque, Mme de Genlis, en effet, rêvait d'une révolution en disant : "Je crois que c'est la chose la plus amusante du monde..." Fortement impressionné par cette sœur maçonne, disciple de Rousseau et des Encyclopédistes, le duc de Chartres finit par penser que le destin l'avait choisi pour changer le régime, renverser le trône, établir une démocratie maçonnique en France et devenir un roi constitutionnel avec un sceptre dans une main, une truelle dans l'autre, et un petit tablier sur le ventre...

» Si le Palais-Royal, et plus tard le château de Monceau, devinrent les centres de l'opposition, si Philippe multiplia les gestes démagogiques — lui qui détestait le peuple —, s'il dirigea des campagnes venimeuses contre Marie-Antoinette, s'il créa l'incident du 19 novembre 1787 qui allait précipiter la réunion des états généraux, si, enfin, il vota la mort de Louis XVI, la responsabilité en incombe entièrement à Mme de Genlis... [16] »

Ayant ainsi reçu, entre deux étreintes, les paroles qui devaient déterminer son destin, Philippe quitta Forges le 18 juillet pour se rendre à Chantilly. Stéphanie, folle de douleur, lui écrivit dès le lendemain :

Hier, j'avais plus de forces qu'aujourd'hui, je vous voyais, nous étions là ; vous n'y reviendrez plus ! Je ne serai plus à côté de vous dans vos bras... Oh ! mon enfant, mon cœur, pour s'aimer avec un tel excès, pour s'y livrer entièrement, il faudrait être sûr de ne se jamais quitter plus de deux jours... Adieu mon cher petit amour ! Encore un moment, quelle heure est-il ? *Vous connaissez cela ? Quels moments cela rappelle* [17] !...

Philippe, aussi triste que sa maîtresse, eut alors une idée surprenante de la part d'un prince du sang : il se fit tatouer.

En apprenant que son nom, surmonté d'un cœur, était gravé sur le bras du duc de Chartres, la jeune femme fondit en larmes. Touchée par cette marque d'amour, elle voulut aussitôt imiter son amant. Prenant un couteau bien pointu, elle courut dans le jardin, retroussa ses manches et, d'une main ferme... grava le nom de Philippe sur un tronc d'arbre.

16. JULIEN DARBOIS, *Mme de Genlis amoureuse.*
17. D'après ANDRÉ CASTELOT, cette heure devait être celle où la pauvre Marie-Adélaïde revenait de sa cure...

Après quoi, elle écrivit à l'absent :

Ah ! mon amour ! Je ne puis aimer véritablement que vous. Vous êtes l'objet unique de tous mes sentiments et de toutes mes pensées... Jamais ami, jamais enfant, jamais amant, n'a été aimé comme vous l'êtes. J'ai pour vous plus de confiance que l'amitié n'en inspira jamais... Je vous le répète, je n'ai plus qu'une idée, qu'une réflexion, c'est vous, et toujours vous...

Au même instant, Philippe sanglotait de son côté en lisant un livre que son amie lui avait envoyé.

Rien ne me fait ce plaisir et cet effet-là, écrit-il, *j'ai encore pleuré en le relisant la dernière fois. Oh ! mon amour ! mon cher enfant ! Il n'y a rien de tendre et d'aimable comme vous...*

Pendant que Mme de Genlis maintenait solidement le duc de Chartres dans sa poigne de fer, Mme de Montesson s'efforçait toujours de se faire épouser par le duc d'Orléans. Elle y parvint au mois d'avril 1773... Bien que, par ordre du roi, le mariage ait été tenu secret, les membres de l'ancien Parlement se réjouirent. Ils venaient de rallier définitivement les Orléans à leur mauvaise cause.

L'été suivant, ces messieurs eurent quelques craintes. Le duc de Chartres, qui ne pouvait vivre au Palais-Royal où Marie-Adélaïde — fécondée par l'eau de Forges — attendait un enfant en pleurnichant de façon insupportable, alla s'installer dans une folie, au petit village de Mousseaux — ou Monceau — situé près du hameau des Ternes. Là, s'inspirant des jardins de Tivoli qui venaient d'être créés, Philippe fit dessiner par Carmontelle un parc immense, orné de massifs, de pièces d'eau, de colonnes corinthiennes et même d'une rivière artificielle. Dans ce lieu qui deviendra le parc Monceau, le jeune duc reprit ses habitudes libertines et reçut de belles amies qui se baignaient nues avant d'aller se faire « bricoler le domino » dans une grotte chinoise...

Mais les membres de l'ancien Parlement surent bientôt que Philippe, malgré ces frasques, allait retrouver chaque soir sa chère Stéphanie dont le tempérament lui donnait tant d'agréments.

Et ils respirèrent.

Le 6 octobre 1773, Marie-Adélaïde mit au monde un gros bébé que l'on prénomma Louis-Philippe et qui devait devenir, cinquante-sept ans plus tard, roi des Français, vulgarisateur du parapluie et sujet de choix pour les caricaturistes.

Afin de manifester sa joie, la duchesse eut une idée curieuse : elle fit venir Rose Bertin et lui demanda un « pouf au sentiment » [18], orné de personnages qui eussent été mieux à leur place dans la vitrine d'un

18. C'est le nom qu'on donnait alors aux extravagantes coiffures que portaient les élégantes.

collectionneur que sur un chapeau. Il y avait, nous dit-on, une nourrice aux seins nus qui allaitait avec impudeur un bébé souriant, un négrillon à la ressemblance d'un valet favori de la duchesse, et un perroquet perché sur un cerisier. Le tout avait été placé par la modiste au centre d'une touffe de cheveux appartenant aux membres de la famille d'Orléans...

Quelques semaines après la naissance du petit Louis-Philippe, les passants émerveillés purent voir Marie-Adélaïde sortir dans les rues de Paris avec cette ravissante coiffure sur la tête [19]...

Le 10 mai 1774, conseillé par Mme de Genlis, Philippe refusa d'assister aux obsèques de Louis XV. Ce geste accrut sa popularité chez les petites gens qui détestaient le défunt, mais lui ferma la porte de Versailles. En effet, à titre de représailles, Louis XVI interdit aux Orléans de paraître à la cour.

Le duc de Chartres, ravi de cette décision qui officialisait son opposition au régime, transforma le Palais-Royal en un centre de rébellion.

Chaque soir, avec Mme de Genlis, il commentait longuement les nouvelles et cherchait tous les moyens d'exploiter le mécontentement général. Un jour, une extraordinaire information leur parvint de Versailles : le roi, fort ennuyé d'avoir déplu aux Parisiens en punissant son cousin, venait de renvoyer Maupeou, président du nouveau Parlement, espérant ainsi plaire aux partisans de Philippe et recouvrer sa popularité perdue.

Ce renvoi, qui annonçait le rappel de l'ancien Parlement, enthousiasma les deux amants. Lamoignon de Malesherbes allait donc revenir au pouvoir et donner aux Orléans, par l'intermédiaire de Mme de Montesson, une puissance considérable.

— Il vous faudrait un titre prestigieux qui éblouisse le peuple, dit alors Mme de Genlis. Pour rendre la liberté aux hommes, il faut savoir utiliser leurs faiblesses. Devenez un grand général.

Philippe n'avait qu'un amour très modéré pour les jeux de la guerre ; la joie naïve que montraient les militaires à l'idée d'aller se faire tuer lui semblait bouffonne.

Il fit la moue.

— Devenez grand amiral, dit avec sa simplicité habituelle Mme de Genlis.

Cette suggestion plut davantage au duc de Chartres. Ayant vu son

---

19. L'année suivante, après l'avènement de Louis XVI, Marie-Antoinette portait le « pouf à l'inoculation ». Mlle Bertin y avait placé un soleil levant, un olivier chargé de fruits autour duquel s'élançait un serpent qui soutenait une massue entourée de guirlandes de fleurs. Voici l'explication que l'on donnait de cette coiffure allégorique : le serpent représentait la médecine ; la massue, l'art dont elle s'était servie pour terrasser le monstre variolique ; le soleil levant devenait l'emblème du jeune roi vers lequel se tournaient les espérances des Français, et l'on trouvait dans l'olivier « le symbole de la paix et de la douceur que répandait dans les âmes l'heureux succès de l'opération à laquelle le roi et les princes s'étaient soumis ». Ce pouf, qui coûtait dix louis, fut porté par toutes les dames de la cour.

beau-père, le duc de Penthièvre — possesseur de la charge —, exercer ses fonctions, il pensa que les devoirs qui pouvaient lui incomber ne risqueraient point de changer sa manière de vivre, et qu'il pourrait continuer de folâtrer à Monceau avec ses jeunes amies.

Il faut dire que le duc de Penthièvre avait une très curieuse façon de tenir son rôle de grand amiral.

Étant, par aventure, monté dans une barque, sur l'étang de Saclay, il avait eu une si grande frayeur qu'il s'était juré de ne plus jamais naviguer. Aussi dirigeait-il la Marine royale de son bureau. Et l'on disait plaisamment que la seule île que ce marin eût jamais vue était l'Ile-de-France...

Cette manière confortable de tenir la barre avait toutefois des inconvénients. Dans une conversation, le grand amiral était incapable de décrire une bataille navale sans commettre d'énormes bévues, confondant bâbord avec tribord, appareillage avec abordage et le grand foc avec un animal polaire.

Pour ne point paraître trop ridicule, le duc de Penthièvre eut, un jour, une idée. Il fit construire tout une flottille en miniature et la lança sur le canal du château de Rambouillet. Assis dans un fauteuil sur le rivage, il assista régulièrement à des manœuvres et apprit ainsi les expressions usitées sur les navires de Sa Majesté. Bientôt, il commanda lui-même et sut reconnaître une frégate d'une corvette.

— Paré à virer ! Cap sur *La Belle-Poule* ! criait-il.

Aussitôt, un marin, armé d'une perche, faisait évoluer les petits bateaux.

Des heures, le duc s'initiait ainsi aux secrets de la navigation à voile. Parfois, il faisait reconstituer sous ses yeux un combat livré quelques jours plus tôt par les navires du roi. Il ordonnait alors, avec un sang-froid admirable, canonnades et abordages. Quand les opérations étaient terminées, il félicitait les officiers de son état-major, puis se levait, satisfait.

— Rien ne vaut l'expérience, disait-il [20].

Philippe, sur les conseils de Mme de Genlis, résolut de connaître d'un peu plus près la vie des marins et alla faire un stage à Rochefort. Hélas ! en 1778, il participa à un combat contre les Anglais au large d'Ouessant et commit tant de fautes qu'il fut bientôt la risée de la cour. Fort désappointé, il quitta la marine et revint au Palais-Royal où Stéphanie lui conseilla sagement de demeurer quelque temps dans l'ombre.

Le duc de Chartres décida alors de faire un voyage en Europe avec sa femme et sa maîtresse. Cette randonnée fut un scandale permanent.

20. Quelque temps après, Louis XVI acheta le château de Rambouillet au duc de Penthièvre. Le roi y fit construire une ferme-école, où il installa une laiterie pour Marie-Antoinette. C'est alors que la reine commanda à Sèvres les fameux « bols-seins », qui auraient été moulés sur sa poitrine... Ces petits vases en forme de mamelles étaient en porcelaine couleur chair...

A chaque étape, en effet, Philippe se couchait d'abord un moment avec Marie-Adélaïde et lui montrait que douze ans de mariage n'avaient point affaibli sa vigueur. Après quoi, il se rendait d'un pas alerte dans le lit de Mme de Genlis où il était « le plus galant et le plus hardi compagnon qu'une femme pût rêver ».

Certaines nuits, Stéphanie, tourmentée par un feu intime inextinguible, exigeait de son amant des prouesses stupéfiantes. « Le futur régicide, nous dit Julien Darbois, dans son style savoureux, avait heureusement un tempérament peu commun. Après avoir donné le picotin à sa maîtresse, il ne demeurait incapable de jouter qu'un très court moment. A peine le temps de reprendre son souffle. Un geste amical de sa partenaire suffisait alors pour lui faire reprendre un beau relief... »

Ces exploits quotidiens n'empêchaient pas le duc de chercher d'autres satisfactions dans de mauvais lieux. Bien souvent, nous dit Julien Darbois, « la voiture était déjà prête à partir, les malles arrimées et les chevaux piaffants, que Philippe se trouvait encore dans la couche d'une fille, en train de se délester d'un trop-plein de virilité avant le voyage »[21].

Le souvenir qu'il laissait à ces « pèlerines d'amour », comme on les appelait, n'était pas très bon, si l'on en croit Montgaillard.

« Ses turpitudes à Berne, écrit ce diplomate, révoltaient jusqu'aux prostituées qui s'y abandonnaient ; il restait parfois cinq jours enfermé dans l'établissement de bains appelé La Matta et se livrait à tous les excès que peuvent enfanter le cœur le plus corrompu et l'imagination la plus dépravée[22]. »

A son retour à Paris, Philippe allait parachever son œuvre de libertin en transformant le Palais-Royal en un immense lupanar...

2

Mme de Buffon veut que Philippe d'Orléans soit roi

> L'ambition démesurée d'une femme
> peut conduire le monde à la catastrophe.
>
> SAINTE-BEUVE

Le 1er janvier 1781, le duc d'Orléans fit venir Philippe dans son cabinet et lui dit, en présence de Mme de Montesson :

— Mon fils, voici le moment où la coutume veut que chacun fasse des cadeaux à ceux qu'il aime. Cette année, pour les étrennes, j'ai décidé de vous offrir le Palais-Royal.

Le duc de Chartres était un prince bien né. Le fait de recevoir un palais à la place d'une boîte de crottes de chocolat ne l'étonna pas. Il

---

21. JULIEN DARBOIS, *Mme de Genlis amoureuse.*
22. Comte DE MONTGAILLARD, *Souvenirs,* publiés par Clément de Lacroix, 1895.

remercia néanmoins avec gentillesse, mais jugea superflu d'embrasser son papa.

— C'est sur les conseils de Mme de Montesson que je vous fais ce cadeau, ajouta le duc d'Orléans.

Philippe détestait sa belle-mère. Il lui sourit mais ne réussit point à cacher l'envie qu'il avait de la mordre. Ce qui assombrit un peu la joie du duc d'Orléans à qui rien n'échappait.

— Je pense que ce cadeau vous fait plaisir, dit-il pourtant. Qu'allez-vous en faire ?

Depuis longtemps, Philippe pensait au moment où le Palais-Royal lui appartiendrait et, bien souvent, il avait imaginé l'usage qu'il en ferait. Aussi répondit-il sans hésitation à son père :

— Je vais y installer des boutiquiers...

Le duc devint blême.

— Vous n'y pensez pas !

— Si. Je vais faire encadrer le Jardin de galeries, et vendre très cher à des commerçants le droit d'y attirer leurs pratiques. Cela me permettra de payer mes dettes et de m'acheter des chevaux...

Le duc d'Orléans était trop grand seigneur pour reprendre un cadeau. Il se contenta de faire la grimace.

Quant à Mme de Montesson, responsable du scandale qui se préparait, elle éclata en sanglots, pensant que c'était la seule forme de désapprobation qu'elle pût adopter dans sa situation difficile.

Laissant son père défiguré et sa belle-mère les joues luisantes, Philippe, nouveau propriétaire du palais construit par Richelieu, s'en alla annoncer la bonne nouvelle à ses deux femmes, Marie-Adélaïde et Mme de Genlis.

Lorsqu'ils surent que le duc de Chartres voulait installer des commerçants à l'intérieur du Palais-Royal, les Parisiens furent scandalisés. Certains l'insultèrent, et Louis XVI, ravi de ce changement d'attitude dont il allait bénéficier, invita Philippe à Versailles. Il le reçut en badinant :

— Alors, mon cousin, dit-il, puisque vous ouvrez boutique, sans doute ne vous verra-t-on plus que le dimanche...

La plaisanterie toucha peu le duc de Chartres, habitué aux railleries. Il continua de faire construire les bâtiments que nous connaissons, et répondit à toutes les critiques avec un esprit qui, finalement, ramena les rieurs de son côté.

Un jour qu'on lui disait :

— Jamais vous ne pourrez terminer une construction aussi coûteuse.

— Ne craignez rien, répondit-il. J'ai largement de quoi bâtir, puisque chacun me jette la pierre...

Au mois de juin 1782, les galeries du Palais-Royal furent ouvertes au public, qui s'y rua.

Philippe ayant réuni sous les galeries tous les moyens de se distraire, le lieu devint rapidement « le centre de tous les vices » et des centaines de prostituées vinrent s'y installer.

Philippe eut ainsi, sous la main, de charmantes demoiselles avec lesquelles il pouvait passer de folles nuits dès que sa femme et Mme de Genlis avaient eu la gentillesse de s'aller coucher...

Au petit matin, il revenait vers Stéphanie, qui avait toujours autant d'influence sur son esprit. Un jour, il la nomma « gouverneur » de ses enfants. Dès que la chose fut connue, tout Paris éclata de rire, et aussitôt des gens malicieux firent courir le bruit que — tout étant désormais possible — l'énorme duc de Luynes allait devenir nourrice du dauphin...

Des couplets ironiques fleurirent au coin des rues ; on chantait :

Aujourd'hui prude, très galante,
Tour à tour folle et docteur,
Genlis, douce gouvernante,
Deviendra donc gouverneur ;
Mais, toujours femme charmante,
Saura remplir son destin :
On peut bien être pédante
Sans cesser d'être catin...

Ce qui n'était pas gentil.

Mme de Genlis traita ces insultes par le mépris et continua de former Philippe selon les « doctrines philosophiques ». Son rêve était d'en faire un héros populaire. Pour cela, tous les moyens lui étaient bons. En 1784, huit mois après le premier vol de la Montgolfière, elle fit monter son amant dans le ballon des frères Robert.

— Je compte aller à Orléans, dit simplement le duc à la foule venue dans le parc de Saint-Cloud assister à l'envol.

Hélas ! dès le décollage, les choses se gâtèrent. Philippe ayant jeté tout son lest au départ, se trouva transporté en un bond gigantesque jusqu'à 3 000 mètres d'altitude, et dut percer l'enveloppe de sa *Caroline* pour redescendre. La chute fut vertigineuse, l'arrivée au sol, brutale, et l'effroi des témoins, indescriptible.

L'atterrissage ayant eu lieu non pas à Orléans, mais tout simplement dans le parc de Meudon, tout Versailles éclata de rire. Ulcéré, cette fois, Philippe jura de montrer à la cour qu'il fallait compter avec lui...

Une occasion allait se présenter.

Alors que le Parlement continuait sa lutte sourde contre le pouvoir royal, Louis XVI réunit les parlementaires le 19 novembre 1787 dans la grand-chambre du Palais de Justice pour faire enregistrer un édit l'autorisant à émettre 420 millions d'emprunt.

Le duc d'Orléans [23], qui s'était gorgé de vin « afin que cette liqueur,

---

23. Philippe avait droit à ce titre depuis la mort de son père, survenue en 1785.

en allumant son sang, fît naître dans son âme l'audace et le courage qu'il n'avait pas naturellement », prit place non loin du roi. Quelques amis de Philippe ayant demandé si l'édit serait mis aux voix, Lamoignon répondit :
— Si le roi était obligé de conformer sa volonté à celle de la majorité, alors ce serait celle-ci qui dicterait la loi, et non le monarque, ce qui ne saurait s'allier avec la constitution de notre gouvernement, qui est une monarchie et non une *aristocratie*[24].

Les partisans de Philippe protestèrent et réclamèrent un vote. Pour toute réponse, le roi se leva et dit :
— J'ordonne que l'édit soit transcrit sur les registres de mon Parlement pour être exécuté suivant sa forme et teneur.

A peine s'était-il rassis que le duc d'Orléans se leva à son tour. Immédiatement, l'Assemblée se tut.

La tête farcie des discours de Mme de Genlis, l'esprit vacillant à cause du vin, Philippe considéra Louis XVI avec insolence et cria :
— Cet enregistrement est illégal !

Jamais une telle critique n'avait été lancée publiquement à un roi de France. Le monarque fut stupéfait. Il balbutia :
— C'est légal parce que je le veux !

Prononcé avec autorité, ce mot était digne de Louis XIV ; bredouillé, il devenait une maladresse.

Fort ému, Louis XVI leva la séance et rentra à Versailles tandis que Philippe était acclamé par les parlementaires.

Son intervention ouvrait la voie à une révolution. Mme de Genlis exulta...

Le lendemain, Philippe reçut du roi un ordre d'exil immédiat.

En lisant le billet qui l'envoyait à Villers-Cotterêts, il entra dans une violente colère et « donna de grands coups de pied dans un buffet en hurlant des obscénités ». Après quoi, soulagé, il fit ses malles, monta dans un carrosse et partit pour sa nouvelle résidence en compagnie de Marie-Adélaïde.

Le voyage fut morose. Secoué dans sa voiture par le vent de novembre, l'exilé pensait avec tristesse aux deux femmes qu'il laissait à Paris.

Depuis que Mme de Genlis, trop occupée par l'éducation des enfants dont elle avait la charge, ne pouvait répondre que par intermittence à son désir, le duc d'Orléans avait pris, en effet, deux remplaçantes.

Car il fallait bien deux femmes pour tenir, dans un lit, la place de l'ardente comtesse. Ces élues étaient Mme de Buffon et une Anglaise, Mme Elliott.

La première, née Françoise-Marguerite Bouvier de Cepoy, mais surnommée Agnès, avait épousé le comte Louis de Buffon, fils du grand naturaliste. Il était si bête que Rivarol l'appelait « le plus

---

24. L'aristocratie, contrairement à l'opinion courante, s'oppose, en effet, à la monarchie. C'est un gouvernement exercé non pas par un seul homme, mais par plusieurs choisis parmi les meilleurs.

mauvais chapitre de l'histoire naturelle de son père». Très rapidement, Agnès avait quitté ce niais pour prendre du plaisir avec tous les messieurs qui le lui demandaient poliment.

Philippe d'Orléans l'avait installée dans une petite maison de la rue Bleue où il allait, chaque après-midi, oublier la politique...

La seconde, Grace Dalrymple Elliott, était âgée de vingt-deux ans, tout comme Agnès. Blonde, élégante, spirituelle, elle avait, en outre, un tempérament de salpêtre qui convenait aux appétits du duc. A Monceau, elle venait plusieurs fois par jour gratter à sa porte et lui demander de bien vouloir procéder à l'extinction de ses feux intimes. Philippe lui faisait alors une politesse sur un canapé, ravi de montrer à cette belle insulaire que, pas plus qu'elle, il n'était continent [25]...

La préférée était, cependant, Mme de Buffon. Le duc, amoureux comme un collégien, lui envoyait des billets tendres et la couvrait de cadeaux.

Vous êtes douce et faible comme la rosée, écrivait-il. *J'ai dans le tiroir du bureau où je travaille, une mèche de vos cheveux blonds. Votre charme n'a pas son pareil...*

Le charme de la jeune femme était, en effet, si grand qu'il avait même conquis Marie-Adélaïde. Toute heureuse de voir son libertin de mari dans le lit d'une personne distinguée, la duchesse s'était mise à genoux pour remercier le ciel. Un jour, elle avait écrit à Philippe cette admirable lettre :

Je vous avoue que, dans le principe de votre liaison avec elle, j'ai été au désespoir. Accoutumée à vous voir faire des fantaisies, j'ai été effrayée et profondément affectée lorsque je vous ai vu former un lien qui pouvait m'ôter votre affection. La conduite de Mme de Buffon, depuis que vous tenez à elle, m'a fait revenir sur les préjugés qu'on m'avait donnés contre elle. Je lui ai reconnu un attachement si vrai pour vous, un désintéressement si grand, et je sais qu'elle est si parfaite pour moi que je ne puis point ne pas m'intéresser à elle. Il est impossible que quelqu'un qui vous aime véritablement n'ait des droits sur moi, aussi en a-t-elle de véritables...

Charmante femme !

A Villers-Cotterêts, Philippe s'ennuya tant de Mme de Buffon qu'il dépêcha vers elle le baron de Besenval.

— Dites-lui de venir par n'importe quels moyens !

Quelques jours plus tard, malgré l'interdiction formelle d'approcher l'exilé, Agnès quitta Paris et se rendit, sous la neige, à Nanteuil où Philippe lui avait donné rendez-vous.

25. Mme Elliott avait été la maîtresse du prince de Galles. Spirituelle et cultivée, elle a laissé d'intéressants *Mémoires* sur la Révolution.

Durant cinq mois Mme de Buffon vint ainsi toutes les semaines faire don de son corps souple et frais à l'exilé. Après leurs ébats, les deux amants s'installaient devant un feu de bois et s'entretenaient des événements. Mme de Buffon, qui désirait voir son bien-aimé jouer un grand rôle, poussait alors Philippe à agir. Plus ambitieuse que Mme de Genlis, elle voulait qu'il fît chasser Louis XVI du trône de France et qu'il prît sa place. Naïvement, elle faisait des rêves de midinette et se voyait déjà installée à Versailles... Un soir, elle lui dit :

— Marie-Antoinette est détestée, le roi est impopulaire. La France a besoin d'un homme. Vous devez prendre la place que le Destin vous offre. Faites un geste et tout Paris sera derrière vous. Souvenez-vous de quelle façon vous avez été acclamé le 19 novembre lorsque vous vous êtes dressé contre le roi. C'est vous qui devez régner...

Philippe hocha la tête.

— Peut-être avez-vous raison. Hélas ! voyez ma situation. La reine est détestée, le roi impopulaire, mais ils conservent le pouvoir. A peine ai-je prononcé une parole qu'on m'a signifié ma disgrâce et mon exil...

Le découragement de Philippe effraya Mme de Buffon.

— Il faut lutter, dit-elle, et pour chasser les Bourbons, ameuter le peuple qui est de tout cœur avec les Orléans. Financez des mouvements de foule et vous affolerez la cour. On parle de réunir les états généraux. Profitez-en pour montrer votre autorité [26].

Philippe promit, rêvant lui aussi d'un couronnement à Notre-Dame et d'une Marie-Antoinette enfin humiliée...

Cette conversation, qui est rapportée par plusieurs historiens et par un mémorialiste, indique clairement le rôle joué par Agnès dans la vie de Philippe d'Orléans. Certains ont voulu présenter la blonde comtesse comme une petite femme insignifiante, étrangère aux intrigues et dépourvue de velléités ambitieuses. Voilà qui met les choses au point. D'ailleurs le duc lui-même s'exprima, à ce sujet, de façon catégorique dans une lettre qu'il écrivit au début de la Révolution :

J'exige de vous, écrivait-il à son correspondant, que vous ne montriez jamais cette lettre à Agnès, elle me dévisagerait si elle voyait ces jérémiades. Cette femme est un diable, elle m'aiguillonne sans cesse et, à l'entendre, je devrais être roi depuis longtemps. Quand ces faibles créatures se sont mis les grandeurs en tête, elles sont cent fois plus ambitieuses que les hommes. Leur turbulent instinct n'est point arrêté par la réflexion, leur imagination ardente franchit tous les obstacles. Tout s'aplanit devant elles, et leur vanité convoite un royaume, comme s'il ne coûtait pas plus qu'un joujou. Il n'y a que l'exécution qui leur plaise ; vouloir, pour elles, c'est agir ; agir, c'est réussir. Les intermédiaires, les lieux, le temps, l'espace, tout cela n'est compté pour rien. En vérité, le feu roi de Prusse était bien heureux de s'en passer [27].

26. Augustin Brice, *Madame de Buffon*, et le comte de Flins, *Mémoires*.
27. Lettre citée par le docteur Cabanès.

Au mois d'avril 1788, après cinq mois d'exil, Philippe d'Orléans fut autorisé à rentrer à Paris. Dès qu'il eut regagné le Palais-Royal, il commença à s'entourer d'hommes sûrs et engagea, comme « secrétaire de ses commandements », l'un des plus diaboliques personnages du temps, Pierre Choderlos de Laclos, franc-maçon comme lui et auteur de ces *Liaisons dangereuses,* qui, six ans plus tôt, avaient provoqué un scandale.

Avec l'appui de cet homme ambitieux, Philippe pensa qu'il pourrait tenir la promesse faite à Mme de Buffon...

Au début d'août 1788, il ne restait plus que quatre cent mille francs dans les caisses de l'État [28]. Les notables n'ayant pu se mettre d'accord sur le système d'impôts nouveaux à appliquer aux Français sans distinction de classe, il devint nécessaire de convoquer les états généraux pour régler le problème financier. Seule, cette assemblée, qui n'avait pas été réunie depuis 1614, pouvait décider de l'établissement d'une subvention territoriale et d'une réforme fiscale capable de renflouer rapidement le Trésor. Le 8 août, Brienne annonça la convocation des états généraux pour le 1er mai 1789.

Aussitôt, l'agitation qui régnait en France depuis quelque temps redoubla, et l'on se prépara dans la fièvre à élire les députés qui devaient siéger au printemps à Versailles. Philippe d'Orléans comprit que le moment était favorable à une attaque de vaste envergure dirigée contre Louis XVI. Il demanda à Laclos de rédiger un texte destiné à servir de modèle aux « cahiers de doléances » où, suivant la coutume, les électeurs devaient consigner leurs réclamations et leurs vœux.

Laclos s'exécuta et remit quelques jours plus tard à son maître « une véritable bombe destinée à détruire la monarchie traditionnelle ».

Philippe, fort satisfait, envoya ce texte dans toute la France. On y trouvait un article précisant que « tous les maux de la nation provenant du pouvoir arbitraire du roi, il était nécessaire d'établir une constitution qui définirait les droits du roi et de la nation ». Seize autres paragraphes concernaient la réforme fiscale, la réforme judiciaire, l'abolition des privilèges, la religion, etc. L'ensemble, qui contenait toute la Révolution et qui devait, un jour, prendre le nom de « principes de 1789 », se retrouva dans la majorité des cahiers de doléances [29]...

Ravi de ce premier exploit, Philippe, toujours poussé par Mme de

---

28. C'est à ce moment que Mme d'Harvelay, qui était intimement liée avec M. de Calonne, ex-contrôleur général des finances alors en exil, fit solliciter par M. de Breteuil la permission d'aller voir son amant en Lorraine. Le roi, qui ce jour-là n'était pas de bonne humeur, refusa.
— Sire, reprit avec insistance M. de Breteuil, la comtesse serait...
— Que votre comtesse aille se faire f... ! interrompit le roi.
— Mais, sire, ce n'est pas pour autre chose, répliqua en souriant le diplomate.
Le roi, désarmé, éclata de rire et signa l'autorisation.
29. Certaines sénéchaussées envoyèrent leurs cahiers de doléances en indiquant ingénument que le texte en avait été rédigé « d'après les instructions de Mgr le duc d'Orléans ».

Buffon qui, plus que jamais, rêvait d'habiter Versailles, se fit élire député de la noblesse par le petit bailliage de Crépy-en-Valois. Geste démagogique qui fortifia sa popularité. Puis il songea à organiser une armée de provocateurs « capable de jeter dans Paris une telle confusion et une telle épouvante que les Parisiens se vissent contraints, pour leur propre sûreté, de s'insurger eux-mêmes »[30].

Cette troupe d'énergumènes fit ses premières armes dans le faubourg Saint-Antoine, le 27 avril 1789, en allant raconter aux ouvriers du marchand de papiers peints Reveillon que leur patron avait déclaré qu'un homme pouvait vivre avec quinze sous par jour. Dans l'état d'exaspération où se trouvaient alors les esprits, de tels propos furent accueillis par des « transports de haine ».

Sans même prendre la peine de vérifier l'authenticité des paroles rapportées, les ouvriers, qui avaient bien du mal à se nourrir par ces temps de famine[31], poussèrent des cris de mort.

— Il faut le tuer ! l'assommer ! brûler sa maison !...

Alors, les meneurs à la solde de Philippe dirigèrent la destruction systématique de la fabrique, pillèrent l'appartement de Reveillon et brûlèrent ses meubles. Le régiment de « Royal-Cravates »[32] vint au galop pour rétablir l'ordre. Il fut reçu à coups de pierres, à coups de hache, à coups de pistolet, et la manifestation se transforma en bataille. Le soir, le lieutenant de police fit relever 130 morts et 350 blessés...

Cette première émeute allait monter les esprits et donner « le goût du sang » aux Parisiens. Le lendemain matin, dans le faubourg Saint-Antoine, des ouvriers, qui avaient toujours vécu paisiblement, promenaient des cadavres sur des brancards en disant :

— Ces hommes voulaient défendre la patrie ; citoyens, il faut les venger !

Et, nous dit Joinard, « les poings se serraient »...

Au Palais-Royal, Philippe, Laclos et Mme de Buffon pouvaient se réjouir. La Révolution était commencée...

Le 5 mai, les états généraux tinrent leur séance inaugurale dans l'ancienne salle des Menus-Plaisirs. Philippe y siégea, non point à la place qui lui revenait comme prince du sang, aux côtés du roi, mais, ostensiblement, parmi les nobles aux idées *avancées*.

Dès le lendemain, il vit avec plaisir que les états allaient diviser définitivement le royaume. Quand vint le moment de définir les pouvoirs des députés, un conflit s'engagea, en effet, entre le Tiers et la Noblesse sur la question du vote par ordre ou par tête. Problème

---

30. MONJOIE, *Histoire de la conjuration de L.-P. d'Orléans, surnommé Égalité,* 1800.
31. Les récoltes de 1788 avaient été très mauvaises et la misère s'était accrue pendant l'hiver de 1788-1789. Celui-ci fut d'une rigueur exceptionnelle, puisque la Seine avait gelé jusqu'au Havre.
32. Ce régiment de cavalerie légère avait été créé par Louis XIV, à l'imitation des escadrons croates, et nommé Royal-Croates. Chaque cavalier portait autour du cou un morceau de tissu noué sur la poitrine qu'on appela, d'abord, une *croate,* puis une *cravate.* Nom qui fut donné finalement au régiment.

capital, car, si l'on votait par ordre, la majorité était assurée au clergé et à la noblesse ; si l'on votait par tête, elle était acquise aux députés du Tiers, plus nombreux que ceux des deux ordres réunis (584 contre 561).

Pendant six semaines, on discuta sans parvenir à une entente. Excédé, le 17 juin, sur la proposition de l'abbé Sieyès, le Tiers, considérant qu'il représentait quatre-vingt-seize pour cent de la nation, se déclara Assemblée Nationale.

Le 21 juin, après le serment du Jeu de Paume, la majorité du Clergé vint siéger avec le Tiers.

Après avoir tenté de rétablir les trois ordres, Louis XVI dut, le 9 juillet, ordonner à la Noblesse de se joindre à l'Assemblée Nationale. Aussitôt, celle-ci décida d'élaborer une Constitution et prit le nom d'Assemblée Constituante...

Philippe et Mme de Buffon fêtèrent le début de cette révolution politique comme une victoire.

— Il faut maintenant, dit la charmante jeune femme, que le peuple entier se révolte et oblige le roi à abdiquer.

Aussitôt, des mesures furent prises par le duc d'Orléans. Écoutons Monjoie : « Pour que les mouvements de la capitale fussent répétés le même jour dans toute la France, il s'assura des courriers fidèles qui devaient aller prévenir les conjurés de province des mouvements qui auraient lieu dans Paris et de l'heure où ils se produiraient.

» Quant à Paris même, il imagina un stratagème singulier et assez ingénieux pour donner le signal d'une émeute. Il avait fait construire des jets d'eau, de distance en distance, autour de ce bâtiment informe qu'on voit encore aujourd'hui au milieu du jardin de son palais. Les principaux chefs qu'il employait à soulever le peuple, et qui recevaient directement de lui leurs ordres, devaient être attentifs au jeu de ces jets d'eau. Si un seul jouait, il désignait par son rang parmi les autres le quartier de Paris qu'il s'agissait de soulever. Si tous ceux d'un côté allaient à la fois, c'était alors, ou la partie nord, ou la partie sud de Paris qui devait agir. Si tous à la fois jouaient, c'était alors le signal d'une insurrection générale. Par ce moyen, il communiquait ses ordres en un clin d'œil ; l'exécution arrivait à l'heure même qu'il avait fixée ; il était dispensé de communiquer avec les subalternes, et il évitait tous les dangers d'une correspondance écrite [33]. »

En même temps, Philippe continuait de salir Marie-Antoinette par tous les moyens. Chaque jour, des gazetiers qu'il appointait publiaient des chansons, des pamphlets et des libelles orduriers contre la malheureuse souveraine. Cette littérature, pourtant excessive, porta ses fruits, et chacun prit plaisir à ajouter son mot. Une anecdote, rapportée par Sébastien Mercier, le prouvera : « On lisait alors ces quatre lettres M.A.C.L., sur la façade d'une infinité de maisons ; cela voulait dire :

33. MONJOIE, *op. cit.*

maison assurée contre l'incendie. Mais un passant malicieux s'avisa de les interpréter ainsi : Marie-Antoinette cocufie Louis [34].

» Cette licence bouffonne, ajoute Sébastien Mercier, fit le plus grand tort au roi que le hasard attaquait jusque dans l'arrangement de quelques lettres, et l'on trouva plusieurs fois ces deux vers, parodiés de Voltaire, affichés au coin des rues :

Les cornes ne sont pas ce qu'un vain peuple pense :
Ils furent tous cornards, tous ces beaux rois de France [35]. »

Excité par une poignée de meneurs à la solde de Philippe d'Orléans, le bon peuple parisien fut, dès le début de juillet, dans un état de nervosité qui ne présageait rien de bon. Le 12, les nouvelles barrières des fermiers généraux furent brûlées ; le 13, la foule alla piller le garde-meubles pour s'emparer d'armes anciennes ; le 14, enfin, un groupe de braillards s'empara de la Bastille.

Philippe était en train de déjeuner dans sa folie de Monceau, en compagnie de Mme Elliott, Bailly et La Fayette, quand on vint lui annoncer que la vieille prison dont Louis XVI envisageait la destruction depuis 1786 était prise [36]. Ses invités le quittèrent précipitamment pour aller aux nouvelles. Dès qu'il fut seul, il fit venir Mme de Buffon, et tous deux se réjouirent fort « d'un événement qui, dans leur esprit, les rapprochait du trône »...

Pour fêter cette nouvelle victoire, ils se mirent au lit.

Et, comme le dit malicieusement Jacques Malvy, « le premier feu d'artifice du 14 juillet fut ainsi tiré sur la pelouse de Mme de Buffon... [37] ».

3

La Révolution commence par une orgie

En toute chose, il faut considérer la fin.

sagesse des nations

La propagande « patriotique » de Philippe d'Orléans et de ses amis ne tarda pas à porter ses fruits.

Au mois de septembre, des émeutes quotidiennes éclatèrent à Paris où le pain manquait. L'année précédente, un extraordinaire ouragan de grêle avait haché une partie de la moisson depuis les bords de la

---

34. Sous la Restauration, on donna à ces lettres un autre sens : « Mes amis, chassons Louis... »
35. SÉBASTIEN MERCIER, *Paris pendant la Révolution.*
36. Prise symbolique, on le sait, puisque la forteresse ne contenait que sept prisonniers : quatre faussaires, un criminel et deux fous...
37. *Un prince régicide : Philippe d'Orléans.*

Charente jusqu'à ceux de l'Escaut, et la farine était devenue une denrée rare.

Malgré cette disette, le 1er octobre, Louis XVI commit la maladresse d'offrir un repas aux officiers du régiment de Flandre. Marie-Antoinette y parut, tenant le dauphin dans ses bras, et l'on sabla le champagne, tandis que l'orchestre jouait : « Ô Richard, ô mon roi, l'univers t'abandonne », ce qui était un chant curieusement prophétique...

Ce banquet fit mauvaise impression sur les petites gens, et les amis du duc d'Orléans en profitèrent pour crier au scandale et dresser le peuple contre la cour.

Distribuant de l'argent, rassemblant des mécontents, ils préparèrent minutieusement une « réaction spontanée ». Quatre jours leur furent, pour cela, nécessaires. Le 5 octobre, une foule hurlante quittait Paris, dirigée par le sergent Maillard, et marchait sur Versailles.

On a dit et répété qu'il s'agissait de braves Parisiennes dont les enfants avaient faim et qui allaient réclamer du pain au roi. En réalité, on sait aujourd'hui que les huit mille femmes conduites par Maillard et encadrées par des émeutiers à la solde du duc d'Orléans, comprenaient beaucoup de travestis. Ceux-ci étaient « aisément reconnaissables à leur voix masculine, à leur visage mal rasé et mal fardé, à leurs robes mal portées, sous lesquelles, dans le désordre de l'action, plus d'un d'entre eux laissait voir une poitrine velue, trop dépourvue du développement mammaire caractéristique des femmes » [38].

A ces fausses ménagères, les amis du futur Philippe-Égalité avaient joint plus de trois mille filles publiques recrutées dans les faubourgs et dans la population galante du Palais-Royal.

Le groupe orléaniste était habile. Il savait qu'un tel élément allait jeter le désordre dans les troupes françaises et étrangères préposées à la garde du château.

Cette furieuse mascarade avança sur la route de Versailles dans un bourdonnement de cris, d'insultes, de grossièretés. On entendait :

— Du pain ou les tripes de la reine. On va lui tordre le cou à cette putain-là ! A mort !

Dans chaque village, les bacchantes abandonnaient les canons peints en rouge qu'elles tiraient pour aller enfoncer des devantures, saccager des caves et vider des bouteilles...

De braves gens cachés derrière leurs volets clos s'inquiétaient :

— Qui sont ces ivrognesses ? Comment ont-elles eu des canons ? Qui donc les dirige ?

Certains pensaient que quelques membres du Parlement devaient être derrière ce soulèvement. D'autres soutenaient que des trafiquants de farine voulaient créer le désordre et s'enrichir, mais personne n'imaginait que cette foule hurlante pouvait être payée par un prince du sang et annoncer une révolution.

38. Louis Gastine, *Les jouisseurs de la Révolution.*

Quand la colonne se trouva devant le palais, Maillard fit chanter la célèbre chanson : « Vive Henri IV ». On remarqua alors que les voix étaient fortement avinées...
Les filles du Palais-Royal commencèrent sans tarder la besogne pour laquelle on les avait engagées. Aguichant les soldats du régiment de Flandre, elles se laissèrent lutiner et prendre au pied des arbres, parmi les bouteilles vides et les papiers gras. Les allées qui menaient aux grilles du château ressemblèrent alors à une foire. On y buvait, on y chantait, on y faisait l'amour sans aucune pudeur...
Le soir, Louis XVI reçut dans la salle du Conseil une délégation de cinq femmes. Celle qui devait prendre la parole, une toute jeune ouvrière en sculpture, Louison Chabry, troublée à la vue du roi, murmura :
— Du pain...
Et s'évanouit.
Quand elle fut revenue à elle, Louis XVI parla avec beaucoup de gentillesse :
— Mes pauvres femmes, je n'ai pas de pain dans ma poche ; mais vous pouvez aller dans les offices, vous y trouverez des provisions ; pas autant qu'autrefois, mais enfin vous y prendrez ce qui s'y trouvera...
Puis il annonça qu'il envoyait l'ordre d'amener des grains de Senlis pour approvisionner Paris, et embrassa Louison.
Les cinq femmes ressortirent du palais, ravies.
— Vive notre bon roi ! disaient-elles. Demain, nous aurons du pain.
Les mégères et les filles de joie, furieuses de voir la tournure que semblaient prendre les événements, accusèrent Louison et ses compagnes de s'être laissé acheter. Insultées, bousculées, les pauvres filles furent traînées sous un réverbère pour y être pendues. Déjà on leur passait une jarretière autour du cou, lorsque l'officier du poste de la grille parvint à les dégager.

Tandis que les mégères continuaient de vociférer devant le palais, Maillard rassembla les filles de joie les plus avenantes pour les conduire à l'Assemblée Constituante. Il en trouva une centaine que suivirent quelques poissardes.
L'arrivée de cette troupe féminine dans la salle des séances produisit un désarroi indescriptible parmi les députés.
— Attendez, mes petits cocos, disaient les filles, on va s'aimer !
Le président, écœuré de voir ces prostituées, ivres pour la plupart, se coucher sur les bancs, vomir, ou faire des agaceries aux représentants du peuple, se leva et disparut.
Aussitôt, la femme Landelle s'empara du fauteuil, s'y installa, agita la sonnette et cria :
— Approchez ! Approchez ! Venez nationaux ! Je donne la parole !
Indignés, quelques députés quittèrent l'Assemblée. Les autres, mainte

nus par les filles qui s'asseyaient sur leurs genoux, les embrassaient et leur faisaient mille cajoleries, durent rester dans la salle.

Des scènes érotico-burlesques se déroulèrent alors sur chaque banc. Les prostituées, soulevant leurs jupes, montraient à tout un chacun la source de leurs revenus, et il s'ensuivait naturellement un grand trouble chez les députés. Bientôt, ceux qui possédaient un sang vif se laissèrent tenter... Les autres suivirent. Et, pendant deux heures, la salle de l'Assemblée Constituante fut transformée, nous dit-on, « en un vaste clapier ».

Lorsque l'orgie fut terminée, chaque représentant du peuple rentra à son hôtel, suivi d'une ou de plusieurs gourgandines ; et l'on raconte qu'une bacchanale effrénée eut lieu dans un établissement de bains...

Tous les députés étaient finalement ravis de cet intermède galant. Tous, sauf un, qui avait peur des femmes et demeurait à trente et un ans dans l'état virginal de sa naissance : Maximilien Robespierre.

Le pauvre avait connu un grand embarras lorsqu'une fille était venue s'asseoir sur ses genoux. Craignant de ne pas savoir agir, il s'était contenté de lui parler politique et de commenter pour elle les événements de la journée. Le soir, un peu émoustillé tout de même, il la laissa venir dans sa chambre et perdit — entre autres choses — sa timidité.

Le lendemain matin, mégères, poissardes et filles de joie étaient de nouveau devant le palais. Armées de piques, de bâtons et de massues, elles criaient des mots terrifiants.

— A mort ! Allons chez la reine couper sa tête, fricasser ses foies.

D'autres parlaient de faire des cocardes avec les entrailles de « cette sacrée coquine ».

A dix heures, le roi parut au balcon pour déclarer qu'il acceptait d'être conduit à Paris et de s'y fixer désormais...

La foule célébra bruyamment sa victoire et Louis XVI rentra penaud dans son appartement. Une monarchie vieille de treize siècles s'écroulait...

Deux heures plus tard, les souverains, entourés de braillardes échevelées, prenaient la route de la capitale.

Cette fois, la Révolution était en marche...

Devant le carrosse royal, des femmes portaient, fichées sur une pique, les têtes de deux gardes égorgés le matin. Derrière, recroquevillé au fond d'une voiture, un homme considérait avec haine cette populace qui insultait l'être qu'au monde il aimait le plus. C'était Fersen.

La main sur son épée, il se tenait prêt à bondir dans la foule et à mourir pour Marie-Antoinette...

A Paris, la foule acclama « le boulanger, la boulangère et le petit mitron » ; mais les amis de Philippe d'Orléans créèrent en plusieurs endroits des incidents regrettables. A Auteuil, des voyous crachèrent dans le carrosse ; à Chaillot, un ouvrier boulanger lança des fruits pourris sur les chevaux et, rue Saint-Honoré, on vit une prostituée retrousser ses jupes et montrer sa croupe aux souverains peinés...

Le soir même, certains membres de l'Assemblée Constituante commentaient avec joie ces événements.

Ils eussent été moins détendus s'ils avaient pu deviner qu'ils étaient presque tous atteints d'une mauvaise maladie dont les filles de joie du sergent Maillard devaient être tenues pour responsables...

4

Théroigne de Méricourt, Messaline de la Révolution

A certain moment, son hystérie devint civique.

Ch. LÉNIENT

Tandis que l'Assemblée Constituante continuait ses travaux et que l'aristocratie, suivant l'exemple du comte d'Artois, allait se réfugier à l'étranger, la colère du peuple, habilement exploitée, prit des proportions inquiétantes.

Une frénésie de meurtre s'empara de la France, et l'on put entendre un député s'écrier :

— Je ne reconnais de vrais patriotes que ceux qui, comme moi, sont à même de boire un verre de sang !

Ce qui était un critère assez inattendu...

Il faut dire que les braves gens qui composaient la foule étaient encadrés par des individus extrêmement louches, venus de l'étranger ou de province dans l'espoir de piller tout à leur aise [39], et surtout de femmes peu recommandables.

Ce sont ces femmes qui furent les principales responsables des atrocités commises pendant la Révolution française. Sans elles, le formidable bouleversement qui secoua le pays n'eût pas été aussi sanguinaire ; sans elles, la Terreur n'eût pas eu lieu, sans elles, Louis XVI n'eût peut-être pas été guillotiné...

Voici d'ailleurs comment les jugeait un conventionnel, Philippe Drulhe : « Quand la tête du condamné tombe sous le glaive de la loi, un être immoral et méchant seul peut s'en réjouir.

» Il faut le dire, à l'honneur de mon sexe, si l'on rencontre quelquefois ce sentiment féroce, ce n'est guère que dans les femmes ; en général, elles se montrent plus avides que les hommes de ces scènes sanglantes ; elles regardent sans frémir le jeu de ce glaive moderne, dont la description seule fit pousser un cri d'horreur à l'Assemblée Constituante qui ne voulut jamais en entendre la fin : mais c'était une assemblée d'hommes ; les femmes sont cent fois plus cruelles. »

Plus loin, il ajoute :

« On remarque que ce sont elles qui, dans les mouvements populaires,

39. En 1793, Vergniaud signalait, par opposition au « bon peuple de Paris » : « Quelques scélérats accourus de toutes les parties de la République pour vivre de pillage et de meurtre dans une ville dont l'immensité et les agitations ouvraient la plus grande carrière au crime. » (Discours-réponse à Robespierre).

se signalent par les plus horribles abandons, soit que la vengeance, cette passion chérie des âmes faibles, soit plus douce à leur cœur, soit que, lorsqu'elles peuvent faire le mal impunément, elles saisissent avec joie l'occasion de se dédommager de leur faiblesse, qui les met dans la dépendance du sort. Du reste, on sent bien que ceci ne s'applique point aux femmes en qui l'éducation ou la sagesse ont conservé ces douces mœurs qui sont leur plus bel apanage. Je ne parle que de celles qui n'ont jamais connu les vertus de leur sexe, et qu'on ne retrouve guère que dans les grandes villes, qui sont l'égout de tous les vices[40]. »

Philippe Drulhe avait raison. Les femmes qui vociféraient, demandaient la mort, se piquaient des cocardes au bonnet, fouettaient les religieuses, traînaient des canons ou braillaient des refrains obscènes, n'étaient pas des personnes de bonne compagnie.

Elles venaient pour la plupart, je l'ai dit, du Palais-Royal où elles exerçaient la profession bien rétribuée de fille publique.

Ces harpies, qui devaient devenir un jour les fameuses *tricoteuses*[41], étaient privées de travail depuis qu'une loi réglementait la prostitution : aussi demandaient-elles à la politique les ressources que le plaisir ne leur donnait plus.

Certaines étaient chargées de verser de l'argent aux membres des gardes-françaises pour qu'ils se solidarisassent avec le peuple. D'autres, plus jolies, payaient de leur personne... Dans tout Paris, d'anciennes prostituées, portant le pistolet à la ceinture, se faisaient trousser pour la nation.

Un soir de juin, près du Roule, un groupe de ces ardentes patriotes rencontra un détachement de cavaliers.

— Arrêtez, dit celle qui avait le plus de voix, et criez : « Mort au roi ! »

Les militaires n'étaient pas ralliés à la Révolution. Ils voulurent continuer leur chemin. Alors les femmes se précipitèrent autour des chevaux, et, remontant leurs jupes, « exhibèrent leurs charmes les plus secrets ».

Les cavaliers ralentirent leurs montures.

— Tout cela est pour vous, citoyens, si vous criez avec nous : « Mort au roi ! »

Cette fois, les cavaliers s'arrêtèrent et regardèrent plus attentivement ce qu'on leur montrait.

« Leur air, précise un témoin, était embarrassé... »

Une petite blonde de dix-sept ans, les voyant hésiter, exécuta sur le bord de la route une danse lubrique capable d'émoustiller à la fois les militaires et leurs chevaux...

« Elle avait sorti ses seins, nous dit un mémorialiste, et les présentait

---

40. *Archives parlementaires* de 1787 à 1860.
41. Les « bonnes républicaines », connues pour leur civisme, étaient autorisées à assister, à des places spéciales, aux fêtes nationales avec leurs maris et leurs enfants, et à y tricoter.

sur le plat de ses mains, tandis que sa croupe frétillait à la façon d'un derrière de canard.

Alors toutes les donzelles vinrent lui soulever les jupes et découvrirent, aux yeux des cavaliers fort congestionnés, le plus joli corps du monde [42].

— Si vous voulez goûter de ce fruit, dirent les femmes, criez : « Mort au roi ! »

Les hommes regardèrent leur chef. Celui-ci, les yeux littéralement hors de la tête, essayait de rassembler ses idées afin de savoir s'il existait des raisons importantes d'être royaliste. Le spectacle qu'on lui offrait l'empêcha d'en trouver. Pourtant, il hésitait encore, par dignité. Alors la petite vicieuse « fit avec sa main des simulacres déshonnêtes... ». L'effet fut immédiat ; le chef du détachement devint violet. D'une voix étranglée par le désir, il cria :

— Mort au roi !

Puis il sauta de cheval et se précipita sur la blonde citoyenne qui lui donna, dans le fossé voisin, la récompense promise. Aussitôt, tous les militaires mirent pied à terre et se placèrent en file devant le fossé. Chacun à son tour, ils poussèrent le cri de mort et rendirent un hommage fervent à la jeune personne aux seins nus.

Ayant tous consommé, ils s'apprêtaient à se remettre en selle, lorsqu'une des « donzelles », que ce spectacle avait fortement excitée, les retint.

— Si vous ne voulez pas être dénoncés comme antipatriotes, mes mignons, il faut nous prouver à chacune vos bons sentiments...

Et les cavaliers furent obligés de donner du plaisir à toutes les citoyennes présentes. Ce ne fut pas sans mal. La plupart, trahis par la nature après le quatrième hommage, durent attendre, sous les quolibets, que la vigueur leur revînt.

— Voilà de f... patriotes, criaient les charmantes femmes.

Finalement, toutes eurent leur part de plaisir, et les militaires, ravis, prirent des rendez-vous particuliers... C'est ainsi qu'un détachement entier devint révolutionnaire...

Toutes ces agitatrices ne rêvaient, bien entendu, que plaies et bosses. Voici d'ailleurs un extrait de la *Prière à Bellone*, qu'elles récitaient en chœur :

« ... Et nous aussi, nous savons combattre et vaincre. Nous savons manier d'autres armes que l'aiguille et le fuseau. Ô Bellone, compagne de Mars ! A ton exemple, toutes les femmes ne devraient-elles pas marcher d'un pas égal avec les hommes ? Déesse de la force, aie du courage. Du moins, tu n'auras pas à rougir des Françaises... »

Ces « amazones rouges » faisaient trembler jusqu'aux députés. Écoutons le comte de Vaublanc :

« Je n'entrais jamais à l'Assemblée sans passer devant une femme dont les traits, défigurés par la rage patriotique, faisaient horreur.

---

42. J.-B. PRÉRION, *Mémoires*.

Cette furie m'appelait par mon nom et m'annonçait qu'elle verrait bientôt tomber ma tête et qu'elle boirait mon sang [43]. »

Adorable créature !...

Du troupeau hurlant de ces « patriotes » en délire, quelques femmes devaient sortir et laisser un nom.

La plus célèbre s'appelait Théroigne de Méricourt. Elle n'était pas seulement patriote, elle était aussi hystérique... Ce qui allait lui donner le moyen de se faire une renommée...

Cette ardente personne, qui était née au Luxembourg, dans un petit village nommé Marcourt, s'appelait en réalité Anne-Josèphe Terwagne [44].

Avant de jouer un rôle politique en France, la future amazone mena l'existence aventureuse et souvent confortable d'une femme entretenue.

Tout commença pour elle un jour qu'elle blanchissait du linge dans la Meuse en chantant un refrain populaire. Un jeune Anglais, Mylord Spinster, qui passait sur le pont voisin, fut émerveillé et vint la contempler. Comme le corsage de la jeune chanteuse se rapportait à son ramage, il lui dit deux mots galants.

La jeune fille n'était pas farouche. Lorsqu'elle sut à qui elle avait affaire, elle laissa son linge et suivit l'Anglais d'abord à Spa, puis à Londres où elle apprit la musique et le chant.

En Angleterre, elle fréquenta, avec son amant, tous les lieux de débauche et participa à des orgies extraordinaires qui devaient la déséquilibrer à tout jamais. On aura une idée de ces fêtes lubriques d'après un passage peu ambigu des *Sérails de Londres*. L'auteur anonyme y relate une réunion organisée chez Charlotte Hayes, la tenancière d'une maison fort accueillante où Théroigne venait prendre des distractions assez lestes.

« Il se trouva à cette fête lubrique vingt-trois visiteurs de la première noblesse, des baronnets et cinq personnages de la Chambre des Communes.

» L'horloge n'eut pas plus tôt sonné sept heures que la fête commença. Mme Hayes avait engagé douze jeunes gens les mieux taillés dans la forme athlétique qu'elle avait pu se procurer : quelques-uns d'entre eux servaient de modèle à l'Académie royale, et les autres avaient les mêmes qualités requises pour le divertissement. On avait étendu sur le carreau un beau et large tapis et on avait orné la scène des meubles nécessaires pour les différentes attitudes dans lesquelles les acteurs et actrices dévoués à Vénus devaient paraître, conformément au système de l'Arétin.

» Après que les hommes eurent présenté à chacune de leurs maîtresses

---

43. Comte DE VAUBLANC, *Mémoires*.
44. Ce nom, qui se prononçait « Téroigne », prit, en France, l'orthographe que nous lui connaissons. Et ce sont les révolutionnaires qui, par un curieux paradoxe, eurent l'idée, au moment où ils voulaient supprimer la noblesse, d'anoblir Anne-Josèphe en faisant suivre son patronyme du nom (déformé) de son village...

la preuve de leur virilité sur un plateau, ils commencèrent leurs dévotions, et passèrent avec la plus grande dextérité par toutes les différentes évolutions des rites. Certains spectateurs eurent l'imagination tellement transportée qu'ils ne purent attendre la fin de la scène pour exécuter à leur tour leur partie dans cette fête cyprienne qui dura plus de deux heures, et obtint les plus vifs applaudissements de l'assemblée.

» Mme Hayes avait si bien dirigé sa troupe qu'il n'y eut pas une manœuvre qui ne fût exécutée avec la plus grande exactitude et la plus grande habileté.

» Les cérémonies achevées, on servit une belle collation, et on fit une souscription en faveur des acteurs et actrices qui avaient si bien joué leurs rôles.

» Les acteurs étant partis, les actrices restèrent ; la plupart d'entre elles répétèrent, avec plusieurs spectateurs, la partie qu'elles avaient si habilement exécutée.

» Avant que l'on ne se séparât, le vin de Champagne ruissela en abondance. Les présents faits par les spectateurs et l'allégresse des actrices ajoutèrent à la gaieté de la soirée [45]. »

Ces agréables divertissements se renouvelaient presque toutes les nuits...

Un soir, Théroigne et son amant furent témoins d'une scène assez amusante. La porte de l'accueillante maison de Mme Hayes étant restée ouverte, un passant, un peu ivre, monta sans être remarqué et pénétra dans une chambre où se trouvait un certain M. O'Thunder en compagnie de la belle Lady Loveit. Tous deux étaient en train de se livrer, sur un sofa, à des jeux passionnés.

Leur surprise fut extrême en voyant entrer un visiteur. Ils le considérèrent avec haine, mais l'ivrogne, souriant, s'assit sur une chaise et, le menton dans la main, se mit à les contempler d'un air intéressé.

— Continuez, continuez, disait-il.

« M. O'Thunder, ajoute l'auteur des *Sérails de Londres*, était si confondu et si honteux qu'il ne savait que dire, ni que faire. » Finalement, il se redressa sur un coude et s'écria :

— Il est impertinent d'interrompre ainsi les gens dans leurs amusements particuliers.

Puis il sauta sur le plancher, laissant Lady Loveit nue au milieu du sofa, saisit l'ivrogne par le col et « l'assomma d'une grêle de coups de poing ».

L'autre se mit alors à pousser de tels cris que toute la maison fut alarmée. Croyant qu'il y avait le feu, les couples sortaient des chambres et s'enfuyaient dans l'escalier complètement nus...

Au bout de quelque temps, Théroigne désira connaître la France. Spinster l'emmena à Paris où les amants eurent bientôt, si j'ose dire, de nombreux contacts avec « le monde de la débauche »... Un soir

45. *Les Sérails de Londres, ou les Amusements nocturnes*, 1801.

d'orgie, la jeune femme rencontra le chevalier Doublet, marquis de Persan, et devint sa maîtresse.

Entretenue dès lors par deux hommes, Théroigne loua une maison, eut valetaille, équipage, fourrures, et se fit appeler Mme Campinados. En 1785, elle prit un troisième amant, le ténor Giacomo David, et voulut partir avec lui pour donner des concerts en Italie. Mais le chanteur, ayant failli perdre son contre-ut à la suite d'une nuit d'amour particulièrement agitée, quitta précipitamment la France pour échapper aux étreintes furieuses de la jeune Luxembourgeoise.

Déçue, Théroigne regagna l'Angleterre avec Spinster et reprit ses amusements nocturnes.

Ce fier tempérament fit les beaux soirs de Londres pendant deux ans.

En 1786, Théroigne, qui aimait beaucoup la musique, devint la maîtresse du ténor Tenducci dont toutes les femmes d'Europe raffolaient alors.

Ce chanteur avait la voix plus solide que Giacomo David. Inquiet cependant pour son contre-ut, il quittait le lit après chaque « duo d'amour » et faisait quelques roucoulades. Lorsqu'il était rassuré sur l'état de ses cordes vocales, il rejoignait Théroigne qui l'attendait l'œil brillant et la bouche humide.

Après des nuits harassantes, les deux amants partirent pour l'Italie où Anne-Josèphe devint aussitôt la maîtresse d'un banquier.

Tenducci, qui n'était plus que l'ombre de lui-même, fut ravi d'avoir un prétexte pour abandonner cette « femelle de feu ». Il s'enfuit à Gênes, où il reprit du poids.

Livrée à elle-même, Théroigne alla de l'un à l'autre, et, un soir, lasse, en quête d'affection, elle se laissa glisser dans les bras d'un adorateur inconnu qui lui « gâta le sang »...

En 1789, elle était à Naples, quand on annonça la convocation des états généraux. Pensant qu'elle allait pouvoir connaître des émotions fortes « capables d'éteindre le feu qui la brûlait », elle vendit ses bijoux et prit la route de Paris.

Le 11 mai, elle s'installait à l'hôtel de Toulouse, rue des Vieux-Augustins, bien décidée « à aimer la patrie comme elle aimait les hommes ».

Immédiatement, elle fréquenta le jardin du Palais-Royal qui était le centre de l'agitation. Puis elle se rendit à Versailles en costume vert d'amazone et se mêla au peuple. Le premier contact ne fut pas bon. La courtisane, qui vivait depuis six ans dans des maisons confortables, entourée de luxe, soignée, parfumée, estima que ce peuple — dont pourtant elle sortait — sentait mauvais.

Pour continuer à fréquenter les émeutiers qu'elle trouvait « passionnants », elle se fit confectionner une cravache dont la pomme était faite d'une cassolette emplie d'aromates et de sels, afin, disait-elle, « de neutraliser l'odeur du tiers état ».

Après les journées d'Octobre, elle commença à fréquenter les clubs, et, le 10 janvier 1790, elle fonda le sien propre, celui des « Amis de la loi », où elle put discourir sur tous les sujets, entrer en transe et, selon le mot d'un historien, « connaître les plaisirs de l'amour en s'excitant sur les malheurs du peuple ».

La Révolution allait être voluptueuse pour Théroigne de Méricourt[46]...

Un matin de février 1790, Théroigne, vêtue d'un costume d'amazone rouge qui la moulait agréablement, se présenta au Club des Cordeliers et demanda à être introduite dans la salle des séances. Les gardes l'ayant reconnue lui ouvrirent la porte.

Son entrée fut saluée par des acclamations, et Camille Desmoulins, qui n'avait rien perdu de sa curieuse façon de s'exprimer, s'écria :

— C'est la reine de Saba qui vient voir le Salomon des districts !

Théroigne sourit et, passant devant les membres du Club qui la considéraient avec gourmandise, monta à la tribune. Tout de suite, dans un style grandiloquent, elle prit la parole d'une voix ardente.

— Oui, c'est la renommée de votre sagesse qui m'amène au milieu de vous. Prouvez que vous êtes Salomon, que c'est à vous qu'il était réservé de bâtir le temple, et hâtez-vous de construire un édifice à l'Assemblée Nationale. C'est l'objet de ma motion.

Les Cordeliers, qui avaient les yeux fixés sur la poitrine bien dessinée de Théroigne, applaudirent à tout rompre.

— Les bons patriotes, continua l'oratrice, peuvent-ils souffrir plus longtemps de voir le Pouvoir exécutif logé dans le plus beau Palais de l'Univers, tandis que le Pouvoir législatif habite sous les tentes et tantôt aux Menus-Plaisirs, tantôt dans un Jeu de Paume, tantôt au Manège, comme la colombe de Noé qui n'a point su où poser le pied...

Cette dernière image, à la vérité un peu curieuse, fut saluée par une ovation. Les membres du Club, qui, tous, auraient bien su où poser la main, acclamèrent l'amazone rouge.

La narine palpitante, Théroigne continua :

— La dernière pierre des derniers cachots de la Bastille a été apportée au Sénat, et M. Camus la contemple tous les jours avec ravissement, déposée dans ses archives ; le terrain de la Bastille est vacant ; cent mille ouvriers manquent d'occupation. Que tardons-nous, illustres Cordeliers, modèles des districts, patriotes républicains, Romains qui m'écoutez ! Hâtez-vous d'ouvrir une souscription pour élever le palais de l'Assemblée sur l'emplacement de la Bastille.

» La France s'empressera de vous seconder, elle n'attend que le signal, invitez tous les meilleurs ouvriers, tous les plus célèbres artistes,

---

46. Le docteur CABANÈS rapporte ces propos d'un mémorialiste : « Ne pouvant plus se livrer à la prostitution, parce qu'elle était rongée des maladies honteuses qui en sont la suite, elle s'était jetée à corps perdu dans la Révolution. » *(Les Indiscrétions de l'Histoire.)*

ouvrez un concours pour les architectes, coupez les cèdres du Liban, les sapins du mont Ida !...

— Coupons ! coupons ! s'écrièrent avec fougue les Cordeliers, qui lorgnaient toujours les appas de Théroigne et auraient bien voulu couper en petits morceaux les vêtements dont s'était voilée l'oratrice.

Mais Théroigne, inconsciente du trouble qu'elle jetait dans l'esprit de ses auditeurs, poursuivait sa harangue :

— Ah ! si jamais les pierres ont dû se mouvoir d'elles-mêmes, ce n'est point pour bâtir les murs de Thèbes, mais pour construire le temple de la Liberté. Et c'est pour enrichir, pour embellir cet édifice qu'il faut nous défaire de notre or et de nos pierreries. J'en donnerai l'exemple la première.

— Nous irons nus s'il le faut ! cria un Cordelier.

— Bravo ! répondit tout le Club.

— Et la citoyenne aussi ! ajouta un membre fortement congestionné.

Le débat prenait une tournure que n'avait point prévue Théroigne. Très digne, elle enchaîna :

— On vous l'a dit : les Français ressemblent aux Juifs, peuple porté à l'idolâtrie. Le vulgaire se prend par les sens : il lui faut des signes extérieurs auxquels s'attache son culte. Détournez les regards du pavillon de Flore, des colonnades du Louvre, pour les porter sur une basilique plus belle que Saint-Pierre de Rome et que Saint-Paul de Londres. Le véritable temple de l'Éternel, le seul digne de Lui, c'est le temple où a été prononcée la Déclaration des Droits de l'Homme.

Affirmation pour le moins curieuse, mais que ne remarquèrent même pas les Cordeliers tout occupés qu'ils étaient à déshabiller en pensée l'ancienne courtisane dont ils connaissaient les aventures...

Vibrante, la bouche humide, Théroigne achevait son discours :

— Les Français dans l'Assemblée Nationale revendiquant les droits de l'homme et du citoyen ; voilà sans doute le spectacle sur lequel l'Être suprême abaisse ses regards avec complaisance ; voilà l'hommage qu'il entend avec plus de plaisir que le chant des hautes et basses-contre exécutant un *Kyrie eleison* ou un *Salvum fac regem*...

Cette conclusion imprévue fut saluée par une immense clameur. Les Cordeliers, fortement excités, voulurent tous prendre la belle oratrice dans leurs bras. Théroigne fut embrassée, caressée « par une meute en rut ». Puis on délibéra, et le Club se déclara d'accord sur la motion présentée par la citoyenne. Parié, Danton et Camille Desmoulins rédigèrent aussitôt une adresse aux districts de Paris et aux départements.

Théroigne rentra chez elle, ravie.

Ce contentement devait être de courte durée. Dès le lendemain, en effet, la presse se chargeait de rendre aux Cordeliers une vision plus saine des choses. « Ce projet est ridicule, écrivait-on. Au moment où le royaume est dans une misère profonde, la construction d'un palais ne s'impose pas. Mieux vaut, avec cet argent, soulager les malheureux.

Mlle Théroigne n'est qu'une courtisane ambitieuse qui veut faire parler d'elle, et les patriotes qui votèrent sa motion ont été victimes de ses charmes. »
Les membres du Club baissèrent le nez. Le sex-appeal de la belle Luxembourgeoise les avait mis dans une fâcheuse situation.
Réunis d'urgence, ils rédigèrent un texte extrêmement confus, destiné à contenter tout le monde et eux-mêmes. Le voici :
« L'Assemblée a suivi les conclusions du président, qu'il serait voté des remerciements à cette excellente citoyenne pour sa motion, *qu'un canon du Concile de Mâcon ayant formellement reconnu que les femmes ont une âme et la raison comme les hommes,* on ne pouvait leur interdire d'en faire un si bon usage que la préopinante ; qu'il sera toujours libre à Mlle Théroigne et à toutes celles de son sexe de proposer ce qu'elles croiraient avantageux à la Patrie ; mais que, sur la question d'État, si la demoiselle Théroigne sera admise au district avec voix consultative seulement, l'Assemblée est incompétente pour prendre parti ; et qu'il n'y a pas lieu à délibérer. »
On pourra trouver amusant, voire savoureux, que des patriotes se réfèrent à un texte religieux pour prouver que les femmes avaient le droit de faire la Révolution, mais l'époque devait voir bien d'autres contradictions...
Vexée de son échec, Théroigne voulut prouver aux patriotes ricaneurs, ainsi qu'aux royalistes qui l'attaquaient dans leurs petits journaux, qu'il fallait compter avec elle.
Et elle devint la maîtresse de Danton, de Camille Desmoulins, de Barnave, de Populus, de Mirabeau, et d'un certain nombre de membres du corps législatif.
C'était sa manière à elle d'être une vraie sans-culotte...

5

L'amour des femmes pousse le poète Fabre d'Églantine
vers la politique révolutionnaire

> Voici, voici l'orage,
> Voici l'éclair qui luit...
> FABRE D'ÉGLANTINE

Au début de la Révolution, il y avait, à Paris, un auteur-acteur que ses prodigalités à l'égard des femmes avaient mis sur la paille. Il s'appelait Philippe-François Nazaire-Fabre, mais avait pris le pseudonyme de Fabre d'Églantine [47]. Pendant des années, il avait couru les

---

47. On raconte généralement que Fabre aurait adopté ce pseudonyme parce qu'en 1773, il s'était vu décerner l'églantine d'or aux Jeux floraux pour un sonnet à la Vierge. En réalité, le jeune poète n'avait remporté qu'un lis d'argent, mais le surnom qu'il s'était choisi lui permettait de faire croire qu'il avait reçu le premier prix de l'Académie de Toulouse...

routes d'Europe avec une troupe de comédiens, jouant des pièces qu'il écrivait lui-même, chantant les louanges des princes qu'il rencontrait pour en recevoir quelques écus, improvisant des chansonnettes, et surtout mettant, systématiquement, toutes les comédiennes dans son lit.

A Strasbourg, il avait épousé Nicole Godin ; à Thionville, il s'était fait arrêter pour dettes ; à Liège, il avait reçu cinq louis pour un « éloge à Grétry » ; à Genève, il était devenu l'amant d'une ardente bourgeoise qui organisait chez elle des orgies démesurées ; à Maëstricht enfin, il avait composé une gracieuse romance dont tous les Français connaissent encore aujourd'hui les premiers vers, puisqu'il s'agit de : *Il pleut, il pleut, bergère...*

A la fin de 1781, il habitait rue du Théâtre-Français, à proximité des Cordeliers, et était l'amant d'une ravissante comédienne, Marie-Élisabeth Joly, pour laquelle il avait abandonné sa femme un an plus tôt.

Cette liaison ne l'empêchait pas d'entretenir des rapports plus que cordiaux avec quantité d'actrices et de soubrettes en compagnie desquelles il dépensait le peu d'argent que le marquis de Ximenès voulait bien lui donner en échange de quelques travaux de copie...

Un soir, il s'était engagé à faire crier grâce à plusieurs actrices de la Comédie-Française dont il était « l'amant intermittent ». L'affaire eut des suites amusantes. Écoutons Le Brisset nous conter la chose :

« Après un dîner au café Procope, avec quelques amis de théâtre, Fabre se rendit, en compagnie de cinq jeunes comédiennes, chez le nommé Dubard, qui habitait, pour lors, 26, rue de l'Ancienne-Comédie. Là, tout le monde se mit à boire abondamment, et les comédiennes furent victimes d'un curieux phénomène, fréquent d'ailleurs chez les femmes. Les vapeurs de l'alcool, au lieu de leur monter à la tête, descendirent vers leur « cricri » et les émoustillèrent.

» Toutes se dévêtirent et vinrent se tortiller devant les hommes avec un air lubrique.

» — Pour me soulager, dit l'une en s'allongeant sur un canapé, il me faudrait un régiment. »

Cette phrase n'était peut-être qu'une figure de style. Fabre la prit au sérieux.

« — Je vous ferai rendre les armes, dit-il, et, à moi seul, je représenterai tous les hommes et tous les officiers dont vous rêvez, vous et vos amies...

» — Marché conclu ! dit la comédienne, les yeux brillants.

» Fabre bondit sur le canapé. Peu de temps après la jeune femme poussait un grand cri et capitulait. Mais le futur conventionnel n'accepta pas cet armistice. La comédienne, haletante, subit un second assaut qui la laissa inerte sur le champ de bataille... »

Ayant réussi cet exploit, Fabre se redressa avec un large sourire. Il pouvait être fier. « Exténuer une femme d'une aussi galante manière, nous dit Le Brisset, n'est déjà pas à la portée du commun, mais parvenir à éteindre le feu au rubignon d'une actrice de la Comédie-Française est un exploit digne de l'Antique... »

Aussitôt, les quatre comédiennes vinrent demander à Fabre de leur infliger le même traitement.

Bravement, l'auteur dramatique repartit à l'attaque. Quatre fois, il remporta des victoires éclatantes.

« Lorsque les cinq comédiennes furent allongées sur le tapis, pâmées et sans force, Fabre d'Églantine voulut prouver que ses ressources étaient inépuisables et demanda à son hôte si sa bonne était jolie. L'autre répondit qu'elle avait seize ans et qu'il en connaissait la saveur pour en avoir goûté quelques fois.

» — Faites-la venir, dit Fabre : j'ai encore des munitions...

» La soubrette arriva. En voyant les comédiennes nues et inertes sur le sol, elle s'imagina que Fabre les avait étranglées et, folle de peur, descendit dans la rue en hurlant. Les agents de la police qui se trouvaient au Procope accoururent, suivis de quelques dîneurs, et envahirent le salon de Dubard. Le bruit qu'ils firent rendit la raison aux actrices qui sortirent de leur torpeur et s'aperçurent, avec quelque gêne, que des inconnus contemplaient leurs charmes les plus secrets.

» Bondissant vers les fenêtres, elles s'enroulèrent dans les rideaux, tandis que les agents de police, s'excusant de leur intervention, s'en allaient raconter à tout le quartier quel genre de souper les actrices du Théâtre-Français prenaient avec Fabre d'Églantine [48]. »

Naturellement, Marie Joly apprit ce qui s'était passé rue de l'Ancienne-Comédie et s'en froissa. Elle écrivit à Fabre une belle lettre de rupture :

Quand j'étais aveuglée par vous, vos procédés et vos propos m'ont bien fait soupçonner que vous étiez un malhonnête homme, mais je ne pouvais, ni ne voulais me décider à le croire. Il faut l'avouer, vous poussez la fourberie et la scélératesse à un degré qu'il est difficile d'imaginer. Je n'espère plus rien d'un cœur comme le vôtre ; il m'est trop connu pour que je le croie susceptible d'aucun retour à l'honneur, à la délicatesse, à la probité, qualités si estimables, si précieuses, que vous sûtes parfaitement feindre et ne professâtes jamais...

Après avoir reçu cette lettre, qui le dépeignait pour l'éternité, Fabre d'Églantine alla oublier sa belle amie dans un tripot dont la tenancière était à la fois « flatteuse de bourses et videuse de goussets ». Là, il épuisa trois des plus ardentes pensionnaires...

Un tel tempérament eût exigé, pour être satisfait, une fortune que le pauvre auteur-acteur n'avait pas. Aussi cherchait-il à se procurer de l'argent par tous les moyens. La Révolution, qu'annonçait à grands

---

48. *Chronique scandaleuse sous la Révolution.*

coups de gueule son voisin Danton, lui parut une aubaine inespérée. Il comprit qu'avec un peu d'habileté, de fourberie et de malhonnêteté — et Dieu sait s'il en avait — il pourrait réaliser ses rêves les plus audacieux.

N'ayant rien à perdre, en effet, il espérait profiter de la période trouble qui commençait pour s'enrichir, faire jouer ses pièces, devenir célèbre et avoir ainsi les nombreuses maîtresses que réclamait sa forte complexion amoureuse...

A la fin de 1789, il entra au district des Cordeliers où se trouvaient déjà Marat, Chaumette, Hébert, futur père Duchesne, et l'Allemand Anacharsis Cloots. Au début de 1790, il était secrétaire de Danton. Sa carrière politique commençait.

Tout de suite, il intrigua, se lia à des personnages louches, et mit à profit toutes les relations du futur tribun. « Sa vie de cabotin malheureux, écrit Roussel, le disposait à tout tenter, tout oser. Pour lui, le monde n'était qu'un vaste théâtre où il essayait de forcer les applaudissements. » Il « était prêt à devenir, sans vergogne, le spécimen du politicien véreux dans toute son horreur [49] ».

Et, comme tous les politiciens de cette espèce, Fabre d'Églantine allait user des prestiges du pouvoir pour mettre des demoiselles dans son lit et la France dans de beaux draps...

6

Fersen et sa maîtresse veulent sauver la reine

Les amies de nos amis sont nos amies...

Au début de 1790, tandis que certains des députés de la Constituante se groupaient en clubs et que le bon peuple, victime d'agitateurs appointés, pendait allégrement toute personne qui refusait de crier « Vive la Nation ! », les souverains, aux Tuileries, connaissaient une vie pénible. Depuis leur retour de Versailles ils étaient surveillés. Bientôt, ils furent prisonniers dans leur capitale, et Fersen regretta qu'ils ne se fussent pas enfuis à Metz, comme on le leur avait conseillé.

Les injures dont Marie-Antoinette était l'objet de la part d'un peuple en délire lui infligeaient une torture quotidienne. « De plus en plus amoureux, nous dit Léon Finet, il souffrait dans sa chair de voir salir l'être qui représentait toute sa joie de vivre. »

Au printemps, il écrivit presque chaque jour à sa sœur Sophie des lettres touchantes au sujet de la reine. En voici des extraits qui montrent clairement l'état de son cœur :

Je commence à être un peu plus heureux, car je vois de temps en temps mon amie librement et cela me console un peu de tous les maux qu'elle éprouve. Pauvre femme. C'est un ange pour la conduite, le

---

49. ROUSSEL D'ÉPINAL, *Correspondance amoureuse de Fabre d'Églantine*, 1796.

courage et la sensibilité ; jamais on n'a su aimer comme cela...
(10 avril.)

Elle mérite tous les sentiments que vous pouvez avoir pour elle.
C'est la créature la plus parfaite que je connaisse. Sa conduite, qui
l'est aussi, lui a gagné tout le monde et j'entends partout son éloge.
Vous ne sauriez croire combien je suis sensible à l'amitié qu'elle a
pour moi. (12 avril.)

Elle est extrêmement malheureuse, mais très courageuse, c'est un
ange... Je tâche de la consoler le plus que je puis, je le lui dois, elle
est si parfaite pour moi... (21 mai.)

Elle est bien malheureuse... Mon seul chagrin est de ne pas pouvoir
la consoler entièrement de tous ses malheurs et de ne pas la rendre
aussi heureuse qu'elle mérite de l'être. (28 juin.)

Un peu plus tard, il écrira :

Voici les cheveux que vous m'avez demandés, s'il n'y en avait pas
assez, je vous en enverrais encore ; c'est elle qui vous les donne et elle
a été vivement touchée de ce désir de votre part. Elle est si bonne et si
parfaite et il me semble que je l'aime encore plus depuis qu'elle vous
aime... Je ne mourrai content que lorsque vous l'aurez vue...

La haine que le peuple nourrissait pour « l'Autrichienne » finit par
épouvanter le Suédois. Au cours du printemps 1790, il supplia Marie-
Antoinette de se préparer à quitter clandestinement Paris.

La reine, qui n'oubliait pas les injures qu'on lui avait criées sur la
route de Versailles et qui sentait monter chaque jour davantage la
colère autour des Tuileries, se laissa facilement convaincre.

Mais Louis XVI refusait d'abandonner la capitale.

— Un roi de France ne s'enfuit pas, disait-il.

Il fallut un grave incident pour le faire changer d'avis.

Le lundi de Pâques, la foule, ayant appris qu'il avait refusé d'assister,
la veille, à une messe dite par un prêtre constitutionnel [50], et qu'il était
autorisé à se rendre à Saint-Cloud avec la reine et les petits princes, se
rua sur sa voiture [51].

Pendant deux heures, la famille royale fut insultée par des énergumènes. Le roi, fort surpris, entendit même ces mots qu'on n'avait point
l'habitude de lui adresser :

— Va donc, hé, gros cochon !...

Il en conclut que certains de ses sujets nourrissaient à son égard une
regrettable animosité...

---

50. Ecclésiastique ayant prêté serment à la Constitution.
51. Le peuple français commençait alors à s'exprimer dans ce langage ridicule et
amphigourique qui devait donner naissance au style de nos politiciens. C'est ainsi que
quelques meneurs n'hésitèrent pas à déclarer que le souverain quittait Paris pour aller
faire des Pâques *inconstitutionnelles...*

La Fayette vint demander au monarque s'il fallait employer la garde pour éloigner la foule [52].

— Non, dit Louis XVI, je ne veux pas qu'on verse de sang pour moi.

Finalement, les manifestants se faisant de plus en plus menaçants, le roi ouvrit la portière de son carrosse, descendit et dit, sur un ton, hélas ! digne de M. Prudhomme :

— On ne veut donc pas que je sorte... Eh bien ! je vais rester.

Et il rentra aux Tuileries.

Le soir même, la reine fit venir Fersen dans son boudoir :

— Cher Axel, maintenant, le roi désire partir. Il vous donne carte blanche...

Cette fuite était une entreprise difficile, délicate et périlleuse : il fallait se procurer de l'argent, de faux passeports, une voiture, des chevaux, des cochers, des gardes, des provisions ; il fallait organiser des relais, faire sortir la famille royale des Tuileries et gagner la frontière.

Axel, tout joyeux à la pensée de sauver du danger la femme qu'il aimait, se mit à l'œuvre... en compagnie de sa maîtresse, Éléonora Sullivan.

Car le jeune Suédois, dont le tempérament ne pouvait se contenter d'une liaison platonique avec la reine de France, fréquentait assidûment depuis plus d'un an le lit d'une demoiselle au passé chargé.

Voici comment nous la présente Émile Baumann en un résumé savoureux :

« Née à Lucques, en Toscane, Éléonora Franchi eut une carrière d'aventures qu'on croirait détachée d'un chapitre de Casanova. Son père était à la fois tailleur et danseur au théâtre de la ville. Elle débuta comme ballerine à douze ans ; un de ses camarades, le danseur Martini, l'épousa. Elle dansait à Venise quand le duc de Wurtemberg devint amoureux d'elle, l'enleva, l'emmena dans sa cour à Stuttgart, en fit sa favorite. Il eut d'elle un fils et deux filles. Il l'abandonna. Elle repartit, laissant à Stuttgart ses enfants. A Vienne, elle dansa devant Joseph II, qui eut pour elle une folie ; mais l'impératrice Marie-Thérèse la chassa. Elle erra en Allemagne, de ville en ville. A Coblentz, le chevalier d'Aigremont, ministre du roi près de l'Électeur de Trèves, la recueillit ; il la mena dans un voyage à Paris ; elle y fut quelque temps misérable, réduite à s'offrir sur le pavé des rues, puis connut un Anglais, M. Sullivan, qui l'épousa. Il s'embarque avec elle pour les Indes, où il gagne une fortune. Mais là, elle rencontre Quintin Crawford, cadet d'une grande famille écossaise, frère de Sir Alexander Crawford, celui-ci viveur un moment fameux à Paris. Quintin avait fait la guerre aux Indes orientales contre l'Espagne et, dans la suite, avait été nommé président de la East India C° à Manille. Il est plus riche que Sullivan

52. La Fayette, qui avait acquis une extraordinaire popularité en concourant à l'indépendance des États-Unis, était à ce moment l'idole de la France et le roi de Paris. Élu député par la noblesse, puis chef de la milice nationale, il était, en 1790, commandant général de la garde nationale.

ou plus facile à vivre. Éléonora se laisse enlever ou, plutôt, l'enlève. Tous deux reviennent à Paris avec une des filles qu'elle a eues du duc de Wurtemberg. Ils s'installèrent rue de Clichy [53], dans l'hôtel Rouillé d'Orfeuil [54]. »

C'est à ce moment que Fersen était devenu l'amant d'Éléonora. La science amoureuse qu'elle avait acquise au cours de sa vie mouvementée était si riche que le jeune Suédois en avait, la première nuit, un peu oublié la reine...

Éléonora procura à Axel une partie de l'argent dont il avait besoin pour organiser la fuite des souverains. Et c'est son amant en titre, M. Crawford, qui prêta un passeport anglais à Louis XVI.

Éléonora ne se contenta pas de fournir les fonds. Prenant le nom d'une dame russe, Mme de Korff, elle se rendit chez le carrossier Jean-Louis et commanda une berline gigantesque, capable de contenir la famille royale et sa suite.

L'artisan se mit à l'œuvre, tandis que la maîtresse de Fersen, toujours sous le nom de baronne de Korff, s'en allait demander à l'ambassade de Russie les passeports dont avaient besoin Louis XVI et Marie-Antoinette.

Ces préparatifs devaient durer des mois...

7

La nuit de noces burlesque de Camille Desmoulins

Camille n'eut jamais le sens du ridicule.

ANTOINE PERREAU

Tandis que Jean-Louis, dans son atelier, construisait à petites journées la voiture qui devait servir à sauver la famille royale, de fougueux journalistes s'ingéniaient, avec une sorte d'allégresse, à mettre le pays à feu et à sang. L'un des plus violents était alors Camille Desmoulins qui rédigeait *Les Révolutions de France et de Brabant*. Or ce pamphlétaire menait une vie qui eût bien étonné les lecteurs de son journal.

Le matin, au saut du lit, il écrivait des articles violents, haineux et emphatiques ; l'après-midi, il courait les cafés, parlait avec exaltation, demandait la mort pour les royalistes, la prison pour ses ennemis personnels, insultait La Fayette, parlait de faire incendier les châteaux et se nommait lui-même le « procureur de la lanterne » ; mais quand venait le soir, il rentrait chez lui, se couchait et pleurait dans son lit comme un collégien amoureux...

Toute la nuit, ce journaliste sanguinaire, dont la prose faisait

---

53. A l'emplacement actuel du n° 54 de la rue de Clichy.
54. Émile BAUMANN, *Marie-Antoinette et Axel Fersen.*

trembler la France (et le Brabant), ce pamphlétaire qui écrivait : « Plus de sensiblerie, soyons des Brutus et, s'il le faut, des Néron », inondait ses draps de larmes et gémissait : « Lucile ! Lucile, ma vie, mon cœur, je t'aime... » en étreignant son oreiller...

Depuis deux ans, Camille attendait ainsi en sanglotant que M. Duplessis acceptât de lui donner la main de sa fille...

Depuis deux ans, il faisait tout pour acquérir la célébrité et prouver sa valeur au père de Lucile. Depuis deux ans, pour cela, il montait sur les tables, incitait les gens au meurtre et rédigeait des articles dignes d'un forcené...

Au mois d'août 1790, tant d'efforts furent récompensés. M. Duplessis autorisa Camille — dont maintenant tout le monde parlait — à faire sa cour à Lucile.

Fou de joie, le journaliste courut à Bourg-la-Reine où les Duplessis avaient leur maison de campagne.

Hélas ! la jeune fille, qui était devenue romantique, feignit, en le voyant, la plus grande indifférence. Cachant son amour, elle alla jusqu'à le repousser sèchement, pour avoir la joie de souffrir...

Camille Desmoulins rentra chez lui complètement accablé. Repoussant les épreuves d'un article dans lequel il démontrait la nécessité de donner tout son cœur à la patrie et de mourir en Spartiate, il écrivit à Lucile une lettre affligée :

Eh bien ! je me résigne à mon malheur, je renonce à l'espoir de vous posséder ; mes larmes coulent en abondance mais vous ne m'empêcherez pas de vous aimer. Que d'autres aient le bonheur de vous voir, de vous entendre. Ceux-là étaient aimés du ciel. Pour moi, il faut bien que je sois né dans sa colère...

Vers la fin, sa lettre prit un ton élégiaque et désespéré :

Je veux m'accoutumer à cette pensée qu'elle ne sera jamais à moi, qu'elle ne mettra jamais sa main dans la mienne, que je ne reposerai point sur le sein de Lucile, que je ne la presserai point sur mon cœur. Retire-toi dans la solitude, ô malheureux Camille, va pleurer le reste de ta vie, oublie s'il se peut et son chant, et son piano, et ses grâces, et ses promenades, et sa croisée, et ses écrits, et tant de qualités dont tu n'étais pas moins sûr pour ne les avoir que devinées.

Lucile ne répondit pas à la lettre et continua de se complaire voluptueusement dans les larmes. L'après-midi, elle allait — ayant lu beaucoup de romans — embrasser un arbre sur lequel elle avait gravé le nom de Camille, et, le soir, elle notait dans son carnet intime tout ce qu'elle aurait voulu dire au grand homme qu'elle adorait :

Ô toi qui es au fond de mon cœur, toi que je n'ose aimer, ou plutôt que je n'ose dire aimer, cher C..., tu me crois insensible. Ah ! cruel, me juges-tu d'après ton cœur, et le cœur pourrait-il s'attacher à un être insensible ? Eh bien ! oui, j'aime mieux souffrir, j'aime mieux que tu m'oublies. Ô Dieu ! juge de mon courage. Lequel de nous a le plus à souffrir ? Je n'ose pas me l'avouer à moi-même. Ce que je sens pour toi, je ne m'occupe qu'à le déguiser. Tu souffres, dis-tu ? Ah ! je souffre davantage. Ton image est sans cesse présente à ma pensée, elle ne me quitte jamais. Je te cherche des défauts. Je trouve ces défauts et je les aime. Dis-moi pourquoi tous ces combats ? Pourquoi en avoir fait un mystère, même à ma mère ? Je voudrais qu'elle le sût, qu'elle le devinât, mais je ne voudrais pas le lui dire. Ô pensée du ciel ! C..., je tremble de former seulement la première lettre de ton nom. Si on allait trouver ce que j'écris ! Si tu allais le trouver toi-même ! Ah ! C..., dois-je être ton épouse ?

Mme Duplessis avait, bien entendu, deviné le secret de Lucile. Un soir de décembre, elle en entretint doucement son mari qui, la larme à l'œil, finit par consentir au mariage.

Dès le lendemain, Camille fut informé de la bonne nouvelle par son ancienne maîtresse[55]. Il se précipita chez les Duplessis qui avaient réintégré pour l'hiver leur appartement de la rue de Tournon, et tout le monde éclata en sanglots.

Alors, Lucile, qui s'était torturée pendant quatre mois avec délices, consentit à montrer ses sentiments et se jeta dans les bras de Camille.

Durant quelques instants, le journaliste oublia complètement les ennemis de la Révolution...

Le soir, délaissant ses travaux, il écrivit à son père :

Aujourd'hui, 11 décembre, je me vois enfin au comble de mes vœux. Le bonheur, pour moi, s'est fait longtemps attendre, mais enfin est arrivé, et je suis heureux autant qu'on peut l'être sur la terre. Cette charmante Lucile, dont je vous ai parlé, que j'aime depuis huit ans, enfin ses parents me la donnent et elle ne refuse pas...

Et pour prouver à M. Desmoulins qu'un bonheur ne vient jamais seul, Camille apprenait que M. Duplessis donnait à sa fille cent mille francs de dot et une vaisselle d'argent évaluée à dix mille francs...

Or cette fortune, cet amour, l'espoir d'un foyer heureux et confortable transformaient déjà notre révolutionnaire en un petit bourgeois méfiant et peureux. Il ajoutait, en effet, cette phrase qui eût bien étonné les lecteurs des *Révolutions de France et de Brabant :* « N'attirez pas la haine de nos envieux par ces nouvelles !... »

Le mariage eut lieu le 29 décembre 1790 à Saint-Sulpice. Les témoins de Lucile étaient Robespierre et Sébastien Mercier, ceux de Camille le député Jérôme Pétion et Alexis Brulard.

Après la messe, le curé demanda au marié de respecter désormais la religion dans ses écrits.

---

55. On se souvient que Camille Desmoulins avait été, en 1784, l'amant de Mme Duplessis. (Voir Tome 1, Livre V.)

Camille, d'un cœur léger, s'y engagea devant les soixante invités, bien décidé, au demeurant, à n'en faire qu'à sa tête.

— Je n'étais pas venu là pour dire non, écrira-t-il plus tard...

Longuement, le prêtre fit l'éloge de la jeune mariée qui souriait dans sa robe rose.

Puis il s'adressa à Camille :

— ... Vous êtes devenu tout à coup célèbre dans la république des lettres, et votre nom sera fameux dans les fastes de la Révolution...

L'assistance vit alors le journaliste blêmir et se mordre les lèvres. Robespierre, qui était à côté de lui, le poussa, dit-on, du coude et chuchota :

— Pleure donc, si tu en as envie, hypocrite...

Camille alors éclata en sanglots, imité bientôt par toute la noce, sauf, bien entendu, par l'Incorruptible, qui ne se laissait gagner par rien, pas même par l'émotion...

Le repas de noce eut lieu dans l'appartement que les deux époux avaient loué 1, rue du Théâtre-Français (aujourd'hui, 38, rue de l'Odéon), au deuxième étage au-dessus de l'entresol.

On y rit beaucoup. On y chanta et, au dessert, Robespierre, badin, se glissa sous la table pour détacher, selon l'usage, la jarretière de la mariée [56]...

Qui donc alors aurait pu prédire que, deux ans plus tard, les soixante invités de cette joyeuse noce auraient disparu et que le plus galant d'entre eux aurait envoyé les deux époux à la guillotine ?

Si l'on en croit un familier du journaliste, la nuit de noces de Camille et de Lucile fut extrêmement mouvementée.

« Dès le départ du dernier convive, écrit Antoine Perreau, les deux époux, impatients de laisser parler la nature, se précipitèrent dans la chambre avec une telle ardeur qu'ils décrochèrent un tableau et brisèrent un fauteuil.

» Lucile, alors, se déshabilla. Son exaltation était si grande qu'elle cassa un vase placé sur la cheminée. Au même instant, Camille, aussi nerveux que son épouse, déchirait son pantalon d'un coup de pied maladroit [57]. »

Ces incidents n'arrêtèrent pas l'élan des amoureux qui se jetèrent sur le lit et commencèrent, au moyen de gestes appropriés, à se montrer de l'intérêt.

Bientôt, la nature parla.

Hélas ! Camille eut quelques difficultés à l'écouter, car le lit étant trop étroit, il dut, de la main droite, « prendre appui sur le plancher pour mener à bien son entreprise ».

Fougueux, le corps en feu, ils se livrèrent à tant de prouesses, tant

---

56. Cette jarretière se trouve aujourd'hui au musée de Laon, où l'on peut la voir avec ses broderies fanées, sa guirlande de myosotis et ses cœurs accouplés, sur lesquels deux colombes déposent cette devise : « Unissons-nous pour la vie. »

57. ANTOINE PERREAU, *Camille Desmoulins et les dantonistes.*

de galantes acrobaties, que, soudain, dans un grand bruit, le lit s'affaissa.

Et c'est dans une chambre où presque tout le mobilier était détruit que Camille et Lucile Desmoulins s'endormirent, las et heureux, au petit matin...

8

Simonne Évrard, inspiratrice de Marat

Les hommes ne sont que
ce qui plaît aux femmes.

LA FONTAINE

Au mois de décembre 1790, un personnage d'une quarantaine d'années, remarquable par sa face de crapaud, ses yeux jaune sale et saillants, son nez écrasé, sa bouche bestiale, entra furtivement dans une maison, sise 243, rue Saint-Honoré, monta deux étages, frappa et s'efforça de prendre un air gracieux.

La porte s'ouvrit, laissant apparaître une assez jolie brune de vingt-six ans, dont les yeux gris s'adoucirent en voyant le monstre qui se trouvait sur le palier.

— Entrez vite, dit-elle.

L'homme pénétra dans le petit logement où, immédiatement, son épouvantable odeur se répandit jusque dans les moindres recoins...

C'est ainsi que Marat, directeur de *l'Ami du Peuple,* fit la connaissance de la jeune citoyenne Simonne Évrard...

Cette charmante personne était née en 1764 à Tournus où son père exerçait la profession de charpentier en bateaux. En 1776, elle s'était installée à Paris et avait trouvé un emploi dans une fabrique d'aiguilles de montre.

Entourée de braves gens qui croyaient en « l'avènement du peuple », elle était pleine d'admiration pour tous ceux qui voulaient faire pendre les ennemis de la Révolution.

Or Jean-Paul Marat, dans son journal, réclamait des massacres avec une insistance de maniaque.

En juin 1790, il écrivait ainsi : « Il y a une année que cinq ou six cents têtes abattues vous auraient rendus libres et heureux. Aujourd'hui, il en faudrait abattre dix mille. Sous quelques mois, peut-être, vous en abattrez cent mille ; et vous ferez merveille : car il n'y aura point de paix pour vous, si vous n'avez exterminé jusqu'au dernier rejeton les implacables ennemis de la Patrie... »

Quelques mois plus tard, il écrivait furieusement, tout en se grattant (car il était atteint d'un eczéma généralisé qui l'obligeait à vivre dans l'eau apaisante d'une baignoire) : « Cessez de perdre votre temps à imaginer des moyens de défense. Il ne vous en reste qu'un seul, celui que je vous ai recommandé tant de fois : une insurrection générale et des exécutions populaires. Fallût-il abattre cent mille têtes, il n'y a pas à balancer un instant. **Pendez, pendez, mes chers amis, c'est le seul moyen de faire rentrer en eux-mêmes vos perfides ennemis.** S'ils étaient les plus forts, ils vous égorgeraient sans pitié, poignardez-les donc sans miséricorde. »

Ces provocations à l'assassinat, si elles exaltaient l'âme juvénile de Simonne Évrard, finirent par agacer l'Assemblée nationale. Surtout le jour où Marat écrivit dans son journal : « Courez aux armes !... que vos premiers coups tombent sur l'infâme général [58], immolez les membres corrompus de l'Assemblée nationale, l'infâme Riquetti [59] en tête, coupez les pouces des mains à tous les jadis nobles, fendez la tête à tous les calotins. Si vous êtes sourds à mes cris, c'en est fait de vous [60] ! »

Mirabeau et surtout La Fayette devinrent furieux. Le général envoya immédiatement trois cents hommes à l'imprimerie de *l'Ami du Peuple*.

Les armoires, les tiroirs furent fouillés, les exemplaires du journal saisis, mais on ne trouva point Marat, qui s'était réfugié dans une cave du quartier.

De cet endroit peu confortable, l'aimable journaliste continua d'écrire des manifestes sanguinaires. La perquisition effectuée dans son imprimerie l'ayant mis en état de transes, il exhorta les foules au massacre de la Garde nationale et demanda aux femmes de transformer La Fayette en Abélard.

Cette fois, le général prit un coup de sang. Il lança des policiers aux trousses de Marat.

Traqué, celui-ci mena, pendant une semaine, une existence errante, couchant et écrivant, tantôt dans un grenier, tantôt dans une cave, voire dans les grottes du couvent des Cordeliers.

Jusqu'au jour où un ouvrier imprimeur au service de *l'Ami du Peuple* lui apprit qu'il avait trouvé un refuge pour lui :

— Ma belle-sœur, Simonne Évrard, vous admire beaucoup, lui dit-il. Elle est prête à vous cacher chez elle. Qui donc irait vous chercher chez une petite ouvrière en aiguilles de montre ?

Marat accepta.

Le lendemain, il se présentait chez Simonne, qui, tout de suite, tomba amoureuse de lui.

Cette bouche qui réclamait du sang, ces yeux qui brillaient à la vue d'une lanterne, ce front derrière lequel s'édifiaient des projets de tueries, ces mains qui faisaient sans cesse le geste d'étrangler des antipatriotes, tout cela excitait énormément la jeune fille.

Le soir même, elle devint la maîtresse du publiciste...

Pendant deux mois, Marat resta caché dans le petit logement de la

58. La Fayette.
59. Mirabeau.
60. *L'Ami du Peuple*, 19 décembre 1790.

rue Saint-Honoré, entouré de soins affectueux et de tendresse par Simonne, qui avait pour lui une véritable adoration.

Tandis qu'il écrivait des appels au meurtre destinés à exciter le peuple parisien, la jeune fille, connaissant sa gourmandise, lui préparait de succulents ragoûts agrémentés de sauce au vin...

Cette existence douillette de proscrit en pantoufles plaisait énormément à Marat. Un jour de mars, devant la fenêtre ouverte, il prit la main de sa maîtresse et, nous dit Vergniaud, « déclara l'épouser dans le vaste temple de la nature ».

Simonne, émue, fondit en larmes.

Hélas ! un soir, quelqu'un vint dire au journaliste que sa retraite avait été découverte et que La Fayette allait le faire arrêter. Affolé, Marat courut se réfugier... chez le curé de Versailles qui le recueillit charitablement.

Il resta peu de temps dans cette nouvelle cachette. La protection de l'Église devait lui donner des démangeaisons supplémentaires. Il quitta le curé pour la maison d'un graveur, nommé Maquet.

Il allait s'y conduire bien mal.

Son hôte vivait avec une demoiselle Fouaisse, âgée de trente-cinq ans et fort bien faite de sa personne. Marat la considéra avec envie et prit cet air cruel qui plaisait tant aux femmes [61]. Immédiatement Mlle Fouaisse fut troublée. Et lorsque, quelques jours plus tard, le graveur s'absenta pour trois semaines, elle se donna sans hésiter à l'Ami du Peuple...

A son retour, Maquet apprit naturellement ce qui s'était passé grâce à d'obligeants voisins. Fou furieux, il jeta Marat à la porte.

Cette fois, le journaliste partit pour Londres. Mais, se croyant poursuivi, il quitta brusquement la diligence à Amiens, courut se cacher dans un bois et revint à Paris...

Or la capitale offrait maintenant pour lui deux dangers ; d'une part, la police de La Fayette, et, d'autre part, le graveur Maquet qui, maintenant, lui vouait une haine mortelle [62].

Alors, Marat retourna se réfugier chez Simonne Évrard...

Cette retraite, en effet — contrairement aux informations de son ami — n'avait pas été découverte par les argousins de l'Assemblée.

Marat s'y cacha de nouveau pendant des mois, soigné, bichonné par sa maîtresse.

9

Mme du Barry complote contre la Révolution

> Alors qu'elle aurait pu émigrer et vieillir
> confortablement, l'ex-favorite se sacrifia à la
> cause monarchique.
>
> JACQUES PRÉVOST

Le 11 janvier 1791, les gazetiers diffusèrent une nouvelle qui fit rêver bien des femmes.

La nuit précédente, des voleurs s'étaient introduits dans le château de Louveciennes, près de Marly, et avaient emporté un monceau de bijoux dont l'énumération semblait fabuleuse.

De porte à porte, les braves gens se transmettaient des informations :

— Il paraît, disait-on, qu'il y avait une rose faite de deux cent cinquante-huit brillants..., un collier de deux cents perles fines et un diamant gros comme un œuf de pigeon...

Les commentaires étaient tendancieux :

— Les voleurs ont bien fait ! disaient les hommes. Posséder un tel trésor à notre époque était un crime contre la patrie.

Les femmes étaient plus catégoriques encore :

— C'est une injure faite au peuple ! Il faut être une putain pour posséder des bijoux pareils.

Les esprits s'échauffant, chacun finissait par demander la guillotine, non pour les cambrioleurs, mais pour la victime de ce vol extraordinaire.

Or cette femme, c'était Mme du Barry...

L'ex-favorite de Louis XV avait fait bien peu parler d'elle depuis le 10 mai 1774. Ce jour-là, deux heures après la mort du Bien-Aimé, elle était partie en exil, sur l'ordre de Louis XVI, avait parcouru vingt lieues en pleurant et s'était réfugiée à l'abbaye de Pont-aux-Dames où les religieuses, n'osant tout d'abord la regarder en face, l'avaient examinée dans un miroir...

Toutes surprises de ne point lui trouver les traits du démon, comme elles l'avaient craint, ces braves femmes s'étaient émerveillées devant sa beauté.

Puis, peu à peu conquises par le charme et la douceur de la comtesse, elles avaient osé lui parler et s'étaient évertuées à lui rendre supportable son exil.

Cette pénitence forcée avait duré jusqu'en juin 1775. A ce moment, Mme du Barry avait reçu du jeune roi la permission de quitter Pont-aux-Dames et de se réinstaller à Louveciennes.

Elle était alors devenue la maîtresse de Louis-Hercule-Timoléon de Brissac, duc de Cossé, lieutenant-colonel des Cent-Suisses et gouverneur de Paris. C'était un gentilhomme aux yeux bleus, dont la vigueur s'alliait parfaitement au tempérament fougueux de l'adorable comtesse.

Puis Mme du Barry avait connu un châtelain des environs de Louveciennes, Henry Seymour, de l'illustre maison de Somerset, et tout de suite en était tombée amoureuse.

Un jour, elle lui avait écrit ce mot annonciateur de volupté :

L'assurance de votre tendresse, mon tendre ami, fait le bonheur de ma vie. Croyez que mon cœur trouve ces deux jours bien longs et que, s'il était en mon pouvoir de les abréger, il n'aurait plus de peine. Je vous attends samedi avec toute l'impatience d'une âme entièrement à vous et j'espère que vous ne désirerez rien...
Adieu, je suis à vous. Ce jeudi à deux heures...

Et, le samedi suivant, Henry Seymour avait, sur une moelleuse courtepointe, goûté aux charmes ineffables de cette âme qu'on lui offrait si gentiment...

Dès lors, partagée entre les deux hommes qu'elle aimait, Mme du Barry avait mené une vie sentimentale assez compliquée.

A Seymour, elle écrivait le matin :

Vous n'aurez qu'un mot de moi, et qui serait de reproche, si mon cœur pouvait vous en faire ; je suis si fatiguée de quatre grandes lettres que je viens d'écrire, que je n'ai la force que de vous dire que je vous aime. Demain, je vous dirai ce qui m'a empêchée de vous donner de mes nouvelles, mais croyez, quoi que vous en disiez, que vous serez le seul ami de mon cœur. Adieu, je n'ai pas la force de vous en dire davantage...

Ce qui ne l'empêchait pas le lendemain de recevoir dans son lit le duc de Brissac. Mais dès que celui-ci l'avait quittée, elle écrivait très « honnêtement » à Seymour :

Je n'irai point à Paris aujourd'hui, parce que la personne que je devais aller voir est venue, comme vous veniez de partir. Sa visite m'a fort embarrassée, car je crois que vous en étiez l'objet. Adieu, je vous attends avec l'impatience d'un cœur tout à vous et qui, malgré vos injustices, sent bien qu'il ne peut être à d'autres. Je pense à vous, vous le dis et vous le répète, et n'ai d'autre regret que d'être privée de vous le dire à chaque instant...

Finalement, Henry Seymour avait eu des soupçons et, très gentiment, s'était retiré. Alors, Mme du Barry, navrée de voir s'éloigner d'elle la moitié de ses plaisirs, lui avait écrit, en pleurant, cette jolie lettre :

Il est inutile de vous parler de ma tendresse et de ma sensibilité, vous la connaissez. Mais ce que vous ne connaissez pas, ce sont mes peines. Vous n'avez pas daigné me rassurer sur ce qui affecte mon âme... mon cœur souffre ; mais avec beaucoup d'attention et de courage, je parviendrai à le dompter... Adieu, croyez que vous seul occuperez mon cœur. Ce mercredi à minuit.

Après quoi, elle était partie faire un petit voyage en Normandie avec le duc de Brissac qui, nous dit-on, « fut tout heureux de montrer à ses amis qu'il prenait son plaisir en un endroit ennobli par le passage du roi de France »...

En 1789, Mme du Barry, qui avait profité pendant neuf ans des avantages de la monarchie, s'était montrée, avec un illogisme bien féminin, favorable aux idées nouvelles.

Elle avait été du parti de Necker, avait défendu les philosophes, les économistes, et s'était plu à rêver d'une démocratie idéale, en lisant Rousseau dont le duc de Brissac était un admirateur.

Hélas ! pour parvenir au bonheur, le peuple s'était engagé rapidement dans une voie que n'avait point prévue, dans sa candeur, l'auteur du *Contrat social.* Comme on égorgeait allègrement, au nom de la justice et de la liberté, la comtesse en avait conclu que le système des philosophes n'était pas encore au point. Un événement devait d'ailleurs l'éloigner définitivement des révolutionnaires. Après la prise de la Bastille, Brissac avait été arrêté à Durtal, près de La Flèche, et les « patriotes » s'étaient demandé s'ils devaient lui couper la tête.

— De quoi m'accusez-vous ? avait demandé le duc. De quoi suis-je coupable ?

— Un aristocrate est toujours coupable, lui avait répondu un homme ivre.

Heureusement, quelqu'un avait eu l'idée d'envoyer un courrier vers la capitale pour demander aux autorités de quelle façon il fallait tuer M. de Brissac. Le lendemain, une note parvenait à Durtal enjoignant aux patriotes de relâcher immédiatement le gouverneur de Paris...

Cet incident avait bouleversé la comtesse, qui, dès lors, s'était montrée farouchement antirévolutionnaire.

Tremblant pour son amant, elle lui réclamait des visites ou des lettres quotidiennes pour le rassurer. Brissac, qui était grand-panetier, résidait alors aux Tuileries. Il obéissait pourtant à cette tendre tyrannie et faisait chaque jour le voyage de Paris à Louveciennes.

En 1790, Mme du Barry, qui correspondait avec tous ses amis émigrés, avait mis sa fortune, sa maison et ses trois pied-à-terre parisiens à la disposition des conspirateurs royalistes. Cette attitude avait agréablement surpris la cour et le comte d'Artois. M. d'Espinchal, qui se trouvait auprès de ce prince à Venise, avait noté, un soir, dans son journal :

Je ne puis passer sous silence ce que M. Prioureau nous apprend sur le compte de Mme la comtesse du Barry. Cette dame, retirée à Louveciennes, a, depuis le commencement de la Révolution, manifesté les sentiments les plus royalistes, et l'on sait positivement qu'ayant fondu quelques objets précieux, elle en a formé une somme de 500 000 livres, qu'elle a déposée pour être employée au service du Roi et de la

Reine, lorsqu'ils pourront en avoir besoin. Ce trait doit servir à faire mieux connaître et à faire juger moins sévèrement une personne sur qui la calomnie s'est cruellement exercée.

Mais Mme du Barry avait bientôt désiré collaborer d'une façon plus active à la défense de cette monarchie qui lui avait tout donné. Émigrer ne servait à rien, car, pour être utile à la cause royale, il fallait non seulement pouvoir sortir de France, mais pouvoir y rentrer sans inquiéter les révolutionnaires. Quel moyen employer pour circuler librement ? Elle avait cherché en vain jusqu'au jour où un agent anglais, Parker Forth, était venu à son secours en imaginant le « vol » des bijoux dont les Parisiens s'entretenaient avec véhémence au matin du 11 janvier 1791...

Volée, Mme du Barry devenait une victime que la justice devait aider. En outre, elle allait pouvoir se rendre à l'endroit où ses voleurs se feraient arrêter...

Aussitôt, le joaillier Rouën, sur la demande de la comtesse, fit imprimer une brochure promettant une forte récompense à la personne qui rapporterait ou ferait retrouver les bijoux dont l'étonnante liste suivait... Cette brochure fut distribuée généreusement ; et, un mois plus tard, le 15 février, Mme du Barry était avisée que ses voleurs étaient arrêtés... A Londres !

Le lendemain, elle partait, nantie d'un passeport régulier, pour Calais où elle retrouvait Forth, et s'embarquait avec lui à Boulogne...

Les révolutionnaires avaient été joués...

A Londres, Mme du Barry s'installa, près de Piccadilly, dans une hôtellerie de Jermyn Street, tenue par Grenier, ancien cuisinier du duc d'Orléans.

Se sachant surveillée à la fois par la police anglaise et les agents français, la comtesse ne s'occupa d'abord que de ses « voleurs ». Elle se rendit chez le lord-maire pour affirmer sous serment que les diamants retrouvés étaient les siens, et rencontra des hommes de justice en vue du procès qu'elle intentait.

Puis elle fut reçue dans la haute société londonienne qu'elle trouva bouleversée par une aventure singulière qui nous est contée par l'auteur anonyme des *Sérails de Londres.*

Il y avait dans le Yorkshire un château qui appartenait à lord William G...r. Ce château, qui datait du XIIe siècle, présentait une particularité fort émouvante pour les dames : il était hanté par un fantôme. Chaque nuit, ce revenant déambulait dans les couloirs en poussant des plaintes sinistres, puis se dirigeait vers les appartements de lady G...r et disparaissait dans l'épaisseur d'un mur. On prétendait qu'il s'agissait d'un chevalier qui avait été amoureux au XVIe siècle d'une des aïeules de lord William et qui, une nuit, s'était introduit dans le château avec l'intention déshonnête de la violer. Tué par un garde, alors qu'il s'engageait dans un couloir, il aurait été condamné par le ciel à revenir éternellement dans la demeure qu'il avait voulu souiller.

Depuis le xvie siècle, ce fantôme se promenait donc toutes les nuits dans le château de W... et s'emmurait avec un grand cri. A l'intérieur de la muraille, le malheureux devait souffrir, car des gardes courageux l'ayant suivi, l'avaient entendu haleter, soupirer et émettre des plaintes.

A chaque fois qu'un G...r se mariait, il n'omettait pas de prévenir sa fiancée de la présence chez lui de ce fantôme et de la surprise qu'elle éprouverait en entendant des cris se rapprocher de sa chambre. Généralement, la jeune femme commençait par trembler de peur, mais rapidement, disent toutes les chroniques, elle s'habituait au revenant et ne semblait plus y prêter attention.

Or un incident survenu en janvier 1791 venait d'apporter de bien curieuses révélations à l'honorable William G...r.

Un soir qu'il était resté plus longtemps que de coutume dans son cabinet, où il rédigeait l'histoire de sa famille, le baron entendit le fantôme passer dans le couloir en gémissant.

Très impressionné, il demeura un instant immobile dans son fauteuil ; puis il eut honte de sa faiblesse et alla ouvrir la porte. Le revenant, qui semblait glisser sur les dalles, avait atteint déjà la deuxième galerie. A pas de loup, lord G...r courut derrière lui. Au détour du couloir, il aperçut une forme blanche qui semblait s'enfoncer dans la muraille. Les gémissements cessèrent.

Bien qu'il claquât des dents, le baron alla jusqu'à l'endroit où le fantôme avait disparu et prêta l'oreille dans l'espoir d'entendre les plaintes et les halètements dont parlaient les chroniqueurs.

Ce qu'il entendit fut bien différent :

— Mon amour chéri, disait une voix d'homme, je t'aime, quelle joie de caresser ton corps...

Une voix de femme répondait :

— Moi aussi, je t'aime !

Comme cette voix était celle de sa femme, lord G...r fut pris de soupçon.

Il ouvrit la porte, et le spectacle qui s'offrit à ses yeux acheva de le convaincre d'une infortune affreuse.

Sa femme, nue sur un lit, tenait dans ses bras le jardinier du château, qui, ayant quitté son suaire, était dans la tenue d'un enfant qui vient de naître.

Lord G...r, furieux, prenant un chandelier, allait assommer les deux coupables quand l'épouse se jeta à genoux.

— Pitié !

Le baron la repoussa du pied.

— Non ! dit-il, car vous n'avez pas seulement atteint mon honneur : vous vous êtes livrés tous deux au plus scandaleux des sacrilèges. Quoi ! vous n'avez pas craint d'utiliser l'aspect du malheureux fantôme qui hante notre château depuis près de deux siècles pour vous livrer à la débauche ? Ce crime doit être puni de mort !

La jeune femme joignit les mains :

— Écoutez-moi, William, cria-t-elle : ce fantôme n'a jamais existé !

Le baron reposa son chandelier.

— Quoi ?

La jeune femme lui conta alors une bien étrange histoire.

En 1538, lady G...r, trisaïeule de lord William G...r, était tombée amoureuse de son jardinier... Pour lui permettre de venir la retrouver dans sa chambre, elle avait inventé cette histoire de fantôme. Recouvert d'un drap, le jeune homme, sachant qu'il épouvantait tout le monde, pouvait impunément se rendre dans les appartements de la châtelaine et se livrer avec elle au doux jeu de la bagatelle. Pour entrer et sortir du château, il utilisait une issue secrète qui communiquait avec les caves. A la mort de lady G...r, le fougueux jardinier avait continué ses visites nocturnes pour ne point éveiller les soupçons du baron. Devenu vieux, il avait livré le secret à son fils, qui s'était transformé en fantôme à son tour, et avait bientôt réussi à devenir l'amant de la nouvelle châtelaine. Et ainsi, de père en fils et de belle-mère en bru, la tradition s'était perpétuée.

En apprenant que toutes ses grands-mères, depuis un siècle et demi, avaient couché avec des jardiniers, lord G...r devint fou. Il reprit le chandelier et assomma sa femme.

Tandis qu'il frappait la malheureuse, le jardinier s'échappa et ameuta le château.

Au matin, la police était venue arrêter le baron et le faux revenant...

Une telle histoire, on le conçoit, était bien faite pour émouvoir les Anglais — car tous les châtelains se posaient des questions sur l'authenticité de leurs fantômes.

Mme du Barry dut s'amuser beaucoup en écoutant cette histoire. Mais elle n'était pas venue à Londres pour s'occuper des revenants anglais et, très habilement, à la faveur des réceptions organisées en son honneur, elle commença à rencontrer des émigrés et à transmettre des consignes.

Le 1er mars, elle quitta Londres et rentra à Louveciennes où, tout aussitôt, elle réunit ses amis royalistes. On ne saura jamais quel plan fut alors établi, mais, un mois plus tard, le 4 avril, Mme du Barry repartait pour Londres porteuse d'une lettre émanant des banquiers contre-révolutionnaires Vandenyver Frères et adressée à de riches financiers britanniques. Cette lettre allait lui permettre d'avoir en Angleterre tout l'argent dont elle aurait besoin, sans sortir un écu de France :

Messieurs,

La présente vous sera remise par Mme la comtesse du Barry, qui va partir pour votre ville et dont la notoriété publique vous a sans doute instruits. Nous vous prions très instamment, Messieurs, de lui rendre tous les services et bons offices qui dépendront de vous : nous les regarderons comme reçus par nous-mêmes, et vous en aurons la plus grande obligation.

Nous vous prions aussi de fournir à Mme la comtesse tout l'argent qu'elle pourra vous demander sur ses reconnaissances pour notre compte, et devons en prévaloir sur vous par appoint.

Nous avons l'honneur d'être, avec considération, vos très humbles serviteurs.

VANDENYVER Frères et Cie.

Grâce à cet argent, Mme du Barry allait pouvoir aider les émigrés qui se trouvaient à Londres et acheter les services de quelques agents anglais...

Elle s'installa cette fois à Margaret Street et organisa des fêtes élégantes où les Français retrouvaient un peu de l'atmosphère frivole du Versailles d'avant 1789...

Trois semaines après son arrivée, elle entreprit brusquement un voyage express dont les raisons demeurent obscures. Abandonnant ses amis, elle courut à Louveciennes, prit des contacts, distribua des consignes et regagna Londre cinq jours plus tard...

Que fit-elle alors pendant quatre mois ? Quelle missions remplit-elle ? On ne le saura sans doute jamais. Pourtant, son action politique est certaine, et, lors de son procès, des agents révolutionnaires chargés de la surveiller en Angleterre viendront l'accuser formellement d'avoir conspiré contre la Convention.

10

Louis XVI empêche Fersen de sauver la reine

Qui dit mari dit toujours fâcheux.

proverbe poitevin

Le 30 mars 1791, les Parisiens apprirent avec stupeur que Mirabeau était gravement malade. Des centaines de femmes coururent immédiatement se masser devant la porte de son hôtel, à la Chaussée-d'Antin [63], afin d'avoir des nouvelles. Foule émue, attentive et silencieuse, où se trouvaient de nombreuses femmes avec lesquelles le tribun, en de folles nuits, avait imprudemment gaspillé sa santé... Les yeux rouges, elles pensaient avec une profonde tristesse, nous dit l'auteur de la *Chronique secrète*, « à l'organe puissant qui allait disparaître... ».

Le dimanche 2 avril, à huit heures du matin, un valet vint annoncer que Mirabeau avait cessé de vivre.

Aussitôt, des bruits d'empoisonnement circulèrent dans la capitale.

63. Sur l'emplacement de l'actuel 42, rue de la Chaussée-d'Antin.

On accusa la cour, Marat, Pétion, les Jacobins... Puis on connut la vérité, et les braves gens furent stupéfaits : Mirabeau était mort pour avoir voulu se montrer un trop brillant joueur dans le lit de deux demoiselles...

Écoutons le général Thiébault : « Bientôt, écrit-il, on sut que cet athlète, non moins puissant dans ses orgies que dans ses travaux, avait, en soupant, la veille de la dernière séance dans laquelle il parut, porté l'intempérance au-delà de toutes les bornes ; qu'en quittant une table fatale il était entré dans une couche plus fatale encore. Parvenu cependant à se traîner le lendemain jusqu'à l'Assemblée, il effraya ses collègues par la décomposition de ses traits, par ses défaillances continuelles, et aussi par la puissance de son génie survivant en lui à toutes les autres facultés [64]. »

Mme Roland donne plus de précisions. Elle raconte dans ses *Mémoires* que « Mirabeau fit un souper de plaisir le samedi (26 mars) avec Mlle Coulon, qui désirait faire sa conquête. Il la conduisit chez lui et la fêta très bien, dit-on. Le lendemain, il se rendit à la campagne, où Mme Lejay [65] lui fit une vie de mégère. Il l'apaisa très généreusement » [66].

Cette Mlle Coulon était une danseuse de l'Opéra dont le tempérament ardent était généralement apprécié. *L'Almanach des adresses des demoiselles de Paris* la présentait ainsi : « Coulon, peau satinée, jolie chute de reins et deux pommes assez gentilles ; pour un souper et ce qui s'ensuit..., 5 louis. »

D'après Brissot, cette charmante personne aurait épuisé le tribun en compagnie d'une autre danseuse de l'Opéra, Mlle Hélisberg, au cours d'une orgie qui avait eu lieu au château du Marais, près d'Argenteuil [67]. « Voilà, écrit-il, celles qui l'ont tué, il n'en faut point accuser d'autres [68]... »

Les choses, en effet, avaient pris rapidement un caractère sportif. Certes, Mirabeau s'était déjà trouvé aux prises avec plusieurs femmes dans un lit ; mais, jamais avec deux danseuses de l'Opéra. Le pauvre avait été submergé. Et, pour répondre à tous les désirs exprimés par les demoiselles, il s'était vu obligé d'ingurgiter des breuvages à base de cantharide.

Ces aphrodisiaques avaient hâté sa fin.

Or, en ce mois de mars 1791, Mirabeau, qui avait pris un extraordinaire ascendant sur l'Assemblée, se rapprochait de la cour et traitait secrètement avec le roi dans l'espoir de parvenir à une conciliation...

Il est donc permis d'écrire que les deux bacchantes, en abrégeant de plusieurs années la vie de Mirabeau, assurèrent peut-être le triomphe de la Révolution...

64. Général THIÉBAULT, *Mémoires*, 1893.
65. Maîtresse en titre de Mirabeau, libraire à Versailles.
66. Mme ROLAND, *Mémoires*.
67. Ce château, fort délabré, existe encore ; il est situé sur la route de Bezons.
68. BRISSOT, *Mémoires*.

Le peuple fut au désespoir en apprenant cette histoire. Si un personnage aussi puissant à tous égards que Mirabeau pouvait ainsi mourir épuisé par une nuit d'orgie, quelles craintes n'était-on pas en droit d'avoir pour les révolutionnaires plus faibles de constitution ?

Immédiatement, tous les regards se tournèrent vers Camille Desmoulins dont on savait que l'épouse, la douce Lucile, était douée d'une nature exigeante.

Déjà certaines feuilles patriotiques avaient reproché au journaliste de « délaisser la cause républicaine au profit des douceurs du lit conjugal ».

Camille, un peu ennuyé, avait très honnêtement fait son autocritique en un petit poème où il regrettait la mollesse de ses derniers écrits :

> *Quoi donc, Camille, ami de Robespierre,*
> *De Chartres même honoré comme un frère,*
> *Veut-il ternir l'éclat d'un si beau nom,*
> *Des Jacobins déserter les bannières,*
> *Et sur les pas du monarchien Clermont,*
> *Semer des pains pour recueillir des pierres ?*
> *Non, mes amis, mais l'hymen et l'amour*
> *Ont tout le tort de sa marche inégale.*

Et il concluait par ce quatrain adressé à Lucile :

> *Ah ! par pitié ! Madame, rendez-nous*
> *Ce jeune appui de la cause civique !*
> *Oui, la nuit doit tout entière être à vous ;*
> *Mais que le jour soit à la République.*

Bientôt des attaques fort directes furent lancées par des journaux satiriques. L'un d'eux, *Le Contrepoison ou Préservatif contre les motions insidieuses, cabales, erreurs, mensonges, calomnies et faux principes répandus dans les feuilles de la semaine,* prétendait que le mariage avait complètement abêti Camille.

Dans son numéro du 12 mars 1791, on lisait : « Ah ! rions toujours au nez du pauvre Desmoulins, depuis qu'il s'est avisé d'épouser, il est dans un désespoir si grand qu'il perd la tête et que, ni dans sa conversation ni dans ses numéros, il ne sait plus ce qu'il dit... »

Le lendemain, ce même journal prétendait que Lucile avait un tempérament si ardent que Camille ne pouvait lui apporter le calme et la fraîcheur qu'elle désirait.

Le 15, *Le Contrepoison* alla plus loin encore et se permit des plaisanteries d'une gauloiserie assez poussée.

Le rédacteur imagina une lettre de Lucile, suivie de la réponse du journal :

Je suis fort choquée, Messieurs, du ton persuasif avec lequel vous osez dire dans le numéro 19 du Contrepoison, *page 298 : « Depuis que Camille s'est avisé d'épouser, il est dans le désespoir de n'avoir pu parvenir encore à consommer son mariage », j'exige de votre galanterie que vous rétractiez ce paragraphe et vous prie de ne plus calomnier le tempérament de mon mari.*

Réponse :

Madame,
Lorsque nous avons inséré dans Le Contrepoison, *le paragraphe dont vous vous plaignez, nous n'avions considéré que la tournure de votre mari, tournure qui, entre nous soit dit, sollicite pas mal le cocuage. La vraisemblance était pour nous, mais vos charmes ont opéré un si grand miracle que nous nous sommes trompés ; nous supprimons donc le paragraphe en question, puisque vous l'exigez, et prions nos lecteurs de le regarder comme non avenu, ainsi que tout ce qui aurait pu vous déplaire dans notre n° 19. Il n'est point dans notre caractère d'être en querelle avec les grâces, encore moins de les outrager, et, loin de troubler votre repos par la calomnie, nous sommes très disposés à faire tout ce que vous exigerez de nous, fallût-il dire du bien de votre mari. Daignez croire, Madame, que ce langage est sincère.*

S'il nous était permis de vous filer des jours,
Chacun de nous voudrait vous en filer toujours...

Ce qui était, il faut le reconnaître, d'une galanterie un peu appuyée...

Au mois d'avril, quelques libellistes firent un rapprochement entre la vie conjugale extrêmement riche de Camille Desmoulins et les excès commis par Mirabeau. L'un d'eux écrivit ces lignes stupéfiantes : « Prends garde, citoyen Desmoulins, ne te laisse pas entraîner sur les pentes dangereuses du plaisir vénusien. Vois où ces agréments passagers ont conduit notre grand Mirabeau-le-Patriote. Soigne ta santé. Mets un frein aux exigences de la citoyenne Desmoulins. Demande à ton épouse de ne point user pour sa satisfaction personnelle des forces que tu ne dois réserver qu'au salut de la Nation. Que tous les bons patriotes, au demeurant, fassent de même. Le lit où se trouve un couple est aussi dangereux pour la Patrie que bien des aristocrates que nous avons arrêtés ou pendus. Pour avoir le corps vigoureux et l'esprit dispos, chaque citoyen devrait, pour un temps, se refuser aux désirs luxurieux de son épouse ou de ses maîtresses et faire régulièrement usage de couches séparées [69]. »

Ces lits jumeaux républicains — est-il besoin de le dire — ne furent adoptés par personne...

L'auteur anonyme de ce libelle oubliait — à moins qu'il ne l'ignorât — que depuis mille ans, on ne faisait rien de grand, en France, sans se mettre d'abord au lit avec une jolie fille...

---

69. *De la luxure considérée comme un crime contre la Nation* (1791).

Après la mort de Mirabeau qui privait la cour d'un allié, Louis XVI pensa qu'il était grand temps de quitter Paris. La berline construite par Jean-Louis était prête depuis le 12 mars [70]. Fersen l'avait fait conduire dans la cour de son hôtel, situé au coin de l'avenue Matignon et du faubourg Saint-Honoré, puis chez Crawford, rue de Clichy, où Mme Sullivan y fit placer les objets et les vivres nécessaires. Mais le plan de fuite n'était pas encore arrêté.

Pressé par Marie-Antoinette, Axel écrivit (au moyen d'une encre sympathique) au roi de Suède et à Mercy-Argenteau pour demander qu'une cérémonie militaire fût organisée dès l'arrivée de Louis XVI à la frontière ; puis à Bouillé, au sujet de la convocation du parlement de Metz, afin que l'Assemblée nationale fût déclarée illégale ; enfin, à Choiseul, pour le charger de prescrire des rassemblements de troupes au long de la route et à la frontière.

Tout étant prêt, il étudia minutieusement l'itinéraire : Meaux, Montmirail, Châlons, Sainte-Menehould, Varennes, Dun, Stenay, Montmédy, qui avait été proposé par Bouillé.

Puis il alla trouver le roi et obtint la très douce faveur d'être cocher et de conduire la berline qui devait transporter sa chère Marie-Antoinette.

Il restait encore bien des détails à régler, mais, la situation devenant chaque jour plus critique, on décida de passer outre. Le 22 avril, Fersen écrivait au baron Taube :

La personne de Leurs Majestés court de grands dangers en ce moment ; les propos qu'on tient sur elles sont affreux ; elles ne sont plus respectées et leur vie est menacée publiquement et impunément...

Enfin, la date du départ, dix fois remise, fut fixée au 20 juin à minuit.

Hélas ! au dernier moment, le Suédois eut une amère déception : Louis XVI lui annonça qu'il devrait quitter la berline au poste de Bondy. Décision surprenante lorsqu'on songe que Fersen, qui avait étudié l'itinéraire et déterminé les étapes, était plus que tout autre à même de conduire les fugitifs à bon port. Mais, nous dit André Castelot, « peut-être le mari de Marie-Antoinette trouva-t-il peu convenable de voyager sous la protection de l'amant de sa femme... ou, du moins, de celui que tous considéraient comme tel » [71].

---

70. C'était une énorme voiture verte extrêmement luxueuse et pourvue de toutes les commodités : « Les coussins sur lesquels étaient assis les voyageurs couvraient des coffres d'aisances et des vases de nuit en cuir verni ; on avait pratiqué deux cuisinières garnies de larges ferrures, et adapté au train de derrière une cantine de cuir pouvant contenir huit bouteilles de vin. Enfin, le siège du cocher était placé sur un coffre contenant tous les ustensiles dont on pouvait avoir besoin en cas d'accident. » Après l'arrestation à Varennes, cette berline servit pendant quelques années de diligence entre Paris et Dijon. Elle disparut dans un incendie.

71. ANDRÉ CASTELOT, *La Tragédie de Varennes*. Cf. les *Mémoires* du duc de LÉVIS : « Il était inconvenant, sous plus d'un rapport, que M. de Fersen occupât en cette occasion périlleuse un poste qui devait appartenir à un grand seigneur français. »

Quoi qu'il en soit, cette éviction devait être à l'origine d'un échec qui allait entraîner la chute de la monarchie.

Le 20 juin, à dix heures du soir, Fersen, déguisé en cocher, vint avec un carrosse de louage chercher le dauphin habillé en fille, Mme Royale et la gouvernante des deux princes. A petite allure, comme s'il promenait des clients, il se dirigea vers la Seine, traversa la place Louis-XV, suivit la rue Saint-Honoré, puis la rue de l'Échelle et s'arrêta à l'angle d'une place étroite, près du Petit Carrousel [72], où le roi, la reine et Mme Élisabeth devaient venir le rejoindre.

A minuit, tout le monde était là. Louis XVI portant tunique grise et chapeau rond, Marie-Antoinette le visage caché par une ample voilette.

Fersen fit monter les souverains dans le carrosse et reprit ses chevaux en main. Il se dirigea alors vers la porte Saint-Martin où était cachée la grande berline de voyage.

Toute la famille royale passa en silence d'une voiture dans l'autre, et le Suédois prit place entre les deux cochers.

A deux heures et demie, la voiture partait « à fond de train ». Une demi-heure plus tard, on était à Bondy. La mort dans l'âme, Fersen dut descendre. Il vint à la portière, se découvrit et dit en tremblant :

— Adieu, madame de Korff !

La berline s'ébranla...

Or, dès le lever du jour, le convoi, privé de son chef, ralentit son allure. La fuite devint une promenade ; le roi descendit de voiture, parla aux paysans, s'arrêta pour boire un verre de vin, le dauphin cueillit des fleurs...

Et le 21, à minuit et demi, la famille royale était rejointe à Varennes par les envoyés de La Fayette...

Malgré tous ses efforts, Fersen n'avait pu sauver la femme qu'il aimait...

Les souverains, insultés, bousculés, remontèrent dans leur berline. Autour d'eux, la foule criait :

— A Paris ! A Paris, où nous les fusillerons !

On vit alors Marie-Antoinette blêmir, et certains pensèrent qu'elle avait peur.

Or elle se pencha vers le duc de Choiseul et dit :

— Croyez-vous M. de Fersen sauvé ?...

Au moment où tout s'écroulait, c'est au sort d'Axel qu'elle pensait...

---

72. Actuellement : angle de la rue de l'Échelle et de la rue de Rivoli.

11

Mme Duplay s'étrangle par amour pour Robespierre

> Il n'est jamais trop tard
> pour se mettre la corde au cou.
>
> *Essai sur le mariage,* JULES THIEBAUD

Au retour de Varennes, Louis XVI fut suspendu de ses pouvoirs et placé sous la surveillance d'une garde. Situation qu'aucun roi de France n'avait encore connue et qui embarrassait tout le monde. En effet, si les souverains étaient fort contrariés, les députés, de leur côté, ne cachaient pas leur perplexité, car cette déchéance provisoire « laissait ouvertes toutes les difficultés ».

Ainsi que l'écrit Pierre Gaxotte : « Le roi serait-il déclaré déchu pour toujours ? Quel serait alors son successeur ? Si c'était le petit dauphin, qui serait régent ? Fallait-il, indépendamment de la personne du souverain, maintenir la Constitution ou proclamer la République ? Quelle république ? Une république populaire à base de plébiscite ou une république césarienne avec un tribun qui serait presque un dictateur ?... D'autre part, il était clair (et beaucoup étaient bien obligés d'en convenir, du moins en secret) que le roi n'avait pas voulu quitter la France. Si telle avait été son intention, il n'aurait point cherché à gagner la lointaine frontière de l'Est. Il serait allé au plus court, au Nord, par Lille ou Maubeuge, comme venait de le faire avec succès le comte de Provence[73], la même nuit et dans les mêmes conditions. Enfin, sans roi, toute l'œuvre de la Constituante s'écroulait... Il fut donc entendu, une fois pour toutes, que le roi avait été enlevé et, grâce à cette fiction, il fut, par les décrets des 15 et 16 juillet, mis hors de cause et rétabli dans tous ses droits. Pour la vraisemblance, une instruction était ouverte contre Bouillé et ses complices, auteurs présumés de l'enlèvement[74]. »

Cette décision mécontenta fortement les Cordeliers et les Jacobins, qui voulaient la déchéance du roi et son remplacement par « les moyens constitutionnels ». Ils rédigèrent une pétition sommant l'Assemblée de considérer Louis XVI comme ayant abdiqué. Le 17 juillet, ils portèrent cette pétition sur l'autel de la Patrie, au Champ-de-Mars, pour y recevoir des signatures. La propagande avait été bien faite ; une foule considérable accourut.

L'Assemblée, que cette manifestation inquiétait, enjoignit à La Fayette, commandant général de la Garde nationale, et à Bailly, maire de Paris, de dissiper le rassemblement. Des troupes entourèrent le Champ-de-Mars. Or, vers midi, les pétitionnaires découvrirent sous

---

73. Futur Louis XVIII.
74. PIERRE GAXOTTE, *La Révolution française.*

l'autel de la Patrie deux individus, un invalide et un perruquier, « qu'une curiosité malsaine avait conduits en cet endroit pour regarder les mollets des citoyennes ». Immédiatement accusés de vouloir faire sauter l'estrade, ils furent massacrés et la foule poussa des cris de mort contre le roi et les membres de l'Assemblée. La Fayette, débordé, essaya de rétablir l'ordre. C'est alors que, dans le tumulte, un énergumène dont on ne sut jamais le nom, tira un coup de pistolet. Aussitôt, la loi martiale fut proclamée et les gardes déchargèrent leurs fusils sur la foule. Cinquante-deux morts encombrèrent les gradins...

Tandis qu'avait lieu cette émeute, au Club des Jacobins, Robespierre et ses amis discutaient. Lorsqu'ils apprirent, vers huit heures, le massacre du Champ-de-Mars, ils se séparèrent rapidement.

— Ma tête est certainement mise à prix, dit Robespierre dont le visage était décomposé.

Un brave menuisier, le citoyen Maurice Duplay, qui assistait à toutes les séances du Club s'approcha :

— Venez chez moi, j'habite tout près d'ici, je vous cacherai.

Quelques minutes après, les deux hommes marchaient dans la rue Saint-Honoré.

Ils entrèrent vivement au 366 [75], s'engagèrent sous la voûte et débouchèrent dans une cour-jardin où se trouvait un atelier de menuiserie.

— Ici, vous serez tranquille, citoyen. Personne ne viendra vous y chercher.

Ils pénétrèrent dans la maison d'habitation, et Mme Duplay vint les accueillir. C'était une femme de quarante-cinq ans, aux yeux chauds. Elle était encore belle et portait avec fierté une poitrine ferme, bien connue de tous les hommes du quartier.

En reconnaissant Maximilien, elle joignit les mains :

— Oh ! citoyen Robespierre, quel honneur !

Le député, poudré, précieux, élégant, s'assit et soupira. Pour la première fois depuis qu'il avait quitté précipitamment le Club du faubourg Saint-Honoré, un sourire parut sur son visage.

En deux mots, le menuisier Duplay mit sa femme au courant des événements de la journée et lui expliqua que l'on craignait que les policiers du général de La Fayette ne vinssent arrêter Robespierre, tenu pour responsable de la manifestation.

Mme Duplay alla chercher ses enfants pour les présenter à l'orateur dont toute la France parlait. Elle ramena Éléonore, âgée de vingt ans, brunette assez jolie, Élisabeth, dix-huit ans, Victoire, quinze ans, et Maurice, douze ans.

— J'ai encore une fille, citoyen, dit-elle, mais elle est mariée à M. Auzat, avocat à Issoire.

75. Actuellement 398.

La face porcine de Duplay se renfrogna. Il détestait ce gendre qui avait des idées rétrogrades, et ne l'appelait que « cet imbécile d'Auzat ».

— Maintenant que le citoyen Robespierre est entré dans notre maison, dit-il, ce royaliste ne mettra plus les pieds ici.

Mme Duplay, éblouie par les mains fines, les yeux vifs, l'élégance du député, ne répondit pas. Elle avait allègrement, pendant des années, trompé son mari avec tous les hommes de la rue Saint-Honoré et même des alentours, et sentait naître en son intimité un intérêt très vif pour Maximilien.

— Vous logerez au premier étage, citoyen, dit-elle.

Et, par un petit escalier, elle le conduisit dans une chambre confortable et calme, qui donnait sur la cour.

Robespierre installa ses papiers, un projet de discours et quelques gazettes sur une table, tandis que la femme du menuisier mettait des fleurs dans un vase.

Plusieurs fois, elle regarda son hôte de façon engageante, en tapotant le lit, mais Maximilien feignit de ne pas comprendre.

Un peu plus tard, au cours du dîner, il eut quelque attention pour la poitrine bien gonflée d'Éléonore. Écarlate, la jeune fille qui était, comme sa mère, tombée immédiatement amoureuse du député, sentit ses genoux trembler, et fixa son assiette.

A minuit, Robespierre monta se coucher.

Il devait rester trois ans dans cette famille.

Cette vie commune a fait se poser de nombreuses questions aux historiens. Robespierre fut-il l'amant de Mme Duplay ? Fut-il l'amant d'Éléonore ?

Suivant leurs opinions politiques, les uns répondent formellement : « Oui. » Les autres, furieusement : « Non. » Sardanapale de la Terreur ou ange immaculé ? Que fut donc réellement Robespierre ?

Écoutons d'abord les Thermidoriens, qui, bien entendu, l'attaquent sans retenue.

« Chez les Duplay, qui l'hébergeaient, Robespierre avait une maîtresse : la fille de son hôte, une jolie brune de vingt ans, nommée Éléonore.

» Chaque nuit, celle-ci allait retrouver son amant et faisait avec lui des prouesses de luxure.

» Un soir, elle poussa de tels cris de volupté que Mme Duplay s'éveilla et vint frapper à la porte du député :

» — Vous êtes souffrant ?

» — Non, j'ai eu un cauchemar, répondit Robespierre, pendant qu'Éléonore se cachait derrière le lit.

» Mme Duplay entra. Elle était en vêtements de nuit. Voyant son hôte agité, elle pensa être la cause de son trouble et, oubliant ses devoirs les plus sacrés, elle s'approcha du lit avec un masque de désir sur le visage.

» Robespierre fut d'abord épouvanté.

» — Je vais vous calmer, dit Mme Duplay.

» Tandis qu'elle montait dans le lit, Éléonore, à quatre pattes, courait vers la porte et regagnait sa chambre.

» Alors, à l'endroit même où il avait pris la fille, Robespierre prit la mère [76]... »

Barthélemy se fait l'écho de ces racontars dans son ouvrage sur la Révolution :

« Tyran assoiffé de sang et de gloire, Robespierre était aussi un être lubrique et hypocrite. Dans la dernière période de sa vie, il logea chez un menuisier de la rue Saint-Honoré, le citoyen Duplay, qui assistait à toutes les réunions du Club des Jacobins.

» Trahissant les lois de l'hospitalité, Robespierre devint l'amant de Mme Duplay et d'Éléonore, la fille aînée du menuisier, une jolie vierge de vingt ans.

» Le tyran emmenait parfois son hôtesse en promenade à Choisy, pour y goûter l'amour naturel dans un lieu champêtre. Là, perdant toute pudeur, Mme Duplay se donnait à Robespierre sur un lit de fougère et dans un décor qui eût semblé idéal à Jean-Jacques Rousseau [77].

» Le soir les deux amants revenaient à Paris, épuisés de caresses [78]. »

Sans partager l'opinion de ces « historiens » engagés, il faut reconnaître que des bruits étranges coururent à l'époque au sujet de Robespierre. On prétendait que l'Incorruptible s'en allait, le soir, sabler le champagne en compagnie de Fouquier-Tinville, Chabot et quelques autres, dans un très mauvais lieu de Clichy.

Un pamphlétaire thermidorien ira jusqu'à prétendre que Maximilien mêlait Éléonore à ces jeux immodestes. Ce qui relève, bien entendu, de la plus haute fantaisie.

Écoutons-le cependant :

« Fouquier-Tinville organisait dans une auberge de Clichy des orgies où la décence et la morale étaient fort malmenées. Il amenait là de jeunes danseuses et des comédiennes connues pour la légèreté de leurs mœurs, et tout le monde se déshabillait pour dîner "à la sauvage" et obéir aux préceptes du citoyen genevois Jean-Jacques Rousseau. »

Ce retour à la nature, nous dit l'auteur, incitait, bien entendu, les convives à ne plus respecter aucune des règles de bienséance en usage dans le monde civilisé. Les hommes se jetaient sur les femmes, et tout se terminait à la satisfaction de chacun, sur les tapis ou sur la table, au milieu des fraises écrasées...

« A ces parties galantes, ajoute notre pamphlétaire anonyme, assistaient Chabot et les deux Robespierre. Le tyran venait accompagné d'une jeune personne nommée Éléonore, qui était la fille de son logeur,

76. PAUL DECASSE, *Robespierre et la Terreur*.
77. Ces promenades à Choisy ont bien eu lieu. Élisabeth, seconde fille de Mme Duplay, les a notées dans son « Journal ».
78. BARTHÉLEMY, *La Révolution et ceux qui l'ont faite*.

menuisier rue Saint-Honoré, et que Danton appelait par dérision Cornélie Copeau [79]. »

Les défenseurs de la vertu de Robespierre, nous l'avons dit, sont aussi formels [80]. Mais si les accusateurs ne donnent — et pour cause — aucune preuve de ce qu'ils avancent, les seconds n'ont pour tout moyen de défense qu'un argument bien faible.

Ils prétendent que les relations entre Maximilien et Éléonore étaient impossibles à cause de la disposition des pièces dans l'appartement des Duplay. En effet, il fallait traverser la chambre des parents pour aller de la chambre de la jeune fille à celle de Robespierre.

Il faut n'avoir jamais été amoureux pour croire que deux jeunes gens puissent être arrêtés par un tel obstacle...

« Sans doute, répondent certains, mais ce que nous savons de la misogynie et de la chasteté de Robespierre est en contradiction absolue avec une telle situation. »

Quelle misogynie ? Quelle chasteté ?

Nous avons vu Maximilien dans sa jeunesse, à Arras, courtiser les belles et, après les journées d'Octobre, avoir une maîtresse [81]. Ceux qui racontent qu'il mourut vierge répètent une légende.

Alors ?

Nous pensons que Robespierre fut l'amant d'Éléonore à qui il était presque fiancé. Plus tard, comme Simonne Évrard qui prit le nom de veuve Marat, la jeune fille fut d'ailleurs nommée parfois, et sans aucune méchanceté, Mme Robespierre.

Reste Mme Duplay ?

Là, le mystère est complet. Il existe pourtant une preuve de son amour pour Maximilien :

Le 10 thermidor, le menuisier et sa famille furent conduits à la prison de Sainte-Pélagie. Lorsqu'elle apprit que Robespierre avait été guillotiné, Mme Duplay s'étrangla dans sa cellule...

---

79. *Le révolutionnaire qui rêvait d'être roi.* (Il existe aux Archives nationales une note — que je publie plus loin — dont le texte confirme de façon troublante ces romanesques accusations...)

80. Certains historiens se retranchent derrière Charlotte Robespierre, sœur de Maximilien, qui écrit dans ses *Mémoires* : « Y avait-il place dans son cœur pour de pareilles futilités lorsque son cœur était rempli tout entier de l'amour de la patrie ? » Mais on sait que Charlotte, aveuglée, déifiait son frère...

81. Pierre Villiers, qui partageait en 1790 le petit logement de Maximilien, écrit à ce sujet : « Robespierre était d'un tempérament ardent qu'il combattait à tout moment. Presque toutes les nuits, il baignait de son sang son oreiller. Pour ce qui est de sa continence, je ne lui ai connu qu'une femme d'environ vingt-six ans, qu'il traitait assez mal et qui l'idolâtrait. Très souvent, il lui faisait refuser sa porte. Il lui donnait un quart de ses honoraires... » *Souvenirs d'un déporté.*

12

Mme de Balbi, reine de l'émigration

> Sûre de l'attachement de Monsieur,
> elle bravait l'opinion publique et souriait
> de voir tout Coblentz à ses pieds.
>
> COMTE DE CONTADES

Après l'arrestation de la famille royale à Varennes, Fersen, désemparé, s'était rendu à Bruxelles où se trouvaient, avec de nombreux émigrés, sa maîtresse Éléonora Sullivan et lord Crawford.

Rapidement, il avait connu tous les détails du retour à Paris, les affronts infligés à Marie-Antoinette, les chansons ordurières, les grasses plaisanteries des gardes, les têtes coupées... Tant d'ignominies l'avaient révolté et il s'était ressaisi. Huit jours après l'arrivée des souverains aux Tuileries, il écrivait à sa sœur Sophie :

Je suis décidé à me sacrifier pour eux et à les servir tant qu'il y aura encore quelque espoir. C'est cette idée seule qui me soutient et qui m'a fait supporter patiemment tous mes chagrins.

Au début de juillet, la reine avait réussi à lui faire parvenir une lettre ; une lettre tendre, chaleureuse, qui lui avait donné tous les courages :

J'existe... que j'ai été inquiète de vous et que je vous plains de tout ce que vous souffrez de n'avoir point de nos nouvelles ! Le ciel permettra-t-il que celle-ci vous arrive ! Ne m'écrivez pas, car ce serait vous exposer et surtout ne revenez pas ici sous aucun prétexte. On sait que c'est vous qui nous avez sortis d'ici. Tout serait perdu si vous paraissiez. Nous sommes gardés à vue jour et nuit, cela m'est égal... Soyez tranquille, il ne m'arrivera rien. L'assemblée veut nous traiter avec douceur. Adieu... Je ne pourrai plus vous écrire...

Cette dernière phrase avait affligé Fersen ; mais, quelques jours plus tard, une autre lettre lui était parvenue. Plus tendre encore :

... Je peux vous dire que je vous aime et n'ai même le temps que de cela. Je me porte bien. Ne soyez pas inquiet de moi. Je voudrais bien vous savoir de même. Écrivez-moi, par un chiffre par la poste : l'adresse à M. de Browne... une double enveloppe à M. de Gougens. Faites mettre l'adresse par votre valet de chambre. Mandez-moi à qui je pourrais adresser celles que je pourrais vous écrire, car je ne puis plus vivre sans cela. Adieu, le plus aimé et le plus aimant des hommes. Je vous embrasse de tout mon cœur.

Cette lettre avait véritablement galvanisé le Suédois qui s'était mis aussitôt en relation avec quelques émigrés importants et avait préparé un plan pour sauver les souverains français. Il s'agissait de faire passer Louis XVI et sa famille en Angleterre. Fersen s'était adressé au brave Crawford qui avait accepté de se rendre à Londres et d'y rencontrer Pitt. Mais celui-ci s'était retranché derrière une aimable neutralité et n'avait promis aucune aide.

Alors, Fersen était allé à Vienne demander l'appui de l'empereur. A son tour, celui-ci n'avait répondu que par des promesses vagues.

L'Europe, ravie de voir la France amoindrie par la Révolution, se tenait dans une prudente expectative...

Fersen était rentré à Bruxelles découragé. Mais au début de septembre, un petit paquet venant de Paris, transmis par le comte Esterhazy, lui avait rendu toute son ardeur. Ce paquet contenait un anneau que lui envoyait Marie-Antoinette...

Malgré les soucis qui l'assaillaient, malgré la surveillance dont elle était l'objet, au moment où le peuple commençait à demander la mort pour le roi et pour elle, où toute liberté lui était retirée et où le trône s'effondrait, elle avait trouvé le temps et le moyen de faire parvenir ce témoignage d'amour à Fersen.

Cet anneau, avait-elle écrit à Esterhazy, *est pour lui, faites-lui tenir pour moi ; il est juste à sa mesure ; je l'ai porté deux jours avant de l'emballer... Je ne sais où il est ; c'est un supplice affreux de n'avoir aucune nouvelle et de ne savoir même pas où habitent les gens qu'on aime...*

Le Suédois s'était passé l'anneau au doigt et avait décidé de sauver la reine de France. Mais, pour établir un plan réalisable, il lui était apparu assez vite qu'il devait aller à Paris. Là seulement, il pourrait se mettre d'accord avec les souverains sur les détails d'une nouvelle entreprise.

Lorsqu'elle fut informée de ce projet, Marie-Antoinette commença par refuser.

Elle ne voulait pas que son ami exposât sa vie en venant à Paris. Fersen était sous le coup d'une condamnation au même titre que les autres organisateurs de la fuite manquée. En rentrant en France, c'était donc sa tête qu'il jouait.

Il n'hésita pas, et sut trouver tant de bonnes raisons que la reine finit par consentir à cette entrevue.

Aussitôt, il commença dans une grande fébrilité ses préparatifs de départ.

En cette fin d'été 1791, alors que des peuples entiers réclamaient la liberté, les plus grands hommes du temps se soumettaient donc aveuglément au plus impérieux des tyrans : à l'amour... Maître des patriotes comme des monarchistes, ce sentiment animait tous les acteurs du drame. Tandis que le beau Suédois n'avait pour tout guide que la passion, et qu'à Paris les maîtres de la Révolution se laissaient diriger par quelques femmes à la cuisse légère, à Coblentz, capitale des émigrés, Monsieur, comte de Provence (futur Louis XVIII), était, de son côté, mené à la baguette par une maîtresse ardente et impérieuse.

Cette femme, à qui l'on devait donner le titre de « reine de l'émigration », s'appelait Anne de Caumont de La Force, comtesse de Balbi. Elle était jolie, piquante, malicieuse, spirituelle, et possédait un goût pour la volupté qui lui faisait commettre bien des imprudences...

Un soir, son mari rentrant à l'improviste l'avait trouvée sur un lit en compagnie du chevalier de Jaucourt. Les deux amants, absorbés par leur plaisir, ne s'étaient point aperçus de la présence du comte et avaient continué devant lui leur délectable occupation. Furieux, M. de Balbi s'était précipité sur l'infidèle et l'avait blessée d'un coup d'épée.

La réaction de la petite comtesse avait été stupéfiante.

— Pourquoi me réveillez-vous ainsi, mon ami ? Vous êtes fou ! En voilà des manières !

Le comte, l'œil injecté de sang, était demeuré une seconde complètement stupide.

— Vous dormiez ?

— Bien sûr que je dormais.

— Et celui-là ? avait dit le mari en désignant le chevalier de Jaucourt qui tremblait dans un coin de la chambre.

— De qui voulez-vous parler ?

— De cet homme qui vous tenait dans ses bras...

Mme de Balbi était parvenue à faire apparaître des larmes dans ses yeux.

— Mon ami, votre mère m'avait bien dit que vous étiez sujet aux hallucinations de la vue... Mais je ne croyais pas que c'était à ce point. Car il n'y a personne dans cette chambre que vous et moi...

Le comte, stupéfait, s'était précipité sur Jaucourt et lui avait saisi un bras.

— Vous me prenez pour un imbécile, madame. Cet homme existe bien, je le sens.

Mme de Balbi avait alors éclaté en sanglots, disant :

— Mon Dieu, c'est affreux. Il a aussi des hallucinations du toucher...

La ruse était grossière. Elle avait réussi. Tandis que M. de Balbi réfléchissait, le chevalier de Jaucourt s'était enfui par une petite porte. La comtesse avait aussitôt séché ses larmes.

— Voyons, mon ami, regardez autour de vous. Y a-t-il un homme dans cette chambre ?

Le comte n'avait point l'esprit très ouvert. Il était, après un regard circulaire, tombé à genoux, repentant.

— Pardon !

— Allons, je vous pardonne, mais nous appellerons un médecin. Ce genre de trouble peut être fort grave.

Quelque temps après, M. de Balbi, sur la demande de sa femme, avait été interné à Bicêtre...

Non contente de s'être débarrassée d'un mari gênant, la comtesse avait parachevé son œuvre en faisant accorder à son amant les charges dont le comte s'était vu honoré...

Écoutons M. de Kageneck : « Le pauvre Balbi, que sa femme et ses parents disent être fou, parce qu'il ne sait être cocu et se taire, n'en est point quitte pour être enfermé ; comme il ne convenait pas à un fou d'être colonel, on a donné son régiment au chevalier de Jaucourt, celui même qu'il avait voulu tuer auprès de son infidèle épouse. Que dites-vous de cet arrangement [82] ? »

Libre de son corps, de son cœur et de son temps, Mme de Balbi chercha un emploi agréable aux étonnantes facultés amoureuses que lui avait accordées la nature. Dame d'atours de la comtesse de Provence, elle pensa que le plus simple était de séduire Monsieur.

Justement, le comte de Provence, qui se trouvait en possession d'une virilité toute récente, désirait, avec une ardeur de néophyte, en faire hommage au plus grand nombre possible de dames.

Cet enthousiasme était pardonnable. Le pauvre frère du roi avait eu, en effet, un adolescence retardée. A l'âge où les garçons sentent naître en eux les signes précis d'une belle vigueur, un côté de lui-même était demeuré très enfantin...

Son mariage n'avait rien changé à ce déplorable état, et Madame, pendant des mois, s'était tournée et retournée sur son lit, en proie à des ardeurs locales qui la desséchaient. « Elle ressemblait, nous dit-on, à une fleur qu'aucun jardinier ne viendrait arroser... [83] »

Un jour, brusquement, tout changea. Monsieur eut la surprise de voir poindre le moyen d'éteindre le feu qui tourmentait son épouse. Il lui en fit part avec fierté et, lors de sa promenade matinale, annonça l'événement à ses familiers. A midi, tout le palais du Luxembourg, où vivait le comte de Provence, savait que le frère du roi avait vraiment droit au titre de « Monsieur », et chacun s'en réjouit.

Madame fut naturellement la première bénéficiaire de cette métamorphose.

Puis le comte de Provence commença à regarder d'un œil gourmand les jeunes femmes de sa petite cour. Ses réactions étaient d'ailleurs celles d'un collégien qui achève sa puberté. Ravi d'avoir enfin des sensations d'homme, il entretenait de ses prouesses tous les gentilshommes qu'il rencontrait et tenait des propos d'une gaillardise inimaginable.

Bachaumont ne peut s'empêcher de noter cette curieuse attitude dans ses carnets :

« Il passe pour constant, écrit-il, que jusqu'ici *Monsieur* n'avait pu

---

82. M. DE KAGENECK, lettre du 28 avril 1780, *Correspondance,* 1884.
83. De mauvaises langues allèrent jusqu'à affirmer que Madame cherchait des consolations dans un domaine qui fit la célébrité de Lesbos...

faire goûter à *Madame* les plaisirs de l'amour, pour une cause encore plus fâcheuse que celle qui a retardé l'acte de virilité conjugale chez le roi. Enfin, la nature a parlé chez Son Altesse Royale, c'est ce qui avait fait courir le bruit que Madame était grosse. Il est faux ; mais son auguste époux s'est trouvé tellement enflammé que sa conversation s'en ressent aujourd'hui, et est très vive, très chaude, très énergique, sur les matières érotiques : il surprend tous ses courtisans [84]. »

C'est à cette époque que le comte de Provence commença à écrire des vers galants et des chansons polissonnes. Le soir, il égayait son entourage en chantant les couplets — impossibles à reproduire ici — du *Petit coin sans i...*

Mme de Balbi arrivait donc au bon moment. Elle plongea, un soir, ses yeux pervers dans ceux de Monsieur qui en frissonna. Très peu de temps après, ils batifolaient sur un lit comme s'ils s'étaient toujours connus.

Devenue favorite, Mme de Balbi exigea d'être logée au Luxembourg. Le comte de Provence fit immédiatement meubler un appartement somptueux.

— Entrez, madame. Ceci est à vous !

La comtesse jeta un coup d'œil et déclara que les meubles étaient affreux. Monsieur rentra chez lui fort dépité.

La nuit, il chercha un moyen d'arranger les choses. Au petit matin, il trouva : des gardes allèrent mettre le feu à l'appartement, et tout fut consumé...

On put alors, selon le désir de la favorite, le remeubler en lampas vert et blanc avec de riches crépines d'or.

Dès les premiers jours de la Révolution, Mme de Balbi pensa qu'il serait agréable d'être à l'abri des fureurs du peuple. La seule solution était de partir pour l'étranger comme le comte d'Artois. Or Monsieur, qui se sentait de la sympathie pour les révolutionnaires dont il avait soutenu l'action par ses campagnes contre Marie-Antoinette, hésitait à quitter la France. Pensant que le peuple exigerait seulement le départ de la reine et l'abdication de Louis XVI, il tenait à rester à Paris pour monter sur le trône dès la disparition de son frère.

Mme de Balbi changea tous ces plans.

— Je m'en vais, dit-elle. Vous devez me suivre ! Dans huit jours, je serai à Mons... Organisez votre fuite. D'ailleurs, vous pourrez mieux diriger les événements de l'extérieur.

Monsieur adorait sa petite comtesse. Il acquiesça.

Un mois plus tard, le 20 juin 1791 (le jour même de la fuite à Varennes), il quittait le Luxembourg, déguisé en touriste étranger, montait dans une berline et arrivait à Mons où Mme de Balbi l'attendait avec la comtesse de Provence.

84. BACHAUMONT, *Mémoires secrets.*

Le soir même, il quittait la chambre conjugale pour émigrer définitivement dans le lit de sa favorite...

Après un voyage harassant, Monsieur parvenait le 7 juillet à Coblentz avec sa femme, sa maîtresse, ses courtisans, leurs épouses et leurs concubines. Aussitôt, tout ce beau monde installait son désordre au château de Schönbornlust, qui appartenait à Clément-Wenceslas de Saxe, archevêque de Trèves et oncle maternel du prince.

Cette petite cour, qui allait s'efforcer de copier Versailles, devait être entièrement gouvernée par la favorite de Monsieur. De son lit, elle tirait toutes les ficelles, nouait des intrigues, faisait nommer les officiers de l'armée de Condé, chasser les conseillers, évincer des diplomates, et l'on peut dire que, dans sa main, les hommes qui entouraient le comte de Provence montaient ou descendaient à la façon de *l'émigrette*, ce jouet qui faisait alors fureur et dont nous avons changé le nom en yoyo...

La puissance de cette favorite est formellement attestée par Joseph Turquan qui écrit :

« L'émigration avait d'abord été un passe-temps de gentilshommes, d'ambitieux et de jolies femmes. Ce fut une mode avant de devenir presque une nécessité. Et cette mode, ce sont les femmes qui travaillaient le plus à l'établir. Aussi est-ce aux femmes qu'appartient surtout l'émigration. Elles en sont les mobiles en même temps que les instruments. Coblentz est à elles ; c'est leur théâtre ; elles y jouent à merveille, et, parmi les intéressantes actrices, le premier rôle appartient incontestablement à Mme de Balbi [85]. »

La maîtresse de Monsieur craignit un moment de voir surgir une rivale. Au château de Schönbornlust, devenu un immense hôtel, logeait également le comte d'Artois (futur Charles X), avec sa femme et sa maîtresse, la ravissante Mme de Polastron.

Celle-ci n'avait que des idées très vagues sur la conduite à tenir à l'égard des révolutionnaires ; mais il lui plaisait de les communiquer à son amant au moment où, nue, sur le lit défait, elle savourait le bien-être que procurent des sens apaisés. Comme ils étaient doués tous deux d'un tempérament chaleureux, Mme de Polastron avait très souvent l'occasion de parler politique au comte d'Artois. Il s'ensuivit que Son Altesse Royale envoya bientôt des ordres extravagants, tant à l'armée de Condé qu'aux royalistes demeurés à Paris...

« On croira aisément que chacune des deux cours fut un nid à intrigues, écrit Joseph Turquan. Comment en eût-il été autrement avec l'état-major de poupées poudrées et musquées qui gravitaient sans cesse autour de chacun des princes ? Dans l'un comme dans l'autre de ces états-majors trônait une maîtresse en titre, et l'on peut dire que ce sont les jupons qui dirigèrent la politique de l'émigration. »

85. Joseph Turquan, *Les favorites de Louis XVIII*.

Au bout de quelque temps, Mme de Polastron, qui ne pensait qu'à l'amour, finit par se lasser de ces conversations sérieuses sur l'oreiller, et Mme de Balbi ne partagea plus son pouvoir avec personne. C'est alors qu'elle devint vraiment « la reine de l'émigration ».

Reine, la favorite, recevait dans sa chambre les généraux, les diplomates, les courtisans, et discourait avec eux sur les événements. Ces conférences avaient parfois un côté léger, qui froisse notre conception moderne de la politique, mais qui ne semblait alors aucunement déplacé.

C'est ainsi, par exemple, que Mme de Balbi, tout en commentant les résultats d'une bataille ou les décisions de la Convention, se dénudait complètement et passait sa chemise...

Écoutons un témoin oculaire, le comte de Neuilly : « Tous les soirs, quand la comtesse de Balbi avait fait son service auprès de Madame, elle rentrait chez elle, où sa société s'assemblait. Mais d'abord, elle changeait de toilette, on la coiffait près d'une petite table qu'on apportait d'une pièce voisine ; on lui passait ses robes, et même sa chemise en notre présence ; c'était reçu, et cela nous paraissait si naturel que nous n'y pensions même pas... [86] »

Il faut dire que c'était l'usage chez les femmes du XVIIIᵉ siècle de s'habiller et de se déshabiller en public. La jeune Laurette de Malboissière raconte dans ses *Mémoires*, comme la chose la plus naturelle du monde, qu'elle se faisait mettre ses jarretières par un de ses cousins ; Mme de Staël faisait, sans se gêner, sa toilette devant ses amies ; la comtesse de Brionne recevait dans son cabinet de toilette, à cheval sur l'ustensile dont les Anglais répugnent à prononcer le nom ; et bien des dames imitaient la duchesse de Bourgogne qui, s'il faut en croire la princesse Palatine, se faisait donner « devant le monde » les soins les plus intimes. Écoutons-la : « Dans le cabinet du roi, quand il y avait beaucoup de monde, elle se plaçait quelquefois derrière un écran, devant le feu, et elle se faisait donner un lavement par une femme qui s'approchait en rampant sur les genoux et sur les mains. Elle regardait cela comme une gentillesse... [87] »

Mme de Balbi, il faut le reconnaître, ne se faisait point donner le clystère pendant ses conseils politiques...

Autoritaire, méprisante, elle traitait de façon désinvolte les plus grands noms de France. Un jour, elle rencontra le vieux duc de Laval qui avait quitté Paris avec précipitation dès 1789.

— Ah ! que l'on s'ennuie ici, dit le vieillard. Quand donc pourrai-je rentrer en France ?

— Eh ! qu'iriez-vous faire en France ? répondit Mme de Balbi.

86. Comte de Neuilly, *Mémoires*.
87. Princesse Palatine, *Mémoires*.

Vous savez bien qu'il n'est plus permis de porter ses titres. Comment vous feriez-vous annoncer dans un salon ?

— Je dirais simplement mon nom, Madame : Anne de Montmorency.

La favorite sourit :

— Vous voulez dire Zèbre de Montmorency !...

Le vieux duc avait failli s'évanouir aux pieds de la comtesse dont la réputation de chipie s'était affirmée...

Tout le monde savait, naturellement, à Schönbornlust, que la comtesse de Balbi trompait Monsieur avec une exemplaire constance. Et le valet le plus stupide du palais pouvait citer le nom des gentilshommes qui avaient joué en sa compagnie à la « lutte creuse » sur un canapé.

Cette attitude désinvolte, disons-le tout de suite, ne choquait personne, le libertinage étant l'unique passe-temps des émigrés installés à Coblentz. Tout heureux d'avoir échappé aux dangers de la Révolution, ils s'étourdissaient de plaisir, organisaient des dîners extrêmement déshabillés, au cours desquels on s'efforçait de reconstituer l'atmosphère leste des petits soupers chers à Louis XV, offraient des divertissements galants et donnaient des bals qui se terminaient parfois de façon bien peu édifiante, si l'on en croit certains mémorialistes. L'un d'eux nous dit, en effet, qu'un soir « à l'issue d'une réception, Mme de G... s'étant drapée toute nue dans les rideaux, avait été rejointe par M. de B..., lequel, vêtu d'un simple ruban rose enroulé autour du mollet gauche, l'avait épousée à la mode de Bretagne, sur le rebord de la fenêtre, au vu de toute l'assemblée »[88].

Les émigrés qui, selon le mot célèbre, ne devaient rien apprendre ni rien oublier, recréaient ainsi, en exil, ce qui, précisément, avait mené l'aristocratie française à sa perte.

« L'on eût dit, en vérité, écrit Joseph Turquan, qu'ils se hâtaient d'enrubanner le vide de leur existence de quelques aventures tendres, comme s'ils eussent craint de mourir avant d'avoir encore approché leurs lèvres de la coupe du plaisir. Ils ne voyaient pas autre chose dans la vie, et ils s'en donnaient à cœur joie[89]. »

Au début de 1792, cette frénésie provoqua un assez beau scandale. Le 6 janvier, Mme de Lage, ravissante amie de Mme de Lamballe, ayant convié quelques personnes pour fêter l'Épiphanie, les reçut dans un déshabillé transparent.

Mis de bonne humeur par ce spectacle, les invités s'installèrent joyeusement devant la cheminée où brillait un feu de bois. Lorsqu'ils furent tous assis, Mme de Lage expliqua de quelle façon un peu particulière elle entendait qu'on tirât, ce soir-là, les rois.

— La galette qu'on va vous présenter, dit-elle, ne contient pas une

88. M. DE BRISSOIN, *Mémoires*.
89. JOSEPH TURQUAN, *Les femmes et l'émigration*, 1791.

fève. On y a glissé des jetons en os sur lesquels sont inscrits, en forme de rébus, le nom de chacun d'entre vous. Ce système nous permettra d'avoir autant de rois qu'il y a d'hommes et autant de reines que nous sommes de femmes. Avant de vous donner les règles du jeu, il me faut vous demander si vous êtes d'accord pour laisser toute espèce de pudeur en vous mettant à table.

D'un seul cri, tout le monde répondit :

— Oui !

— Bien, dit Mme de Lage. Voici donc comment nous allons tirer les rois : chaque jeton en os donne le droit de faire l'amour avec la personne dont il porte le nom.

Quand tous les invités eurent pris place autour de la table, on apporta la galette qui fut rapidement coupée en quinze parts — quatorze pour les convives, plus la traditionnelle part du pauvre...

La distribution eut lieu sur les indications dénuées de malice d'une jeune fille de dix-sept ans, qui s'était, selon l'usage, glissée sous la table. Aussitôt, chaque invité mordit dans son morceau de gâteau. Au bout de quelques minutes, tous avaient un jeton à la main et déchiffraient les rébus.

Ceux-ci étaient conçus sur le mode galant. Par exemple, la comtesse d'Haussonville était désignée par une partie très précise du corps féminin, + une tresse qui disait : « Je n'en ai pas l'R », + la note do, + un sac de son, + un organe masculin et + saint Leu disant : « Je ne suis pas un saint »[90]...

« La lecture des noms déchiffrés, nous dit M. de Brissoin, s'accompagna de grandes exclamations. Puis chacun se plia avec allégresse au doux règlement édicté par la maîtresse de maison. »

Bientôt, « la fête battit son plein ».

Ce fut alors qu'on sonna.

— Quel qu'il soit, dit Mme de Lage du fond du canapé où la tenait M. de Contades, qu'il entre !

C'était un pauvre...

Introduit par une soubrette, il demeura figé sur le pas de la porte du salon. Il était visible que ce brave Allemand n'imaginait pas qu'on pût tirer les rois d'une aussi curieuse façon. Un long moment, il contempla, sans rien dire, l'extraordinaire spectacle qui lui était offert, puis, brusquement écœuré, il entra dans une colère épouvantable.

Brandissant son bâton, il adressa aux barons et aux marquises les plus grossières injures dont la langue allemande s'était enrichie au cours des siècles.

Quatre hommes se précipitèrent pour jeter dehors cet importun. Mais celui-ci les assomma à coups de gourdin et les laissa inertes sur le plancher. Les femmes se mirent alors à hurler et alertèrent la domesticité qui arriva en courant.

Avant d'être chassé du salon, l'Allemand eut le temps de donner

90. Je ne crois pas nécessaire de donner l'explication de ces lignes...

quelques coups bien appliqués sur les fesses de Mme de Lage, qui en fut courroucée.

— Battez-le et jetez-le dehors ! glapit-elle.

Les domestiques obéirent, et le mendiant, fort mal en point, se retrouva dans la rue où son piteux état émut les passants. Interrogé, il raconta ce qu'il avait vu chez Mme de Lage et le traitement qu'on lui avait fait subir en ce saint jour d'Épiphanie.

Tout Coblentz connut bientôt l'aventure, et le mépris qu'avaient les Allemands pour les émigrés français s'en trouva accru. On commença à comprendre la tourmente qui ébranlait le royaume des lys...

Le scandale fut énorme et gêna considérablement le comte de Provence qui s'efforçait alors de trouver une aide financière pour l'armée de Condé.

« La boue agitée par l'aventure survenue chez Mme de Lage, nous dit un contemporain, éclaboussait tous les Français et rendait suspecte la cause même des émigrés. Pour de nombreux Prussiens, Monsieur devint le protecteur d'un troupeau de débauchés. Et certains souverains d'Europe, qui n'étaient pas mécontents de voir la France bouleversée par la Révolution, prirent ce prétexte pour laisser les défenseurs de la royauté manquer d'argent [91]. »

Mme de Balbi, très affectée par les conséquences désastreuses de la soirée orgiaque de Mme de Lage, chercha un moyen de redresser la situation. Il fallait trouver au plus vite un monarque puissant et riche, capable de financer l'émigration. La favorite pensa à Catherine de Russie, dont justement un envoyé, le comte Romanoff, se trouvait à Coblentz.

Ayant établi son plan, elle invita le diplomate russe chez elle, se fit chatte, le séduisit et lui accorda quelques bagatelles de l'huis pour le mettre en train. Le soir même, il était fou d'elle. Le lendemain, il se jetait à ses pieds. Elle le releva, le conduisit dans son lit et devint sa maîtresse.

Quelques semaines plus tard, complètement soumis à cette diablesse de femme, il obtenait pour les émigrés l'appui total de Catherine de Russie...

Ce qu'une femme avait défait, une autre le réparait.

Et il était ainsi prouvé, une fois de plus, que le hérisson des dames, à la ressemblance des langues d'Ésope, pouvait œuvrer pour le meilleur et pour le pire...

---

91. M. DE BALTE, *Mémoires d'un émigré.*

13

Fersen passe une nuit aux Tuileries

Il y a ·le bien belles nuits...
J.-R. Caussimon

Au moment où Mme de Balbi, d'un coup de reins, ralliait la Russie à la cause des émigrés, une autre femme s'apprêtait à donner une orientation nouvelle à la Révolution en faisant d'un soulèvement national un conflit européen...

Cette femme, c'était Théroigne de Méricourt qui, on s'en doute, n'avait rien perdu de ses exquises qualités de virago...

Au mois de mai 1790, quittant brusquement la France, elle était retournée dans son village natal de Marcourt, où, toujours fort excitée, elle avait fait de la propagande révolutionnaire.

Cette activité ayant été jugée indésirable sur le territoire de l'empire, elle s'était retrouvée, en février 1791, dans un cachot de la forteresse de Kufstein, aux confins du Tyrol et de la Bavière, d'où il lui avait été interdit de correspondre avec la France.

Au mois d'octobre, l'empereur d'Allemagne, Léopold II [92], qui avait entendu parler de ses aventures galantes, accepta de la recevoir. Elle sut naturellement plaider sa cause avec fougue, et le souverain se montra indulgent :

— Madame, je vous rends votre liberté. En échange, dites aux Parisiens que les rois ont encore assez de puissance pour réprimer les convulsions de leur folie. Dites-leur que, s'ils ne veulent pas entendre le langage de la raison, la tsarine, le roi de Prusse et moi, nous les ferons rentrer dans l'obéissance à coups de canon. Dites-leur qu'ils craignent notre vengeance, car nous leur infligerons un tel châtiment que les générations futures en trembleront.

Paroles imprudentes dont l'ancienne courtisane allait se servir pour exciter davantage encore le peuple de France.

Le 24 novembre, Théroigne quitta Kufstein ; au début de janvier, elle était à Paris. Elle se précipita aux Jacobins et fit un discours enflammé contre l'empereur d'Allemagne dont elle rapporta les menaces.

— Le seul moyen de défendre notre liberté, s'écria-t-elle en conclusion, c'est de faire la guerre ! La guerre à tous les tyrans ! La guerre à tous les rois ! La guerre à toute l'Europe !

L'assemblée, debout, l'acclama, et Lanthenas, qui présidait, la fit asseoir à sa droite.

— Vous venez d'entendre une des premières amazones de la liberté ! Présidente de son sexe, qu'elle jouisse des honneurs de la séance !...

92. Frère de Marie-Antoinette.

Théroigne, ivre de joie, ferma les yeux pour savourer les applaudissements.

Le soir, elle sut montrer sa reconnaissance à quelques Jacobins égrillards qui avaient compris le parti qu'ils pouvaient tirer de son enthousiasme...

La rencontre eut lieu dans une petite chambre bien modeste pour ce genre d'ébats, mais que ces braves gens surent transformer en un extraordinaire champ de bataille.

Le lendemain, tous les Jacobins, les yeux brillants, connaissaient les détails de cette nuit mouvementée, et tous se sentaient prêts à soutenir cette belle citoyenne qui savait si bien prouver sa gratitude.

Quelques semaines plus tard, l'empereur d'Allemagne, d'accord avec les souverains de Prusse, de Piémont et d'Espagne, amassa des troupes tout le long du Rhin. Alors, Théroigne, dans un état de grande exaltation, poussa Brissot, ennemi de Robespierre, à jeter la France dans la guerre.

C'est à ce moment que Fersen, retardé par divers contretemps, put enfin quitter Bruxelles et se rendre vers Marie-Antoinette.

Après avoir passé la frontière sans encombre le 10 février 1792, grâce à un déguisement, une longue perruque, et une lettre de créance établissant qu'il était « ministre de la reine du Portugal », il dut s'arrêter le 11 à Péronne où sa voiture eut un accident. Craignant d'être reconnu, il se cacha dans une auberge. Le 12, il était à Gournay ; le 13, il entrait dans Paris...

Fersen fut extrêmement ému en revoyant cette ville qu'il avait quittée le fameux soir du 20 juin sous un déguisement de cocher. Laissant son ordonnance, Reutersvärd, il courut aux Tuileries, se mêla aux gens de service et pénétra dans le palais.

A huit heures, après tant d'événements, tant de souffrances, tant d'inquiétudes, il se trouva devant Marie-Antoinette. Sans doute alors eut-il un choc, car la reine avait beaucoup changé. Ces huit mois avaient fait d'elle une vieille femme. Ses yeux de myope semblaient délavés, sa bouche était amère, ses cheveux étaient blancs[93].

Que se dirent-ils ? On ne le saura jamais. Le lendemain, Fersen se contenta de noter dans son *Journal* avec son laconisme habituel : « Allé chez *elle*, passé par mon chemin ordinaire, peur des gardes nationaux ; pas vu le roi. »

Il ajouta pourtant deux mots, qui firent beaucoup jaser les historiens : « *Resté là...* »

Le Suédois passa donc la nuit aux Tuileries.

Où coucha-t-il ? On l'ignore. Sans doute dans un cabinet retiré où il demeura caché le mardi 14 jusqu'à l'heure de sa rencontre avec le roi. Mais rien ne prouve que la reine soit venue le retrouver, comme le prétendent certains auteurs.

Leurs accusations se fondent sur le fait que Marie-Antoinette n'a

93. Ils avaient blanchi en une nuit, en revenant de Varennes.

pas annoncé avant le 14 la visite de Fersen au roi. Or on sait maintenant que ce n'était pas pour passer une nuit d'amour avec l'homme qu'elle aimait que la reine a fait cette « cachotterie » à Louis XVI, mais pour faire entrer Axel dans ses vues politiques.

Marie-Antoinette croyait qu'un congrès des puissances européennes rendrait possible un nouveau plan d'évasion. Elle voulait qu'Axel essayât d'en persuader le souverain. Longtemps, elle lui expliqua les idées chimériques qu'elle avait échafaudées pendant son absence.

Docile, Fersen répéta au roi les propos de sa bien-aimée. Mais Louis XVI l'arrêta presque aussitôt :

— Je ne veux pas partir !

Puis il donna ses raisons, que le Suédois résuma dans son *Journal* :

« Le roi ne veut pas partir et il ne peut pas... Il a cependant consenti, lorsque les armées seraient arrivées, à aller avec des contrebandiers toujours par les bois et se faire rencontrer par un détachement de troupes légères. Il veut que le congrès ne s'occupe d'abord que de ses réclamations, et, si on les accordait, insister alors pour qu'il sorte de Paris dans un lieu fixé pour la ratification ; si on refuse, il consent que les Puissances agissent et se soumet à tous les dangers ; il croit ne rien risquer, car les *rebelles* ont besoin de lui pour obtenir une capitulation... Il voit qu'il n'y a de ressource que la force ; mais, par une suite de sa faiblesse, il croit impossible de reprendre toute son autorité. Je lui prouvai le contraire, il en convint. Cependant, à moins d'être toujours encouragé, je ne suis pas sûr qu'il ne soit tenté de négocier avec les rebelles... [94] »

Le 19 février, le Suédois revint aux Tuileries et soupa avec les souverains. A minuit, il prit congé. Marie-Antoinette l'accompagna jusqu'à la porte. Il la regarda longuement, lui baisa la main et s'en alla.

Ils ne devaient jamais se revoir...

14

Mme Roland fait chasser Louis XVI

> Si les hommes ont pris la Bastille,
> les femmes, elles, ont pris la royauté.
>
> FRANÇOIS BOURNAND

Un dimanche de mai 1763, M. Pierre-Gatien Phlipon, maître graveur dans l'île de la Cité, entendait la messe en l'église Saint-Barthélemy, en compagnie de sa femme et de sa fille Marie-Jeanne, âgée de neuf ans.

A l'autel, la clochette tinta.

---

94. AXEL FERSEN, *Journal*. — Fersen avait raison. Louis XVI, croyant en la bonne foi des révolutionnaires, finira par se livrer aux membres de l'Assemblée.

Tous les fidèles se levèrent, sauf Mlle Phlipon qui était plongée dans la lecture de son missel et semblait avoir oublié jusqu'à l'endroit où elle se trouvait. Sa mère l'appela à voix basse. Revenue brusquement à elle, l'enfant se leva avec une telle précipitation que son livre de messe chut sur le sol et perdit sa couverture.

M. et Mme Phlipon, horrifiés, s'aperçurent alors qu'il ne s'agissait pas d'un livre pieux...

Que lisait donc cette fillette pendant la messe, au lieu de réciter ses prières ? Un roman enfantin ? Une histoire de poupée ? Un roman d'amour, déjà ?

Non. A neuf ans, Marie-Jeanne Phlipon, que ses parents appelaient Manon et qui devait devenir la célèbre Mme Roland, lisait en cachette *les Vies illustres* de Plutarque...

Il faut dire que cette enfant prodige ne jouait pas comme les autres petites filles. A neuf ans, elle avait lu la *Bible,* les *Guerres civiles* d'Appien, le *Traité de l'éducation des filles* de Fénelon, un gros *Traité d'héraldique*, un essai sur le *Théâtre de la Turquie*, l'*Introduction à la vie dévote*, et les *Commentaires* de César...

Ses parents, qui n'avaient pas reçu une instruction très poussée, la considéraient avec un mélange d'admiration et d'angoisse.

Un soir que M. Phlipon déplorait de voir Manon abandonner ses jouets pour les *Mémoires* de Louis de Pontis, Mme Phlipon lui répondit :

— Il faut nous féliciter de ce goût pour les livres. Comme nous ne pourrons pas donner à Manon une grosse dot, son savoir lui permettra peut-être d'épouser un bel esprit jeune et riche...

Hélas ! un incident curieux allait ruiner les espoirs de Mme Phlipon et déterminer le destin de la future Égérie des Girondins.

Manon, qui s'exerçait à la gravure, allait parfois jusqu'à l'atelier où M. Phlipon enseignait son art à ses élèves. Elle y faisait aiguiser ses burins ou prenait des modèles.

C'est là qu'un jour l'incident se produisit.

Laissons-la nous conter elle-même cette scène qui devait avoir une si grande influence sur le cours de la Révolution, et que Sainte-Beuve appelait « un acte immortel d'impudeur »...

« Parmi les élèves, écrit-elle, le plus jeune garçon, de quinze à seize ans, et par conséquent celui qui pouvait se distraire avec le moins d'inconvénient, était aussi le plus empressé à le faire pour me rendre de petits services que je recevais avec politesse. Ses parents n'étaient point à Paris, et cette circonstance, jointe à son âge, était cause que ma mère avait pour lui des bontés. Il résultait de là que je le regardais comme moins étranger que les autres, et que j'avais avec lui plus de cette sorte d'aisance et de familiarité très convenables à l'innocence et pourtant très dangereuses pour elle.

» Je n'étais donc point effrayée d'entrer dans l'atelier, si j'avais sujet d'y aller, lors même qu'il y était seul ; ce que je n'aurais osé faire à l'égard de tout autre, dès que mon père était absent. Ma mère allait et venait dans son appartement, veillait souvent sa cuisine, et n'apercevait pas toujours le moment où j'entrais dans l'atelier.

» Un soir que j'y allais chercher quelque chose, et que le jeune homme paraissait travailler seul à la lampe, je m'approche pour recevoir ce que je demandais ; il prend ma main comme en jouant, et, la tirant sous l'établi, il me fait toucher quelque chose d'extraordinaire. »

Manon, qui n'avait jamais vu d'homme nu, ignorait l'existence de cet objet que le jeune ouvrier venait de lui mettre, de façon un peu désinvolte, dans la main. Elle poussa un cri d'épouvante, croyant qu'il y avait un petit animal sous la table. Affolée, elle essaya de retirer sa main. L'autre, sans la relâcher, se mit à rire et dit tout bas :

— Mais paix donc ! De quoi avez-vous peur ? Quelle folie ! Est-ce que vous ne me connaissez pas ? Je ne suis point un méchant ! Vous allez faire venir madame votre mère qui me grondera pour votre frayeur, et je ne vous aurai appris que ce qu'elle connaît bien...

« Agitée, mais interdite, poursuit Mme Roland dans ses *Mémoires*, je demandais ma main, et voulais m'en aller ; il laisse retirer ma main en la retenant toujours avec la sienne et, faisant demi-tour sur son siège, met à ma vue l'objet de mes frayeurs. Je tourne la tête.

» — En vérité, monsieur, cela est horrible !

» Et je me débattais pour fuir.

» — Oh ! bien, mademoiselle, apaisez-vous. Je suis fâché de vous avoir déplu. Pardonnez-moi, ne dites rien ; je n'avais pas l'intention de vous mettre en colère. Y a-t-il donc du mal à laisser voir ce que les dessins montrent tous les jours ? Mais soyez libre et faites-moi punir.

» — Eh, mon Dieu, je ne dirai rien ; laissez-moi donc aller...

» Sa main relâche la mienne et je m'échappe. Je fuis dans mon cabinet, tout émue ; à peine avais-je eu le temps d'y entrer que j'entends la voix de ma mère qui m'appelle. J'étais troublée, j'aurais eu besoin de réfléchir, mais il fallait aller. Je cours à la chambre de ma mère, tout étouffée.

» — Qu'as-tu donc, mon enfant ? Comme tu es pâle !

» — Je ne sais... J'ai besoin de prendre un verre d'eau.

» — Que sens-tu ?

» — Rien qu'un peu de malaise.

» Mes jambes tremblent sous moi. Je bois un verre d'eau ; je reprends mes sens, rassure ma mère, je m'informe de la mission qu'elle voulait me donner, et reparais dans mon assiette. »

L'entreprise hardie du jeune ouvrier de M. Phlipon troubla longtemps Manon. Pendant des jours, elle y pensa, se demandant à quoi pouvait bien servir cette « chose extraordinaire » qu'elle avait touchée et entrevue avec horreur...

« J'eus beaucoup de peine, écrit-elle, à débrouiller dans ma tête ce que cette scène y avait laissé ; chaque fois que j'y voulais songer, je ne sais quel trouble importun rendait la méditation fatigante. Au bout du compte, quel mal m'avait-il fait ? Aucun. Irais-je parler de cela ? Le seul embarras de savoir comment m'y prendre m'en aurait gardée. Devais-je lui en vouloir ? Cela paraissait douteux. Et puis la comparaison avec les dessins me semblait fautive, cela m'étonnait ; la curiosité venait s'en mêler et ces petites inquiétudes dissipaient ma mauvaise humeur.

» Je fus plusieurs jours sans retourner dans l'atelier. Je voyais bien le jeune homme à dîner, où mon père l'avait mis à table, ainsi que deux autres, mais rien de particulier ne pouvait augmenter la gravité patriarcale qui y régnait toujours.

» Le jeune homme, impatient, sut me guetter et me trouver seule dans la cuisine.

» — Vous êtes fâchée contre moi ?

» — Sans doute.

» — Mais je n'ai point fait de mal.

» — Vous avez fait une vilaine chose.

» — Point du tout ; votre maman joue bien ainsi avec votre papa et n'a pas peur.

» — Fi donc ! cela n'est pas vrai ; c'est trop polisson !

» — Je vous jure que j'en suis certain ; mais ils s'y prennent différemment ; je vous le dirai si vous voulez !

» — Je ne veux pas le savoir ! Laissez-moi tranquille.

» — Je ne vous le dirai point ; mais vous ne serez pas fâchée, vous ne craindrez pas d'entrer dans l'atelier où l'on ne vous revoit plus. Vous y reviendrez, n'est-ce pas ?

» — Oui, oui, adieu !

» Je me sauve. »

En s'engageant à retourner dans l'atelier, Manon se préparait, sans le savoir, à connaître de nouvelles émotions... Écoutons-la :

« Un jour que mon père m'avait fait travailler quelques instants à ses côtés, et qu'il se trouva subitement appelé au-dehors, j'allais sortir après lui de l'atelier, lorsque je ne sais quelle fanfare se fait entendre sur le Pont-Neuf, près duquel était située la maison que nous habitions, quai de l'Horloge, au second étage. Je lève la tête et monte sur un tabouret, parce que ma petite taille et l'élévation de la fenêtre ne me permettaient pas de voir autrement.

» — Montez sur le bord de l'établi, me dit le jeune homme en m'aidant à le faire.

» Les autres sortent pour aller voir ce qui se passait, il se tient derrière moi, et, lorsque je suis pour descendre, plaçant ses mains sous mes bras, il m'enlève en me pressant sur lui de manière que mes jupes se relevaient et que je me trouvais presque à l'instant assise sur ses genoux, car il s'asseyait en même temps sur un siège, et je sentais derrière moi cette *chose extraordinaire...*

» — Mais, monsieur, laissez-moi donc.

» — Quoi, vous avez encore peur ? Je ne vous fais pas de mal.

» — Mais je veux m'en aller, mes habits...

» — Eh bien ! vos habits, je vais les ranger...

» Il porte une main hardie là où n'atteignait point autre chose, et cherche à la rendre caressante. Je voulais me débattre, et, m'efforçant de repousser ses bras, de changer de situation, je glisse mes pieds à terre, et jette un coup d'œil sur son visage. J'en eus horreur : les yeux semblaient lui sortir de la tête, ses narines étaient élargies, je fus prête à m'évanouir. Il s'aperçut de cette sensation et, sa crise étant probablement finie, il prit un air doux en employant tous ses soins à me calmer, ne voulant pas me laisser échapper qu'il n'y fût parvenu.

» Il y réussit enfin, mais au lieu d'avoir augmenté ma curiosité par cette entreprise, il avait excité ma répugnance pour sa liberté. Je ne le vis plus que de mauvais œil, sa présence me choquait, je devins inquiète et triste, je me jugeais offensée, je voulais conter tout à ma mère, j'étais craintive et embarrassée. Elle distingua que j'étais affectée et, à sa première question sur l'altération de ma gaieté, je lui fis le récit de ce qui s'était passé...

» L'émotion de ma mère et son air d'effroi m'accablaient de douleur. Désespérée d'apercevoir combien près elle avait été de perdre le fruit de ses soins, craignant peut-être que je ne lui cachasse quelque chose, elle me faisait mille questions entortillées, pour ne pas m'en apprendre plus que je n'en savais et pour s'assurer que je n'étais pas plus instruite[95]. »

Manon avait été si troublée par les gestes déplacés du graveur qu'elle conçut une véritable répugnance pour les jeunes gens.

Lorsqu'elle eut seize ans, elle devint un centre d'attraction réputé dans l'île de la Cité. Jolie, la poitrine ferme et bien dessinée, la hanche agréable, l'œil vif, elle était, nous dit-on, « le rêve secret et tonifiant » de tous les hommes du quartier...

En 1770, son père commença à recevoir des demandes en mariage. La première fois, Manon éclata de rire :

— Réponds à ce monsieur que je ne veux pas quitter mes livres pour un homme.

Par la suite, elle se fâcha. Tous les désirs qu'elle provoquait sans le vouloir l'écœuraient. Elle revoyait le jeune graveur avec sa face bestiale, ses yeux hagards, sa bouche tordue, et se sentait blessée. Intellectuelle, elle ne concevait le mariage que sous la forme d'une union de deux esprits distingués, pareillement épris de Plutarque, de Voltaire, de Jean-Jacques Rousseau, et philosophant des nuits entières. Or les demandes en mariage émanant de jeunes gens qui n'avaient jamais conversé avec elle, ne pouvaient que cacher des projets indécents...

Elle rédigea donc une espèce de circulaire passe-partout, que son père n'eut plus qu'à recopier pour décourager les soupirants.

Écartant tous les jeunes gens dont elle craignait l'ardeur, Manon se lia d'amitié avec de vieux messieurs cultivés et inoffensifs. Pendant près de six ans, elle ne fréquenta que des vieillards chez qui elle ranimait, sans le savoir, des choses qui sommeillaient depuis longtemps.

Perdue dans la philosophie, elle ne s'apercevait pas toujours que ses interlocuteurs avaient de curieuses lueurs dans le regard et le souffle un peu trop rapide en fixant son décolleté...

Elle eût dû pourtant se méfier. Son père, depuis la mort de Mme Phlipon, courait la gueuse à soixante ans et passait ses nuits avec de petites grisettes du faubourg Saint-Antoine.

Mais Manon ne pouvait comparer les érudits qu'elle recevait avec le grossier analphabète qui lui avait donné la vie. Cette future révolutionnaire méprisait les hommes du menu peuple dont elle ne pouvait supporter l'ignorance et les appétits vulgaires.

Un soir, elle eut toutefois l'occasion de constater que les beaux esprits avaient leurs faiblesses. Un de ses vieux amis, en effet, lui mit brusquement la main à la fesse en lui parlant de Bossuet...

Mais Manon ne se fâcha pas : une main qui avait feuilleté tant de livres n'était pas une main offensante.

Elle pardonna.

En 1776, elle était donc encore vierge, lorsque, le 11 janvier, un homme de quarante-deux ans, qui en paraissait près de soixante, vint frapper à la porte de M. Phlipon.

Il s'appelait Jean-Marie Roland de La Platière.

Inspecteur des manufactures à Amiens, il profitait d'un voyage à Paris pour rencontrer Manon, dont on lui avait vanté l'esprit et les connaissances.

Pendant deux heures, Roland fut sous le charme, ne sachant ce qu'il devait le plus admirer de l'érudition de la jeune fille ou de sa poitrine qui pointait sous le châle.

Finalement, il choisit la poitrine et demanda la permission de revenir.

Pendant les cinq mois que dura le séjour de Roland à Paris, Manon vit son nouvel admirateur fort souvent. D'abord paternel, l'inspecteur des manufactures devint bientôt tendre et finit par déclarer son amour au moyen de citations d'Ovide et de l'abbé Delille, ce dont Manon lui sut gré.

Un amour garanti par d'aussi grands auteurs ne pouvait salir l'esprit d'une intellectuelle. Elle accepta donc l'idée d'une passion.

Elle cita à son tour Racine, Homère, Rousseau, Boufflers, mêla Hélène et Andromaque à ses émois de vierge et s'imagina qu'elle connaissait enfin l'amour.

Le 4 février 1780, après des fiançailles compliquées, Manon épousa Jean-Marie Roland en l'église Saint-Barthélemy.

Elle était ravie : deux esprits s'unissaient.

Le soir, elle déchanta. Au moment où elle allait entamer un discours sur *la Nouvelle Héloïse*, Roland lui demanda de se déshabiller et manifesta clairement l'intention de se livrer à des occupations qu'elle croyait réservées jusque-là aux palefreniers.

Choquée, mais obéissante, elle se mit au lit.

L'inspecteur des manufactures la rejoignit d'un bond et, retrouvant pour quelques instants la flamme de ses vingt ans, se montra galant époux. Manon, la tête farcie de littérature, n'avait qu'une idée extrêmement vague de ce qu'un homme pouvait faire avec une dame. Elle fut stupéfaite en constatant que tous les beaux poèmes qu'elle avait lus n'avaient été écrits que pour exprimer le désir ou le regret d'un acte qu'elle trouvait grotesque.

Qu'un monsieur distingué trouvât drôle et intéressant de faire de la gymnastique sur une femme qu'il estimait, lui sembla incompréhensible...

Elle devait d'ailleurs l'avouer sans détour dans ses *Mémoires* : « Les événements de la première nuit de noces, écrit-elle, me parurent aussi surprenants que désagréables... [96] »

Frigide, Mme Roland dut pourtant se soumettre au devoir conjugal et donner à l'inspecteur des manufactures le libre usage de son admirable corps.

Il s'ensuivit des nuits agitées au cours desquelles l'épouse essayait de participer au plaisir de son mari en évoquant les Anciens. Hélas ! ni l'ombre de Brutus ni celle de Cicéron ne parvenaient à lui faire connaître la volupté...

Au bout d'un an, elle donna tout de même le jour à une fille, qu'elle prénomma Eudora.

A ce moment, les Roland vivaient à Amiens. Ils quittèrent cette ville en 1784, pour s'installer à Villefranche-sur-Saône. Là, Manon continua de vivre sans joie, corrigeant les épreuves des livres de son mari, faisant la cuisine, soignant sa fille, et regrettant l'heureuse époque où elle pouvait consacrer tout son temps à la lecture...

La Révolution vint heureusement lui apporter une distraction. Tout de suite, cette femme, qui avait admiré dès son plus jeune âge les républiques antiques, pensa qu'elle devait aider à l'édification d'un régime qui était si beau dans Platon...

« La Révolution survint et nous enflamma, écrit-elle dans ses *Mémoires*, amis de l'humanité, adorateurs de la liberté, nous crûmes qu'elle venait régénérer l'espèce, détruire la misère flétrissante de cette classe malheureuse sur laquelle nous nous étions si souvent attendris ;

96. Mme ROLAND, *Mémoires particuliers*.

nous l'accueillîmes avec transport. » Le 14 juillet 1789, selon le mot de Michelet, « son sein s'émut et se gonfla » !...

Roland ayant été élu membre de la municipalité lyonnaise, elle se jeta dans l'avant-garde révolutionnaire.

Tout de suite, Manon sut trouver le style qui convenait pour exciter ses amis à l'action. Dans des lettres enflammées, elle écrivit dès 1790 :

« J'attends de vos sections des arrêts vigoureux. Nos plus grands ennemis ne sont pas chez l'étranger, ils sont dans notre Assemblée même, les éternels comités sont devenus le vil jouet de l'intrigue où les scélérats, agents de la corruption, peuvent agir impunément... »

En février 1791, Roland fut envoyé en mission auprès de la Constituante. Manon, frémissante, laissa sa fille en nourrice et le suivit.

A Paris, elle assista aux séances de l'Assemblée, discuta, écrivit des lettres, des articles, des libelles, par lesquels, dans un dessein humanitaire, elle réclamait la guerre civile.

« Jette ta plume au feu, généreux Brutus, et va cultiver tes laitues, écrivait-elle à Brissot dans une lettre anonyme publiée par la *Nouvelle Minerve*. C'est tout ce qu'il reste à faire aux honnêtes gens, à moins qu'une nouvelle insurrection générale ne vienne nous sauver de l'esclavage. La cour nous joue, l'Assemblée n'est plus que l'instrument de la corruption et de la tyrannie. Une guerre civile n'est plus un malheur, elle nous régénère ou nous anéantit, et, comme la liberté est perdue sans elle, nous n'avons plus à la craindre... »

Ces textes la firent remarquer. Tous les membres de l'Assemblée admiraient cette belle fille qui s'exprimait comme Marat et laissait entrevoir des seins de déesse...

Elle eut bientôt des adorateurs.

Manon, femme froide qui ignorait l'amour, allait ainsi changer le cours des événements en troublant par sa silhouette voluptueuse les sens de quelques révolutionnaires...

Au mois de mars 1792, le général Dumouriez fut chargé par le roi de constituer le ministère.

Comme il allait nommer Danton ministre de l'Intérieur, quelques politiciens, sur lesquels le charme de Manon avait produit un effet considérable, intervinrent :

— Danton est un grossier personnage, indigne d'une telle fonction. Il faut, à ce poste capital, un homme distingué et honnête. Pourquoi pas Roland ?

— Personne ne le connaît, dit Dumouriez.

— Quelle importance ? Demain, grâce aux gazettes, le peuple saura qu'il est savant, intègre et patriote...

Le général reconnut qu'aux côtés de Roland, Danton faisait figure de malappris et désigna le député de Lyon qui reçut ainsi le portefeuille de l'Intérieur « parce qu'il avait une épouse que beaucoup regardaient comme l'incarnation même du génie de la Révolution »[97].

Les amoureux de Manon exultèrent, sachant bien que la jeune femme prendrait, en fait, la direction du ministère.

Quelques heures plus tard, Roland était avisé que Dumouriez lui proposait le portefeuille de l'Intérieur.

Manon, au comble de l'excitation, ne dormit pas de la nuit, échafauda plusieurs systèmes politiques, rêva d'envoyer à la mort tous les antirévolutionnaires, se délecta aux images d'une France couverte de potences, imagina qu'elle faisait torturer ses ennemis, inventa des supplices, improvisa des discours incendiaires, des articles remplis de menaces de mort, des appels au meurtre, des chansons sanguinaires et se dit que le Destin la désignait pour accomplir de grandes choses.

Au petit matin, elle secoua Roland qui avait dormi calmement, et lui cria :

— Accepte ! Il faut que tu acceptes !...

Le brave homme, réveillé en sursaut, se redressa un peu ahuri. Il bredouilla :

— Quoi ?

Un déluge de paroles démocratiques acheva de le sortir du sommeil, et, à neuf heures, il faisait savoir à Dumouriez qu'il acceptait le ministère de l'Intérieur.

Mme Roland devenait ainsi ministre par personne interposée...

Immédiatement, la jeune femme décida de se faire un allié de Robespierre. Croyant en la toute-puissance de son charme et de son esprit, elle pensa qu'il lui suffirait d'une rencontre pour amener à ses pieds cet homme dont la froideur l'agaçait.

Le 27 mars, elle lui écrivit un petit mot digne de la plus exécrable des parvenues :

Je reste à l'Hôtel Britannique, du moins pour quelque temps ; vous m'y trouverez habituellement à dîner et j'y conserve, comme je porterai partout, la simplicité qui me rend digne de n'être point dédaignée malgré le malheur de me trouver la femme d'un ministre. J'espère ne concourir au bien qu'à l'aide des lumières et des soins des sages patriotes : vous êtes, pour moi, à la tête de cette classe. Venez promptement, j'ai hâte de vous voir et de vous réitérer l'expression de mes sentiments, que rien ne saurait altérer.

Cette façon de dire : ... je suis femme de ministre, mais je suis restée très simple avec ceux qui ne sont rien..., déplut souverainement à Robespierre.

Au début d'avril, il vint pourtant voir Manon, après lui avoir demandé audience.

97. Miss WILCOCKS, *Mme Roland, l'idole des Girondins.*

Elle le reçut en faisant mille grâces, cita Juvénal, Tacite, Rousseau, Épictète, discourut, lança des paradoxes, fit de l'esprit, tandis que Maximilien, l'œil froid, l'observait. Horripilé par cette femme qui cherchait par tous les moyens à montrer son intelligence, il se renfrogna.

Alors Mme Roland aborda le grand sujet qui lui tenait à cœur : la guerre. Depuis que l'Europe mobilisait ses armées pour lutter contre la Révolution française, elle rêvait, tout comme Théroigne de Méricourt, de voir toute la nation courir aux frontières et se livrer à un carnage grandiose.

Robespierre, lui, était contre la guerre qu'il trouvait gênante pour mener à bien la Révolution. Mme Roland le savait et crut l'embarrasser en se montrant habile. Elle l'entreprit d'abord « sur le devoir qui incombait aux bons citoyens de maintenir la Constitution en s'appuyant sur la volonté du peuple ».

Puis elle fixa ses beaux yeux sur ceux de Maximilien et dit en souriant :

— La guerre n'est-elle pas prévue par la Constitution ?

La réponse de Robespierre éclata comme un coup de tonnerre :

— Ceux qui intriguent avec la cour désirent naturellement la guerre qui leur fournira l'occasion de trahir la nation !

Manon ne s'attendait pas à cette réaction. Elle fut décontenancée :

— Alors, monsieur, quiconque ne pense pas comme vous, en ce qui regarde la guerre, ne saurait être un bon citoyen ?

Robespierre négligea de répondre à cette question. Il enchaîna d'un ton sec :

— Et quiconque n'est pas bon citoyen est mon ennemi mortel !

L'entretien s'acheva assez froidement.

Pour une fois, l'intelligence de Mme Roland s'était trouvée en défaut. La jeune femme en conçut de l'aigreur...

Le lendemain, Robespierre, dans un discours fameux, accusa les amis de Mme Roland de machinations suspectes avec la cour.

En plus de la guerre civile et de la guerre étrangère, Manon avait sa guerre personnelle avec l'Incorruptible...

15

Théroigne de Méricourt crée des bataillons d'amazones

Elles avaient des piques, mais pas de cœur...

PAUL LECOUR

Tandis que l'égérie des Girondins éprouvait des joies intimes à pousser la France dans un épouvantable conflit, une autre femme était en train d'exciter un homme, qui, pourtant, n'en avait nul besoin.

C'était Simonne Évrard qui hébergeait toujours Marat dans son petit appartement de la rue Saint-Honoré, et dont la hargne ordinaire apparaissait dans les articles du journaliste.

Pendant des mois, ils avaient vécu heureux, lui, rédigeant ses textes sanguinaires, elle, mijotant des ragoûts onctueux. Hélas ! fin décembre 1791, une nouvelle alerte était venue troubler cette belle tranquillité.

— Paris n'est décidément pas sûr, dit Marat à Simonne, je vais gagner l'Angleterre.

A Londres, Marat se sentit rassuré. Il en profita pour écrire des articles d'une incroyable violence que des amis faisaient parvenir à Simonne Évrard.

Celle-ci les portait à l'imprimeur, et *l'Ami du Peuple* continua pendant quelque temps de donner aux Parisiens des idées peu charitables à l'égard de leur prochain...

« Tombez sur ceux qui ont des voitures, des valets, des habits de soie, écrivait le journaliste, vous êtes sûrs que ce sont des aristocrates. Tuez-les ! » Et il demandait deux cent soixante-treize mille têtes « pour assurer aux Français la liberté »...

Quelqu'un lui ayant objecté que des innocents pouvaient succomber au cours de ces meurtres systématiques, il répondit avec une désinvolture curieuse de la part d'un ami du peuple : « Si sur cent hommes (tués), il y a dix patriotes, qu'importe ! Une proportion de dix contre quatre-vingt-dix est bien faible... »

Pour être sûr que ses conseils fussent suivis, il demandait aussi aux « magistrats du peuple » de faire fabriquer « en énorme quantité, des couteaux très forts, à lame courte, bien effilée », afin que les citoyens pussent prouver leur patriotisme en assassinant facilement tout suspect.

Suggestion bien imprudente de sa part, il faut le reconnaître...

Fort heureusement, au bout de quelques semaines, Marat manqua d'argent et *l'Ami du Peuple* cessa de paraître. Au début de mars, il revint à Paris pour essayer de trouver des fonds. Comme personne n'osait collaborer, même financièrement, à son œuvre sanguinaire, Simonne Évrard, dans un grand élan de générosité amoureuse et patriotique, lui donna toutes ses économies.

Écoutons à ce propos Chèvremont, le biographe de Marat : « Voici les faits : Marat, rentré secrètement en France et caché rue Saint-Honoré, n° 243, chez les sœurs Évrard, adressait à Robespierre et à Chabot des lettres où il les priait d'engager les sociétés patriotiques à concourir à la reprise de *l'Ami du Peuple*, selon la décision du Club des Cordeliers. Marat, craignant d'abuser de l'hospitalité qu'il recevait de la famille Évrard, se réfugia chez Jacques Roux. Les jours, puis les semaines se succèdent, et le journal *l'Ami du Peuple* ne paraît point, malgré le bon vouloir des Sociétés patriotiques. Simonne a compris : il manque un dévouement suprême au dévouement particulier pour rendre le défenseur du peuple à ses augustes fonctions ; eh bien ! se dit-elle, je partagerai ses privations, ses souffrances, ses dangers, le mépris dont le couvrent ses ennemis et peut-être l'aiderai-je à les supporter.

Simonne rappelle le malheureux proscrit, lui offre un asile stable, l'oblige à accepter sa modeste fortune, et, immolant à la patrie tout préjugé, consacre à l'ami, au défenseur du peuple, son repos, sa réputation, sa vie même [98]. »

L'Ami du Peuple, après une interruption de quatre mois, reparut donc le 12 avril par les soins de Simonne Évrard et les Parisiens eurent, de nouveau, leur dose régulière d'excitation au meurtre. Car, loin de refréner Marat, la délicieuse créature, qui semblait aussi assoiffée de sang que son amant, inspirait des articles d'une violence toujours accrue.

Cette littérature insensée allait être à l'origine des épouvantables massacres de Septembre...

Au printemps 1792, Louis XVI, qui avait demandé aux puissances étrangères de retirer leurs troupes des frontières françaises, eut la surprise de recevoir une réponse défavorable.

Fort dépité, il suivit les conseils des Brissotins et, le 20 avril, déclara solennellement la guerre « au roi de Hongrie et de Bohême », c'est-à-dire à l'empereur d'Allemagne François II, neveu de Marie-Antoinette. (Léopold II était mort le 2 mars précédent [99].)

Mme Roland exulta. Quant à Théroigne de Méricourt, elle entrevit l'occasion de réaliser de grandes choses et entra, une fois de plus, en transe.

Courant du faubourg Saint-Honoré aux Tuileries et des Cordeliers à Chaillot, elle organisa un escadron d'amazones destiné à combattre aux côtés des hommes dans la lutte pour la liberté...

Des exaltées vinrent en assez grand nombre s'enrégimenter sous les ordres de la Luxembourgeoise qui présenta bientôt une requête à l'Assemblée législative :

« Messieurs,

» Nous espérons obtenir de votre justice et de votre équité :

» 1° La permission de nous procurer des piques, des pistolets et des sabres, même des fusils pour celles qui auraient la force de s'en servir, en nous soumettant aux règlements de police ;

» 2° De nous assembler, les fêtes et dimanches, au Champ de la Fédération ou autres lieux convenables, pour nous exercer à la manœuvre desdites armes. »

Les députés, ravis de pouvoir être agréables à Théroigne, accordèrent l'autorisation demandée. Et la bouillante Luxembourgeoise alla remettre un étendard aux femmes du faubourg Saint-Antoine. Incapable de refréner son éloquence, elle parla ensuite pendant près d'une heure. Voici un extrait caractéristique de sa harangue féministe :

98. F. CHÈVREMONT, le biographe de Marat, Jean-Paul Marat, esprit politique, accompagné de sa vie scientifique, politique et littéraire, 1880.

99. Après son abdication, en 1806, il deviendra empereur d'Autriche sous le règne de François Ier. Il fut le père de Marie-Louise, seconde épouse de Napoléon Ier.

« Françaises, élevons-nous à la hauteur de nos destinées ; brisons nos fers ! Il est temps enfin que les femmes sortent de leur honteuse nullité où l'ignorance, l'orgueil et l'injustice des hommes les tiennent asservies depuis si longtemps. Replaçons-nous au temps où les Gauloises et les fières Germaines délibéraient dans les assemblées publiques, combattaient à côté de leurs époux, pour repousser les ennemis de la liberté. Françaises, le même sang coule toujours dans nos veines ! Ce que nous avons fait à Versailles, les 5 et 6 octobre, et dans plusieurs autres circonstances importantes et décisives, prouve que nous ne sommes pas étrangères aux sentiments magnanimes. Reprenons donc notre énergie, car, si nous voulons conserver notre liberté, il faut que nous nous préparions à faire les choses les plus sublimes... »

Ce style ronflant, boursouflé — parlementaire — produisit un effet considérable sur les femmes du faubourg Saint-Antoine qui agitèrent leurs piques et se mirent à hurler des cris de mort à l'adresse d'un ennemi mal défini.

Toutes ces belliqueuses personnes n'allaient pas tarder à montrer leurs capacités. Non pas sur les champs de bataille où leur flamme se fût vite éteinte, mais, beaucoup moins héroïquement, à Paris [100]...

Au début de juin 1792, Mme Roland, qui ne cessait de pousser son mari à lutter contre la puissance royale, eut l'idée d'écrire une lettre à Louis XVI, « pour lui rappeler ses devoirs ». D'une main frémissante, elle rédigea une épître hautaine, la signa du nom de Roland et obligea celui-ci à l'adresser aux Tuileries.

Le résultat ne se fit pas longtemps attendre : le lendemain, Roland n'était plus ministre.

Manon, qui ne rêvait que plaies et bosses, comprit le parti qu'elle pouvait tirer de ce renvoi.

— Parfait, dit-elle. Tu vas aller lire la copie de ta lettre à l'Assemblée.

Roland adorait sa femme ; il monta à la tribune et lut la prose étincelante de Manon. L'effet produit fut extraordinaire. Du jour au lendemain, la popularité de l'ex-ministre égala celle de Necker.

Le peuple de Paris électrisé, n'eut plus, dès lors, qu'une idée : chasser ce roi qui avait renvoyé un ministre aussi brillant.

Le 20 juin, l'Assemblée, apprenant que l'armée de Dumouriez avait essuyé un revers dans les Pays-Bas, s'affola et déclara la patrie en danger. Le peuple de la capitale, excité par des agitateurs qui prétendaient que le roi, en communiquant avec l'ennemi, était responsable de cette défaite, s'arma de piques et marcha sur les Tuileries...

100. L'exemple de Théroigne fut naturellement suivi ; deux autres déséquilibrées, Rose Lacombe et Olympe de Gouges, fondèrent des *clubs de citoyennes*. Et des dames royalistes créèrent un *club féminin contre-révolutionnaire* en affirmant le plus sérieusement du monde « qu'un corset pouvait renfermer une âme noble ! »...
Indication dont se félicitèrent sans doute bien des théologiens qui n'avaient point encore songé à chercher l'âme en cet endroit...

En tête de la colonne se trouvaient les membres du club féminin de Théroigne de Méricourt. Hurlant « Vive la nation ! », braillant le *Ça ira*, « ces furies agitaient des couteaux et montraient des yeux de fauves » [101].

Les gardes qui étaient en faction devant les Tuileries furent rapidement massacrés, et la horde entra dans le palais. Au passage, les femmes, qui, de tout temps, ont aimé les colifichets, coupaient les oreilles des soldats tués et les piquaient gracieusement à leurs bonnets en guise de cocardes...

Après avoir saccagé les meubles, éventré les fauteuils, déchiré les tapis, craché sur les tableaux, la populace arriva dans le salon où se trouvait Louis XVI. Pressé, insulté par les mégères déchaînées, le roi monta sur une table et se laissa coiffer du bonnet rouge que les Jacobins avaient adopté [102].

La monarchie était, cette fois, foulée aux pieds.

Lorsque ces événements furent connus à Bruxelles, Fersen sombra dans un grand désespoir. Pour la première fois, il se demanda s'il arriverait à émouvoir les souverains d'Europe avant qu'il ne fût trop tard... C'est alors qu'en réponse aux mille questions qui l'assaillaient, il reçut le 25 cette lettre que la reine avait écrite le 21 :

Ne vous tourmentez pas trop sur mon compte. Croyez que le courage impose toujours. Le parti que nous venons de prendre nous laissera, je l'espère, le temps d'attendre qu'on vienne à notre secours. Mais ces semaines sont bien longues. Je n'ose pas vous écrire davantage. Adieu, hâtez, si vous le pouvez, les secours qu'on nous promet pour notre délivrance.

Et elle terminait ce billet en ajoutant à l'encre sympathique :

J'existe encore, mais c'est un miracle. La journée du 20 a été affreuse.

Hâter ce secours promis devint alors pour Fersen l'unique et constante préoccupation. Il répondit à son amie, le 26 juin :

Mon Dieu, que votre situation me peine. Mon âme est vivement et douloureusement affectée. Tâchez seulement de rester à Paris et on viendra à votre secours. Le roi de Prusse est décidé et vous pouvez y compter.

Confiante en l'homme qu'elle aimait, la reine reprit espoir...

---

101. Paul Lecour, *Les femmes et la Révolution*, 1892.
102. Dans la foule, se trouvaient deux jeunes officiers d'artillerie. Au moment où le roi se montra au peuple avec le bonnet phrygien, le plus petit des deux s'écria avec un fort accent méridional :
— *Ché coglione !*... Comment a-t-on pu laisser entrer cette canaille ? Il fallait en balayer quatre ou cinq cents avec du canon, et le reste courrait encore...
Ce fougueux jeune homme s'appelait Napoléon Bonaparte... (Cf. Les *Mémoires* de Bourrienne.)

La situation des souverains français aux Tuileries n'était pourtant pas très brillante. On en aura une idée par cette lettre que Fersen, toujours à l'affût des nouvelles venant de France, écrivait à sa sœur, la comtesse de Liper :

Paris va toujours de même, et les craintes pour la vie du roi et de la reine me préoccupent sans cesse. Les factieux ne cachent plus leurs projets à cet égard, et, à tout moment, le château est menacé. Leurs Majestés ne peuvent plus sortir ni même dormir en même temps. Elles se reposent alternativement, de façon qu'il y ait toujours un des deux qui veille, dans l'attente de voir leurs appartements forcés par ces cannibales. Cela me fait horreur, et leur position est déchirante pour ceux qui en connaissent comme moi tous les détails.

Heureusement, un lien continuait d'unir ceux que l'Histoire devait désigner sous le nom d'« amants restreints ».

Pendant des semaines, grâce à la femme de charge d'Eleonora Sullivan, Marie-Antoinette et Fersen purent, en effet, correspondre sans que les révolutionnaires en eussent le moindre soupçon.

Les lettres entraient et sortaient des Tuileries dissimulées dans des boîtes de biscottes. Pour plus de sûreté, elles étaient rédigées en termes chiffrés ; en outre, les choses intimes ou trop importantes étaient écrites entre les lignes avec de l'encre sympathique.

Ainsi, un dialogue pathétique s'établissait au-dessus des émeutes, des massacres, des flaques de sang, entre les deux amoureux séparés. Le 3 juillet, Marie-Antoinette, sachant que son ami travaillait pour elle, écrivit un billet plein d'espoir :

Je sens du courage, et j'ai en moi-même quelque chose qui me dit que nous serons bientôt heureux et sauvés... Agissez de manière à en imposer ici ; le moment presse et il n'y a plus moyen d'attendre. Adieu.

Et elle ajoutait cette phrase émouvante :

Quand nous reverrons-nous tranquillement ?

Si invraisemblable que cela puisse paraître, cet instant ne leur semblait pas tellement éloigné. Fersen, qui avait enfin obtenu l'aide des Prussiens et des Autrichiens, imaginait déjà l'entrée des armées coalisées à Paris.

En juillet, la reine reçut une lettre par laquelle Axel lui communiquait le plan de Brunswick :

Il marche droit sur Paris, laissant les armées combinées sur les frontières, pour marquer les places et empêcher les troupes qui y sont d'agir d'ailleurs et de s'opposer à des opérations...

Un peu plus tard, Axel confirmait :

On hâte le plus possible les opérations : l'arrivée des Prussiens est déjà un peu accélérée, et, dans les premiers jours d'août, on pourra commencer.

En recevant ces lettres, Marie-Antoinette rêvait du jour prochain où elle serait de nouveau reine de France et libre de remercier son cher sauveur. On retrouve un écho de ces illusions dans les *Mémoires* de Mme Campan.

Parlant de la captivité aux Tuileries, la dame de compagnie de la reine écrit en effet : « Éveillée dès la pointe du jour, elle (Marie-Antoinette) exigeait que l'on ne fermât ni volets ni persiennes, afin que ses longues nuits sans sommeil fussent moins pénibles.

» Vers le milieu d'une de ces nuits, où la lune éclairait sa chambre, elle la contempla et me dit que *dans un mois, elle ne verrait pas cette lune sans être dégagée de ses chaînes et sans voir le roi libre.* Alors, elle me confia que tout marchait à la fois pour les délivrer ; mais que les opinions de leurs conseillers intimes étaient partagées à un point alarmant ; que les uns garantissaient le succès le plus complet, tandis que les autres leur faisaient entrevoir des dangers insurmontables. Elle ajouta qu'elle savait l'itinéraire de la marche des princes et du roi de Prusse ; que tel jour, ils seraient à Verdun, tel autre dans tel endroit, que le siège de Lille allait se faire... [103] »

Marie-Antoinette, naturellement, n'écoutait pas les conseillers pessimistes. Elle avait une entière confiance en Fersen et croyait que l'amour qu'il lui vouait était capable d'engendrer des miracles...

Hélas ! c'est précisément cet amour qui allait perdre les souverains...

A la mi-juillet, Brunswick publia un manifeste très violent au nom des puissances coalisées, afin de rendre Paris et la France entière responsables des personnes royales. En voici un extrait :

« Tout garde national pris les armes à la main sera traité comme rebelle ; tous les habitants qui oseront se défendre seront *mis à mort* et leurs maisons brûlées ; tous les membres de l'Assemblée nationale du département, du district, de la municipalité et de la garde nationale de Paris sont rendus responsables de tous les événements sur leur tête, pour être jugés militairement, sans espoir de pardon. Étant entendu que, *s'il était fait le moindre outrage à la famille royale et s'il n'était pas pourvu immédiatement à sa sûreté, Leurs Majestés Impériales et Royales livreraient Paris à une exécution militaire et à une subversion totale.* »

Ce manifeste extravagant avait été inspiré à M. de Limon par Fersen dont la hargne contre les révolutionnaires qui maltraitaient la reine grandissait chaque jour. Impuissant à sauver celle qu'il aimait, le Suédois était animé par une véritable rage. Celle-ci le conseilla bien mal. En effet, le texte publié par Brunswick, loin de faire trembler les membres de l'Assemblée, déclencha une vague de colère en France. Le 10 août, les Parisiens, croyant que le manifeste avait été rédigé aux

103. Mme CAMPAN, *Mémoires.*

Tuileries, s'armèrent de piques, de couteaux, de fusils, et coururent vers le palais pour s'emparer de Louis XVI et de Marie-Antoinette. Fersen avait cru effrayer le peuple : il le rendait enragé.,.

16

En voulant la sauver, Fersen fait emprisonner Marie-Antoinette au Temple

Seigneur, gardez-nous de nos amis !

FRANÇOIS MAURIAC

Le 10 août, à l'aube, Théroigne de Méricourt se réveilla dans un état de surexcitation qui lui faisait taper à coups de poing sur son oreiller, griffer les draps et mordre son traversin [104]...

Le bruit du tocsin, qui sonnait à toutes les églises de Paris pour appeler le peuple au soulèvement, lui apporta un peu de calme. Elle se réjouit à la pensée que la journée allait être agitée et avala un grand verre de vin rouge.

Tandis qu'elle s'habillait, le canon d'alarme tonna. A Saint-Marceau, à Saint-Antoine, le peuple se rassemblait pour marcher sur les Tuileries. Mais, cette fois, les piques et les couteaux étaient remplacés par des canons et des fusils... Dans son manifeste, Brunswick avait menacé de traiter comme rebelles les villes qui oseraient se défendre, de faire fusiller les habitants pris les armes à la main et de livrer Paris à une exécution militaire « si les Tuileries étaient insultées... ».

Ce défi stupide avait été accepté par les révolutionnaires, et, le 9 août, une pétition signée par les sections avait demandé la déchéance immédiate du roi...

Le malheureux Louis XVI s'était alors aperçu qu'il vaut toujours mieux avoir des ennemis intelligents que des amis stupides...

Aussitôt les délégués de section avaient installé à l'Hôtel de ville une Commune insurrectionnelle dont le plus actif membre était un amant de Théroigne : Danton [105]... Cordeliers et Jacobins s'unissaient pour livrer un dernier combat à la royauté...

A six heures du matin, Théroigne, l'œil allumé, se rendit aux Feuillants. Le vieux couvent était déjà entouré d'une foule braillarde. La belle Luxembourgeoise monta sur une borne et se mit à crier :

— A mort les aristocrates !... Vive la Révolution !... Vive la liberté !...

---

104. PAUL LECOUR : « Lorsqu'elle avait dormi seule, elle se réveillait dans l'état d'une chatte qui attend le matou. Elle avait des crises de nerfs, cassait des verres, et se roulait sur son lit en criant soit des obscénités, soit "Vive la Nation". » (Les femmes et la Révolution, 1892.)

105. Quelques jours auparavant, Danton avait demandé à l'Assemblée nationale de voter une loi « pour forcer le roi à répudier sa femme et à la renvoyer à Vienne »... Mais on n'en était plus là...

Le peuple, qui n'attendait que ce signal pour montrer sa bonne volonté, reprit en chœur les cris de mort.

A ce moment, deux soldats amenèrent à la section des Feuillants un homme en uniforme de garde national.

— Qui est-ce ? demanda quelqu'un.

— Suleau !

Théroigne devint blême. Suleau était le principal rédacteur du journal antirévolutionnaire *Les Actes des Apôtres*. A plusieurs reprises, il avait pris à partie la jeune femme, parlant de son passé de courtisane, de ses amants présents et de son tempérament infatigable. Il avait même rimé sur elle et sur Basire des chansons ironiques dont on aura une idée par le couplet suivant :

> *La Théroigne de Méricourt*
> *A vaincu le cœur de Basire,*
> *Et le Jacobin à son tour*
> *Éprouve le feu qu'il inspire.*
> *On ne sait, voyant si uni*
> *Ce couple d'une telle espèce,*
> *Qui des deux est le mieux puni,*
> *De l'amant ou de la maîtresse...*

Théroigne, ulcérée, n'avait jamais pardonné ce couplet au journaliste.

— On va te faire avaler ta bave, sale crapaud ! cria-t-elle.

Les Parisiens ne connaissaient pas Suleau. Ils le considéraient d'un œil torve, sans rien dire.

— Les traîtres doivent être supprimés ! dit encore Théroigne. A mort !... A mort !...

La foule, supputant un spectacle amusant, se resserra autour de Suleau que les deux soldats tenaient toujours.

— Je demande la tête du prisonnier ! hurla Théroigne.

— Oui, oui, la tête ! crièrent quelques femmes à tout hasard et parce que la décapitation d'un royaliste pouvait constituer un passe-temps agréable.

Un commissaire de la section intervint. Il fit mettre Suleau dans une cellule et dit :

— Citoyens ! si la cause de la démocratie veut triompher, elle doit le faire dans l'ordre et le calme. Nous vous prions donc de vous retirer. Si cet homme est reconnu coupable, il sera livré à la sévérité des lois !

Théroigne bondit :

— Citoyens, criez avec moi. Qu'on tue celui-là et qu'on fasse descendre les prisonniers ! A mort !

La foule, excitée par la Luxembourgeoise, se mit à hurler, bouscula les soldats, pénétra dans le couvent des Feuillants, menaça les membres du Comité et réclama les prisonniers pour les massacrer.

Le président Bonjour, pris de peur, livra les royalistes dont il avait la garde.

— Qu'ils descendent ! Qu'ils descendent ! hurlait Théroigne au bord de la crise de nerfs.

Le premier prisonnier qui déboucha dans la cour fut l'abbé Bouyon, un pamphlétaire royaliste. Théroigne bondit sur lui.

— A mort !

La foule se rua sur le malheureux, le renversa et lui trancha la tête avec une allégresse déplacée. Mlle de Méricourt, les yeux exorbités, la bouche ouverte, les traits tirés, montra alors tous les signes d'une profonde jouissance...

Le second prisonnier subit le même sort que l'abbé Bouyon, et Théroigne réclama Suleau.

Lorsque le journaliste parut, la jeune femme sauta sur lui, l'injuria et tenta de l'égorger. Comme elle n'y parvenait pas, elle demanda de l'aide :

— Tuez-le !

Serviable, un homme qui possédait un sabre vint décapiter Suleau.

— Tuez-les ! Tuez-les tous !...

La foule excitée par le sang et par la vue des têtes coupées dont quelques passants avaient déjà orné leur pique, se jeta sur les prisonniers que le Comité avait fait descendre.

La curée fut épouvantable.

On tua toute la matinée. Les badauds, les curieux qui s'étaient amassés autour du couvent des Feuillants pour voir le visage des détenus, s'étaient transformés en assassins parce qu'une femme insatisfaite avait lancé l'appel au meurtre et communiqué son hystérie.

Une fois de plus, la sexualité avait joué un rôle déterminant.

« Peut-être, écrit Paul Lecour, aurait-il suffi que Théroigne de Méricourt eût un amant dans son lit au soir du 9 août pour que la journée du 10 ne s'étalât pas dans notre histoire comme une tache de sang... [106] »

Peut-être, en effet...

A sept heures du matin, le roi fut informé de ces scènes de carnage. Il demeura longtemps atterré. Vers midi, voyant le château cerné, il essaya d'exciter le zèle de ses défenseurs en se montrant à eux. Mal lui en prit. Dans son affolement, il avait mis sa perruque de travers, et les membres de la garde nationale éclatèrent de rire.

Fatigué, hagard, les yeux bouffis, le malheureux monarque n'inspirait plus aucun respect. Après l'avoir moqué, on le hua, et il dut rentrer aux Tuileries précipitamment, poursuivi par des clameurs injurieuses.

— A bas le gros cochon ! criaient les gardes.

Même à un observateur superficiel, la monarchie n'eût pas semblé très solide...

Le soir, craignant une attaque du Palais, le roi alla se réfugier au sein de l'Assemblée. Les députés le reçurent courtoisement, mais comme les délibérations ne pouvaient légalement avoir lieu en sa présence, on l'enferma avec les siens dans la loge du *Logographe* [107].

Lorsqu'il en sortit, dix-huit heures plus tard, il n'avait plus aucun pouvoir...

A quatre heures du matin, le 11 août, la famille royale fut conduite d'abord aux Feuillants, où tout avait commencé, puis à la tour du Temple...

Loin d'imaginer une telle réaction du peuple parisien, Fersen écrivait au même instant, dans son *Journal* : « Les nouvelles de Paris sont rassurantes... »

Il fut effondré en apprenant, trois jours plus tard, que les souverains avaient dû se réfugier auprès de l'Assemblée, et que le peuple réclamait leur mort. Il écrivit :

« Le 13, lundi. Nouvelles terribles de Paris. Le jeudi matin, le château assailli, le roi et la reine sauvés dans l'Assemblée : à une heure, on se battait encore dans les cours et les carrousels. Le sang ruisselait, beaucoup de tués et de pendus, le château fut forcé partout ; huit pièces de canon étaient braquées contre et tiraient... Une fumée épaisse faisait croire qu'on avait mis le feu au château. Mon Dieu, quelle horreur ! »

Le 15 il nota, de plus en plus désemparé : « Nouvelles de Paris : la famille royale à l'hôtel de Noailles, gardée à vue, ne pouvant voir personne. »

Enfin, le 17, complètement atterré, il écrivit : « Nouvelles de Paris : le roi et sa famille enfermés dans la tour du Temple. »

C'était là le résultat des interventions maladroites de l'amoureux de la reine... La pauvre allait payer de sa vie les fautes commises par un homme animé par plus d'amour que de raison.

Au début de leur incarcération au Temple, les souverains ne furent pas trop maltraités. On leur avait laissé une petite suite, composée du baron Hüe, de Chamilly, de la princesse de Lamballe, de Mme de Tourzel et de sa fille, et ils pouvaient se distraire en jouant au tric-trac ou en lisant Horace. Marie-Antoinette avait même obtenu qu'on lui apportât un piano. Tandis que le roi donnait des leçons de latin ou d'histoire à son fils, elle interprétait *Pauvre Jacques*, cette romance qu'elle avait composée naguère à Trianon avec Mme de Travanet.

Mais, sur la demande des Montagnards, le régime des prisonniers devint bientôt plus rigoureux. On leur retira leur suite, et les gardes nationaux commencèrent à se montrer insolents.

Lorsque les souverains descendaient au jardin, où les enfants pouvaient s'ébattre un peu, ils avaient le désagrément de lire sur le mur des graffiti déplaisants : *La guillotine est permanente et attend le tyran Louis XVI... Madame Veto la dansera... Nous saurons mettre le*

---

107. Cette loge, située derrière le fauteuil du président, était affectée aux journalistes du *Logotachygraphe* (plus souvent nommé « Logographe », nom qui a prévalu).

gros cochon au régime... Parfois, ces menaces s'accompagnaient de dessins. Une potence était légendée : *Louis prenant l'air* ; une guillotine : *Louis crachant dans le sac,* etc. De telles grossièretés laissaient les détenus fort calmes. Pourtant, un jour, Marie-Antoinette frémit, une main ignoble avait écrit sur le mur de l'escalier : *Il faut étrangler les petits louveteaux...*

La pauvre, dès cet instant, trembla pour ses enfants et vécut dans la crainte qu'on ne lui enlevât le dauphin.

La révolte du 10 août avait naturellement amené quelques changements dans la politique : c'est ainsi que Roland avait retrouvé le portefeuille de l'Intérieur, et que Mme Roland était redevenue ministre...

Entourée de Brissot, Lanthenas, Bosc, Bancal des Issarts (qui était amoureux d'elle), elle reprit sa lutte en faveur d'une république copiée de l'antique. Elle rédigea les circulaires ministérielles, parla, dirigea les journaux attachés au ministère, demanda du sang, excita ses amis et, selon le mot d'un historien, « aima la Révolution comme une amante ».

Le rôle de Mme Roland ne tarda pas à agacer prodigieusement certains révolutionnaires. Danton, entre autres, ne pouvait souffrir cette femme dont il retrouvait l'influence dans tous les conseils du gouvernement. Il se permit sur elle des plaisanteries assez grossières qui amusèrent tout Paris. Jusqu'alors on se contentait de dire « que les époux Roland formaient un nombre dont la femme était le chiffre et le mari le zéro » ; on alla beaucoup plus loin. Et la malignité publique, aidée par Hébert et Marat, se plut à imaginer Manon dirigeant le ministère de l'Intérieur, nue sur un sofa et entourée d'amants vigoureux...

Une telle accusation révolta Mme Roland qui considérait toujours l'amour avec la même répulsion. Elle se mit à haïr Danton.

De cette époque date une lutte qui eut les conséquences les plus graves, et devait amener l'état de guerre ouverte entre les hommes attachés aux idées du tribun et les amis de Roland.

17

Les armées de l'an II corrompues par les femmes de troupe

> Il y a une grande paix à la guerre,
> c'est d'y être sans femme.
>
> RENÉ QUINTON

Lorsque, le 22 juillet 1792, la patrie fut déclarée « en danger » et que l'Assemblée décida de faire appel à des volontaires pour former une armée, il y eut de grands branle-bas dans toute la France.

Le plus important eut lieu au Palais-Royal — qu'on nommait alors le Palais-Égalité.

Toutes les filles qui vendaient leurs charmes dans le jardin où Richelieu s'était jadis recueilli comprirent, en effet, que la formation de troupes fraîches était pour elles une aubaine inespérée. Elles coururent aux endroits où l'on procédait aux enrôlements des volontaires et admirèrent d'un œil connaisseur les beaux jeunes gens qui venaient se mettre au service de la patrie.

Mêlées à la foule, elles faisaient entre elles, nous dit-on, « des réflexions un peu crues sur certaines particularités physiques d'iceux et s'esclaffaient bruyamment en songeant au plaisir qu'elles pourraient en tirer » [108].

Toutes avaient eu la même idée : suivre les armées et soutirer le plus d'argent possible à ces hommes qui allaient être privés d'amour.

Tandis que le bon peuple criait son enthousiasme en voyant se former les bataillons de braves, elles retournèrent précipitamment au Palais-Égalité, firent un paquet de leurs robes, et se tinrent prêtes à partir...

Cette décision allait embarrasser bien des gens : les Parisiens tout d'abord. Jamais, en effet, les hommes de la capitale n'avaient connu autant de fièvre érotique qu'en ces jours d'émeutes. Il semblait que l'odeur du sang décuplât leurs forces viriles et les poussât à la débauche.

Le départ des prostituées allait donc poser un problème pour ces ardents patriotes. D'autre part, les éditeurs des « Guides roses » risquaient d'être ruinés. Qu'allaient-ils devenir avec leurs almanachs à l'usage des provinciaux ? Justement l'un d'eux venait de paraître. Il avait pour titre :

Almanach des adresses des demoiselles de Paris de tous genres et toutes les classes ou Calendrier du plaisir, contenant leurs noms, demeures, âges, tailles, figures et leurs autres appas, leurs caractères, talents, origines, aventures, et le prix de leurs charmes, augmenté et suivi de recherches profondes sur les filles anglaises, espagnoles, italiennes et allemandes pour l'année 1792 [109].

Cet ouvrage, vraiment complet, allait être sans valeur si les prostituées quittaient Paris. Aussi les éditeurs, affolés, tentèrent-ils de les retenir en leur offrant de l'argent. Mais ils n'alléchèrent que les vieilles femmes. Celles qui hésitaient un peu à courir les routes et à se vendre dans un fossé entre deux attaques ennemies... Et il ne resta bientôt plus, aux révolutionnaires parisiens, que des filles de joie quinquagénaires, édentées et rhumatisantes...

108. Pierre Jourdan, *L'amour sous la Terreur.*
109. Au-dessous du titre se trouvait cette mention : « Édité à Paphos imprimerie de l'Amour... »

Tandis que les prostituées se préparaient à suivre les armées de la Révolution, les fiancées et les épouses des volontaires, bien loin d'imaginer « ce que tramait dans l'ombre l'amour vénal », incitaient leurs hommes à partir pour la guerre. Elles acclamaient naïvement les régiments qui partaient, lançaient des fleurs, applaudissaient, chantaient des cantates, puis retournaient chez elles, joyeuses et frémissantes, sans se douter qu'au premier coin de rue, un bataillon de ribaudes s'était joint à la « cohorte des héros »...

Ces bandes de femmes, tantôt chassées, tantôt tolérées par les officiers — qui en usaient comme leurs hommes —, participaient à tous les mouvements de troupes, couraient sous la mitraille, couchaient sous la tente, et enduraient les privations, les fatigues et les souffrances des militaires.

Lorsque le régiment faisait une pause, les demoiselles, rapidement maquillées, venaient rôder autour du camp. Les hommes, ravis, les suivaient derrière le premier buisson venu et leur montraient une vigoureuse estime... Certains soirs, nous dit un témoin, « quand tous les militaires avaient succombé aux appels des ribaudes, on avait l'impression de voir onduler la prairie ».

Après ces scènes d'amour champêtres, tous les acteurs s'en allaient vider des pots de vin jusqu'au petit jour...

Bonnes filles, les prostituées ne s'occupaient pas seulement d'amour. Elles reprisaient les chaussettes, mettaient des pièces aux pantalons et préparaient des tisanes aux soldats enrhumés.

A la longue, elles finirent par avoir leurs préférés, et certains officiers jouèrent même, sans trop se cacher, le rôle peu estimable de souteneur.

Il arrivait aussi que ces demoiselles se crêpassent le chignon. Un soir, un artilleur, dont l'ardeur était légendaire, avait fait venir sous sa tente quatre femmes, afin de leur rendre hommage à tour de rôle. La partie ne put avoir lieu à cause d'une ridicule question de préséance, chacune des demoiselles exigeant d'être honorée la première...

Finalement, elles s'injurièrent, en vinrent aux mains et se battirent devant le bel artilleur, déçu et fort embarrassé de sa virilité...

Hélas ! les demoiselles du Palais-Égalité avaient peu d'hygiène, et bientôt les armées de la Révolution furent complètement avariées.

Les hommes, « atteints dans leur nature », perdirent le beau moral qui les soutenait au départ. Certains désertèrent, rentrèrent chez eux clopin-clopant et ramenèrent aux épouses spartiates de très vilaines maladies.

Cette vague de défaitisme, au moment où les troupes ennemies attaquaient avec une extrême violence, risquait d'être catastrophique. Les soldats de la Révolution, gênés dans leur démarche, essuyaient des revers retentissants... Il fallait prendre des mesures.

Un major écrivit (dans un style assez curieux) : « La loi de la nature qui porte l'homme à rechercher avidement le plaisir fugitif qui tend à la reproduction l'entraîne parfois dans les excès les plus révoltants et les plus dangereux pour sa santé. Bientôt les forces se perdent, l'enthousiasme militaire s'anéantit et l'on voit périr les germes les plus précieux de l'espèce. » Il terminait ainsi son exposé : « Les militaires ne doivent que rarement se livrer aux plaisirs de l'amour. »

Une première ordonnance obligea toutes les ribaudes à quitter les armées, sous peine d'être déshabillées et fouettées de verges en public.

Apeurées, les filles s'éloignèrent pendant quelques semaines, puis revinrent en se cachant.

Alors une seconde ordonnance précisa qu'elles seraient « barbouillées de noir et soumises à la risée du peuple ».

Cette punition, qui les défigurait pendant six semaines, fit réfléchir les plus effrontées. Craignant de ne plus pouvoir exercer leur métier, elles quittèrent les armées et rentrèrent chez elles.

L'absence des ribaudes n'arrangea pas les choses.

Les militaires, brusquement privés d'amour, devinrent nerveux et se mirent à violer systématiquement toutes les femmes agréables d'aspect qu'ils rencontraient. Dans un village de Picardie, un aubergiste ayant tenté de cacher son épouse et ses filles fut assassiné et brûlé dans sa cheminée.

C'est dire assez combien les soldats de l'an II étaient ardents...

Pour empêcher la répétition de scènes aussi regrettables l'autorité militaire autorisa le retour de quelques ribaudes auprès des bataillons [110].

18

Grâce aux demoiselles Fernig, Jemmapes fut une victoire

> Leurs seins palpitaient sous la tunique des braves.
>
> ROLAND JOINARD

Les demoiselles de petite vertu n'étaient pas les seules femmes qui fussent attirées par l'armée. D'autres se mêlaient aux soldats pour des raisons purement patriotiques.

Deux de ces héroïnes devaient, suivant la formule d'un historien, « laisser un nom dans l'Histoire et leur pucelage sur le champ de

---

110. Mais leur nombre en fut exagérément limité. C'est ainsi qu'en 1803, au camp de Boulogne, une blonde jeune femme de vingt-deux ans, prénommée Magdeleine, eut à s'occuper — à elle seule — d'une armée entière. Surnommée Madame Quarante-mille-hommes, sa tente, que gardait un factionnaire, était constamment entourée d'une foule de soldats aux yeux brillants. « Fifre ou maréchal d'Empire, tout ce qui portait l'uniforme était également bien accueilli chez elle », écrit Vidocq dans ses *Mémoires*. Il fallait attendre des semaines pour l'approcher, et les places se vendaient fort cher. Finalement, la pauvre mourut en 1812, à l'hôpital d'Ardres, laissant quarante mille veufs inconsolables... Cf. Raoul Brice, *Les femmes et les armées de la Révolution et de l'Empire*.

bataille ». Elles s'appelaient Félicité et Théophile Fernig. La première avait vingt-deux ans, la seconde dix-sept. Toutes deux préféraient aux jeux de l'amour, qui intéressent généralement les demoiselles de cet âge, des distractions plus viriles. C'est ainsi que Félicité tirait à l'arc et que Théophile n'avait de goût que pour les épées, les sabres et les pistolets.

Le dimanche, ces aimables jouvencelles entraînaient avec elles de jeunes paysans et organisaient des batailles dans les prairies qui avoisinaient Mortagne, leur village natal. Aussi les habitants du pays avaient-ils coutume de dire en riant :

— Les petites Fernig, elles finiront dans la garde nationale...

Elles devaient faire mieux... Lorsque, en août 1792, le général Biron, qui avait battu les Autrichiens, se trouva en difficulté devant Mons, le bruit courut à Mortagne que l'armée française était en déroute. Aussitôt, les deux sœurs décidèrent de devenir militaires.

Elles prirent des vêtements d'homme et, sans prévenir leur père, se dirigèrent du côté de Valenciennes.

Hélas ! un incident burlesque survenu dans cette ville interrompit l'équipée des deux « soldates ». Ignorant l'endroit où se trouvait le camp, elles entrèrent dans un café pour demander leur chemin. Un dragon était en train de boire une chopine. Il les invita à trinquer. Les deux jeunes filles, un peu gênées, acceptèrent pour ne point paraître suspectes et offrirent même une tournée. Au moment de payer, Félicité, voulant prendre l'argent qu'elle avait placé dans une pochette de tissu cousue sur sa chemise, déboutonna sa tunique... « Alors, nous dit un historien, un très joli sein, qui avait été longtemps comprimé, jaillit en direction du dragon qui parut étonné. Rares, en effet, sont les militaires capables d'allaiter. On entoura Félicité rougissante. Et le dragon, revenu de sa surprise, émit un doute touchant le sexe de ce curieux militaire [111]. »

Aussitôt les clients du café malmenèrent les deux jeunes filles, les accusant d'espionner pour le compte des Autrichiens et les firent arrêter.

Félicité et Théophile eurent beaucoup de mal à sortir de prison.

De retour à Mortagne, elles apprirent que M. Fernig organisait une petite armée de volontaires et désirèrent combattre clandestinement aux côtés de leur père. Écoutons Lamartine nous conter, dans son style très particulier, ce curieux épisode :

« Elles résolurent de s'armer aussi, de se mêler, à l'insu de M. de Fernig [112], dans les rangs des cultivateurs dont il avait fait des soldats, de se mêler à eux, de veiller surtout sur leur père et de se jeter entre la mort et lui, s'il venait à être menacé de trop près par les cavaliers ennemis. Elles couvèrent leur résolution dans leur âme et ne la révélèrent qu'à quelques habitants du village, dont la complicité leur était

---

111. ROLAND JOINARD, *Les femmes-soldats pendant la Révolution.*
112. La particule est due à la générosité de M. de Lamartine.

nécessaire pour les dérober aux regards de leur père. Elles revêtirent des habits d'homme que leurs frères avaient laissés à la maison en partant pour l'armée, elles s'armèrent de leurs fusils de chasse et, suivant pendant plusieurs nuits la petite colonne guidée par M. de Fernig, elles firent le coup de feu sur les maraudeurs autrichiens, s'aguerrirent à la marche, au combat et à la mort et électrisèrent, par leur exemple, les braves paysans du hameau.

» Leur secret fut longtemps et fidèlement gardé. M. de Fernig, en rentrant le matin dans sa demeure et en racontant à table les aventures, les périls et les exploits de ses enfants, ne soupçonnait pas que ses propres filles avaient combattu au premier rang de ses tirailleurs et quelquefois préservé sa propre vie.

» Cependant, Beurnouville, qui commandait le camp de Saint-Amand, à peu de distance de l'extrême frontière, ayant entendu parler de l'héroïsme des volontaires de Mortagne, monta à cheval et vint balayer le pays des fourrageurs de Clairlayt. En approchant de Mortagne, au point du jour, il rencontra la colonne de M. de Fernig. Cette troupe rentrait au village après une nuit de fatigues et de combats, où les coups de feu n'avaient cessé sur toute la ligne et où M. de Fernig avait été délivré lui-même par ses filles d'un groupe de hussards qui l'entraînait prisonnier. La colonne, harassée et ramenant plusieurs de leurs blessés et cinq prisonniers, chantait *la Marseillaise* au son d'un seul tambour déchiré par les balles [113].

» Beurnouville arrêta M. de Fernig, le remercia au nom de la France et, pour montrer le courage et le patriotisme de ses paysans, voulut les passer en revue avec tous les honneurs de la guerre.

» Le jour commençait à poindre. Ces braves gens s'alignèrent sous les arbres, fiers d'être traités en soldats par le général français. Mais, descendu de cheval, Beurnouville crut s'apercevoir que deux des plus jeunes volontaires, cachés derrière les rangs, fuyaient ses regards et passaient furtivement d'un groupe à l'autre pour éviter d'être abordés par lui.

» Ne comprenant rien à cette timidité dans des hommes qui portaient le fusil, il pria M. de Fernig de faire approcher ces braves enfants.

» Les rangs s'ouvrirent et laissèrent à découvert les deux jeunes filles ; mais leurs habits d'homme, leurs visages voilés par la fumée de la poudre des coups de feu tirés pendant le combat, les lèvres noircies par les cartouches qu'elles avaient déchirées avec leurs dents, les rendaient méconnaissables aux yeux même de leur propre père. M. de Fernig fut surpris de ne pas connaître ces deux combattants de sa petite armée.

» — Qui êtes-vous ? leur demanda-t-il d'un ton sévère.

» A ces mots, un chuchotement sourd, accompagné de sourires universels, courut dans tous les rangs. Théophile et Félicité, voyant leur secret découvert, tombèrent à genoux, rougirent, pleurèrent,

---

113. Ce tambour déchiré, n'en déplaise à M. de Lamartine, devait avoir un curieux son...

sanglotèrent, se dénoncèrent et implorèrent, en entourant de leurs bras les jambes de leur père, le pardon de leur pieuse supercherie.

» M. de Fernig embrassa ses filles en pleurant lui-même. Il les présenta à Beurnouville, qui décrivit cette scène dans sa dépêche à la Convention. La Convention cita le nom de ces deux jeunes filles à la France et leur envoya des chevaux et des armes au nom de la Patrie [114]. »

Peu de temps après, les demoiselles Fernig entrèrent de façon définitive dans la vie militaire et devinrent par leur fougue et leur hardiesse la terreur de l'ennemi. Le camp de Madaule ayant été provisoirement dégarni de troupes, sauf 25 cavaliers et 75 fantassins, les Autrichiens le firent attaquer par leurs hommes qui s'emparèrent sans difficulté d'une redoute. Le reste du camp allait bientôt tomber entre leurs mains lorsque les demoiselles Fernig accoururent en hâte, suivies de quelques paysans. Prenant le commandement, elles foncèrent, baïonnette en avant, sur les Autrichiens. Ceux-ci, croyant avoir affaire à l'avant-garde d'une armée nombreuse, se retirèrent en désordre...

Félicitées par le maréchal Luckner, elles attirèrent l'attention du général Dumouriez, qui aimait les braves et adorait les demoiselles...

Les sœurs Fernig avaient donc tout pour le séduire... Il les fit venir, déclara, devant toutes les troupes rassemblées, qu'il les adoptait pour *ses filles* et les emmena incontinent sous sa tente afin d'y vérifier, sans doute, qu'elles appartenaient bien au sexe féminin...

A partir de ce jour, les intrépides demoiselles suivirent Dumouriez dans tous ses combats, et, suivant la formule savoureuse de Roland Joinard, « on vit leur poitrine à Valmy et leurs fesses à Jemmapes... ».

Rendues plus belliqueuses encore par l'amour qu'elles portaient à leur amant, les deux sœurs accomplirent des merveilles sur tous les champs de bataille, ce qui aviva encore la haine que les Autrichiens leur avaient vouée. A Jemmapes, notamment, elles ne montrèrent pas seulement la partie de leur individu qu'indique Roland Joinard, mais aussi un courage exemplaire. « Au moment où les colonnes françaises, placées sous les feux croisés des redoutes, fléchissaient et commençaient à se débander, apparut, le sabre au poing, le général Égalité [115] ayant à ses côtés les demoiselles Fernig, qui, elles aussi, le sabre au poing, se taillaient leur route à travers les Autrichiens, auxquels elles tuèrent deux hommes. Électrisés par l'exemple de ces deux jeunes filles, les fuyards rallièrent la troupe, les hésitants reprirent leur rang de bataille et le centre de l'armée. Dumouriez retrouva toute sa solidité [116]. »

Grâce aux sœurs Fernig, Jemmapes fut une victoire...

Le soir, pour les remercier de galante manière, le général se livra sur elles, nous dit Roland Joinard, « à des expériences osées ». Les complications érotiques de Dumouriez se terminèrent de façon bouffonne : « La tente sous laquelle ils se trouvaient s'étant abattue

114. LAMARTINE, *Histoire des Girondins.*
115. Futur Louis-Philippe.
116. MAURICE DREYFOUS, *Les grandes femmes de la Révolution.*

au cours d'ébats trop mouvementés, tous les soldats virent les demoiselles et le général dans un état complet de nudité... »

Félicité et Théophile firent oublier ce déshonneur en se battant courageusement à Neerwinden. Après la trahison de Dumouriez, elles quittèrent l'armée et rentrèrent à Mortagne, ayant connu le goût du sang, de la mort et de la volupté...

19

Théroigne de Méricourt tue son premier amant au cours des massacres de Septembre

L'ingratitude est un défaut féminin.

STENDHAL

Au mois d'août 1792, le Comité de surveillance de la Commune parisienne, qui, on le sait, ne rêvait que plaies et bosses, nomma Marat administrateur adjoint. Aussitôt, celui-ci demanda l'anéantissement de tous les membres de l'Assemblée nationale et la mort pour trois cent mille personnes...

Afin que les massacres dont il rêvait le soir à la veillée avec la douce Simonne Évrard fussent facilités, Marat fit entasser dans les prisons le plus grand nombre possible de suspects. Après quoi, ayant rédigé une horrible proclamation que l'on afficha sur tous les murs de la capitale, il rentra chez lui et attendit les événements. Ravie à l'idée de la tuerie qui s'annonçait, Simonne, en brave fille du peuple habituée à célébrer toute bonne nouvelle par un bon repas, prépara un gros ragoût de mouton et une tarte aux prunes...

Le 2 septembre, vers deux heures de l'après-midi, une meute de Parisiens excités par les articles de *l'Ami du Peuple,* encadrés d'« aboyeuses » qui les encourageaient par leurs cris, se rendit au couvent des Carmes.

Le « plus affreux massacre d'hommes, de femmes et d'enfants dont notre histoire ait gardé le souvenir » [117] commençait.

Aux Carmes se trouvaient des prêtres. La horde les fit sortir dans le jardin du couvent et s'amusa à les tirer comme des lapins. Cent quinze furent tués sous les rires joyeux des tricoteuses...

Des Carmes, les « disciples » de Marat coururent à la prison de l'Abbaye où la tuerie dura trois jours.

Dans le même temps, d'autres groupes de forcenés, l'esprit farci de la littérature de *l'Ami du Peuple,* massacraient des prisonniers au Châtelet, à la Conciergerie, à la Force, aux Bernardins, à Saint-Firmin, à la Salpêtrière et à Bicêtre.

---

117. FUNCK-BRENTANO, *Marat ou le mensonge des mots*, 1941.

Paris et bientôt la France entière étaient saisis d'une effroyable folie de meurtre...

Voici la description que donne Prud'homme dans son ouvrage (pourtant d'inspiration jacobine) du tribunal installé au pied des degrés du Palais de Justice : « Le pavé de la cour était baigné de sang. Les cadavres amoncelés présentaient l'horrible image d'une boucherie d'hommes. La place du Pont-au-Change offrait le même spectacle que la cour du Palais : des monceaux de cadavres et des mares de sang [118]. »

Marat et Simonne Évrard suivaient les événements avec ravissement. Chaque soir, ils se faisaient conter en détail les scènes de tuerie et les commentaient longuement. Le massacre de Bicêtre plut particulièrement au couple. En cet endroit, les « septembriseurs » avaient égorgé trente-trois enfants de douze et treize ans ; après quoi, ayant mis en tas les petits cadavres, ils s'étaient fait apporter à dîner, et avaient vidé des bouteilles en chantant des hymnes à la gloire de la Liberté...

Pour Simonne Évrard et son amant, cette scène représentait le symbole de la patrie régénérée : les enfants des ennemis étaient immolés sur l'autel de la Nation « sans aucune sensiblerie... ».

C'était le moins qu'on pût dire.

Lorsqu'ils apprirent qu'on avait violé avant de les tuer les « femmes légères » de la Salpêtrière, les deux amants exultèrent. Ils se firent répéter vingt fois les détails et en montrèrent un plaisir déplacé...

Mais l'assassinat qui causa le plus de joie au charmant couple de la rue Saint-Honoré fut celui de l'infortunée princesse de Lamballe.

La favorite de Marie-Antoinette, qui avait fui en Angleterre, était rentrée courageusement en France dès que la reine avait été conduite au Temple. Arrêtée, elle avait été enfermée à la Force. Le 2 septembre, un garde était venu la chercher et l'avait conduite dans une salle où siégeaient de soi-disant juges.

— Jurez sur la liberté, l'égalité, la haine du roi, de la reine et de la royauté, lui avait-on dit.

Mme de Lamballe était devenue blême et, très dignement, avait répondu :

— Je jure de grand cœur liberté et égalité, mais je ne puis jurer une haine que je n'ai pas dans le cœur.

On l'avait jetée dehors. Alors, nous dit un mémorialiste, « elle reçut derrière la tête un coup de sabre qui fit jaillir le sang. Des hommes la tenaient fortement sous le bras et l'obligeaient à marcher sur des tas de cadavres. Elle s'évanouissait à chaque pas... ».

Un groupe de brutes l'avaient achevée à coups de pique. On l'avait déshabillée, et un valet s'était amusé à laver son corps, afin de lui restituer toute sa blancheur. La profanation que l'on devait faire subir au cadavre de la malheureuse jeune femme est affligeante. Écoutons Funck-Brentano :

« Une jambe est enfournée dans la gueule d'un canon, les seins sont tranchés, le cœur est arraché de la poitrine. Pis encore, mais il n'est plus possible de décrire. Après quoi, la tête séparée du tronc fut mise au bout d'une pique. Il s'agissait de la porter jusqu'au Temple pour lui faire saluer la reine prisonnière. Devant l'échoppe d'un perruquier, on fit halte. Il fallait que la tête fût frisée afin de paraître convenablement sous les yeux d'une reine de France. »

Puis le cortège était arrivé au pied de la vieille tour des Templiers, et les amies de Théroigne de Méricourt avaient hurlé d'infâmes grossièretés...

A ce moment, un municipal était entré dans la chambre des souverains et les avait interpellés grossièrement :

— Eh ! allez donc voir par la fenêtre... Il y a des choses intéressantes pour vous.

Mais un autre garde s'y était opposé :

— N'y allez pas, c'est la tête de Mme de Lamballe qu'on veut vous montrer.

Marie-Antoinette s'était évanouie...

Ce soir-là, Simonne Évrard embrassa son amant en murmurant cette phrase extravagante :

— Tu es vraiment l'ange de l'assassinat !...

Ce qui était une façon très gentille de dire les choses, on en conviendra...

Théroigne de Méricourt avait naturellement joué un rôle actif au cours de ces lugubres journées. « Cette furie était tellement altérée de sang, écrit Georges Duval, qu'elle se trouvait presque à la fois sur tous les différents théâtres du carnage et qu'elle y surpassa en férocité les plus féroces [119]. »

Dans l'une des prisons qu'elle visita, Théroigne eut la joie mauvaise de retrouver son premier séducteur, un jeune Flamand dont elle n'avait pas conservé un bon souvenir.

— Celui-là, dit-elle, je le tuerai moi-même !...

Puis elle emprunta un sabre à l'un des hommes qui l'accompagnaient et, d'un coup sec et précis, elle coupa la tête de son ancien amant.

Fortement applaudie par la populace, Théroigne entra en transe, dansa, chanta le *Ça ira* et, mise en verve par ce coup d'essai, se rua sur d'autres prisonniers.

Après avoir décapité tous les royalistes de la prison, la jeune femme et ses compagnons, armés de couteaux, mutilèrent les cadavres... Les mains dégoulinantes de sang, Théroigne ouvrait les poitrines, arrachait les cœurs et, bientôt imitée par cette meute en furie, mordait dedans [120].

Des scènes incroyables se passèrent alors. Un nommé Arthur rapporta

119. Georges Duval, *Souvenirs de la Terreur, de 1789 à 1793.*
120. On comprend que le marquis de Sade ait éprouvé une passion pour cette charmante créature... Leurs existences ont d'ailleurs plusieurs points communs : tous deux aimaient la bagatelle plus que de raison, et tous deux finirent au cabanon...

chez lui un cœur de royaliste, le plongea dans de l'eau-de-vie, et le dévora[121]. Un certain Bouland, ayant rempli ses poches d'oreilles humaines, les cloua dans sa chambre[122]. Un autre, nommé Blanc, fit cuire le foie d'une de ses victimes et le mangea[123].

Paris devenait anthropophage. On mangeait de l'antipatriote et l'on croquait de l'aristocrate à tous les repas... Pourtant, il est un morceau, si j'ose dire, qui faisait envie à tous ces braves gens : c'était le roi !...

Faute de pouvoir le tuer elles-mêmes et y mordre à pleines dents, les amies de Théroigne allaient bientôt se consoler en faisant voter sa mort.

20

Mme Roland divise la Convention

> Pour Manon, la Révolution ne fut pas
> un accident, mais la conclusion logique
> de ses rêves et de ses ambitions.
>
> GEORGES HUISMAN

Le 7 septembre, alors qu'à Paris les rues étaient redevenues un peu plus calmes, les massacres continuèrent en banlieue et en province...

Or, ce jour-là, le duc de Brissac, qui avait été arrêté à Étampes sous l'inculpation de haute trahison, se trouvait entre les mains de patriotes chargés de le transférer à Versailles. Aux portes de cette ville, la foule entoura la voiture qui le transportait :

— A mort ! Livrez-nous Brissac !

Les gardes s'éloignèrent prudemment, et le malheureux fut assassiné à coups de pique, de sabre et de baïonnette. Après lui avoir coupé la tête, la horde se rendit en cortège jusqu'à Louveciennes où Mme du Barry était rentrée.

L'ex-favorite attendait avec inquiétude des nouvelles de son amant. En entendant hurler le *Ça ira*, elle pressentit un malheur et courut à la fenêtre. Elle vit alors arriver un groupe d'hommes et de femmes avinés qui braillaient des obscénités. Le moins ivre portait sur l'épaule une pique au bout de laquelle était fichée la tête du duc de Brissac...

Épouvantée, la comtesse recula et s'abattit sur un canapé en pleurant. Sa peine était si grande qu'elle n'entendait pas les insultes que les patriotes lui adressaient par la fenêtre. Soudain, le bruit d'un objet qui roulait sur le parquet la fit se redresser. Elle vit alors à ses pieds la tête de son amant, qu'une femme venait de lui lancer...

Elle s'évanouit.

---

121. MATON DE VARENNES, *Histoire particulière des événements qui ont eu lieu en France pendant les mois de juin, juillet, août et septembre 1792.*
122. *Le Moniteur* du 22 août 1795.
123. MATON DE VARENNES, *op. cit.*

Après les massacres de Septembre, Mme Roland avait compris que l'assassinat ne constituait point un moyen élégant pour mener l'humanité vers le bonheur.

Devant les monceaux de cadavres, dont Danton, Marat, Robespierre et leurs amis avaient empli les rues, elle s'était sentie soudain gênée. L'ignoble meurtre du duc de Brissac acheva de l'écœurer. Un soir, elle laissa échapper cet aveu :

— Vous connaissez mon enthousiasme pour la Révolution. Eh bien ! j'en ai honte !

Elle voulait bien qu'on tuât les ennemis de la Patrie, mais à condition qu'on y mît la manière : la pendaison, par exemple, lui semblait un moyen propre et distingué. Romantique, elle imaginait les bourreaux de la Nation allant chaque soir, en souriant, pendre les condamnés aux arbres de la ville au cours d'une aimable cérémonie accompagnée de chants civiques, de discours et de danses.

Au matin, des employés de la voirie seraient venus, en chantant, décrocher les pendus, « tout comme les paysans coupent les mauvaises grappes de leurs pieds de vigne », et les auraient conduits dans une charrette enrubannée jusqu'aux plaines de la Brie, où ils auraient servi « à engraisser les sillons ».

De telles exécutions eussent été élégantes et se seraient déroulées avec une gentillesse qui aurait plu à tout le monde — même aux condamnés...

Au contraire, la vulgarité des massacres au bâton, au coutelas, à la pique froissait la sensibilité de Mme Roland.

Brusquement, cette foule qu'elle avait excitée par ses écrits lui fit peur.

— Celui qui contemple la face du peuple, déclara-t-elle, contemple un monstre.

La phrase fut répétée à Danton, qui, furieux, traita Manon de « révolutionnaire de salon » et de « putain décolorée ».

— C'est moi qu'elle insulte, dit-il, et je sais bien pourquoi.

Quelques jours auparavant, il avait répondu à un homme qui lui reprochait les journées de Septembre :

— Monsieur, vous oubliez à qui vous parlez. Vous oubliez que nous sommes de la canaille, que nous sortons du ruisseau... et que nous ne pouvons gouverner qu'en faisant peur !...

Danton avait raison : cette « canaille » ne pouvait plaire à la délicate Manon, nourrie de Virgile et de Montaigne. Elle incita ses amis Girondins à lutter de toutes leurs forces contre les Dantonistes et réussit à scinder l'Assemblée en deux blocs hostiles...

Chaque soir, dans son salon, des hommes dont elle était la déesse, l'égérie et souvent le rêve secret, se réunissaient pour recevoir d'elle des directives et des mots d'ordre.

Il y avait là Guadet, Barbaroux, Louvet, Brissot, Vergniaud et Léonard Buzot...

Celui-ci, immobile dans un fauteuil, buvait avec un air extatique les paroles de Manon dont il était éperdument amoureux...

Troublée pour la première fois de sa vie, la femme du ministre considérait, de son côté, le jeune député avec infiniment de tendresse. Leurs affinités étaient nombreuses. Buzot avait à Évreux une bibliothèque riche de six cents volumes, en latin, grec, français et anglais ; il aimait les beaux meubles, la philosophie, la musique, les bons vins et la *République* de Platon...

Manon, qui adorait converser avec lui, admirait en outre son élégance, ses manières distinguées, ses mains fines, son regard chaud. Un jour, elle s'aperçut avec surprise que son corps était aussi ému que son esprit lorsque Buzot était devant elle...

A trente-huit ans, Mme Roland découvrait l'amour.

Les élections pour la Convention approchaient. Parmi les candidats, se trouvait un homme que les patriotes suspectaient à cause de sa naissance, bien qu'il eût financé les débuts de la Révolution. Cet homme était Philippe d'Orléans. Après les journées d'Octobre, Louis XVI, voulant l'éloigner de Paris, l'avait chargé d'une ambassade à Londres. Rentré en France neuf mois plus tard, Philippe — toujours suivi de Mme de Buffon — avait repris son activité politique. Ses fils — sous l'influence de Mme de Genlis — s'étaient alors inscrits au Club des Jacobins, et lui-même avait donné des gages de fidélité aux députés antimonarchistes. Après Varennes, il s'était imaginé que l'Assemblée le nommerait régent ou roi constitutionnel. Le maintien de Louis XVI l'avait rendu amer. Mis à l'écart par les dirigeants de l'Assemblée qui n'avaient plus besoin de lui, il avait accumulé une haine dont les effets le ravageaient.

Décidé à montrer ses sentiments antibourboniens, il se présenta aux élections sous l'étiquette jacobine. C'est alors que le procureur de la Commune, Manuel, l'enjoignit d'abandonner son nom d'Orléans et de s'appeler désormais *Égalité*, patronyme ridicule que le prince démagogue accepta sans sourciller [124]...

Élu député de Paris, il siégea tout en haut de la Montagne, aux côtés de Robespierre, Marat, Camille Desmoulins, Saint-Just et du boucher Legendre...

Mme de Buffon fêta cette victoire d'une curieuse façon : « Elle tressa, nous dit Roland Joinard, des rubans tricolores à son pelage intime et convia Philippe à une petite fête nocturne au cours de laquelle le nouveau député honora vaillamment les couleurs de la Nation... »

M. Roland lui aussi avait été élu député, et cette élection l'embarrassait ; car, aux termes du règlement, il était tenu d'abandonner ses

---

124. Lors de son arrestation, en 1793, il ira jusqu'à déclarer, dans l'espoir d'échapper à la mort, qu'il n'était pas le fils de son père, mais d'un cocher nommé Lefranc...

fonctions de ministre de l'Intérieur. Après de longues discussions, les Girondins, qui lui devaient tant, l'invitèrent à rester à son poste.

Alors Danton se dressa :

— Personne ne rend plus justice que moi à Roland, mais je dirai, si vous lui faites une invitation, faites-la donc aussi à Mme Roland...

Le ton était encore badin. Il devint plus grave quelques heures plus tard au cours d'un débat :

— Nous avons besoin de ministres qui voient par d'autres yeux que ceux de leur épouse, cria Danton.

Une femme ne pardonne pas de tels propos, et Mme Roland inspira désormais à son mari et à son parti toutes les fautes que sa haine devait lui suggérer...

Le 21 septembre, la Convention entra en fonction. Les élections ayant lieu sous l'influence du ministère de l'Intérieur, le bureau tout entier était dévolu aux Girondins, amis de Manon...

La République fut alors proclamée et c'est Mme Roland qui se chargea, avec la joie qu'on imagine, de porter cet événement à la connaissance du monde par une circulaire que signa son mari.

Puis elle offrit un souper à ses amis. Au dessert, ivre de paroles, d'enthousiasme et peut-être aussi de bons vins, elle eut une étrange hallucination : elle se crut transportée dans la Rome de Plutarque.

— Mes amis, s'écria-t-elle, célébrons nos comices curiates, nos magistrats curules, nos *Patres conscripti !*...

Les invités la considérèrent avec inquiétude.

— Les augures ne nous ont point trompés ! La Rome républicaine triomphera ! Nos cohortes, nos manipules, nos centuries vaincront pour la plus grande gloire du *princeps senatus !*

Ahuris, les Girondins ne savaient quelle contenance avoir. Finalement, pour dissiper la gêne, Vergniaud, levant son verre, proposa de boire à la prospérité de la République — sans toutefois préciser laquelle...

— Vous avez raison, dit Manon ; mais souvenez-vous qu'une de nos vieilles coutumes romaines veut qu'on inonde de roses les triomphateurs.

Elle prit alors les roses qui fleurissaient la table et les jeta sur la tête de ses invités.

Lanthenas et Barbaroux, qui étaient amoureux de Mme Roland, voyant leur hôtesse en si bonne disposition pour honorer l'Antiquité, espérèrent un instant que la soirée se terminerait par une savoureuse orgie romaine.

Ils furent déçus, Manon vivait dans la République de Cicéron et non dans la Rome de la décadence...

Après ce dîner, la jeune femme alla se coucher à côté de son mari en cherchant ce que les épouses des magistrats curules pouvaient bien faire pour célébrer, dans l'intimité, un triomphe national.

Ne trouvant pas, car cette indication avait été omise par Plutarque, elle s'endormit chastement.

Marat, je l'ai dit, avait été élu député lui aussi, avec Robespierre, Danton, Collot d'Herbois, Manuel, Billaud-Varennes, Camille Desmoulins et Philippe d'Orléans.

En apprenant cette victoire, Simonne Évrard était devenue folle de joie. Son Jean-Paul allait pouvoir enfin dire à la tribune tout ce qu'il écrivait dans son journal et répéter publiquement les propos qu'il lui tenait en particulier.

Fière d'être la compagne et la conseillère d'un homme qui allait faire trembler le monde par ses discours, elle s'était précipitée dans sa cuisine pour préparer un grand plat de boudin aux fèves...

Hélas ! à la Convention, l'éloquence de Marat ne fut pas accueillie comme l'espérait la jeune femme. Ses appels incessants au meurtre et à l'insurrection commençaient à lasser tout le monde. Écœurés par l'attitude répugnante de ce Prussien qui, depuis deux ans, poussait les Français à s'entre-tuer [125], certains députés déposèrent un projet de loi contre les excitations à la violence.

— Il est temps d'élever des échafauds pour ceux qui provoquent l'assassinat, déclara Kersaint à la tribune, le 25 septembre 1792.

Et, pour bien montrer quel personnage était visé par le projet de loi, Vergniaud vint lire la circulaire envoyée par Marat au lendemain des massacres des 2, 3 et 4 septembre, invitant les villes de province à imiter la capitale.

Une grande partie de l'assemblée hurla son dégoût pour « le crapaud fielleux qu'un vote stupide avait transformé en député » [126].

En guise de réponse, Marat monta à la tribune, tira un pistolet de sa poche et menaça de se brûler la cervelle si un décret d'accusation était dressé contre lui.

Ce geste théâtral impressionna l'assemblée qui laissa partir librement le journaliste.

C'était une victoire. Simonne Évrard et son amant la célébrèrent bruyamment, le soir même, en leur nouveau logis de la rue des Cordeliers.

— Je leur ferai couper la tête à tous, disait Marat. Leur sang coulera sur le pavé et j'irai, au nom du peuple dont je suis le défenseur, leur donner des coups de pied dans le ventre...

Simonne connaissait son homme. Elle savait qu'un tel rêve lui mettait l'eau à la bouche et ouvrait son appétit. Aussi, gentiment, emplissait-elle son assiette de lentilles et de saucisson chaud aux confitures après chaque explosion de haine...

Encouragé par cette femme qui avait adopté toutes ses idées, même

125. Marat, né dans le canton de Neuchâtel, était toujours sujet du roi de Prusse.
126. CHARLES BENOIST, *Marat à la Convention.*

les plus extravagantes, Marat continua de publier des articles, dignes d'un fou furieux, dans son journal qui s'intitulait, depuis le 25 septembre, *le Journal de la République française.*

Ces écrits, dirigés contre les Girondins, contribuèrent à accentuer la division dont souffrait la Convention.

— Il faut tuer tous les modérés, répétait-il. Un modéré n'est pas un républicain. Tuez ! Tuez !

Cette scission qui apparaissait entre les partis au pouvoir au moment précis où les armées prussiennes marchaient sur l'Argonne, inquiétait les vrais patriotes. C'est alors qu'une femme tenta de réconcilier les frères ennemis. Cette femme s'appelait Amélie Candeille. Jolie, intelligente, sensible, elle était comédienne et se passionnait pour la politique. Sincère républicaine, elle déplorait les excès commis sur les conseils de Marat et rêvait d'une nation unie, heureuse, fraternelle...

A la fin d'octobre 1792, elle organisa, chez son ami Talma, une soirée à laquelle furent invités Vergniaud et Danton. Amélie Candeille espérait profiter de l'atmosphère amicale de la réunion pour réconcilier les représentants des deux partis au pouvoir. Afin de parvenir plus sûrement à son but, elle donna à la conversation un ton badin, propice aux échanges de vues pacifiques. Déjà, les deux hommes plaisantaient cordialement, lorsque, soudain, un individu que personne n'avait invité fit une entrée spectaculaire dans le salon de Talma. Louise Fusil, camarade de théâtre d'Amélie Candeille, le décrit ainsi dans ses *Mémoires :* « Il était en carmagnole, un mouchoir de damas rouge et sale autour de la tête, celui avec lequel il couchait probablement depuis fort longtemps ; des cheveux gras s'en échappaient par mèches. » L'homme avait, en outre, des pistolets apparents à la ceinture.

Horrifié, tout le monde avait reconnu Marat.

En quelques mots, l'« araignée prussienne », comme on commençait à l'appeler, dressa de nouveau l'un contre l'autre Vergniaud et Danton qui allaient se réconcilier. Puis, ayant fait renaître, selon le mot de Michelet qui conte la scène, « la terrible discorde », il regagna sa tanière de la rue des Cordeliers...

La généreuse entreprise d'Amélie Candeille avait échoué.

Tandis que la République naissante se trouvait déjà partagée, au Temple un phénomène inverse — et, ma foi, assez inattendu — se produisit. Les souverains, qui avaient vécu pendant dix-neuf ans l'un à côté de l'autre sans bien se voir, se découvrirent et se rapprochèrent...

Brusquement, Marie-Antoinette sentit naître en elle une immense tendresse pour le roi. Ce gros homme, à l'esprit lent, qui préférait naguère son lit au théâtre et un bon repas à un beau tableau, montrait dans l'adversité un courage moral, une dignité et une mansuétude à l'égard de ses ennemis qui forçaient l'admiration.

Émerveillée par tant de qualités soudain révélées, la reine tomba amoureuse de Louis XVI. Cet amour était, bien entendu, très différent

de celui qu'elle vouait à Fersen, mais il toucha profondément le
monarque qui, de son côté, admirait la dignité de Marie-Antoinette.
— Ah ! si l'on savait ce qu'elle vaut, disait-il, comme elle s'est
élevée, à quelle hauteur de vues elle est arrivée !
Au moment d'être séparés pour toujours, un amour profond et
indestructible les unissait. Et l'on ne peut s'empêcher de penser que, si
cet amour était né quinze ans plus tôt, la Révolution n'aurait peut-être
pas eu lieu. L'indifférence de Marie-Antoinette à l'égard du roi avait
été, on le sait, à l'origine des ignobles calomnies qui devaient amener
le peuple à détester sa reine. Dotée de tous les vices par des libellistes
à gages ou de « beaux esprits » frondeurs, elle était apparue peu à peu
sous les traits d'une Messaline que certains avaient fini par identifier
avec la monarchie...

21

Les amazones de Théroigne de Méricourt font voter la mort du roi

> Pareilles à des joueuses d'écarté elles éprou-
> vaient une véritable volupté à abattre un roi...
>
> ALAIN GORAGUER

Il y avait, en 1787, à Chambéry, deux jeunes filles agréables à
contempler qui avaient, nous dit-on, « le sein dur et bien dessiné, la
bouche sensuelle, la hanche ondulante et, dans l'œil, une petite flamme
perverse des plus alléchantes »[127].
L'aînée était brune, avait quinze ans, et s'appelait Adèle. L'autre
était blonde, avait quatorze ans, et se nommait Aurore.
Toutes deux étaient les filles du comte de Bellegarde, descendant
d'une des plus anciennes familles de Savoie.
L'apparition d'un jeune homme les mettait dans un état de nervosité
qui choquait généralement les personnes prudes. Dénuées d'hypocrisie,
Adèle et Aurore, la bouche ouverte, considéraient en effet le monsieur
avec des yeux brillants et un « remuement de coccyx qui en disait long
sur leurs secrètes pensées »...
Au mois d'octobre, M. de Bellegarde, effrayé à juste titre par ces
manifestations, jugea prudent de marier Adèle au plus vite. L'adolescente, qui traînait derrière elle une meute d'hommes de tous âges,
n'avait que l'embarras du choix ; mais son père préféra désigner lui-
même celui qui aurait la charge de satisfaire le tempérament exigeant
de son héritière.
Ne voulant point, sans doute, qu'une telle source de plaisir sortît de
la famille, il fixa son choix sur un de ses neveux, François de Bellegarde,
général d'infanterie dans le royaume de Saxe. Ce militaire, qui avait
vingt ans de plus qu'Adèle, quitta immédiatement l'armée saxonne

127. ANDRÉ PIGNET, *Madame de Bellegarde et Hérault de Séchelles.*

pour devenir colonel dans celle du Piémont, afin d'être auprès de sa future épouse.

Mlle de Bellegarde ne discuta point la décision paternelle. Elle épousa son cousin le 5 novembre 1787.

Le mariage n'apporta pas à Adèle l'apaisement qu'elle souhaitait. Elle donna deux enfants à son mari, mais conserva ses yeux chauds et ses manières impudiques devant les messieurs qui lui plaisaient.

La Révolution ne lui changea pas les idées. Au contraire. Parmi les émigrés qui venaient se réfugier en Savoie, elle espérait voir arriver l'ardent bretteur qu'elle désirait, et se tenait aux aguets à la fenêtre de son salon. De son côté, Aurore, qu'animait une flamme de plus en plus ardente, considérait les nouveaux venus avec un intérêt passionné.

Hélas ! ni l'une ni l'autre n'eurent le temps de trouver l'homme de leur vie. Apprenant qu'une armée commandée par le général de Montesquiou menaçait la Savoie, le colonel de Bellegarde décida d'envoyer sa femme, ses enfants, et sa belle-sœur à l'abri en Piémont.

Lui-même alla bientôt les rejoindre.

Émigrées, les deux sœurs continuèrent leurs habituelles manœuvres de séduction. Elles parvinrent à entraîner dans leur sillage quatre jeunes hommes vigoureux et oisifs qui leur donnèrent, à longueur de journée, des satisfactions d'ordre privé.

Sans doute auraient-elles mené longtemps cette vie agréable si, en novembre 1792, la Convention n'avait pris un arrêté confisquant les biens de tous les émigrés. Pour échapper à cette saisie, il fallait être rentré en France dans les deux mois.

Les sœurs Bellegarde qui, depuis la mort de leur père, étaient propriétaires d'immenses domaines, résolurent de regagner la Savoie. Adèle abandonna son mari et ses enfants à Turin et partit avec Aurore.

A peine arrivées à Chambéry, les deux jeunes femmes apprirent que la Convention venait de déléguer dans leur ville quatre commissaires aux armées. Elles furent ravies. Enfin, elles allaient pouvoir admirer ces hommes sanguinaires dont elles supputaient avec délices les possibilités viriles...

Les délégués étaient Philibert Simond, un prêtre défroqué ; Grégoire, un évêque constitutionnel ; Jagot, un ancien juge de paix, et l'avocat Hérault de Séchelles.

Devant ce dernier, les deux sœurs furent béates d'admiration. Hérault de Séchelles, issu d'une famille noble de Normandie, était, à trente-trois ans, un homme élégant, beau, charmeur, qui avait la réputation d'un don Juan. Ses liaisons tumultueuses avec les plus belles courtisanes de Paris étaient connues : on savait que, dans sa confortable maison de la rue Basse-du-Rempart, il recevait la fameuse Mme de Sainte-Amaranthe, qu'il avait eu pour maîtresse Suzanne Giroux, dite La Morency, et qu'il pouvait se montrer galant homme avec tout un sérail...

Surexcitées, Adèle et Aurore invitèrent Hérault de Séchelles, et « dardèrent sur lui leurs prunelles enflammées ». Le conventionnel tomba amoureux de l'aînée. Pourtant, il lui déplut de mignoter cette charmante jeune

femme en laissant seule la blonde Aurore. Aussi prit-il congé poliment, sans faire le geste qui eût amené Adèle sur ses genoux :
— Je reviendrai demain, si vous le permettez. Et je vous présenterai mon collègue Philibert Simond...
Le lendemain, il revint avec l'ancien prêtre, un fort bel homme, dont l'aspect vigoureux séduisit Aurore.
La conversation ce jour-là dura moins longtemps. A peine les présentations furent-elles faites que les deux couples s'allèrent coucher...

Hérault de Séchelles et Philibert Simond ne trompèrent point les espérances des deux jeunes femmes. Dix fois laissées mourantes sur l'oreiller, dix fois reprises, Adèle et Aurore connurent enfin — pour quelques minutes — l'impression délicieuse de n'être plus assises sur un charbon ardent.
Elles en conçurent un amour éperdu pour leurs amants et crurent nécessaire de se transformer en farouches révolutionnaires. Affichant leurs liaisons, « elles paradaient, nous dit Ernest Daudet, ceinturées d'écharpes tricolores, une cocarde à la poitrine, la taille serrée dans une carmagnole et coiffées d'un bonnet rouge, avec des sabots aux pieds, lorsqu'elles allaient fraterniser avec la populace, afin de témoigner publiquement de leur civisme » [128].
L'engouement républicain des sœurs Bellegarde eut une influence considérable sur la population de Chambéry. A leur exemple, de nombreuses personnes, tièdes jusqu'alors, se rallièrent à la Révolution. Des aristocrates, flattés d'être reçus par les deux ravissantes filles, allaient festoyer en compagnie des délégués de la Convention, dansaient sur l'air de la *Carmagnole* et criaient gaiement « A bas le roi ! »
Adèle et Aurore, que l'amour avait rendues aussi sanguinaires que Théroigne de Méricourt, chantaient le *Ça ira* en coupant le cou à des lapins...
Lorsqu'en 1793 elles allèrent s'installer avec Hérault de Séchelles à Paris, leur plus grande joie fut d'assister aux exécutions. Battant des mains, sautant sur place, elles regardaient tomber les têtes avec une allégresse enfantine. « Un jour, nous dit André Pignet, on guillotina, devant elles, un noble d'origine savoyarde qu'elles avaient rencontré chez leur père. Lorsque le couperet eut fait son œuvre, elles crièrent gaiement : "Vive la Nation !" Après quoi, elles s'en furent à la Convention où elles déclarèrent "que les exécutions étaient beaucoup plus intéressantes lorsqu'on connaissait les gens"... »
Charmantes créatures [129] !

128. Ernest Daudet, *Le roman d'un conventionnel.*
129. En octobre 1793, Adèle, qui avait oublié mari, enfants, famille, sous les caresses de Hérault de Séchelles, divorça, avec l'espoir secret d'être épousée par son amant.
Hélas ! Robespierre allait empêcher cette union. Le 15 mars 1794, à l'heure même où Adèle et Aurore assistaient avec ravissement à l'exécution de six aristocrates, Hérault de Séchelles était arrêté avec Philibert Simond, et écroué à la prison du Luxembourg.
Le 5 avril, il était exécuté. Le 11, l'amant d'Aurore subissait le même sort.
Les deux sœurs, complètement anéanties, furent arrêtées à leur tour le 23 avril, mais

Les demoiselles Bellegarde allaient bientôt connaître des sensations plus grandes encore. L'Autriche faisait alors d'immenses efforts pour entraîner l'Europe entière dans une coalition contre les révolutionnaires français. Cette alliance des princes plongea la Convention dans un désarroi inimaginable. Pris de panique, Danton, qui n'était pas pour les solutions aimables, s'écria :

— Jetons-leur en défi une tête de roi !

Jusque-là Louis XVI n'avait pas couru de danger. Déchu, prisonnier au Temple, il n'en était pas moins garanti par la Constitution qui le déclarait inviolable. La suggestion de Danton allait changer les choses...

Décidée à impressionner l'Europe, la Convention accusa le souverain de trahison, et le cita à comparaître devant elle.

Pour la première fois depuis mille ans que la monarchie existait, un roi de France allait être jugé comme un criminel.

Le procès commença le 11 décembre 1792 dans la salle du Manège, où siégeait l'Assemblée [130]. Le 16 janvier eut lieu le vote des députés [131]. Une foule disparate envahit les tribunes. « C'étaient surtout, nous dit Robert Hénard, des individus de bas étage et de la dernière condition, des forts de la Halle, des bouchers, le tablier retroussé sur la hanche, le coutelas pendu à la ceinture ; des charbonniers noirs de suie, des sans-culottes débraillés et en bonnet rouge. Des places avaient été réservées au premier rang des gradins à des prostituées et aux maîtresses du duc d'Orléans, que des fiacres amenaient à la séance ''caparaçonnées de rubans tricolores'', empanachées de plumes bleues et rouges [132]. »

La turbulence de ce public, qu'il fallait à tout prix empêcher de

le 9 Thermidor les sauva.

A leur sortie de prison, rendues malades par la chasteté, les deux nymphomanes se cherchèrent de nouveaux amants et fréquentèrent pour cela tous les salons parisiens. C'est ainsi qu'elles connurent Mme de Noailles qui les mena un jour dans l'atelier de David. Le peintre était en train d'exécuter son tableau : *L'enlèvement des Sabines*. En voyant Adèle — qui était devenue la maîtresse de Rouget de Lisle — il dit simplement :

— Vous devez être très belle nue ?

La jeune femme joua les modestes, mais David ajouta :

— Voudriez-vous poser pour une des figures de mon tableau ?

Adèle, flattée, accepta, alla se déshabiller, posa ; et c'est ainsi qu'on peut la voir au milieu du célèbre tableau prêtant ses traits à l'admirable femme brune qui, les seins à l'air, est agenouillée près d'un enfant. Profitant d'un si beau modèle, David lui emprunta encore les jambes, les cuisses et les bras pour d'autres personnages...

Après quoi, Adèle, qui s'était vraiment identifiée aux Sabines, se fit enlever par le chanteur Garat, lequel, en une nuit d'amour, la reconvertit aux idées monarchiques...

130. Cette salle a disparu lors de la percée de la rue de Rivoli. Une petite plaque de marbre placée sur un pilier de la grille des Tuileries, face à la rue de Castiglione, marque l'emplacement du Manège. Cf. Léon Vibert, *Au temps de la Carmagnole*.

131. On sait maintenant que Danton pensa un moment à sauver le roi, moyennant une forte récompense. Il prit secrètement des contacts avec l'Angleterre et différents ambassadeurs. Mais les millions qui lui furent offerts par le roi d'Espagne ne lui parurent pas suffisants, et il vota la mort. Cf. entre autres A. Mathiez, *Girondins et Montagnards*.

132. Robert Hénard, *La rue Saint-Honoré de la Révolution à nos jours*, 1909.

penser, était savamment entretenue par des femmes « au visage de haine », disséminées sur les gradins.

Devinant que les hommes chargés de juger Louis XVI allaient peut-être hésiter à devenir régicides, les amies de Théroigne de Méricourt occupaient, en effet, une bonne partie de la salle.

« Harengères qui traînaient partout avec elles une odeur de poisson crevé, catins de bas étage, on vit ces amazones, les bras nus, la robe retroussée, armées de sabres, de bâtons ou de piques, aller et venir dans les tribunes, dans les couloirs. Comme la séance devait se prolonger, elles avaient apporté de quoi manger et de quoi boire. Elles s'empiffraient de charcuterie, elles absorbaient de grands verres de vin et, à moitié soûles, la bouche pâteuse et les griffes en avant, elles menaçaient les députés suspects :

» — Sa tête ou la tienne [133] ! »

La présence de ces femmes nourries des discours de Théroigne intimida les tièdes, et Louis XVI fut condamné à mort [134].

Mlle de Méricourt s'en réjouit bruyamment, et ses amis vinrent la féliciter pour l'influence heureuse qu'elle avait eue au cours de ces journées capitales [135]...

En apprenant le verdict, le monarque hocha la tête et dit simplement :
— Mieux vaut enfin sortir de l'incertitude...

Après quoi, il s'occupa de son âme avec l'abbé Edgeworth. Le 20, Marie-Antoinette fut avisée qu'elle allait pouvoir se rendre, avec ses enfants et sa belle-sœur, dans la chambre du roi. Elle comprit immédiatement la signification de cette faveur...

A huit heures du soir, Louis XVI vit pour la dernière fois sa famille. Très calme, il narra les épisodes du procès, puis fit jurer à son fils de ne jamais chercher à le venger. Après quoi, il fallut se séparer. L'instant fut déchirant. Voyant ses enfants sangloter éperdument, Louis XVI eut alors une généreuse idée :
— Demain, avant de partir, je vous reverrai une dernière fois...

Mais, le lendemain matin, après une bonne nuit de sommeil, il se levait à cinq heures et allait se faire guillotiner, presque sans bruit, pendant que ses enfants dormaient encore [136]...

---

133. HENRI D'ALMÉRAS, *Autour de l'échafaud*.

134. On sait que Philippe-Égalité, tremblant de peur, vota pour la mort du roi, qui fut condamné *à une voix de majorité*... Quelques minutes auparavant, un Girondin nommé Rouzet vota contre la mort. Le destin ironique voulut que cet homme devînt l'amant de Marie-Adélaïde, duchesse d'Orléans, après l'exécution de Philippe-Égalité...

135. Ce n'est qu'un an plus tard qu'on s'aperçut qu'elle était folle. Internée d'abord dans un asile du faubourg Saint-Marceau, elle fut ensuite conduite à la Salpêtrière, où elle mourut en 1817, à l'âge de cinquante-cinq ans...
Avouons qu'il est bien dommage qu'on ne s'en soit pas avisé plus tôt.

136. Avant de mourir, Louis XVI voulut s'adresser au peuple. Un roulement de tambour couvrit sa voix. L'homme qui commandait ces soldats et empêcha le roi de s'adresser une ultime fois à son peuple s'appelait Louis de Beaufrauchet. C'était le fils naturel de Louis XV et de Mlle Morphy...

L'exécution eut lieu à dix heures.

Lorsque la tête du roi tomba, il y eut un moment de stupeur. Pendant quelques secondes, le peuple parut effrayé, stupéfié, par l'acte — en vérité insensé — qu'il venait de commettre. Puis il se ressaisit. « La foule, dit Mercier, s'en revint par les boulevards et la rue Saint-Honoré en causant familièrement, comme au retour d'une fête. Les uns rapportaient, dans de petits paquets, des cheveux du roi que le bourreau leur avait vendus ou distribués. D'autres, qui avaient trempé leur mouchoir dans le sang, y collaient leurs lèvres et disaient en ricanant :

» — Ah ! il est bougrement salé !

» ... Aucune altération ne se peignait sur les visages. Les cabarets étaient pleins de monde et, dans les boutiques des pâtissiers, on achetait des petits pâtés [137]... »

L'exécution de Louis XVI ressemblait à une sinistre foire du Trône...

La mort du roi fut connue à Londres le 21 au soir. Aussitôt, les théâtres interrompirent leurs représentations et les spectateurs entonnèrent le *God save the King*. Mme du Barry, qui avait regagné l'Angleterre au lendemain de l'assassinat de son amant, se montra très affectée et pleura d'une façon que certains émigrés jugèrent un peu excessive...

Le fait d'avoir été longtemps la maîtresse d'un souverain donnait, il est vrai, à son chagrin un caractère spécial. En voyant disparaître la monarchie, elle avait l'impression de devenir veuve.

Elle prit le deuil...

On la vit à tous les offices célébrés pour le repos du roi, priant avec ferveur, sans se soucier des agents révolutionnaires chargés de l'espionner.

Ces pieuses occupations ne ralentissaient pas son activité politique. Elle se consacrait aux émigrés sans ressources (aux prêtres surtout, qui, par milliers, vivaient dans un grand dénuement), distribuait une partie des sommes fabuleuses que lui avait données Louis XV, et secourait les victimes d'une révolution dont elle était en grande partie responsable... Fin janvier, elle consentit un prêt de deux cent mille livres au duc de Rohan-Chabot qui avait besoin de quelques subsides pour financer l'insurrection chouane... Enfin, au début de mars, elle retourna en France, malgré les conseils de Pitt.

Or, à Louveciennes, l'ex-favorite devait susciter une passion qui allait la conduire à l'échafaud.

A quarante-sept ans, Mme du Barry était encore très belle. Voici comment nous la dépeint le baron de Bouillé qui la vit à Londres à

---

137. J.-S. MERCIER, *Nouveau Paris.*

cette époque : « Quoique la fraîcheur et le premier éclat de ses charmes eussent déjà disparu depuis longtemps, il en restait encore assez de trace pour laisser concevoir l'effet qu'ils avaient dû produire en retrouvant ses grands yeux bleus pleins de la plus douce expression, ses beaux cheveux d'un blond châtain, sa jolie bouche, la forme arrondie de son visage, dont le teint échauffé ne détruisait pas l'agrément, cette taille noble et élégante qui, malgré un peu d'embonpoint, avait encore de la souplesse et de la grâce ; enfin, ces formes toutes voluptueuses que déguisait peu sa toilette, surtout celle du matin. »

Ces formes voluptueuses et les traces de charmes éclatants qui avaient tant plu à Louis XV troublèrent un très curieux personnage qui avait établi à Louveciennes un club révolutionnaire. Cet homme s'appelait Georges Greive.

Il se disait « citoyen des États-Unis », se réclamait de services rendus à Washington et à Franklin, prétendait être l'ami de Marat et se nommait lui-même « factieux-anarchiste de premier ordre et désorganisateur du despotisme depuis vingt ans dans les deux hémisphères »...

Ce curieux sans-culotte s'était installé à Louveciennes alors que Mme du Barry se trouvait à Londres. Ses intentions étaient simples : il voulait livrer l'ex-favorite au Comité de salut public et s'approprier sa fortune. Au mois de janvier, il avait réussi à faire apposer les scellés sur le château et s'imaginait qu'avec l'aide de quelques villageois excités ou aigris il lui serait facile de réaliser ses desseins.

Le retour de la comtesse changea bien des choses. D'abord — et avec une audace incroyable — elle écrivit aux administrateurs du district pour se plaindre des mesures prises contre elle pendant son absence, et plaida si adroitement sa cause qu'on lui restitua le château de Louveciennes.

Ensuite, Greive la vit...

Ébloui, il la désira et fut, dès lors, animé par une curieuse passion faite d'amour, de haine et de jalousie. Joseph Destour, dans son style pittoresque, ajoute que Greive était « poussé par une excitation de profanateur vers cette chair de luxe qui avait donné du plaisir à un tyran »[138].

Déviation sexuelle que M. Kinsey n'a pas eu l'occasion de noter dans son amusant rapport.

138. Joseph Destour, *La Révolution à Louveciennes*, 1882.

22

L'état-major galant de M. de Charette

Il avait fait de la luxure une qualité militaire
PIERRE GUINDEAU

Le 2 mars 1793, l'autorité militaire envoya en Vendée un décret de réquisition de trois cent mille hommes.

Les opérations devaient commencer le 10 mars.

Or, pendant huit jours, les Vendéennes, qui détestaient les révolutionnaires à cause de leur attitude à l'égard des « bons prêtres », incitèrent les hommes à la rébellion.

Certaines, nouvelles Lysistrata, allaient jusqu'à se refuser dans le lit conjugal, en disant à leur mari — avec cette simplicité charmante des paysannes :

— Tu n'auras mon abricot que si tu prends ton fusil contre les Républicains !

Finalement, du 10 au 15 mars, la Vendée tout entière s'insurgeait.

Aussitôt les femmes, qui étaient à l'origine de cette guerre civile, prirent une part active aux opérations. On les vit les armes à la main. On les vit messagères, espionnes, infirmières. Leur rôle occulte fut considérable.

Écoutons Michelet : « Tout est mystère dans cette guerre. C'est une guerre de ténèbres et d'énigmes, une guerre de fantômes, d'insaisissables esprits. Où donc pouvons-nous saisir le fuyant génie de la guerre civile ? Regardons. Je ne vois rien, sinon, là-bas, sur la lande, une sœur grise qui trotte humblement et tête basse. Je ne vois rien. Seulement, j'entrevois entre deux bois une dame à cheval qui, suivie d'un domestique, va, rapide, sautant les fossés, quitte la route et prend la traverse. Elle se soucie peu, sans doute, d'être rencontrée. Sur la route même, chemine, le panier au bras, portant ou des œufs ou des fruits, une honnête paysanne. Elle va vite et veut arriver à la ville avant la nuit.

» Mais la sœur, mais la dame, mais la paysanne enfin, où vont-elles ? Elles vont par trois chemins, elles arrivent au même lieu. Elles vont toutes les trois frapper à la porte d'un couvent. Voulez-vous dire qu'elles y viennent prendre les ordres du prêtre ? Il n'y est pas aujourd'hui. Oui, mais il y fut hier. Il fallait bien qu'il vînt le samedi confesser les religieuses. Confesseur et directeur, il ne les dirige pas seules, mais par elles, bien d'autres encore... Femme et prêtre, c'est là toute la Vendée, toute la guerre civile. *Notez que sans la femme, le prêtre n'aurait rien pu...* [139] »

Dès les premiers combats entre les chouans et les armées révolution-

---

139. MICHELET, *Les femmes et la Révolution.*

naires, les républicains comprirent d'où venait la force de leurs ennemis. Et Mme de Sapinaud rapporte dans ses *Mémoires* cette déclaration d'un commandant patriote :

« Ah ! brigandes ! ce sont les femmes qui sont cause de nos malheurs ; sans les femmes, la République serait déjà établie et nous serions chez nous tranquilles... »

Les officiers républicains avaient tort de s'émouvoir à ce point. Instruits du désordre affligeant qui régnait dans les armées de l'Est, ils auraient dû deviner que les troupes vendéennes n'allaient pas garder longtemps leur belle sérénité.

Les choses ne tardèrent pas, en effet, à prendre un aspect plus galant que militaire...

Après quelques semaines de combats, les Vendéennes, « reprises par les ardeurs de leur sexe, considérèrent certains chefs chouans avec des yeux gourmands. François de Charette de La Contrie, entre autres, fut bientôt entouré d'une quantité de grandes dames, de paysannes à la cuisse légère et de prostituées venant de Nantes »[140].

M. de Charette possédait, il est vrai, une réputation non usurpée de don Juan. A Legé, où il avait établi son quartier général, les femmes qui constituaient son sérail ordinaire occupaient plusieurs maisons. Chaque soir, le chef maraîchin organisait des bals, où il dansait lui-même au son de la cornemuse avec ses belles amies.

Le bal terminé, M. de Charette entraînait dans sa demeure deux ou trois « sultanes » et passait, en leur compagnie, une nuit agitée au cours de laquelle son cœur royaliste connaissait des joies identiques à celles qui exaltaient les fibres républicaines du général Dumouriez...

Ainsi, deux chefs militaires, politiquement opposés, s'adonnaient avec la même fougue aux mêmes plaisirs, dans le même temps... Et l'amour, qui mettait en péril les armées de la Convention, allait empêcher les chouans de sauver la monarchie...

Galant, voluptueux, M. de Charette ne se bornait pas à mettre les femmes dans son lit, il les plaçait à tous les postes importants. C'était une ravissante blanchisseuse de Machecoul qui combattait, habillée en homme, à la tête de ses troupes. C'était une certaine veuve Cazale qui s'occupait des relations avec l'Angleterre et les émigrés. C'était sa fameuse « Bretonne », Marie Lourdais, accorte épicière, qui lui servait d'agent de liaison avec les autres armées vendéennes... La responsabilité des vivres, des armes, de la propagande, des chansons royalistes, etc., était confiée à Mlle Guerry, qui n'était âgée que de 15 ans, mais qui avait le plus joli tour de poitrine du monde ; à Mme de Bruc, dont les yeux bleus étaient ensorcelants ; à Mlle de Couëtus, dont le

---

140. Pierre Guindeau, *La vie privée de M. de Charette.*

tempérament est resté légendaire ; à Mlle de Rochette, qui avait des spécialités galantes fort prisées du général ; à Mlle de Voyneau, dont les cuisses étaient admirablement dessinées ; à Mme du Fief, qui avait une démarche lascive ; à Mme de La Rochefoucauld, qui « tant aimait l'amour » ; à Mme de Monsorbier, dont « la peau avait le goût du péché » ; à Mme de Bulkeley, qui avait la fesse ronde et bien placée...

Il y avait enfin, dans cet extraordinaire état-major, une jolie petite brune qui combattait, fusil à la main, aux côtés de Charette. Pour des raisons sur lesquelles il semble inutile de s'étendre ici, le chef maraîchin l'avait surnommée *le chevalier de la Berlinguette*...

Toutes ces femmes finirent par faire de M. de Charette un héros de légende. « Lui qui, au début, humble et négligé dans sa tenue, ne se distinguait guère de ses officiers par l'uniforme, portait maintenant des cravates à dentelles flottantes, un chapeau chargé de plumes, des vêtements brodés de soie verte et d'argent. Autour de lui, de brillantes cavalières formaient un contraste saisissant avec les malheureuses paysannes dont s'encombrait l'arrière-garde [141]. »

Toutes ces amazones étaient à tour de rôle — ou en même temps — les maîtresses de Charette, qui avait un rude tempérament.

Un soir, dans un château près de Montaigu, Mlle de Couëtus organisa une petite fête assez leste dont les participants devaient garder bon souvenir.

Après le dîner, elle annonça qu'on jouerait à cache-cache :

— Mais le règlement, expliqua-t-elle en souriant, sera, ce soir, un peu modifié. Les femmes iront se cacher et les hommes les chercheront. Lorsqu'ils les auront découvertes, elles leur accorderont ce qu'une femme donne généralement à son vainqueur...

Le jeu passionna tout de suite M. de Charette, qui s'écria gaiement :

— Tant qu'elle aura une roue, la Charette roulera !...

Ce qui était une sorte de devise dont il usait dans les grandes occasions.

Les femmes allèrent se cacher. Au bout d'un moment, les hommes partirent à leur recherche, et M. de Charette fut assez heureux pour découvrir, dans un réduit, la plus jolie blonde de l'assemblée, Mme de Chataigneau.

Après lui avoir fait plaisir, il reprit part au jeu, et découvrit Mlle de Bihan qui s'était cachée avec sa sœur dans un cellier. Les jeunes femmes ne connaissaient pas le bel allant de M. de Charette. Inquiètes à la pensée qu'il ne pourrait peut-être pas remplir ses devoirs par deux fois, elles sautèrent à son cou en criant :

— Moi ! Moi ! Moi !

Le chef chouan les rassura :

— N'ayez aucune crainte, chacune aura sa part !

Et il ne les déçut pas.

141. ÉMILE GABORY, *Les femmes dans la tempête. Les Vendéennes.*

Cette savoureuse partie de cache-cache devait influer sur le destin de M. de Charette. Les trois femmes qu'il avait si bien « découvertes » devinrent d'ardentes partisanes et mirent leur fortune à sa disposition. Un jour, les demoiselles de Bihan feront mieux encore : alors que le chef maraîchin sera poursuivi par les républicains, elles attireront ceux-ci dans un bois et se feront tuer pour permettre à leur éblouissant amant d'un soir de se sauver vers Clisson...

Passionné, impulsif, le chef vendéen était naturellement fort jaloux. Un jour, il s'aperçut qu'une de ses « amazones » « s'allait faire piquer le berlingot » par un officier. Il résolut de se venger et chercha un moyen amusant. La belle le lui donna sans le vouloir en organisant une petite fête à l'occasion du mariage de sa sœur.

— J'espère, lui dit-elle, que vous serez des nôtres, général. Nous danserons !

Le maraîchin se récusa, mais imagina une curieuse farce. Il déguisa quelques-uns de ses hommes en républicains et leur donna l'ordre d'aller troubler le repas de noces.

L'irruption des faux patriotes provoqua une véritable débandade. Voyant les invités qui cherchaient à s'enfuir par les fenêtres, les intrus feignirent d'armer leurs fusils.

— Les femmes doivent rester ici, dirent-ils. Quant aux hommes, qu'ils sortent, ou nous tirons.

Il ne resta bientôt plus dans la pièce qu'un groupe de jeunes femmes tremblantes.

— Bien ! dirent les faux républicains, maintenant vous allez recevoir la visite de notre chef.

A ce moment, à la grande surprise des Vendéennes, M. de Charette entra.

— Excusez cette petite mascarade, dit-il, je l'ai imaginée pour passer un moment agréable avec l'une d'entre vous.

La « sultane », souriante, s'avança.

— Il ne s'agit point de vous, ma chère, qui accordez trop facilement ce que vous m'avez donné : mais d'une jeune femme qui, sans moi, serait probablement privée de plaisir en ce jour capital.

Et, sous les yeux des invitées de la noce, il se précipita sur la mariée, la troussa et lui rendit un hommage vigoureux...

Par cette curieuse façon de faire la guerre, M. de Charette allait sauver la République...

23

La Révolution mise en péril par les femmes

> C'est nous qui faisons les femmes ce qu'elles valent,
> et voilà pourquoi elles ne valent rien.
>
> MIRABEAU

Il se passa, un matin de mars 1793, dans l'armée de Dumouriez, une scène fort curieuse. Un jeune dragon qui marchait avec ses camarades tomba tout à coup sur le bord de la route en poussant des cris de douleur.

On se précipita autour de lui, et un officier lui demanda ce qu'il ressentait. Le soldat, que la souffrance semblait avoir quitté pour un instant, eut l'air gêné. Finalement il répondit à voix basse :

— Je vais avoir un enfant !...

L'officier, qui n'avait jamais vu de militaire sur le point d'accoucher, parut très étonné.

Alors le jeune dragon fondit en larmes.

— Je suis la femme de Jérôme Michaut, dit-il. Je l'ai suivi aux armées par amour.

On dressa rapidement une tente où Mme Michaut, une heure plus tard, mit au monde un futur républicain...

Le cas de cette épouse devenue dragon par amour n'est pas unique. Il y eut énormément de femmes qui préférèrent partager les dangers de la guerre aux côtés de leurs maris plutôt que de se morfondre, nous dit un mémorialiste, « dans un lit conjugal inerte et sans saveur ».

En outre, « elles estimaient que leur présence devait animer le courage des volontaires ; elles se réclamaient, en termes pompeux, des exemples de l'Histoire ». Hélas ! ajoute Raoul Brice, à qui nous empruntons ces lignes, « si le sentiment qui les inspirait fut noble, leur intervention n'en eut pas moins des conséquences déplorables. Les troupes furent encombrées de personnes inutiles, difficiles à régenter et qui causèrent maints désordres »[142].

Ces ferventes épouses suivirent tout d'abord leurs maris sans se cacher, une loi prescrivant aux autorités militaires de loger les femmes de soldats mariés.

Malheureusement, leur présence aux armées, loin de soutenir le courage des hommes, ne tarda pas à être un élément de trouble. Elles critiquaient les ordres des officiers, tentaient d'intervenir dans les conseils militaires, discutaient de la nécessité d'une attaque, déclaraient la soupe immangeable, bref, créaient un climat peu favorable à la préparation d'une offensive. « De plus, elles voulaient que les hommes

142. RAOUL BRICE, *Les femmes et les armées de la Révolution et de l'Empire.*

passassent la plus grande partie de leur temps à leur faire "cousuminette", comme on disait alors, et les soldats, qui étaient montés toute la nuit à l'attaque de Vénus, ne pouvaient, le jour venu, obéir aux appels de Mars... [143] »

Il existait une autre cause de désordre, car chaque épouse devait défendre son soldat contre les attaques perfides de certaines « drôlesses » à la cuisse légère qui se conduisaient aux armées comme dans la vie civile. Des scènes épiques eurent lieu dans quelques camps, notamment à Longwy, où, un soir, trente femmes se battirent pour les beaux yeux d'un militaire plus attaché aux réalités féminines qu'à l'idéal républicain... « Ces furies, écrit un témoin, se montrèrent d'une férocité qui nous impressionna. Elles s'arrachaient des poignées de cheveux, se mordaient, se griffaient. J'en vis une qui, dans sa colère, déchira le corsage d'une adversaire et lui tordit un sein comme une blanchisseuse tord son linge. La malheureuse s'évanouit.

» Une autre, ayant troussé sa rivale, lui arracha une grosse partie de son pelage, voulant par ce geste, nous expliqua-t-elle plus tard, "détériorer l'objet qui attirait son mari" [144]. »

Finalement, le capitaine dut faire jeter des seaux d'eau sur les combattantes pour arrêter cette épouvantable scène...

De tels incidents détournaient les esprits de la lutte. Les hommes ne peuvent faire la guerre que s'ils sont entre eux. Tout le plaisir que ressentent généralement les soldats à vivre libres et loin de leur foyer était gâché par la présence de ces viragos qui prétendaient reconstituer sur les champs de bataille l'atmosphère de la vie familiale.

Des maris excédés tapèrent sur leurs épouses. Aux rixes entre femmes succédèrent bientôt des pugilats domestiques qui se poursuivaient tard dans la nuit et donnaient aux camps une allure bien peu guerrière.

Ces incidents finirent par retirer tout enthousiasme aux soldats de la Révolution. Pour fuir les scènes de ménage, certains désertèrent. Alors l'autorité militaire, dont on connaît la sensibilité, s'émut.

Des notes sillonnèrent la France : « La quantité de femmes est effrayante, mandait l'agent Defrenne à Bouchotte, ministre de la Guerre ; ce sont autant de bouches infiniment coûteuses à la Révolution, et nos soldats finiront par n'être plus propres à rien. »

De son côté, Carnot écrivait : « Les cantonnements et les casernes sont engorgés de femmes ; elles énervent les troupes et détruisent, par les maladies qu'elles y apportent, plus de monde que le pire des ennemis. » A son tour, Seugnot déclarait : « Les femmes de troupe — c'est le nom que se donnent entre elles les épouses qui ont suivi les soldats aux armées — contribuent à donner aux hommes un très mauvais moral. L'enthousiasme faiblit et de nombreuses désertions nous sont signalées. Il est urgent de renvoyer dans leurs foyers toutes ces femelles au c... trop chaud, qui sont en train de nous faire perdre la face aux yeux de l'Europe. »

143. J.-M. BARREAU, *Souvenirs d'un soldat de l'an II.*
144. J.-M. BARREAU, *op. cit.*

Alors Carnot, effrayé par l'état d'esprit des volontaires, envoya un rapport au comité de Salut public. Sa conclusion était nette : « Il est urgent qu'on fasse sur ce point une loi très forte et très menaçante : débarrassez-nous des catins qui suivent l'armée, et tout ira bien. »

Le 30 avril 1793, la Convention publia un *décret pour congédier les femmes se trouvant aux armées.* A part les blanchisseuses, au nombre de quatre par bataillon, les vivandières indispensables, qui devaient recevoir une marque distinctive délivrée par les généraux de division, toutes les femmes, quel que soit leur rang, étaient considérées comme inutiles.

L'annonce de ce décret produisit, on s'en doute, un effet considérable. Les femmes de troupe commencèrent par protester, disant que leurs époux avaient besoin d'elles et qu'elles n'obéiraient jamais à un ordre injuste qui avait pour objet de diviser les ménages... Puis, voyant que les officiers avaient l'intention d'observer la loi, elles se révoltèrent et entraînèrent leurs maris dans la rébellion.

— Nous resterons, dirent-elles, ou bien nous partirons en emmenant nos époux.

Très ennuyés, les commandants préférèrent ignorer ce qui se passait dans les régiments, et le décret ne fut pas appliqué.

Cette capitulation ne fit qu'augmenter le désordre. Ayant mesuré leur pouvoir, les femmes de troupe dirigèrent pratiquement les camps. On les vit transformer les tentes en salons bourgeois, organiser un embryon de vie mondaine, recevoir, papoter, ragoter...

Le résultat ne se fit pas attendre : bientôt, tout le monde se détesta, ce qui n'est pas un bon état d'esprit pour une armée de campagne.

Une telle situation alarma les conventionnels.

Le 26 nivôse an II, l'adjoint du ministre de la Guerre Jourdeuil écrivait au général Charbonnié, commandant en chef de l'armée des Ardennes :

Le ministre est informé que le décret du 30 avril, qui ordonne de congédier des armées les femmes inutiles au service, est éludé par des interprétations abusives, sous le prétexte que le décret ne parle que des camps et des cantonnements. Des officiers prétendent qu'ils peuvent avoir avec eux leurs femmes dans les villes sans contrevenir à la loi. D'autres n'habitent point, à la vérité, dans la même ville avec leurs femmes, mais ils les font venir dans les villes voisines, et se croient ainsi à l'abri de tout reproche. Dans le premier cas, ces femmes désœuvrées n'ont d'autres ressources que de rassembler chez elles les officiers, et tout le temps qu'ils leur donnent est pris sur le devoir de leur état. Dans le deuxième cas, on fait des voyages fréquents ou des absences toujours trop longues lorsqu'on devrait être à son poste.

Ces abus convenaient aux satellites d'un roi. Ils sont indignes de soldats républicains, et ton devoir est de ne pas les tolérer dans l'armée que tu commandes.

Pour cet effet, je t'envoie la loi dont tu es chargé de maintenir l'exécution. Tu observeras que les femmes des officiers généraux et de tous les autres officiers sont comprises dans l'exclusion. Tu verras que, s'ils s'opposent à cette disposition, ils doivent subir la peine de la prison la première fois et être destitués s'ils récidivent.

Je n'ai pas besoin de te dire que ta surveillance doit se porter sur les chefs comme sur les soldats et qu'elle doit être encore plus sévère pour les premiers, parce que c'est à eux de donner l'exemple.

Chassées des armées comme « femmes de troupe », la plupart des épouses revinrent rapidement comme « soldats ». En effet, J.-M. Barreau nous dit que « les plus ardentes et les plus amoureuses de leurs maris firent mine de rentrer chez elles, mais trouvèrent le moyen de revenir pour recevoir les caresses conjugales sans lesquelles elles ne pouvaient vivre. Rejetant l'habit de femme, elles adoptèrent l'uniforme masculin et s'enrôlèrent dans les armées de la Révolution en se faisant passer pour des hommes. Quelques officiers fermèrent les yeux et feignirent de ne point avoir découvert le stratagème. D'autres furent bel et bien trompés ».

Hélas ! une telle solution, si elle permettait aux épouses de connaître des nuits enivrantes, ne changeait rien à la situation. Les intrigues continuèrent et le désordre demeura.

Cette anarchie faillit mettre la Révolution en péril. Les soldats, fatigués par les récriminations de leurs épouses autant que par les nuits d'amour qu'elles exigeaient, perdirent leur bel allant et sombrèrent dans une affligeante apathie.

Pensant qu'il était plus important de renvoyer ces dames chez elles que de repousser l'ennemi hors des frontières, ils se battirent mollement. Le résultat fut désastreux. Tour à tour, les camps de Famars, Condé, Valenciennes, Mayence, Le Quesnoy tombèrent aux mains des coalisés.

Une fois de plus, la Patrie était en danger à cause de femmes trop amoureuses...

« L'amour, disait Balzac, est responsable de toutes les défaites et de toutes les victoires. »

En ce printemps de 1793, la situation donnait par avance raison à l'auteur de la *Comédie humaine*.

Au moment même où l'amour animait quelques excitées et risquait de ruiner la République, il donnait toute sa force au seul homme désireux de sauver la monarchie.

Après l'exécution du roi, Fersen, atterré, s'était mis à chercher, avec une ardeur nouvelle, un moyen de sauver Marie-Antoinette. Au mois de mars, il crut avoir trouvé et écrivit :

Un autre moyen plus efficace de servir la reine serait, selon moi, des agents intelligents de l'Angleterre qui gagneraient, à force d'argent et de promesses, les meneurs du parti d'Orléans, tels que Laclos,

*Santerre, Dumouriez ; car il ne faudrait pas s'adresser au duc d'Orléans,
il est aussi nul et incapable que scélérat et poltron...*

Dumouriez se laissa acheter et trahit, au mois d'avril, la République.
Cet événement rendit le sourire à Fersen qui vit aussitôt les Jacobins
vaincus, une restauration possible, Louis XVII sur le trône et Marie-
Antoinette régente... Car c'était là le nouveau rêve d'Axel : donner le
pouvoir à la femme qu'il aimait...

Dumouriez ayant livré aux Alliés quatre commissaires de la Convention, Fersen pensa que l'on pourrait échanger ces otages contre la
famille royale, et des pourparlers furent engagés avec les membres de
la Convention qui se montrèrent favorables au projet. Mais le comte
de Mercy, chargé par l'empereur de diriger les affaires politiques des
Alliés, fit arrêter les négociations. Les souverains d'Europe, ravis de
voir la France à feu et à sang, abandonnaient la reine et le jeune roi...

Alors, une fois de plus, Fersen, inlassable, se mit en quête d'un
autre moyen pour sauver Marie-Antoinette...

24

L'amour dans les prisons révolutionnaires

> Il semblait que tous les prisonniers voulussent
> consacrer les dernières heures de leur vie
> aux plaisirs que procure le sexe...
>
> BEUGNOT

Joseph Calvet écrit dans son *Traité sur la sexualité* : « Aucun
événement, ni une guerre, ni une émeute, ni une révolution, ni même
un bombardement, n'est capable d'empêcher les hommes et les femmes
de se livrer aux plaisirs de la chair. Au contraire, la proximité du
danger semble aiguiser les désirs et faire naître de véritables frénésies
sexuelles... »

Ce sociologue devait connaître mieux que nos historiens compassés
l'histoire de la Révolution française.

En effet, d'extravagantes orgies furent organisées à l'ombre de la
guillotine, aussi bien par les aristocrates que par les « amis de la
Nation »... Ceux qui attendaient la mort et ceux qui la donnaient
étaient curieusement animés par la même ardeur amoureuse.

« On s'amusait d'autant plus librement, écrit Fernand Mitton, que
tout le monde, apeuré, tremblait pour le lendemain, qu'à tout moment
on voyait sa vie menacée, qu'à chaque instant le grand « rasoir
national » et son « barbier » risquaient d'en trancher le fil. Aussi
s'aimait-on furieusement, dans la crainte d'être séparés pour toujours [145]. »

En avril 1793, de nombreux « ci-devant » se réunissaient fréquem-

145. FERNAND MITTON, *Les femmes et l'adultère de l'Antiquité à nos jours,* 1911.

ment chez la marquise de Verrières, dans le Marais. L'un d'entre eux, le comte de Breuil, a laissé des *Mémoires* fort piquants. Voici ce qu'il dit d'une de ces réunions où les belles aristocrates s'amusaient curieusement à perdre la tête.

« Mme de Verrières avait le goût des assemblées galantes. Un soir, elle invita trente personnes des deux sexes connues pour leur ardeur, et leur dit :

» — Mes amis, nous serons peut-être morts demain. Morts sans avoir goûté tous les plaisirs, toutes les jouissances. J'ai pensé que certains d'entre vous passeraient ainsi dans l'autre monde avec le regret de n'avoir point donné à leur corps toutes les satisfactions qui lui sont dues. C'est pourquoi vous êtes tous ici ce soir. Avant de quitter ce monde en fièvre, que chacun fasse librement son choix, que les hommes possèdent les femmes qu'ils convoitent depuis longtemps, que les femmes se donnent aux hommes qu'elles désiraient en secret.

» Aussitôt, la soirée commença.

» C'est alors qu'un valet parut. Rendu stupide par le spectacle qui s'offrait à ses yeux, il resta quelques secondes la bouche ouverte, sans rien dire.

» — Qui vous a permis d'entrer ? cria Mme de Verrières, fort en colère.

» — J'ai entendu la sonnette, bredouilla l'autre.

» — C'est faux ! Disparaissez ! cria la marquise.

» Le valet se sauva, et tous les invités reprirent leurs occupations. Deux minutes ne s'étaient pas passées que la porte s'ouvrait de nouveau, laissant apparaître un autre valet qui eut l'air aussi niais que le premier en voyant trente personnes nues dans le salon.

» — Je vous chasse ! cria Mme de Verrières.

» — Mais Madame avait sonné...

» — Non ! allez-vous-en !

» Le malheureux garçon disparut, et les ébats reprirent. Ils durèrent peu, car un troisième valet, essoufflé et cramoisi, ne tarda pas à apparaître.

» — Je vous chasse tous ! hurla Mme de Verrières excédée.

» — Mais, la sonnette, Madame...

» — Sortez !

» Il sortit en bredouillant des excuses, et l'hôtesse allait de nouveau se consacrer au plaisir quand sa main heurta un cordon tendu. Elle éclata de rire.

» — Voilà donc l'explication, dit-elle. Ce cordon, qui est relié à une clochette se trouvant dans l'office, était pris sous les coussins de ce lit. Chaque mouvement que nous faisions dans notre ardeur amoureuse alertait toute la domesticité...

» Les invités éclatèrent de rire, et l'on but du champagne pour continuer à servir Vénus... [146] »

Cette orgie, qui avait été interrompue de si curieuse façon, ne se

---

146. M. DE BREUIL, *Mémoires*, 1807.

termina qu'à l'aube. Or, quelques heures plus tard, l'hôtesse et presque tous ses invités étaient arrêtés, jugés sommairement et conduits à la Conciergerie.

Là, ils se plurent, jusqu'au moment où la charrette vint les prendre pour les mener à la guillotine, à commenter longuement leur dernière nuit.

Mise en verve par le rappel des minutes voluptueuses qu'elle avait vécues, Mme de Verrières demanda à ses compagnons « de lui procurer encore une fois du plaisir avant que le couperet n'ait définitivement éteint ses sens ».

Ils acceptèrent, et elle se donna à eux, dans un coin du chariot, avec une ardeur jamais égalée.

Après quoi, tout le monde alla se faire couper la tête...

La plupart des prisons révolutionnaires furent le théâtre de scènes aussi peu édifiantes.

A la Conciergerie, les amants se retrouvaient dans une enceinte fermée de barreaux de fer. « Là, nous dit un mémorialiste, chacun se dépouillait de cette pudeur grimacière, qui est bonne quand on peut attendre des moments favorables ou chercher des lieux commodes. Le bruit des baisers et des soupirs amoureux parvenait jusqu'au fond des corridors sombres. Les maris redevenaient amants, les amants redoublaient de tendresse. Les plus tendres baisers étaient sans cesse pris et rendus sans résistance, comme sans scrupule ; à la faveur même d'un peu d'obscurité et de vêtements larges, l'amour a vu consumer ses plus tendres désirs. Il est vrai que ces plaisirs étaient quelquefois troublés par l'aspect des malheureux condamnés à mort qu'on descendait du Tribunal et qui traversaient l'enceinte. Alors, il se faisait un moment de silence : on se regardait avec crainte, puis on s'embrassait avec un tendre intérêt, et les choses reprenaient insensiblement leur cours... [147] »

Les nouveaux arrivants étaient accueillis avec une espèce de convoitise par les anciens prisonniers, qui, l'œil brillant, supputaient tous les plaisirs qu'ils allaient connaître avec ces futurs partenaires.

Ceux-ci d'ailleurs, ne tardaient pas à imiter leurs devanciers. Écoutons un homme qui vécut à la prison du Luxembourg :

« A mesure qu'il arrivait de nouveaux pensionnaires, le sensible Benoît [148] les conduisait vers ceux qui, par leur profession, leur pays, leur caractère, leur section ou leur âge, semblaient promettre au détenu une société plus agréable. Déjà se formaient les connaissances, déjà les petits comités se resserraient dans un cercle plus étroit.

» L'amour avait le plus de part dans le choix des sociétés. Les Anglaises, moins vives, mais aussi tendres que les Françaises, se

147. Relation d'un détenu, publiée par l'*Almanach des Prisons*.
148. Le concierge.

rangèrent à leur tour sous les drapeaux de la galanterie ; les petits vers, les couplets, le jeu, la médisance et la musique remplissaient les journées. Parfois, cependant, on était interrompu par la visite de municipaux qui n'étaient rien moins que damoiseaux. Marino, administrateur de police, qui, ensuite, fut juge à Lyon, et depuis guillotiné à Paris, ne se permit-il pas un jour de dire au cercle assemblé :

» — Savez-vous ce qu'on répand dans le public ?... Que le Luxembourg est le premier b...l de Paris ; que vous êtes ici un tas de p... qui b... et que c'est nous qui vous servons de maq... [149] »

Les termes dont usait ce Marino, pour être un peu vifs, n'en exprimaient pas moins l'exacte vérité.

Un ancien détenu nous cite le cas d'un jeune homme qui, « caché derrière un paravent, seule barrière à la curiosité indiscrète, goûtait tranquillement et en plein jour, dans les bras de sa maîtresse, les plaisirs de l'amour ». Ce témoin conclut : « La publicité de certaines aventures galantes, la luxure de quelques dames parmi lesquelles il faut compter la citoyenne d'Orm... qui se payait avec usure de quelques années d'une abstinence forcée, firent prendre à l'Administration de Police le parti de séparer les deux sexes. »

A la prison de Port-Libre, rue d'Enfer, les « doux entretiens » se tenaient sous un acacia, et, nous dit Henri d'Alméras, ils « étaient poussés aussi loin que possible » [150].

Allongés sur le gazon, prisonniers et prisonnières, complètement désaxés par la proximité de la mort, se livraient, le soir venu, à des parties qui préfiguraient honorablement celles du bois de Boulogne...

Lorsque Mme de Saint-Amaranthe entra dans ce lieu galant, tous les hommes qui s'y trouvaient détenus eurent le sourire, car l'ex-tenancière de tripot avait une réputation d'amoureuse bien établie à Paris. Maîtresse successivement de Hérault de Séchelles, du député Quinette, de l'ex-duc de Lauzun, de Dumouriez, de Fabre d'Églantine et de bien d'autres, elle avait, à quarante-huit ans, un corps admirable et une expérience qui faisait rêver les plus prudes... Elle sut ne décevoir personne : en deux mois et demi, nous dit un ancien détenu, « elle se donna sans compter et fit le bonheur de tout le monde... ».

Parmi ces ci-devant rendus hystériques par la silhouette de la guillotine, il se trouvait pourtant quelques êtres sentimentaux qui ne se contentaient pas d'amour physique. Ceux-ci soupiraient, écrivaient des vers et, selon le mot d'un mémorialiste, « sublimaient leurs étreintes »...

Pour eux, il n'existait qu'un seul espoir : mourir à deux. Une condamnation commune les mettait dans un état de bonheur indescriptible. Leurs derniers moments étaient alors consacrés à des caresses mutuelles. Et Beugnot nous cite cette anecdote :

149. *Almanach des prisons.*
150. HENRI D'ALMÉRAS, *L'Amour dans les prisons.*

« Une femme âgée de quarante ans, mais fraîche encore et qui conservait des beaux traits et une taille élégante, fut condamnée à mort, dans la première décade de frimaire, avec son amant, officier dans l'armée du Nord, jeune homme qui paraissait réunir un esprit élevé à une charmante figure. Ils descendirent du Tribunal vers les six heures du soir. On les sépara pour la nuit.

» La femme sut mettre en œuvre des moyens de séduction dont elle usa avec succès. Elle obtint qu'on la réunirait avec son amant. Ils donnèrent cette dernière nuit aux amours, épuisèrent encore une fois la coupe de la volupté, et ne s'arrachèrent en quelque sorte des bras l'un de l'autre que pour monter dans la fatale charrette... [151] »

Tous n'avaient pas, hélas ! cette chance d'être condamnés ensemble. Celui qui devait survivre avait alors recours à un moyen très simple pour accompagner sa (ou son) bien-aimée sur l'échafaud. Il suffisait de crier : « Vive le roi ! » Aussitôt le « délinquant » montait dans la charrette...

De tels actes d'amour effaçaient alors toutes les orgies des jours précédents...

25

Adam Lux guillotiné par amour pour Charlotte Corday

> Il l'aimait à en perdre la tête...
>
> PIERRE RAFFET

Si l'amour était une ultime et douce consolation pour les victimes de Fouquier-Tinville, il allait être pour Mme Roland la source de bien des malheurs.

A la fin de 1792, elle avait été accusée par Marat et Hébert de comploter la restauration de la monarchie avec un agent de l'Angleterre. Sur la demande de Roland, elle était venue à la barre de la Convention pour s'expliquer, et, son charme ayant subjugué les plus hostiles, toute l'Assemblée l'avait applaudie...

Ce triomphe devait être le dernier.

Dès le lendemain, le *Père Duchesne* avait publié un article venimeux : « Nous avons détruit la royauté et, f... ! nous laissons s'élever à la place une autre tyrannie plus odieuse encore. La tendre moitié du vertueux Roland mène aujourd'hui la France à la lisière... Brissot est le grand écuyer de cette nouvelle reine ; Louvert, son chambellan ; Buzot, le grand chancelier... Vergniaud, le grand maître des cérémonies... Elle se tient tous les soirs, à l'heure des chauves-souris, dans le même lieu où Antoinette manigançait une nouvelle Saint-Barthélemy... Comme la ci-devant reine, Mme Coco [152], étendue sur un sofa, raisonne

---

151. BEUGNOT, *Mémoires*.
152. C'est le surnom que l'on donnait alors à Mme Roland.

à perte de vue sur la guerre, la politique... C'est dans ce tripot que se fabriquent toutes les affiches... »

Les jours suivants, décidé à abattre son ennemie par tous les moyens, Hébert avait dénoncé les amours de Buzot et de Manon par une lettre publique adressée au député de l'Eure : « Devenu conventionnel, tu n'as pas manqué d'être un grand personnage, un des adorateurs de la vertueuse épouse du vertueux Roland. Quel plaisir de répéter à ses pieds le rôle que tu dois jouer le lendemain à la Convention, de la voir t'applaudir quand tu récites quelques bonnes tirades contre Robespierre, de la voir se pâmer entre tes bras quand tu nous as emporté d'emblée quelque bon décret, soit pour bannir ceux qui ont fait la Révolution, soit pour allumer la guerre civile entre Paris et les départements... »

Cet article avait bouleversé Roland, qui « ne voulant point donner ses chagrins domestiques en spectacle au pays »[153], s'était vu contraint de démissionner.

Après avoir rendu son portefeuille de ministre, il avait appelé Manon :

— Maintenant, dis-moi la vérité. Hébert a-t-il raison lorsqu'il écrit que Buzot est ton amant ?

Émue, livide, Manon avait alors tout avoué, et Roland s'était conduit en gentilhomme :

— Veux-tu que je te rende ta liberté ? Tu pourras épouser celui que tu aimes.

Mme Roland s'était redressée :

— Non ! je l'aime, mais je suis ta femme !

Les deux époux désunis avaient alors quitté les somptueux appartements du ministère pour regagner leur petit logement de la rue de la Harpe.

Ce noble retrait exalta Buzot qui, tous les jours, à la tribune, attaqua la Montagne avec une audacieuse violence. Reprenant les thèmes chers à Mme Roland, il fustigeait Marat, Hébert, Danton et réclamait l'arrêt des massacres. Cette éloquence eut un résultat navrant : le 30 mai 1793, Robespierre fit arrêter vingt et un députés Girondins...

Le lendemain, Buzot, qui avait pu échapper aux recherches, quitta Paris sur les conseils de Manon, tandis que Roland, au même instant, courait se réfugier à Rouen chez les demoiselles Malortié.

Restée seule dans la capitale, Mme Roland attendit stoïquement que son destin s'accomplît.

Deux jours plus tard, on venait l'arrêter...

Enfermée dans une cellule de l'Abbaye, elle poussa un soupir. Loin de l'agitation politique, elle allait pouvoir enfin se consacrer entièrement à son amour. Oubliant la République de Platon, délaissant ses habituelles préoccupations d'intellectuelle engagée, elle vécut dès lors dans une sorte de rêve. Le corps et l'esprit torturés par la passion, elle

---

153. Miss WILCOCK, *Mme Roland, l'idole des Girondins.*

passait des heures prostrée sur son lit à gémir, à sangloter, à prononcer le nom de son bien-aimé...

Un jour, une femme parvint à lui faire remettre deux lettres de Buzot qui se cachait en Normandie. Elle les lut en pleurant, et le soir, à son tour, écrivit :

22 juin 1793.

Combien je les relis, tes lettres... Je les presse sur mon cœur. Je les couvre de mes baisers. Je n'espérais pas d'en recevoir... Je suis venue ici fière et tranquille... Lorsque j'ai appris le décret d'arrestation contre les vingt-deux (sic), *je me suis écriée : « Mon pays est perdu. » J'ai été dans les plus cruelles angoisses jusqu'à ce que j'aie été assurée de ton évasion ; elles ont été renouvelées par le décret d'arrestation qui te concerne, ils devaient bien cette atrocité à ton courage. Mais lorsque je t'ai su au Calvados, j'ai repris ma tranquillité.*

Continue, mon ami, tes généreux efforts, Brutus désespéra trop tôt du salut de Rome aux champs de Philippes. Le Midi t'offre dans tous les cas un refuge...

Moi, je jouis, à travers les grilles et les verrous, de l'indépendance de ma pensée. Je n'ai pas été fâchée d'être arrêtée, ne vois-tu pas aussi qu'en me trouvant seule c'est avec toi que je demeure ? Je dois à mes bourreaux de concilier le devoir et l'amour. Adieu, mon bien-aimé, adieu.

Libérée, puis reprise aussitôt, Manon fut conduite à Sainte-Pélagie où elle continua de ne vivre que pour penser à son cher Buzot. Le 6 juillet, elle lui écrivit :

Je me suis fait apporter, il y a quatre jours, this dear picture *que, par une sorte de superstition, je ne voulais pas mettre dans une prison ; mais pourquoi donc la refuser, cette douce image, faible et précieux dédommagement de l'absence de l'objet ? Elle est sur mon cœur, cachée à tous les yeux, sentie à tous les moments et souvent baignée de mes larmes...*

Manon, jadis si froide, si cérébrale, sentait s'éveiller dans son corps des besoins de caresses. Elle comprenait enfin, mais trop tard, que l'amour n'était pas seulement une rencontre de beaux esprits...

Éperdue de passion, les sens en feu, elle espérait la mort comme une délivrance, sachant bien qu'elle ne reverrait jamais Léonard.

Or au moment où Manon, dans sa cellule, considérait sa vie austère et écrivait avec mélancolie : « Je doute que jamais personne fût plus faite pour la volupté et l'ait moins goûtée », des membres éminents de la Convention faisaient en sorte de n'avoir point à exprimer un jour de tels regrets...

Ces messieurs qui œuvraient depuis quelque temps sans que leur galante activité fût connue du menu peuple, eurent, au mois de juin

1793, l'imprudence de prendre des partenaires trop bavardes. Aussitôt, des bruits étranges commencèrent à courir.

On racontait à mots couverts que des réunions scandaleuses avaient lieu dans un pavillon de Choisy-le-Roi. Les Parisiens les mieux renseignés assuraient que certains députés fort estimés faisaient amener là des filles du Palais-Égalité et des mineures racolées de bon gré ou de force. Les fillettes, précisaient-ils, étaient déshabillées et lavées soigneusement devant certains messieurs à qui ce spectacle causait une joie profonde. Après quoi, « les spectateurs devenaient acteurs ».

Cette histoire, colportée à voix basse de maison en maison, n'était pas sans inquiéter les esprits candides, qui, ne pouvant s'empêcher de faire un rapprochement entre les mœurs des républicains et celles des « tyrans » qu'on venait de détrôner, étaient pris de doutes sur la nécessité d'un changement...

Le scandale fut naturellement étouffé. Mais on peut en trouver trace aux Archives nationales dans cette note datée du 19 thermidor :

« Le jardinier de Fauvel, propriétaire d'une maison située à Choisy, a déclaré devant Blache, agent principal du Comité de sûreté générale, que les deux Robespierre, Lebas, Henriot, et ses aides de camp, Dumas, Fouquier, Didier, Benoît et Simon, du Comité révolutionnaire de Choisy, les Vaugeois, les Duplay, se réunissaient souvent dans sa maison, à Choisy, et s'y livraient à des orgies scandaleuses [154]. »

Si cette note est digne de foi, Fouquier-Tinville et Robespierre peuvent être considérés comme les fondateurs des ballets roses républicains...

L'arrestation des Girondins avait provoqué une immense émotion dans tout le pays, et bien des braves gens tremblèrent pour la Révolution.

A Caen, une jeune républicaine de vingt-cinq ans, Marie-Anne-Charlotte de Corday d'Armont, qui descendait de la sœur de Pierre Corneille et avait, pour cette raison, le sens de la tragédie, fut alarmée.

Ayant interrogé des Girondins qui fuyaient la capitale, elle comprit que Marat était à l'origine de tous les excès commis à Paris et décida, par un beau soir de juillet, de tuer cette « bête malfaisante qui gangrenait la Révolution ».

Le 9 juillet, elle prit la diligence de Paris. Après un voyage de deux jours, elle s'installa rue des Vieux-Augustins, à l'hôtel de la Providence.

Après avoir rédigé, en guise de testament, une *Adresse aux Français*, elle se rendit au Palais-Royal, acheta pour deux francs un couteau à découper, et se fit conduire en fiacre rue des Cordeliers.

Là, elle sonna.

C'est Simonne Évrard qui vint lui ouvrir.

— Je voudrais voir le citoyen Marat.

— Il ne reçoit personne.

— J'ai des choses très importantes à lui apprendre.

154. Archives nationales, série W 1 b, carton 500, pièce 5. (Cette accusation est à rapprocher du pamphlet anonyme cité plus haut, en page 73.)

— L'Ami du Peuple est malade.

Et la porte claqua au nez de Charlotte qui revint à son hôtel où elle rédigea sur-le-champ, la lettre suivante :

Citoyen,

J'arrive de Caen ; votre amour pour la patrie me fait supposer que vous connaîtrez avec plaisir les malheureux événements de cette partie de la République. Je me présenterai chez vous vers huit heures ; ayez la bonté de me recevoir et de m'accorder un moment d'entretien. Je vous mettrai à même de rendre un grand service à la patrie...

Ayant posté ce mot, elle attendit huit heures et se rendit de nouveau rue des Cordeliers.

Une femme employée comme plieuse au journal *La République française* vint lui ouvrir la porte. Voyant Charlotte, elle appela Simonne Évrard.

— Encore vous, dit celle-ci.

— J'ai écrit au citoyen Marat, et il doit me recevoir.

Une discussion s'engagea entre la maîtresse du journaliste et Charlotte. Finalement, Marat, qui travaillait dans une pièce voisine, devinant qu'il s'agissait de la personne dont il avait reçu une lettre, cria :

— Qu'elle entre !

Charlotte entra et se trouva bientôt devant l'Ami du Peuple qui, assis dans une baignoire de cuivre en forme de sabot, écrivait sur une planchette de bois.

« Il me semble la voir devant mes yeux, écrit le comte d'Ideville dans son livre *Vieilles Maisons et Jeunes Souvenirs*, il me semble la voir debout, tremblante, appuyée contre cette même porte que nos mains touchent. Malgré l'invitation de l'homme, elle a hésité à s'asseoir sur l'escabeau placé près de la baignoire ; ses regards se fixent sur les regards hideux et lascifs du monstre. Elle nous apparaît bien telle qu'elle était alors, avec ses boucles de cheveux blonds épars, sous la coiffe du temps ; la poitrine haletante sous le fichu qui la couvre ; sa robe aux rayures brunes traîne sur le carreau humide. La voilà qui se lève, qui parle, s'anime, tandis que les yeux de la vipère s'allument à la pensée des victimes nouvelles qu'elle lui dénonce. Enfin, elle se penche... »

D'un coup précis, Charlotte enfonça son couteau dans la poitrine de Marat.

Le journaliste, qui avait tant désiré voir couler le sang des autres, fut naturellement fort alarmé en voyant le sien se répandre.

— A moi ! cria-t-il à l'adresse de Simonne Évrard. Ma chère amie !...

Simonne se précipita et buta dans Charlotte qui, très calme, au pied de la baignoire dont l'eau rougissait rapidement, attendait qu'on vînt la condamner à mort pour avoir délivré la France d'un étranger monstrueux [155]...

Ce geste de Charlotte Corday fut, on s'en doute, diversement commenté. Pour ceux qui allèrent assister en gémissant aux funérailles grandioses commandées par la Convention, la jeune femme devint la « virago normande », la « monstrueuse parricide » ou le « chacal antirévolutionnaire ». Pour les gens de bon sens, Charlotte apparut comme le symbole d'une saine réaction.

Des milliers de gens l'adorèrent.

Un homme l'aima.

Cet homme s'appelait Adam Lux. Il était né aux environs de Mayence en 1766, dans une famille de paysans. Lorsque la Révolution avait éclaté en France, il s'était enflammé pour les idées nouvelles, allant jusqu'à former avec des amis un club pour la défense de la liberté et de la fraternité.

Ce club avait eu tant d'influence que, lorsque le général de Custine était entré dans la ville le 21 octobre 1792, la population entière avait demandé le rattachement de Mayence à la France.

Désigné pour porter à Paris le décret des Mayençais et siéger à la Convention, Adam Lux, quittant sa femme et ses trois enfants, était parti au mois de mars 1793, accompagné de deux adjoints aussi idéalistes que lui.

Reçu avec beaucoup d'égards par les conventionnels, qui l'admirent à leurs assemblées, il commença par connaître une joie sans mélange à la pensée de côtoyer des hommes qui étaient en train de transformer l'univers.

Cet enthousiasme ne devait pas durer.

La Convention lui apparut bientôt pour ce qu'elle était : un extraordinaire panier de crabes où tout le monde se haïssait, intriguait, s'injuriait sans aucune dignité.

Vue de près, la Révolution n'était pas du tout ce qu'il avait rêvé dans sa Rhénanie natale après avoir lu les théories échevelées de Jean-Jacques Rousseau.

Marat surtout lui faisait horreur. Il eût voulu le voir décapité, et souffrait de l'indifférence des députés à l'égard de ce « crapaud sanguinaire ».

Un jour, il eut une idée, curieuse en vérité. Pour secouer la torpeur de l'Assemblée, pour débarrasser le pays de Marat, il décida de monter à la tribune, de lire un discours où il dénoncerait tous les scandales dont souffrait la France et de se tirer une balle de pistolet dans la tête...

---

155. Le 22 août 1793, les frères et la sœur de Marat demandèrent et obtinrent que Simonne Évrard fût considérée officiellement comme l'« épouse » du journaliste. Jusqu'à sa mort, survenue en 1824, Simonne Évrard prit donc le titre de « veuve Marat »...

Aussitôt, il écrivit à Pétion, pour lui faire part de ses intentions :

La violente indignation que je conçus contre le triomphe du crime et l'espérance que ma mort, dans une pareille crise, pouvait faire quelque sensation dans l'esprit des citoyens, m'ont déterminé à faire un sacrifice de mon sang et à finir une vie innocente par une mort plus utile à la liberté que ma vie ne pourrait jamais l'être.

Après quoi, il mit quelques amis au courant de sa résolution. Tous, fort sagement, lui conseillèrent de ne rien faire et tentèrent de lui démontrer que la solution qui consistait à se tuer pour délivrer la France de Marat, témoignait d'une logique défectueuse...

— Bien sûr, dirent-ils, vous en serez débarrassé, vous, mais nous ?

Adam Lux résolut alors de devenir martyr et publia un *Avis aux citoyens français* d'une extrême violence « contre les septembriseurs et les scélérats qui trompaient le peuple ».

Après quoi, il attendit qu'on voulût bien lui faire l'honneur de le jeter dans une prison ou de le conduire à la guillotine...

C'est dans cette attitude inquiète qu'il apprit l'assassinat de Marat par Charlotte Corday.

Aussitôt, il conçut une admiration sans borne pour cette femme qui avait eu le courage de « terrasser le dragon ».

Adam Lux était un être passionné. Son admiration se changea bientôt en amour, lorsqu'il sut que la jeune Normande était jolie, douce, et d'une extraordinaire dignité.

Pendant quelques jours, son unique but fut de la voir. Lorsque le procès de Charlotte s'ouvrit, il courut au tribunal révolutionnaire et fut ébloui en constatant qu'elle était plus belle « que la plus belle fille de Mayence »...

Étonnante de calme, l'accusée se tenait debout devant Fouquier-Tinville.

Adam Lux entendit celui-ci demander avec hargne :

— Qu'espériez-vous en tuant Marat ?

Aussitôt, la réponse vint, douce et assurée :

— Rendre la paix à mon pays...

Le Rhénan en eut les larmes aux yeux.

Le président du tribunal, peu habitué à rencontrer tant de calme chez une personne qu'il allait envoyer à la guillotine, essaya de troubler Charlotte en lui parlant du couteau, de la plaie et du sang qui avait éclaboussé la pièce où se tenait le journaliste. Mais Adam Lux lisait toujours sur le visage de sa bien-aimée la même satisfaction du devoir accompli.

Finalement, le président conclut :

— La lame fut plantée avec une précision extraordinaire. Il faut que vous soyez bien exercée à ce crime.

Cette accusation fit rougir Charlotte. Frémissante, elle s'écria :

— Oh ! le monstre ! Il me prend pour un assassin...

Phrase qui exalta le généreux Adam Lux...

Le jour où Charlotte fut conduite à l'échafaud, le jeune Rhénan se rendit rue du Faubourg-Saint-Honoré pour la voir passer dans la charrette des condamnés. Au milieu de la foule qui insultait « son ange », il marcha jusqu'à la place de la Révolution, accompagnant Charlotte sur le chemin de la mort.

En pleurant, il la regarda monter, belle et sereine, vers la guillotine et crut mourir en entendant le couperet tomber...

Éperdu de douleur, il vit alors le bourreau prendre la tête de Charlotte et la souffleter, pour la plus grande joie des badauds toujours friands de spectacles insolites...

Rentré chez lui, il décida d'insulter la Convention en publiant un panégyrique de Charlotte Corday, dans l'espoir que cet écrit lui permettrait de mourir pour sa bien-aimée.

Quelques jours après, la brochure paraissait. C'était plus qu'une défense de la meurtrière de Marat, c'était un cri d'amour.

« Charlotte Corday, âme sublime, fille incomparable[156] ! Je ne parlerai pas de l'impression que tu feras sur le cœur des autres, je me bornerai à énoncer les sentiments que tu as fait naître dans mon âme. »

Défiant les membres du tribunal révolutionnaire, il écrivait en guise de conclusion :

« S'ils me veulent aussi faire l'honneur de leur guillotine, qui, désormais, à mes yeux, n'est qu'un autel sur lequel on immole les victimes, je les prie de faire donner à ma tête autant de soufflets qu'ils en firent donner à celle de Charlotte, je les prie de faire pareillement applaudir ce spectacle de tigres par leur populace cannibale... »

Ce texte était signé : *Adam Lux, député extraordinaire de Mayence*. Le ton en était si violent que les conventionnels crurent tout d'abord à une plaisanterie. Lorsqu'il fut prouvé que le député rhénan en était bien l'auteur, un mandat d'arrêt fut lancé contre lui.

Le 4 juillet, il était conduit en prison.

Pendant trois mois, on hésita à envoyer à l'échafaud cet homme qui représentait la ville de Mayence. Pour justifier leur indulgence, les amis de Robespierre présentèrent Adam Lux comme un exalté irresponsable.

Furieux et désespéré à la pensée qu'on allait peut-être lui rendre la liberté, l'amoureux de Charlotte écrivit alors à Fouquier-Tinville, sous un faux nom, pour se dénoncer lui-même...

Il obtint finalement ce qu'il désirait.

Le 2 novembre, le tribunal le condamnait à mort. Dès que les débats furent terminés, il demanda qu'on voulût bien le conduire à la guillotine.

La charrette attendait dans la cour ; il s'y rendit en courant.

— Le plus vite possible, dit-il à l'homme qui tenait les rênes.

---

156. L'autopsie du corps de la décapitée avait prouvé qu'elle était vierge.

Puis il grimpa d'un bond dans la voiture et manifesta, par des tapotements sur la planche qui servait de banc, son impatience de rejoindre Charlotte.

Arrivé place de la Révolution, il sourit, embrassa les aides du bourreau et, nous dit Forster, « il ne monta pas à la guillotine, il s'y jeta... ».

Quelques minutes plus tard, Adam Lux, ivre de joie, mourait pour sa bien-aimée...

26

Avant de mourir, Marie-Antoinette reçoit à la Conciergerie la visite d'un amoureux

> Pour un grand amour, même les murs
> d'une forteresse ne sont pas un obstacle.
>
> STENDHAL

L'exécution de Marat avait produit un très bon effet sur les braves gens qui croupissaient dans les prisons. Certains voulurent voir là le signe d'une saine réaction et pensèrent qu'il fallait profiter de l'occasion pour sauver la reine.

C'est alors que quelques partisans audacieux tentèrent, à tour de rôle, de faire s'évader Marie-Antoinette. Il y eut Toulan et Jarjayes — qui pénétrèrent au Temple sous un déguisement et faillirent réussir —, le commissaire Lepître, le capitaine-épicier Cortey, le baron de Batz. Hélas ! tous ces efforts furent vains ; et le 2 août, la malheureuse reine, à qui l'on avait enlevé son fils quelques semaines auparavant, fut transférée à la Conciergerie pour comparaître devant le tribunal révolutionnaire.

En apprenant cette nouvelle, Fersen fut anéanti. Le 24 août 1793, il écrivit à sa sœur :

Vous savez sans doute, ma chère Sophie, en ce moment, le malheur affreux de la translation de la reine dans les prisons de la Conciergerie et le décret de cette exécrable Convention qui la livre au tribunal révolutionnaire pour être jugée. Depuis cet instant, je ne vis plus, car ce n'est pas vivre de souffrir comme je souffre. Si je pouvais encore agir, faire quelque chose pour sa délivrance, il me semble que je souffrirais moins. Ne pouvoir rien faire, voilà qui est affreux. Taube vous dira le seul espoir qui nous reste et que j'ai demandé. Une marche prompte sur Paris est tout ce qui reste à faire. Mais je demeure dans l'incertitude si ce projet sera adopté et suivi. Oh ! l'horreur de devoir attendre sans rien faire. Je donnerais ma vie pour la sauver, et je ne le puis. Mon plus grand bonheur serait de mourir pour elle, et ce bonheur m'est refusé... Adieu, ma chère Sophie. Priez Dieu pour elle et plaignez votre malheureux frère...

Fersen avait raison de se lamenter. Sa chère amie était traitée de façon ignoble.

Écoutons un homme qui réussit à voir Marie-Antoinette dans son cachot :

« La chambre était petite, humide, fétide ; il n'y avait ni poêle ni cheminée. Il y avait trois lits : un pour la reine ; l'autre, à côté du sien, pour la femme qui la servait ; le troisième, pour les deux gendarmes qui ne sortaient jamais de la chambre, pas même lorsque la reine avait des besoins ou des soins naturels à se donner.

» Le lit de la reine était, comme celui des autres, de bois ; une paillasse, un matelas et une couverture de laine ; les draps étaient de toile grossière et grise, comme ceux des autres, et il n'y avait pas de rideaux, mais un vieux paravent.

» La reine était vêtue d'un caraco noir ; ses cheveux, coupés sur le front et derrière, étaient tout gris ; elle était tellement amaigrie qu'on avait de la peine à la reconnaître, et si faible qu'à peine pouvait-elle se tenir sur ses jambes. Elle avait aux doigts trois anneaux, mais pas de bagues. La femme qui la servait était une espèce de poissarde dont elle se plaignait fort...

» La reine couchait toujours tout habillée en noir, attendant à tout moment d'être massacrée ou d'être menée au supplice, et voulant y aller en deuil. Michonis en pleurait de douleur. Il m'a confirmé les pertes de sang que la reine faisait et que, lorsqu'il a fallu aller au Temple chercher le caraco noir et les linges nécessaires pour la reine, il n'a pu y aller qu'après une délibération du Conseil... »

En apprenant ces détails, Fersen, désespéré, comprit que Marie-Antoinette était perdue...

Pendant que le Suédois se lamentait, à Paris le chevalier de Rougeville essayait à son tour de sauver la reine. Cet homme un peu fou était depuis longtemps amoureux de Marie-Antoinette et la suivait partout. Il l'avait protégée dans les journées du 20 juin et du 10 août, et rêvait de lui faire comprendre son amour par un acte héroïque.

Avec l'aide d'une riche Américaine, Mme de Tilleul, et de Michonis, l'un des administrateurs de police chargés de visiter Marie-Antoinette, il échafauda un projet audacieux. Son plan était d'entrer à la Conciergerie, de déguiser l'illustre prisonnière et de la faire sortir comme s'il s'agissait d'une blanchisseuse.

Le 28 août, il parvint à pénétrer avec Michonis dans le cachot de la reine. Là, il laissa tomber près du poêle un œillet rouge qui contenait un billet. Après le départ des deux hommes, la prisonnière lut le message et le détruisit aussitôt. Le lendemain, elle confia à un gendarme un papier où elle avait réussi à dessiner, en faisant des trous avec une épingle, cette phrase : « Je suis gardée à vue, je ne parle ni n'écris. »

— Voulez-vous donner ce morceau de papier à la femme du concierge ? dit-elle.

Mais le gendarme avait l'œil. La veille, il avait remarqué le manège de Rougeville, et il supputa une tentative d'évasion. Après avoir considéré le morceau de papier dans tous les sens, il finit par remarquer les petits trous d'épingle et lut la phrase. Aussitôt, il courut informer son chef de ce qu'il avait découvert.

Le billet, bien anodin, devait rendre furieux les membres de la Convention. Hébert, dans son journal *Le Père Duchesne,* demanda l'exécution immédiate de la reine : « Le bourreau doit jouer à la boule avec la tête de la louve... Il faut juger la tigresse d'Autriche... Elle devrait être hachée comme chair à pâté, pour tout le sang qu'elle a fait répandre... »

Et Marie-Antoinette fut transférée dans une cellule obscure et malsaine...

Ainsi, par la faute d'un amoureux trop zélé, la pauvre reine voyait se détention devenir plus dure encore...

Marie-Antoinette demeura dans ce cachot pendant quelques semaines. Qu'attendait-on pour la juger ?

C'était bien simple. On attendait d'avoir trouvé des motifs d'inculpation contre elle. Car les juristes n'avaient relevé aucun indice de culpabilité, et l'on se demandait comment on allait bien pouvoir envoyer la malheureuse à la guillotine avec quelque apparence de légalité.

Finalement, le 5 octobre, Fouquier-Tinville, très ennuyé, se plaignit par lettre de n'avoir aucune pièce dans son dossier.

La Convention lui fit cette réponse extravagante :

Nous n'avons pas de preuves à vous fournir. La République compte sur votre zèle pour y suppléer...

C'était l'autoriser à inventer des motifs. L'accusateur public consulta des amis, et le sinistre Hébert eut alors l'idée d'une accusation infâme. Il prétendit que la reine s'était livrée sur la personne de son fils, âgé de huit ans, à des attouchements impudiques. Ravi d'avoir inventé cette infamie, il courut voir le petit prince et, abusant indignement de son innocence, lui fit signer une déposition « par laquelle il accusait sa mère et sa tante de lui avoir donné des habitudes vicieuses et de l'avoir conduit à l'inceste » [157].

Le pauvre enfant devint ainsi, sans le savoir, le complice des révolutionnaires...

Le lundi 14 octobre, la parodie de procès commença. L'acte d'accusation rédigé par Fouquier-Tinville comparait Marie-Antoinette à Messaline, Brunehaut, Frédégonde et Catherine de Médicis...

---

157. Le petit prince était une victime facile pour Hébert. La reine, quatre ans plus tôt, écrivait à son sujet : « Mon fils répète aisément ce qu'il a entendu dire ; souvent, sans vouloir mentir, il ajoute ce que son imagination lui a fait voir. C'est son plus grand défaut... » (Lettre à Mme de Tourzel.)

Après avoir passé en revue la vie de la reine, l'accusateur public arriva à la fable imaginée par Hébert, et s'écria :

« Enfin, la veuve Capet, immorale sous tous les rapports et nouvelle Agrippine, est si perverse et si familière avec tous les crimes, qu'oubliant sa qualité de mère et la démarcation prescrite par la nature, elle n'a pas craint de se livrer avec Louis-Charles Capet, son fils, et de l'aveu de ce dernier, à des indécences dont l'idée et le nom seuls font frémir d'horreur !... »

La reine, la tête haute, ne daigna pas répondre.

Un peu plus tard, au cours des débats, Hébert, substitut du procureur de la Commune, vint conter en détail les prétendues scènes de débauche qui se seraient déroulées entre la reine, Mme Élisabeth et le « jeune Capet ».

Marie-Antoinette, cette fois encore, demeura impassible. Alors, un juré se leva :

— Citoyen président, je vous invite à vouloir bien faire observer à l'accusée qu'elle n'a pas répondu sur le fait dont a parlé le citoyen Hébert, à l'égard de ce qui s'est passé entre elle et son fils...

A ces mots, la reine se redressa et dit avec force :

— Si je n'ai pas répondu, c'est que la nature se refuse à répondre à une pareille inculpation faite à une mère.

Puis se tournant vers les femmes qui emplissaient les tribunes, elle ajouta :

— J'en appelle à toutes les mères qui peuvent se trouver ici...

Cette réponse fit une très forte impression sur le peuple et même sur les révolutionnaires.

Le soir, au cours d'un dîner, Vilate la rapporta à Robespierre. Celui-ci, furieux, cassa son assiette et sa fourchette en disant :

— Cet imbécile d'Hébert ! Ce n'est pas assez qu'elle soit réellement une Messaline, il faut qu'il en fasse encore une Agrippine, et qu'il lui fournisse, à son dernier moment, ce triomphe d'intérêt public...

Hélas ! si cette accusation s'effondrait à cause de son excès même, un autre chef d'inculpation était retenu contre la reine. On l'accusait d'avoir conspiré contre la Révolution...

Pour ce motif, Fouquier-Tinville, *sans aucune preuve*, requit la peine de mort.

A quatre heures du matin, on fit rentrer Marie-Antoinette dans la salle d'audience pour lui annoncer qu'elle serait guillotinée.

Après quoi, on la ramena à la Conciergerie.

Trois heures plus tard, Sanson venait la chercher... A midi, elle était décapitée...

En apprenant cette exécution, Fersen fut comme fou. Il écrivit une lettre délirante à sa sœur :

Ma tendre et bonne Sophie,
Ah ! plaignez-moi, plaignez-moi. L'état où je suis ne se peut

concevoir que par vous. J'ai donc tout perdu dans le monde. Vous seule me restez. Ah ! ne m'abandonnez pas. Celle qui faisait mon bonheur, celle pour laquelle je vivais, oui, ma tendre Sophie, car je n'ai jamais cessé de l'aimer, non, je ne le pouvais, jamais un instant je n'ai cessé de l'aimer et tout du tout je lui aurais sacrifié ; je le sens bien en ce moment. Celle que j'aimais tant, pour qui j'aurais donné mille vies n'est plus ! Ah ! mon Dieu, pourquoi m'accabler ainsi, par quoi ai-je mérité ta colère ? Elle ne vit plus ! Ma douleur est à son comble, et je ne sais comment je puis vivre et supporter ma douleur. Elle est telle que rien ne pourra jamais l'effacer. J'aurai toujours présente devant moi, en moi, son image ; le souvenir de tout ce qu'elle fut pour la pleurer toujours.

Tout est fini pour moi. Que ne suis-je point mort à ses côtés ; que n'ai-je pu verser mon sang pour elle, pour eux ! Je n'aurais pas à traîner une existence qui sera une douleur perpétuelle et un éternel regret. Mon cœur, désormais, saignera autant qu'il battra. Vous seule pouvez sentir ce que je souffre et j'ai besoin de votre tendresse. Pleurez avec moi, ma tendre Sophie, pleurons pour eux.

Je n'ai pas la force d'écrire davantage. Je viens de recevoir la terrible confirmation de l'exécution. On ne parle pas du reste de la famille, mais mes craintes sont affreuses. Oh ! mon Dieu, sauvez-les. Ayez pitié de moi !

Désespéré, n'ayant plus de raison de vivre, Fersen s'attacha, pendant des mois, à réunir des objets qui lui rappelaient la douceur de Trianon et les jours où il parlait d'amour avec Marie-Antoinette...

Un jour, il reçut la copie du passage d'une lettre écrite en avril 1793 par la reine au général de Jarjayes. Et il lut en pleurant ces lignes pleines de tendresse qui le concernaient :

Quand vous serez en lieu de sûreté, je voudrais bien que vous puissiez donner de mes nouvelles à mon grand ami qui est venu l'année dernière me voir ; je ne sais où il est ; ou M. Goguelat ou M. Crawfort, que je crois à Londres, pourront vous l'indiquer ; je n'ose pas écrire ; mais voilà l'empreinte de ma devise. Mandez en l'envoyant que la personne à qui elle appartient sente que jamais elle n'a été plus vraie [158].

Plus tard, Mme Sullivan lui adressa un billet de la reine qui était resté entre ses mains :

Adieu, mon cœur est tout à vous...

Ainsi, par-delà la mort, Marie-Antoinette semblait envoyer à Fersen des témoignages de son amour... Le Suédois en fut bouleversé et se sépara de la belle Éléonore Sullivan pour rester seul avec le fantôme de la reine qu'il avait tant aimée. Il vécut ainsi seize ans, partageant son temps entre la politique et la gestion de ses terres.

---

158. Cette devise était un cachet portant un pigeon volant, avec la devise : « Tutto a te mi guida. »

Le destin lui réservait une fin inattendue, une fin qui prouve que ces deux êtres étaient marqués du même signe...

En 1810, alors qu'au titre de grand maréchal du royaume il accompagnait le prince Christian, celui-ci mourut, frappé de congestion, en passant un régiment en revue.

Aussitôt, la rumeur accusa Fersen d'avoir empoisonné le prince. Des lettres anonymes parvinrent sur son bureau :

Si vous osez paraître aux obsèques, vous serez assassiné.

Le grand maréchal méprisa ces avis. Mais quand il voulut prendre sa place dans le cortège, des hommes brisèrent les vitres de son carrosse à coups de pierres et le traînèrent sur le pavé. D'un bond, Fersen se releva. Il fut rejeté à terre où la foule le piétina, déchira ses vêtements, le couvrit de crachats...

Finalement, un colosse sauta sur sa poitrine, dansa et lui enfonça les côtes, avant de lui écraser la tête à coups de botte...

Des femmes vinrent alors lacérer ses vêtements, et son corps nu resta longtemps dans un caniveau...

Ainsi, Fersen mourait, comme sa bien-aimée, victime d'une fureur populaire aveugle et injustifiée [159]...

Deux semaines après Marie-Antoinette, Mme Roland devait marcher, elle aussi, vers la guillotine. Ces deux femmes si différentes allaient connaître le même supplice et montrer la même dignité devant le bourreau...

Transférée à la Conciergerie à la fin d'octobre 1793, Manon, pourtant très surveillée, parvint à faire passer cet ultime message à Buzot :

Toi que je n'ose nommer, toi que l'on connaîtra mieux un jour en plaignant nos communs malheurs, toi que la plus terrible des passions n'empêche pas de respecter les barrières de la vertu, t'affligeras-tu de me voir te précéder aux lieux où nous pourrons nous aimer sans crime, où rien ne nous empêchera d'être unis ?... Je vais t'y précéder et m'y reposer ; reste encore ici-bas, s'il est un asile ouvert à l'honnêteté, demeure pour accuser l'injustice qui l'a proscrite...

Le 8 novembre, elle fut conduite à l'échafaud. Dans la charrette qui l'emmenait, se trouvait un homme complètement effondré à l'idée qu'il allait mourir. Elle s'efforça de l'encourager. Place de la Révolution, une gigantesque statue de la Liberté avait été dressée. En la voyant, Manon ne put résister au plaisir de faire une belle phrase :

— Ô Liberté ! cria-t-elle, que de crimes on commet en ton nom !

La charrette s'arrêta au pied de la guillotine.

— Montez le premier, dit-elle à son compagnon, vous n'auriez pas la force de me voir mourir.

159. Dernier signe du destin : Axel mourut le 20 juin 1810, dix-neuvième anniversaire de la fuite à Varennes...

Le bourreau protesta, disant que l'étiquette française voulait que les femmes eussent le pas sur les hommes.

Mme Roland sourit :

— Un Français peut-il refuser à une femme sa dernière requête ? Je saurai attendre !

A six heures dix, sa tête tombait [160].

En apprenant la mort de Manon, Roland, qui vivait caché près de Rouen, sortit de sa retraite, alla calmement dans un bois, attacha sa canne-épée à un arbre et, se précipitant dessus, se l'enfonça dans le cœur...

Quant à Buzot, désespéré, il écrivit à l'un de ses amis d'Évreux :

Elle n'est plus ; elle n'est plus, mon ami. Les scélérats l'ont assassinée. Jugez s'il me reste encore quelque chose à regretter sur la terre. Quand vous apprendrez ma mort, vous brûlerez ses lettres. Je ne sais pourquoi je désire que vous gardiez, pour vous seul, un portrait d'elle.

Traqué, il traversa la France en compagnie de Pétion. Finalement, les deux hommes, las de fuir, se suicidèrent en 1794, dans un bois de pins du Médoc. On retrouva leurs corps huit jours plus tard, déchirés par les loups...

27

Fabre d'Églantine fait de sa maîtresse la déesse Raison

Il aimait les rimes et adorait la Raison.

J.-C. PERRIN

Tandis que la machine de Guillotin fonctionnait dans une atmosphère de foire [161], de nombreux révolutionnaires s'efforçaient de joindre l'utile à l'agréable en utilisant leurs charges publiques pour s'enrichir.

Cette vénalité attira l'attention d'un royaliste fervent, le baron de Batz, qui rêvait d'éclabousser la République en mêlant quelques conventionnels à un scandale retentissant. Pour arriver à ses fins, il fixa son choix sur les deux révolutionnaires les plus tarés : Fabre d'Églantine, à qui les maîtresses coûtaient cher, et François Chabot.

Cet ancien capucin, dont j'ai conté la vie de moine voleur et paillard [162], était devenu, à la faveur de la Révolution, un personnage important. En 1790, il avait fondé à Rodez une société jacobine sous

160. Trois jours plus tôt, le 5 novembre, Philippe-Égalité, devenu suspect depuis la trahison de son ami Dumouriez, avait été exécuté... En arrivant devant la guillotine, le premier responsable de la Révolution entendit un homme du peuple lui crier : « Tu voulais être roi... Ton trône va être un échafaud ! » Ruiné, il laissait Mme de Buffon dans la misère...

161. Au milieu de la foule des spectateurs, circulaient des marchands de gaufres, de bonbons et de rafraîchissements.

162. Voir Tome 1, Livre V.

le prétexte de traduire en patois, pour les paysans, les nouvelles lois de l'Assemblée constituante. Ce club lui avait permis de séduire de nombreuses jeunes femmes qui, transportées par son éloquence, s'étaient retrouvées couchées près de lui dans un lit...

Ayant été informé de ces faits, l'abbé Grégoire, évêque constitutionnel de Blois, qui aimait les hommes dynamiques, avait nommé Chabot vicaire épiscopal de son diocèse...

Abandonnant Rodez, l'ex-capucin s'était aussitôt rendu sur les bords de la Loire où les jeunes Blésoises avaient eu à souffrir de ses façons un peu lestes. Le nouveau vicaire, nous dit-on, chantait en effet plus souvent « Margot lève la cuisse » que les « lamentations du pauvre pécheur »...

Ses fonctions religieuses n'empêchaient pas Chabot de prêcher les idées révolutionnaires. Suffisamment intelligent pour comprendre qu'il était un raté, il savait que seule la politique pourrait lui permettre d'acquérir le luxe ou la fortune dont il rêvait. Chaque soir, vêtu d'une soutane sale, affectant des manières populaires, crachant par terre, s'exprimant avec vulgarité, il attaquait donc les aristocrates, « les profiteurs et les jouisseurs » devant un public enthousiaste.

— Voyez mes vêtements, disait-il, j'appartiens au peuple comme vous. Je suis un homme d'Église [163], mais je hais les nobles ! Prêtre constitutionnel, j'appartiens à ce nouveau clergé qui a renoncé au célibat. Pour ma part, j'aime les femmes et je ne m'en cache pas !... J'ai d'ailleurs, croyez-moi, tout ce qu'il faut pour leur plaire...

De tels propos étaient naturellement applaudis par le bon peuple, toujours content d'entendre une gaillardise, et Chabot renchérissait d'un ton papelard :

— Ce n'est pas parce que j'ai une robe, chères citoyennes, qu'il faut vous croire en sûreté avec moi... Je suis un homme et je ne m'en cache pas... Si vous en doutez, j'aurai vite fait de vous mettre la main au bénitier...

Lorsque le vicaire épiscopal, les mains jointes et les yeux baissés, atteignait ce degré de grivoiserie, la foule en délire l'acclamait aux cris — inattendus en vérité — de « Vive la Patrie ! »...

Porté en triomphe, il était alors ramené chez lui. Aussitôt, le révolutionnaire, quittant sa vieille soutane, revêtait un costume coquet, se parfumait et s'en allait dîner dans un des petits salons de l'évêché en compagnie d'élégantes jeunes femmes, à qui, le repas terminé, il faisait une gentillesse sur un coin de table...

La démagogie de Chabot ne tarda pas à porter ses fruits. En 1791, il fut élu député à l'Assemblée législative. Quittant alors définitivement la soutane, il alla s'installer à Paris, où il s'inscrivit à la *Société fraternelle des deux sexes...*

Ce club avait pour fondatrice une étrangère assez belle, qui se faisait

163. En réalité, il était prêtre interdit depuis 1789.

appeler baronne d'Aelders et prétendait descendre d'un roi scandinave légèrement anthropophage. Ardente féministe, elle faisait des discours sur « les droits de la citoyenne » et passait aux yeux de tous pour une amusante excitée. Or il s'agissait d'une espionne qui travaillait pour le Stathouder de Hollande. Son véritable nom était Etta Palm. Douée d'une audace extraordinaire, elle avait réussi à devenir la maîtresse de Claude Basire, le secrétaire du *Comité de Sûreté générale*, celui-là même qui était chargé de réprimer les complots contre la Patrie et contre la sûreté de l'État... Sur l'oreiller, ce naïf jeune homme confiait bien des secrets à la fausse baronne qui en profitait pour le « conseiller »... L'influence occulte d'Etta Palm devint bientôt immense. En outre, elle dirigeait depuis le début de la Révolution, par l'intermédiaire de filles galantes dont elle s'était entourée, un certain nombre d'hommes politiques [164]. Chabot l'intéressa. Informée de ses vices, elle lui présenta une jeune femme ardente et experte, Mlle Descoing, dont il devint immédiatement l'amant.

Pendant près de deux ans, cette demoiselle inspira tous les actes politiques, toutes les déclarations, tous les discours du futur « Montagnard ».

Chabot, comme Basire, comme Delaunay, député d'Angers (dont Mlle Descoing s'occupa par la suite), et un grand nombre de révolutionnaires, ne fut donc qu'une marionnette dont la baronne d'Aelders tirait les fils, pour la plus grande joie des princes étrangers qui rêvaient d'amoindrir la France...

Cette liaison n'empêchait pas l'ex-capucin de mener la vie libertine que réclamait sa riche nature. En compagnie de son ami Claude Basire et de « filles à deux sols », il organisait des soirées d'un caractère osé. A ce sujet, le vicomte de Bonald, son biographe, nous dit : « Il se livrait aux orgies les plus scandaleuses. Rarement, il se couchait la tête saine, et plusieurs fois ses compagnons de débauche furent obligés de le porter ivre-mort sur son lit. Ses excès furent tels que son hôte, poussé par les autres locataires de la maison, lui signifia d'avoir à déménager ! »

Chabot s'en fut habiter au 18 de la rue Saint-Thomas-du-Louvre, où il vécut assez confortablement grâce aux largesses d'une marquise sur le retour, dont, nous dit Louis Gastine, « les attraits étaient maigres, mais la bourse bien garnie ».

C'est à ce moment que le fameux baron de Batz, qui voulait « avilir la Révolution dans la personne de ses apôtres » et se faisait remettre des rapports sur tous les membres de l'Assemblée, fut informé de la vie déréglée du conventionnel.

---

164. « Le parti jacobin était rempli d'agents étrangers, souvent déguisés par des noms français d'emprunt, ou ne dissimulant même pas leurs origines, comme cette baronne d'Aelders et l'apôtre du genre humain Anacharsis Cloots. Actifs, liés avec tous les députés remuants de l'Assemblée, ces agents de la franc-maçonnerie universelle étaient un des éléments moteurs qu'il faut connaître avant tout pour s'expliquer la plupart des mouvements de la Révolution. » Louis Gastine, *Les jouisseurs de la Révolution*.

— Avec un homme de cette trempe, dit-il à ses amis, je peux couvrir de boue la Révolution et sauver la monarchie...

Après avoir été le jouet de la baronne d'Aelders, Chabot allait devenir celui du baron de Batz.

Celui-ci envoya vers l'ex-capucin deux Juifs autrichiens, les frères Schrönfeld, ses agents, qui se donnaient à Paris l'apparence du plus pur jacobinisme républicain, sous le nom de Junius et Emmanuel Frey.

Pour endormir la méfiance de Chabot et le tenir à leur merci, les deux hommes eurent naturellement recours à une femme.

Cette femme était leur sœur, Léopoldine, âgée de seize ans, qu'ils présentèrent à l'ex-capucin comme un ange de vertu et de douceur. Aussitôt, notre conventionnel eut l'œil congestionné.

— Léopoldine n'est pas à Paris depuis longtemps, dirent hypocritement les deux frères. Mais elle a déjà reçu une demande en mariage. Il est vrai qu'elle est bien jolie et que sa dot ferait rêver un prince...

La ruse était grossière. Elle réussit pourtant, et Chabot, attiré par la fortune des faux Frey, demanda la main de Léopoldine...

Les agents du baron de Batz exultèrent :

— Quelle joie de donner notre chère petite sœur à un patriote comme vous, dirent-ils.

Et, sûrs de tenir désormais leur proie, ils annoncèrent que la dot ne serait versée qu'en 1798. Ébloui par le train de vie luxueux des deux compères, le fiancé accepta cette condition sans discuter.

Le mariage eut lieu en octobre 1793 et, nous dit-on, « Chabot prit un plaisir infini à initier sa jeune femme aux voluptés de l'amour »... Le pauvre eût sans doute été fort déçu s'il avait deviné que la candide Léopoldine sortait en réalité du « sérail » de l'empereur d'Autriche Joseph II, auquel ses frères avaient commencé par la céder.

Les jeunes époux s'installèrent 19, rue d'Anjou, chez les Frey, dont ils reçurent une pension annuelle de 4 000 livres pour leurs menus plaisirs.

Ainsi débarrassé de tous soucis matériels, Chabot passa dès lors tout son temps au lit avec Léopoldine qui, en petite fille rusée, lui montra peu à peu les ressources de son tempérament.

C'est alors qu'un ami des Frey, le conventionnel Delaunay, reçut du baron de Batz l'ordre d'agir. Un soir, sur un ton anodin, il demanda à Chabot de servir d'intermédiaire auprès de Fabre d'Églantine et de verser à celui-ci une somme de cent mille francs pour se prêter à une curieuse combinaison.

— Il y aura d'ailleurs également cent mille francs pour vous, ajouta Delaunay.

Chabot promit d'acheter Fabre.

Le premier scandale du régime républicain était en marche...

Le plan du baron de Batz était simple : Delaunay devait attaquer à la tribune la Compagnie des Indes qui avait été reconstituée en 1785 par Calonne et continuait, malgré les événements, à distribuer de respectables dividendes à ses actionnaires.

— Au terme de votre discours, lui dit le baron, vous demanderez la suppression de la compagnie. Alors Fabre, d'accord avec Chabot et Basire, fera signer un décret ordonnant la liquidation, ce qui aura pour effet de faire baisser les valeurs que vous achèterez aussitôt.

Après cette opération, Fabre devait falsifier le décret, rendre toute son importance à la société, et faire ainsi remonter les actions...

Tout fut exécuté point par point, l'ancien comédien, que les femmes poussaient à dépenser sans compter, ayant accepté la proposition de Chabot.

Alors le baron de Batz se frotta les mains. Il allait pouvoir faire s'entre-déchirer les révolutionnaires. Ses desseins, je l'ai dit, étaient d'une hardiesse et d'un machiavélisme surprenants. Écoutons Lenotre : « Arrêter la tourmente qui soufflait sur la France, il n'y fallait pas songer ; mais n'était-il pas possible, en l'activant, d'en hâter la fin ? Si l'on parvenait à faire naître la méfiance entre les divers partis qui se disputaient le pouvoir, ces hommes de proie n'allaient-ils pas tourner contre eux-mêmes leur fureur dévastatrice ? Ils se prétendent intègres : il sera facile de les corrompre et de les avilir. Ils ont à leur service la guillotine et la prison ; on les forcera à s'en servir, non plus contre leurs adversaires, mais contre leurs amis. En un mot, on enlisera la Convention dans un tel cloaque de boue et de sang, que le peuple se décidera enfin, par épouvante ou par dégoût, à en balayer les débris et à réclamer lui-même le rétablissement de la monarchie [165]. »

Lorsque Fabre et ses complices eurent l'argent en poche, le baron de Batz les fit dénoncer par un autre conventionnel qu'il avait également acheté.

Le scandale éclata. Aussitôt, certains membres de l'Assemblée qui avaient trempé dans d'autres combinaisons aussi louches s'empressèrent d'attaquer Chabot et ses amis, dans l'espoir de paraître intègres. En quelques jours, la Convention se transforma en un nid de vipères où chacun dénonçait furieusement son voisin...

Le baron de Batz avait réussi.

Se voyant en danger, Fabre d'Églantine eut une idée pour détourner l'attention et montrer ses sentiments « patriotiques » : il prit la tête d'une immense campagne de déchristianisation et créa le calendrier républicain.

On a dit de ce calendrier qu'il était poétique. On a omis d'ajouter qu'il participait aussi du canular. On sait en effet que l'année républicaine contenant douze mois égaux de trente jours chacun, il restait cinq jours dans les années simples et six dans les années bissextiles. Que faire de ces jours qui contrariaient la belle ordonnance

---

165. G. Lenotre, *Un conspirateur royaliste pendant la Terreur : le baron de Batz*, 1904.

égalitaire ? On les groupa en fin d'année et on leur donna le joli nom de « sans-culottides »...

Certains ayant souri, Fabre déclara d'un ton sérieux : « Il nous a paru possible, et surtout juste, de consacrer par un mot nouveau l'expression de sans-culotte qui en serait l'étymologie. D'ailleurs, une recherche aussi intéressante que curieuse nous apprend que les aristocrates, en prétendant nous avilir par l'expression de sans-culotte, n'ont pas eu le mérite de l'invention. »

Et, sans rire, il donna cette ébouriffante explication : « Dès la plus haute Antiquité, les Gaulois, nos aïeux, s'étaient fait honneur de cette dénomination, l'Histoire nous apprend qu'une partie de la Gaule, dite ensuite *Lyonnaise* (la patrie des Lyonnais), était appelée la Gaule culottée *(Gallia braccata)* : par conséquent, le reste de la Gaule, jusqu'aux bords du Rhin, était la Gaule non culottée ; nos pères, dès lors, étaient donc sans-culottes... [166] »

Ces fantaisies pseudo-historiques n'ayant pas suffi à faire oublier leur compromission dans l'affaire de la Compagnie des Indes, Fabre et Chabot décidèrent d'étourdir leurs collègues de l'Assemblée par ces fêtes civiques. Poursuivant leur campagne contre la religion catholique, ils obtinrent que Notre-Dame de Paris fût débaptisée et appelée officiellement le Temple de la Raison.

L'inauguration de ce nouveau culte eut lieu le 20 brumaire (10 novembre 1793).

On avait construit dans la nef un petit temple d'une architecture « simple et majestueuse », disent les ordonnateurs de la cérémonie. Sur la façade, on lisait : « A la philosophie. » A l'entrée, pour

---

166. Le calendrier républicain amusa énormément les émigrés. Un soir, un officier russe qui revenait de Paris et se rendait à Saint-Pétersbourg fut reçu au château de Schönbornlust où se trouvait toujours le comte de Provence. Il montra l'œuvre de Fabre d'Églantine. Tous les amis du prince s'esclaffèrent en lisant le nom des mois : *nivôse, pluviôse, ventôse*, etc., et les noms des jours de la décade : *primidi, duodi, tridi*, etc.

Mais ce fut du délire lorsqu'ils lurent les prénoms que Fabre d'Églantine avait choisis pour remplacer les noms des saints et des saintes du calendrier grégorien. Amoureux de la nature, le conventionnel-poète s'était plu à écrire, en regard de chaque jour, le nom d'un animal domestique, d'un fruit ou d'un instrument aratoire. C'est ainsi que les prénoms *Jean, Pierre, Paul, Nicolas, Adrien*, étaient remplacés par *Chiendent, Vache, Rhubarbe, Concombre, Pissenlit, Brouette, Pioche, Cochon*, etc.

Très excitée, Mme de Balbi désira conserver cet amusant calendrier, mais le jeune Russe s'excusa, disant qu'il devait le rapporter à l'impératrice Catherine.

La favorite se tourna alors vers le comte de Provence :

— Vous savez ce qui serait gentil ?

— Quoi ?

— Ce serait de me copier ce calendrier.

— Mais, dit Monsieur, notre invité s'en va demain...

— Je pense que en une nuit, vous avez le temps de me donner cette preuve d'amour...

C'est ainsi que Son Altesse Royale passa la nuit entière à copier de sa main le calendrier républicain...

Peut-être l'aurait-il fait avec moins de ferveur s'il avait su qu'au moment même où il faisait cette tâche de scribouillard, Mme de Balbi « donnait de la fesse », selon l'expression du temps, dans le lit du beau chevalier de Jaucourt...

remplacer les saints, « ces anciennes idoles », on avait disposé les bustes de Jean-Jacques Rousseau, de Voltaire, d'Helvétius, et de quelques autres philosophes. L'autel était élevé sur une montagne rappelant celle de Jérusalem. Au-dessus d'un rocher, brillait le « flambeau de la vérité ».

Le cortège, précédé de la municipalité, se montra vers dix heures. Entre deux rangs de jeunes filles en blanc, la tête ceinte d'une couronne de chêne, la déesse Raison souriait à la foule.

Pour tenir ce rôle, Fabre avait choisi une de ses maîtresses, Mlle Maillard, chanteuse à l'Opéra.

Curieux choix, car cette jeune et très jolie demoiselle menait la vie la plus excentrique et la plus déraisonnable qui fût... Elle partageait son cœur entre plusieurs amants dont elle aimait recevoir simultanément les vigoureux hommages.

— Mon rêve, disait-elle, a toujours été d'être comblée...

Sa vie agitée et extravagante fut pleine de bizarres aventures. Je n'en citerai qu'une qui donnera une idée de son caractère singulier : elle aimait à se promener en costume masculin. Un jour, étant ainsi vêtue, elle cravacha, en plein bois de Boulogne, un officier qui venait d'insulter une promeneuse. Furieux, l'homme demanda réparation par les armes, et un duel au pistolet eut lieu le lendemain.

La chanteuse, ayant blessé son adversaire, déboutonna le haut de sa tunique et fit jaillir ses seins nus.

— Voilà, dit-elle, qui vous a battu... Je suis une femme.

Honteux, l'officier ramassa son pistolet, grimpa dans sa voiture, et partit immédiatement se cacher en province, tandis que Mlle Maillard allait, avec ses témoins, « se mettre la fesse à l'air » sous les fougères...

C'est donc cette demoiselle que Fabre avait choisie pour personnifier la divinité que la République proposait à la France...

Elle fit son entrée dans la « ci-devant » Notre-Dame, gravement assise sur un siège antique porté par quatre hommes déguisés en druides...

Elle était vêtue d'une draperie blanche comme une vestale, portait le bonnet phrygien et tenait une pique d'ébène à la main...

Lorsqu'elle fut au pied de la montagne, tous les assistants entonnèrent l'*Hymne à la Raison,* dont Marie-Joseph Chénier avait écrit les paroles sur une musique de Gossec, puis le cortège, précédé de musiciens, se rendit à la Convention. Là, Mlle Maillard descendit de son trône portatif et alla prendre place auprès du président qui l'embrassa. Après quoi, tout le monde retourna à Notre-Dame, et la chanteuse s'installa sur l'autel pour y être adorée par le bon peuple.

Le culte de la Raison, s'il faut en croire Sébastien Mercier, commença de curieuse façon. Si, dans la nef, les nouveaux dévots s'inclinaient devant Mlle Maillard en criant : « Vive la Liberté, vive la Patrie ! », dans les coins sombres de la cathédrale, des scènes moins édifiantes se déroulaient. « On avait masqué, nous dit l'auteur de *Paris sous la Révolution,* le devant des chapelles collatérales de la nef avec de grandes tapisseries, et non sans projet. Du sein de ces réduits obscurs partaient des rires aigus qui attiraient des aventuriers ; en soulevant un coin de tapisserie, ils laissaient entrevoir aux passants des scènes pour le moins aussi pittoresques que celles de la tentation de saint Antoine... [167] »

Les jours suivants, la même cérémonie eut lieu dans toutes les églises de Paris. A Saint-Eustache, le culte donna lieu à des scènes d'orgies. On avait dressé, dans la nef, des tables surchargées de bouteilles, de saucissons, d'andouilles et de pâtés. « Sur les autels, nous dit encore Mercier, on sacrifiait à la fois à la luxure et à la gourmandise. » A l'intérieur du chœur, on avait planté un décor champêtre, avec petites chaumières, rochers et bouquets d'arbres. Des bandes de jeunes filles y couraient effrontément après les hommes et s'y faisaient « chatouiller la carmagnole » de façon lestement patriotique...

La nouvelle religion créée par Fabre et Chabot dégénéra bientôt en une vaste bacchanale. Toutes les petites comédiennes voulurent représenter la Raison, et les deux amis firent, pour cela, passer des « examens » au cours desquels ils cherchaient les caractéristiques de cette Raison en un étrange endroit...

Puis, nous dit Louis Blanc, « la divinité trouva ses personnifications dans d'impures courtisanes. Elle trôna sur les tabernacles entourée de canonniers qui, la pipe à la bouche, lui servaient de grands prêtres. Elle eut des cortèges de Bacchantes qui suivaient d'un pas aviné à travers les rues son char rempli de musiciens aveugles, et, roulant à côté, un autre char où figurait, au sommet d'un rocher tremblant, un Hercule d'opéra armé d'une massue de carton. Il y eut un moment où Paris devint la ville aux mascarades, et cela tout en criant : ''A bas les momeries !'' » [168].

Cette religion ridicule finit par irriter Robespierre qui en interdit les manifestations et créa le culte de l'Être suprême.

Furieux, en outre, de voir Fabre mener une existence luxueuse avec une comédienne couverte de bijoux, il ordonna l'arrestation de tous les « protégés » du baron de Batz, considérés comme des « agents de l'étranger ». La manœuvre de l'ex-comédien avait échoué.

Le 24 nivôse (13 janvier 1794), il était arrêté et conduit au Luxembourg. Bientôt Chabot, Basire, Delaunay et les frères Frey prirent le même chemin. Un procès qui devait éclabousser la Convention commençait. Au bout de trois mois d'instruction, l'affaire avait pris une telle ampleur que les Jacobins voyaient des suspects partout et que la guillotine fonctionnait sans relâche...

Le 16 germinal, jour de la « sainte » Laitue (5 avril), tous les accusés furent condamnés à mort.

Le lendemain, pour la plus grande joie du baron de Batz, qui avait su miser sur la sensualité de Fabre, quinze révolutionnaires de

167. J.-Sébastien Mercier, *Paris pendant la Révolution*, 1789-1798.
168. Louis Blanc, *Histoire de la Révolution*.

la première heure, dont l'auteur du calendrier républicain, étaient décapités.

Pendant que le baron de Batz dirigeait avec machiavélisme Fabre d'Églantine vers l'échafaud, à Louveciennes, Mme du Barry était en butte aux entreprises hardies de son dernier amoureux...

Après avoir tenté vainement de la rencontrer, Greive pensa que le seul moyen de l'approcher et d'en faire sa maîtresse était de l'arrêter. Il la surveilla, s'acquit la complicité de Zamor, le serviteur noir que Louis XV avait donné à Mme du Barry, et adressa bientôt à la Convention une lettre dénonçant l'activité secrète de l'ancienne favorite.

Cette lettre n'ayant eu aucun effet, Greive fit rédiger une adresse signée par trente-six habitants du village, précisant que « le manoir de cette femme était le refuge ou le rendez-vous de tous les scélérats qui conspiraient contre la patrie... ».

Le soir même, on procéda à l'arrestation des domestiques de la comtesse, tandis qu'elle-même était gardée à vue dans son château.

Greive, ravi, touchait au but. Celle qu'il appelait « la bacchante couronnée de lierre et de roses » n'allait pas tarder à être à lui.

Il fit imprimer une brochure intitulée : *Mort à la comtesse de Louveciennes*, et obtint finalement du Comité de salut public un mandat d'arrêt pour celle qu'il désirait.

Le 22 septembre, il se présenta chez elle :

— Suivez-moi ! J'ai ordre de vous conduire à Paris, où vous serez incarcérée à Sainte-Pélagie !

Au bas de la « montagne de Bougival », la voiture qui les emmenait vers la capitale croisa le cabriolet de M. d'Escoure. Greive ordonna au chevalier de s'arrêter, le fit descendre et prit sa place en compagnie de la comtesse.

Enfin, il était seul avec elle ! Aussitôt, il voulut la prendre dans ses bras. Épouvantée, Mme du Barry le repoussa. Il lui offrit alors la liberté et la vie sauve à la condition qu'elle devînt sa maîtresse.

Elle ne répondit pas. Dépité, Greive s'ingénia, jusqu'à Paris, « par les gestes les plus indécents », à se montrer odieux avec elle [169]...

Mme du Barry resta deux mois dans sa prison, au secret absolu. Pendant ce temps, Greive, rendu furieux par son échec, fit fouiller le château de Louveciennes et accumula des preuves contre sa victime.

Le 6 décembre, à neuf heures du matin, le procès commença. La comtesse fut d'abord interrogée. De sa voix douce, elle dit s'appeler Jeanne Vaubernier et être la femme du Barry. Elle ajouta qu'elle était née à Vaucouleurs, en Lorraine, et qu'elle avait quarante-deux ans.

En réalité, elle en avait cinquante, mais son éclat était si grand encore que personne ne sourcilla.

---

169. « La plume, écrira-t-elle, quelques jours plus tard, se refuse à retracer toutes les horreurs et les outrages dont il s'est rendu coupable. »

Le greffier donna ensuite lecture de l'acte d'accusation, puis les témoins prêtèrent serment et Greive vint à la barre. Il se présenta ainsi :

— Georges Greive, né en Angleterre et député des États-Unis d'Amérique.

Sa déposition fut accablante. Il accusa l'ex-favorite d'avoir empêché le recrutement à Louveciennes, d'être entrée en contact, à Londres, avec des émigrés, et surtout, d'avoir simulé le vol des bijoux pour se rendre en Angleterre et y comploter contre la République.

N'ayant pu posséder Mme du Barry, « le citoyen des États-Unis » l'envoyait à la guillotine.

A 11 heures du soir, elle était condamnée à mort. Deux jours plus tard, elle monta dans la charrette, devant Greive qui ricanait, et fut conduite place de la Révolution.

Tout le long du chemin, la malheureuse poussa des cris déchirants et demanda pardon aux Parisiens de ses fautes passées. Son désespoir était si atroce que, dans la foule, une femme du peuple, raconte-t-on, se tourna vers sa voisine et eut ce mot extraordinaire :

— Si elles criaient toutes comme celle-là, moi je ne viendrais plus !

En voyant la guillotine, Mme du Barry se roula dans le fond de la charrette en demandant grâce. Pour la faire descendre, il fallut qu'un garde la prît dans ses bras et la portât jusqu'à l'échafaud. Sur la planche, elle supplia :

— Encore une minute, monsieur le bourreau !

On l'attacha.

Alors elle jeta un cri affreux, un « cri inhumain », qui glaça d'effroi tous les assistants, et le couperet tomba...

La dernière grande favorite des rois de France venait de mourir...

28

Danton et Camille Desmoulins guillotinés à cause de leurs femmes

> Une bonne épouse doit savoir
> conduire son mari très loin.
>
> PAUL BOURGET

En ce début d'année 1794, la plupart des grands acteurs de la Révolution étaient passés sous le « rasoir patriotique ». Le Comité de salut public, effrayé par les succès des troupes ennemies et croyant la patrie perdue, condamnait à mort tous les « tièdes ». Or si deux des membres les plus importants de la Convention pouvaient être, à ce moment, accusés d'avoir quitté la « ligne du parti », la responsabilité en incombait entièrement à leurs trop amoureuses épouses.

Ces deux hommes étaient Desmoulins et Danton.

Camille, après son mariage, avait vu le danger. Soupçonné de s'amollir auprès d'une femme riche, il s'était rejeté dans la mêlée et avait mis un point d'honneur à écrire des articles aussi violents que par le passé. Lucile, qui partageait son enthousiasme et ses haines, l'aidait, trouvant le mot piquant ou l'épithète cocasse qui devait donner de la saveur au pamphlet.

« Penchée sur son épaule, nous dit Fleury, elle le regardait écrire, s'absorber, rouler sa plume entre ses doigts. Quand il avait terminé son article, elle voulait le lui entendre dire, et c'étaient des éclats de rire et des folies qui animaient encore la verve de Camille.

» Dans ce ménage heureux, heureux autant qu'on peut l'être, c'étaient mille folles querelles, mille raccommodements, mille soufflets, mille baisers. Quelquefois, Lucile mettait son mari en colère. Elle boudait et lui jouait un charivari en faisant aller sur son piano les griffes de sa chatte[170]. »

Mais ces querelles ne duraient jamais bien longtemps, et Lucile venait se pelotonner aux pieds de son héros.

Elle l'adorait. Éd. Fleury rapporte qu'il a eu en main « un méchant morceau de papier sur lequel Lucile avait griffonné le nom de Camille, vingt fois répété, entrelacé dans des additions, dans des profils grotesques, dans des arabesques qui n'avaient pas le sens commun »...

Bientôt, les craintes des patriotes s'étaient vérifiées. Camille, transformé par la douceur de son foyer, par le charme apaisant de Lucile, par le plaisir de recevoir des amis (Brune, futur maréchal d'Empire, ou Danton, venu en voisin), s'était embourgeoisé. Sa plume était devenue moins virulente. Il avait cessé de s'intéresser aux malheurs de la patrie pour s'occuper de son bonheur à lui...

Au mois de juillet 1792, Lucile lui avait donné un fils qu'on s'était empressé de baptiser Horace, et il avait perdu encore un peu de son goût pour les tueries...

Le 10 août, pourtant, traîné par des amis, Camille s'était mêlé aux manifestants ; mais bien vite il avait regagné son lit où Lucile l'attendait en tremblant...

Le 11, à l'aube, on était venu lui apprendre que la monarchie avait été renversée et que Danton était ministre de la Justice.

Il s'était précipité chez son ami et l'avait trouvé au lit où il dormait encore :

— Eh !... Tu es ministre de la Justice !

— Quoi ?

— Oui, ministre !

Danton lui avait donné une grande claque dans le dos :

— Dans ce cas, je te nomme secrétaire du Sceau !

Puis le tribun s'était levé en chantant *la Chandelle de l'Abbé*, ce qui témoignait chez lui d'une joie profonde...

Investi de pouvoirs officiels, Camille avait considéré, dès lors, le

170. Éd. Fleury, *Camille Desmoulins et Roch-Mercandier*.

petit peuple qui réclamait du pain comme un ramassis de dangereux trublions et s'était déclaré défenseur de l'ordre...

Quinze jours plus tard, il avait emménagé avec Lucile, place Vendôme, au « palais des Lamoignon », rempli de meubles précieux et de magnifiques tapisseries des Gobelins...

Une existence nouvelle commençait pour l'ancien agitateur.

Le dimanche, les Desmoulins invitaient leurs amis au Clos Payen — la maison de campagne des Duplessis à Bourg-la-Reine [171] — et Lucile organisait des jeux. Pendant quelques heures, les farouches Cordeliers s'amusaient comme des enfants et gambadaient dans le jardin. A tous, la jeune femme avait donné des surnoms : Fréron était appelé Lapin ; Camille, Bouli-Boula ; Danton, Marius ; Mme Duplessis, Melpomène ; Brune, Patagon, et Lucile, Pouleau ou la Poule de Cachan, en souvenir d'une poule qui, séparée de son coq, s'était laissée mourir de faim...

Cette vie calme et bucolique continua de métamorphoser Camille. Élu député à la Convention, il ne se fit remarquer à la tribune que par des discours extravagants, où le désir de faire parler de lui était manifestement plus grand que la passion politique. D'ailleurs, lorsqu'il lui arrivait d'écrire un article, c'était plus par démangeaison d'écrivain que par conviction...

Devenu littérateur de la Révolution, il ne songeait pas, les pieds dans ses pantoufles, aux conséquences que pouvaient avoir ses écrits. C'est ainsi qu'il publia l'*Histoire des Brissotins* qui devait, à son grand étonnement, conduire les Girondins à la guillotine...

La Révolution, alors, l'agaça...

La dictature du Comité de salut public lui déplut, et son goût récent de l'ordre se trouva choqué par toutes ces têtes coupées qui traînaient place de la Révolution...

Il en parla à Danton qui, depuis quelque temps, paraissait de moins en moins aux séances des Jacobins et semblait, lui aussi, fatigué de faire couler du sang.

Le tribun haussa les épaules.

— J'ai, pour l'instant, d'autres préoccupations, dit-il.

En effet, il allait se remarier avec Mlle Gély, une adorable adolescente de seize ans et ne songeait qu'à l'amour. Il confia à son ami que, sa future belle-mère étant royaliste, ses idées républicaines le gênaient un peu.

— L'important, dit Camille, est d'être heureux avec la femme qu'on aime.

Danton suivit ce conseil. Le lendemain, il alla déclarer à Mme Gély qu'il se repentait d'avoir voté la mort du roi, que la République lui paraissait une chimère et qu'il était prêt à se marier religieusement.

171. Devenu Bourg-Égalité.

La cérémonie eut lieu à Saint-Germain-des-Prés [172]... Après quoi, Danton et son épouse partirent passer leur lune de miel loin de la guillotine, à Arcis-sur-Aube...

Demeuré seul, Camille n'eut plus qu'une idée : vivre calmement avec Lucile et son petit Horace.

C'est alors qu'il fonda *Le Vieux Cordelier* où il demanda l'ouverture des prisons, cria à la tyrannie et prêcha la modération [173].

Quelques semaines plus tard, le 31 mars 1794, il était arrêté, ainsi que Danton, dont la retraite sentimentale à Arcis-sur-Aube n'avait pas été du goût de Robespierre [174]...

En arrivant au Luxembourg, où il devait être incarcéré, Camille, qui était fort émotif, éclata en sanglots.

Danton l'apostropha :

— Pourquoi pleurer ? Puisqu'on nous envoie à l'échafaud, montons-y gaiement !...

Cette phrase ne releva pas le moral de Camille qui se laissa mener tristement jusqu'à la cellule située dans les derniers étages du palais où Robespierre avait décrété qu'il serait mis au secret.

Dès qu'il fut seul, il examina la pièce. C'était une chambre sans confort, mais propre, dont la fenêtre s'ouvrait au ras du plancher. En se penchant, il aperçut le jardin du Luxembourg et l'allée où il avait

---

172. Sa première femme, Gabrielle Charpentier, était morte en février 1793. Danton se trouvait alors en Belgique. Il revint à Paris le 18. Fou de chagrin, il se précipita au cimetière et fit exhumer Gabrielle pour la voir une dernière fois. Ce fait est attesté par le catalogue du Salon de 1793, qui mentionne « un buste de la citoyenne Danton exhumée après sept jours et moulé sur le cadavre par le citoyen Desenne, sourd-muet. »

173. Dans le n° 5 du *Vieux Cordelier*, Camille Desmoulins dénonçait les relations d'Hébert avec le banquier hollandais Jean-Conrad Kock, qui habitait le village de Passy : « Toi qui me parles de mes sociétés, écrivait-il en apostrophant le rédacteur du *Père Duchesne,* crois-tu que j'ignore que tes sociétés c'est une femme Rochechouart, agent des émigrés : c'est le banquier Kock, chez qui toi et ta Jacqueline, vous passez à la campagne les beaux jours de l'été ? Penses-tu que j'ignore que c'est avec l'intime de Dumouriez, le banquier hollandais Kock, que le grand patriote Hébert, après avoir calomnié dans sa feuille les hommes les plus purs de la République, allait, dans sa grande joie, lui et sa Jacqueline, boire le vin de Pitt et porter des toasts à la ruine des réputations des fondateurs de la liberté ? »

Ce texte alarma Saint-Just qui dénonça les hébertistes à la tribune de la Convention. Les dîners galants auxquels participaient le *Père Duchesne* et sa femme, une ancienne religieuse du couvent de la Conception-Saint-Honoré, furent donc l'un des griefs que l'on retint contre le publiciste, ainsi que le prouve l'acte l'accusation rédigé par Fouquier-Tinville : « Il paraît que c'est chez le banquier hollandais Kock, à Passy, que se rendaient les principaux conjurés : que là, après avoir médité dans l'ombre leur révolte criminelle et les moyens d'y pourvoir, ils se livraient, dans l'espoir d'un succès complet, à des orgies poussées fort avant dans la nuit. »

Après de courts débats, Jean-Conrad Kock, Hébert et leurs amis furent condamnés à mort et exécutés le 4 germinal an II (24 mars 1794). Le banquier hollandais laissait un fils âgé de quelques jours. Ce bébé devait devenir l'un des plus malicieux romanciers français sous le nom de Paul de Kock...

174. « La fougueuse passion de Danton pour sa seconde femme n'a pas peu contribué à l'amollir dans sa Capoue conjugale d'Arcis-sur-Aube. » (VICTORIEN SARDOU.)

rencontré onze ans plus tôt Mme Duplessis et ses filles... Cette vision fit redoubler ses sanglots.

Il alla en gémissant vers la table et écrivit une longue lettre à Lucile.

Ma Lucile, ma vertu, mon ange, la destinée ramène dans ma prison mes yeux sur ce jardin où je passai huit années de ma vie à te suivre. Un coin de vue sur le Luxembourg me rappelle une foule de souvenirs sur nos amours. Je suis au secret, mais jamais je n'ai été, par la pensée, par l'imagination, presque par le toucher, plus près de toi, de ta mère, de mon petit Horace.

Je ne t'écris ce premier billet que pour te demander les choses de première nécessité. Mais je vais passer tout le temps de ma prison à t'écrire : car je n'ai pas besoin de prendre ma plume pour autre chose et pour ma défense — ma justification est tout entière dans mes huit volumes républicains. C'est un bon oreiller sur lequel ma conscience s'endort dans l'attente du tribunal et de la postérité. Ô ma bonne Lolotte, parlons d'autre chose ! Je me jette à genoux, j'étends les bras pour t'embrasser, je ne trouve plus mon pauvre Loulou et cette pauvre Daronne.

Envoie-moi un pot à eau, le verre où il y a un C et un D, nos deux noms ; une paire de draps, un livre en 12 que j'ai acheté, il y a quelques jours, à Charpentier et dans lequel il y a des pages en blanc mises exprès pour recevoir des notes. Ce livre roule sur l'immortalité de l'âme. J'ai besoin de me persuader qu'il y a un Dieu plus juste que les hommes et que je ne puis manquer de te revoir. Ne t'affecte pas trop de mes idées, ma chère amie, je ne désespère pas encore des hommes et de mon élargissement ! Oui, ma bien-aimée, nous pourrons nous revoir encore dans le jardin du Luxembourg ; mais envoie-moi ce livre. Adieu, Lucile ! Adieu, Daronne ! Adieu Horace ! Je ne puis pas vous embrasser, mais aux larmes que je verse, il me semble que je vous tiens encore contre mon sein.

Ton Camille.

En lisant cette lettre, Lucile fut écrasée de chagrin. Elle courut chez Mme Danton qui lui apprit en pleurant, elle aussi, que son mari avait été mis au secret.

— Alors, pourquoi suis-je libre ? s'écria Lucile. Est-ce parce que je ne suis qu'une femme ? Pense-t-on que je n'oserai élever la voix ? J'irai aux Jacobins. J'irai voir Robespierre. Il a été notre ami, il a été le témoin de notre mariage ; il ne peut être notre assassin.

— Je vous accompagne, dit Mme Danton.

Les deux femmes allèrent au Comité de salut public, mais Robespierre refusa de les recevoir.

Comprenant que tout effort était inutile, Lucile voulut tout au moins apporter un dernier réconfort à Camille. Tous les jours, elle se rendit avec sa mère au Luxembourg et s'assit sur un banc, en face de la prison. Là, courageusement, elle essayait de sourire ; quand les larmes lui piquaient trop les yeux, elle s'en allait...

Le 12 germinal an II (2 avril 1794), Camille fut transféré à la Conciergerie. Avant de quitter le Luxembourg, il avait écrit à Lucile une lettre extraordinaire qui, malheureusement, ne parvint jamais à la jeune femme. C'était un long cri de désespoir et d'amour :

Le sommeil bienfaisant a suspendu nos maux. On est libre quand on dort ; on n'a point le sentiment de sa captivité ; le ciel a eu pitié de moi. Il n'y a qu'un moment je te voyais en songe, je vous embrassais tour à tour, toi, Horace et Daronne, qui était à la maison ; mais notre petit avait perdu un œil par une humeur qui venait de se jeter dessus, et la douleur de cet accident m'a réveillé. Je me suis retrouvé dans mon cachot. Il faisait un peu de jour. Ne pouvant plus te voir et entendre tes réponses, car toi et ta mère vous me parliez, je me suis levé au moins pour te parler et t'écrire. Mais, ouvrant une fenêtre, la solitude, les affreux barreaux, les verrous qui me séparent de toi, ont vaincu toute ma fermeté d'âme. J'ai fondu en larmes, ou plutôt j'ai sangloté en criant dans mon tombeau : « Lucile ! Lucile ! ma chère Lucile, où es-tu ?... » (Ici, on remarque la trace d'une larme.) Hier au soir, j'ai eu un pareil moment, et mon cœur s'est également fendu quand j'ai aperçu dans le jardin ta mère. Un mouvement machinal m'a jeté à genoux contre les barreaux, j'ai joint les mains comme implorant sa pitié, elle qui gémit, j'en suis sûr, dans ton sein. J'ai vu hier sa douleur (ici encore une trace de larme) *à son mouchoir et à son voile baissé, ne pouvant tenir à ce spectacle. Quand vous viendrez, qu'elle s'asseye un peu plus près de toi, afin que je vous voie mieux. Il n'y a pas de danger à ce qu'il me semble... mais surtout je t'en conjure, ma Lolotte, par nos amours éternelles, envoie-moi ton portrait ; que ton peintre ait compassion de moi, qui ne souffre que pour avoir eu compassion des autres ; qu'il te donne deux séances par jour. Dans l'horreur de ma prison, ce sera pour moi une fête, un jour d'ivresse et de ravissement, celui où je recevrai ce portrait.*

En attendant, envoie-moi de tes cheveux ; que je les mette contre mon cœur. Ma chère Lucile ! me voilà revenu au temps de mes premières amours, où quelqu'un m'intéressait par cela seul qu'il sortait de chez toi. Hier, quand le citoyen qui t'apporta ma lettre fut revenu : « Eh bien ! vous l'avez vue ? » lui dis-je, comme je le disais autrefois à cet abbé Landreville, et je me surprenais à le regarder comme s'il fût resté sur ses habits, sur toute sa personne, quelque chose de toi. C'est une âme charitable, puisqu'il t'a remis ma lettre sans tarder. Je le verrai, à ce qu'il paraît, deux fois par jour, le matin et le soir. Le messager de nos douleurs me devient aussi cher que l'aurait été autrefois le messager de nos plaisirs.

Camille s'arrête un instant de gémir pour noter un détail sur ses voisins de cellule :

J'ai découvert une fente dans mon appartement ; j'ai appliqué mon oreille, j'ai entendu la voix d'un malade qui souffrait. Il m'a demandé mon nom, je le lui ai dit. « Ô mon Dieu ! » s'est-il écrié à ce nom, en retombant sur son lit, d'où il s'était levé, et j'ai reconnu distinctement la voix de Fabre d'Églantine. « Oui, je suis Fabre, m'a-t-il dit. Mais toi ici ! la contre-révolution est donc faite ? » Nous n'osons cependant nous parler, de peur que la haine ne nous envie cette faible consolation, et que, si on venait à nous entendre, nous ne fussions séparés et resserrés plus étroitement ; car il a une chambre à lui, et la mienne serait assez belle si un cachot pouvait l'être.

Mais, ma chère amie ! tu n'imagines pas ce que c'est que d'être au secret sans savoir pour quelle raison, sans avoir été interrogé, sans recevoir un seul journal ! C'est vivre et être mort tout ensemble ! C'est n'exister que pour sentir qu'on est dans un cercueil ! On dit que l'innocence est calme, courageuse. Ah ! ma chère Lucile, ma bien-aimée ! souvent mon innocence est faible comme celle d'un mari, celle d'un père, celle d'un fils ! Si c'était Pitt ou Cobourg qui me traitassent si durement ; mais mes collègues, mais Robespierre, qui a signé l'ordre de mon cachot ; mais la République, après tout ce que j'ai fait pour elle ! C'est là le prix que je reçois de tant de vertus et de sacrifices ! En entrant ici, j'ai vu Hérault-Séchelles, Simon Ferroux, Chaumette, Antonelle ; ils sont moins malheureux ! aucun n'est au secret. C'est moi qui me suis voué depuis cinq ans à tant de haine et de périls pour la République, moi qui ai conservé ma pauvreté au milieu de la Révolution, moi qui n'ai de pardon à demander qu'à toi seule au monde, ma chère Lolotte, et à qui tu l'as accordé, parce que tu sais que mon cœur, malgré ses faiblesses, n'est pas indigne de toi, c'est moi que des hommes qui se disaient mes amis, qui se disent républicains, jettent dans un cachot, au secret, comme si j'étais un conspirateur ! Socrate but la ciguë, mais, au moins, il voyait dans sa prison ses amis et sa femme.

Combien il est plus dur d'être séparé de toi ! Le plus grand criminel serait trop puni s'il était arraché à une Lucile autrement que par la mort qui ne fait sentir, au moins, qu'un moment la douleur d'une telle séparation. Mais un coupable n'aurait point été ton époux, et tu ne m'as aimé que parce que je ne respirais que pour le bonheur de mes concitoyens... On m'appelle...

A son retour dans la cellule, Camille reprit sa plume :

Dans ce moment, les membres du tribunal révolutionnaire viennent de m'interroger. Il ne me fut fait que cette question : si j'avais conspiré contre la Révolution. Quelle dérision ! Et veut-on insulter ainsi au républicanisme le plus pur ! Je vois le sort qui m'attend. Adieu, ma Lolotte, mon bon loup ; dis adieu à ton père. Tu vois en moi un exemple de la barbarie et de l'ingratitude des hommes. Mes derniers moments ne te déshonoreront point. Tu vois que ma crainte était fondée, que mes pressentiments furent toujours vrais. J'ai épousé une femme céleste par ses vertus ; j'ai été bon mari, bon fils, j'aurais été

*bon père. J'emporte l'estime et les regrets de tous les vrais républicains,
de tous les hommes, la vertu et la liberté. Je meurs à trente-quatre
ans, mais c'est un phénomène que j'aie traversé, depuis cinq ans, tant
de précipices de la Révolution sans y tomber et que j'existe encore, et
j'appuie ma tête avec calme sur l'oreiller de mes écrits...*

*Oh ! ma chère Lucile ! J'étais né pour faire des vers, pour défendre
les malheureux, pour la rendre heureuse, pour composer avec ta mère
et mon père, et quelques personnes selon notre cœur, un Otaïti. J'avais
rêvé une République que tout le monde eût adorée. Je n'ai pu croire
que les hommes fussent si féroces et si injustes. Comment penser que
quelques plaisanteries dans mes écrits contre des collègues qui m'avaient
provoqué effaceraient le souvenir de mes services.*

*Nous pouvons bien emporter avec nous ce témoignage, que nous
périssons les derniers républicains ! Pardon, chère amie, ma véritable
amie que j'ai perdue du moment où on nous a séparés ; je m'occupe
de ma mémoire. Je devrais bien plutôt m'occuper de te la faire oublier.
Ma Lucile, mon bon Loulou, ma poule à Cachan, je t'en conjure, ne
reste point sur la branche, ne m'appelle point par tes cris ; ils me
déchireraient au fond du tombeau. Va gratter pour ton petit, vis pour
mon Horace, parle-lui de moi. Tu lui diras, ce qu'il ne peut entendre,
que je l'aurais bien aimé ! Malgré mon supplice, je crois qu'il y a un
Dieu. Je te reverrai un jour, ô Lucile, ô Annette. Sensible comme je
l'étais, la mort, qui me délivre de la vue de tant de crimes, est-elle un
si grand malheur ? Adieu, Loulou, ma vie, mon âme, ma divinité sur
la terre ! Je te laisse de bons amis, tout ce qu'il y a d'hommes vertueux
et sensibles. Adieu, Horace, Annette, Adèle ! Adieu, mon père ! Je
sens fuir devant moi le rivage de la vie. Je vois encore Lucile ! Je la
vois, ma bien-aimée, ma Lucile. Mes mains liées t'embrassent et ma
tête séparée repose encore sur toi ses yeux mourants...*

Cette lettre, Lucile ne la lut jamais. Entre deux stations, sur le banc
du Luxembourg, la jeune femme avait rencontré un ami du général
Dillon. Celui-ci, bien qu'arrêté, espérait, du fond de sa prison, fomenter
un soulèvement contre les comités.

Dénoncée comme conspiratrice, Lucile avait été conduite à la
Conciergerie le 5 avril.

Camille apprit l'arrestation de sa femme en plein tribunal révolutionnaire et fut écrasé de chagrin.

Le lendemain, il était conduit à l'échafaud avec Danton [175].

Tous deux mouraient victimes de l'amour. Sans leurs épouses qu'ils
adoraient, ni l'un ni l'autre, en effet, ne se fussent « embourgeoisés ».
Leur « déviationnisme », pour employer un terme de notre temps,
commença le jour où ils connurent la douceur d'un foyer...

---

175. Avant de mourir, Danton, qui considérait l'Incorruptible comme une femmelette,
s'écria :
— Si je laissais mes c... à Robespierre, cela irait mieux au Comité de salut public !...
Mais personne ne prit cette proposition au sérieux.

Pendant six jours, Mme Duplessis multiplia les démarches pour faire libérer sa fille. Elle écrivit finalement à Robespierre qui avait désiré un moment devenir son gendre en épousant Adèle :

Ce n'est donc pas assez d'avoir assassiné ton meilleur ami, tu veux encore le sang de sa femme...

Ton monstre de Fouquier-Tinville vient de donner l'ordre de l'emmener à l'échafaud ; deux heures encore, et elle n'existera plus. Robespierre, si tu n'es pas un tigre à face humaine, si le sang de Camille ne t'a pas enivré au point de perdre tout à fait la raison, si tu te rappelles encore nos soirées d'intimité, si tu te rappelles les caresses que tu prodiguais au petit Horace que tu te plaisais à tenir sur tes genoux, si tu te rappelles que tu devais être mon gendre, épargne une victime innocente, mais si ta fureur est celle d'un lion, viens nous prendre aussi, moi, Adèle et Horace. Viens nous déchirer tous trois de tes mains encore fumantes du sang de Camille ; viens, viens, et qu'un seul tombeau nous réunisse...

Cette lettre n'eut aucun effet sur Robespierre. L'Incorruptible ignorait la pitié.

S'il eût connu lui aussi la douceur d'un foyer, peut-être eût-il agi différemment. Mais sa liaison avec Éléonore Duplay n'avait rien de romantique. Il demandait à cette jeune fille amoureuse de lui une chose précise qui semblait nécessaire à son équilibre d'homme, et c'était tout...

Il laissa donc partir Lucile pour la guillotine.

Le 24 germinal, à six heures du soir, après avoir dit d'un ton joyeux : « Je vais donc revoir mon Camille ! » elle monta prestement les marches de l'échafaud.

L'instant d'après, au fond du panier, nous dit le bourreau Sanson, « sa tête semblait sourire, comme dans une extase heureuse... ».

29

Les Chouans vaincus à cause de la maîtresse du général Hoche

> Charette, toujours galant envers les
> dames, l'accueillit avec empressement.
>
> A. BILLAUT

La légende nous dit que le catoblépas était un animal si bête qu'il se mangeait les pieds sans s'en apercevoir... Au printemps 1794, la Révolution n'était pas loin de ressembler à ce quadrupède stupide. Tous les jours, le Comité de salut public, croyant supprimer les suspects et des antipatriotes, envoyait à l'échafaud des hommes qui étaient ses plus sûrs soutiens... Autodestruction dont le peuple ne pouvait que se féliciter, puisqu'elle allait, peu à peu, faire rentrer les choses dans l'ordre.

Or tandis qu'à Paris les révolutionnaires connaissaient avec stupéfaction les souffrances qu'ils avaient infligées pendant quatre ans à leurs ennemis et mouraient en poussant des gémissements romantiques, en Vendée, M. de Charette, à la tête de ses Chouans, continuait de mener une existence à la fois militaire et voluptueuse.

Courant, le jour, à la poursuite des Bleus chargés par la Convention de réprimer l'insurrection vendéenne, il passait ses nuits à montrer à de belles amies que « la marche dans les halliers n'avait point affaibli son ardeur aux jeux du lit » [176].

Il tint même à prouver, certain soir, qu'il pouvait être dans le même moment capitaine et amant. Le 3 avril 1794, vers minuit, alors qu'il était en train de combler la ravissante Mme de Monsorbier qui avait pourtant un fier tempérament, on frappa à la porte de sa chambre.

— Qu'est-ce que c'est ? demanda-t-il, sans s'arrêter d'œuvrer pour le plaisir de sa dame.

— Un groupe de Bleus est signalé à l'entrée de la forêt. Il se dirige vers le village.

— Je ne peux pas sortir. Postez des hommes dans les premières maisons du bourg et laissez approcher l'ennemi.

Le Chouan alla transmettre les ordres de M. de Charette dont les ébats amoureux n'avaient pas été interrompus un instant.

Quelques minutes plus tard, un autre Vendéen vint frapper à la porte :

— Les Bleus avancent lentement.

— Où sont-ils ?

— A la hauteur de la maison Nivert.

— Que dix hommes contournent la maison Follereau et prennent les Bleus à revers.

— Devons-nous attaquer ?

— Non, pas sans mon ordre !

Pendant tout ce dialogue, M. de Charette avait continué, nous dit Pierre Guindeau, « son galant entretien avec Mme de Monsorbier ». La dame, stupéfaite de tant de sang-froid, ne savait si elle devait admirer ou se vexer. Voyant que son amant montrait tous les signes d'un violent plaisir, elle prit le parti d'admirer...

Toutes les cinq minutes, une nouvelle estafette venait prendre les ordres du chef qui menait ainsi, de front, deux combats.

Lorsqu'il eut posté tous ses hommes aux endroits stratégiques, M. de Charette, la main sur le sein de sa maîtresse, cria d'une voix calme :

— Attaquez !

Aussitôt transmis, l'ordre fut exécuté. Des coups de feu éclatèrent dans la nuit, et la bataille commença. « M. de Charette, nous dit Pierre Guindeau, en suivait toutes les phases. Mars et Vénus l'habitaient en même temps. »

Enveloppés, cernés, les Républicains furent rapidement anéantis. Un

176. PIERRE GUINDEAU, La vie privée de M. de Charette.

messager vint annoncer, toujours à travers la porte, la victoire au chef maraîchin.

— Bravo ! dit-il, vous avez été merveilleux !

C'était exactement ce que pensait Mme de Monsorbier de son extraordinaire amant.

— J'irai tout à l'heure interroger les prisonniers, dit encore M. de Charette qui pensait à tout vraiment. Faites-les venir...

Il fut interrompu par un grand cri. Mme de Monsorbier venait de sombrer dans la volupté.

Alors le chef maraîchin se laissa gagner par le plaisir.

Il avait mené à bien ses deux affaires...

Cette démonstration fut naturellement connue de toutes les amazones vendéennes qui, dès lors, considérèrent M. de Charette comme un demi-dieu...

Sa réputation d'amoureux fervent et de soldat austère s'étendit même parmi les Républicains à la suite d'une curieuse aventure.

Un soir, un officier patriote, nommé Naudy, allait se coucher avec sa femme lorsqu'on vint l'informer que Charette et son armée se ruaient vers la ville.

Affolé, il sauta sur un cheval et s'enfuit, abandonnant son épouse. Une demi-heure plus tard, Charette entrait précisément dans la maison où se trouvait cachée Mme Naudy, et demandait le gîte et le couvert...

Il ne se doutait pas qu'il allait avoir aussi le reste...

Après le repas, il remercia la maîtresse de maison de son accueil. Celle-ci en profita pour lui demander une grâce.

— Il y a, ici, une dame républicaine qui se cache. Accepteriez-vous d'être généreux avec elle ?

— Qu'elle se montre, dit Charette en souriant.

Mme Naudy parut. Sa grâce, ses yeux bleus, séduisirent le Chouan qui fit apporter un vin pétillant pour trinquer.

— Je vous prends sous ma protection, madame !...

Toute la soirée, la jeune femme fut sous le charme. Éblouie par la courtoisie et l'élégance de ce chef militaire, elle admirait son esprit, ses yeux, son costume, la plume blanche qui flottait à son chapeau, ses dentelles, sa cravate, sa veste violette, brodée de soie verte et d'argent...

A minuit, elle était amoureuse.

Ravie de se venger d'un mari assez égoïste pour fuir en l'abandonnant, elle accepta de suivre Charette dans sa chambre.

A minuit et demi, le chef vendéen remportait une éclatante victoire sur les Républicains...

Heureux de pouvoir montrer à une représentante du parti adverse « la puissance virile de la rébellion, il multiplia les attaques, et ne consentit à dormir qu'au moment où Mme Naudy, exténuée, lui demanda grâce d'une voix mourante ».

Hélas ! cette belle humeur et cet amour des dames devaient conduire M. de Charette à sa perte.

Tout d'abord, les Républicains tentèrent de le ridiculiser par une chanson ironique dont voici deux couplets :

> *Le beau Monsieur de Charette,*
> * Vive la loi !*
> *En amour, rien ne l'arrête,*
> * A bas le roi !*
> *Il a dix femmes dans son lit*
> *Pour y passer de folles nuits.*
> * A bas le roi !*
> * Vive la loi !*
> *C'est un vrai foudre de guerre,*
> * Vive la loi !*
> *Mais il ne le montre guère,*
> * A bas le roi !*
> *Car ses plus glorieux combats*
> *Ne sont livrés qu'entre deux draps.*
> * A bas le roi !*
> * Vive la loi !*

Les Chouans répliquèrent par une chanson qui se chantait sur le même air :

> *Si le merveilleux Charette,*
> * Vive le roi !*
> *Peut contenter d'une traite,*
> * A bas la loi !*
> *Jusqu'à dix femmes et même mieux,*
> *C'est qu'il est plus ardent qu'un Bleu !*
> * A bas la loi !*
> * Vive le roi* [177] *!*

Cette supériorité n'allait pas empêcher le chef chouan d'être vaincu.

A la fin de 1794, M. de Charette, qui avait refusé de se joindre aux autres armées vendéennes pour demeurer à Legé, « au milieu de ses dames », était à bout de souffle.

« Sans poudre, sans munitions, nous dit Émile Gabory, presque sans

---

177. Ce couplet, on en conviendra, ne ressemble guère à la fameuse chanson de M. de Charette qui a été écrite cent ans plus tard par le romancier Paul Féval :

> *Monsieur d'Charette a dit à ceux d'Ancenis :* (bis)
> * Mes amis !*
> *Nous allons ramener la fleur de lys.*
> *Prends ton fusil Grégoire.*
> *Prends ta gourde pour boire.*
> *Prends ta Vierge d'ivoire.*
> *Nos messieurs sont partis.*
> *Pour chasser la perdrix !*

soldats, il parcourait, comme une bête traquée, les étroits chemins du Bocage[178]. »

Une femme devait le perdre.

Un soir, dans un bois, près de Saint-Hilaire-de-Loulay, alors qu'il venait de repousser une attaque des Bleus, une élégante cavalière parut au détour d'un chemin et lui dit :

— Êtes-vous M. de Charette ?

— Pour vous servir, madame !

La jeune femme poussa un soupir :

— Enfin ! dit-elle.

Puis elle descendit de cheval et se présenta :

— Je suis la marquise Du Grégo. Depuis deux jours, les Républicains me poursuivent. Mon père a émigré, mon ami a été fusillé à Quiberon. Protégez-moi !

Comme elle était jolie, Charette l'amena sans tarder dans une chaumière où, sur une couche rustique, il lui montra son savoir-faire...

Or Mme Du Grégo était une espionne. Maîtresse du général Hoche, elle avait été envoyée à Saint-Hilaire par son amant pour découvrir les retraites chouannes[179]...

Pendant quelques jours, elle suivit les Vendéens de village en village, notant leurs moyens de camouflage, leurs cachettes, leurs signaux de ralliement et le nom de leurs ravitailleurs. Et puis, un matin, elle s'aperçut que, prise à son jeu, elle était devenue, elle aussi, amoureuse du chef maraîchin...

Dès lors, elle cessa de s'intéresser à la guerre pour ne penser qu'au moment où Charette la tiendrait dans ses bras. Sans doute, sa mission se serait-elle terminée ainsi, dans la douceur d'une idylle classique, si, un jour, la sémillante veuve n'avait appris qu'elle était supplantée par une jolie villageoise...

Le soir même, sans rien dire, elle quitta le camp des Chouans, retourna vers Hoche, et lui livra le secret des refuges de son amant trop volage.

Quelques jours plus tard, M. de Charette était pris. Conduit à Nantes, il fut condamné à être fusillé et mourut noblement...

Sa disparition marqua la fin de la guerre de Vendée qui, commencée sous l'impulsion de quelques belles fanatiques, se terminait à cause d'une femme jalouse...

---

178. ÉMILE GABORY, *Les femmes dans la tempête. Les Vendéennes,* 1935.

179. « Maîtresse de Hoche, il est prouvé par les lettres du général en chef, qu'elle était devenue pour lui, non seulement une amante, mais encore, ce qui est plus grave, une indicatrice. » (ÉMILE GABORY.)

30

Thérésia Cabarrus arrête la Terreur à Bordeaux

> Cette femme tenait dans sa main le cœur
> de celui qui tenait la vie et la mort.
>
> LAMARTINE

Un matin de juin 1784, dans le château de Saint-Pierre de Caravenchel de Arriba, près de Madrid, une ravissante fillette lisait un roman à l'ombre d'un eucalyptus.

Agée de douze ans, elle en paraissait dix-sept. Grande, admirablement faite, elle avait des cheveux qui lui tombaient aux reins, des yeux fripons et des seins dont on parlait avec émerveillement dans toute la région...

Voici d'ailleurs comment la décrit Louis Gastine : « Elle n'a pas les bras maigres, ses bras promettent déjà, au contraire, par leurs charmantes rondeurs, de devenir des merveilles ; sous peu, ils tiendront généreusement cette promesse. Son col gracieux n'a rien de frêle. Il s'attache sur une gorge ronde et des épaules exquises. Ses mollets sont d'une agréable ampleur, ses genoux n'ont rien d'anguleux, et sa poitrine, malgré les corsages peu flatteurs, met en relief des prisonniers dont l'indomptable résistance défie par avance les plus ardents assauts [180]. »

Cette enfant dotée d'une si précoce séduction s'appelait Thérésia Cabarrus.

Née en 1773 de parents français, elle était espagnole depuis 1781, son père, François Cabarrus, banquier à Madrid, s'étant fait naturaliser à cette date avec toute sa famille.

Mais, pour lors, ce changement de nationalité la laissait absolument indifférente ; sa principale et d'ailleurs seule préoccupation étant l'amour...

A douze ans, elle se sentait, en effet, profondément troublée par les hommes, et les regardait parfois avec une insistance qui faisait murmurer.

Ce matin-là, elle lisait donc un roman lorsque la voix de son père retentit dans le jardin.

— Thérésia ! Viens embrasser ton oncle.

L'adolescente soupira. L'idée de quitter sa lecture pour aller saluer un oncle qu'elle n'avait jamais vu l'agaça. Elle se leva pourtant et se rendit vers la maison où le frère de Mme Cabarrus, qui venait de France, était déjà en train de boire un verre de vin cuit.

En entrant dans le salon, elle demeura saisie. Cet oncle, qu'elle

180. LOUIS GASTINE, *La Belle Tallien*.

imaginait vieux, ventripotent et chauve, était un homme de trente-deux ans, élégant et fort séduisant.

— Maximilien, voici ta nièce, dit Mme Cabarrus.

L'oncle, fort troublé lui aussi, considérait cette ravissante jeune fille et pensait que les liens de la famille étaient bien doux, qui allaient lui permettre de tenir, sans plus attendre, Thérésia dans ses bras...

Ce coup de foudre réciproque allait avoir des suites. Le soir même, l'oncle et la nièce se promenaient bras dessus, bras dessous, dans le parc de Caravenchel. Lorsqu'ils furent assez éloignés de la maison, Maximilien attira Thérésia Cabarrus vers lui et l'embrassa sur la bouche.

L'adolescente, qui rêvait d'un tel baiser depuis des mois, sentit un feu l'embraser « en son intimité », et s'offrit avec la belle impudeur des purs.

Des choses, alors, se passèrent sur l'herbe, et Thérésia commença ainsi dans une atmosphère familiale une carrière amoureuse qui devait la conduire loin.

Le lendemain, confus à la pensée de ce qu'il avait fait, Maximilien Galabert alla demander à François Cabarrus la main de Thérésia.

Pour toute réponse, le financier jeta son beau-frère à la porte.

La pauvre adolescente, contrainte à une chasteté que sa récente initiation rendait fort pénible, considéra dès lors les hommes avec un œil chaud qui embrasait les plus timides.

Au début de 1785, François Cabarrus, affolé à la pensée de la meute d'adorateurs qui traînait derrière sa fille, décida d'aller habiter Paris, où, croyait-il, les jeunes gens étaient moins entreprenants qu'à Madrid...

Un jour de février, une berline s'arrêta sur le quai d'Anjou, dans l'île Saint-Louis, devant l'hôtel de M. de Boisgeloup. Toute la famille Cabarrus en descendit. Elle y remonta l'instant d'après, car le maître de maison étant décédé quelques jours auparavant, les hurlements sinistre de la veuve indiquaient clairement que le moment était mal choisi pour venir demander l'hospitalité [181].

Fuyant ces lieux désolés, les Cabarrus allèrent s'installer dans un hôtel particulier de la place des Victoires. Après quoi, ils se mirent à fréquenter les salons où Thérésia put faire son éducation mondaine et frivole.

---

181. Le deuil, à cette époque, s'accompagnait de rites compliqués et rigoureux. Les Goncourt, dans leur étude sur *la Femme au XVIIIe siècle,* en donnent un aperçu :
« Le mari mort, les tableaux, les glaces, les meubles de coquetterie, tout ce qui est, aux murs, une espèce de vie et de compagnie, est voilé. Dans la chambre de la femme, une tenture noire recouvre les lambris. A la fin du siècle seulement, la nuit des murailles sera un peu moins sombre et, la mode de la mort se relâchant de sa sévérité, la chambre de la veuve n'aura plus, pendant l'année du veuvage, qu'une tenture grise. Le mari mort, la femme met sur sa tête, jette sur ses cheveux, le petit voile noir que gardent toute leur vie et partout, même dans leurs toilettes de cour, les veuves non remariées ; et, tout habillée de laine noire, elle demeure dans l'appartement en deuil, dont la porte ne s'ouvre qu'aux visites de condoléance et aux salutations de la parenté. Il est d'usage qu'elle se tienne quelque temps ainsi renfermée. La pudeur de l'habit qu'elle porte lui ferme les promenades publiques, et l'allée des Veuves (actuellement avenue Montaigne) est le seul endroit public où elle ose se montrer. »

A ce moment, tout Paris se passionnait pour un étrange pari qu'avaient tenu deux hommes très en vue.

Rapportons cette histoire telle qu'elle est contée par un contemporain et telle que la petite Thérésia dut l'entendre :

« Deux hommes, au cours d'un dîner, s'étant raconté mutuellement leurs bonnes fortunes, avaient fait ensemble une gageure : à qui jouirait de la femme de son voisin le plus subtilement des deux, sans que le mari s'en aperçût, quoique ce fût en sa présence.

» Le premier s'avisa d'une invention assez subtile. Son voisin avait une petite salle sur la rue, éclairée par des fenêtres clouées, en sorte qu'elles ne s'ouvraient point par-dehors et par-dedans, et, pour entrer dans la salle, il fallait faire une grande tournée dans la maison.

» Ce galant attendit le moment où son voisin se trouvait dans cette salle, seul avec sa femme, assis auprès du feu. Passant dans la rue, il les regarda par cette vitre, leur donna le bonjour et, s'approchant du carreau, s'écria :

» — Comment, mon voisin, n'avez-vous point de honte de faire l'amour à votre femme devant tout le monde ?

» — Mon ami, répondit le jeune sot de mari, êtes-vous fol ou ivre ? Ma femme est en un coin de feu et moi en l'autre ; bien loin de faire ce que vous dites, nous bavardons paisiblement.

» — Pour qui me prenez-vous ? dit le galant. Vous imaginez-vous que je ne vois goutte ? Encore avez-vous si peu de honte que vous ne vous retirez pas, cela est extrêmement vilain. N'avez-vous point d'autre lieu, chez vous, où vous puissiez être en liberté, sans donner de scandale à ceux qui vous voient ?

» — Vraiment, mon pauvre compère, lui dit ce mari, je crois que vous vous moquez de moi, car il n'est rien de plus faux que ce que vous dites.

» — Il faut donc, répliqua le galant, si ce que vous dites est vrai, que je me trompe moi-même et que ce verre me fasse voir de travers et prendre une chose pour une autre.

» — Voilà bien une curieuse histoire, dit le mari.

» — Je vous prie, mon compère, reprit l'autre, de venir à ma place, j'irai à la vôtre, et vous verrez que vous vous y tromperez tout comme moi.

» Le mari, qui était fort niais, vint dans la rue, et le voisin entra dans la chambre et, sitôt qu'il se vit seul avec la femme, dont il était l'amant depuis longtemps, il la prit, la renversa et lui fit l'amour devant le feu, aux yeux du mari qui, à travers la vitre, s'écria :

» — Holà ! Ha ! de par le diable, mon ami, que faites-vous là ?

» — Moi, mon cousin, répondit le galant, je jure que je suis en un coin de cheminée et votre femme à l'autre. Je vous le disais bien que ce verre déformait...

» — Assurément, dit l'imbécile, car je jurerais que vous accolez ma femme.

» En disant cela, il rentra dans la salle, où les amants avaient repris une position convenable.

» — Ah ! ma mie ! le méchant verre, dit le mari. Il faut assurément changer ces vitres-là. En attendant, montons à l'étage, de crainte que quelqu'un ne nous voie, car on serait scandalisé...

» Sitôt qu'elle fut seule, l'épouse fit mettre d'autres vitres aux fenêtres, de peur que son mari, les voulant éprouver de nouveau, ne s'aperçût de la fourberie.

» Le galant alla conter son exploit à l'homme avec qui il avait fait la gageure. Celui-ci l'écouta un peu dépité, car il n'espérait pas pouvoir faire de meilleure fourberie. Toutefois, il ne perdit pas courage. Il aimait la femme d'un meunier qui demeurait à un quart de lieue de là, où il faisait moudre son blé. Il avertit cette femme de sa gageure et de ce qu'elle avait à faire, et lui donna charge que, quand son mari rapporterait sa farine, elle l'accompagnât, ce qu'elle ne manqua pas de faire. Lui, étant averti de l'heure, s'en alla au-devant d'eux et les rencontra en chemin. Il donna le bonjour au meunier et lui dit :

» — Comment, mon compère, il semble que vous soyez bien chargé.

» — Oui, assurément, répondit l'autre, ce sac de farine est bien lourd.

» — Vous voilà bien empêché de peu de chose, dit le galant en riant. Je ne suis pas plus fort que vous, et pourtant je gage que je porterai bien aisément vous, votre femme et le sac de farine.

» — Je vous mets au défi, dit le meunier, piqué.

» — J'accepte, répondit l'autre. A condition que vous vous mettiez comme il me plaira, afin que je vous puisse prendre plus à mon aise.

» — Accepté, dit le meunier.

» Le galant fit alors mettre le meunier à plat ventre sur l'herbe, plaça le sac de farine sur lui, et renversa la femme dessus, à qui il retroussa les jupes.

» — Attendez, dit-il au meunier, ne bougez pas, je vais essayer de vous porter ainsi...

» Et, ce disant, il commença à faire l'amour à la jeune femme.

» — Je vous entends souffler, dit le mari en riant, c'est plus difficile que vous ne le croyiez...

» — Oui, répondit l'autre, mais je veux essayer encore...

» Et il mena à bien son galant combat, sur le dos même du cocu...

» Après quoi, feignant de n'avoir pas les bras assez longs pour tout embrasser, il se releva, rabaissa les jupes de la femme qu'il venait de posséder, et dit au meunier :

» — Ma foi, mon ami, vous aviez raison... J'y renonce !...

» Il retira alors le sac de farine, et le mari se releva tout joyeux.

» — Je savais bien, dit-il, que vous perdriez [182] !... »

La petite Thérésia ouvrait ses oreilles toutes grandes, on s'en doute, pour écouter ce genre d'histoires contées sans euphémismes — car on

---

182. Carlos Fisher, *Les Salons. (La vie au XVIIIᵉ siècle.)*

s'exprimait assez crûment dans les salons parisiens de cette époque. Un exemple suffira à donner le ton.

Un soir, Mme d'Aine, au cours d'une réception, dit à Mlle Anselme :
— Mademoiselle Anselme, vous avez le plus vilain c... qui se puisse voir. Il est noir, ridé, maigre, sec, petit, plissé, chagriné.

Aussitôt, toute l'assistance s'étonna :
— Elle a un si joli visage, comment pourrait-elle avoir un vilain c... ?

Mlle Anselme, pas le moins du monde offensée, répliqua posément que « de son c..., elle ne se souciait guère, puisqu'elle ne le voyait pas ».

Alors, Mme d'Aine se mit à rire et avoua qu'il ne s'agissait là que d'un rêve qu'elle avait fait. Puis elle ajouta :
— Si vous ne voulez pas que je vous voie avec le vilain c... de mon rêve, montrez-nous celui que vous portez...

L'autre s'exécuta, et l'on put constater que le vilain rêve de Mme d'Aine ne correspondait pas à la réalité...

Thérésia, qui entendait des propos semblables chez toutes les amies de sa mère, ne tarda pas à envisager l'existence sous un angle spécial.

Délicieuse éducation, qui n'allait pas tarder à porter ses fruits...

Durant l'été 1785, l'adolescente, dont les treize ans étaient éblouissants, fut fréquemment reçue avec ses parents chez le marquis de Laborde, le fameux banquier de Louis XVI. Un soir, sous un prétexte futile, l'un des fils du banquier, qui lui faisait la cour, l'entraîna dans les allées du parc.

Thérésia n'attendait que cette occasion pour montrer au jeune homme toutes les possibilités de sa riche nature. Elle bondit sur lui, l'embrassa, l'attira à terre, s'allongea sur les fougères et fut une maîtresse ardente et pleine de fantaisie.

Dès lors, les deux amants se retrouvèrent presque chaque nuit dans les fourrés du parc pour se livrer, au clair de lune, à d'extraordinaires ébats.

Malheureusement, alerté par un domestique, le banquier mit fin à ces rencontres et tança son fils.

Celui-ci riposta en déclarant qu'il voulait épouser Thérésia.

Le banquier éclata de rire :
— Épouser une demoiselle qui, à treize ans, est aussi délurée, mais, mon fils, vous voulez donc être cocu toute votre vie ?

C'était le langage du bon sens ; et le jeune homme quitta bientôt la France pour oublier cette fillette trop précoce [183].

M. Cabarrus, qui avait été mis au courant de l'aventure par M. de Laborde, jugea prudent de chercher un mari pour Thérésia dont la coquetterie devenait inquiétante. Il ne le trouva pas tout de suite, les

---

183. Le malheureux n'eut pas à traîner longtemps son désespoir. Quelques mois après, il mourait sur les brisants de la côte américaine avec une partie de l'expédition La Pérouse.

époux éventuels étant beaucoup plus disposés à faire entrer la femme-enfant dans leur lit que dans leur vie... En 1787, enfin, parut chez les Cabarrus un jeune conseiller du roi en sa cour de Parlement, Jean-Jacques Devin de Fontenay, qui sembla vouloir être un prétendant sérieux.

Séduit à la fois par la dot et par la beauté de Thérésia, il fit une demande et fut agréé par François Cabarrus, ravi de donner sa fille à un noble.

Le mariage eut lieu le 21 février 1788. Jacques Devin de Fontenay avait vingt-six ans, Thérésia quinze et demi...

Les nouveaux époux s'installèrent dans une luxueuse maison de l'île Saint-Louis et organisèrent aussitôt des fêtes brillantes qui attirèrent toute la jeunesse aristocratique de Paris.

Des jeux aussi anodins ne pouvaient suffire à satisfaire le tempérament volcanique de Thérésia. Elle chercha bientôt des plaisirs plus lestes et finit par mettre un peu de piquant dans les réceptions « en prêtant gentiment son petit bijou de famille à chacun des invités », lesquels étant bien élevés, s'en servaient, nous dit-on, « avec délicatesse ».

Charmante époque...

Un autre que M. de Fontenay aurait pu se choquer de la générosité de son épouse. Lui n'en faisait rien ; car, nous précise l'auteur de la *Chronique galante*, « ce jeune homme, également doué d'une humeur volage et d'un tempérament ardent, avait installé chez lui une fille de boutique avec laquelle il faisait l'amour quand sa femme recevait ses partenaires... »[184].

Tout le monde était donc satisfait.

Thérésia, dont la beauté s'affirmait chaque jour, aimait tant l'amour qu'elle avait pour principe de ne jamais refuser ses faveurs à un homme qui lui plaisait.

Aussi prenait-elle ses amants dans les lieux les plus divers. Un soir de juillet, alors qu'elle se promenait dans Paris, elle fut surprise par une grosse pluie d'orage. En quelques minutes, les ruisseaux débordèrent, et elle dut, selon l'usage du temps, faire appel à un passeur pour traverser les rues inondées.

L'homme qui lui offrit ses services était un beau Savoyard râblé d'une vingtaine d'années. Elle monta à cheval sur son dos, tandis que, gentiment — et toujours suivant l'usage — il glissait les mains sous ses jupes pour lui tenir les cuisses. La jeune femme se sentit alors embrasée par un désir furieux.

A la façon dont elle se collait contre lui, le Savoyard devina qu'il troublait sa jolie cliente.

— Où dois-je vous porter ? demanda-t-il d'un ton hypocrite.

— Chez moi, répondit à voix basse Thérésia.

Lorsqu'ils furent arrivés, elle fit entrer ce beau garçon dont elle

184. *Chronique galante.*

avait senti jouer les muscles pendant tout le trajet et le conduisit directement dans sa chambre.

Surexcitée par ce voyage à dos d'homme, elle se jeta sur le lit et le passeur passa un bon moment...

La jeune marquise, contrairement à ce qu'on pourrait croire, n'avait pas toujours les jambes en l'air. Ses journées étaient remplies par mille autres activités secondaires : elle recevait des hommes de lettres, faisait représenter des pièces de théâtre dans son château de Fontenay, jouait de la harpe, et composait de petits poèmes libertins... En mars 1789, elle commanda son portrait à Mme Vigée-Lebrun. Cette idée allait lui permettre de faire une curieuse rencontre.

Un jour qu'elle posait chez son ami Rivarol, un ouvrier imprimeur vint apporter des épreuves à l'écrivain.

— Voulez-vous les corriger, dit-il, je les attends.

Thérésia le regarda : c'était un jeune homme fort beau. Aussitôt, l'œil allumé, elle imagina tout le plaisir qu'elle pourrait en tirer et l'appela :

— Que pensez-vous de ce portrait ? demanda-t-elle.

Le garçon s'approcha.

— Il est ravissant, puisqu'il est ressemblant.

La marquise sourit et son regard fit comprendre au galant imprimeur qu'elle était prête à commettre avec lui « l'acte mouvant du belutage ». Mais Rivarol avait terminé ses corrections. Il raccompagna le commissionnaire et revint dans le salon.

— Quel est ce beau garçon ? demanda Thérésia.

— Un prote qui travaille chez mon imprimeur Panckoucke.

— Comment s'appelle-t-il ?

— Tallien...

Thérésia venait de voir pour la première fois celui qui, cinq ans plus tard, deviendrait son mari...

La prise de la Bastille et les premières émeutes de la Révolution ne troublèrent pas la vie galante de la marquise de Fontenay. La ravissante Espagnole continua de faire entrer dans son lit tous les hommes qu'on lui présentait et le récit de ses exploits amoureux fut bientôt colporté par la rumeur publique.

La *Chronique scandaleuse* s'en fit même l'écho. Dans son numéro d'avril 1791, on peut lire en effet « que Mme de Fontenay se donne complètement et avec ivresse à tous les familiers de sa maison ». Le *Journal de la cour et de la ville* surenchérit, donnant des détails fort scabreux, et tout Paris fut bientôt au courant « des moindres mouvements de croupe de la belle marquise de Fontenay », comme dit un mémorialiste badin.

A l'automne 1792, la guillotine fit soudain peur à Thérésia. Le fait d'avoir troqué son titre de marquise contre celui de citoyenne Fontenay ne lui parut pas suffisant pour se sentir en sécurité. Le 5 brumaire, une nouvelle précisa le danger : la Convention venait de signer un arrêté ordonnant l'incarcération des « ci-devant conseillers au Parlement qui n'avaient pas montré des opinions révolutionnaires ». M. de Fontenay était menacé.

Affolés, les époux décidèrent de quitter Paris avec leur fils âgé de trois ans. Après mille démarches, ils obtinrent un passeport, et, le 3 mars 1793, partirent aussitôt pour Bordeaux où Thérésia comptait retrouver son oncle, le galant Maximilien Galabert, qui l'avait rendue femme en sa douzième année...

A peine arrivé, le ménage, qui depuis longtemps était désuni, se disloqua. Le 25 avril, le divorce fut prononcé et, tandis que Jean-Jacques de Fontenay émigrait, Thérésia, reprenant son nom de Cabarrus, se lança dans de nouvelles aventures amoureuses.

La première fut assez singulière.

A Bordeaux, la jeune femme avait retrouvé ses frères, dont elle était séparée depuis 1788. L'aîné était un beau garçon de vingt et un ans, aux épaules larges et aux yeux brûlants. Il trouva sa sœur ravissante : elle le trouva désirable. Tous deux avaient le même sang, la même habitude de suivre leurs instincts...

Leur premier baiser manqua de chasteté.

Ayant, le soir même, repris goût aux plaisirs de l'inceste, elle regretta de n'avoir point quelques cousins pour organiser de joyeuses réunions familiales ; mais elle revint bien vite vers des amours plus normales en devenant la maîtresse d'un boulanger et de ses deux mitrons...

Au mois de juillet, la jeune femme décida de faire un voyage à Bagnères avec l'oncle Galabert, son frère et deux amis qui étaient amoureux d'elle : Édouard de Colbert et Auguste de Lamothe.

Quatre hommes ne constituaient point pour Thérésia de trop copieuses provisions de voyage.

Hélas ! comme chacun jalousait les autres, les choses ne tardèrent pas à s'envenimer. Un soir, le groupe s'arrêta dans une auberge où il n'y avait que trois chambres. Aussitôt, l'oncle décida que la première serait occupée par Thérésia, la seconde par les domestiques et la troisième par les hommes. On plaça donc quatre matelas par terre, au milieu de cette pièce, et chacun s'installa. Or, depuis quelques jours, Thérésia semblait montrer une préférence pour Auguste de Lamothe, et les trois autres se méfiaient.

Écoutons le récit de cette nuit mouvementée, conté par le héros lui-même, le bel Auguste :

« Je remarquai une sorte d'alliance entre Édouard de Colbert, Cabarrus (le frère) et Galabert. Ce soir-là, on me plaça de manière que je sois entouré des trois autres : ceci avait une raison.

» Depuis que le voyage avait commencé, nous avions trouvé le moyen de nous réunir, Mme de Fontenay et moi, c'est-à-dire que j'avais obtenu la permission de lui dire que je l'aimais, et elle m'écoutait sans colère. Ce même soir, nous devions enfin nous entendre mutuellement, car je croyais, je sentais qu'elle m'aimait, et, cependant, je me désespérais, car elle ne faisait encore que m'écouter ; aussi, lorsque je me vis ainsi entouré, il me prit un vertige causé par la colère, qui me fit perdre toute pensée de retenue, et je résolus de parler à Thérésia ou de tuer tout ce qui y mettrait obstacle. J'avais de fort bons pistolets ; ils étaient chargés et toujours auprès de mon lit, mais le bruit aurait pu l'effrayer. Je pris avec moi, dans mon lit, un grand couteau à découper que je trouvai sur la table où nous avions soupé et que j'emportai avec moi sans que l'on s'en aperçût. Nous nous couchâmes. Avant de faire une tentative pour me lever et passer au milieu de tous ces corps qui semblaient s'entendre pour me barrer le passage, je voulais m'assurer que tous sommeillaient.

» Au bout d'une heure, mes gardiens étaient endormis, alors je me levai. Mais lorsque je voulus me chausser, je ne trouvai ni souliers ni bottes. Cabarrus (frère) avait tout fait emporter, sur le conseil d'Édouard de Colbert.

» Je ressentis une telle colère que si, dans ce moment, l'un d'eux s'était éveillé, je lui aurais donné un coup de couteau ou lui aurais cassé la tête, mais ils ne bougèrent pas. Cette mesure m'explique leur sécurité et pourquoi ils s'étaient endormis si paisiblement. Je ne voulus pas leur donner cause gagnée et je passai au milieu d'eux avec des précautions dont le détail vous amuserait, et j'allai trouver celle qui m'attendait...

» ... A mon retour dans notre chambre, Édouard de Colbert, qui s'était réveillé, me parla sur un ton qui me déplut. Nous nous battîmes à l'heure même, et j'eus le bonheur de recevoir un coup d'épée. Je dis "le bonheur", car, sans ce coup d'épée, je n'aurais jamais peut-être appris combien j'étais aimé : Mme de Fontenay, au désespoir de ma blessure, qu'elle croyait encore plus dangereuse, se mit à mon chevet, déclara à son frère et à son oncle qu'elle serait ma seule garde, qu'elle était ma maîtresse et prétendait agir à sa guise.

» Thérésia et moi, heureux comme on l'est quand on s'aime et qu'on est libre, passâmes le temps de ma convalescence dans le plus beau pays, ressentant au cœur une joie qui n'a plus de pareille dans le reste de la vie... [185] »

Tandis que Thérésia filait le parfait amour avec Auguste de Lamothe, Bordeaux était agité par une belle fièvre révolutionnaire. On s'armait de piques, de fusils, de pistolets, on se rassemblait pour crier « Mort aux tyrans », on débaptisait les rues, on jetait des œuvres d'art par terre en chantant le « Ça ira », on incendiait les presbytères, on décapitait les statues gallo-romaines, on pendait les fonctionnaires, on déterrait de vieux cadavres d'aristocrates pour leur cracher au visage,

185. Duchesse d'Abrantès, *Histoire des salons de Paris*.

on allait en groupe uriner contre les églises, bref, on préparait dans l'enthousiasme et la grandeur une France nouvelle.

Naturellement, les Bordelaises, semblables à toutes les femmes de France, étaient atteintes du virus politique.

« On voyait, écrit Aurélien Vivie, les épouses abandonner leur ménage, les soins à donner à leurs enfants et aux affaires domestiques pour se réunir sur les places publiques où les plus audacieuses haranguaient la foule ébahie et parlaient sur toutes les questions à l'ordre du jour avec une volubilité qui émerveillait les auditeurs. C'était un spectacle à la fois risible et déplorable [186]. »

Bientôt ces charmantes personnes fondèrent un club baptisé « Les Amies de la Constitution ». On les vit alors, munies de piques et de fusils, faire l'exercice sur les places publiques en criant :

— A mort la vermine empoisonnée !...

Cette curieuse insulte s'adressait au clergé réfractaire qui énervait les fougueuses sans-culottes de la Gironde. Certaines préconisaient des solutions fort bizarres pour se débarrasser des prêtres anticonstitutionnels.

— Je voudrais, disait, par exemple, la citoyenne Lée, fille de bas étage, que tous les départements fissent la dépense d'embarquer tous les curés pour les vendre au roi du Maroc...

Lequel en eût été, probablement, bien embarrassé...

Or, brusquement, en juin 1793, toutes ces ardentes révolutionnaires apprirent une nouvelle qui les stupéfia : les députés girondins venaient d'être arrêtés à Paris...

Cette décision causa une émotion considérable à Bordeaux où les révolutionnaires, prenant naturellement le parti de leurs représentants, se déclarèrent immédiatement contre Robespierre. Brandissant les piques qui étaient, la veille, destinées aux aristocrates, ils annoncèrent leur intention de former une nouvelle Convention nationale à Bourges, et de s'insurger contre la dictature parisienne.

Aussitôt, d'autres départements imitèrent la Gironde et se soulevèrent, décidés à arrêter la Révolution et à écraser Paris.

La vieille rivalité qui a toujours existé entre les villes de province et la capitale allait donner naissance à ce mouvement que l'on appela « Fédéralisme ». Près des deux tiers de la France se déclarèrent contre la Convention. Les paysans des Cévennes arborèrent le drapeau blanc, comme ceux de la Vendée. A Bordeaux, aucune des lois décrétées par la Convention ne fut plus exécutée. A Caen, à Lyon, à Marseille, les fleurs de lys reparurent. La cause de la Révolution semblait perdue.

Alors, Robespierre et ses amis prirent peur et envoyèrent dans toutes les villes insurgées des commissaires investis de pouvoir étendus.

Bordeaux reçut le plus sanguinaire, le plus violent, le plus dénué de scrupules.

186. AURÉLIEN VIVIE, *Histoire de la Terreur à Bordeaux*, 1877.

Il s'appelait Jean-Lambert Tallien.

Cet ancien ouvrier imprimeur s'était signalé par tant d'actes de cruauté, lors des massacres de Septembre, que la Convention, admirative et reconnaissante, lui avait donné, à vingt-six ans, un siège au Comité de Sûreté générale.

C'est à ce titre qu'il avait été désigné pour réprimer l'agitation antirévolutionnaire de la Gironde.

Doué d'un talent oratoire très limité — les propos fades qui tombaient de sa bouche l'avaient fait surnommer « robinet d'eau tiède » — il ne chercha pas à convertir les Bordelais par un discours : dès son arrivée, il fit installer la guillotine sur la place Nationale et condamna à mort tant de suspects qu'au bout de trois jours le bourreau, harassé, demanda grâce...

Les Bordelais, terrifiés, s'enfermèrent dans leurs maisons. Pour les forcer à sortir de chez eux, Tallien décida d'incendier une partie de la ville. Fort heureusement, Brune empêcha la réalisation de ce projet navrant.

Alors, le commissaire de la Convention fit perquisitionner jour et nuit, arrêter tous les suspects et, nous dit un mémorialiste, « les têtes tombèrent comme des pommes un jour de grand vent d'automne »...

Insensible au chagrin, au courage, à la générosité des amis ou des parents de ses victimes, Tallien, le 25 octobre, alla jusqu'à faire apposer sur les murs une affiche ainsi libellée :

« Les citoyennes ou autres individus qui viendraient solliciter pour les détenus, ou pour obtenir quelque grâce, seront regardés et traités comme suspects. »

Or, malgré cet avertissement, le 13 novembre, alors que toute la ville tremblait de peur, le Comité de surveillance reçut une pétition demandant la levée des scellés apposés dans l'hôtel de la veuve de Boyer-Fonfrède, un Girondin guillotiné à Paris le 31 octobre précédent.

Tallien et ses acolytes furent stupéfaits. Qui donc osait les braver ainsi en pleine Terreur ?

— C'est une femme, dit Chaudron-Rousseau, second commissaire.

— Son nom ? demanda Tallien.

— Il s'agit d'une certaine citoyenne Cabarrus.

C'était en effet Thérésia qui, avec l'insouciance de ses vingt ans et son audace habituelle, intervenait pour une amie.

Tallien, grand coureur de jupons, connaissait la réputation galante de la ci-devant marquise. Aussi la convoqua-t-il sur-le-champ.

Deux heures plus tard, un peu inquiète, Thérésia arrivait au Comité de surveillance. Lorsqu'elle pénétra dans le bureau de l'homme qui faisait trembler Bordeaux, elle ne put s'empêcher de pousser une exclamation. Tallien, qui l'avait reconnue lui aussi, sourit.

— Je crois que nous nous sommes déjà rencontrés, dit-il.

— Je crois, en effet, répondit la jeune femme, soudain rassérénée.

Alors, le commissaire se montra entreprenant, et, comme Thérésia n'était pas femme à laisser passer une occasion de se faire trousser, les choses furent menées assez rondement.

Une heure après cet entretien, au cours duquel « robinet d'eau tiède » n'avait pas eu à faire de gros efforts d'éloquence, Thérésia rentra chez elle ayant obtenu satisfaction sur tous les plans. Tallien, en effet, lui avait promis de faire lever les scellés dans les appartements de Mme Boyer-Fonfrède.

Ravi d'avoir fait la connaissance d'une femme aussi belle, Tallien retrouva Thérésia, dès le lendemain, dans un endroit plus confortable que son bureau de représentant de la Convention. Par la suite, il alla chaque soir oublier avec elle, pendant quelques instants, l'existence de Robespierre, de la Convention, de la guillotine, et même de la République une et indivisible...

Hélas ! comme le dit pertinemment la sagesse des nations, les heureux font toujours des jaloux. Un jour, un mouchard écrivit au Comité de salut public :

Nous dénonçons le nommé Tallien, représentant du peuple, pour avoir des liaisons intimes avec la nommée Cabarrus, femme divorcée de l'ex-noble Fontenelle (sic), qui a tant d'influence sur son esprit qu'elle est la protectrice de sa caste, nobles financiers et accapareurs. Si cette femme reste plus longtemps auprès de Tallien, la représentation nationale va tomber dans le discrédit qui, au contraire, a le plus grand besoin de jouir de la confiance du peuple.

Tallien fut-il informé de cette dénonciation ? Sans doute, car lui aussi avait ses espions à Paris. Craignant d'être rappelé, il cacha soigneusement sa liaison, et l'on put croire que les deux amants avaient rompu.

Les choses devaient se compliquer brusquement : un soir de décembre, la jeune femme fut arrêtée dans la rue par des gendarmes qui lui demandèrent la carte de sûreté dont tout bon patriote devait être muni. Ne possédant pas ce précieux papier, Thérésia fut conduite au fort du Hâ et incarcérée.

Cette fois, Tallien allait être obligé d'avouer publiquement ses sentiments...

Dès qu'elle se trouva enfermée dans le cachot où les agents du Comité de surveillance l'avaient conduite sans grands ménagements, Thérésia écrivit à son amant.

Le gardien à qui elle remit sa lettre, subjugué par la beauté de sa prisonnière, promit de la faire parvenir sans délai au commissaire de la Convention.

Une heure plus tard, Tallien la lisait dans son bureau de la Maison Nationale.

Très ennuyé, car il craignait un scandale, il joua une comédie dont personne, d'ailleurs, ne fut dupe.

— Je ne sais ce que me veut cette femme, dit-il en montrant la lettre à ses collaborateurs. Mais je crois utile d'aller lui rendre visite.

Et, revêtant sa longue redingote de gros drap bleu, barrée de l'écharpe tricolore, coiffant son grand chapeau militaire surmonté du haut panache, il boucla son ceinturon où pendait un sabre et partit pour la forteresse, accompagné de deux gendarmes.

Au fort du Hâ, le groupe fut escorté par un porte-clefs qui ouvrit la porte du cachot.

En voyant paraître Tallien, Thérésia respira. Mais le commissaire avait les sourcils froncés :

— Tu as demandé à me voir, citoyenne ?

Thérésia comprit et répondit sur le même ton :

— Oui, citoyen, pour me justifier... Car on ne peut suspecter mon civisme. De plus, j'ai des révélations à te faire...

Tallien se tourna vers ses compagnons :

— Laissez-nous, je vais entendre cette femme.

Les gendarmes et le porte-clefs sortirent, laissant les deux amants dans la cellule.

Au bout d'un quart d'heure, les trois hommes qui attendaient dans le couloir, surpris de ne pas entendre d'éclats de voix, allèrent coller leur oreille contre la porte. Ce qu'ils perçurent ressemblait fort peu à un interrogatoire.

Thérésia et Tallien, en effet, étaient en train de connaître des minutes extatiques sur la paille humide du cachot [187]...

L'ex-marquise sortit de prison le soir même, le commissaire, bon enfant, ayant affirmé qu'elle était une vraie sans-culotte... Mais elle ne s'installa pas chez Tallien, comme certains historiens le prétendent.

Discrète, elle retourna chez elle, à l'hôtel Franklin, où l'attendaient son fils et ses domestiques.

Dans les semaines qui suivirent, sa liaison avec Tallien devint pourtant quasi officielle. On les vit à la Maison Nationale, dans les rues, en voiture. Ils ne se cachèrent plus.

Tout Bordeaux sut donc bientôt que la belle Espagnole partageait la couche du commissaire, et celui-ci en fut très fier. Ce fils de domestiques savourait, en effet, comme une espèce de revanche, le fait de posséder une marquise...

Les sentiments de celle-ci étaient différents. Gastine nous dit : « Dans le lit de Tallien, dans ses bras, elle répond assurément à ses étreintes : elle est essentiellement vibrante... Mais elle ne l'aime pas. Il n'exerce sur elle aucune attirance. En chacune de leurs « entrevues intimes », elle doit vaincre d'abord sa répugnance pour se mettre à son diapason. C'est le dur métier d'une prostituée de bas étage qu'elle fait pour sauver cette beauté dont elle est si fière. »

---

187. GASTINE, dans son style particulier, écrit à ce propos : « Les lèvres goulues du proconsul issu de larbins ont assurément savouré la grisante caresse des lèvres de la future Mme Tallien. » *(La Belle Tallien.)*

Un jour, elle dira de lui :
— Quand on traverse la tempête, on ne choisit pas toujours sa planche de salut...

Cette planche de salut, Thérésia, avec son insouciance habituelle, faillit la lâcher pour un bel homme dont elle aimait les manières douces à la ville et les manières fortes au lit : le futur maréchal Brune, qui s'avisait de marcher sur les brisées du commissaire [188]...

Tous les jours, le fougueux militaire montait à l'assaut de la citoyenne Cabarrus qui se laissait investir par toutes les brèches...

Naturellement, Tallien ne tarda pas à apprendre l'existence de ce rival. Décidé à s'en débarrasser définitivement il envoya à Paris un long rapport qui démontrait l'inutilité d'une armée à Bordeaux.

La Convention, faisant confiance à son représentant, signa un décret en date du 20 frimaire an II (10, décembre 1793) supprimant l'État-Major de l'armée qui se trouvait dans le département du Bec-d'Ambès [189].

Et Brune, fort marri, dut quitter sa chère Thérésia...

Tallien, débarrassé de ce fâcheux, voulut prouver à ceux qui critiquaient sa liaison que la citoyenne Cabarrus était une bonne révolutionnaire. Il organisa, le 30 décembre, une fête de la Raison au cours de laquelle un discours sur l'*Éducation*, écrit par sa maîtresse, fut lu en public.

Le succès fut complet ; non pas tellement à cause du texte que les auditeurs écoutèrent d'une oreille distraite, mais grâce à Thérésia elle-même, que tout le monde lorgnait.

Il faut dire que la fine mouche avait tout fait pour être le point de mire de l'assistance. « Elle portait, nous dit la duchesse d'Abrantès, un habit d'amazone en casimir gros bleu, avec des boutons jaunes et le collet et les parements en velours rouge. Sur ses beaux cheveux noirs, alors coupés à la Titus et bouclés tout autour de sa tête, dont la forme était parfaite, était posé, un peu de côté, un bonnet de velours écarlate bordé de fourrure. Elle était admirable de beauté dans ce costume [190]. »

Dès lors, la liaison de Tallien et de Thérésia fut acceptée par tous, et l'ex-marquise de Fontenay afficha publiquement son intimité avec le représentant de la Convention. « On la voyait presque chaque jour, nous dit Aurélien Vivie, en compagnie du proconsul et, nonchalamment étendue dans sa calèche, parcourir la ville dans des atours pleins de coquetterie et gracieusement coiffée du bonnet rouge [191]. »

188. Brune n'avait alors que le grade de général et commandait l'armée révolutionnaire de Bordeaux.
189. C'était le nom que la Convention avait donné à la Gironde après l'arrestation des Girondins.
190. Duchesse d'Abrantès, *Mémoires*.
191. Aurélien Vivie, *Histoire de la Terreur à Bordeaux*.

Parfois la jeune femme s'amusait, aux côtés de son amant, à personnifier la Liberté. Elle allait alors en voiture découverte, affublée d'un bonnet phrygien, « tenant une pique d'une main et mettant l'autre sur l'épaule du *représentocrate* Tallien » [192].

Ces cavalcades avaient sur Thérésia de très curieux effets. Elles émouvaient ses sens... Ayant représenté la Liberté, n'était-il pas normal après tout qu'elle désirât prendre les attitudes les plus libres ?... A peine rentrée dans son hôtel, elle quittait son péplum et paraissait nue aux yeux exorbités de Tallien qui jetait alors sa redingote sur un fauteuil, retirait son bel uniforme et — très simplement — se moquait des conventions...

On a raconté beaucoup de choses fausses sur les relations amoureuses de Thérésia et de Tallien à Bordeaux. Certains historiens ont prétendu, par exemple, que les amants se retrouvaient à la Maison Nationale, où habitait le commissaire de la Convention, et « aimaient à s'éjouir sur un grand lit » au moment même où l'on exécutait des aristocrates. La guillotine étant installée sous les fenêtres mêmes de Tallien, les ébats auraient été accompagnés, aux dires de ces auteurs, par les cris des victimes, les coups sourds du couperet et les couplets du *Ça ira...*

« Dès que le bourreau recevait un condamné, écrit l'un d'eux, les deux amants commençaient leur duo et Tallien s'ingéniait à déposer son pollen révolutionnaire sur le pistil de Thérésia, à l'instant précis où la tête était séparée du tronc.

» — A la mort de chaque royaliste, disait-il alors avec emphase, nous devons engendrer un petit républicain [193]. »

Et cet historien, qui omet, bien entendu, de citer ses sources, ajoute qu'après l'amour les deux amants chantaient souvent, par manière de plaisanterie, une curieuse parodie de *la Marseillaise*, dont voici le premier couplet :

> *Ô toi, céleste guillotine,*
> *Tu raccourcis reines et rois,*
> *Par ton influence divine,*
> *Nous avons reconquis nos droits* (bis).
> *Soutiens les lois de la patrie,*
> *Et que ton superbe instrument*
> *Devienne toujours permanent*
> *Pour détruire une secte impie.*

> *Aiguise ton rasoir pour Pitt et ses agents.*
> *Remplis* (bis)
> *Ton divin sac des têtes des tyrans.*

Le second couplet avait ce refrain inattendu :

192. *Mémoires* de SÉNART, agent du gouvernement révolutionnaire, publiés par Alexis Dumesnil, 1834.
193. ARSÈNE PRIVAT, *Tallien et la Terreur à Bordeaux.*

Aux armes, couples heureux ! Forgez votre destin !
Neuf mois (bis)
Et donnez-nous un fier républicain [194]...

Tout cela est amusant, mais absolument faux. Thérésia désapprouvait trop les décapitations ordonnées par le Comité de surveillance pour en user comme d'un aphrodisiaque. La preuve en est qu'un jour, se trouvant par hasard chez son amant au moment où la guillotine fonctionnait, elle s'emporta :

— Je ne veux plus voir cela, dit-elle, en montrant la sinistre machine.

— Eh bien ! répliqua le proconsul, j'irai habiter votre hôtel.

— Non. Je reviendrai ici. Ce n'est pas vous qui devez partir, c'est l'échafaud [195].

Thérésia et Tallien ne furent donc pas les sadiques, les désaxés sexuels que l'on a voulu parfois présenter.

Mais s'ils n'ont pas mêlé les victimes de la Terreur bordelaise à leurs jeux galants, les deux amants n'ont pas eu pour autant une attitude irréprochable à l'égard de celles-ci.

Trop sains pour en tirer du plaisir, ils en tiraient profit...

A ce moment, Tallien et ses acolytes avaient organisé un trafic fort rentable : moyennant une somme rondelette dont le montant variait suivant leurs besoins, ils libéraient les détenus promis à la guillotine.

Ceux qui ne pouvaient payer étaient naturellement décapités. Wallon, par exemple, cite le cas de J.-B. Dudon, ancien procureur général du parlement de Bordeaux, que sa femme essaya de sauver à prix d'or. « Elle alla solliciter Rey, l'affilié de Lacombe et son entremetteur dans le marché qu'il faisait des têtes soumises à son jugement. Lacombe demandait deux mille louis : elle lui en donna cent. Elle n'en avait pas davantage.

» — Eh bien ! il est f..., dit Lacombe.

» Et il le condamna après avoir partagé les cent louis avec Rey [196]. »

Connaissant ces mœurs, Thérésia pensa qu'elle pouvait utiliser son influence sur Tallien pour créer un petit commerce rentable et faire quelques économies. Elle organisa donc, dans son hôtel, un « Bureau de grâces » que Sénart présente ainsi dans ses *Mémoires* :

« La Cabarrus avait chez elle un bureau dans lequel on vendait les grâces et les libertés, et où l'on traitait à des prix excessifs ; pour racheter leur tête, les riches payaient avec empressement des 100 000 livres ; l'un d'eux, ayant eu la faiblesse de s'en vanter, fut repris le lendemain et guillotiné tout de suite [197]. »

Tout le monde ne commettait pas l'imprudence de ce malheureux ; et de nombreux aristocrates obtinrent des grâces et des passeports pour

194. Ces couplets sont du citoyen Sylvain Maréchal.
195. Arsène Houssaye, *Notre-Dame de Thermidor.*
196. Wallon, *Les représentants du peuple en mission.*
197. Sénart, *Mémoires.*

l'étranger par l'entremise de la jolie citoyenne. Dès huit heures du matin, les parents des condamnés faisaient queue dans le salon de l'hôtel Franklin. En voyant apparaître Thérésia, ils se jetaient à genoux et demandaient humblement ce qu'il fallait verser pour empêcher l'exécution d'un fils, d'une mère ou d'un mari... Devant tant de détresse, tant de douleur, tant de deuils, la jeune femme finit par être prise de compassion. Abandonnant tout trafic, elle usa, dès lors, de son pouvoir pour sauver — gratuitement — le plus de monde possible.

Chaque soir, elle allait trouver Tallien avec un dossier de lettres suppliantes, et lui démontrait l'horreur des massacres qu'il préparait. Caressante — de la parole et du geste — elle obtint ainsi, entre deux étreintes, toutes les grâces qu'elle désirait...

Finalement, la guillotine fut démontée, et Bordeaux respira. L'ex-marquise avait arrêté la Terreur.

Sur ce point, tous les historiens sont d'accord. Écoutons Mahul :

« L'empire que cette créature prit sur Tallien modéra sa fougue révolutionnaire et l'amena insensiblement à l'heureuse disposition qui devait lui faire racheter, autant qu'il pouvait être possible, les crimes de sa vie passée [198]. »

Lacretelle précise : « Les familles éplorées eurent souvent recours, avec succès, à une intercession qu'on voyait chaque jour plus puissante sur le cœur de Tallien [199]. »

Lamartine est du même avis, mais dans un style particulier : « C'est une de ces femmes dont les charmes sont des puissances, et dont la nature se sert, comme de Cléopâtre ou de Théodora, pour asservir ceux qui asservissent le monde, et pour tyranniser l'âme des tyrans... [200] »

Prudhomme est également catégorique : « Elle (Thérésia) est parvenue à adoucir la férocité de son futur époux. A peu près comme l'on apprivoise un jeune tigre, elle eut l'art de le détourner de ses occupations sanguinaires [201]. »

Enfin, Fleischmann écrit à son tour : « Grâce à Thérésia, l'échafaud connut des jours de relâche, la moisson des têtes coupées diminua, la clémence régna dans Bordeaux. Sur la belle poitrine soulevée de Thérésia, Tallien oubliait la tâche que lui avait confiée le Comité de salut public. L'amour lui fit dédaigner la politique [202]. »

Après avoir arrêté la guillotine, Thérésia pensa qu'il convenait de faire améliorer le sort des pauvres gens qui croupissaient dans les prisons.

Un soir, alors que Tallien reprenait son souffle après une joute où

---

198. Mahul, *Annuaire nécrologique.*
199. Lacretelle, *Précis historique de la Révolution française,* 1810.
200. Lamartine, *Histoire des Girondins.*
201. Prudhomme, *Histoire générale et impartiale des erreurs, des fautes et des crimes commis pendant la Révolution française,* Paris, 1797.
202. Fleischmann, *Les secrets de la Terreur.*

elle avait donné avec beaucoup d'allant le meilleur d'elle-même, la jeune femme plaida la cause des prisonniers.

Le commissaire de la Convention, anéanti de volupté, promit. Cinq jours plus tard, lors de la séance d'installation du nouveau Comité de surveillance, il prononça un discours dont ses amis s'étonnèrent :

« Du régime des prisons, dit-il en substance, seront désormais bannies toutes ces mesures d'une inutile *rigidité*, et les parents et amis des prévenus pourront leur envoyer toutes les douceurs, toutes les consolations que la nature et l'humanité commandent. »

Dès lors, les détenus du fort du Hâ eurent une vie moins pénible. Sachant qu'ils devaient ce nouveau régime à Thérésia Cabarrus, ils lui rendirent hommage. L'un d'eux composa même en son honneur une chanson un peu libre, qui se chantait sur l'air de *la Carmagnole*, et dont voici un couplet :

> *Beau sexe, il faut en convenir* (bis),
> *Toi seul daignas nous secourir* (bis).
> *D'un service si doux,*
> *Nous nous souviendrons tous,*
> *Nous saurons te le rendre,*
> *Oui, c'est un fait* (bis),
> *Nous saurons te le rendre*
> *Au petit trou du guichet !*

Rien ne pouvait faire plus plaisir à Thérésia que cette galante promesse...

31

Tallien renverse Robespierre par amour pour Thérésia Cabarrus

> Le 9 thermidor est le plus beau jour de ma vie puisque c'est un peu par ma petite main que la guillotine a été renversée.
>
> Mme TALLIEN

Pendant quelques mois, Tallien se désintéressa complètement des destinées révolutionnaires de Bordeaux pour se consacrer au corps adorable de Thérésia.

Dès cinq heures du soir, le commissaire de la Convention quittait son bureau d'un pas rapide. Son air soucieux, ses sourcils froncés auraient pu faire croire qu'il se rendait à une séance du Tribunal militaire. En réalité, il se dirigeait vers l'hôtel Franklin où l'ex-marquise, désinvolte comme à l'accoutumée, l'attendait nue sur un lit.

Leurs étreintes duraient parfois cinq ou six heures de suite. « Thérésia, nous dit Arsène Privat, était douée d'un tempérament exigeant. Il lui fallait parvenir à l'inconscience, à l'évanouissement, à la syncope, pour être heureuse. Bien souvent, un homme ne suffisait point à l'amener jusqu'à cet état. Elle avait alors recours à l'amabilité d'un voisin, d'un invité ou d'un passant pour suppléer au manque de forces de son amant attitré.

» Tallien, on le pense bien, ne tolérait l'aide de personne dans ce domaine. Il tenait à œuvrer seul. Belle fierté qui le conduisait parfois à exécuter des performances exténuantes et dignes de l'Antique.

» Après les joutes amoureuses, dont les figures étaient chaque fois plus savantes et plus compliquées, le valeureux amant tombait sur le bord de la couche, essoufflé, sans forces et l'œil éteint. Thérésia Cabarrus poussait alors son cri de guerre et, à coups de pied, à coups de griffes, à coups de dents, parvenait à rendre un peu de nerf au Conventionnel.

» Hélas ! il arrivait qu'à la huitième ou neuvième reprise, les efforts de l'ardente jeune femme fussent longs à produire leurs effets. Rendue furieuse par le désir, elle menaçait alors de faire confectionner une petite guillotine que, dans son délire lubrique, elle destinait à la virilité déficiente de son amant...

» Ces accès de colère, qui s'accompagnaient d'injures fort grossières, ne produisaient aucun effet sur le ressort intime de Tallien. Au contraire. Le pauvre semblait accablé. Plus le ton montait, plus les choses, de son côté, allaient en s'amenuisant. Finalement, l'ex-marquise, l'écume aux lèvres, rugissait, se roulait sur le tapis et se livrait à des excentricités illicites dont la vue rendait quelque vigueur au malheureux révolutionnaire qui donnait bientôt des signes d'intérêt.

» Immédiatement, Thérésia se précipitait et tirait profit de ces heureuses dispositions...

» Tallien, on le conçoit, sortait épuisé pour des heures de ces combats où il devait être à la fois le picador, le matador et le taureau, et son travail s'en trouvait un peu négligé... [203] »

Naturellement, Robespierre ne tarda pas à savoir que son commissaire, complètement sous le charme de Thérésia, délaissait la Cause. Des rapports secrets partaient, en effet, quotidiennement de Bordeaux vers le Comité de salut public pour dénoncer non seulement la conduite de Tallien, mais sa mansuétude à l'égard des aristocrates, ses exactions, ses tripotages et sa vie luxurieuse avec une ci-devant.

Un jour, le commissaire apprit que la Convention le soupçonnait de « modérantisme ». Affolé, il envoya de longues lettres pour tenter de se justifier. Robespierre, qui n'admettait aucune faiblesse, répondit en annonçant qu'il allait faire effectuer une enquête à Bordeaux.

Tallien, se sentant perdu, pensa que le seul moyen de se tirer d'affaire était d'aller à Paris et de se défendre lui-même.

Il partit pour la capitale à la fin de février 1794, fort inquiet à la pensée de laisser sa maîtresse seule...

203. Arsène Privat, *Tallien et la Terreur à Bordeaux*.

La solitude de Thérésia ne fut pas de longue durée. Le lendemain, elle faisait entrer dans son lit Ysabeau, l'adjoint de Tallien.

Heureuse de profiter de sa liberté retrouvée, elle devint ensuite la maîtresse de Lacombe, président du Tribunal militaire, et de quelques autres qui, pour des raisons diverses, lui « donnaient des démangeaisons à l'écrevisse » [204].

D'extraordinaires orgies eurent alors lieu à l'hôtel Franklin, et l'émissaire envoyé par Robespierre pour enquêter sur l'état d'esprit des conventionnels délégués à Bordeaux fut un peu effaré lorsqu'il en apprit les détails.

Ce jeune homme, âgé de dix-neuf ans, s'appelait Marc-Antoine Jullien. Thérésia résolut de le circonvenir en employant les moyens qu'elle avait — si j'ose dire — sous la main.

Elle y parvint sans peine, et le candide garçon, qui était venu pour redonner aux Bordelais la foi républicaine, se retrouva, un soir, tout penaud mais ravi, dans le lit de Thérésia.

Les jours suivants, il revint à l'hôtel Franklin, et la maîtresse du proconsul, dont la fantaisie amoureuse était d'une richesse inépuisable, lui donna tant de plaisirs nouveaux qu'il parut définitivement conquis.

Lorsqu'elle crut l'avoir sous sa dépendance, Thérésia, qui, depuis le départ de Tallien, ne se sentait pas en sécurité à Bordeaux, proposa au jeune homme de s'enfuir avec elle en Amérique.

Jullien était un pur révolutionnaire. « Les délices du corps de Thérésia ne lui faisaient point oublier son devoir [205]. » Il feignit d'accepter la proposition qu'on lui faisait, mais dépêcha à Paris un rapport sur sa maîtresse. Écoutons Sénart : « Ce *** [206] avait envoyé au Comité de sûreté générale une copie de la lettre que la prostituée Cabarrus lui avait écrite, et dans laquelle elle l'invitait à passer dans l'Amérique septentrionale avec elle, parce qu'elle voulait fuir ce Tallien qui l'avait compromise ; elle lui offrait de partager avec lui sa fortune, qui serait plus que suffisante pour eux deux [207]. »

En apprenant cette tentative de « séduction de fonctionnaire », Robespierre entra dans une violente colère. Il y avait longtemps que la citoyenne Cabarrus l'agaçait. Il savait fort bien qu'elle était à l'origine de la transformation de Tallien, il savait qu'elle rendait doux comme des agneaux les conventionnels les plus féroces, il savait qu'Ysabeau et Lacombe commençaient à être sous son influence ; il décida d'en finir avec cette femme dangereuse pour la Révolution.

La faire arrêter à Bordeaux ? Elle avait dans cette ville trop d'amis, trop d'amants, pour que cela fût possible.

Il fallait, pour la jeter en prison d'abord, et la diriger sur la guillotine ensuite, l'obliger à venir à Paris.

Comment ?

Robespierre réfléchit et trouva un moyen. Il rédigea, le 27 germinal

204. Arsène Privat, *op. cit.*
205. Pierre Albin, *Mme Tallien et ses amoureux.*
206. Ces prudents astérisques remplacent, bien entendu, le nom de Jullien.
207. Sénart, *Mémoires.*

an II (16 avril 1794), une loi qui chassait les ci-devant nobles de toutes les cités maritimes et frontières, donnant comme raison « que les personnes visées par cette loi pouvaient favoriser secrètement, dans les villes désignées, les entreprises royalistes poursuivies par l'étranger ».

Thérésia, ex-marquise de Fontenay, dut quitter Bordeaux sur-le-champ.

Elle le fit en compagnie d'un jeune — mais vigoureux — amant de quatorze ans, nommé Jean Guéry, qui lui consacrait l'exclusivité de ses forces juvéniles et, nous dit-on, « calmait chez elle à chaque étape l'énervement spécial que produisaient en son « corbillon » le balancement de la diligence et les cahots de la route »...

Ils se dirigèrent vers Orléans. Or, à quelques lieues de Blois, il se passa une scène que l'avenir devait rendre piquante. « Il y avait, nous dit Louis Sonolet, un relais au bourg de la Chaussée-Saint-Victor. Quittant un instant la diligence, Thérésia s'était assise sur la branche transversale d'une croix à hauteur d'homme, qui se dressait sur le chemin. Un jeune homme la contemplait, admirant sa beauté, la grâce de sa pose. A la fin, il s'approcha de l'exquise voyageuse et lui demanda avec la plus parfaite courtoisie si elle n'avait pas besoin de se rafraîchir. Ce jeune homme était le comte Joseph de Caraman, dont le père, marquis de Caraman, était propriétaire du château de Ménars, l'un des plus importants de la région. La fugitive accepta l'offre gracieuse. Onze ans plus tard, c'était la main de l'aimable comte qu'elle devait accepter. A cette époque, une croix d'imposantes dimensions fut érigée en action de grâces à la place où elle était assise, consacrant la première rencontre des futurs époux [208]. »

Le destin se plaisait décidément à faire entrevoir à Thérésia les hommes qui devaient jouer, bien longtemps après, un rôle dans sa vie...

Après une halte de quelques jours à Orléans, la citoyenne Cabarrus et son jeune amant arrivèrent à Paris le 20 mai.

Robespierre se frotta les mains. Il tenait son ennemie.

Sans perdre une minute, il prit l'arrêté suivant : « Le Comité de salut public arrête que la nommée Cabarrus, fille d'un banquier espagnol et femme d'un nommé Fontenay, ex-conseiller au Parlement de Paris, sera mise sur-le-champ en état d'arrestation et mise au secret et les scellés apposés sur ses papiers. Le jeune homme qui demeure avec elle et ceux qui seraient trouvés chez elle seront pareillement arrêtés. »

Quelques jours plus tard, Thérésia était conduite à la prison de la Petite-Force.

Robespierre crut être à tout jamais débarrassé de cette « dangereuse femelle ».

Il venait, en fait, de signer l'arrêt de mort de la Révolution.

208. Louis Sonolet, *Madame Tallien.*

Tandis que Thérésia tremblait de peur dans sa cellule — car une incarcération, en mai 1794, constituait la première étape vers la guillotine — Tallien faisait mille démarches pour se protéger contre la colère de Robespierre.

Pendant tout le mois de juin, il se démena, rencontra des amis, fit jouer des relations, et, finalement, le 21 juin, obtint une victoire quasi inespérée. Lui, le suspect, fut élu président de la Convention pour quinze jours.

Robespierre devint fou furieux. Ayant en main le rapport de Julien prouvant les exactions de l'ex-proconsul de Bordeaux, il décida de répondre à l'adresse par la force. Dans un discours violent prononcé à la tribune de la Convention, il accusa Tallien d'avilir le Comité de salut public.

L'amant de Thérésia se vit déjà entre les mains du bourreau. Pâle, défait, il rentra chez lui, et, d'une écriture tremblante, écrivit une lettre fort plate à son ennemi. Le soir, n'ayant pas reçu de réponse, il se rendit courageusement au domicile de Robespierre. On ignore comment se passa l'entrevue, mais il est facile de l'imaginer en lisant ce texte de Barras, qui rendit visite, lui aussi, au charmant Jacobin :

« Robespierre était debout, enveloppé dans une espèce de chemise-peignoir : il sortait des mains de son coiffeur, sa coiffure achevée et poudrée à blanc. Les bésicles qu'il portait ordinairement n'étaient point sur son visage et, à travers la poudre qui couvrait cette figure déjà si blanche à force d'être blême, nous aperçûmes deux yeux troubles que nous n'avions jamais vus sous le voile des verres.

» Ces yeux se portèrent vers nous d'un air fixe et tout étonné de notre apparition. Nous le saluâmes à notre manière, sans aucune gêne, avec la simplicité des temps.

» Il ne nous rendit nullement notre salut, se tourna vers son miroir de toilette suspendu à la croisée donnant sur la cour, puis alternativement vers une petite glace destinée sans doute à orner la cheminée, mais qui ne la garnissait nullement ; il prit son couteau de toilette, racla la poudre qui cachait son visage, en respectant soigneusement les angles de sa coiffure ; il ôta ensuite son peignoir, qu'il plaça sur une chaise tout près de nous, de façon à salir nos habits, sans nous demander aucune excuse et sans même avoir l'air de faire attention à notre présence.

» Il se lava dans une espèce de cuvette, qu'il tenait à la main, se nettoya les dents, cracha à plusieurs reprises à terre sur nos pieds, sans nous donner aucune marque d'attention et presque aussi directement que Potemkine qui, comme on sait, ne se donnait point la peine de détourner la tête et, sans avertissement ni précaution, crachait à la face de ceux qui se trouvaient devant lui.

» Cette cérémonie achevée, Robespierre ne nous adressa pas la parole davantage... Il était et restait debout, sans nous offrir de nous asseoir...

Je n'ai rien vu d'aussi impassible dans le marbre glacé des statues ou dans le visage des morts déjà ensevelis...

» Voilà quelle fut notre entrevue avec Robespierre. Je ne puis l'appeler un entretien, puisqu'il n'ouvrit pas la bouche ; il se pinça seulement les lèvres déjà fort pincées, sous lesquelles j'aperçus une espèce de mousse bilieuse qui n'était nullement rassurante [209]. »

Après une entrevue de ce genre, Tallien ne retrouva pas son calme. Au contraire...

L'ex-proconsul ne tremblait pas seulement pour lui. Il pensait avec angoisse à Thérésia dont la situation était beaucoup plus périlleuse encore que la sienne. Depuis que Robespierre avait fait voter la terrible loi de Prairial, la guillotine fonctionnait sans arrêt, et toute personne emprisonnée devait nécessairement y être conduite.

Grâce à sa mère qui habitait le Marais, Tallien réussit à louer une mansarde, 17, rue de la Perle, à deux pas de la Petite-Force. De là, il espérait apercevoir sa bien-aimée à l'heure de la promenade des prisonniers.

Hélas ! les murs étaient trop hauts, et il n'y parvint pas. En revanche, il se créa des intelligences dans la place : par l'intermédiaire d'un gardien, il put faire savoir à Thérésia qu'il veillait sur elle. Chaque jour, en effet, malgré son état de demi-suspect, il multipliait les démarches pour la faire libérer avant qu'elle ne fût citée devant le Tribunal révolutionnaire.

Cette comparution, il le savait, équivalait à un arrêt de mort. Il n'y avait plus alors ni instruction, ni interrogatoire, ni débats. Fouquier-Tinville, qui régnait en maître, s'était amusé à calculer qu'il pouvait, en faisant marcher les affaires rondement, envoyer soixante personnes par heure à l'échafaud...

Or les hommes politiques à qui Tallien allait demander aide pour son amie vivaient, eux aussi, dans la crainte d'être arrêtés ; tous, après avoir déploré la dictature de Robespierre, s'en tiraient avec des promesses. Et les jours passaient...

La Terreur était alors à son point culminant.

L'ex-proconsul, découragé, commençait à se laisser aller à sa mollesse habituelle lorsque, le 7 thermidor au soir, il trouva, glissé sous sa porte, ce mot que Thérésia avait réussi à lui faire passer :

De la Force, le 7 thermidor.

L'administrateur de police sort d'ici ; il est venu m'annoncer que demain je monterai au Tribunal, c'est-à-dire à l'échafaud. Cela ressemble peu au rêve que j'ai fait cette nuit. Robespierre n'existait plus et les prisons étaient ouvertes. Mais, grâce à votre insigne lâcheté,

209. BARRAS, *Mémoires.*

il ne se trouvera bientôt plus personne en France capable de réaliser mon rêve[210].

Ce billet cingla littéralement Tallien. Accusé de lâcheté, il résolut de montrer à sa maîtresse ce qu'il était capable de faire. Il réfléchit : le temps n'était plus aux démarches. Le lendemain, le surlendemain au plus tard, Thérésia serait condamnée à mort et conduite à la guillotine. Il fallait empêcher cette exécution.

Comment ?

En supprimant l'homme qui dirigeait la tuerie depuis des mois et faisait couler un fleuve de sang dans les rues de la capitale. Celui qu'on appelait l'Incorruptible...

Tallien prit un papier, écrivit : *Soyez aussi prudente que j'aurai du courage, mais calmez votre tête,* et courut porter ce mot au gardien de la Petite-Force qui le fit passer à Thérésia. Après quoi, il alla rencontrer secrètement quelques conventionnels qui partageaient sa haine pour le dictateur et les incita à la révolte.

— Il faut se débarrasser du tyran ! leur dit-il. Si vous voulez m'aider, nous respirerons bientôt librement.

Le lendemain, 8 thermidor, tandis que Robespierre, à la tribune, demandait l'épuration du Comité de sûreté générale et du Comité de salut public, menaçant du couperet tous ceux qui ne pensaient pas exactement comme lui, Tallien, aidé de Fouché, préparait la journée décisive.

Et ce fut le 9 thermidor...

En arrivant à l'Assemblée, Tallien avait un air décidé qui ne lui était pas habituel. L'image de Thérésia conduite devant Fouquier-Tinville le galvanisait. Rencontrant Goupilleau de Montaigu, il lui dit :

— Viens être le témoin du triomphe des amis de la liberté : ce soir Robespierre ne sera plus !

La séance s'ouvrit. Saint-Just monta à la tribune et lut un discours assez habile, dans lequel il dénonçait les ennemis du Comité de salut public, afin de rallier toute la Convention. Peut-être serait-il parvenu à détourner les esprits si Tallien ne l'avait interrompu. D'une voix tonitruante, l'amant de Thérésia réclama des accusations directes et qualifia les propos de Saint-Just d'« insinuations lâches ».

Cette interruption fut le signal des attaques. Billaud-Varennes se leva à son tour et traita Robespierre de révolutionnaire rétrograde...

Mis en cause, le dictateur bondit à la tribune. Accueilli aux cris de : « A bas le tyran ! » il ne put prononcer un mot. Alors, Tallien prit sa place et, de plus en plus agressif, brandit un poignard en criant :

— Citoyens représentants, je me suis armé d'un poignard pour percer le sein du nouveau Cromwell dans le cas où vous n'auriez pas le courage de le décréter d'accusation !

210. E. LAIRTULLIER, *Les femmes célèbres de 1789 à 1795 et leur influence dans la Révolution,* 1840.

Ce geste, qui eût paru insensé quelques jours auparavant, électrisa l'Assemblée qui applaudit Tallien à tout rompre.

Robespierre, blême, tenta de se faire entendre. S'adressant à Thuriot, qui occupait le fauteuil présidentiel, il s'écria :

— Pour la dernière fois, président d'assassins, je te demande la parole !...

— Tu l'auras à ton tour...

— Non ! non ! hurla la salle. A bas le tyran ! Hors la loi !...

Épuisé, ruisselant de sueur, Robespierre comprit qu'il était perdu. Il baissa la tête, et l'Assemblée vota l'arrestation.

Tallien respira. Thérésia était sauvée !

Quelques heures plus tard, l'Incorruptible se fracassait la mâchoire d'un coup de pistolet en tentant de se suicider[211], et, le lendemain, on le traînait à la guillotine...

Tallien, par amour pour sa maîtresse — qui sortit de prison le 12 — venait d'arrêter la Révolution[212]...

32

Une femme jalouse veut empoisonner Bonaparte

> Il y a plus de bonheur à donner qu'à recevoir.
>
> *Les Actes des Apôtres*

Le soir du 21 novembre 1787, une petite bise glaciale soufflait sous les arcades du Palais-Royal. Les jeunes personnes qui hantaient cet endroit et que l'on nommait, suivant l'humeur ou l'éducation, des gourgandines, des putains ou des blanchisseuses de tuyaux de pipe, marchaient pour se réchauffer.

De temps en temps, l'une d'elles accostait un passant, vantait ses spécialités, proposait des distractions voluptueuses telles que le chien gourmand, le papillon oriental ou la trompette japonaise, charmantes gâteries qui étaient alors à la mode.

Alléché, mais méfiant, l'homme demandait un devis. Après avoir discuté pour la forme, il se laissait finalement entraîner dans un escalier mal éclairé qui conduisait vers une chambre où tous les plaisirs promis lui étaient assez honnêtement administrés...

Vers onze heures, il n'y eut plus qu'une fille sous les arcades.

---

211. L'intervention du gendarme Merda tirant sur Robespierre est une légende inventée par Merda lui-même qui voulait laisser un nom dans l'Histoire...

212. La chute de Robespierre fut connue rapidement dans les prisons, car chacun s'ingénia à faire parvenir la nouvelle aux détenus. Andrieux l'apprit par ses filles d'une amusante façon. Elles allèrent se poster à un endroit où il pouvait les apercevoir et secouèrent vivement leurs robes pour attirer son attention. Puis, prenant chacune une pierre dans la main, elles se mirent à la baiser. Après quoi, elles firent le geste de se couper le cou. Andrieux, intrigué, finit par comprendre que cette bizarre pantomime signifiait : *Robe baise pierre est guillotiné...* Cf. LUCIEN PEREY, *La fin du XVIIIᵉ siècle*, et Mme DUCREST, *Mémoires sur l'impératrice Joséphine*.

Frissonnante, elle allait rentrer chez elle, lorsqu'un jeune lieutenant d'artillerie sortit de l'ombre. Petit, sec, maigrichon, son aspect n'avait rien d'aimable. Pendant quelques secondes, il eut l'air d'hésiter, et la fille pensa qu'il s'agissait d'un garçon gêné par sa vertu et curieux de choses galantes. Elle ne se trompait pas. Depuis quelque temps, cet officier imberbe et boutonneux était tourmenté par une virilité naissante et s'intéressait en cachette à toutes les manifestations de l'érotisme. Il aimait s'informer de la vie des entremetteuses, des courtisanes et des lesbiennes, lisait des ouvrages libertins, recherchait des recettes de volupté et, le soir, notait dans un cahier des renseignements sur « l'eau de pucelles », les « pastilles à la Richelieu destinées à donner de l'ardeur », ou sur les bons effets de la mouche cantharide...

Malgré cet intérêt pour les femmes, il était encore vierge à dix-huit ans et en souffrait.

Son physique ingrat n'était pas uniquement responsable de cet état navrant. Le jeune lieutenant avait un autre handicap : son nom. S'il ne s'était pas appelé Napoleone di Buonaparte, sans doute aurait-il connu, depuis longtemps déjà, les joies du « minou-minette » comme on disait alors ; mais dès qu'il se présentait toutes les filles éclataient de rire.

C'est pourquoi, en ce soir de novembre, toute honte bue, il était venu au Palais-Royal pour y rencontrer une de ces demoiselles caressantes et discrètes, qui savent donner du plaisir à un client sans lui demander son nom...

Voulant paraître un homme, il attaqua d'abord la prostituée sur son métier, puis, avec la brusquerie des timides, il lui demanda crûment comment elle avait perdu son pucelage. Après quoi, il alla perdre le sien...

Mais je crois qu'il vaut mieux laisser au jeune Bonaparte le soin de nous conter lui-même cette scène fameuse que tant d'historiens ont dénaturée...

« Jeudi, 22 novembre 1787, à Paris.
» Hôtel de Cherbourg, rue du Four-Saint-Honoré.

» Je sortais des Italiens et me promenais à grands pas sur les allées du Palais-Royal. Mon âme, agitée par les sentiments vigoureux qui la caractérisent, me faisait supporter le froid avec indifférence ; mais l'imagination refroidie, je sentis les ardeurs de la saison et gagnai les galeries. J'étais sur le seuil de ces portes de fer quand mes regards errèrent sur une personne du sexe. L'heure, sa taille, sa grande jeunesse, ne me firent pas douter qu'elle ne fût une fille. Je la regardai. Elle s'arrêta, non pas avec cet air grenadier, mais un air convenant parfaitement à l'allure de ma personne. Ce rapport me frappa. Sa timidité m'encouragea et je lui parlai... Je lui parlai, moi qui, pénétré plus que personne de l'odieux de son état, me crois toujours souillé par un seul regard !... Mais son teint pâle, son physique faible, son organe doux, ne me firent pas un moment en suspens (?). Ou c'est, me dis-je, une personne qui me sera utile à l'observation que je veux faire, ou elle n'est qu'une bûche.

» — Vous avez bien froid, lui dis-je ; comment pouvez-vous vous résoudre à passer dans les allées ?

» — Ah ! monsieur, l'espoir m'anime. Il faut terminer ma soirée.

» L'indifférence avec laquelle elle prononça ces mots, le systématique de cette réponse, me gagna, et je passai avec elle.

» — Vous avez l'air d'une constitution bien faible, je suis étonné que vous ne soyez pas fatiguée du métier.

» — Ah ! dame, monsieur, il faut bien faire quelque chose.

» — Cela peut-être, mais n'y a-t-il pas de métier plus propre à votre santé ?

» — Non, monsieur, il faut vivre !

» Je fus enchanté. Je vis qu'elle me répondait, au moins, succès qui n'avait pas couronné toutes les tentatives que j'avais faites.

» — Il faut que vous soyez de quelques pays septentrionaux, car vous bravez le froid.

» — Je suis de Nantes, en Bretagne.

» — Je connais ce pays-là... Il faut Mad^e (sic) que vous me fassiez le plaisir de me raconter l'histoire de la perte de votre pucelage.

» — C'est un officier qui me l'a pris.

» — En êtes-vous fâchée ?

» — Oh oui ! je vous en réponds. (Sa voix prenait une saveur, une onction que je n'avais pas encore remarquée.) Je vous en réponds : ma sœur est bien établie actuellement. Pourquoi ne l'eussé-je pas été ?

» — Comment êtes-vous venue à Paris ?

» — L'officier qui m'avilit, que je déteste, m'abandonna. Il fallut fuir l'indignation d'une mère. Un second se présenta, me conduisit à Paris, m'abandonna, et un troisième, avec lequel je viens de vivre trois ans, lui a succédé. Quoique Français, les affaires l'ont appelé à Londres, et il y est. Allons chez vous.

» — Mais qu'y ferons-nous ?

» — Allons, nous nous chaufferons et vous assouvirez votre plaisir.

» J'étais loin de devenir scrupuleux. Je l'avais agacée pour qu'elle ne se sauvât pas quand elle serait pressée par le raisonnement que je lui préparais en contrefaisant une honnêteté que je voulais lui prouver ne pas avoir... [213] »

Ce premier contact quasi clandestin avec ce qu'il appelait « les personnes du sexe » allait être le début d'une extraordinaire carrière d'amoureux ; puisque, nous dit Jean Savant, « ses liaisons et ses passades dépassent sans conteste, par le nombre, celles du Vert Galant, du Roi Soleil et du Bien-Aimé » [214].

Or, loin de perdre du temps au lit, Bonaparte y forgeait son destin.

213. NAPOLÉON BONAPARTE, *Manuscrits inédits*.
214. JEAN SAVANT, *Les amours de Napoléon*.

En effet, presque toutes les femmes dont il fut l'amant entre 1789 et le 13 vendémiaire lui ouvrirent une porte, l'aidèrent à gravir un échelon ou le ramenèrent vers la « route impériale » lorsqu'il semblait s'en éloigner.

Les premières lui servirent à perfectionner une technique amoureuse encore chancelante. « Humbles ouvrières, travaillant dans l'ombre à l'élaboration d'un grand homme, elles ont droit à notre reconnaissance. Sans elles, Bonaparte n'aurait peut-être pas su éblouir les autres, celles qui, éperdues de gratitude, sauteront du lit, toutes palpitantes encore de plaisir, pour lui offrir la puissance et la gloire... [215] »

C'est à ces obscures et ardentes amoureuses, sans lesquelles l'Empire n'eût point existé, que nous rendrons tout d'abord un rapide, mais fervent hommage...

Au printemps 1789, après avoir conté quelque temps fleurette à une jeune Bourguignonne, Manesca Pillet, rencontrée à Auxonne, Bonaparte fut envoyé à Seurre où des émeutes avaient éclaté. Il sut s'y organiser une existence agréable. Son travail l'obligeant à courir à la fois dans les rues de la petite cité et dans la campagne, il eut bientôt deux maîtresses, l'une aux champs, une ravissante fermière, Mme G... de F..., et l'autre à la ville, Mme Prieur, qui était la femme d'un haut fonctionnaire [216].

Pour augmenter son confort, et ne point laisser sa virilité inactive lorsque la pluie le tenait à la maison, il devint, en outre, l'amant de la fille de ses logeurs...

Ainsi organisé, il vécut en Bourgogne quelques mois fort savoureux et fort enrichissants pour son avenir.

Vers la fin de l'été, il imagina d'utiliser la Révolution naissante pour débarrasser la Corse de la tutelle française. Aussitôt, il demanda un congé et partit pour Ajaccio avec le dessein de devenir chef de l'île.

Dès son arrivée, il se mit au service de Paoli et fit, en compagnie de son frère Joseph, des discours fort applaudis contre les envahisseurs.

Il eut bientôt des occupations plus agréables.

215. Joseph de Marcilly, *Les femmes et Napoléon*, 1887.
216. Cette dame devait revoir son amant en 1805. A ce moment, Napoléon, qui venait d'être sacré empereur, se rendait à Milan pour s'y faire couronner roi d'Italie. A Chalon, où il s'arrêta, de nombreuses personnes sollicitèrent l'honneur d'être reçues par le souverain. Mme Prieur, qui s'était retirée et vivait sagement dans cette ville, fut du nombre. Avant l'audience, l'Empereur jeta un coup d'œil sur la liste des visiteurs et vit le nom de son ancienne maîtresse. Il se tourna vers le chambellan en souriant :
— Il paraît que vous connaissez mes aventures de garnison. Soyez discret et faites entrer.
Mme Prieur fut introduite immédiatement.
Elle dut avoir bien du mal à reconnaître en cet empereur, qui déjà prenait de l'embonpoint, le petit lieutenant dont les jambes maigres faisaient voler ses draps seize ans auparavant... (Cf. Thiard, *Souvenirs*.)

Un jour, il rencontra une jeune femme, Mme Daletti, dont le tempérament généreux faisait la joie d'un époux.

L'œil pétillant de cette gracieuse personne attira Bonaparte, qui, délaissant l'organisation d'une garde nationale, utilisa les principes de stratégie qu'on lui avait enseignés à l'École militaire pour une conquête plus pacifique.

Mme Daletti avait un lit accueillant. Elle se rendit rapidement au fougueux artilleur.

Cette liaison dura quelques mois ; puis Napoléon fit la connaissance d'une Ajaccienne aux yeux dorés pour laquelle il délaissa un peu sa première conquête. Comprenant qu'elle avait une rivale, Mme Daletti, qui avait des principes, résolut immédiatement d'assassiner l'infidèle.

Voici comment Doris nous conte cet épisode peu connu :

« Un des capitaines de la garde nationale, M. Givorni Daletti, avait pour épouse l'une des plus jolies femmes de l'île, et, longtemps, Napoléon vécut avec elle dans une intimité dont le mari, seul, paraissait ne point s'apercevoir. Il était, chez eux, de tous les repas, de toutes les fêtes. L'absence même du mari n'empêchait point la femme de le recevoir. Tout à coup, Napoléon semble être moins assidu. Mme Daletti lui reproche avec douceur de promener son inconstant hommage dans d'autres maisons. Il cherche à se justifier. Mais, dans ce cœur de femme, la jalousie s'était glissée. Alors, plus de repos, il faut que Napoléon lui revienne tout entier, ou elle se vengera.

» Un soir, Napoléon reçut un billet de cette fougueuse amante. Elle lui annonçait que son époux allait souper en ville et l'engageait à venir le remplacer.

» Cette invitation flattait trop l'amour-propre du jeune homme pour qu'il la repoussât. Il accourut.

» Le souper se passe gaiement, mais Mme Daletti semble préoccupée. Plus d'une fois, Bonaparte la surprend à le regarder d'un œil farouche. Après le souper, il rentre chez lui et se couche. Au bout de deux heures, il est réveillé par des tiraillements d'entrailles. Il appelle au secours. Vite, sa mère, ses sœurs, les domestiques, sont sur pied. Mme Lætizia, tendrement attachée à son fils, pousse un cri en entrant dans la chambre. L'excès du mal avait entièrement décomposé ses traits. Un médecin est appelé, qui ordonne une potion. Elle procure un peu de soulagement [217]. »

Lætizia fit prévenir M. et Mme Daletti, qui arrivèrent au point du jour. La femme, passant dans la ruelle, dit à Napoléon, en feignant la pitié :

— Qu'avez-vous, mon pauvre ami ?

— Je l'ignore, mais je souffre cruellement.

Alors, s'approchant de son oreille, elle ajouta à voix basse :

217. *Les amours secrètes de Napoléon et des princes et princesses de sa famille, d'après les documents historiques de M. de B...,* Paris, 1815. (Cet ouvrage, que l'on attribua longtemps à BOURRIENNE, est en réalité de DORIS.)

— Vous m'avez lâchement abandonnée. Pour me récompenser de vous avoir tout sacrifié, je vous ai vu porter chez mes rivales un amour que vous aviez juré de garder pour moi seule ; mais je me suis vengée. Je vous ai empoisonné ; publiez mon crime, moi je publierai le vôtre. Mon mari est là : il sait comment un Corse punit la perte de son honneur !

Bonaparte comprit qu'il valait mieux se taire. Il appela sa mère et lui dit que Mme Daletti venait de lui rappeler que, la veille, en soupant chez elle, il avait, seul, mangé d'un plat de champignons.

De nouveau, le médecin fut mandé, et Napoléon reçut tous les contrepoisons nécessaires.

Quelques jours plus tard, il était sur pied, au grand désappointement de Mme Daletti.

Bonaparte, qui avait une permission de six mois, aurait dû rallier son régiment au début de mars 1790. Mais comme il aimait bien sa famille, il ne put se décider à repartir et demeura en Corse un an encore.

Pour occuper son temps, entre deux discours violents contre la monarchie, il allait se promener dans la montagne et cueillait de jolies fleurs en compagnie de sa nouvelle maîtresse. Lorsqu'il pleuvait, les deux jeunes gens se mettaient tout simplement au lit.

Le petit lieutenant d'artillerie vécut ainsi une année délicieuse loin d'une France agitée par la Révolution.

En février 1791, après dix-huit mois d'absence, Bonaparte dut tout de même retourner à Auxonne où était son régiment.

Ses camarades le trouvèrent changé. Les jeunes femmes corses lui avaient laissé au cœur une amertume qui le rendait rêveur et romantique. Le soir, il écrivait des pensées désabusées sur l'amour :

« Je le crois nuisible à la société et au bonheur individuel des hommes, notait-il. Enfin, je crois que l'amour fait plus de mal... et que ce serait un bienfait d'une divinité protectrice que de nous en défaire et d'en délivrer le monde [218]. »

Ce qui ne l'empêcha pas de concourir, à quelque temps de là, pour un prix de l'Académie de Lyon avec un petit ouvrage déclamatoire et amphigourique sur la passion amoureuse...

Ces activités annexes ne semblent pas avoir indisposé l'armée. Il fut nommé « lieutenant en premier ».

Ravi, il décida de fêter ce nouveau grade en allant se reposer un peu, demanda un congé de douze mois et repartit cueillir des fleurs à Ajaccio... Ces vacances ne furent pas uniquement consacrées à l'étude de la flore. Comme à l'accoutumée, il se pencha aussi sur la faune et s'intéressa tout particulièrement aux jeunes bergères. Occupation si captivante qu'à l'expiration de son congé, il négligea de rejoindre son régiment et fut rayé des cadres de l'armée. Très ennuyé, il bondit à

218. *Manuscrits inédits de Napoléon*, publiés par FRÉDÉRIC MASSON.

Paris en juin 1792 pour demander sa réintégration. Disert, habile, il fit tant de discours qu'on le nomma capitaine...

Fou de joie, il courut jusqu'à Marseille, s'embarqua et retourna en Corse savourer sa joie pendant neuf mois.

Tandis qu'il se promenait dans les montagnes en galante compagnie, la Convention déclarait la patrie en danger. Cette nouvelle ne le troubla pas. Le calme de son île lui semblait préférable à l'agitation des champs de bataille où l'on risque, à tout moment, de recevoir un mauvais coup [219].

Pendant l'été 1793, Bonaparte entra en lutte contre Paoli, qui voulait livrer la Corse à l'Angleterre. Immédiatement, tous les partisans du vieillard attaquèrent la famille Bonaparte. Bientôt, la situation devint intenable et Lætizia, suivie de ses enfants, se réfugia sur le continent. A peine arrivé, le jeune officier, qui était de nouveau rayé des cadres de l'armée, fut guidé par son étoile. Il rencontra la première femme qui allait le pousser à devenir un héros... Écoutons encore Doris :

« Les troubles politiques de la Corse forcèrent bientôt Napoléon et sa famille à se réfugier en France. Ils débarquèrent à Marseille où Napoléon fit la connaissance d'une femme peu ordinaire : Charlotte Midelton, fille d'une Française décédée et d'un navigateur américain. Son père lui laissait la plus grande liberté. Cette femme était admirablement moulée, et, quoique les traits de son visage ne fussent point réguliers, il était difficile de résister aux feux lancés par ses admirables yeux noirs. Son langage était extraordinaire, tout rempli de métaphores et de néologismes, ce que Napoléon lui reprochait quelquefois. A cela, Charlotte répondait :

» — Vous êtes un routinier, j'ai mille fois plus de pensées que votre langue ne possède de mots. Il faut bien que j'en forge lorsqu'elle ne m'en fournit plus !

» Cette hardiesse plaisait au jeune homme. Il parla d'amour et fut bientôt heureux. Mais il ne fallait pas à Charlotte un amant ordinaire. *Non moins ambitieuse que Napoléon, ce fut elle qui l'exhorta à rentrer dans la carrière qu'il avait abandonnée.*

» Elle parvint même à le faire recommander auprès de Barras, alors en mission dans le département du Var, et Bonaparte reprit le grade de lieutenant d'artillerie.

» Bientôt, il fut nommé chef de bataillon. Ce fut en cette qualité qu'il assista au siège de Toulon. »

« *Tout le monde sait que le succès de ce siège revient à l'audace du futur monarque. Malgré des officiers plus anciens, mais plus timides,*

---

219. JEAN SAVANT : « Bonaparte ne participe pas à la lutte nationale contre l'envahisseur. Il est alors, systématiquement, en permission. Les combats et la gloire de Valmy, de Jemmapes, etc., ne l'attirent pas. Au plus fort des dangers courus par la France, il reste confiné dans sa Corse bien-aimée, et, s'il la quitte enfin, en juin 1793, c'est parce qu'il en est chassé par ses compatriotes, et, par eux, menacé de mort. » *(Les amours de Napoléon.)*

il fit établir une batterie qui foudroya les assiégeants. Ce qui n'a pas été dit par tous les historiens, c'est que ce fut d'après le conseil de Charlotte que Napoléon fit construire cette batterie ; qu'elle ne le quittait point, même au plus fort de l'action, et que, lorsque Bonaparte, voyant tomber ses meilleurs canonniers, saisit lui-même le refouleur, c'est l'intrépide Charlotte qui portait les dernières gargousses [220]. »

« Toulon fut pris, et le nom de Bonaparte commença à avoir beaucoup de retentissement dans l'armée. Au plaisir qu'éprouvait notre jeune héros succéda vite un chagrin cuisant : Charlotte, rappelée par son père, fut obligée de partir pour l'Amérique [221]. »

La jeune fille pouvait disparaître. Elle venait de lancer Bonaparte vers son prodigieux destin...

33

Bonaparte, chef d'artillerie de l'armée d'Italie grâce à Marguerite Ricord

> Si Bonaparte fût resté lieutenant d'artillerie, il serait encore sur le trône.
>
> M. PRUDHOMME

Très tôt, Bonaparte comprit l'importance du rôle que pouvaient jouer les femmes dans l'ascension d'un homme galant et vigoureux. Il résolut de les utiliser pour parvenir à un grade élevé.

Déjà, pour obtenir le commandement de l'artillerie devant Toulon, il avait dû devenir l'amant de la citoyenne Catherine Carteaux, femme du général, une pulpeuse créature de trente-deux ans qui aimait se dévouer pour les jeunes officiers... Grâce à elle, il s'était fait connaître de l'état-major. Lorsque le commissaire de la Convention, Salicetti, l'avait proposé pour commander l'artillerie, la « citoyenne générale » s'était entremise auprès de Carteaux, et ce poste lui avait été confié [222]...

Après la reprise de Toulon, Bonaparte, sur la demande de Salicetti, fut nommé général de brigade.

Cette promotion ne le satisfit pas longtemps. Insatiable et impatient, il rêva de monter plus haut encore en utilisant des appuis politiques.

220. EMMANUEL DAVIN précise que, lors du siège, Charlotte Midelton aurait rejoint Bonaparte sous le costume d'un jeune officier nommé Dutrenel. (Cf. *Bonaparte et l'Américaine Charlotte Midelton à Toulon en 1793*.)

221. DORIS, *op. cit.*

222. Napoléon n'oublia pas les bontés qu'avait eues Catherine pour Bonaparte. Devenu empereur, il la combla de cadeaux et de pensions. Cf. JEAN SAVANT : « Quand elle se manifestait à lui, elle ne s'en retournait jamais les mains vides. A chaque fois, des sommes de l'ordre de 1 200 000 de nos francs (anciens), ou bien 1 800 000, ou simplement 900 000, quand ce n'était pas 5 400 000 francs.

» Ces gratifications et "petits cadeaux" en souvenir du passé étaient indépendants des pensions régulières et des gros traitements. Au reste, Carteaux mourut au printemps de 1813, et Catherine obtint alors une pension deux fois supérieure à celle habituellement accordée à la veuve d'un officier général... » *(Les amours de Napoléon.)*

Malheureusement, petit général inconnu, il était incapable, seul, d'entrer en relations avec les grands chefs de la Révolution. Là encore, une femme allait lui servir d'intermédiaire.

Deux membres de la Convention avaient été délégués près de l'armée d'Italie : Augustin Robespierre (frère cadet de Maximilien) et Jean-François Ricord, un farouche Montagnard. Celui-ci était venu à Nice avec sa jeune femme, Marguerite (née Rossignolly), une ravissante brune qu'un ardent tempérament poussait à des écarts. C'est ainsi que, pendant le voyage, elle n'avait pas trouvé déplacé de se partager entre son époux et le jeune Robespierre. Courant d'un lit à l'autre, elle donnait à chacun des marques de tendresse dont la diversité témoignait d'une imagination fertile et d'une fantaisie débordante.

Finalement, Charlotte Robespierre, qui accompagnait son frère, avait été informée de ces turpitudes. Elle se fâcha :

— Tu vas me faire le plaisir de quitter cette putain, avait-elle dit, sans même chercher à agrémenter sa phrase d'un mot drôle.

Candide, Robespierre le Jeune était allé répéter à Mme Ricord les propos de sa sœur. La femme du conventionnel, ayant trouvé l'épithète un peu vive, avait fait chasser la pauvre Charlotte qui était repartie, en sanglotant, pour la capitale.

En province, l'arrivée d'une femme à la cuisse légère ne tarde pas à être signalée dans les milieux militaires : Bonaparte sut donc rapidement que Mme Ricord avait une réputation flatteuse. Il décida de l'utiliser pour entrer en relations avec les deux conventionnels délégués à Nice.

S'étant fait présenter, il devint le chevalier servant de Marguerite. Pendant quelques jours, la belle lui fit porter des paquets, ramasser son éventail et tenir la bride de son cheval ; puis elle eut envie de services plus sérieux et l'entraîna dans son lit...

Bonaparte, qui connaissait la boulimie amoureuse de Mme Ricord, voulut se montrer sous un jour favorable. Au prix d'efforts surhumains, il réussit à épuiser la jeune femme. Ayant cueilli, dans ses yeux, un regard de reconnaissance, il rentra chez lui les reins meurtris, mais fier de son exploit...

Dès le lendemain, Marguerite parla de Bonaparte à Robespierre et à Ricord.

— C'est un homme prodigieux. Voilà l'officier qui doit commander l'armée d'Italie. Il faut que vous le connaissiez et que vous le fassiez connaître à Maximilien. Ce général Bonaparte, j'en suis certaine, sera, si vous voulez l'aider, l'un des grands hommes de la Révolution.

Les deux conventionnels, très impressionnés par les propos de Marguerite, demandèrent à rencontrer Napoléon.

Bientôt le petit général devint leur ami intime, et, au début de 1794, Augustin Robespierre, sur les conseils réitérés de Mme Ricord, le fit nommer chef de l'artillerie de l'armée d'Italie.

Grâce à une femme, Napoléon allait donc pouvoir faire sa première apparition sur l'un des théâtres de la guerre extérieure [223].

La réputation galante de Marguerite était naturellement venue aux oreilles de Salicetti qui, sachant par la rumeur publique que Bonaparte était arrivé rapidement à ses fins, voulut, lui aussi, pénétrer dans le lit de la belle.

Un soir, très poliment, il demanda à Mme Ricord si elle voyait un inconvénient à devenir sa maîtresse. Marguerite éclata de rire. Extrêmement vexé, le commissaire de la Convention voua dès lors une haine féroce à Bonaparte qui devait en subir les effets quelques mois plus tard.

Tandis que son compatriote se desséchait de jalousie, Napoléon continuait d'organiser l'offensive contre l'Italie avec ses amis et Marguerite. Mis dans le secret des intentions les plus cachées de la Convention, il fut chargé par Ricord d'une mission à Gênes.

A son tour, il alla s'installer à Nice, chez un riche négociant, Joseph Laurenti, dont la maison était située sur la route de Villefranche [224].

Dans cette famille, il y avait une jeune fille de quinze ans dont Bonaparte tomba amoureux. Sur cette période peu connue de la vie du futur empereur, Joseph Laurenti a écrit une page charmante :

« La plus étroite amitié s'établit entre le jeune général et la famille Laurenti, qui se composait de deux filles et un fils. Les repas se prenaient dans la salle à manger donnant sur un grand jardin planté d'orangers, sous lesquels les jeunes gens allaient jouer et rire. A ses heures de travail, dans le grand salon du premier, on le voyait brusquement devenir pensif, roulant sans doute dans sa tête des montagnes de projets. Ses yeux s'arrêtaient parfois sur un tableau espagnol représentant un *guitarero*, que nous possédons encore, et qu'il aimait beaucoup. Il se promenait dans les longues avenues d'orangers, traçant, avec sa canne, des plans rapides, qu'il effaçait avec le pied.

» Les jeunes gens allaient souvent jouer et rire [225]... Bonaparte avait, pour une de mes jeunes filles, nommée Émilie, une préférence marquée, il avait parlé de mariage. Mme Laurenti, qu'il aimait à appeler *maman*, lui fit comprendre que l'âge de sa jeune fille l'obligeait à ajourner ses projets. »

Bonaparte fut extrêmement déçu. Croyant de plus en plus à l'importance des femmes dans la destinée d'un homme, il aurait aimé épouser cette petite Méridionale. Après Charlotte, qui lui avait permis de reprendre Toulon ; après Catherine, qui l'avait mis en contact avec

---

223. Marguerite, tout comme Catherine, fut comblée de cadeaux par Napoléon après 1804.

224. Cette maison porte le n° 6 de l'actuelle rue Bonaparte.

225. Devenu Premier Consul, Bonaparte organisera, à la Malmaison, de grandes parties de barres, de cache-cache et de « quatre coins »...

l'état-major ; après Marguerite, qui l'avait fait nommer chef de l'artillerie de l'armée d'Italie, Émilie, fille d'un riche négociant, lui aurait apporté la fortune dont il avait besoin pour vivre et faire vivre sa famille.

Malgré le refus de Mme Laurenti, il continua de faire la cour à la jeune fille. Déjà fort coquette, Émilie se montrait ravie de l'intérêt qu'elle inspirait à un général et eût désiré devenir sa femme.

« Touchée dans son cœur juvénile, écrit Pierre Leroy, elle aimait Bonaparte, rêvait d'être embrassée par lui et, candidement, lorsqu'il parlait de ses futures batailles, elle imaginait un acte surnaturel qui lui eût permis de mourir à sa place... [226] »

... Elle ignorait qu'elle allait peut-être lui sauver la vie.

Les événements du 9 thermidor ne furent connus à Nice que le 17 dans la soirée. Aussitôt, une « épuration » eut lieu. Tous ceux qui avaient approché Augustin Robespierre pendant son séjour dans la ville furent accusés de sympathie pour la Montagne et arrêtés.

Salicetti, qui ne décolérait pas depuis que Marguerite Ricord lui avait refusé l'entrée de son lit, vit là l'occasion de se venger de Bonaparte [227].

Il courut à Barcelonnette et dénonça son compatriote à la Convention.

— Ce général est dangereux, dit-il. Il y a quelques mois, il s'est rendu à Gênes pour se concerter avec les ennemis de la nation afin de livrer de nouveau Toulon aux Anglais et d'ouvrir la frontière aux armées piémontaises.

Cette accusation était stupide, puisque Bonaparte était allé à Gênes sur l'ordre de Ricord, délégué de la Convention, mais Salicetti parvint à convaincre deux autres commissaires aux armées, Albitte et Laporte. Tous trois expédièrent au général Dumebion l'ordre de relever Bonaparte de ses fonctions et de l'arrêter.

« Dans les circonstances où l'on se trouvait, écrit Joseph Laurenti, l'ordre équivalait à une condamnation à mort, car les instructions des représentants enjoignaient de faire immédiatement transporter Bonaparte à Paris. »

Le jeune général fut arrêté le samedi 22 thermidor (9 août).

D'après tous les auteurs de manuels, on l'aurait alors conduit au fort carré d'Antibes, d'où il ne serait sorti que treize jours plus tard.

Il s'agit là d'une légende. En réalité, M. Laurenti, prenant pitié de ce jeune homme qui aimait sa fille et que sa fille aimait, se rendit auprès des commissaires du peuple et se porta garant du « suspect ».

Il le nota d'ailleurs sans ambiguïté dans son *Journal* :

« Il se jugeait perdu. Un ami s'occupa de son salut. M. Laurenti se porta sa caution et fit si bien que le général, dispensé du terrible

---

226. Pierre Leroy, *Bonaparte et Émilie Laurenti.*

227. « A la chute des deux Robespierre, Bonaparte, accusé de relations avec le parti de la Montagne et d'une trahison absurde ayant pour but de perdre l'armée en la jetant en Piémont, devint suspect au parti triomphant. » (*Journal* de Joseph Laurenti.)

voyage à Paris, fut simplement condamné à garder les arrêts de rigueur dans la maison de son hôte... »

Cet important point d'histoire fut établi par M. Augustin Thierry[228], premier éditeur du *Journal* de Joseph Laurenti.

« Sur la foi, écrit-il, du baron de Coston, derrière Ségur et Marmont, la plupart des historiens ont admis que Bonaparte fut incarcéré au fort carré. Laurenti affirme au contraire qu'il garda simplement les arrêts chez lui. Examinons un peu.

» Coston s'appuie sur un billet prétendument adressé par le prisonnier à Junot, qui proposait de le faire évader.

» *Antibes, du 28 thermidor au 2 fructidor an II*

» *Les hommes peuvent être injustes envers moi, mon cher Junot, mais il suffit d'être innocent ; ma conscience est le tribunal où j'évoque ma conduite.*

» *Cette conscience est calme quand je l'interroge ; ne fais donc rien, tu me compromettrais.*

BONAPARTE
En arrestation au fort carré d'Antibes.

» Bien qu'il ait trouvé place dans la *Correspondance*, un tel billet peut sembler à bon droit apocryphe, à tout le moins des plus suspects. Son en-tête d'abord : *Du 28 thermidor au 2 fructidor an II...* On ne date point ainsi une lettre. Et que penser des mots qui accompagnent la signature : *En arrestation au fort carré d'Antibes ?* Quel besoin aurait éprouvé Bonaparte de préciser à Junot une situation d'autant mieux connue qu'il offrait de l'en faire sortir ? Tout cela sent sa fabrique à plein nez.

» Si l'on relit maintenant les lettres aux représentants, publiées par Aulard et Arthur Cluquet, on découvre de nouveaux sujets de doute et de réflexion. Le 22, le général Bonaparte est mis aux arrêts de rigueur à Nice, c'est-à-dire placé dans cette situation disciplinaire d'un officier astreint à demeurer chez soi, à la disposition des autorités. Le conduisit-on à Antibes ? C'est bien improbable. A qui bon compliquer la procédure en cours, la retarder de transports qui, à cette époque, entraînaient de véritables petits voyages ?

» Tout ce qui précède peut donc bien donner raison à Joseph Laurenti quand il raconte que Bonaparte passa ses arrêts dans la maison de la route de Villefranche. Son récit est dans la logique des faits, justifié les premiers jours par des dates certaines, sans être démenti, les suivants, par aucun document incontestable. »

Bonaparte fut donc bien sauvé de la prison, du transfert à Paris, et, par conséquent, de la guillotine, parce qu'il était tombé amoureux de la douce Émilie Laurenti.

228. Un amour inconnu de Bonaparte, *Revue des Deux-Mondes*, 15 nov. 1940, et *Miroir de l'Histoire*, juil. 1952.

Pendant les quinze jours qu'il passa enfermé dans la maison du négociant, Bonaparte n'eut pas la consolation de conter fleurette à sa bien-aimée. Les Laurenti, en effet, avaient jugé prudent d'expédier leur fille, sous un prétexte futile, dans une propriété qu'ils possédaient en montagne, à Saint-Martin, au-dessus de Vence, puis chez une tante à Grasse...

Le 3 fructidor, l'enquête faite par le « comité d'épuration » ayant réduit à néant l'accusation ridicule de Salicetti, un arrêté rendit la liberté au « suspect ».

Bonaparte, avant toute chose, voulut rassurer sur son sort sa mère et ses sœurs qu'il avait installées au château Salé, grand mas ensoleillé situé près d'Antibes [229]. Un matin, il fit ses adieux aux Laurenti, sachant bien qu'il ne reverrait jamais Émilie.

« Bonaparte, écrit Joseph Laurenti, fut très ému en quittant ses amis, et leur laissa en souvenir un fusil à deux coups fort simple et divers objets que l'on a gardés dans la famille. Plus tard, revenant d'Italie, il descendit à la maison Laurenti et fut affligé en la trouvant déserte. Il désira revoir le jardin, s'informa en détail de toute la maison et alla même caresser la vieille jument, restée seule au logis. »

Le père d'Émilie ajoute :

« L'historien Durante accuse Bonaparte d'ingratitude envers notre famille. Ce reproche est immérité. Peut-être s'agit-il d'un peu d'oubli, et c'est le fait de l'étourdissement de la fortune. Vitalin Laurenti [230] alla voir l'Empereur à Paris ; il fut très bien accueilli et présenté par lui comme le fils d'un de ses meilleurs amis. Si les Laurenti ne reçurent aucune faveur, c'est que les faveurs des grands ne s'adressent souvent qu'à ceux qui les sollicitent. »

On doit reconnaître qu'un peu d'amertume voile cette belle philosophie...

Si Bonaparte avait recouvré la liberté, en revanche, son commandement de l'artillerie de l'armée d'Italie ne lui fut pas rendu.

Maintenu dans les coulisses avec le grade très vague de « général de brigade à la suite », il attendit au château Salé la venue de jours meilleurs.

Or, cette fois encore, c'est une femme qui allait lui permettre de retrouver un rang honorable dans l'armée...

Le 21 septembre 1794, un nouveau représentant de la Convention, Louis Turreau, dit Turreau de Linières, fut nommé auprès de l'armée d'Italie. Il arriva à l'état-major accompagné de sa jeune femme, Félicité, une ravissante blonde de vingt-quatre ans.

---

229. Cette bâtisse, ainsi nommée parce qu'elle appartenait au collecteur des impôts sur le sel, se trouve encore — bien délabrée — sur la route de Grasse, derrière l'église N.-D. de l'Assomption. Elle sert aujourd'hui de dépôt municipal...
230. Le fils aîné de Joseph Laurenti.

Aussitôt informé de cette gracieuse présence, Bonaparte quitta le château Salé et courut faire sa cour, à tout hasard.

Félicité était coquette. Elle écouta avec un évident plaisir les compliments du jeune général. Tandis que Turreau était penché sur des rapports, ils se promenèrent dans la montagne, et, un après-midi, entre deux touffes de lavandes, la jolie citoyenne commit un adultère sylvestre et parfumé qui lui procura les plus vives satisfactions.

Reconnaissante, elle recommanda chaudement Bonaparte à son mari. « Avantage immense, dira un jour Napoléon, car, dans ce temps, un représentant du peuple était une véritable puissance [231]. »

Bientôt, le petit général reprit du poids à l'état-major. Il en profita pour demander à Félicité de faire nommer son frère Louis lieutenant d'artillerie.

La jeune femme obtint cette faveur, et Bonaparte, en remerciement, eut une idée curieuse : il lui offrit le spectacle d'un combat. Écoutons-le nous avouer lui-même la chose :

« J'étais bien jeune alors. J'étais heureux et fier de mon petit succès. Aussi cherchai-je à le reconnaître par toutes les attentions en mon pouvoir. Et vous allez voir quel peut être l'abus de l'autorité, à quoi peut tenir le sort des hommes, car je ne suis pas pire qu'un autre.

» La promenant un jour, au milieu de nos positions, dans les environs du Col de Tende, il me vint à l'idée de lui donner le spectacle d'une petite guerre, et j'ordonnai une attaque d'avant-poste. Nous fûmes vainqueurs, il est vrai. Mais, évidemment, il ne pouvait y avoir de résultat. L'attaque était de pure fantaisie. Et, pourtant, quelques hommes y restèrent... »

Comme quoi quelques cadavres peuvent devenir un témoignage d'amour pour un jeune officier romantique...

34

Bonaparte, coureur de dots, veut épouser la Montansier

L'intérêt n'est la clef que des actions vulgaires.

NAPOLÉON

Tout en usant fort habilement des femmes mariées pour asseoir sa situation, Bonaparte continuait à se chercher une épouse bien dotée, afin d'être — comme on dit — à l'abri du besoin.

A la fin de 1794, son frère Joseph se prétendant « comte de Bonaparte », et se faisant passer pour un aristocrate ruiné par la Révolution, s'était marié à Marseille avec une héritière aussi riche que laide, Julie Clary, fille d'un gros marchand de savons.

En apprenant cette union, Bonaparte, un peu jaloux, s'était écrié :

231. LAS CASES, *Mémorial*.

— Qu'il est heureux ce coquin de Joseph [232] !

Or, au début de janvier 1795, le jeune général fut envoyé à Toulon pour y organiser une expédition contre la Corse, alors occupée par les Anglais.

Il en profita pour se rendre à Marseille où il fut accueilli avec enthousiasme par la famille Clary, flattée de recevoir un général déjà glorieux et porteur du titre de vicomte [233]. Joseph lui présenta sa belle-mère, charmante Marseillaise qui aimait la plaisanterie, sa femme Julie, que le mariage n'avait pas embellie, et sa belle-sœur, la petite Eugénie-Désirée, âgée de seize ans, dont les yeux chauds annonçaient une appétissante précocité.

Immédiatement, Napoléon bâtit son plan : séduire Désirée, l'épouser et posséder une belle maison bourgeoise, comme son frère.

Il se mit le soir même à l'œuvre, se montrant aimable, contant des anecdotes, évoquant des épisodes du siège de Toulon, décrivant la Corse. Subjuguée, la jeune fille l'écoutait, et son regard témoignait d'un intérêt « qui avait des prolongements jusque dans les méandres de son intimité »...

Désirée fut bientôt follement amoureuse de Bonaparte. Un soir, elle alla le retrouver dans sa chambre et se glissa dans son lit.

Le lendemain, contents d'eux-mêmes, ils décidaient de se marier.

Hélas ! quelques jours plus tard, une émeute ayant éclaté à Toulon, Bonaparte dut quitter précipitamment Marseille et les deux amants se séparèrent en pleurant.

Au mois d'avril, Napoléon revint chez les Clary, et les fiançailles furent célébrées.

— Nous nous marierons cet été, disait le jeune général qui se voyait déjà propriétaire d'un domaine agricole.

— Nous habiterons près d'Aix, répondait Désirée, et nous aurons des vignes et des lapins...

A la fin d'avril, tous ces projets furent bouleversés par un ordre de Paris. Bonaparte était appelé à servir dans l'armée de Vendée. Il partit pour la capitale le 8 mai 1795, après avoir juré fidélité à sa fiancée.

— Dès maintenant, je suis ta femme, lui dit Désirée. Tiens-moi bien le serment que tu m'as fait...

A Paris, Bonaparte ne tarda pas à rencontrer des filles ravissantes qui lui firent oublier la petite Marseillaise à laquelle pourtant il avait donné sa foi... Ce qu'il désirait maintenant, c'était une Parisienne fortunée capable de lui procurer le confort et des relations utiles...

L'âge lui importait peu.

C'est ainsi qu'au mois de juillet, il songea un moment à épouser une ancienne gourgandine rangée, Mme de La Bouchardie, âgée de cinquante-quatre ans, et qu'au mois d'août, il eut l'idée extravagante

---

232. BOURRIENNE, *Mémoires*.
233. Titre que s'était donné Napoléon pour accréditer celui de son frère...

de se marier avec l'ancienne comédienne, Mlle Montansier, âgée de soixante-cinq ans [234]...

La chose paraît si peu croyable que certains lecteurs exigeront la caution d'un témoin.

Ce témoin existe. C'est Barras, lui-même. Écoutons-le nous conter avec humour cette extraordinaire scène :

« Comme il venait tous les matins me visiter familièrement, il déjeunait avec moi. Puis, après déjeuner, je lui disais :

» — Tu dîneras avec nous !

» Il n'y manquait pas.

» — S'il ne s'agissait que de moi, me dit-il un jour, je pourrais attendre avec patience. Un homme n'a pas grands besoins. Mais j'ai une famille qui est dans la plus extrême détresse. Je sais bien que nous viendrons à bout de la mauvaise fortune. En révolution, il doit se trouver du pain pour tout le monde, et il y a assez longtemps que les aristocrates détiennent les biens de la terre. Il faudra que notre tour arrive. En attendant, nous souffrons.

» Je ne pouvais donner tort à une plainte fondée sur une position personnelle aussi ingrate. Je dis à Bonaparte :

» — Tu as du talent, de la capacité, du courage, du patriotisme. Tout cela trouvera et prendra sa place quelques jours plus tôt ou plus tard, patience.

» Et comme ce mot "patience" paraissait malsonnant à son oreille :

» — Eh bien ! lui dis-je en riant, veux-tu marcher plus vite encore ? Je vais te donner un moyen, c'est un mariage. Nous procédions ainsi dans l'Ancien Régime. J'en ai vu faire beaucoup. Tous nos nobles ruinés, ou qui n'avaient jamais été dans le cas de l'être, étant nés sans fortune, tous ces nobles arrangeaient ainsi leurs affaires. Ils guettaient les filles de négociants, de banquiers, de financiers. Ils n'en manquaient pas une. Pour peu que j'aie le temps de regarder et de réfléchir, je pourrai te trouver cela...

» Dans le moment où je parlais ainsi à Bonaparte, on m'annonce Mlle Montansier qui venait fréquemment chez moi, sans cérémonie, en déshabillé de voisine... Elle me parla avec un sentiment de confiance en moi et de flatteuse sécurité de l'état de trouble qui se faisait sentir dans Paris, de l'agitation des sections.

» — Vous vous en tirerez encore, dit-elle, vous autres citoyens. Vous êtes des hommes, vous êtes militaires... Voyez, au contraire, notre sort, à nous autres femmes, isolées, sans appui...

---

234. Marguerite Brunet, dite la Montansier, était née en 1730. Après un voyage mystérieux en Amérique, elle devint actrice au Théâtre-Français. Puis M. de Saint-Conty, son amant, lui acheta une petite salle de spectacles à Versailles. Présentée à Marie-Antoinette, elle fut chargée de la direction de tous les théâtres de la cour. Deux ans plus tard, en 1777, ayant amassé de l'argent, elle ouvrit à Versailles le théâtre qui porte toujours son nom. En 1789, elle suivit les souverains à Paris et s'installa dans l'actuelle salle du Palais-Royal, rue Montansier. Après avoir organisé le premier théâtre aux armées en 1792, elle fut arrêtée en 1793 et libérée après le 9 thermidor...

» Elle promenait en même temps ses doux regards sur moi et le petit militaire qu'elle voyait dans mon intimité.

» — Madame n'a donc point de mari ? dit Bonaparte à Mlle Montansier, avec un ton plein d'intérêt. Elle est bien sûre, au moins, de ne pas manquer de bras pour la défendre.

» — Tu entends bien, dis-je à Bonaparte, que Madame n'a point de mari puisqu'elle est demoiselle. C'est Mlle Montansier, qu'on a arrêtée avant le 9 thermidor, parce qu'elle est riche, parce qu'on lui redoit plus d'un million !...

» — Hélas ! oui, dit d'un air mélancolique Mlle Montansier, j'étais en prison, et je pouvais bien être au moment de périr comme tant d'autres qui ne l'ont pas mieux mérité que moi, lorsque Barras nous a enfin délivrés de ce démon de Robespierre et nous a permis de respirer. C'est à Barras que je dois la vie. Aussi me trouvai-je doublement heureuse de ce qu'il a bien voulu accepter un logement chez moi : il me semble qu'il me protège toujours comme un paratonnerre.

» — Mademoiselle, risqua Bonaparte, qu'est-ce qui ne serait pas flatté et honoré d'être votre défenseur ? Le citoyen Barras ne manquera pas d'amis qui seraient charmés de faire comme lui.

» Mlle Montansier regarda avec un aimable sourire le petit militaire qui se présentait si galamment. Elle remercia...

» Bonaparte avait entendu avec une grande attention ce que j'avais dit de la fortune de Mlle Montansier...

» — Eh bien ! me dit-il le lendemain, vous m'avez mis, citoyen représentant, en coquetterie avec Mlle Montansier. On ne donnerait réellement pas son âge à cette femme. Elle est pleine de gaieté, elle est bonne et complaisante, elle est toujours occupée du désir de rendre tout le monde à son aise.

» — Abrège tes compliments, répondis-je en riant à Bonaparte. J'ai parlé mariage avec toi fort récemment. Tu n'en as pas perdu la mémoire. Est-ce que tu aurais envie de donner suite à mon idée ? Explique-toi franchement : veux-tu épouser Mlle Montansier ?

» — Citoyen représentant, me dit en baissant les yeux Bonaparte, cela mérite réflexion. La personne de Mademoiselle n'a rien qui me contrarie : la disproportion d'âge est comme tant de choses auxquelles on n'a pas le temps de faire attention pendant les révolutions. Mais ce que vous m'avez dit de sa fortune est-il aussi réel depuis ses malheurs qu'auparavant ? Quand on pense à une affaire aussi sérieuse que le mariage, il faut savoir sur quelle base on l'appuie.

» — Je ne puis répondre à tes questions, qui sont celles d'un homme plus sensé que moi, répliquai-je, car moi je me suis marié, il y a quelque vingt ans, et je ne m'arrêtai pas à ces réflexions. Il est vrai que si je contractai le mariage fort lestement, je le quittai plus lestement encore, car le surlendemain de mon mariage, je suis parti pour les Indes, et, depuis, je n'ai pas revu ma femme.

» — C'est bien une perspective qu'on peut avoir aussi, dit Bonaparte, en formant certaine union. On peut très bien voyager militairement quand on a d'abord arrangé ses affaires.

» — Eh bien ! je me charge de faire à Mlle Montansier les questions dont la solution pourra répondre à tes vœux. Pour commencer par le commencement, il faut que je sache d'abord si elle veut se marier, et si elle le voudrait avec toi. Après cela, j'en viendrai à traiter l'affaire de sa fortune, où elle en est aujourd'hui.

» Bonaparte me remercia très humblement. Je lui tins parole. La réponse de Mlle Montansier, sans aucun déguisement, fut "qu'elle ne demanderait pas mieux que de se marier, pour faire une fin, dit-elle franchement, et puis pour avoir un protecteur doublement nécessaire à une femme qui avance en âge...".

» — C'est un militaire qu'il vous faut, lui dis-je amicalement.

» Elle me prend la main, je serre la sienne, et lui dis :

» — J'ai votre affaire toute trouvée...

» Un instant après, je lui demande où elle en est de sa fortune, après toutes ses tribulations. Elle me répond n'avoir pas moins encore de 1 200 000 francs. Elle peut m'en fournir la preuve...

» Mlle Montansier me demande aussitôt quelle est cette affaire trouvée.

» — C'est un jeune militaire que vous avez aperçu chez moi, qui vous a beaucoup remarquée. Il vous a trouvée charmante et il est prêt à vous le prouver.

» — Serait-ce ce jeune homme que j'ai vu et qui m'a fait des compliments si flatteurs ?

» — Pourquoi pas celui-là même ?

» — Mais il n'a pas trente ans. Je serais sa mère !

» — Si ce jeune homme n'a pas trente ans sonnés, il est beaucoup plus avancé que son âge en raison, en réflexion. On a pu, en l'apercevant, lui accorder peu de considération, en raison de son exiguïté. Mais c'est un brave officier, qui a fait déjà de belles preuves au siège de Toulon, et qui se distinguera, j'en réponds. J'ai entendu ceux qui ne le connaissent pas l'appeler "la culotte de peau", et il est au-dessus de ces lazzis par son caractère et par ses talents. Je suis sûr que la femme qu'il épousera sera heureuse et honorée. »

Mlle Montansier ayant été alléchée, Barras organisa un dîner afin que les deux futurs époux pussent se rencontrer. Le repas fut joyeux. Au dessert, on fit des projets d'avenir. Écoutons Barras.

« Nous nous levons de table. Les fiancés s'approchent, se mettent à causer très particulièrement. Je m'écarte... Je les entends dire : "Nous ferons ceci, nous ferons cela." *Nous* à chaque instant. C'est déjà ce *nous* de *Corinne*, si bien exprimé par Mme de Staël dans son roman célèbre. Bonaparte parle de sa famille, qu'il espère faire connaître à Mlle Montansier. Sa mère, tous ses frères, apprécieront une femme aussi distinguée. Il veut, aussitôt que cela sera possible, la mener en Corse. C'est un excellent climat. Pays de longévité, pays neuf, où, avec quelques capitaux, on peut faire une fortune rapidement, la doubler en très peu d'années, etc. Bonaparte fait à sa future des châteaux en Corse, qui valent des châteaux en Espagne [235]. »

Fort heureusement les journées de Vendémiaire, en lui donnant la gloire, allaient épargner au général Bonaparte la pénible obligation de faire subir les derniers outrages à cette vieille dame.

Au cours de l'été 1795, Bonaparte reçut l'ordre de rejoindre immédiatement l'armée de l'Ouest qui réprimait la révolte chouanne. L'ordre du ministère de la Guerre précisait qu'il devait servir dans l'infanterie. En lisant ce texte, le jeune général, dont le teint était ordinairement blême, devint cireux. Comme tout artilleur, en effet, il méprisait les fantassins. Avec une désinvolture qui conduirait aujourd'hui un officier en prison, il fit savoir à ses supérieurs qu'il refusait de partir pour la Vendée.

Le ministère de la Guerre se contenta de le destituer.

Sans grade, sans solde, sans emploi à vingt-six ans, il battit un moment le pavé de Paris, puis il alla demander aide et protection à Barras.

Le représentant lui conseilla, encore une fois, de trouver une femme fortunée et de l'épouser.

Bonaparte chercha autour de lui, s'intéressa un moment à une demoiselle Lucie Desfougères, qu'il avait connue au théâtre Feydau, puis se tourna vers une amie de sa mère, Mme Permon, née Stephanopoli-Comnène, dont le mari venait de mourir. Cette honorable dame avait une jeune fille, Laure (qui devait un jour épouser Junot et devenir duchesse d'Abrantès), et un fils de vingt-cinq ans. Napoléon établit rapidement un plan qu'il trouva habile : pour faire passer toute la fortune des Permon aux mains des Bonaparte, il donnerait sa sœur Pauline à ce jeune homme et épouserait la mère...

Un beau matin du mois d'août, il se rendit chez Mme Permon, et, le plus sérieusement du monde, lui exposa son programme. La brave femme fut secouée, pendant dix minutes, d'un rire énorme qui vexa profondément l'ex-général.

Écoutons la duchesse d'Abrantès nous conter cette scène digne d'un vaudeville :

« Il ajouta, en baisant la main de ma mère, qu'il était décidé à lui demander de commencer l'union des deux familles par un mariage entre lui et elle, aussitôt que les convenances de deuil le permettraient.

» Ma mère m'a si souvent raconté cette scène singulière que je la connais comme si j'en eusse été l'actrice principale.

» Elle regarda Bonaparte pendant quelques secondes avec un étonnement qui tenait de la stupéfaction, puis elle se mit à rire avec un tel abandon que nous l'entendions de la pièce voisine où nous étions trois ou quatre.

235. BARRAS, *Mémoires*.

» Bonaparte fut très choqué de cette manière de recevoir une proposition qui lui paraissait toute naturelle. Ma mère, qui s'en aperçut, se hâta de s'expliquer, et de lui dire que c'était elle qui, au contraire, jouait là-dedans un rôle parfaitement ridicule.

» — Mon cher Napoléon, lui dit-elle, lorsqu'elle eut cessé de rire, parlons sérieusement. Vous croyez connaître mon âge ? Eh bien ! vous ne le connaissez pas. — Je ne vous le dirai pas, parce que c'est ma petite faiblesse. Je vous dirai seulement que je serais non seulement votre mère, mais celle de Joseph. Laissons cette plaisanterie : elle m'afflige venant de vous !

» Bonaparte lui dit et lui répéta que c'était très sérieux, d'après sa manière de voir ; que l'âge de la femme qu'il épouserait lui était indifférent, si, comme elle, elle ne paraissait pas avoir trente ans ; qu'il avait réfléchi mûrement à ce qu'il venait de lui dire, et il ajouta ces mots bien remarquables :

» — Je veux me marier. On veut me donner une femme qui est charmante, bonne, agréable, et qui tient un salon au faubourg Saint-Germain. Des amis de Paris veulent ce mariage. Mes anciens amis m'en éloignent. Moi, je veux me marier, et ce que je vous propose me convient sous beaucoup de rapports. Réfléchissez.

» Ma mère rompit la conversation en lui disant, en riant, que ses réflexions étaient toutes faites ; qu'au surplus, pour ce qui regardait mon frère, elle lui en parlerait... et qu'elle espérait que leur bonne amitié ne serait pas troublée par cette petite affaire.

» — Mais réfléchissez au moins, disait Bonaparte.

» — Eh bien ! je réfléchirai, répondait ma mère en riant de plus belle [236]. »

Repoussé par Mme Permon, Bonaparte, très désappointé, s'en fut trouver Barras. Le représentant lui conseilla alors de fréquenter les salons en vogue et l'emmena un soir chez sa maîtresse Mme Tallien [237].

Celle qu'on appelait « Notre-Dame de Thermidor » possédait une maison couverte d'un toit de chaume et entourée d'un petit jardin, au coin du Cours-la-Reine et de l'allée des Veuves [238].

Cette *chaumière* était le rendez-vous du Tout-Paris mondain et libertin de l'époque.

Mme Tallien y organisait, dans un décor pompéien, des soirées dansantes au cours desquelles les invités oubliaient rapidement le pieux sobriquet de la maîtresse de maison...

Il faut dire qu'à ce moment un vent de folie soufflait sur la capitale. Depuis que les aides du bourreau avaient démonté la guillotine, une véritable frénésie de plaisir s'était emparée, non seulement des aristocrates que le 9 Thermidor avait sauvés, mais aussi du bon peuple,

236. Duchesse d'ABRANTÈS, *Mémoires*, 1838.
237. Thérésia Cabarrus avait épousé Tallien au début de 1795.
238. La chaumière de Tallien se trouvait sur l'emplacement de l'actuel n° 2 de l'avenue Montaigne.

qui avait, démocratiquement, partagé le danger avec les gens de condition.

Ivres de joie, les Parisiens ne pensaient qu'à danser.

En ce mois de septembre 1795, on compta six cent quarante-quatre bals à Paris. Le plus étrange et le plus significatif était naturellement ce fameux « bal des victimes », où il fallait, pour être admis, prouver qu'on avait perdu un membre de sa famille sur l'échafaud.

On y dansait en costume de deuil, et, comme on était spirituel, on s'y saluait en imitant le mouvement que faisait la tête en s'engageant dans la lunette de la guillotine.

Chez Mme Tallien, les jeux étaient un peu différents. La jolie Thérésia, qui avait tout juste vingt-deux ans, préférait à ces plaisanteries macabres des distractions plus épicées.

Parmi les habitués de la *chaumière*, deux femmes allaient, à des titres différents, faire bientôt parler d'elles. La première était racée, intelligente, bas-bleu, autoritaire et peu jolie. Elle aimait parler, philosopher, et ennuyait extrêmement les hommes qu'elle croyait séduire par sa culture. Elle s'appelait Germaine Necker. Son mariage l'avait faite baronne de Staël...

La seconde, au contraire, était plutôt vulgaire, peu intelligente, nonchalante, mais possédait une certaine grâce malgré des appas un peu fripés. Elle aimait l'argent, l'amour, possédait un tempérament ardent et attirait tous les hommes qui l'approchaient. Elle s'appelait Marie-Rose [239] Tascher de la Pagerie. Son mariage l'avait faite vicomtesse de Beauharnais.

Ces deux femmes devaient jouer un rôle important dans l'existence de l'homme le plus prodigieux des temps modernes. Mais comme le destin est plein de fantaisie, la plus intelligente allait devenir son ennemie et la plus bête son épouse...

Au début de 1794, Marie-Rose s'était retrouvée à la prison des Carmes en compagnie de son mari, Alexandre de Beauharnais (dont elle était séparée depuis quelques années) [240], de Mme Elliott, ex-maîtresse de Philippe d'Orléans, de Mme de Custine, future maîtresse de Chateaubriand, de Lazare Carnot et d'une quinzaine d'autres détenus de marque. Hoche était alors devenu son amant, tandis qu'Alexandre se consolait avec Mme de Custine...

Le 6 thermidor, trois jours avant la chute de Robespierre, M. de Beauharnais avait été guillotiné... Plus heureuse, Marie-Rose s'était retrouvée en vie après la fin de la Terreur. Libérée grâce à Tallien, dont elle était l'amie, elle avait couru chez Thérésia, et les deux femmes s'étaient élancées avec ivresse vers tous les plaisirs, toutes les sensations, toutes les jouissances...

Marie-Rose avait deux enfants à élever. La nécessité d'un « protec-

239. Plus tard, Bonaparte la baptisa Joséphine.
240. Beauharnais avait été déclaré suspect bien qu'il fût général en chef de l'armée du Rhin...

teur » se fit bientôt sentir. Comme elle était ambitieuse, elle choisit l'homme le plus important de l'époque, le plus puissant et le plus riche aussi : Barras, commandant en chef de l'armée de Paris.

Thérésia, que Tallien n'amusait plus, désira immédiatement partager cette belle proie avec son amie. Les deux femmes devinrent donc les maîtresses du futur Directeur.

Un jour, dans ses *Mémoires*, celui-ci s'amusera à les peindre avec une désinvolture qui dénote un manque complet de savoir-vivre. Écoutons-le :

« Les liaisons de Mme Tallien étaient pour elle de sincères jouissances où elle portait toute l'ardeur et la passion du tempérament. Pour Mme Beauharnais, on pensait que les relations, même avec les hommes dont elle appréciait le plus les avantages physiques, n'étaient point aussi généreuses que celles de Mme Tallien. Qu'enfin, n'aimant jamais que par intérêt, la lubrique créole, lorsqu'on l'avait crue subjuguée et abandonnée, n'avait jamais perdu de vue les affaires, qu'elle leur avait tout sacrifié, et que, comme on le disait d'une fille qui l'a précédée dans ce genre d'exploitation, "elle aurait bu de l'or dans le crâne de son amant"...

» Mme Tallien était alors dans sa plus grande fraîcheur ; Mme Beauharnais commençait sa décrépitude précoce ; ce mot n'a rien d'exagéré pour ceux qui l'ont vue de près et qui savent qu'elle n'avait rien qu'elle tînt de la nature ; qu'elle tenait tout de l'art, mais de l'art le plus raffiné, le plus prévoyant, le plus perfectionné, que jamais courtisane de la Grèce ou de Paris ait employé dans l'exercice de sa profession. Ce que Mme Beauharnais sentait ne pouvoir offrir de comparaison avec les avantages réels de Mme Tallien, elle croyait le rattraper et comme le surpasser par la ruse et l'artifice consommés [241]. »

Barras, on le voit, n'avait pas la discrétion d'un homme du monde.

Introduit un soir dans ce salon, Bonaparte fut ébloui par l'élégance de Mme Tallien, qui commençait à lancer la mode des robes transparentes et ouvertes jusqu'à mi-cuisse dont les Merveilleuses allaient faire bon usage. Il la considéra avec une gourmandise ingénue et désira immédiatement devenir son amant. Une telle conquête pouvait, en effet, lui permettre de connaître à la fois des jours dorés et des nuits éblouissantes.

La réputation de dame galante qu'avait conservée l'ex-marquise fascinait Bonaparte. Il savait qu'elle participait, en compagnie de Barras et de quelques amies, à des soirées assez lestes. On racontait que le représentant faisait se déshabiller Thérésia et Marie-Rose de Beauharnais, puis les invitait à danser devant lui.

Il faut dire que la maison de Thérésia semblait avoir été conçue pour ce genre de sauteries. Les murs étaient décorés de scènes champêtres représentant des bergers pompéiens en train de rendre un

241. BARRAS, *Mémoires*. Tome II.

hommage vigoureux à des bergères extasiées et, au milieu du salon, trônait un satyre de bois sculpté dont la virilité gigantesque émerveillait les dames, mais assombrissait un peu la pièce.

Bref, toutes les décorations et tous les objets de ce temple de l'amour rappelaient que la luxure était le passe-temps favori de Mme Tallien et de ses amis.

Pour courtiser cette femme ardente, élégante et fortunée, qu'il rêvait de prendre à Barras, Bonaparte fut bientôt l'un des familiers de la *chaumière*. Désireux de plaire et de briller, il sortait de son mutisme habituel pour « montrer, nous dit le banquier Ouvrard, une gaieté pleine de vivacité et de saillies ». Devant sa belle, le jeune homme aux yeux farouches et au caractère sévère devenait un véritable boute-en-train.

« Un soir, nous dit encore Ouvrard, il prit le ton et les manières d'un diseur de bonne aventure, s'empara de la main de Mme Tallien, et débita mille folies. Chacun voulut offrir sa main à cet examen. Mais quand vint le tour de Hoche, il parut s'opérer un changement dans son humeur. Il examina attentivement les signes de la main qui lui était présentée, et, d'un ton solennel, dans lequel perçait une intention peu bienveillante, il dit :

» — Général, vous mourrez dans votre lit [242] ! »

Une telle prédiction, qui n'a plus rien d'insolite aujourd'hui, était alors considérée comme une insulte. Hoche se fâcha, et Bonaparte dut faire quelques plaisanteries pour détendre l'atmosphère.

Mme Tallien avait naturellement deviné les intentions secrètes de ce jeune homme qui était toujours là pour l'aider à monter en voiture, porter un paquet, lui tendre une ombrelle ou chasser une guêpe... Mais elle ne pensait pas qu'il oserait se déclarer. Un soir, pourtant, l'œil enflammé, balbutiant, il se jeta à ses pieds et lui demanda d'être sa maîtresse.

Elle éclata de rire...

Atrocement vexé, Bonaparte se releva et, d'un air digne, se dirigea vers la porte. Thérésia l'arrêta.

— Restons bons amis, lui dit-elle. Et pour prouver que je ne suis pas fâchée contre vous, je vais vous aider à être élégant. Je sais que vous avez demandé aux autorités militaires du drap pour un nouvel uniforme. Je sais aussi que ce drap vous a été refusé, car vous n'êtes pas en activité... Eh bien ! je vais vous donner une lettre pour M. Lefeuvre, ordonnateur de la 17e division, et vous obtiendrez satisfaction...

Rouge jusqu'aux oreilles, humilié jusqu'aux fibres, Bonaparte n'eut pas le courage de refuser.

242. Ouvrard, *Mémoires*.

Quelques jours plus tard, il recevait du drap et pouvait remplacer sa redingote reprisée et son pantalon râpé par un uniforme neuf [243]...

Grâce à Mme Tallien, le jeune Napoléon, dont le coude, déjà, perçait à travers la manche usée de Bonaparte, allait pouvoir commander avec assurance aux journées de Vendémiaire et prendre son extraordinaire essor vers le trône...

Ainsi, cette Révolution, que quelques dames ardentes et passionnées avaient déclenchée comme par plaisir, se terminait sur un billet d'une femme coquette.

En écrivant sa lettre à M. Lefeuvre, Mme Tallien faisait un geste dont les conséquences devaient être incalculables. Par ses soins, le futur empereur allait être placé dans une attitude avantageuse au moment déterminant de sa carrière. Sans le savoir, elle aidait ainsi à la réalisation d'une prophétie qui se trouvait inscrite en anagramme dans le nom même de la *Révolution française*. On sait, en effet, qu'avec les lettres de ces deux mots — en supprimant *veto*, ce qui est symbolique — un esprit malin et ingénieux réussit, un jour, à écrire : *Un Corse la finira*...

Or ce Corse, qui devait, pendant dix-huit ans, étonner l'Europe, ne serait sans doute pas parvenu au pouvoir sans les femmes. Légères, gracieuses, libertines, piquantes, elles seront les abeilles qui lui permettront de bâtir un Empire...

---

243. Ce nouvel échec emplit Napoléon d'une amertume qu'il s'efforça soigneusement de cacher, et, pendant quelque temps, il demeura le chevalier servant de Thérésia.

Mais le fait d'avoir reçu un coupon de tissu alors qu'il demandait une nuit d'amour fit naître en lui une rancœur dont la jeune femme devait éprouver un jour les terribles effets...

Livre VII

NAPOLÉON ET LES FEMMES

> Dans les grandes crises, le lot des femmes est d'adoucir nos revers.
>
> NAPOLÉON

A la mémoire de mon aïeul l'égyptologue Jean-Baptiste-Prosper Jollois, qui participa à l'expédition d'Égypte.

1

Joséphine apporte en dot à Bonaparte
le commandement en chef de l'armée d'Italie

> La dot est la raison du mariage ;
> l'amour en est le prétexte.
>
> COMMERSON

Le 2 octobre 1795, vers quatre heures de l'après-midi, deux gendarmes à cheval venus de Paris se postèrent à l'entrée du pont de Croissy-sur-Seine et, sans perdre une minute, se mirent à rouler soigneusement leurs moustaches avec cet air pensif et soupçonneux qui caractérisait déjà la maréchaussée.

Au même instant, de Nanterre à Bougival, soixante-dix de leurs collègues, installés le long de la route, de cent mètres en cent mètres, occupaient leur pouce et leur index gauches à un travail identique.

Ce déploiement de forces n'était pas destiné à protéger le passage d'un convoi militaire ou d'une personnalité en mission.

Si soixante-douze gendarmes étaient en train de se tortiller la moustache en ce beau jour doré d'automne sur une route d'Ile-de-France, c'est que Barras, comme chaque decadi, avait décidé d'aller prendre un plaisir inavouable — mais bien naturel — avec Mme de Beauharnais, locataire d'une petite maison à Croissy [1]...

Pour corser les ébats, le président de la Convention, qui manifestait parfois en amour un curieux instinct grégaire, avait convié chez sa maîtresse quelques belles amies turbulentes, légères et toujours prêtes à se laisser courtiser pour le mauvais motif. Un dîner avait été prévu.

Aussi, vers cinq heures, une grande voiture partie des Champs-Élysées, où Doyen, traiteur ami de Barras [2], l'avait emplie de victuailles choisies, de paniers de vins et de champagne, arriva-t-elle chez Mme de Beauharnais. Marie-Rose [3] sortit et fit signe au cocher d'aller fermer les portes du jardin. Il était inutile, par ces temps de disette, que les habitants de Croissy apprissent que les maîtres de la Convention ne participaient pas au jeûne national.

Quand le jardin fut clos, on sortit les provisions et l'on dressa la table dans un petit salon, près d'une cheminée où des bûches avaient

1. La future impératrice avait loué cette maison en 1793 grâce à une de ses compatriotes des Antilles, Mme Hosten. Après l'arrestation du vicomte de Beauharnais, Joséphine, inquiète pour ses enfants, avait placé ceux-ci en apprentissage, Hortense chez une marchande de robes à Paris, et Eugène chez un menuisier de Croissy, nommé Cochard.
2. Notre actuel Le Doyen.
3. Mme de Beauharnais ne portait pas encore le prénom de Joséphine, que Bonaparte lui donnera plus tard en apprenant qu'elle s'appelait Marie, *Josèphe,* Rose.

été préparées. Au moment de mettre le couvert, Marie-Rose alla emprunter des assiettes et des verres à son voisin, M. Pasquier, qui devait, un jour, devenir maître des requêtes et préfet de police de l'Empereur [4]...

Vers six heures, une autre voiture arriva. Elle contenait Mme Tallien, Mme Hamelin, cette créole lascive dont la démarche envoûtait les hommes, et deux jeunes gens vigoureux que la belle Thérésia emmenait toujours avec elle en « en-cas ».

Marie-Rose les accueillit en poussant des exclamations mondaines dont le côté excessif frappa le cocher, qui était un homme simple.

Puis, tout le monde s'installa sous une tonnelle pour y bavarder à perdre haleine des derniers scandales de la capitale.

A sept heures moins le quart, Barras arriva seul, à cheval. Les trois femmes vinrent l'embrasser tendrement, et l'on se mit aussitôt à table, tandis que les soixante-douze gendarmes, leur travail terminé, retournaient à Paris au petit trot, la moustache impeccable.

Le repas fut gai. Dès le potage, Marie-Rose, Mme Tallien et Mme Hamelin, ayant retiré leur robe légère, apparurent entièrement nues. A l'entrée, Thérésia trempa la pointe de ses seins dans le verre de champagne de Barras. A la volaille, Marie-Rose se piqua « une giroflée dans le corbillon ». A la salade, Fortunée Hamelin se noua une serviette autour de la taille et exécuta une petite danse aphrodisiaque. A l'entremets, Thérésia se mit à quatre pattes sur le tapis, « et entreprit d'imiter la démarche ondulante de la panthère d'Afrique ». Finalement, aux fromages, Marie-Rose alla s'asseoir sur les genoux du conventionnel.

Les choses prirent alors une tournure moins gastronomique. La future impératrice entraîna le futur directeur sur un canapé et se conduisit, nous dit M. de Bouillé, « en bonne hôtesse soucieuse du bien-être de ses invités ».

Or, tandis que Barras devenait ainsi le successeur d'une giroflée, Mme Tallien s'allongeait devant le feu avec un de ses « en-cas » et Mme Hamelin « livrait son corps savoureux à la gourmandise du dernier convive ».

La nuit se termina de façon mouvementée. Et lorsque, au petit matin, le soleil perça la brume qui flottait sur la Seine, Marie-Rose et ses invités dormaient sur le tapis, dans un navrant désordre...

A sept heures, les soixante-douze gendarmes, l'œil fixé sur une ligne d'horizon imaginaire, étaient de nouveau à leur poste, du pont de

4. Cf. le chancelier PASQUIER : « La maison de Mme de Beauharnais avait, comme c'est assez la coutume chez les créoles, un certain luxe d'apparat ; à côté du superflu, les choses les plus nécessaires faisaient défaut. Volailles, gibier, fruits rares encombraient la cuisine (nous étions alors à l'époque de la plus grande disette), et, en même temps, on manquait de casseroles, de verres, d'assiettes, qu'on venait emprunter à notre chétif ménage. » *(Mémoires.)*

Croissy à la barrière du Roule, pour protéger le retour de Barras et de ses aimables comparses. Il ne fallait pas que des personnages ayant œuvré avec tant de fougue pour la défense des libertés démocratiques risquassent d'être attaquées par les brigands de grand chemin ou par quelques mauvais sujets royalistes.

A neuf heures, Barras, l'air un peu las, sortit de chez Marie-Rose. Il fit quelques pas dans le jardin, huma les senteurs d'automne et se trouva bien. Il allait détacher son cheval, lorsque Mme de Beauharnais, vêtue d'un peignoir transparent, le rejoignit en sautillant sur les graviers :

— Paul !

Elle se suspendit à son cou, câline, gazouillante, charmeuse. Il comprit. D'un ton un peu sec, il demanda :

— Combien te faut-il ?

Elle baissa le nez :

— Je dois trois mille francs pour quelques robes...

— Je te les ferai porter ce soir.

Elle se colla à lui et l'embrassa longuement. L'air un peu excédé, il se dégagea, lui tapota la joue, monta sur son cheval et partit au galop vers Paris...

Marie-Rose rentra chez elle toute joyeuse, sans se douter que sa demande d'argent allait à tout jamais la séparer de Barras et changer son destin.

Sur la route, le conventionnel réfléchit. Quelques jours auparavant, Mme Tallien était venue lui demander une grosse somme pour Marie-Rose. Il avait refusé. Mais Thérésia était allée droit au secrétaire, l'avait ouvert et s'était emparée de tout l'argent qui s'y trouvait.

— Il faut, mon cher, avait-elle dit en riant, que vos maîtresses ne manquent de rien. Ne vous servent-elles pas suivant vos goûts[5] ?

Il avait ri à son tour. Mais, ce matin, il était soudain fatigué d'entretenir une femme qui ne pouvait résister devant un bijou ou un morceau de chiffon, jetait l'argent par les fenêtres et faisait des dettes comme une fille galante « en pensant que la Nature, dans sa prévoyance, lui avait placé sous le nombril le moyen de payer ses factures »[6].

Il décida de rompre.

Mais qu'allait devenir Marie-Rose ?

Barras réfléchit un instant, puis sourit. Une idée assez amusante venait de naître dans son esprit.

Pour se débarrasser de la jeune femme, il allait lui faire épouser le petit Bonaparte, qui cherchait depuis des mois à établir sa position par un mariage mondain[7].

Pour faire accepter cette union insolite à la très snob Mme de Beauharnais, il suffirait de sortir de l'ombre le maigre général qu'elle

5. Comte DE MONTGAILLARD, *Souvenirs.*
6. Baron DE BOUILLÉ, *Mémoires.*
7. Voir Livre VI.

avait entrevu un soir chez Mme Tallien et de lui donner de l'avancement. Quant au petit Corse, il serait ravi de s'allier à une famille aristocratique.

Chacun aurait donc l'impression de faire une bonne opération, et le futur Directeur, délivré de cette liaison encombrante, pourrait se consacrer entièrement à la belle Thérésia, dont il avait — surtout depuis la nuit précédente — apprécié le talent amoureux.

Tandis que Barras préparait ainsi son avenir, Marie-Rose prenait une collation avec ses amis. A dix heures, Mme Tallien, Mme Hamelin et leurs deux chevaliers servants remontèrent dans la voiture qui les avait amenés. Au dernier moment, Mme de Beauharnais se joignit à eux.

— Je vous accompagne jusqu'à la route de Paris. Je reviendrai à pied.

Au deuxième tournant, elle descendit ; le cocher fouetta son cheval et Marie-Rose resta un instant sur la route à faire de grands signes d'adieu à ses amis.

Quand la voiture eut disparu, la vicomtesse revint vers Croissy en flânant, cueillit des fleurs et contempla, par-dessus les arbres d'un parc, les toits d'une grande propriété bâtie sur le coteau.

Cette demeure l'attirait à cause d'une légende. On racontait qu'au XIe siècle, un chef normand, nommé Odon, s'était installé à cet endroit pour attaquer les voyageurs, les rançonner et les égorger au besoin. La tradition ajoutait que le barbare se faisait amener les femmes et les demoiselles des environs et les violait sauvagement sur un coffre...

Cet exécrable Odon répandait une telle terreur dans la région que le peuple avait surnommé son repaire la *mala mansion* (la mauvaise maison). Par la suite, et pendant des siècles, les villageois prétendirent que le diable s'était installé dans les ruines du manoir abandonné.

Ces légendes n'avaient pas empêché les moines de Saint-Denis de venir s'y livrer à l'agriculture. Et Marie-Rose savait que, depuis 1792, l'ancien repaire d'Odon (rebâti au XVIIe siècle) appartenait à un riche banquier, M. Lecoulteux de Canteleux.

Or, cette propriété, qui faisait rêver la future impératrice, et dont, par une curieuse prescience, elle avait fait le but habituel de ses promenades, c'était la Malmaison...

Barras arriva à Paris vers midi, fringant, détendu et content de lui. Au moment où il descendait de cheval, un secrétaire de la Convention vint, en courant, lui annoncer des nouvelles alarmantes. Les royalistes, qui espéraient une restauration des Bourbons, avaient, depuis quelques jours, gagné de nombreux partisans dans les sections de la Garde nationale, et l'on pouvait s'attendre au pire...

Le lendemain, 4 octobre (12 vendémiaire), les choses empirèrent brusquement. Les conventionnels apprirent avec stupeur que les monarchistes, qui disposaient de quarante mille hommes, s'apprêtaient à

marcher sur les Tuileries. Épouvantés, ils nommèrent Barras commandant en chef de l'armée de l'Intérieur.

Celui-ci commença par suspendre le général Menou, qu'une horreur
native des combats avait conduit à négocier avec les insurgés. Puis il
dit aux conventionnels, qui grelottaient de peur :

— Il n'y a rien de plus facile que de remplacer Menou. J'ai l'homme
qu'il vous faut. C'est Bonaparte, l'officier qui sauva Toulon. Il fera
ce que l'on voudra.

Le Comité de Salut public accepta avec enthousiasme [8]. Mais Barras
expliqua que ce petit général corse était en disponibilité depuis qu'il
avait refusé d'aller servir dans les rangs de l'armée de Vendée.

— Qu'il soit remis en service actif, décréta le président du Comité
de Salut public, dont la sueur coulait le long des joues.

C'était tout ce que demandait Barras. Aussitôt, il envoya chercher
Bonaparte à l'hôtel du Cadran Bleu, rue de la Huchette.

Un garde, porteur d'un ordre rédigé à la hâte, courut jusqu'au garni
crasseux et malodorant où demeurait le futur empereur. Il revint, une
demi-heure plus tard, bredouille.

Barras, furieux, donna l'ordre, alors, de fouiller les hôtels et les
cafés où fréquentait habituellement son protégé. A neuf heures du
soir, vingt-cinq garnis et dix-sept tavernes avaient été visités en vain.

Où se trouvait donc Bonaparte ?

Où ?

Chez l'adversaire...

Depuis cinq heures de l'après-midi, en effet — et c'est une chose
que la plupart des historiens omettent généralement de dire —, il était
en pourparlers avec les insurgés. Privé de solde, mal vu de ses supérieurs,
n'ayant pour vivre qu'un petit emploi au service topographique de
l'Armée, il avait eu l'idée de proposer son épée aux ennemis de la
Convention, dans l'espoir d'être grassement rétribué.

La discussion était âpre. Les royalistes, traitant Bonaparte comme
un mercenaire, lui offraient pour son travail une simple somme
d'argent. Un peu vexé, il discutait le prix, demandait des aides de
camp et exigeait un poste important en cas de victoire.

Finalement, l'affaire allait être conclue lorsqu'une pendule sonna six
heures. Bonaparte se leva soudain.

— Nous reprendrons cette discussion dans la soirée, dit-il. Excusez-
moi, une affaire urgente m'appelle dans Paris. A tout à l'heure.

Il partit en courant.

Cette « affaire urgente », qui allait décider de son destin, était un
rendez-vous sentimental. Ecoutons le baron de Bouillé : « La veille du
13 vendémiaire, écrit-il, Napoléon quitta les royalistes, qui, déjà, le
considéraient comme un des leurs, pour aller retrouver au Théâtre

8. Il est à noter que la Convention ne se serait peut-être pas montrée aussi généreuse si
Fréron, qui était amoureux de Pauline Bonaparte, n'avait pas désiré conquérir les bonnes
grâces du frère...

Feydeau [9] une petite ouvrière prénommée Suzanne, qui habitait rue de la Sourdière, dans un hôtel où le jeune officier passait parfois la nuit à se livrer avec elle à la plus agréable des occupations.

» Cette demoiselle, dont on ignore le nom, était âgée de dix-huit ans. Elle faisait des portraits pour vivre. Bonaparte l'avait connue, un soir, au Théâtre de la République, où il allait souvent grâce à des billets de faveur que lui donnait son ami Talma. »

Le baron ajoute ce détail piquant : « Lorsque Bonaparte rendait une galante visite à Suzanne, la chambre qui abritait leurs amours était tellement exiguë qu'il devait poser son épée sur une chaise et son bicorne sur un pot à eau. Après quoi, il accomplissait son savoureux forfait... La jeune fille était à ses petits soins ; elle s'occupait de son linge, reprisait ses bas, astiquait son épée et lui mijotait de grands plats de saucisses aux lentilles dont il se régalait [10]. »

Doris précise de son côté : « Cet amour fut une bonne fortune pour Napoléon. En se cotisant avec sa jeune artiste, il ne dépensait pas en une semaine la somme qu'il dépensait en un jour avant de la connaître [11]. »

La fameuse étoile de Bonaparte avait donc, en ce soir du 12 vendémiaire an IV, la forme d'une ravissante et blonde demoiselle. Car il est à peu près certain que s'il avait dirigé les opérations du côté royaliste, les conventionnels eussent été massacrés le 13 vendémiaire. Louis XVIII serait alors monté sur le trône et il n'y aurait jamais eu d'Empire...

Bonaparte retrouva Suzanne au Théâtre Feydeau, où l'on jouait *Lodoïska*, de Cherubini. Ils entrèrent main dans la main et attendirent avec impatience que le principal interprète entonnât ce couplet de haute poésie que tout Paris chantait alors :

> *Perdre ma belle*
> *Plutôt le jour.*
> *Je vis pour elle*
> *Et meurs d'amour...*

A l'entracte, un ami les rejoignit dans leur loge. Il était essoufflé.

— Barras te cherche partout, dit-il à Bonaparte. Il vient d'être nommé commandant en chef de l'armée de l'Intérieur et veut te prendre comme commandant en second.

Puis il lui apprit sa réintégration dans l'armée et lui décrivit l'affolement qui régnait à la Convention.

— Tu n'as pas une minute à perdre.

Bonaparte, pensant que sa réintégration et les fonctions que lui

---

9. Opéra-Comique.
10. Baron DE BOUILLÉ, *Mémoires*.
11. *Les Amours secrètes de Napoléon et des princes et princesses de sa famille, d'après les documents historiques de M. de B.*, Paris 1815. L'ouvrage fut d'abord attribué à BOURRIENNE (M. de B.). Il est de Doris, de Bourges.

réservait Barras étaient plus intéressantes que les propositions des royalistes, abandonna Suzanne aux délices de la musique de Cherubini et courut aux Tuileries.

Barras le reçut très mal :

— Où étais-tu ?

— Au théâtre.

— Au théâtre quand la République est en danger. Tu es fou !

Vexé, Bonaparte se contenta de demander quel poste lui était réservé dans la lutte contre les insurgés.

— Toutes mes positions sont commandées par les officiers qui sont arrivés les premiers, répondit sèchement Barras. Tu seras l'un de mes aides de camp...

Après quoi, le commandant en chef se rendit aux nouvelles et apprit que les royalistes avaient l'intention d'attaquer à quatre heures du matin. Il se tourna vers Bonaparte, qui le suivait, tête basse.

— Tu vois s'il y a un moment à perdre, et si j'ai eu raison de te gronder de n'être pas venu plus tôt [12]...

Puis il se radoucit et expliqua à son protégé qu'il avait les pouvoirs d'un commandant en second.

Alors, Bonaparte chargea un jeune officier de cavalerie plein de fougue — c'était Murat, son futur beau-frère — d'amener aux Tuileries les canons qui étaient remisés aux Sablons et mal gardés. A l'aube du 13 vendémiaire, grâce à ce coup d'audace, il allait pouvoir tenir tête aux insurgés.

Dans la matinée, ceux-ci groupèrent leurs troupes rue Saint-Honoré et rue de la Convention (aujourd'hui, rue Saint-Roch). Immédiatement, Bonaparte, qui n'avait à sa disposition que sept mille hommes, fit des Tuileries un camp retranché.

A cinq heures du soir, les royalistes attaquèrent. Ils se trouvèrent face à face avec celui qui, la veille, leur offrait son épée... Balayés par un feu violent sur le pont Royal, puis sur les marches de l'église Saint-Roch, ils durent prendre la fuite, laissant cinq cents morts sur le pavé.

L'insurrection était finie.

Le 24 vendémiaire (16 octobre), la Convention reconnaissante nomma son défenseur général de division et commandant en chef de l'armée de l'Intérieur. Devenu du jour au lendemain héros national, Bonaparte fut fêté, acclamé, invité. Lui qui, la veille encore, ne savait où déjeuner vit s'ouvrir tous les salons. Chacun voulait recevoir la vedette du jour, le « général Vendémiaire ».

Barras profita de cet engouement pour préparer le mariage qui devait le débarrasser de Mme de Beauharnais. Il organisa un dîner où furent conviés Cambacérès, Fréron, Carnot, Talma, Bonaparte et son jeune frère Lucien, le banquier Ouvrard, Mme Tallien et Marie-Rose.

---

12. Cette phrase extraordinaire, quand on songe qu'elle s'adresse à un homme qui sera huit ans plus tard empereur et maître du monde, est citée par BARRAS lui même dans ses *Mémoires*.

Celle-ci ne reconnut pas le « chat botté » timide et gauche qu'elle avait rencontré dans le salon de Thérésia. « Champignon prodigieux poussé en huit jours », selon le mot d'Octave Aubry, Bonaparte montrait une autorité, une aisance, qui le métamorphosaient. Placée à côté de lui, la créole l'interrogea longuement sur la Corse, qu'elle confondait d'ailleurs avec la Sicile...

Ses propos enfantins, son zézaiement amusèrent le jeune général, qui lui répondit avec une verve qui devait beaucoup au chambertin de Barras.

Du coin de l'œil, le futur directeur observait ses deux invités. Le premier contact semblait bon. Augurant bien de l'avenir, il embrassa dans le cou la belle Thérésia, dont les dents éclatantes contrastaient avec les chicots noirs de Mme de Beauharnais...

Après le dîner, ce que Barras, avec son expérience des femmes entretenues, avait exactement prévu se passa dans l'esprit de Marie-Rose : constatant que le conventionnel se détachait d'elle au profit de Mme Tallien, elle pensa que Bonaparte pourrait lui être utile, et décida de le revoir.

Comment ? Elle chercha un stratagème et — femme rusée — le trouva. Apprenant que le général venait d'ordonner le désarmement des Parisiens, elle lui envoya son fils...

Voici comment Napoléon raconte lui-même cette scène capitale :

« On avait exécuté le désarmement général des sections. Il se présenta à l'état-major un jeune homme de dix à douze ans, qui vint supplier le général en chef de lui faire rendre l'épée de son père qui avait été général de la République. Ce jeune homme était Eugène de Beauharnais, depuis vice-roi d'Italie. Napoléon, touché de la nature de sa demande, et des grâces de son âge, lui accorda ce qu'il demandait : Eugène se mit à pleurer en voyant l'épée de son père. Le général en fut touché, et lui témoigna tant de bienveillance que Mme de Beauharnais se crut obligée de venir, le lendemain, lui en faire des remerciements. Napoléon s'empressa de lui rendre visite [13]. »

La ruse réussit, et quelques jours plus tard, en effet, Bonaparte, flatté par la visite de Mme de Beauharnais, alla sonner à la porte cochère de l'hôtel de la rue Chantereine, où la créole habitait depuis le 10 vendémiaire [14]. Reçu comme un ami, il admira cette femme élégante, qui lui semblait riche et puissante...

Ainsi, tous deux pensaient faire une bonne affaire. Tandis qu'elle croyait avoir trouvé un protecteur, lui, de son côté, pensait à la fortune qu'avait dû laisser M. de Beauharnais.

---

13. *Mémorial de Sainte-Hélène.* Cette scène est confirmée par la reine Hortense et le prince Eugène dans leurs Mémoires respectifs.

14. La rue Chantereine avait été tracée au milieu d'un marais, où l'on entendait chanter les petites grenouilles appelées reinettes — d'où son nom. Plus tard, elle deviendra la rue de la Victoire.

L'hôtel que Marie-Rose venait de louer à Julie Talma avait sa porte cochère là où se trouve aujourd'hui le 50 de la rue de la Victoire. Il était situé sur l'emplacement de notre rue de Châteaudun, devant les immeubles portant les n°s 47 et 49.

Cette première entrevue avait donné bon espoir à Marie-Rose, qui s'était, avec délices, sentie déshabiller par le regard ardent du petit général.

Elle espéra une nouvelle visite. Mais Bonaparte, occupé par ses fonctions, se fit attendre. Impatiente, elle lui envoya un mot qui ne laissait rien ignorer de ses désirs.

Ce 6 au soir

Vous ne venez plus voir une amie qui vous aime ; vous l'avez tout à fait délaissée ; vous avez bien tort, car elle vous est tendrement attaché · (sic).

Venez demain septidi déjeuner avec moi. J'ai besoin de vous voir et de causer avec vous sur vos intérêts.

Bonsoir, mon ami, je vous embrasse.

Veuve Beauharnais.

Un peu éberlué en recevant ce mot, Bonaparte répondit le jour même :

Je ne conçois pas ce qui a pu donner lieu à votre lettre. Je vous prie de me faire le plaisir de croire que personne ne désire autant votre amitié que moi, et n'est plus prêt que moi à faire quelque chose qui puisse le prouver. Si mes occupations me l'avaient permis, je serais venu moi-même porter ma lettre.

Bonaparte.

Le soir même, il revint rue Chantereine, où Mme de Beauharnais le retint à dîner. Après le dessert, elle l'entraîna dans sa chambre...

Sans perdre une seconde, il se précipita sur elle, la renversa sur le lit et la troussa avec une ardeur à laquelle la vicomtesse fut sensible. Après quoi, dévêtu en un clin d'œil, il bondit dans les draps, sourcils froncés, « comme un pompier entre dans la fournaise... ».

A deux heures du matin, Joséphine (c'est, désormais le prénom qu'elle portera) s'endormait le corps léger...

Le lendemain, Bonaparte lui envoya ce mot dont j'ai respecté l'orthographe très personnelle.

7 heures du matin

Je me réveille plein de toi. Ton portrait et le souvenir de lénivrante soirée d'hiers n'ont point laissé de repos à mes sens. Douce et incomparable Joséphine, quelle effet bizarre faites-vous sur mon cœur ! Vous fâchez-vous ? Vous vois-je triste ? Êtes-vous inquiète ? Mon âme est brisé de douleur, et il n'est point de repos pour votre ami... Mais en est-il donc davantage pour moi, lorsque, me livrant au sentiment profond qui me maîtrise, je puise sur vos levres et sur votre cœur, une flame qui me brule. Ah ! C'est cette nuit que je me suis aperçu que votre portrait n'est pas vous ! Tu pars à midi, je te verai dans 3 heures. En attendant, mio dolce amour, *reçois un million de baisé ; mais ne men donne pas, car il brule mon sang.*

B.P. [15]

Bientôt, Bonaparte, qui avait le sens du grandiose, eut l'impression que de la lave en fusion coulait dans ses artères et que son cœur était comparable à l'intérieur même du Vésuve. Il décida alors d'épouser Joséphine.

Toutefois, comme il était de caractère hésitant, il désira prendre l'avis d'un ami de bon conseil. Et, le destin étant toujours malicieux, c'est à Barras qu'il s'adressa...

En voyant entrer Bonaparte l'air embarrassé, le Directeur [16] comprit que ses plans se réalisaient point par point. Ne voulant pas se laisser deviner, il commença par prendre un air sévère et reprocha au général les présents fastueux qu'il faisait à Joséphine avec l'argent de l'armée de l'Intérieur :

— Il paraît que tu as pris la Beauharnais pour l'un des soldats du 13 vendémiaire que tu devais comprendre dans la distribution : tu aurais mieux fait d'envoyer cet argent à ta famille qui en a besoin et à laquelle je viens encore de faire passer un secours.

« Bonaparte rougit, écrit Barras dans ses *Mémoires,* mais ne désavoua point qu'il eût fait des présents considérables.

» Comme je plaisantais sur sa générosité, où je craignais de voir l'effet d'une passion sans mesure, il se mit à rire lui-même et me dit :

» — Je n'ai point fait de cadeaux à ma maîtresse ; je n'ai point voulu séduire une vierge : je suis de ceux qui aiment mieux trouver l'amour tout fait que l'amour à faire... Eh bien ! dans quelque état que soit Mme de Beauharnais, si c'était bien sérieusement que je fusse en relation avec elle, si ces présents que vous me reprochez d'avoir faits, c'étaient des présents de noce, citoyen Directeur, qu'auriez-vous à redire ? »

Barras eut une terrible envie de rire. Il fit semblant de réfléchir et dit :

— Après tout, cette idée de mariage n'est pas tellement ridicule...

— Et puis Mme de Beauharnais est riche, dit Bonaparte.

Le luxe de la jeune femme avait ébloui le petit général ; il ignorait que Joséphine ne vivait que d'emprunts et que les biens dont elle se disait propriétaire à la Martinique appartenaient en fait à sa mère...

— Ma foi, dit encore Barras, puisque tu me consultes, je te répondrai par tes propres paroles : pourquoi pas ? Tu es isolé, tu ne tiens à rien. Ton frère Joseph t'a montré la route du mariage : le voilà tiré de la misère avec la dot de Clary [17]. Tu me dis que tu es à la fin de tes

---

15. B.P. = Buona-Parte.

16. La Convention ayant déclaré sa mission terminée le 26 octobre 1795 avait cédé la place à un Directoire composé de Barras, Carnot, Letourneau, Rewbell et La Réveillière-Lépeaux.

17. Joseph avait épousé Julie Clary, sœur de Désirée, avec qui Bonaparte s'était fiancé à Marseille.

ressources et que tu n'as pas de temps à perdre ; eh bien ! marie-toi :
un homme marié se trouve placé dans la société, il offre plus de
surface et de résistance à ses ennemis...

C'était exactement les encouragements que Bonaparte venait chercher. Il remercia et s'en fut le cœur à l'aise, laissant Barras savourer
sa jubilation...

Mais, comme dans un vaudeville bien réglé, le Directeur devait voir
arriver bientôt la jeune veuve, qui venait quêter un conseil.

Écoutons-le nous raconter la scène :

« Quelques jours après, Mme de Beauharnais vint à son tour me
faire sa confidence. Elle commença par bien établir qu'elle n'était
portée à ce nouveau lien par aucun mouvement de cœur. De tous les
hommes qu'elle aurait pu aimer, ce petit « chat botté » est certainement
le dernier : il n'a rien qui lui revienne. Il tient à une famille de
mendiants et qui n'a recueilli d'estime dans aucun pays : mais il a un
frère qui a fait un grand mariage à Marseille, et qui promet d'aider les
autres...

» Mme de Beauharnais me confesse que Bonaparte lui avait des
cadeaux d'une magnificence qui lui permettait de croire qu'il avait
plus de ressources qu'on ne lui en connaissait.

» — Pour moi, me dit-elle, je n'ai pas cru devoir le mettre dans le
secret de ma position si cruellement gênée ; il me croit une certaine
fortune actuellement, et il pense que j'ai de grandes espérances du côté
de la Martinique. Ne lui laissez rien savoir de ce que vous savez, cher
ami : vous feriez tout manquer. Du moment que je ne l'aime pas,
vous entendez que je puis faire cette affaire ; c'est vous que j'aimerai
toujours, vous pouvez y compter. Rose sera toujours à vous, à votre
disposition, quand vous lui ferez un signe. Mais je sais bien que vous
ne m'aimez plus, me dit-elle en versant tout à coup un torrent de
larmes qu'elle avait à commandement ; c'est là le plus grand de mes
chagrins ; je ne pourrai jamais m'en consoler, quelque chose que je
fasse. Quand on a aimé un homme tel que vous, Barras, peut-on
connaître au monde un autre attachement ?

» — Et Hoche ? lui répondis-je avec fort peu d'émotion et presque
en riant, vous l'aimiez aussi par-dessus tout, et pourtant l'aide de
camp et Vanakre, et *tutti quanti*[18]. Allons, vous êtes une fière
enjôleuse... »

Le mot étonna Mme de Beauharnais, qui, ne sachant quel parti
prendre, se mit à pleurer à chaudes larmes et à baiser les mains de

18. Marie-Rose était devenue la maîtresse de Hoche à la prison des Carmes où tous
deux se trouvaient internés en 1793. Après Thermidor, elle avait voulu le faire divorcer
pour devenir sa femme ; mais le beau général s'y était refusé, disant crûment « qu'on
pouvait bien se passer un moment une catin pour une maîtresse, mais non la prendre
pour femme légitime ». Il avait ajouté : « Qu'on me laisse désormais tranquille, je la
livre à Vanakre, mon palefrenier. » Ce Vanakre (ou Van Aker) était un gardien d'écurie
avec qui Marie-Rose prenait parfois du plaisir. Elle lui avait, d'ailleurs, fait cadeau de
son portrait dans un médaillon d'or. Peu regardante, lorsqu'il s'agissait de mettre un
homme dans son lit, la future impératrice avait eu auparavant, pour amants : un aide de
camp de Hoche, un jardinier, un garde et « même des nègres »...

Barras. Excédé, il sonna son valet de chambre et demanda qu'on fît préparer sa voiture pour ramener chez elle sa visiteuse.

« Je lui donnai l'un de mes aides de camp pour l'accompagner... Ses larmes étaient taries ; le visage, tout à l'heure décomposé, avait repris sa mignardise tranquille et ses coquetteries usitées.

» Mon aide de camp me dit au retour que la dame était arrivée chez elle en très bonne santé. Quelques soupirs lui étaient seulement échappés dans la route, et elle n'avait que proféré ces mots :

» — Pourquoi a-t-on un cœur qui ne dépend pas de soi ? Pourquoi avoir aimé un homme comme Barras ? Comment cesser de l'aimer ? Comment s'en détacher ? Comment jamais songer à un autre qu'à lui ? Répétez-lui, je vous en conjure, combien je lui suis dévouée, et que je n'aimerai jamais que lui, quelque chose qu'il arrive de moi dans le monde... »

De tels propos flattèrent bien entendu le Directeur. Il se félicita pourtant d'avoir poussé à temps cette maîtresse encombrante dans les bras de Bonaparte...

Au même instant, rue Chantereine, Joséphine retrouvait son « fiancé » et lui donnait une version toute personnelle de l'entrevue qu'elle venait d'avoir avec Barras.

— Cet homme a été odieux, dit-elle. Il a essayé de me violer. Il y a longtemps qu'il me faisait la cour ; mais, cette fois, j'ai dû me battre. Il me tenait serrée, nous sommes tombés sur le tapis, et je me suis évanouie.

Bonaparte entra dans une grande colère et déclara qu'il allait demander raison à Barras des outrages portés contre la vertu de sa future épouse.

Dans un geste qui eût inspiré une jolie toile au baron Gros, il saisit son épée. Affolée, la créole lui prit le bras, se fit caressante et dit :

— Écoute, Barras a des manières un peu brusques, c'est vrai, mais c'est un homme bon et serviable. Il est fidèle en amitié, et quand on a su l'intéresser, on est sûr qu'il ne vous abandonne point et vous sert chaudement. Prenons donc les choses et les hommes comme ils sont. Barras peut-il nous être utile dans sa position ? Certainement. Tirons-en donc tout ce que nous pourrons, et ne nous occupons plus du reste [19].

Ce petit discours avait calmé Bonaparte. Habitué à tirer parti des situations les plus équivoques, il prononça en souriant cette phrase que les historiens napoléonâtres se gardent bien de citer :

— Oh ! S'il veut me donner le commandement de l'armée d'Italie, je lui pardonne tout : je serai le premier à me montrer le plus reconnaissant des hommes, je ferai honneur à la nomination, et nous aurons de bonnes affaires ; je réponds qu'avant peu nous roulerons dans l'or [19]...

19. Cité par Barras dans ses *Mémoires,* t. IV.

Rien ne pouvait allécher davantage Joséphine.

— Tu auras ce commandement, promit-elle.

Bonaparte savait remercier. Il prit la créole dans ses bras, la porta sur un lit, la déshabilla complètement et s'efforça de lui être agréable par des moyens éprouvés...

Dès cet instant, selon le mot de Roger de Parnes, « Bonaparte mit sa fiancée au service de son ambition ». Presque chaque jour, il envoya Joséphine chez Barras pour solliciter le commandement en chef de l'armée d'Italie, en feignant d'ignorer les liens qui avaient uni — et qui unissaient encore — le Directeur et la vicomtesse.

Cette absence de préjugés étonna bien des gens, à commencer par Barras lui-même.

Écoutons-le :

« L'avouerai-je ? Oui, je l'avouerai, puisque je fais mes *Mémoires* sans leur avoir donné le titre fastueusement modeste de Confessions ; j'ai dit, autant que le puisse révéler un Français élevé dans les principes de la chevalerie, que je n'étais pas sans quelques accointances, déjà surannées il est vrai, mais cependant très réelles, avec Mme Beauharnais.

» Il y a peu d'orgueil de ma part, d'autres diraient beaucoup de modestie, dans cette révélation. Il en résultait néanmoins une position telle qu'elle ne pouvait échapper à la connaissance de personnes qui étaient au courant de ma vie intérieure. Aussi Mme Beauharnais était-elle signalée généralement comme l'une de mes premières liaisons, et Bonaparte, qui était fréquemment chez moi, était l'un de ceux qui pouvaient le moins ignorer ce qu'il en était ; mais il paraît que, sous le rapport qui touche les hommes ordinaires, cela lui était tout à fait indifférent et qu'il avait à cet égard une grande supériorité.

» Ainsi, lorsqu'il préparait son union avec Mme Beauharnais, et qu'il ne pouvait croire ma relation finie, c'était lui-même qui m'amenait au Directoire sa future épouse par la main : elle lui servait déjà dans les affaires, comme elle l'avait servi dans son avancement.

» Comme il avait toujours quelque chose à me demander, il croyait être moins demandeur en faisant solliciter par elle.

» Mme Beauharnais m'ayant plusieurs fois voulu parler sans témoins, me priait sans cérémonie de passer dans mon cabinet avec elle seule. Bonaparte restait dans le salon à l'attendre et faisait la conversation avec les personnes qui s'y trouvaient.

» Un jour, Mme Beauharnais eut à m'entretenir plus particulièrement qu'à l'ordinaire ; et notre séance se prolongea plus que je ne l'aurais voulu : elle me parlait avec l'effusion de la tendresse qu'elle me disait avoir toujours eue pour moi, et à laquelle ne pouvait la faire renoncer son lien projeté. Me serrant dans ses bras, elle me reprochait de ne plus l'aimer, me répétant que j'étais ce qu'elle avait le plus aimé au monde et dont elle ne pouvait se détacher au moment où elle allait devenir la femme du "petit général".

» Je me trouvais presque dans la situation de Joseph à l'égard de Mme Putiphar. Je mentirais cependant si je prétendais avoir été aussi cruel que le jeune ministre de Pharaon.

. . . .

» Je sortis de mon cabinet avec Mme Beauharnais, non sans quelque embarras de mon côté... [20] »

Quelques jours plus tard, Barras, ravi de se débarrasser à si bon compte de cette hystérique, faisait nommer le « petit général » commandant en chef de l'armée d'Italie [21].

Joséphine, ayant obtenu ce qu'elle voulait, annonça alors qu'elle allait se remarier avec ce Bonaparte dont les Parisiens prononçaient si mal le nom et dont elle connaissait, elle, si bien l'impétueuse ardeur...

2

La nuit de noces de Bonaparte troublée par un chien

> Adam et Ève étaient heureux au
> Paradis terrestre, quand vint la bête...
>
> MASSILLON

Le 9 mars 1796, vers huit heures du soir, six personnes se morfondaient dans un salon de la mairie du 2ᵉ arrondissement, rue d'Antin.

Il y avait là, entourant la cheminée, Joséphine, Calmelet (un homme de loi), Le Marois (aide de camp de Bonaparte), Barras, Tallien, et l'officier d'état civil, le citoyen Collin-Lacombe.

Dehors, la pluie tombait à verse.

— J'espère qu'il n'a pas oublié, murmura Joséphine.

— Il a beaucoup de travail, dit Barras ; il prépare son départ pour l'Italie. Des problèmes sans nombre doivent être résolus sur-le-champ.

Joséphine ne répondit pas, et l'on n'entendit plus que le crépitement des bûches dans la cheminée.

A quoi songeait-elle alors, les yeux fixés sur les flammes ? Peut-être à cette vieille Caraïbe de Fort-de-France qui lui avait dit, lorsqu'elle avait sept ans : « Tu épouseras un surhomme et tu monteras sur un trône... [22] »

Et peut-être en avait-elle quelque mélancolie...

Le petit général jaune et malingre auquel, ce soir, elle allait lier

---

20. « La crudité des termes dans ce passage est telle, nous dit GEORGES DURUY, qui publia les *Mémoires* du Directeur, que, tout en laissant Barras exprimer assez clairement sa pensée, j'ai dû, par respect pour le lecteur, retrancher quelques lignes. »

21. « Barras se charge de la dot de Joséphine qui est le commandement en chef de l'armée d'Italie. » (LUCIEN BONAPARTE.)

22. « On sait que Joséphine croyait aux pressentiments, aux sorcières ; on lui avait prédit, dans son enfance, qu'elle ferait une grande fortune et qu'elle serait souveraine. » *(Mémorial de Sainte-Hélène.)*

sa destinée n'avait, en effet, rien d'un surhomme, ni d'un futur souverain...

Elle y avait cru, pourtant, à cette prédiction. Au point de supporter sans défaillance son internement dans les prisons de la Révolution.

A neuf heures, l'officier d'état civil s'endormit, et les témoins, qui n'osaient plus regarder la « fiancée », marchaient de long en large.

A dix heures enfin, un pas sec retentit dans l'escalier, la porte s'ouvrit avec fracas et Bonaparte entra en courant. Il bondit sur Collin-Lacombe et le secoua :

— Allons, allons, monsieur le Maire, mariez-nous vite...

L'officier d'état civil, les paupières encore lourdes de sommeil, ouvrit son registre, et l'assistance écouta sans broncher la lecture de l'acte de mariage qui offrait cette amusante singularité d'être à peu près entièrement faux : Bonaparte, par galanterie, s'y était vieilli d'un an ; Joséphine par coquetterie, s'y était rajeunie de quarante-huit mois ; le marié y était domicilié *à la mairie* et son témoin n'avait pas l'âge requis... Curieux acte officiel, on en conviendra, pour un jeune homme qui devait donner son nom au Code civil...

Après la lecture de ce texte plein de fantaisie, les phrases rituelles furent prononcées, les signatures apposées, et tout le monde se retrouva sur le trottoir.

— Merci de vous être dérangés, dit Bonaparte aux témoins stupéfaits. A demain. Bonne nuit.

Puis il entraîna Joséphine dans une voiture, qui partit à toute allure vers la rue Chantereine [23]...

Ce mariage était, pour le petit général, une bonne affaire. En épousant la veuve de Beauharnais, il entrait dans la société des « ci-devant », dont il enviait le luxe et l'élégance, il se « francisait » [24] et devenait propriétaire d'un gracieux hôtel entouré de jardins... La fortune que Joséphine lui avait fait miroiter était, sans doute, inexistante, mais, en revanche, la créole lui apportait en dot le commandement en chef de l'armée d'Italie [25].

C'est donc avec un sourire satisfait qu'il déshabilla son épouse, bien décidé à lui faire subir les plus délicieux outrages [26]...

---

23. Le salon où eut lieu ce mariage historique existe toujours. C'est, aujourd'hui, le bureau du directeur de la Banque de Paris et des Pays-Bas, 3 rue d'Antin.

24. Cf. une déclaration de Napoléon rapportée par GOURGAUD : « Barras m'a rendu service en ce qu'il m'a conseillé de l'épouser, assurant qu'elle tenait à l'ancien régime et au nouveau. Cela me donnerait de la consistance. Sa maison était la meilleure de Paris, et cela m'ôterait mon nom de Corse. Enfin, je serais, par cette union, tout à fait français... »

25. « Je n'épousai Joséphine que parce que je croyais qu'elle avait une grande fortune. Elle le disait. Il n'en était rien. » (Déclaration de Napoléon au général BERTRAND.)

26. Napoléon avait su rapidement découvrir tous les côtés agréables de la « bonne affaire » qu'il faisait (c'était son mot). Il l'avouera un jour au général Bertrand dans son charmant langage : « Elle avait un je-ne-sais-quoi qui plaisait. C'était une vraie femme. Elle avait le plus joli petit c... qui fût possible... »

Au moment d'entrer dans le lit, Bonaparte s'aperçut que Fortuné, le carlin de Joséphine, dormait sur le couvre-pieds.

Il fit un geste pour le chasser, mais la créole protesta :

— Tu ne vas pas déranger ce pauvre chien, qui, pour une fois, a eu l'adorable idée de venir dormir sur mon lit, dit-elle. Regarde comme il te fait de bons yeux... Il faudrait être sans cœur pour le renvoyer.

Le général aimait bien que chaque chose fût à sa place : les hommes à la guerre, les amants au lit et les chiens dans leur niche. Il eut fortement envie de jeter le carlin par la fenêtre, mais il pensa qu'un éclat de ce genre serait un mauvais prologue à une nuit de noces et préféra se glisser dans les draps sans rien dire.

Aussitôt, car il n'avait aucune éducation, il se jeta sur Joséphine avec une ardeur frénétique.

Fortuné n'était pas habitué à voir brutaliser ainsi sa maîtresse. Il se mit à aboyer furieusement.

Bonaparte, tout en continuant à donner de sa personne, essaya de calmer l'animal par des propos doucereux et flatteurs. Finalement, il lui envoya un grand coup de pied dans le ventre.

Le chien tomba sur le tapis en émettant des cris plaintifs, et les époux reprirent leur savoureux ouvrage.

Tout à coup, Bonaparte poussa un grand cri, et Joséphine, heureuse, pensa que son mari venait d'atteindre l'extase. Elle se trompait : ce cri était un hurlement. Fortuné, qui avait réussi, en s'aidant des pattes et du museau, à se glisser sous les draps, venait de planter ses crocs dans le mollet gauche du futur vainqueur d'Austerlitz...

Après cette aventure, il fut impossible au couple de continuer ses ébats. Le général ne tendait plus vers le plaisir.

« Jusqu'au matin, nous dit encore M. de Ravine, Joséphine, navrée, dut mettre des compresses de tilleul sur la blessure de son invalide ; lequel, crispé au fond du lit, assurait, d'un ton geignard, qu'il allait mourir enragé [27]. »

Ainsi se termina, de façon vaudevillesque, la nuit de noces du plus grand homme de tous les temps [28]...

Le lendemain, un journal annonçait le mariage en ces termes assez peu respectueux :

« Le général Buona-Parte, si connu en Europe par ses nombreux exploits (on dit qu'avant d'être général de la République française ce Corse était clerc chez un huissier, à Bastia), avant de retourner à l'armée moissonner de nouveau les lauriers de Mars, voulait cueillir

---

27. M. DE RAVINE, *Mémoires sur Napoléon et Joséphine,* 1830.

28. Plus tard, Napoléon conta la chose au membre de l'Institut LOUIS-VINCENT ARNAULT, qui la nota dans ses *Souvenirs d'un sexagénaire* : « Vous voyez bien ce monsieur-là, me dit-il en désignant le chien gambadant, c'est mon rival. Il était en possession du lit de madame quand je l'épousai. Je voulus l'en faire sortir : précaution inutile ; on me déclara qu'il fallait me résoudre à coucher ailleurs ou consentir au partage. Cela me contrariait assez, mais c'était à prendre ou à laisser. Je me résignai : le favori fut moins accommodant que moi. J'en porte la preuve à cette jambe... »

les myrtes de l'Amour. Ce qui, en langue vulgaire, signifiait qu'il voulait se marier.

» L'amour et l'hymen viennent, en effet, de couronner ce jeune héros.

» Il a épousé Madame Beauharnais, jeune veuve de quarante-deux ans, et qui n'était pas mal lorsqu'il lui restait encore une dent pour embellir la plus petite bouche du monde.

» La cérémonie a été très gaie. Les témoins étaient messieurs Barras (...), Tallien et sa belle Cabarrus.

» Messieurs Tallien et Barras ont été d'une amabilité charmante. Ils ne pouvaient regarder le général Buona *(sic)* sans rire, comme s'ils venaient de soulager leur cœur et d'acquitter leur conscience[29]. »

Deux jours plus tard, le 11 mars, Bonaparte quitta Paris pour aller prendre son commandement à Nice.

A Chanceaux, on lui remit un pli. C'était une lettre de Désirée Clary, la petite Marseillaise à laquelle il avait donné sa foi quelques mois plus tôt[30].

Fort mal à l'aise, il lut ces mots qui allaient rester gravés dans sa mémoire et faire naître un remords dont il ne devait jamais se délivrer.

Vous m'avez rendue malheureuse pour le reste de ma vie et j'ai encore la faiblesse de vous tout pardonner.

Vous êtes donc marié. Il n'est donc plus permis à la pauvre Eugénie[31] de vous aimer, de penser à vous. Et vous disiez que vous m'aimiez ?... Vous marié !

Non, je ne puis m'accoutumer à cette idée ! Elle me tue. Je n'y puis survivre ! Je vous ferai voir que je suis plus fidèle à mes engagements et, malgré que vous ayez rompu les liens qui nous unissaient, jamais je ne m'engagerai avec un autre, jamais je ne me marierai. Mes malheurs m'apprennent à connaître les hommes et à me méfier de mon cœur. Je vous fis demander par votre frère mon portrait. Je vous renouvelle ma demande. Il doit vous être bien indifférent, surtout à présent que vous possédez celui d'une femme sans doute chérie. La comparaison que vous devez faire ne peut qu'être à mon désavantage, votre femme étant supérieure en tout à la pauvre Eugénie, qui peut-être ne la surpassait que par son extrême attachement pour vous.

Après un an d'absence, moi qui croyais toucher au bonheur ! Moi qui espérais vous revoir bientôt et devenir la plus heureuse des femmes en vous épousant !

... A présent, la seule consolation qui me reste est de vous savoir persuadé de ma constance. Après quoi je ne désire que la mort. La vie est un supplice affreux pour moi depuis que je ne puis plus vous la consacrer.

29. *Bulletin politique de Paris et des départements,* sexidi, 6 germinal an IV.
30. Voir Livre VI.
31. C'est le prénom que lui donnait Napoléon.

Je vous souhaite toutes sortes de bonheurs et de prospérités dans votre mariage ; je désire que la femme que vous avez choisie vous rende aussi heureux que je me l'étais proposé et que vous le méritez. Mais, au milieu de votre bonheur, n'oubliez pas tout à fait votre Eugénie, et plaignez son sort.

EUGÉNIE.

Bonaparte, peu fier, plia la lettre et la mit dans sa poche... L'idée d'une réparation commença dès lors à le hanter. Elle le poursuivra jusqu'à Sainte-Hélène, alors même qu'il aura donné une fortune considérable à la petite Marseillaise devenue reine de Suède...

Au cours de ce voyage vers la Méditerranée, l'amour de Bonaparte pour sa femme se transforma en une passion frénétique. A chaque halte, il montrait le portrait de Joséphine aux militaires qui venaient l'accueillir en disant :

— N'est-ce pas qu'elle est belle ?

Et, plusieurs fois par jour, il écrivait des lettres que des estafettes couraient porter rue Chantereine.

Le style en était passionné :

Chaque instant m'éloigne de toi, adorable amie, et, à chaque instant, je trouve moins de force pour supporter d'être éloigné de toi. Tu es l'objet perpétuel de ma pensée. Mon imagination s'épuise à chercher ce que tu fais. Si je te vois triste, mon cœur se déchire et ma douleur s'accroît ; si tu es gaie, folâtre avec tes amis, je te reproche d'avoir bientôt oublié la douloureuse séparation de trois jours ; tu es alors légère et, dès lors, tu n'es plus affectée par aucun sentiment profond.
Comme tu vois, je ne suis pas facile à contenter.
Écris-moi, ma tendre amie, et bien longuement. Et reçois les mille et un baisers de l'amour le plus tendre et le plus vrai.

Bientôt, le ton changea. Torturé par l'amour, le désir et la jalousie, Bonaparte écrivit des lettres d'un romantisme effréné.

Dans l'une d'elles, envoyée de Nice, le 10 germinal an IV (30 mars 1796), il envisageait sérieusement de se hacher le cœur avec les dents, excès qui semble peu compatible avec la dignité d'un général en chef...

Écoutons-le :

Je n'ai pas passé un jour sans t'aimer. Je n'ai pas passé une nuit sans te serrer dans mes bras. Je n'ai pas pris une tasse de thé sans maudire la gloire et l'ambition qui me tiennent éloigné de l'âme de ma vie.
Au milieu des affaires, à la tête des troupes, en parcourant les champs, mon adorable Joséphine est seule dans mon cœur, occupe mon esprit, absorbe ma pensée.
Si je m'éloigne de toi avec la vitesse du torrent du Rhône, c'est pour te revoir plus vite. Si, au milieu de la nuit, je me lève pour

travailler, c'est que cela peut avancer de quelques jours l'arrivée de ma douce amie.

Et, cependant dans ta lettre du 23 au 26 ventôse (13 au 16 mars), *tu me traites de VOUS. Vous toi-même !*

Ah ! mauvaise, comment as-tu pu écrire cette lettre ? Qu'elle est froide ! Et puis, du 23 au 26, restent quatre jours, qu'as-tu fait, puisque tu n'as pas écrit à ton mari ?

Ah ! mon amie, ce VOUS et ces quatre jours me font regretter mon antique indifférence. Malheur à qui en serait la cause ! Puisse-t-il pour peine et pour supplice éprouver ce que la conviction et l'évidence (qui servit ton ami) me feraient éprouver ! L'Enfer n'a pas de supplice ! Ni les Furies, de serpent ! Vous ! Vous ! Ah ! que sera-ce dans quinze jours ?...

Mon âme est triste, mon cœur est esclave, et mon imagination m'effraie... Tu m'aimes moins. Tu seras consolée. Un jour, tu ne m'aimeras plus. Dis-le moi. Je saurai au moins mériter ce malheur...

Adieu, femme, tourment, bonheur, espérance et âme de ma vie, que j'aime, que je crains, qui m'inspire des sentiments tendres qui m'appellent à la Nature, et des mouvements aussi volcaniques que le tonnerre.

Le jour où tu diras : « Je t'aime moins » sera le dernier de mon amour ou le dernier de ma vie.

Si mon cœur était assez vil pour aimer sans retour, je le hacherais avec les dents !

Joséphine ! Joséphine !... As-tu cessé de m'aimer ?

BONAPARTE [32].

Les fins de lettre témoignaient d'une idée fixe :

Je t'embrasse les seins, et plus bas, beaucoup plus bas, écrivait Bonaparte. Ou bien : *Je t'embrasse tout, tout.* Ou encore : *J'embrasse ta petite forêt noire...*

Ce qui était à la fois champêtre et un peu coquin...

En recevant ces missives échevelées, Joséphine riait :

— C'est du délire ! disait-elle.

Et, tandis que Bonaparte, excité par le souvenir des nuits mouvementées qu'il avait connues avec sa femme, se retournait sur son lit, la créole accordait l'usufruit de son corps satiné à tous les jeunes gens qui le lui demandaient poliment...

---

32. C'est à ce moment qu'il décida d'écrire son nom Bonaparte au lieu de Buonaparte.

3

Bonaparte se couvre de gloire en Italie par amour pour Joséphine

> L'homme qui se laisse gouverner par sa femme
> n'est ni soi, ni sa femme : il n'est rien.
>
> NAPOLÉON

Au début d'avril 1796, ayant réuni les bandes d'hommes déguenillés qui formaient les troupes françaises, Bonaparte entra en Italie et prépara son plan d'attaque.

Il ne s'agissait pas, comme voulait le faire croire le gouvernement du Directoire, d'aller porter le « flambeau de la Liberté » de l'autre côté des Alpes, mais d'une expédition de rapine destinée à remplir les caisses de l'Etat. Quelques mois plus tôt, le 19 janvier, Carnot avait écrit à Scherer alors commandant de l'armée d'Italie : « Il n'y a pas d'argent... Trouvez donc le moyen d'en prendre là où il y en a... L'abondance est derrière une porte qu'il s'agit d'enfoncer. »

Cette porte était la frontière italienne qui s'ouvrait sur de riches provinces, des églises, des couvents, des palais remplis de trésors. Il n'y avait, disait-on, « qu'à entrer, à massacrer et à prendre ».

Un plan de razzia systématique avait été conçu par Bonaparte dès 1794. Le nouveau commandant en chef comptait bien, aujourd'hui, le mettre à exécution.

Devant lui se trouvaient les Autrichiens, dirigés par le général Beaulieu, et les Piémontais du roi de Sardaigne, tous bien décidés, avec leurs soixante mille hommes, à bousculer les « va-nu-pieds » à cocardes tricolores qui allaient venir s'abattre comme des sauterelles sur leurs récoltes et leurs œuvres d'art.

Contre cette armée aguerrie et bien équipée, Bonaparte n'avait que trente-huit mille hommes affamés et en haillons. Il les enflamma par des promesses de pillage :

« Soldats ! vous êtes nus, mal nourris, on vous doit beaucoup : on ne peut rien vous donner. Votre patience, le courage que vous montrez dans ces rochers, sont admirables, mais ne vous procurent aucune gloire. Je vais vous conduire dans les plus fertiles plaines du monde. De riches provinces, de grandes villes seront en votre pouvoir, et vous aurez richesses, honneurs et gloire ! »

La horde l'acclama :

— Voilà un chef, dirent les hommes. Celui-là sait ce qu'il veut !

Or, ce jeune général, qui était en train de créer la plus extraordinaire armée de tous les temps, n'avait pourtant qu'une idée en tête : sa femme. A chaque instant, on le voyait courir vers un tronc d'arbre, vers un tambour, vers une pierre plate, pour y écrire un billet passionné, qu'une estafette s'en allait sur-le-champ porter à Paris...

Le soir, au bivouac, les soldats respectaient son silence, s'imaginant qu'il mettait au point la bataille du lendemain. Ils eussent été bien étonnés d'apprendre que leur chef pensait au corps voluptueux de Joséphine. Et ils se fussent aussi moins tourmentés en voyant les sourcils froncés de Bonaparte, s'ils avaient pu deviner que sa colère ne préparait point un combat sanglant, mais une lettre pleine de jalousie...

Quand il imaginait la vie de Joséphine dans la capitale, son entourage d'amis, de bellâtres et de godelureaux avantageux, le petit Corse était, en effet, torturé. Le 7 avril, d'Albenga, il écrivait (je respecte l'orthographe) :

Je reçois une lettre que tu interrompt pour aller, dis-tu, à la campagne, et, après cela, tu te donne le ton d'être jalouse de moi, qui suis ici accablé daffaires et de fatigues !... Il est vrai que j'ai des tord. Dans le prinpten (printemps), la campagne est belle ; et puis l'amant de dix-neuf ans s'y trouvait sans dout.

Cet « amant de dix-neuf ans », Bonaparte l'avait inventé, sans s'imaginer, bien sûr, que la réalité dépassait de beaucoup sa fiction...

Car Joséphine continuait de s'amuser comme par le passé et de recevoir chaque nuit, dans sa chambre, les hommes vigoureux qu'exigeait son tempérament...

Pressé de terminer la guerre pour revoir sa femme, Bonaparte se jeta sur les Autrichiens avec une fougue qui les stupéfia. En quinze jours, il remporta six victoires, enleva vingt et un drapeaux à l'ennemi, vola cent tableaux au pape, vingt au duc de Parme, trente au duc de Modène, encaissa cinquante millions, pilla les bibliothèques, vida les musées, et signa un armistice avec le Piémont.

Fier de lui-même, il désira montrer toute sa puissance à Joséphine. Des lettres pressantes l'invitèrent à venir en Italie.

Mais la jeune créole n'avait aucune envie de quitter la douceur de Paris, où elle était fêtée et adulée, pour l'inconfort des champs de bataille. De plus, son dernier amant en titre, Hippolyte Charles, fringant lieutenant de hussards, lui donnait trop de plaisir pour qu'elle songeât à l'abandonner...

Pendant des semaines, Bonaparte la supplia de venir le rejoindre. Les prétextes futiles qu'elle donnait pour justifier ses retards le rendaient furieux et inquiet.

Écoutons Marmont : « Le général Bonaparte pensait sans cesse à sa femme. Il la désirait, il l'attendait avec impatience... Il me parlait souvent d'elle et de son amour avec l'épanchement et l'illusion d'un très jeune homme. Les retards continus qu'elle mettait à son départ le tourmentaient péniblement, et il se laissait aller à des mouvements de jalousie et à une sorte de superstition qui était fort dans sa nature. Un jour, la glace du portrait de Joséphine, qu'il portait toujours sur lui, se cassa par hasard ; il pâlit d'une manière effrayante : "Ma femme est bien malade ou infidèle !" [33]. »

On sait qu'elle se portait bien !...

A la fin de mai, Bonaparte envoya Murat porteur d'un message pressant. Le résultat ne fut pas celui qu'attendait le général : Joséphine devint la maîtresse de Murat...

Cette nouvelle liaison lui donna un joli teint [34].

C'est alors que, pour demeurer à Paris, elle prétendit qu'elle attendait un enfant. Murat fut chargé d'annoncer la nouvelle à Bonaparte, qui, fou de joie, bouleversé, confus, bondit sur sa plume et écrivit :

Il est donc vrai que tu es enceinte. Murat me l'écrit ; mais il me dit que cela te rend malade et qu'il ne croit pas prudent que tu entreprennes un aussi long voyage.

Je serai donc encore plusieurs mois loin de tout ce que j'aime. Serait-il possible que je n'aie pas le bonheur de te voir avec ton petit ventre ? Cela doit te rendre intéressante !

Tu m'écris que tu as bien changé. Ta lettre est courte, triste et d'une écriture tremblante.

Qu'as-tu mon adorable amie ? Je croyais être jaloux, mais je te jure qu'il n'en est rien. Plutôt que te savoir mélancolique, je crois que je te donnerais moi-même un amant [35]...

Le pauvre ! Joséphine n'avait vraiment pas besoin des bons offices de son mari dans ce domaine... Elle savait se servir elle-même.

Au mois de juin, las d'attendre, d'espérer et de désespérer, Bonaparte envoya à Joséphine cette lettre amère, dont je respecte l'orthographe :

Ma vie est un cochemar perpetuel. Un pressentiment funeste mempeche de respirer...

Tu es malade, tu maime, je tai affligé, tu es grosse, et je ne te verai pas. Cett idée me confond. J'ai tant de tord avec toi que je ne sais comment les espier.

Je taccuse de rester à Paris et tu y étais malade. Pardonne moi, ma bonne amie. Lamour que tu ma inspiré ma ôtée la Raison : je ne la retrouverai jamais. Lon ne guérit pas de ce mal-la.

33. MARMONT, *Mémoires*.

34. Le beau Joachim révéla un jour cette aventure d'une façon assez curieuse. A l'issue d'un déjeuner, il proposa à ses invités de faire un punch.

— Vous n'en aurez jamais bu de meilleur, leur dit-il. J'ai appris à le faire auprès d'une charmante créole.

Il alla prendre un ustensile de vermeil fait tout exprès pour exprimer le jus des citrons et des oranges. On admira l'objet.

— C'est elle qui me l'a offert, dit encore Murat, et il se mit à donner sur cette mystérieuse personne des détails fort lestes.

L'un des convives prit l'instrument et remarqua sur le manche le chiffre B. Il le regarda en disant : « Ba, be, bi, bo... » Puis, il se mit à crier : « Bo, bon, bona... »

Fort gêné tout à coup, Murat le fit taire. Mais l'histoire fut répétée dans tous les salons...

35. Lettre écrite à Lodi le 24 floréal an IV (13 mai 1796).

Mes pressentiments sont si funestes que je me bornerai a te voir, a te presser 2 heures contre mon cœur et mourir ensemble...

Quand a moi, point de consolation, point de repos, point d'espoir jusqua ce que (...) par une longue lettre tu mesplique ta maladie...

Joséphine, comment peux-tu rester tant de tens sans mécrire ? Ta dernière lettre, bien-aimée, est du 3 de ce mois. Encore est-elle affligeante pour moi. Je lai cependant toujours dans ma poche. Ton portrai et tes lettres sont sans cesse devan mes yeux...

Je ne suis rien sans toi.' Je concois à peine comment j'ai existé sans te connaître ? Ah Joséphine, si tu eusse eu mon cœur, serais-tu restée depuis le 29 au 16[36] pour partir ? Aurais-tu prete l'oreil a des amis perfides qui voulaient peutetre te tenir eloigne de moi ? Je subsone tout le monde, Jen veux a tous ce qui tentoure. Je te calculais partie depuis le 5, et le 15 arrivee a Milan...

Toutes mes pensees sont concentrée dans ton alcove, dans ton lit, sur ton cœur...

Tu sais bien que jamais je ne pourrais te voir un amant : encore moins ten offrir un... Lui dechirer le cœur et le voir serais pour mois la meme chose. Et après, si je losais, porter la main sur ta personne sacrees... Non je ne loserais jamais, mais je sortirais d'une vie ou ce qui existe de plus vertueux maurait trompé.

Mille baisé sur les yeux, sur les lèvres, sur la langue, sur ton c...

Te souviens-tu de ce reve ou jotais tes souliers, tes chiffons, et je te faisais entre toute entière dans mon cœur ? Pourquoi la nature na-t-elle pas arrenge cela comme cela ? Il y a bien des choses a faire[37]...

Ces lettres passionnées, ces lettres qui comptent parmi les plus étonnantes de la littérature amoureuse, étaient loin de produire sur Joséphine l'effet qu'en escomptait Bonaparte. Arnault, qui se trouvait rue Chantereine le jour où Murat vint en remettre une à la jeune femme, nous a laissé ce témoignage : « Cette lettre qu'elle me fit voir portait, ainsi que toutes celles que Bonaparte lui avait adressées depuis son départ, le caractère de la passion la plus violente. Joséphine s'amusait à ce sentiment, qui n'était pas exempt de jalousie. Je l'entends encore lisant un passage dans lequel, semblant repousser des inquiétudes qui, visiblement, le tourmentaient, son mari lui disait : *S'il était vrai, pourtant ! Crains le poignard d'Othello !* Je l'entends dire, avec son accent créole, en souriant : *Il est drolle, Bonaparte !* L'amour qu'elle inspirait à un homme aussi extraordinaire la flattait moins sérieusement que lui ; elle était fière de voir qu'il l'aimait presque autant que la gloire ! elle jouissait de cette gloire, qui, chaque jour, s'accroissait, mais c'est à Paris qu'elle aimait en jouir au milieu des acclamations qui retentissaient sur son passage à chaque nouvelle de l'armée d'Italie. Son chagrin fut extrême quand elle vit qu'il n'y avait plus moyen de reculer[38]... »

36. Du 29 floréal au 16 prairial an IV. C'est-à-dire du 18 mai au 4 juin 1796.
37. Lettre écrite à Tortone le 26 prairial an IV (14 juin 1796).
38. ANTOINE-VINCENT ARNAULT, *Souvenirs d'un sexagénaire.*

Alors elle mit une condition : elle exigea que son amant, Hippolyte Charles, fût du voyage... Ce que Carnot, qui commençait à avoir des craintes pour le bon moral du général Bonaparte, accepta de bon cœur...

Joséphine demeura encore quinze jours à Paris. Les bals, les dîners, les soirées un peu lestes, auxquels elle était conviée, l'amusaient tant que, chaque matin, elle annonçait en riant à son entourage :

— Décidément, nous ne partirons que demain !

Il faut dire qu'en cette année 1796, la vie parisienne était une fête perpétuelle où toutes les extravagances étaient permises.

Les Muscadins, les Incroyables, habillés comme des polichinelles, portaient des redingotes grotesques, se rabattaient les cheveux en « oreilles de chiens », et ne sortaient qu'armés d'un gros bâton noueux.

Or, au moment même où les hommes s'engonçaient dans des cravates qui montaient jusqu'à la bouche et dans des cols qui les empêchaient de tourner la tête, les femmes, comme pour rétablir l'équilibre, se promenaient dans des robes d'une légèreté affriolante.

Écoutons Roger de Parnes :

« Renonçant à toute pudeur, voulant à toute force être remarquées, elles se montraient presque nues, sans chemise, au pied de la lettre, sans jupon, à peine un corset, peut-être des pantalons couleur de chair, et avec cela une tunique grecque en belle et claire mousseline qui, à part ce qu'elle laissait entrevoir, ne cachait ni les bras, ni les jambes, ni la gorge. Des bracelets sans nombre, et dessinés sur les formes antiques les plus pures, ornaient les bras et le bas du mollet. Au lieu de souliers, on portait des sandales. Le pied se trouvant aussi à découvert, on ornait chacun de ses doigts de bagues chargées de camées précieux ou garnies de diamants [39]. »

Joséphine, tout comme Mme Tallien, portait ces robes suggestives de Merveilleuse. Elle trouvait un plaisir extrême à montrer ses jambes jusqu'à mi-cuisse en parcourant les boulevards accompagnée d'Hippolyte Charles.

Le soir, toujours suivie de ce bellâtre stupide, qui ne s'exprimait qu'au moyen de calembours, elle allait danser.

Les bals du Directoire étaient assez coquins. Les femmes y venaient le plus souvent la poitrine nue et se livraient aux plus immodestes excentricités. Un témoin note avec humeur :

« Qui croirait, en voyant ces bals, que la guerre est sur nos frontières, sur les bords du Rhin, de la Sambre, de la Meuse, au-delà des monts et sur toutes les mers ? Que l'Europe conjurée menace opiniâtrement la France, la République, la Constitution, Paris, les bals et même tous les danseurs ?... »

39. ROGER DE PARNES, *Le Directoire. Portefeuille d'un Incroyable.*

Au milieu de ces bals apparaissait parfois une Merveilleuse dans un costume extravagant. Écoutons encore Roger de Parnes :

« Quel bruit se fait entendre ? Quelle est cette femme que les applaudissements précèdent ? Approchons, voyons. La foule se presse autour d'elle. Est-elle nue ? Je doute... Approchons de plus près ; ceci mérite mes crayons. Je vois son léger pantalon, comparable à la fameuse culotte de peau de Mgr le comte d'Artois, que quatre grands laquais soulevaient en l'air pour le faire tomber dans le vêtement de manière qu'il ne formât aucun pli ; lequel, ainsi emboîté tout le jour, il fallait déculotter le soir, en le soulevant de la même manière, et encore avec plus d'efforts. Le pantalon féminin, dis-je, très serré, quoique de soie, surpasse peut-être encore la fameuse culotte par sa collure parfaite ; il est garni d'espèces de bracelets, le justaucorps est échancré savamment et, sous une gaze artistement peinte, palpitent *les réservoirs de la maternité.* Une chemise de linon clair laisse apercevoir les jambes et les cuisses, qui sont embrassées par des cercles en or et diamants. Une cohue de jeunes gens l'environne avec le langage d'une joie dissolue ; la jeune effrontée semble ne rien entendre. Encore une hardiesse de Merveilleuse : il reste si peu à faire tomber que je ne sais si la pudeur véritable ne gagnerait pas à l'enlèvement du voile transparent. Le pantalon couleur de chair, strictement appliqué sur la peau, irrite l'imagination et ne laisse voir qu'en beau les formes et les appas les plus clandestins. »

Dans cette tenue aphrodisiaque, les danseuses se collaient contre leurs cavaliers et se trémoussaient en mesure jusqu'au moment où une âme charitable soufflait les chandelles...

Alors, Merveilleuses et Muscadins s'allongeaient sur le plancher et, oubliant un instant les charmes du *rigaudon,* connaissaient les joies savoureuses de la plus vieille danse du monde...

On comprend que Joséphine ait préféré les agréments de cette vie aux aléas d'un voyage sur les champs de bataille. A la mi-juin, elle était toujours à Paris. Alors Bonaparte, « les sens en feu »[40], annonça qu'il allait quitter l'armée d'Italie pour courir étreindre sa femme.

En apprenant cette décision, Carnot, ministre de la Guerre, fut atterré. Il chargea Barras de convaincre Joséphine.

Le Directeur se rendit rue Chantereine et trouva son ex-maîtresse au lit avec Hippolyte Charles.

— Un arrêté du Directoire vient d'ordonner la délivrance de vos passeports pour l'Italie, dit-il. Vous partirez demain.

Joséphine éclata en sanglots.

— Vous connaissez Bonaparte. Il va me poser mille questions sur les causes de mon retard. Sa colère va être terrible... Surtout lorsqu'il s'apercevra que je ne suis pas enceinte comme je le lui ai annoncé...

40. Pierre Andrieu, *Napoléon à Milan.*

Que vais-je lui dire [41] ? Vous devriez me faire un papier certifiant que je ne pouvais pas quitter Paris et que c'est vous qui m'en empêchiez...

Barras accepta et, le soir même, lui faisait parvenir cet extraordinaire certificat qui devait enlever tout soupçon à Bonaparte :

« Le Directoire, qui s'était opposé au départ de la citoyenne Bonaparte dans la crainte que les soins que lui donnerait son mari ne le détournassent de ceux auxquels la gloire et le salut de la patrie l'appellent, était convenu qu'elle ne partirait que lorsque Milan serait prise. Vous y êtes ; nous n'avons plus d'objections à faire. Nous espérons que la myrte dont elle se couronnera ne dépassera pas les lauriers dont vous a déjà couronné la victoire. »

Ainsi couverte par un papier officiel, Joséphine pouvait affronter sans crainte celui que les émigrés commençaient à appeler « le général cornaparte ».

Le 26 juin, après avoir dîné au Luxembourg avec Barras, elle monta dans une berline et partit vers son mari en pleurant « comme si elle allait au supplice ».

Dans sa voiture se trouvaient Joseph Bonaparte, Junot, la jolie femme de chambre Louise Compoint, et, bien entendu, Hippolyte Charles...

Dès le premier soir, cette expédition ressembla, pour Joséphine et son amant, à un voyages de noces. Sans se soucier du frère de Napoléon, ils se précipitaient à chaque halte vers la chambre qui leur était réservée et, fougueusement, se donnaient du plaisir avec les moyens que la nature avait mis à leur disposition, tandis que Junot faisait de même avec Louise Compoint...

Pendant ce temps, à Milan, Bonaparte repoussait courageusement toutes les belles Italiennes qui voulaient le séduire.

Par amour pour Joséphine qu'il croyait fidèle, il refusa même de devenir l'amant de la Grassini, célèbre cantatrice qui voulait lui offrir, selon le mot de Saliceti, son « contre-dos »...

Mais le soir, il était obligé de prendre des bains froids...

4

Bonaparte veut faire fusiller l'amant de Joséphine

> Il y a des coups de feu au cœur qui se perdent...
>
> sagesse des nations

Le 9 juillet au soir, trois berlines, blanches de poussière, s'arrêtèrent au ras des marches du palais Serbelloni, à Milan.

Les dix mille personnes qui s'étaient amassées devant la fastueuse

41. On ignore quelle ingénieuse explication Joséphine donna à Bonaparte en arrivant en Italie. Mais le pauvre, une fois de plus, se laissa berner...

demeure du président de la République cisalpine pour voir la générale Bonaparte poussèrent des hurlements qui, selon un mémorialiste à l'imagination créatrice, « firent trembler le marbre »...

Verte de peur au fond de sa voiture, Joséphine serrait la main d'Hippolyte Charles.

— Que me veulent-ils ? murmura-t-elle.

Junot la regarda, un peu étonné :

— La foule vous acclame, madame !

Cette simple phrase aurait dû faire comprendre à la créole qu'en trois mois un extraordinaire changement s'était effectué dans son existence. Femme d'un petit général sans grand avenir au mois de mars, elle se trouvait, en ce début de juillet, l'égale d'une souveraine... Mais Joséphine avait un esprit borné. Habituée aux futilités et aux jouissances immédiates, elle trouva agréable qu'on la reçût avec enthousiasme et respect, mais n'en tira aucune conclusion.

Souriant à Hippolyte Charles, qui, sans aucune gêne, prenait pour lui une part des acclamations et répondait à la foule par des gestes de la main, elle dit :

— Ils sont gentils !...

Un garde s'était précipité. La portière s'ouvrit et Joséphine descendit en s'efforçant de prendre une allure princière.

Une sonnerie de trompette éclata, et tous les gardes, « voulant rendre hommage à l'amour de leur général », mirent sabre au clair... Un peu effaré par ce brouhaha, Hippolyte Charles descendit à son tour de la berline.

Ignorant toute pudeur, il emboîta le pas à la future impératrice, qui fit ainsi une entrée triomphale au palais Serbelloni accompagnée de son amant.

Quatre jours plus tard, Bonaparte, que la guerre retenait à Vérone, put enfin s'échapper. Il ordonna une fête grandiose pour célébrer l'entrée officielle de son épouse dans la ville de Milan et arriva au triple galop. A peine descendu de cheval, il se jeta dans les bras de Joséphine avec une fougue qui surprit agréablement les gens du commun.

Après quoi, il l'entraîna dans le palais où une réception avait été organisée.

En traversant les magnifiques galeries à colonnes garnies d'objets d'art, de tableaux, d'aiguières d'or, de fleurs rares, de livres aux reliures enrichies de pierreries, le jeune général murmura :

— Tout cela a été placé ici sur mon ordre, pour toi, Joséphine...

La créole sourit en pensant que ce petit Bonaparte était bien gentil, et qu'elle allait pouvoir vivre fort agréablement avec Hippolyte...

Dans la plus grande des galeries, se trouvaient une centaine de personnes, officiers, diplomates, savants, artistes célèbres, femmes en robes d'apparat, qui s'inclinèrent en voyant paraître Joséphine.

— Voici ta cour ! dit Bonaparte à mi-voix.

Là encore, la jeune femme aurait pu constater qu'on ne la traitait pas comme une simple générale, et que l'attitude respectueuse de tous ces gens qui observaient l'étiquette royale devant elle témoignait du prestige extraordinaire de son époux...

Mais Joséphine continuait de ne rien comprendre. Ces personnalités s'étaient dérangées pour elle ? Tant mieux, on allait pouvoir bavarder. Et elle sourit gentiment à l'envoyé du roi de Sardaigne, au ministre du pape, aux représentants du doge de Venise, du grand duc de Toscane, des ducs de Parme et de Modène, et au physicien Volta...

Tandis que chacun se courbait devant elle, incorrigible, Joséphine pensait que certains de ces messieurs étaient bien beaux et qu'elle en ferait volontiers ses amants...

Après cette réception, Bonaparte, « incapable de se maîtriser plus longtemps », prit sa femme par la main et l'entraîna vers la chambre qu'il avait lui-même décorée pour leurs retrouvailles.

Déshabillé avec la rapidité d'un homme qui veut sauver un nageur en péril, il arracha les vêtements de Joséphine, fit voler les jupons, brisa les baleines, rompit des cordons, déchira les dentelles et ne s'arrêta un instant que pour baiser « le petit sein blanc élastique » dont il rêvait depuis des semaines...

Quand la jeune femme fut entièrement nue, il la porta sur le lit et lui montra qu'un artilleur, devenu commandant en chef, n'en conserve pas moins, dans l'intimité, toutes les qualités légendaires de son arme...

L'abstinence qu'il avait supportée depuis le mois de mars l'avait mis dans un tel état qu'il se montra galant compagnon pendant un jour entier.

Le surlendemain, enfin calmé, il remit son uniforme et descendit déjeuner. Joséphine n'attendait que ce moment. Encore essoufflée — mais mise en goût — par les jeux de l'amour conjugal, elle fit venir Hippolyte, qui profita, sans tergiverser, de la situation.

Quelques heures plus tard, Bonaparte dut quitter Milan et partir assiéger Mantoue.

Le soir, Charles s'en alla à son tour pour rejoindre l'armée Leclerc. Demeurée seule, la future impératrice organisa des fêtes et se fit courtiser par les beaux Italiens qu'elle avait remarqués. La plupart eurent ainsi l'occasion de prendre, dans son lit, une savoureuse revanche sur Bonaparte.

Lui, pendant ce temps, continuait de bousculer les troupes autrichiennes avec une belle allégresse. Tout se passait selon sa volonté et il en éprouvait un bonheur profond. A Marmirolo, pourtant, un incident vint troubler sa félicité. Il écrivit aussitôt à Joséphine ce mot qu'une estafette alla porter sous la mitraille :

J'ai perdu ma tabatière. Je te prie de m'en choisir une un peu plate et d'y faire écrire quelque chose de joli dessus avec tes cheveux.

Mille baisers aussi brûlants que tu es froide. Amour sans bornes et fidélité à toute épreuve [42].

On ignore si Joséphine fit décorer la nouvelle tabatière avec ses cheveux, mais on peut être assuré que le désir de collégien exprimé par le général en chef de l'armée d'Italie l'amusa. Habituée au cynisme des beaux Italiens qui la prenaient sur des sofas, des tapis ou des coins de table, comment n'eût-elle pas souri d'un amour aussi « fleur bleue » ?...

Un soir, l'un de ses amants lui apprit que des trafics fructueux avaient lieu à l'Etat-Major. Elle entrevit aussitôt une belle source de profit et décida de faire obtenir à Hippolyte un emploi « aux fournitures de l'armée ». Elle écrivit à Bonaparte qui lui répondit le 21 juillet, de Castiglione, par cette lettre inquiétante :

Tu dois à cette heure bien connaite Milan. Peutetre as-tu trouvée cet amant que tu y venais cherché. Seuleman, tu lauras trouvé sans que je te lai offert. Cette idée ne laisse pas... Mais non, ayons meillr (meilleures) idées de notre mérite. A propos, lon m'assure que tu connais depuis longtemps et BEAUCOUP (mot souligné de trois traits rageurs) ce Monsieur que tu me recommande pour une entreprise. Si cela pouvait être, tu serais un monstre...

Joséphine n'osa pas insister et ne parla plus de M. Charles... Pour donner le change, elle consentit même à aller retrouver son mari aux armées.

Celui-ci lui avait écrit : *Je te prie de venir le 7 à Brescia, où le plus tendre des amants t'attend...*

« Bonaparte ne croyait pas si bien dire, note M. Louis Hastier, car l'amant que Joséphine rejoignit ce jour-là ne fut autre que Charles [43]. »

Écoutons Hamelin :

« Nous nous rendîmes à Brescia [44]. Nous n'y trouvâmes pas le général, mais une lettre qui disait qu'il nous attendait à Crémone. Il était tard et, malgré mes instances, Mme Bonaparte s'obstina à demander à coucher à Brescia, alléguant qu'elle était trop fatiguée pour aller plus loin. Elle prit l'appartement de son mari et moi celui d'un aide de camp.

» — Montez chez vous, me dit-elle. Je vais me coucher ; on mettra la table auprès de mon lit et nous souperons ensemble.

» Quand je redescendis, je vis trois couverts, et je lui demandai quel était le troisième convive.

» — C'est ce pauvre Charles, me répondit-elle. Il revient d'une mission et il s'est arrêté à Brescia où il avait appris ma présence.

» Il entra dans le même moment, et nous soupâmes. Sachant ce que

---

42. Lettre du 30 messidor an IV (18 juillet 1796).
43. LOUIS HASTIER, *Le grand amour de Joséphine.*
44. Murat y soignait alors une mauvaise maladie, fruit des faveurs de la belle Mme Ruga...

je savais et voyant ce que je voyais, mon personnage était fort peu amusant. Le repas fut bientôt fini, et nous nous retirâmes ; mais, au moment de passer la porte, une voix languissante se fit entendre pour rappeler Charles. Je continuai mon chemin.

» Avant de me coucher, je m'aperçus que j'avais laissé mon chapeau et mes armes dans le salon qui précédait la chambre à coucher ; je voulus aller les reprendre. Le grenadier de faction devant la porte me dit que personne ne pouvait entrer.

» — Qui vous a donné la consigne ?

» — La femme de chambre.

» Je compris que l'héroïne de Peschiera (où, au passage, la voiture de Joséphine fut canonnée par une chaloupe autrichienne) était redevenue la femme galante de Paris [45]. »

En fait, elle n'avait jamais cessé de l'être...

Le lendemain, Joséphine se rendit à Crémone où Bonaparte l'attendait en déchirant nerveusement les pages d'un gros livre de cantiques qu'un prélat lui avait offert...

Pendant deux jours, ils demeurèrent au lit, et Barthélemy nous dit que « le Corse s'y montra aussi fougueux qu'à Lodi ».

Mais, le 11 août au matin, les régiments autrichiens marchèrent sur Crémone. Aussitôt informé, Bonaparte se tourna vers Joséphine.

— Lève-toi et repars pour Milan... J'ai commis une folie en te faisant venir ici... Pardonne-moi.

La créole se rhabilla à la hâte et monta dans sa voiture en pleurant.

— J'ai peur ! gémissait-elle.

— Pars ! Sois tranquille, lui dit Bonaparte. Würmser paiera cher les larmes qu'il te fait verser...

Le retour à Milan fut mouvementé. Près d'une forêt, Joséphine essuya le feu d'une troupe de uhlans qui lui tuèrent deux chevaux. Affolée, elle quitta sa berline et emprunta une charrette de paysan.

Le lendemain soir, alors qu'elle se croyait en sûreté, son convoi passa à deux cents mètres d'une bataille. Des boulets ricochèrent jusqu'à elle.

Épouvantée, elle se jura de ne plus jamais retourner voir son mari aux armées.

En arrivant à Milan, elle trouva la ville pavoisée pour célébrer la victoire de Castiglione, que Bonaparte venait de remporter « pour la venger de Würmser... ».

Indifférente, ne pensant qu'à la peur qu'elle avait éprouvée, elle s'enferma dans sa chambre avec Hippolyte...

Dès le lendemain elle reprit part aux fêtes en compagnie des Merveilleuses qui constituaient sa suite. Tous les soirs, elle allait danser en toilette légère et « savourer tous les plaisirs ». Il n'était pas rare

45. HAMELIN, *Douze ans de ma vie.*

qu'au milieu du bal elle quittât ses amies pour entraîner Hippolyte Charles dans le jardin. Là, dans l'ombre d'un buisson, derrière une statue de marbre, une vasque ou simplement contre un arbre, elle se faisait « caresser l'as de trèfle », comme on disait alors dans la bonne société.

Un soir, les deux amants furent surpris par un orage au moment où, couchés dans un massif, « ils laissaient parler la nature »... Le premier coup de tonnerre avait été si violent que Joséphine, impressionnée, s'était à demi évanouie. Hippolyte l'avait alors prise dans ses bras pour la ramener au salon, et tous les invités s'étaient fort réjouis de voir la générale « les jupons en désordre », et le capitaine « mal reboutonné »...

Pendant trois mois, Bonaparte vécut en pensant au moment où il pourrait serrer Joséphine dans ses bras. Pour se rapprocher de ce corps tant désiré, il remportait des victoires qui stupéfiaient l'Europe...

Lorsqu'il avait un instant de répit, il griffonnait un mot plein de passion. La lettre ci-dessous donnera une idée de ce que les courriers allaient porter à Milan au péril de leur vie :

Je vais me coucher, ma petite Joséphine, le cœur plein de ton adorable image, et navré de rester tant de temps loin de toi.

Bon Dieu, que je serais heureux si je pouvais assister à l'aimable toilette, petite épaule, un petit sein blanc, élastique, bien ferme. Par-dessus cela une petite mine avec le mouchoir à la créole, à croquer.

Tu sais bien que je n'oublie pas les petites visites. Tu sais bien, la petite forêt noire... Je lui donne mille baisers et j'attends avec impatience le moment d'y être... tout à toi.

La vie, le bonheur, le plaisir ne sont que ce que tu les fais.

Vivre dans une Joséphine, c'est vivre dans l'Elysée.

Baiser à la bouche, aux yeux, sur l'épaule, au sein, partout, partout.

Le 24 novembre, après le coup d'éclat d'Arcole, il annonça son arrivée à Milan.

Il ne manque à ton mari, écrivait-il, *que l'amour de Joséphine pour être heureux.*

En recevant cette lettre, Joséphine haussa les épaules. Elle avait décidé de se rendre à Gênes, où le Sénat organisait une fête au palais des Doges, et l'arrivée de son mari ne lui semblait pas un événement suffisant pour la retenir à Milan. Elle partit, accompagnée d'Hippolyte...

Le 26, Bonaparte descendit de voiture devant le palais Serbelloni. Animé par le désir qui lui donnait chaque nuit des rêves libertins, il se précipita dans l'appartement de sa femme. La chambre était vide.

Il appela. Une femme de chambre parut.

— Où est-elle ?

La domestique, très ennuyée, baissa la tête :

— Madame est à Gênes !

Il la regarda un instant, sans rien dire, puis, apercevant des officiers, des gardes, des gens du palais, qui s'attroupaient pour voir le plus célèbre général d'Europe en proie à des chagrins domestiques, il cria :

— Laissez-moi seul, je suis fatigué !

Quand tout le monde eut disparu, il demanda à la femme de chambre de faire venir Gonthier. Le maître d'hôtel accourut, et Bonaparte le questionna.

— A-t-on reçu ma lettre ?

— Oui, mon général, Madame nous a annoncé votre arrivée.

— Elle est partie quand même...

— Oui... dans sa berline de voyage...

— Avec qui ?

— Avec Louise Compoint, sa dame de compagnie...

— C'est tout ?

— Non, il y avait aussi, le capitaine Charles...

Bonaparte, nous dit-on, « pâlit de façon effrayante ».

— Merci, Gonthier, je n'ai plus besoin de vous !

Quand il fut seul, il écrivit à Joséphine cette lettre amère :

J'arrive à Milan ; je me précipite dans ton appartement ; j'ai tout quitté pour te voir, te presser dans mes bras... tu n'y étais pas ; tu cours les villes avec des fêtes ; tu t'éloignes de moi lorsque j'arrive ; tu ne te soucies plus de ton cher Napoléon... Le malheur que j'éprouve est incalculable ; j'avais le droit de n'y pas compter. — Je serai ici jusqu'au 9 dans la journée. Ne te dérange pas ; cours les plaisirs ; le bonheur est fait pour toi. Le monde entier est trop heureux s'il peut te plaire, et ton mari est bien, bien malheureux...

De Charles, il ne disait pas un mot. Pourtant, ce « petit polichinelle » l'agaçait. Il résolut de s'en débarrasser et le désigna pour accompagner Marmont à Rome.

Joséphine apprit cette nouvelle à son retour de Gênes et s'effondra dans les bras d'Hippolyte.

— Je ne veux pas que tu partes !...

— C'est un ordre, je suis officier, je dois obéir...

Éperdue, bégayante, elle barbouilla de ses larmes le visage du capitaine qui se laissait embrasser d'un air ennuyé.

Finalement, Charles précipita les adieux et partit vers Rome, après s'être discrètement essuyé les joues.

Joséphine, pour la première fois de sa vie, demeura fidèle à un amant. En 1797, elle obtint même de Napoléon qu'Hippolyte fût nommé « capitaine en pied au 1er régiment de hussards ».

Satisfaite de cet exploit, elle attendit des nuits meilleures et, pendant quelques mois, mena une vie exemplaire. Ce fut à ce moment qu'elle collabora, de façon indirecte et cocasse, à la création d'un tableau célèbre. Un jour, le peintre Gros qui se trouvait à Milan manifesta le désir de faire le portrait du général dont toute la France parlait.

— Je n'ai pas le temps, dit Bonaparte. Et puis, je ne pourrais pas poser, je ne sais pas être immobile.

Gros s'adressa à Joséphine qui eut une idée.

— Venez demain après déjeuner, dit-elle, je le ferai tenir tranquille...

Le lendemain, le peintre vint installer son chevalet dans la salle à manger au moment où le général prenait son café.

— Qui vous a permis d'entrer ?...

— Moi, dit Joséphine. J'ai promis à M. Gros que tu serais un modèle parfait. Alors, viens ici...

Et, pour empêcher Bonaparte de remuer pendant la séance de pose, elle le prit sur ses genoux.

Pendant plusieurs jours, la même scène se renouvela, c'est ainsi que Gros put faire le premier portrait du vainqueur de Lodi [46].

L'intérêt que continuait de porter Joséphine à Hippolyte Charles fit naître une nouvelle crise de jalousie chez Bonaparte. Il ordonna une enquête et apprit que le hussard servait d'intermédiaire entre les commissaires du Directoire, « tous tarés », et les fournisseurs aux armées. On l'informa, en outre, qu'avec la complicité de Joséphine, ce curieux capitaine trafiquait sur les vivres et dirigeait vers sa maîtresse les trésors saisis dans les villes... Boîtes de médailles, bracelets de perles, colliers de diamants, tableaux, orfèvrerie, tout un amoncellement de richesses était ainsi en possession de Joséphine.

Bonaparte, incrédule devant tant d'infamie, demanda où sa femme cachait ces trésors. On le conduisit alors dans deux petites chambres situées sous les combles...

Atterré, il exigea le silence sur cette affaire et fit dire à Joséphine qu'il l'attendait dans son cabinet. Elle arriva, souriante, coquette. Le regard dur de Bonaparte la surprit.

— Qu'y a-t-il, mon ami ?

Il la regarda bien en face :

— Le capitaine Charles vient d'être arrêté...

L'effroi qu'il lut sur le visage de sa femme lui fit mal. Il eût voulu alors la prendre dans ses bras, la consoler. Il continua :

— J'ai appris qu'il favorisait le pillage ; grâce à lui, Glot, Auger, Ouvrard, ont obtenu des marchés scandaleux... Grâce à lui et grâce à toi... Car toi, ma femme, tu es devenue la complice d'un officier sans honneur...

Joséphine se mit à pleurer. Il tourna la tête.

— Demain matin, Charles passera en conseil de guerre et à midi il sera fusillé !...

46. Cf. LAVALETTE : « C'est pendant ce court séjour à Milan que le jeune peintre Gros, depuis si célèbre, fit le premier portrait qu'on ait du général. Il le représenta sur le pont de Lodi, au moment où, armé d'un drapeau, il s'élance en avant pour décider les troupes... Mme Bonaparte le prenait sur ses genoux, après le déjeuner, et le fixait pendant quelques minutes. » *Mémoires et souvenirs du comte de Lavalette, ancien aide de camp de Napoléon.*

La créole poussa un cri et tomba évanouie. Cette fois, l'émotion fut plus grande que la colère chez Bonaparte. Il bondit, porta Joséphine sur un canapé, la ranima, s'accusa de brutalité, murmura des excuses...

— Je te pardonne, dit-elle. A une condition : c'est que nous n'en parlions plus jamais... Fais-moi ce plaisir...

— Pourtant, dit Bonaparte, quand un officier est convaincu de malversation...

— Charles ? Mais c'est un polichinelle !... On s'est servi de lui. Si tu veux le punir, chasse-le de l'armée, renvoie-le à Paris.

Bon enfant, Bonaparte acquiesça.

Le lendemain, Hippolyte Charles quittait Milan.

Huit jours plus tard, Joséphine décidait de regagner la France...

Au début de décembre, Joséphine, laissant Bonaparte en Italie, monta dans sa berline et fila vers Paris. Son voyage fut triomphal. Dans chaque ville qu'elle traversait, la foule, heureuse de voir « celle qui avait reçu du ciel l'honneur de partager la couche d'un héros digne de l'Antiquité », poussait des hurlements de joie. On tirait le canon, les trompettes sonnaient, les enfants jetaient des fleurs, et des poètes venaient lui dire des strophes dont le style boursouflé était racheté par une émotion sincère.

La créole acceptait tous ces hommages avec une gentillesse où perçait un peu d'impatience. On la sentait pressée de repartir, et les braves gens hochaient la tête :

— Sans doute le général lui a-t-il confié une mission, disaient les uns.

D'autres, l'œil brillant, murmuraient que « le rein puissant de Bonaparte avait peut-être donné un fruit à Joséphine »...

Comme toujours, les braves gens se trompaient, et la vérité était bien différente.

En abrégeant les fêtes, en poussant ses chevaux, en écourtant ses nuits, Mme Bonaparte n'avait qu'une idée : retrouver au plus vite son cher Hippolyte...

Elle le rejoignit près de Nevers, et leur première nuit fut extrêmement agitée. Après quinze jours de séparation, les deux amants, perdant toute mesure, se jetèrent dans la volupté avec une telle ardeur que des incidents burlesques interrompirent à plusieurs reprises leurs amours...

Écoutons Pierre Adelin :

« Dès que Joséphine eut quitté sa voiture, M. Charles l'entraîna dans une chambre où, pour la commodité des ébats, deux lits avaient été disposés côte à côte. Ayant éparpillé leurs vêtements sur le plancher, ils se précipitèrent avec tant de fougue qu'un petit tapis, disposé pour rendre plus douce la descente du lit, se bouchonna et les fit choir à grand fracas. Une femme de chambre, alertée, vint voir ce qui se passait. Elle découvrit Joséphine et M. Charles allongés tout nus sur le dos, les pieds emprisonnés par le tapis et riant à perdre haleine. L'instant d'après, ils étaient debout et se montraient tant de bonnes dispositions que la domestique jugea discret de regagner l'office.

» Dès qu'ils furent seuls, les deux amants montèrent sur la double couche, où bientôt, se culbutant comme de jeunes chiens, ils roulèrent de-ci de-là, animés seulement par leur fringale de plaisir.

» Joséphine, qui avait pris des leçons de galanterie auprès de Mme Tallien, suggérait à son amant des figures compliquées, mais fort distrayantes, qui lui permettaient de donner libre cours à sa frénésie [47]. »

Leur entrain ne tarda pas à être excessif. Au point que les deux lits, agités par tant de passion, glissèrent sur le parquet bien ciré, s'écartèrent, et que le couple chut de nouveau avec un grand bruit.

La petite femme de chambre réapparut, aida les amants à sortir de leur position bouffonne et retourna vaquer à ses affaires.

Nullement découragés par ces contretemps, Hippolyte et Joséphine remontèrent sur un lit et reprirent leur savoureuse occupation. Hélas ! la force du petit capitaine devait déclencher une nouvelle catastrophe. Alors qu'il s'efforçait, par un moyen éprouvé, d'amener sa maîtresse à la béatitude, la tenture qui servait de fond de lit se décrocha et recouvrit les amants qui se trouvèrent brusquement dans l'obscurité. Attirée par leurs cris, la femme de chambre vint les délivrer sans dire un mot et disparut. Pensant que, désormais, une bonne partie de son service allait consister à replacer la générale Bonaparte et M. Charles « dans les conditions propices au déduit », elle demeura dans le couloir avec un petit travail de couture...

Le lendemain, Joséphine et Hippolyte reprirent doucement la route, bien décidés à faire étape dans toutes les auberges confortables...

Or, tandis qu'ils batifolaient ainsi, Bonaparte, après un crochet à Rastadt, arrivait à Paris. Avant même de saluer les membres du Directoire, il se fit conduire rue Chantereine (qui venait d'être débaptisée en son honneur et s'appelait maintenant rue de la Victoire) pour y embrasser sa femme.

Tout comme à Milan, il appela, ouvrit des portes, traversa des pièces vides et rencontra enfin une domestique.

— Où est madame ?

Ses yeux devinrent jaunes, nous dit-on, lorsqu'il apprit que Joséphine n'était pas encore rentrée à Paris. Il n'avait pas retiré son chapeau qu'un maître d'hôtel vint le saluer :

— Je dois vous remettre ceci, mon général !

C'était un paquet de factures. Profitant de son séjour en Italie, Joséphine avait fait transformer et meubler sa maison. Le coût en était considérable.

Bonaparte, complètement abattu, s'enferma dans sa chambre...

Trois jours plus tard, il se rendit tristement au palais du Luxembourg

---

47. Pierre Adelin, *Joséphine et ses amants.*

où le Directoire organisait pour lui une cérémonie fastueuse. Lorsqu'il parut, accompagné de Talleyrand, alors ministre des Relations extérieures, tous les assistants se levèrent pour crier :
— Vive la République ! Vive Bonaparte !

Mais que lui importait la présence des ministres, des ambassadeurs, des membres du Conseil des Anciens et du Conseil des Cinq-Cents, des magistrats, des hauts fonctionnaires, des représentants de l'armée et du Tout-Paris de l'époque, puisque Joséphine n'était pas là !

Dès lors, cette fête n'avait aucun intérêt. Il alla remettre le traité de Campoformio, écouta les discours, les éloges, les poèmes, les hymnes, les cantates et reçut les accolades d'un air distrait. Malgré les ovations, il ne pensait qu'à sa femme. Puisqu'elle n'était pas là, c'est qu'elle le trompait. Et si elle le trompait, il devait divorcer...

Après la cérémonie, il rentra chez lui et se cloîtra pour songer aux modalités d'une séparation qu'il jugeait inévitable.

Mais quand Joséphine, aguichante et coquette, parut le 2 janvier 1798, avec mille bonnes raisons pour justifier son retard, il se jeta à ses pieds et pardonna...

Quelques jours plus tard, Hippolyte Charles arrivait à son tour et s'empressait d'envoyer sa démission au ministère de la Guerre afin de pouvoir trafiquer en toute sécurité avec les fournisseurs des armées. Bientôt, sur la recommandation de Joséphine, il entra à la compagnie Bodin, entreprise qui faisait de gros bénéfices en livrant aux soldats du Directoire des guêtres trop étroites, des chemises trop courtes, des souliers en carton, du fourrage en roseaux de marécage et des chevaux hors d'état de servir. Détails navrants qui n'empêchaient pas la créole de toucher sans remords la « commission » que lui remettait M. Bodin [48].

Comme tout finit par se savoir, le 17 mars, Bonaparte apprit par son frère Joseph que Joséphine était en relations avec ce trafiquant et qu'elle rencontrait chaque jour Hippolyte dans une maison du faubourg Saint-Honoré. Furieux, il alla trouver sa femme, lui dit en termes vifs ce qu'il pensait, cassa une potiche pour agrémenter la scène et partit en claquant la porte.

Joséphine écrivit aussitôt à Hippolyte pour le mettre en garde. La lettre qu'elle lui envoya nous est parvenue. Elle contient non seulement la preuve de sa compromission, mais encore l'expression de sa haine pour la famille Bonaparte. La voici, avec son orthographe très particulière :

Josephe a eu hier une grande conversation avec son frère ; à la suite de cela, on m'a demandé si je connaissais le citoyen Bodin, si c'était moi qui venait de lui procurer la fourniture de l'armée d'Italie, qu'on

---

48. Cf. Mme DE RÉMUSAT : « Pour se tirer d'affaire, elle cherchait à vendre le crédit qu'elle avait sur les gens puissants de cette époque et se compromettait par d'imprudentes relations. »

venait de le lui dire, que Charles logeait chez le citoyen Bodin, n° 100, faubourg Saint-Honoré et que j'y allais tous les jours ? J'ai répondue que je n'avais aucune connaissance de tout ce qu'il me disait ; que s'il voulait divorcé qu'il n'avait qu'à parlé ; qu'il n'avait pas besoin de ce servir de tout ces moyens ; que j'étais la plus infortunée des femmes et la plus malheureuse.

Oui, mon Hipolyte, ils ont toute ma haine ; toi seule a ma tendresse, mon amour ; ils doivent voir combien je les aborres par l'état affreux dans lequel je suis depuis plusieurs jours ; ils voyent les regrets, le désespoir que j'éprouve de la privation de te voir aussi souvent que je désire. Hipolyte ; je me donnerai la mort ; oui, je veux finir [une vie] qui me sera désormais à charge si elle ne peut têtre consacrée. Hélas ! qu'ai-je donc fait à ses monstres, mais ils auront beau faire, je ne serai jamais la victime de leurs atrocités.

Dis, je t'en prie, à Bodin, qu'il dise qu'il ne me connaît pas ; que ce n'est pas par moi qu'il a eu le marché de l'armée d'Italie ; qu'il dise au portier du n° 100 que, lorsque l'on demandera si Bodin y demeure, il dise qu'il ne connaît pas ; qu'il ne ce serve des lettres que je lui ai donné pour l'Italie que quelques heures après son arrivé dans ce païs-là, et quand il en aura besoin ; sache, entre nous soit dit, si Jubié n'est pas lié avec Josephe. Ah ! ils ont beau me tourmenté, ils ne me détacherons jamais de mon Hipolyte ; mon dernier soupire sera pour lui.

Je ferai tout au monde pour te voir dans la journée. Si je ne le pouvais pas, je passerai ce soir chez Bodin et demain matin je t'enverrai Blondin pour t'indiquer une heure pour te trouver au Jardin des Mousseau [49].

Adieu, mon Hipolyte, mille baisers brûlants, comme mon cœur, et aussi amoureux [50]...

Ayant envoyé cette lettre de midinette illettrée, Joséphine alla retrouver Bonaparte et le couvrit de caresses, ce dont il lui sut gré...

5

L'Angleterre révèle l'infortune conjugale de Bonaparte

> C'est à dater du Caire que Bonaparte se résigne à l'emploi prédestiné de cocu intégral.
>
> MAXIMILLIEN VOX

L'accueil délirant de deux cent mille Parisiens « affolés d'enthousiasme » avait révélé à Bonaparte son extraordinaire popularité. Un soir qu'il revenait de voir Barras, la foule, en avance de sept ans

---

49. Cet ancien domaine de Philippe Egalité fut ouvert au public sous la Révolution. Ce qu'il en reste est devenu notre parc Monceau...
50. Lettre citée par LOUIS HASTIER dans son ouvrage : *Le Grand Amour de Joséphine.*

sur les événements, l'avait, avec une singulière prescience, acclamé véritablement comme un souverain.

Il était rentré chez lui fort troublé.

Devant le feu de bois qui flambait dans sa cheminée, il réfléchissait aux possibilités, que le destin lui offrait peut-être, de faire un coup d'État.

L'avilissement du Directoire avait pris une telle ampleur que le peuple français désirait un régime propre, un gouvernement solide, un homme n'ayant trempé dans aucune combinaison politique. Or, depuis quelque temps, Bonaparte pensait sérieusement que le ciel l'avait choisi pour être cet homme-là. Au cours d'une promenade dans le parc du château de Monbello (où il avait institué une étiquette royale), il s'était confié, un jour, à Miot, ministre de France à Florence :

— Ce que j'ai fait jusqu'ici n'est rien encore... Croyez-vous que ce soit pour faire la grandeur des avocats du Directoire, des Carnot, des Barras, que je triomphe en Italie ? Croyez-vous que ce soit pour fonder une République ? Quelle idée ! Une République de trente millions d'hommes ! avec nos mœurs et nos vices ! Où en est la possibilité ? C'est une chimère dont les Français sont engoués, mais qui passera comme tant d'autres. Il leur faut de la gloire, les satisfactions de la vanité ; mais, la liberté, ils n'y entendent rien...

Enfermé dans sa chambre, il se demanda s'il allait tenter de prendre le pouvoir. Les conditions paraissaient favorables : l'armée l'adorait, le peuple lui montrait une véritable vénération, les Directeurs semblaient à ses pieds, quelques amis pouvaient l'aider... Il marcha de long en large toute la nuit. Au matin, peu sûr de sa victoire, et pensant qu'un échec serait irrémédiable, il avait décidé d'entreprendre, avant de tenter un coup d'État, une action propre à le rendre l'égal de César ou d'Alexandre...

Le traité de Campoformio, en confirmant la défaite des Autrichiens, avait rendu la paix au continent. Restait l'Angleterre. Pour la forcer à cesser les hostilités, Bonaparte décida de menacer la route des Indes en s'emparant de l'Égypte.

Le Directoire, ravi de se débarrasser de ce général un peu encombrant, lui fournit de l'or, des soldats, des bateaux. Et le 4 mai 1798, Bonaparte quittait Paris, accompagné de Joséphine, de Bourrienne, de Duroc et de Lavalette.

Nommé depuis peu membre de l'Institut, il emmenait également avec lui tout un groupe de savants qui devaient étudier le passé de ce pays alors si mal connu.

A plusieurs reprises, pendant le voyage, Joséphine, qui commençait à comprendre l'imprudence de sa conduite légère et peut-être aussi à entrevoir le destin de celui qu'on appelait le « général Victoire », demanda à faire partie de l'expédition. Bonaparte refusa. Pour essayer de l'attendrir, un soir, elle se montra jalouse, parla des femmes merveilleuses qu'il allait rencontrer en Orient, bouda, pleura. Il lui fut répondu que la flotte anglaise faisait courir de trop grands dangers à l'entreprise « pour qu'on songeât à y mêler une épouse aimée... ».

Le 8 mai au soir, le cortège de berlines arriva à Toulon, et, le lendemain, Bonaparte monta à bord du vaisseau amiral, l'*Orient*. Joséphine le suivit jusque dans sa cabine et le supplia, une fois encore, de l'emmener. La réponse fut nette :

— J'ai défendu aux femmes de s'embarquer avec les troupes. Le général en chef ne doit pas donner le mauvais exemple... Va plutôt à Plombières. On dit que les eaux y sont bonnes pour stimuler les « fécondités paresseuses ». Tu en reviendras peut-être en état de me donner un fils. C'est la plus grande joie que tu pourrais me faire !

Ils s'embrassèrent longuement, et Joséphine, fort déconfite, redescendit à terre. Aussitôt, le canon tonna, les fanfares jouèrent des hymnes républicains, et l'*Orient*, suivi de cent vingt navires, quitta le port. Sur le quai, longtemps, longtemps, la créole agita son mouchoir... Napoléon, de son côté, faisait des signes avec son chapeau sans se douter que, dissimulées dans le fond des bateaux de l'expédition, trois cents femmes déguisées en homme par leurs maris ou leurs amants, partaient avec lui conquérir l'Égypte...

Quand la dernière voile eut disparu, Joséphine rentra dans sa chambre en regrettant que les circonstances ne lui permissent point de goûter à l'un de ces beaux marins qui la regardaient passer avec le désir manifeste de la prendre à l'abordage...

Le lendemain, tandis que sa femme quittait Toulon pour se rendre à Plombières, Bonaparte organisait la vie à bord de l'*Orient*. Pour continuer à s'instruire tout en voyageant, il décida de réunir chaque jour ses savants et de discuter avec eux d'histoire, de science et de religion. Les séances avaient lieu le soir après le dîner. Leur austérité était souvent troublée par les facéties de Junot, qui ne savait qu'inventer pour se moquer des « académiciens ». Un exemple de ces plaisanteries nous est donné par Arnault :

« Quelques incidents bouffons, écrit-il, avaient tempéré parfois le sérieux de ces séances qui n'étaient pas du goût de tout le monde et auxquelles le général en chef avait presque exigé que tout le monde assistât. Ils provenaient presque tous de Junot, à qui le général passait beaucoup de choses et qui s'en permettait beaucoup.

» — Général, dit-il au président le jour de l'ouverture, pourquoi Lannes (et, dans ce nom, il ne faisait pas de la première syllabe une brève), pourquoi Lannes n'est-il pas de l'Institut ? N'y devrait-il pas être admis sur son nom [51] ? »

Après ces réunions éducatives, Bonaparte allait se coucher, tantôt avec le mal de mer, tantôt avec le doux souvenir de Joséphine...

Après avoir, en passant, pris l'île de Malte aux chevaliers, il débarqua

---

51. ARNAULT, *Souvenirs d'un sexagénaire*.

le 2 juillet à Alexandrie. Aussitôt, à travers les sables brûlants[52], il s'élança contre les mameluks qui voulaient lui couper la route du Caire. Malgré la chaleur qui obligeait les Français à ne marcher que la nuit, malgré la soif qui terrassait des compagnies entières, il réussit à culbuter l'ennemi devant les Pyramides et entra solennellement dans la capitale égyptienne le 24 juillet.

Son premier soin fut de s'installer, à la façon d'un sultan, dans le plus beau palais de la ville et d'écrire à Joséphine une série de lettres amères. Les nouvelles qu'il avait reçues de France n'étaient pas, en effet, très réconfortantes. Il savait par son frère Joseph qu'en allant à Plombières sa femme avait retrouvé Hippolyte Charles à Lyon et que les deux amants étaient en train de tout faire pour que les eaux minérales lui donnassent un héritier...

C'est pourquoi, deux fois par jour, des plis remplis de reproches partaient du Caire à destination d'Alexandrie. Là, des fonctionnaires étaient chargés de les empiler soigneusement dans des sacs à bord d'un bateau qui attendait des conditions favorables pour se rendre en France.

Or, le 1er août, une nouvelle effarante parvint à Bonaparte : l'escadre anglaise avait complètement anéanti la flotte française devant le rivage d'Aboukir. Et, pour comble de malheur, Nelson avait intercepté le courrier où s'étalait l'infortune conjugale du vainqueur des Pyramides...

Bonaparte s'attendit au pire. Il avait raison : un mois plus tard, le gouvernement anglais publiait la correspondance saisie et révélait au monde ses malheurs domestiques[53]. C'est ainsi que l'Europe entière put lire avec la joie que l'on devine cette lettre (à l'orthographe enfantine), adressée par Napoléon à son frère Joseph :

Tu varra dans les papiers public la relation des batalle de la conquête de l'Égypte qui a été assé disputé pour ajouter une feuille à la gloire militaire de cette armée.

J'ai beaucoup de chagrin domestique, car le voile est entièrement levée. Tois seul me reste sur la terre ton amitié m'est bien chère. Il ne me reste plus pour devinir misantrope qu'à te perdre et te voir me trair (trahir). *C'est une triste position que d'avoir à la fois tous les sentiments pour une même personne dans son cœur — tu m'entend.*

Fais en sorte que jaye une campagne à mon arrivée soit près de Paris ou en Burgogne, je compte y passer l'hiver et m'y enterrer, je suis annué (ennuyé) *de la nature humaine.*

J'ai besoin de solitude et d'isolement, la grandeur m'annuie, le sentiment est desséché, la gloire est fade, à 29 ans, j'ai tout puisé (épuisé). *Il ne mes reste plus qu'à devenir vraiment Égoïste.*

Je comte garder ma maison, jamais je ne la donnerai à qui que ce soit. Je n'ai plus de quoi vivre. Adieu mon unique ami...

En éditant ces lettres, l'Angleterre n'avait pas pour seul but d'amuser

---

52. Au bout de huit jours, l'armée comptait plus de deux cents soldats aveugles...

53. Ce livre s'intitulait : *Copies of original Letters from the army of general Bonaparte in Egypt ; intercepted by the fleet under the command of admiral Lord Nelson, with an English translation.* Cette édition donnait en regard du texte anglais le texte français...

les populations européennes. Bientôt, Londres expédia des exemplaires de son recueil à Nelson, qui les achemina vers l'Égypte, afin de ridiculiser le chef des troupes françaises en montrant le désarroi qui régnait dans son cœur...

Ainsi l'infidélité de Joséphine risquait de démoraliser notre armée au moment précis où celle-ci se trouvait prisonnière en Afrique...

6

Bonaparte prend une maîtresse pour reconquérir son prestige

> Le signe de la virilité constitue en France
> un vrai bâton de commandement.
>
> R.-M. ARLAUD

A Paris, Barras et ses amis apprirent le désastre d'Aboukir avec une indécente satisfaction. Persuadés que Bonaparte était à tout jamais perdu dans les sables, ils organisèrent des bals et envisagèrent l'avenir d'un cœur léger. Grâce à Nelson, ces messieurs allaient pouvoir continuer à trafiquer en toute quiétude sur le ravitaillement des Français, sans avoir à redouter un coup d'État de ce général trop populaire à leur gré. Certains ne se gênaient pas pour remercier à haute voix la Providence.

— Nous voilà enfin débarrassés de ce petit ambitieux, disaient-ils.

Rue de la Victoire, Joséphine participait secrètement à leur allégresse. Lorsque la nouvelle lui avait été annoncée, elle s'était, en bonne comédienne, jetée sur un canapé et avait pleuré bruyamment.

— Pauvre Bonaparte, comme il va avoir chaud !

Après quoi, elle s'était rendue à une fête en compagnie de M. Charles...

Quelques jours plus tard, l'arrivée d'une fausse information à Paris lui avait donné l'occasion de montrer le fond de sa pensée. Alors qu'elle assistait à une réception au Luxembourg, un secrétaire s'approcha de Barras et lui remit un message. Aussitôt, les invités, devinant qu'il s'agissait d'une nouvelle provenant d'Égypte, s'arrêtèrent de danser et se groupèrent au milieu du salon. Le Directeur demanda le silence et dit :

— Mes amis, j'ai une bien triste nouvelle à vous apprendre : on m'annonce que le général Bonaparte a été assassiné au Caire.

« La marque d'une profonde affliction, nous dit Masdas, se lut dans les yeux des danseurs, et Joséphine, qui s'appuyait sur le bras d'Hippolyte Charles, glissa dans un fauteuil, feignant de se trouver mal. »

Barras se tourna vers elle :

— Oh ! pardon, madame !

Il ajouta :

— Mes amis, le deuil qui nous frappe tous est trop affligeant pour que notre fête se poursuive. Nous allons nous séparer et je vais rester seul avec le docteur Dufour qui va donner des soins à la générale Bonaparte...

Quand le dernier invité eut franchi la porte, Joséphine se redressa, épanouie. Puis elle éclata de rire et demanda à Barras :

— Au moins, est-ce bien sûr que Bonaparte ait été assassiné ?

Gentiment, le Directeur la rassura :

— Je le crois, le correspondant qui m'en informe n'a aucun intérêt à mentir.

Alors, elle battit des mains :

— Ah ! je respire. Ah ! mon ami, si cela est certain, je ne serai plus aussi malheureuse. C'est un homme qui n'a jamais été attaché qu'à lui-même, à lui seul. C'est l'égoïste le plus dur, le plus féroce qui ait jamais paru sur la terre. Il n'a jamais connu que son intérêt, son ambition...

Ne voulant pas croire à son bonheur, elle demanda encore :

— Mais est-il vraiment mort ?

— Je le crois.

Cette fois, elle sauta de joie.

— Ah ! le méchant homme de moins ! Vous ne pouvez vous faire une idée de ce que c'est que cet homme-là. Il ne rêve que de méchanceté. Il invente des tours à jouer sans cesse aux uns et aux autres. Il faut qu'il tourmente tout le monde [54]...

Tandis que les Parisiens croyaient que Bonaparte, embaumé par les Égyptiens, allait être envoyé au cabinet d'histoire naturelle du Muséum [55], le jeune général, devinant la réaction du Directoire, se disposait à revenir en France par les Indes, après avoir réalisé le rêve d'Alexandre...

Dès le premier jour, il s'était adressé à ses soldats de façon superbe :

— Nous n'avons plus de flotte, eh bien ! il faut mourir ici ou en sortir grands comme les Anciens ! Cet événement nous contraint à accomplir de grandes choses, nous les accomplirons ! Des mers nous séparent de la patrie, mais aucune mer ne nous sépare de l'Asie, et l'Asie touche à l'Europe... Nous sommes nombreux, nous ne manquerons pas d'hommes pour recruter nos cadres ; nous avons des armes et des munitions en quantité ; au besoin, les savants que j'ai amenés nous en fabriqueront... Un avenir immense s'ouvre devant nous !...

Ces extraordinaires paroles avaient galvanisé les troupes, et tout le monde, des tambours aux généraux, avait accepté d'accomplir des prodiges...

---

54. Tout ce dialogue est extrait des *Mémoires de* BARRAS.

55. Cf. *Grand Combat au bois de Boulogne entre deux députés, un entrepreneur, un gros fournisseur de la République et un architecte, pour des propos tenus contre Bonaparte, qu'on disait être embaumé par les Égyptiens et envoyé en France pour figurer en momie au cabinet d'histoire naturelle,* par ROUSSET, homme de loi.

Tandis que les savants de l'Institut d'Égypte s'en allaient mesurer le sphinx, faire des fouilles et scruter les hiéroglyphes, les hommes de troupe étaient affectés à de formidables travaux : adduction d'eau, construction de moulins à vent, fours à cuire le pain, fabrication de bière, distillation d'eau-de-vie, etc.

Bonaparte allait presque tous les jours inspecter les « chantiers » où son apparition était accueillie avec enthousiasme. Or, un matin, il s'aperçut que les soldats, tout en l'acclamant, le considéraient avec un air goguenard. Très étonné, il ordonna une enquête et Berthier lui apporta bientôt une brochure qu'on avait trouvée sur un homme. Il s'agissait du recueil anglais contenant la copie de ses lettres à Joséphine.

Bonaparte fut accablé. Après avoir réfléchi, il pensa que le meilleur moyen de recouvrer son prestige était de prendre une maîtresse et de l'afficher généreusement. Il appela Berthier :

— Cherchez-moi les plus belles femmes du pays et amenez-les-moi.

Quelques jours plus tard, nous dit Bourrienne, un mameluk lui présenta « une demi-douzaine de femmes d'Asie dont on vantait les grâces et la beauté ; mais leur tournure et leur obésité les firent renvoyer tout de suite » [56]. Bonaparte fut inquiet. Il se demanda avec angoisse s'il allait pouvoir tromper Joséphine et faire connaître ainsi à son armée qu'il n'était plus l'aveugle mari d'une infidèle [57].

Un jour de septembre, alors qu'il se rendait à cheval, en compagnie de son état-major, à une fête organisée non loin du Caire, il croisa sur la route une caravane d'ânes montés par des soldats qui revenaient joyeusement vers la ville. Parmi eux, se trouvait une jeune femme blonde aux yeux bleus, dont la robe retroussée par le vent découvrait des jambes d'une ligne parfaite. Son « rire argentin » fit se retourner Bonaparte, qui la considéra, nous dit-on, « avec un mélange de stupeur et d'admiration ». Le soir, en rentrant dans son palais, il demanda à Berthier le nom de cette jeune personne qu'il avait rencontrée. Le major général fit une rapide enquête et revint auprès de Bonaparte.

— Il s'agit, dit-il, de la citoyenne Pauline Fourès, qui s'est habillée en homme pour suivre son mari jusqu'ici. Malgré son âge — elle n'a que vingt ans — elle a montré un courage exemplaire pendant la terrible traversée du désert. Là où les hommes tombaient, victimes du soleil, du sable et du vent brûlant, elle marchait sans murmurer. Les soldats du 22e chasseurs en sont tous amoureux, mais ils la respectent, car elle forme avec son mari un ménage modèle...

---

56. BOURRIENNE, *Mémoires*. (La duchesse d'Abrantès ajoute que certains officiers se contentèrent de ces adipeuses et odorantes personnes et que Junot avait eu en Égypte, d'une esclave abyssinienne appelée Xraxarane, un enfant naturel nommé Othello...)

57. Bonaparte avait eu quelques liaisons furtives et hygiéniques. Il s'en était vite lassé. Dans ses intéressants *Mémoires secrets et inédits,* parus en 1825, A. DE BEAUCHAMP écrit : « En Égypte, Bonaparte se délassa avec quelques femmes de beys et mameluks ; mais ne trouvant avec ces belles Géorgiennes ni réciprocité ni aucun charme de société, il en sentit tout le vide, et regretta plus que jamais et les lascives Italiennes et les aimables Françaises. »

Qui était donc cette ravissante Pauline, qui venait d'attirer l'attention du général en chef ? La duchesse d'Abrantès va nous le dire : « Pauline est née à Carcassonne. Son père est un homme comme il faut, sa mère était, je crois, une femme de chambre ou cuisinière. L'éducation de la jeune fille se ressentit de ces deux natures qui avaient formé sa vie. Elle reçut quelque instruction et se fit ouvrière. Elle était une des plus jolies de la ville et parfaitement vertueuse. Sa conduite était régulière, ce qui ne nuit pas à la vertu à Carcassonne. Car il n'en va pas là comme à Paris...

» On avait nommé Pauline Bellisle, *Bellilote,* parce qu'en effet, elle était charmante. C'était surtout dans la maison d'une personne de mes amis qu'elle avait reçu ce surnom. M. et Mme de Sales avaient pour elle des bontés qu'elle justifiait, et tous deux la traitaient plutôt comme une enfant à eux que comme une ouvrière venant faire une journée.

» M. de Sales avait, un jour, du monde à dîner. Au dessert, il fut question, comme presque toujours alors en province, de chanter des chansons. Bellilote était dans la maison. M. de Sales fut la chercher et, malgré sa résistance, la conduisit à table. Elle chanta, récita des vers avec grâce et facilité. A cette époque, la chose était rare, pour ne pas dire unique, parmi les ouvrières, non seulement de province, mais encore de Paris. Bellilote fit donc impression. Elle le sentit et, à dater de ce jour, son parti fut arrêté :

» — Je veux aussi être maîtresse de maison, dit-elle à M. de Sales. M. Fourès m'offre l'avantage d'une fortune médiocre, mais indépendante, je l'accepte.

» Et elle l'épousa.

» Peu de temps après, l'annonce de l'expédition d'Égypte parvint jusqu'à Carcassonne. Fourès, qui avait servi, voulut répondre à l'appel qu'on faisait à tous les militaires retirés, mais encore en état de porter les armes. On savait bien qu'on partait, mais on ignorait où l'on allait. Fourès partit pour Toulon, lieu du rendez-vous général. Mais comme il aimait beaucoup sa femme, il voulut l'emmener avec lui, n'importe où l'on allât, et la jeune femme, qui avait l'humeur aventureuse, ne demanda pas mieux que de quitter son nid pour voler au loin et essayer ses jeunes plumes. Elle s'habilla donc en homme, et ils arrivèrent en Égypte sans que Napoléon l'eût seulement entrevue [58]. »

Cette blonde pulpeuse allait permettre à Bonaparte de reconquérir son prestige auprès de l'armée d'Orient...

Avant de mettre Pauline dans son lit, Bonaparte devait connaître une bien curieuse aventure.

Un matin, la générale Verdier vint le trouver dans le palais dont il avait fait sa résidence [59].

58. Duchesse d' ABRANTÈS, *Mémoires.*
59. La générale Verdier avait suivi son mari, habillée en aide de camp. Elle était éprise du général Kléber, dont elle passait pour être la maîtresse...

— Citoyen général, dit-elle, très excitée, Berthier m'a dit que vous cherchiez une jeune personne avenante et experte pour occuper vos loisirs. Il m'a dit aussi votre déconvenue en voyant les esclaves obèses et trop parfumées qu'on vous avait trouvées. A votre intention, je me suis rendue dans plusieurs harems et j'ai découvert une ravissante vierge de seize ans, aux prunelles immenses. On me l'a montrée nue. Son corps est souple, ses seins sont fermes et bien placés, ses cuisses sont élastiques, ses jambes sont longues et son duvet est soyeux...

L'œil d'aigle de Bonaparte perdit pendant une seconde sa légendaire assurance.

Ravie de l'effet que produisait sa description, la citoyenne Verdier continua :

— Cette merveille s'appelle Zenab. Elle est la fille du cheik El-Bekri, qui a bien voulu accepter de me la confier pour un soir. Si elle vous plaît, vous pourrez en user et même en abuser...

— Quand puis-je voir cette personne ? dit-il simplement.

— Elle doit venir goûter cet après-midi chez moi.

— J'y serai !

A quatre heures, le jeune général, sanglé dans un uniforme de gros drap bleu qu'il était seul à porter par 35° à l'ombre, arriva chez la générale Verdier.

Zenab était là avec sa mère, grignotant des montagnes de gâteaux à la confiture d'eucalyptus. Immédiatement séduit, Bonaparte fit quelques compliments à la jeune fille, félicita la maman, but une tasse de café et se retira.

Sur le pas de la porte, il dit à Mme Verdier :

— Qu'on me l'amène ce soir !

Très contente d'elle, la générale rentra dans son salon et transmit l'invitation de Bonaparte aux deux Égyptiennes, qui poussèrent de grands cris de joie...

— Il faut voir là une faveur du ciel, dit la maîtresse de maison, car le général Bonaparte est l'homme le plus puissant de la terre.

Zenab et sa mère tombèrent à genoux, baisèrent le tapis et regagnèrent leur maison en remerciant Allah. Elles le remercièrent avec plus de ferveur encore deux heures plus tard, lorsqu'un soldat français vint apporter à Zenab, de la part du général en chef, un coffret rempli de somptueux cadeaux : bracelets, colliers, écharpes précieuses et fruits glacés...

Le soir, tandis que Bonaparte attendait avec impatience la petite Arabe dont la beauté et la grâce orientale l'avaient ébloui, Mme Verdier eut une idée malencontreuse. Croyant rendre Zenab plus séduisante, elle la transforma en petite Parisienne. « Aidée de quelques Françaises, nous dit Marcel Dupont, elle changea sa coiffure, lui fit un chignon, l'affubla d'une longue robe Directoire, gaina ses longues jambes brunes de bas à coins dorés, emprisonna ses jolis pieds dans d'étroits souliers de satin. Engoncée, mal à son aise, marchant avec peine, l'infortunée Zenab avait perdu tout son charme [60]. »

A dix heures, cette poupée fardée fut introduite au palais d'Elfi-Bey, où Bonaparte, en robe de chambre chamarrée, s'apprêtait à passer une nuit étourdissante. En la voyant entrer, il demeura saisi :

— Qui est-ce ? dit-il.

Un aide de camp lui expliqua que la générale Verdier avait cru bien faire en donnant un aspect européen à la petite Zenab. Bonaparte fut atterré, et son ressort intime, qui était tendu vers l'exotisme, se relâcha...

Comprenant qu'elle décevait, l'adolescente, qui se faisait une fête de perdre sa virginité, éclata en sanglots. Devant ce gros chagrin d'enfant, le général fut pris de pitié.

— Allons, ne pleure pas, dit-il, et déshabille-toi !

Paternel, il l'aida à dégrafer sa robe, à retirer ses bas et à défaire son chignon. Quand elle fut entièrement nue, il lui trouva le corps le plus joli qu'on pût imaginer, et ne tarda pas à en montrer une belle satisfaction...

En deux enjambées, il la porta sur un lit et lui « mit la main au delta », comme disaient les membres de l'expédition avec ce sens inné de l'image que possèdent les hommes du peuple.

Cette fois, la fillette sécha ses larmes et sourit timidement. Tant de gentillesse la remplissait d'une joie candide.

— Merci, général ! disait-elle.

Alors Bonaparte passa aux choses sérieuses, et Zenab devint femme en montrant le visage extasié d'une enfant à qui l'on donne un gros bonbon...

Au petit jour, Bonaparte fit reconduire la petite Zenab chez son père avec des cadeaux plus fastueux encore que les précédents. Mais cette aventure fut sans lendemain. Pour se venger de Joséphine et de l'Angleterre, il fallait à Napoléon autre chose qu'une enfant...

Il repensa alors à Pauline Fourès et se demanda comment il pourrait la rencontrer.

Le hasard allait l'aider...

Depuis quelque temps, la vie au Caire s'organisait. Des cafés, des boutiques, des pâtisseries, des glaciers, s'ouvraient chaque jour, et l'on attendait, en ce mois de novembre 1798, la création d'un établissement dont l'animateur voulait faire l'équivalent du fameux Tivoli où tous les Parisiens allaient s'amuser le dimanche. Voici en quels termes alléchants ce lieu de plaisirs avait été annoncé par le *Courrier d'Égypte* :

« Le jardin est le plus grand et le plus beau du Caire. Il est couvert d'orangers, de citronniers et autres arbres odoriférants. Au moyen de plusieurs puits à roues déjà existants, il y aura de l'eau courante dans toutes les parties.

60. MARCEL DUPONT, *Pauline Fourès*.

» On trouvera dans la maison tous les amusements, toutes les commodités que l'on pourra désirer. Il y aura un cabinet de littérature, où seront réunis des livres de choix...

» Enfin, on réunira dans ce lieu tout ce qui pourra contribuer aux plaisirs de la société qui le fréquentera. Si Paris a un Tivoli, un Élysée et tant d'autres jardins délicieux, il faut que Le Caire ait aussi un lieu d'agrément dont le nom soit pompeux, mais où l'on puisse s'amuser. D'ailleurs, ce sera peut-être le moyen d'attirer dans nos sociétés les habitants du pays et leurs femmes et de leur faire prendre insensiblement les habitudes, les goûts et les modes français. »

L'inauguration de ce « Tivoli égyptien » avait été fixée au 30 novembre, jour où, sur l'ordre de Bonaparte, devait avoir lieu le lancement d'une montgolfière.

A quatre heures, la machine, qui — précisaient des affiches imprimées en arabe — « volait par des moyens inventés par les Français », s'éleva au-dessus de la place Esbekieh, à l'intense stupéfaction des Égyptiens. Après quoi, la foule se rendit à Tivoli, où le directeur, Dargevel, un ancien condisciple de Bonaparte à Brienne, attendait ses invités devant un massif de jasmins géants.

En quelques minutes, les visiteurs envahirent les allées, découvrant à chaque détour une attraction nouvelle : des jongleurs, des almées, des balançoires, des chevaux de bois, un marchand de glaces, un orchestre, une salle de billard, un restaurant turc, etc.

Bonaparte arriva vers six heures, suivi de Junot. Il admira les jardins, applaudit les acrobates et allait se diriger vers des danseuses, lorsqu'on le vit s'arrêter brusquement, pâlir, et regarder une jeune femme qui descendait des balançoires en riant aux éclats.

Cette femme était Pauline Fourès.

Laissant là Junot, il se précipita vers elle, s'inclina et lui adressa quelques compliments d'artilleur. Ravie d'avoir été remarquée par le général en chef, mais atrocement intimidée, la jeune femme bredouilla des mots inintelligibles.

Bonaparte s'inclina de nouveau et lui baisa la main.

— J'espère que nous nous reverrons bientôt et dans un lieu plus intime, dit-il en la quittant.

Candide, Pauline se réjouit alors à la pensée que cette rencontre pouvait être bonne pour la carrière de son mari...

Le surlendemain matin, Bonaparte, qui, on le sait, pouvait faire plusieurs choses à la fois, fit appeler Junot, et, tout en dictant une note destinée aux membres de l'Institut d'Égypte, lui dit :

— Tu te souviens de la citoyenne Fourès : il faut que je la revoie.

Puis il jeta les grandes lignes d'une réorganisation des musiques militaires et continua :

— Son mari est parti ce matin en colonne dans le delta ; tu vas en profiter pour aller chez elle.

Il conçut ensuite un projet d'uniforme pour les mameluks appelés à servir dans la marine et conclut :

— Tu lui feras comprendre habilement qu'elle me plaît et tu tâcheras de lui faire accepter de venir dîner avec moi.

Junot avait beaucoup de qualités, mais il manquait de finesse. Il se rendit chez Pauline, claqua les talons, salua et dit sur le ton qu'il aurait pris pour faire une proclamation à ses soldats :

— Citoyenne ! Je viens de la part du général Bonaparte. Vous lui plaisez. Il voudrait que vous deveniez sa maîtresse !...

La jeune femme fut saisie. Les yeux durs, elle regarda Junot sans rien dire. Tant de maladresse la navrait. Depuis deux jours, elle était prête, en effet, à se donner à Bonaparte ; mais une proposition aussi brutale, aussi grossière, l'empêchait maintenant d'accepter.

— Colonel, dit-elle, vous direz au général que j'aime mon mari, et que je ne l'ai jamais trompé !

Très ennuyé, Junot chercha un moyen d'arranger les choses et crut bien faire en ridiculisant Fourès. D'un ton ironique, il le mit en parallèle avec Bonaparte. Cette fois, Pauline lui désigna la porte...

L'aide de camp revint piteusement au palais d'Elfi-Bey et raconta son entrevue à Bonaparte.

Celui-ci comprit qu'il n'avait pas bien choisi son ambassadeur.

Le soir même, il envoyait Duroc, son deuxième aide de camp, chez Pauline. Duroc était galant, habile, diplomate. Il commença par déplorer « l'initiative inadmissible » du soudard qui s'était présenté le matin ; puis, voyant la jeune femme rassérénée, il lui parla longuement de l'admiration que le général avait pour elle et de la hâte qu'il avait de la revoir...

Enfin, au moment de prendre congé, il déposa un petit coffret sur le guéridon :

— Le général m'a chargé de vous remettre ceci en souvenir de la soirée de Tivoli, dit-il.

Dès qu'il fut parti, Bellilote ouvrit le coffret et trouva un magnifique bracelet égyptien enrichi de pierreries et de diamants.

Jamais la petite couturière de Carcassonne n'avait vu un aussi beau bijou. Elle fut éblouie et pensa qu'il devait être bien agréable de vivre en compagnie de ce généreux général...

Dès lors, Duroc vint chaque matin, très régulièrement, apporter à Pauline une lettre de Bonaparte accompagnée d'un cadeau.

La jeune femme lisait avec délices les déclarations passionnées que le Corse avait écrites pendant la nuit, puis s'en allait cacher les nouveaux bijoux dans un coffre dont Fourès ignorait l'existence.

Au bout de quinze jours, Bellilote commença à s'impatienter. Le désir, bien légitime, qu'elle avait de remercier son adorateur avec les moyens que la nature lui avait donnés finit par lui causer « une démangeaison locale » dont le remède était — hélas ! — au palais d'Elfi-Bey... Ses nuits furent bientôt troublées par des rêves d'une lubricité dont elle s'étonnait elle-même au réveil. « Certains de ses songes, nous dit Paul Duruy, étaient créés par une imagination tellement débridée qu'ils avaient pour Pauline une réelle valeur éducative. La petite Carcassonnaise, en effet, était restée très pure, et se bornait, pour l'apaisement de ses sens, à des conjonctions extrêmement orthodoxes. Ses propres rêves lui ouvrirent soudain bien des horizons... »

Mise ainsi en appétit, elle devint nerveuse et pensa que le général ne semblait pas pressé de lui donner rendez-vous. Alors qu'elle commençait à désespérer, elle reçut une carte du commandant du Caire, le général Dupuy. Celui-ci l'invitait à dîner — *seule*. Ce qui surprit beaucoup le lieutenant Fourès.

— Il est bien étonnant, dit-il, que je ne sois pas invité avec ma femme, car enfin je suis officier.

Pauline lui fit valoir qu'elle ne pouvait se dérober à une invitation, qui, « venant d'un général, était presque un ordre militaire », et s'en alla chez les Dupuy, le cœur battant.

Elle avait bien raison d'être émue et son mari n'avait pas tort d'être inquiet. Écoutons la duchesse d'Abrantès [61] :

« Mme Fourès fut parfaitement accueillie. Il n'y avait que peu de monde à dîner, et tout se passa tranquillement et sans que rien pût faire préjuger ce qui devait arriver. Mais au moment où on allait servir le café, on entendit un grand mouvement dans la maison, les deux battants s'ouvrirent avec fracas, et le général en chef parut. Dupuy s'excusa beaucoup de ce que le général les trouvait encore à table et lui demanda de prendre au moins une tasse de café, ce que Napoléon accepta [62]. »

Cette mise en scène avait été organisée naturellement par Bonaparte, qui vint s'asseoir auprès de Pauline. Après lui avoir adressé quelques mots, il prit sa tasse de café et — comme par mégarde — la renversa sur la robe de la jeune femme.

Tout le monde poussa de grandes exclamations, et Bonaparte, feignant la confusion, proposa de réparer lui-même le dommage :

— Je suis désolé, dit-il, où y a-t-il de l'eau ?

— Dans ma chambre, répondit le général Dupuy.

— Allons-y, je ne veux pas que vous conserviez un mauvais souvenir de ce dîner, à cause de moi...

Pauline suivit Bonaparte dans la chambre.

Ils ne reparurent que deux heures plus tard !

« Les apparences étaient à peu près conservées », nous dit-on. Pourtant, les deux amants avaient un air à la fois las et triomphant qui en disait long sur leur façon d'effacer les taches de café...

Rentré dans son palais, Bonaparte pensa que le lieutenant Fourès allait être bien gênant désormais. Résolu à faire de Bellilote sa favorite

61. Dupuy vivait avec une jeune Française qu'il présentait comme étant sa femme.
62. Duchesse D'ABRANTÈS, *Mémoires*.

ordinaire et à l'afficher aux yeux de tous, il décida d'éloigner l'importun.

Le lendemain, Berthier, chef d'état-major, convoqua le lieutenant qui accourut aussitôt :

— Mon cher Fourès, lui dit-il, plus heureux que nous, vous allez revoir la France !

— Moi !

— Oui, le général en chef, qui a eu sur vous d'excellents rapports, vous envoie en Europe porter des dépêches au Directoire. Voici l'ordre.

Le mari trompé — et ahuri — lut ceci :

> *Au citoyen Fourès, lieutenant de chasseurs*
> *Quartier général, au Caire, le 28 frimaire an VII*
>
> *Il est ordonné au citoyen Fourès, lieutenant au 22e régiment de chasseurs à cheval, de partir par la première diligence à Rosette, pour se rendre à Alexandrie et s'y embarquer sur un brick qui lui sera fourni par le commandement de la marine, auquel il remettra l'ordre ci-joint du général en chef.*
>
> *Le citoyen sera porteur des dépêches ci-jointes, qu'il n'ouvrira qu'en mer et dans lesquelles il trouvera ses instructions.*
>
> *Je lui remets une somme de trois mille francs pour subvenir aux frais de sa mission.*
>
> *Par ordre du général en chef.*
>
> *Signé :* BERTHIER.

— Vous quitterez Le Caire dans une heure, ajouta le général, la voiture et son escorte sont prêtes.

— Je vais dire à ma femme de préparer rapidement nos bagages, dit Fourès.

Berthier sursauta :

— Votre femme ? Vous n'y pensez pas ! La faire figurer dans une mission pareille serait un scandale ! Songez en outre que vous pouvez être surpris par la croisière anglaise, et imaginez les dangers auxquels la pauvre pourrait être exposée ! Dangers de tous ordres, mon cher : risque de recevoir un mauvais coup, risque de tomber aux mains des officiers de S.M. britannique, lesquels, vous ne l'ignorez pas, tiennent la mer depuis des mois et sont affamés de chair fraîche ! Soyez raisonnable et mettez ce projet de côté.

Sans laisser percer la moindre ironie, il ajouta :

— Nous veillerons ici sur la citoyenne Fourès !

Alors, le lieutenant, fort étonné « des faveurs singulières qui venaient le chercher dans son obscurité », alla faire ses bagages.

A sa femme, il expliqua en bombant le torse que le général en chef avait enfin reconnu ses mérites. Mais, nous dit la duchesse d'Abrantès, Pauline, qui connaissait les raisons du choix de Bonaparte, « lui dit adieu avec un œil pleurant et l'autre riant... ».

7

Les Anglais interrompent l'idylle de Bonaparte avec Pauline Fourès

L'Angleterre m'a empêché de vivre heureux.

NAPOLÉON

A cinq heures du soir, émerveillé par sa propre chance et pensant que le destin avait vraiment pour lui des attentions particulières, le lieutenant Fourès entraîna Bellilote sur un grand lit pour lui dire galamment au revoir, et quitta Le Caire d'un cœur léger.

Or, à peine « la poussière soulevée par les chevaux de l'escorte » était-elle dissipée que Junot sortit d'une maison voisine et se présenta chez Pauline.

La jeune femme se trouvait encore dans l'état où le lieutenant l'avait laissée après leur séance d'adieux...

Elle se voila la face dans un peignoir et, tout essoufflée encore, reçut Junot.

Celui-ci claqua les talons, salua et récita la phrase que Bonaparte, prudemment, lui avait fait apprendre par cœur :

— Citoyenne, le général vous prie à dîner, ce soir, au palais d'Elfi-Bey.

Pauline, un peu étonnée tout de même par tant de précipitation, s'inclina :

— J'y serai ! répondit-elle.

Le soir, assise à la droite du général en chef, « elle illumina par sa beauté toute l'assemblée qui avait été réunie en son honneur »[63]. Avec cette extraordinaire faculté d'adaptation qu'ont les femmes, l'ancienne ouvrière de Carcassonne sut immédiatement jouer son rôle de favorite. Au dessert, on l'eût prise pour la maîtresse de maison...

A minuit, elle se trouvait d'ailleurs à la porte du salon, aux côtés de Bonaparte, pour dire au revoir aux invités...

Quand tout le monde fut parti, le général en chef, qui s'était montré, tout au long du repas, tendre et facétieux, conduisit la jeune femme dans sa chambre et lui fit, en guise de bienvenue, exactement ce que Fourès lui avait fait en manière d'adieu...

Tandis qu'au palais d'Elfi-Bey, les deux amants se savouraient ainsi à corps perdus, le lieutenant roulait en direction d'Alexandrie. A Om-Dinar, le premier relais, il ouvrit le pli que lui avait remis Berthier, et lut cet ordre qui contenait tous les détails de sa mission :

Quartier général, au Caire, 27 frimaire an VII
Le bâtiment sur lequel vous vous embarquerez vous conduira à

63. LÉONCE DESCHAMP, *op. cit.*

Malte. Vous remettrez les lettres ci-jointes à l'amiral Villeneuve et au général commandant de Malte.

Le commandant de la Marine à Malte vous donnera sur-le-champ un bâtiment pour vous conduire dans un port d'Italie qu'il jugera le plus sûr, d'où vous prendrez la route pour vous rendre en toute diligence à Paris et remettre les dépêches ci-jointes au gouvernement.

Vous resterez huit à dix jours à Paris ; après quoi, vous reviendrez en toute diligence en venant vous embarquer dans un port du royaume de Naples ou à Ancône.

Vous éviterez Alexandrie et aborderez avec votre bâtiment à Damiette.

Avant de partir, vous aurez soin de voir un de mes frères membre du corps législatif ; il vous remettra tous les papiers et imprimés qui auront paru depuis messidor.

Je compte sur votre zèle, dans tous les événements imprévus qui pourraient survenir dans votre mission, qui est de faire parvenir vos dépêches au gouvernement et d'en apporter les réponses.

Signé : BONAPARTE.

Ce texte, qui impressionna Fourès, pose un problème aux historiens : Bonaparte croyait-il à la possibilité d'un tel voyage alors que les Anglais étaient maîtres de la Méditerranée et que leurs bateaux croisaient sans arrêt devant Alexandrie ? C'est peu probable. A telle enseigne que les dépêches dont il avait chargé Fourès ne contenaient que des informations sans importance : occupation de Suez par le général Bon, expédition dans la haute Égypte par Desaix, organisation de l'armée, rassemblements turcs en Syrie. Pour éloigner un mari gênant, Bonaparte n'hésitait donc pas à sacrifier un navire de guerre et son équipage...

Comme l'écrit Marcel Dupont : « Les grands hommes ont parfois des faiblesses devant lesquelles un simple honnête homme reculerait... »

Fourès s'embarqua le 28 décembre sur l'aviso le *Chasseur,* commandé par le capitaine Laurens.

Celui-ci ne cacha pas au lieutenant les difficultés de l'entreprise.

— Exactement devant nous, dit-il avant même de lever l'ancre, se trouve la croisière anglaise, composée de trois vaisseaux de haut bord et de deux frégates. Je ne veux pas être pessimiste, mais je pense que nous avons à peu près une chance sur quatre de forcer ce blocus. De toute façon, nous ne pouvons partir qu'à la nuit close. Le *Chasseur* est un fin voilier, et, en naviguant tous feux éteints, si le vent nous reste favorable et si nous ne faisons aucune fâcheuse rencontre, nous serons au lever du jour à soixante milles de la côte. Nous aurons alors quelque chance de nous en tirer.

A sept heures du soir, l'aviso leva l'ancre et sortit du port. Fourès, anxieux, refusa de se coucher et demeura près du capitaine à scruter la nuit.

Pendant douze heures, il resta ainsi sur la passerelle à entendre le sifflement du vent et le craquement des mâts, attentif au moindre bruit étranger. A chaque instant, il lui semblait voir apparaître la masse gigantesque d'un vaisseau anglais...

A l'aube naissante, il descendit au carré pour boire un pot de vin chaud. C'est à ce moment qu'un homme cria :

— Une voile à l'arrière !

Le capitaine Laurens saisit sa lunette :

— C'est un Anglais. Il nous aura rattrapés dans cinq heures environ... Détruisez vos dépêches ! Nous allons être pris !

Fourès, espérant un miracle, préféra cacher les précieux papiers, soigneusement roulés, dans une partie fort intime de son individu...

A midi, le *Chasseur* était arraisonné.

Aussitôt, l'équipage abattit la voilure et fit culbuter les quatre pièces de canon dans la mer. A une heure, deux officiers anglais montaient à bord avec un équipage de prise. En deux voyages, le capitaine Laurens, ses officiers, ses matelots et Fourès furent conduits à bord du vaisseau britannique le *Lion*.

Dès qu'il sut que le lieutenant était chargé de mission de Bonaparte, le commandant anglais appela des aides. « On le fouilla, nous dit la duchesse d'Abrantès, on lui enleva jusqu'à sa chemise pour chercher avec soin s'il ne cachait pas encore quelque missive importante, car, en examinant celles qu'il avait celées avec *une extrême adresse,* le capitaine anglais n'y trouva que des lieux communs, qui même avaient été, il se le rappelait, dans une dépêche qui avait eu le bonheur de passer quelques semaines avant, et dont le Directoire avait fait parade dans *Le Moniteur.* »

N'ayant rien découvert d'intéressant, l'Anglais questionna le lieutenant :

— Comment vous appelez-vous ?

— Jean-Noël Fourès !

A ce nom, le capitaine du *Lion,* qui, nous dit encore la duchesse d'Abrantès, « avait des nouvelles de l'Égypte aussi fraîches et aussi circonstanciées que s'il eût été habitant du Caire ou d'Alexandrie, fit un clin d'œil à son second » [64]. L'idée de gêner Bonaparte « dans le bon déroulement de ses amours » lui parut de nature à satisfaire le gouvernement de Londres.

— Monsieur, dit-il à Fourès, avant de rentrer en Angleterre, le vaisseau que Sa Majesté m'a fait l'honneur de me confier doit faire une longue randonnée dans les mers d'Orient. Je suis contraint de garder prisonniers les officiers et l'équipage du *Chasseur,* mais, quant à vous, puisque votre mission est devenue sans objet, je m'en voudrais de vous imposer une croisière devant durer de longs mois. Si vous êtes disposé à me donner votre parole d'honneur de ne point servir contre l'Angleterre tant que durera la guerre, je serai heureux de vous déposer en tel point de la côte égyptienne qu'il vous plaira de me désigner...

— Je vous donne ma parole, dit Fourès, fou de joie.

64. Duchesse d'Abrantès, *Mémoires.*

Le soir même, le capitaine du *Lion,* ravi de jouer un bon tour à Bonaparte, ramenait le lieutenant en Égypte.

... Il devait y apprendre, nous dit Mme d'Abrantès, « que tous les crocodiles n'étaient pas dans le Nil... ».

En pleine nuit, une embarcation du *Lion* déposa Fourès dans une petite crique située non loin d'Alexandrie. L'aube le trouva assis sur un rocher, claquant des dents, mais heureux à la pensée de revoir bientôt sa Bellilote.

Vers huit heures, un Égyptien qui passait accepta de le prendre dans sa voiture à âne et, à midi, le lieutenant atteignit la ville.

Aussitôt il courut chez Marmont, commandant d'Alexandrie, et lui conta son aventure.

— Grâce à l'extraordinaire clémence de l'officier anglais, dit-il, rayonnant de joie, je vais pouvoir faire une bonne surprise à ma femme.

Le général — qui savait que Bonaparte venait d'installer Pauline dans un palais somptueux, à deux pas du sien — parvint à ne pas éclater de rire, mais pensa que la vie valait la peine d'être vécue.

— Je crois, dit-il, que vous feriez mieux de rester ici. Votre mission est interrompue, mais pas terminée. Le général Bonaparte va nécessairement vous envoyer des consignes. Il serait maladroit de votre part de prendre une initiative pouvant lui déplaire...

Fourès hocha la tête :

— Je suis sûr qu'il comprendra ma hâte. Et puis, j'ai perdu mes dépêches : je ne suis qu'une malle vide. Que feriez-vous d'une malle vide à Alexandrie ? Si elle doit être de nouveau remplie, il faut que je retourne au Caire.

Marmont, s'il s'amusait, était tout de même inquiet à l'idée du scandale qui allait éclater. Ne sachant plus quel argument utiliser, il prit un ton rude et dit :

— Je n'ai pas qualité pour vous retenir, lieutenant, mais un homme averti en vaut deux : si vous retournez au Caire, il pourra vous en cuire !

Fourès sourit :

— Sans doute le général en chef sera-t-il déçu par mon échec, dit-il, mais il sera si content de me revoir sain et sauf, alors que les Anglais pouvaient me garder prisonnier, qu'il me pardonnera !...

Tant de naïveté, tant d'assurance stupide, finit par agacer Marmont. Il pensa que cet imbécile méritait une leçon et le laissa partir...

Fourès s'embarqua sur un djerme qui remontait le Nil et, six jours plus tard, arriva au Caire. Impatient d'embrasser Pauline, il courut chez lui. En trouvant la maison vide, sa stupeur fut immense.

Il appela, ouvrit toutes les portes, remarqua qu'une couche de poussière recouvrait les meubles et que tous les objets qui appartenaient à sa femme avaient disparu. Comme il n'était pas aussi sot qu'il en avait l'air, il en conclut que Pauline était partie.

Alors, nous dit Léonce Deschamp, « il s'assit sur un coffre, considéra la situation, pesa le pour et le contre, et dut se résoudre à admettre que, malgré son grade de lieutenant de chasseurs, il était cocu [65] » !...

Cette découverte le rendit furieux.

D'un pas vif, il courut au cercle où se réunissaient les officiers du 22e chasseurs, afin de connaître le nom de son rival.

Quand il entra, quatre lieutenants jouaient aux cartes.

— Où est Pauline ? hurla-t-il.

Les quatre hommes se regardèrent fort ennuyés. L'un deux alla prudemment fermer la porte, puis revint à sa place.

— Ta femme est chez le général Bonaparte !

Et par le menu, comme s'il s'agissait d'une histoire quelconque, il conta à Fourès comment Pauline l'avait trahi. Le pauvre apprit ainsi qu'elle habitait dans un magnifique palais situé sur le Birket-el-Ratle et presque contigu au palais d'Elfi-Bey, que tous les jours, à trois heures, elle allait rejoindre Bonaparte, qu'elle se promenait à ses côtés, que les soldats l'avaient surnommée *Clioupâtre* et *Notre-Dame de l'Orient,* qu'elle présidait les dîners du généralissime et qu'elle ne rentrait dans son palais qu'au petit matin.

Gentiment, l'officier précisa à Fourès que toute la garnison du Caire désapprouvait la conduite de Pauline et que le général en chef avait droit à des épithètes peu flatteuses...

Le lieutenant n'en éprouva aucune consolation. Sans dire un mot, il rentra chez lui, prit une cravache et se dirigea vers le Birket-el-Ratle.

En arrivant devant le magnifique palais qu'habitait Pauline, sa colère redoubla. Les mâchoires serrées, il traversa une cour plantée de sycomores, longea les fontaines aux eaux chantantes, et se perdit dans un dédale de somptueux salons où s'entassaient des tapis, des coussins, des objets précieux. Un domestique vint à sa rencontre ; il le bouscula, ouvrit des portes et, soudain, découvrit Pauline, nue dans sa baignoire...

En le voyant paraître, la jeune femme — qui le croyait à Malte — fut horrifiée. Elle tenta de se sauver, appela à l'aide, supplia ; mais Fourès l'attrapa par les cheveux et, sept fois, la cravacha au sang...

Les hurlements qu'elle jugea bon de pousser en cette occasion finirent par attirer les domestiques, qui — non sans mal — s'emparèrent du lieutenant et le jetèrent dans la rue.

Aussitôt alerté, Bonaparte vint au chevet de sa maîtresse.

— Il faut le faire arrêter, gémissait Pauline, le jeter en prison.

« Militaire avant d'être amant, nous dit Léonce Deschamp, le Corse refusa de commettre une seconde faute » et déclara simplement :

— Je ne peux pas ; mais, dès demain, tu demanderas le divorce.

Naturellement, pendant huit jours, tous les Français du Caire ne

---

65. Léonce Deschamp, *Pauline Fourès, Notre-Dame de l'Orient.*

parlèrent que de cette affaire. Le plus empressé à se moquer de Fourès fut le général Berthier :

— Ce pauvre Fourès n'a pas compris la chance qui s'offrait à lui, disait-il. Avec une femme pareille, lui qui est *chasseur* ne serait jamais rentré bredouille...

Berthier avait tort de se gausser. Écoutons Joseph Turquan :

« Le major général était loin de se douter, en persiflant ainsi le malheureux lieutenant, qu'il était à peu près dans la même situation d'homme trompé que celui dont il se moquait avec une si piquante verve. Sa maîtresse, la fameuse Mme Visconti, dont il était absolument fou, à qui il avait élevé un autel, non seulement dans son cœur, mais aussi sous une tente, à côté de la sienne, autel qu'on transportait à la suite de l'armée, sur lequel il avait placé le portrait de son idole, et devant lequel il récitait à genoux, chaque jour, ses litanies, Mme Visconti le trompait justement en ce moment avec M. Alexandre de Laborde et était constamment entourée d'une nuée de petits jeunes gens [66]. »

Comme dit le proverbe poitevin : « Ce sont toujours les plus cocus qui font les cornes... »

La semaine suivante, heureusement, un fait divers amusant fit oublier le scandale causé par Fourès.

Des prisonniers français venaient d'être rachetés aux Arabes.

L'un d'entre eux fut mandé par le général en chef qui désirait obtenir des renseignements sur les campements ennemis.

A la première question, l'homme fondit en larmes et, nous dit-on, « porta ses mains à son assiette ».

— Pourquoi pleures-tu ? demanda Bonaparte.

L'autre expliqua, en sanglotant, que les Arabes avaient agi à son endroit (si j'ose dire) comme Henri III faisait jadis avec les jeunes hommes qui lui plaisaient...

Bonaparte éclata de rire :

— Grand benêt, te voilà bien malade ! En voilà une affaire ! Remercie le ciel, au contraire, d'en être quitte à si bon marché. Allons, ne pleure plus et réponds-moi ; qu'as-tu observé ?

Mais le malheureux était à ce point marqué par l'outrage qu'il avait subi qu'on ne put tirer de lui aucune espèce de renseignements. Aux questions qu'on lui posait, il répondait en pleurant que, dans l'attitude où on l'avait placé, il lui était impossible de faire la moindre observation [67].

Cette histoire savoureuse aida Pauline à oublier ses malheurs...

---

66. Joseph Turquan, *Napoléon amoureux.*
67. Toute cette scène est rapportée par Bourrienne, dans ses *Mémoires.*

8

En lui confirmant son infortune conjugale,
Junot empêche Bonaparte de battre les Turcs

L'idée qu'il pouvait être cocu le contrariait.

MICHEL AUBRIANT

Dès que le divorce entre Jean-Noël Fourès et Pauline Bellisle eut été prononcé par le commissaire ordonnateur Sartelon, Bonaparte reprit ses exhibitions.

Il fallait que tout le monde pût constater sa liaison avec Bellilote, que l'armée, les savants, les Anglais, la France, l'Europe et Joséphine apprissent qu'il avait une maîtresse et que cette maîtresse était la plus jolie Française d'Égypte. Il fallait qu'on oubliât à tout jamais son état bouffon de mari trompé. Il fallait que Bellilote, amante ardente et talentueuse la nuit, devînt, le jour, l'instrument de sa vengeance et de son dépit amoureux.

Il la faisait caracoler à ses côtés, dans les rues du Caire, devant ses troupes et au milieu des Arabes qui l'avaient surnommée *Sett-el-Sultan Kebir :* la dame du grand sultan...

Pour ces promenades, Pauline possédait deux tenues éblouissantes : l'une était un uniforme de général de division, habit bleu brodé d'or, culotte blanche collante, chapeau à plumet tricolore, l'autre était l'uniforme d'officier du 7e hussards, pelisse, dolman et culotte bleu roi, collet, veste et ceinture écarlates, le tout recouvert de tresses, de hongroises et de broderies d'or.

En la voyant, les soldats disaient en souriant :

— Voilà notre générale !

Parfois les deux amants s'en allaient en calèche sur les bords du Nil, escortés d'un peloton de cavalerie aux ordres de l'aide de camp de service.

Un soir, cet aide de camp fut Eugène de Beauharnais. Pendant toute la promenade, Bonaparte tint Pauline sur ses genoux, la caressa, l'embrassa sous les yeux mêmes de son beau-fils qui chevauchait à la portière de la voiture.

« Devant ce témoin qui pouvait tout raconter à Joséphine, donc lui révéler sa disgrâce, et la faire souffrir peut-être comme il avait lui-même souffert, il se montra d'une tendresse à ce point excessive que ses gestes ressortissaient plus à la polissonnerie qu'au badinage. S'il avait pu prendre Pauline sur la banquette de la calèche, il l'aurait fait sans hésiter, non pas tant pour y trouver du plaisir que pour faire du mal à Joséphine qu'il haïssait de tout son amour [68]. »

Eugène n'apprécia point le procédé. Le lendemain matin, il courut

68. LÉONCE DESCHAMP, *Notre-Dame de l'Occident.*

chez le général Berthier et demanda à être relevé de ses fonctions auprès du général en chef.

— Versez-moi comme simple lieutenant dans une demi-brigade, dit-il, je ne veux plus assister à un tel spectacle.

En apprenant cette démarche, Bonaparte entra dans une violente colère. Il fit venir le jeune homme, le semonça vertement, le fit pleurer, puis lui pinça l'oreille. Eugène demeura aide de camp, mais ne fut plus tenu d'assister aux effusions de son beau-père et de Pauline...

Pendant un mois, Bonaparte, qui ne goûtait pas seulement avec Bellilote « les joies savoureuses de la vengeance », mais encore un plaisir voluptueux et sain, vécut les heures les plus charmantes de son existence.

Hélas ! la guerre allait troubler cette lune de miel. En février 1799, la Turquie, alliée à l'Angleterre et à la Russie, rassembla des troupes à Rhodes et en Syrie. Dès qu'il sut qu'une armée avait déjà atteint la vallée du Jourdain, entre Bethléem et Jérusalem, Bonaparte décida de courir à sa rencontre et de la battre.

Le 10 février au matin, alors que douze mille hommes en ordre de marche l'attendaient devant la porte du Caire, Bonaparte se trouvait chez Pauline. Avant de partir, il voulait lui exprimer une dernière fois son attachement.

— Donne-moi un enfant, lui dit-il en se rhabillant, et, foi de Bonaparte, je répudie Joséphine et je t'épouse !...

Après quoi, il alla rejoindre ses troupes et partit pour la Syrie.

Tandis que Pauline courait chez tous les sorciers égyptiens pour avoir cet enfant que son amant désirait tant, les Français arrivaient à Messoudyah.

En ce lieu, dont le nom signifie *bien fortuné,* Bonaparte devait avoir une révélation accablante. Alors qu'il doutait encore au fond de lui-même de l'infidélité de Joséphine, et qu'il avait tout particulièrement besoin de calme à la veille d'une bataille, Junot, avec son sens habituel de l'opportunité, le confirma dans tous ses soupçons. La réaction fut navrante. Écoutons Bourrienne :

« Pendant que nous étions près des fontaines de Messoudyah, sous El-Arichi, je vis un jour Bonaparte se promener seul avec Junot comme cela lui arrivait assez souvent. J'étais à peu de distance, et je ne sais pourquoi mes yeux étaient fixés sur lui pendant cette conversation.

» La figure toujours très pâle du général était devenue, sans que j'en puisse deviner la cause, plus pâle que de coutume. Il y avait quelque chose de convulsif dans sa figure, d'égaré dans son regard, et plusieurs fois il se frappa la tête.

» Après un quart d'heure de conversation, il quitta Junot et revint vers moi. Je ne lui avais jamais vu l'air aussi mécontent, aussi préoccupé. Je m'avançai à sa rencontre, et, dès que nous nous fûmes rejoints :

» — Vous ne m'êtes point attaché, me dit-il d'un ton brusque et sévère... Les femmes ! Joséphine !... Si vous m'étiez attaché, vous m'auriez informé de tout ce que je viens d'apprendre par Junot. Voilà un véritable ami. Joséphine !... M'avoir ainsi trompé !... Elle ! Malheur à eux ! J'exterminerai cette race de freluquets et de blondins !... Quant à elle, le divorce ! Oui, le divorce ! Un divorce public, éclatant !... Il faut que j'écrive ! Je sais tout !...

» Ces exclamations vives et entrecoupées, sa figure décomposée, sa voix altérée, ne m'éclairèrent que trop sur le sujet de la conversation qu'il venait d'avoir avec Junot [69]. »

Avec patience, Bourrienne entreprit de le réconforter. Il suggéra que, peut-être, les accusations de Junot étaient exagérées et, pour tenter une diversion, lui parla de sa gloire.

A ce mot, qui pourtant lui était particulièrement cher, Bonaparte se renfrogna :

— Ma gloire, s'écria-t-il, oh ! je ne sais pas ce que je donnerais pour que ce que Junot m'a dit ne fût pas vrai, tant j'aime cette femme... Si Joséphine est coupable, il faut que le divorce m'en sépare à jamais, je ne veux pas être la risée de tous ces inutiles de Paris ! Je vais écrire à Joseph, il fera prononcer le divorce...

Quinze jours plus tard, l'armée se trouvait devant Saint-Jean-d'Acre que Bonaparte, nerveux et abattu, ne put réussir à prendre, malgré le courage sublime de six mille Français dont les corps pourrirent au soleil...

Junot paya sa gaffe. En souvenir de Messoudyah, Bonaparte refusa toujours de le faire maréchal de France [70]...

Bonaparte rentra au Caire le 14 juin. Derrière lui, les survivants de l'armée de Syrie portaient quelques drapeaux pris aux Turcs, pour faire croire à la population que les troupes françaises avaient remporté une victoire...

Bombant le torse, essayant de sourire, le général en chef passa entre

---

69. BOURRIENNE, *Mémoires.*

70. Au cours de la bataille de Saint-Jean-d'Acre, Bonaparte se trouva subitement à cours de boulets. Pour s'en procurer, il imagina un moyen qui donne la mesure des guerres de cette époque. Il faisait avancer quelques cavaliers sur la plage. A cette vue, l'ennemi canonnait de toutes ses batteries, et les soldats français, auxquels on donnait cinq sous par boulet, couraient ramasser des munitions qui étaient aussitôt renvoyées sur l'expéditeur...

Pour remporter la victoire, il eût fallu cent idées de ce genre. Mais le général en chef manquait de flamme. Les jeux de l'amour et du hasard avaient, en outre, fait placer devant nos troupes le plus dangereux des adversaires. A Saint-Jean-d'Acre, en effet, les Anglais qui se battaient aux côtés des Turcs étaient dirigés par un émigré français, ancien condisciple de Bonaparte à Brienne, Antoine Le Picard de Phélippeaux, qui, dans tous les concours de l'école, s'était toujours montré supérieur au futur empereur. Connaissant les principes de tactique, les manies et les manques de Bonaparte, il n'eut donc aucun mal à le vaincre au moment où celui-ci était préoccupé par ses ennuis domestiques. Or, si cet aristocrate français se trouvait à Saint-Jean-d'Acre à la tête des troupes anglaises, c'est que Barras l'avait fait évader du Temple contre cinquante mille francs, somme dont le conventionnel avait besoin pour entretenir sa maîtresse, Mlle Lange...

deux haies d'Égyptiens silencieux, qui, déjà, savaient comment s'étaient déroulées les opérations.

Après ce triste défilé, Bonaparte, mal à l'aise, courut chez Pauline, dont il était séparé depuis quatre mois. Leur première étreinte fut longue et passionnée. « Les mains du général voltigeaient sur le corps adorable de la jeune femme, nous dit Léonce Deschamp. Glissant d'une éminence à un creux, elles semblaient s'assurer que rien n'avait changé et que tous les détails d'un relief familier se trouvaient bien à leur place [71]. »

Après ce tour du propriétaire, Bonaparte, voulant sans doute pousser son examen plus avant, porta Pauline sur le lit et la déshabilla. Quand elle fut entièrement nue, il lui prouva que quatre mois de campagne n'avaient point affaibli sa vigueur, et l'exercice se termina à la satisfaction de chacun.

Alors, le général en chef, souriant et essoufflé, s'allongea au milieu des draps froissés et savoura son bien-être. Tout à coup, il se tourna vers Pauline :

— Et l'enfant ?... Notre enfant ?

La jeune femme, désolée, baissa la tête et avoua qu'elle n'avait encore aucune espérance.

Bonaparte se leva, soudain fâché, se rhabilla à la hâte et, poussé par son habituel besoin de confidences, courut chez Berthier. Sans préambule, il lui dit :

— Je voulais qu'elle me donne un enfant... Je l'aurais épousée... Mais la petite sotte ne sait pas en avoir !

Puis, sans attendre une réponse, il repartit d'un pas nerveux. Le propos fut bientôt rapporté à Pauline.

— Ma foi, s'écria-t-elle, ce n'est pas ma faute !

Ce qui était d'ailleurs assez vrai !

Après ce court moment d'abandon, Bonaparte retrouva tous ses soucis. Et, bien souvent, le soir, il faisait appeler Pauline à Elfi-Bey pour lui confier ses inquiétudes. Jamais, en effet, la situation n'avait été plus périlleuse pour lui : son échec militaire allait réjouir les membres du Directoire qui le détestaient ; l'armée d'Orient, réduite à vingt-cinq mille hommes, était menacée d'une nouvelle attaque des Turcs, et lui-même se trouvait à la merci d'un soulèvement égyptien...

En outre — et de cela, bien entendu, il ne parlait pas à sa maîtresse — les révélations de Junot continuaient de le tourmenter.

Il eût été bien plus nerveux encore s'il avait su qu'à la Malmaison — domaine qu'elle avait acheté en faisant un emprunt — Joséphine procédait à des aménagements ruineux et jouait les châtelaines en compagnie de son cher Hippolyte Charles. Le soir, elle se promenait avec lui dans les allées, et les passants attardés sur la route de Saint-Germain les contemplaient avec émotion. Trompés par la petite taille

---

71. LÉONCE DESCHAMP, *Notre-Dame de l'Orient.*

de l'ex-officier, ils croyaient que la citoyenne Bonaparte marchait en embrassant son fils Eugène...

Une voisine, les ayant aperçus ainsi enlacés, rentra bien vite chez elle pour y écrire ces lignes édifiantes :

« On la voit de la route et, le soir au clair de lune, lorsque avec sa robe blanche et son voile, elle s'appuie sur le bras de son *fils* qui est en habit noir ou bleu, cela fait un effet presque fantastique : on dirait que ce sont deux ombres. Pauvre femme ! elle pense peut-être à son premier mari que les bourreaux de la Révolution ont tué ! Elle pense aussi à celui que Dieu lui a rendu et qu'un boulet de canon peut lui emporter en un instant. Comment fait-il, là-bas, pour entendre la messe au milieu de tous ces Turcs ? »

Mais Joséphine n'avait pas d'aussi pieuses préoccupations. Après la promenade, elle entraînait M. Charles sur un grand lit et composait avec lui des figures d'un caractère assez osé...

Sans connaître ces détails, Bonaparte souffrait. Parfois, il se penchait vers Pauline, l'œil brillant et répétait :

— Pourquoi ne me donnes-tu pas d'enfant ? Je divorcerais et je t'épouserais aussitôt !...

Seul un enfant de sa maîtresse pouvait en effet le délivrer de Joséphine et lui rendre son équilibre. Hélas ! la jeune femme demeurait obstinément stérile, et les semaines passaient.

Le 15 juillet, Bonaparte apprit que l'armée turque venait d'arriver à Aboukir. En quelques heures, il rassembla ses troupes et fonça vers la mer. Six jours plus tard, avec cinq mille hommes, il anéantissait un ennemi trois fois supérieur en nombre... L'échec de Saint-Jean-d'Acre était effacé.

Il résolut alors de profiter du prestige que lui donnait cette victoire — la dernière peut-être qu'il pouvait remporter en Égypte — pour aller renverser le Directoire et ramener l'ordre en France.

Sans prévenir personne, il prépara son départ, et, quand tout fut au point, il appela Pauline :

— Je sais que tu es brave. Écoute-moi. Je regagne la France dont les nouvelles sont effrayantes. Nos troupes sont battues en Allemagne, en Italie, partout. Les Autrichiens et les Russes sont sur le point d'envahir notre pays. La Vendée se soulève de nouveau. La famine et l'anarchie règnent. Le Directoire, composé d'incapables et de jouisseurs, est en train de conduire la France à sa perte. Je dois partir.

Pauline éclata en sanglots :

— Emmène-moi !

— C'est impossible. Je peux être pris par les Anglais. Tu dois toi-même prendre soin de ma gloire. Que ne diraient-ils pas en trouvant une femme à mon bord [72] ?

Bellilote pleura, supplia. Mais Bonaparte fut inflexible. Le lendemain,

72. Duchesse d'ABRANTÈS, *Mémoires*.

après avoir confié la jeune femme à Kleber, il s'embarquait secrètement sur la *Muiron,* avec quelques amis...

Demeurée seule, Pauline espéra qu'au cours des dernières nuits passionnées qu'elle avait passées avec son amant, « un germe créateur de Bonaparte s'était glissé dans son sein ». Hélas ! les semaines passèrent sans lui apporter le signe qu'elle attendait...

— « Il » va m'en vouloir, disait-elle.

Et c'était là toute son amertume ; car la pauvre ne pouvait imaginer, bien sûr, que sa stérilité allait l'empêcher de devenir impératrice...

Les bâtisseurs de la légende napoléonienne prétendent que Bonaparte passa tout le temps de la traversée les yeux fixés sur « un petit soleil qui brillait nuit et jour avec éclat, et vers lequel semblait se diriger son navire ».

— Nous n'avons rien à craindre, lui font-ils dire, car cet astre qui vient d'apparaître dans le ciel d'Occident est « mon étoile ».

A les en croire, après chaque repas, Bonaparte, la dernière bouchée avalée, quittait la salle à manger en courant et grimpait sur le pont pour contempler, songeur, ce signe du destin [73].

La vérité est, naturellement, bien différente.

Pourtant, s'il ne s'adonnait pas à l'astronomie populaire, Bonaparte n'en avait pas moins une activité extrêmement intéressante pour ses biographes : il jouait aux cartes...

Ce passe-temps paraîtra anodin. Il devient savoureux lorsqu'on lit les *Mémoires* de Bourrienne. Celui-ci rapporte en effet que le général ne dédaignait pas d'aider la chance par des procédés illégaux et généralement réprouvés par les autres joueurs [74].

La légende doit donc être modifiée. A l'image émouvante d'un jeune homme choisi par le destin et voguant vers la France les yeux fixés sur son étoile, il nous faut substituer celle d'un officier ambitieux allant vers le pouvoir en trichant...

Le 2 octobre, après avoir, d'une façon quasi miraculeuse, réussi à percer le blocus anglais, Bonaparte débarqua à Ajaccio.

Fou de joie, il alla embrasser des cousins, sentir les fleurs de la montagne, bavarder avec des bergères, rêver dans un chemin de son enfance. Mais il n'eut pas le temps de renouer des relations avec les belles amies qu'il avait connues cinq ans plus tôt. Il le regretta, car malgré Pauline, dont il n'oubliait pas l'adorable corps, malgré Joséphine, qu'il aimait douloureusement, il ne lui aurait pas déplu de calmer avec une vigoureuse Ajaccienne « les ardeurs qui s'étaient accumulées dans son principe depuis le départ du Caire ». Énervé par

73. Ce signe, entré dans la légende, faillit être officialisé. En 1801, Bonaparte voulut le prendre comme emblème lorsqu'il créa la Légion d'honneur, qu'il envisagea tout d'abord d'appeler l'Étoile.

74. Quand on le lui reprochait, il répondait le plus sérieusement du monde : « Il ne faut jamais rien laisser au hasard... »

les six semaines de roulis, il regardait les jeunes filles d'un œil brillant et s'interrompait parfois au milieu d'une phrase pour suivre du regard « la croupe ondulante d'une adolescente qui passait »...

Pendant six jours, une foule extraordinaire se pressa à sa porte, car, nous dit Bourrienne, « sa renommée avait considérablement augmenté sa famille ».

De temps en temps, il voyait entrer chez lui une magnifique créature au sein provocant et à la fesse bien dessinée, avec laquelle il aurait bien volontiers repeuplé l'île ; mais c'était toujours une cousine, une jeune tante, une filleule...

Congestionné, il devait l'embrasser sagement sur les joues et lui demander des nouvelles des siens.

Cette contrainte familiale l'irritait :

— Décidément, il me pleut des parents ! disait-il en donnant des coups de pied dans les meubles.

Le 7 au soir, il remonta à bord de la *Muiron* sans avoir pu apaiser son tourment. Il en conçut quelque dépit et envia ceux qui avaient été assez heureux pour consacrer un peu de leur temps à l'amour. Il l'avoua d'ailleurs sans honte. Écoutons Roustan, le mameluk qu'il ramenait d'Égypte, nous conter la chose dans son style particulier :

« Nous n'avons pas fait la quarantaine comme on fait ordinairement. Le général a débarqué, une heure après son arrivée en rade, ensuite descendu dans la maison qu'il était né. Le général il me fait demander comment je trouve son pays natal. Je lui dis :

» — Très bien, c'est un bon pays.

» Il me dit :

» — C'est rien. Quand nous serons arrivés à Paris, c'est bien autre chose !

» Il y avait plusieurs jolies femmes qui avaient beaucoup de bontés pour moi, comme étant un étranger...

» Nous sommes embarqués de nouveau dans la frégate, partir pour Toulon, mais le temps était si mauvais, nous sommes obligés de retourner encore en Corse, et nous y avons été un jour entier, et nous sommes partis le jour après pour Toulon.

» Chemin faisant, le général et le général Berthier commencent à rire en me voyant, en disant :

» — Comment ! Tu es plus habile que nous ! Tu as eu déjà les femmes en France, et, nous, nous en avons encore pas eu ! [75] »

Tandis que Bonaparte naviguait vers la France, à Paris, le Directoire continuait sa fête burlesque. Merveilleuses, Muscadins, Incroyables dansaient, organisaient des soirées légères et trafiquaient sur les denrées rares tout comme feront, cent quarante-deux ans plus tard, leurs descendants, les « zazous », qui, vêtus de vestes trop longues et de pantalons trop courts, chaussés de mocassins à triples semelles et le

75. *Souvenirs de Roustan, mameluk de l'Empereur.*

front orné d'un toupet ridicule, danseront le swing au cours de folles surprises-parties, entre deux opérations de marché noir...

Toute cette « jeunesse dorée » gazouillait d'une façon grotesque, à l'imitation du chanteur de charme Garat, qui ne prononçait pas les « r ».

Et, sur les boulevards comme aux Champs-Élysées, on pouvait entendre des propos ahurissants de bêtise. Voici un exemple de leurs dialogues rapporté par un témoin, à la date du 2 octobre 1799 :

« — C'est incoyable, ma petite paole d'honneu panachée ! Avez-vous entendu Baas ?

» — Oh ! mon ché ami, quel gand diecteu ! Il a pononcé un discou meveilleux !

» — Et sa maîtesse ?

» — Laquelle, saqué faceu ? Il en a tois !

» — Lange ! Bien sû ! [76] »

Car, lorsque ces jeunes gens ne s'entretenaient pas — dans leur zézaiement infantile — d'une bonne affaire de beurre ou de sucre, c'étaient des favorites de Barras qu'ils s'occupaient. Or Mlle Lange, cette ancienne comédienne aux mœurs faciles, qui venait d'épouser Michel-Jean Simmons, un riche carrossier de Bruxelles — mais dont le corps charmant continuait d'agrémenter le lit du Directeur — était, depuis quelque temps, l'objet d'un intérêt amusé.

On commentait ses frasques, on énumérait ses amants, on engageait des paris sur le nombre de ses grains de beauté, on assurait qu'elle se faisait teindre « le duvet de la nature » aux couleurs de la Ville de Paris, on copiait la forme de ses chemises ; bref, elle était la coqueluche de la jeunesse dorée.

Fin septembre, elle fut l'héroïne d'un petit scandale bien parisien. Elle avait commandé son portrait à Giraudet, dont on commençait à louer le talent. Le peintre s'exécuta et exposa le tableau au Salon, où il obtint naturellement un immense succès.

Mlle Lange vint « se voir » en compagnie du critique de *l'Arlequin du Salon*. Lorsqu'elle fut devant la toile, elle poussa un cri d'horreur.

— Le peintre a retouché mon nez. C'est honteux !

Puis elle piqua une crise de nerfs. On dut l'étendre sur un canapé.

Le lendemain, le critique publiait un article extrêmement sévère sur Giraudet. Furieux, l'artiste se rendit au Salon, décrocha le portrait, le découpa en petits morceaux, et en fit un paquet qu'il envoya à sa cliente avec les débris du cadre. Après quoi, désireux de parfaire sa vengeance, il rentra chez lui et exécuta rapidement un autre tableau.

Trois jours plus tard, le public ravi pouvait admirer au Salon une grande toile représentant Mlle Lange complètement nue en Danaé, arrosée d'une pluie d'or. A ses côtés, se trouvait un dindon figurant son mari...

— Les théologiens ne se disputeront plus, disaient en riant les beaux esprits, puisqu'on a vu « le sexe de Lange ».

76. Marquis DE VILLEDIEU, *Souvenirs*.

Ainsi s'amusait Paris, tandis que Bonaparte s'approchait secrètement des côtes de France...

9

Bonaparte rentre à Paris et trouve la maison vide

> Eho ! Eho !
> Je n'entends que l'écho...
>
> vieille chanson poitevine

Le 9 octobre 1799, vers minuit, au premier étage de son hôtel de la rue de la Victoire, Joséphine et Hippolyte Charles, après une joute amoureuse qui avait fripé les draps et éparpillé les oreillers sur le tapis, savouraient leur bien-être en discourant à bâtons rompus...

— Il y a sept mois que je n'ai pas de nouvelles de Bonaparte. S'il n'est pas mort dans les sables, il ne vaut guère mieux ! C'est un homme fini, disait Joséphine en promenant sa main fine sur la poitrine velue d'Hippolyte.

Elle ajouta :

— Je calculais, ce matin, que je n'ai pas vécu douze mois avec lui, alors que nous sommes amants, nous, depuis plus de deux ans...

Elle eut un petit rire, mit son pied sur le ventre d'Hippolyte et conclut d'un ton faussement désinvolte :

— Mon vrai mari, c'est toi ! Je devrais divorcer et t'épouser...

Inquiète de l'effet produit par sa phrase, elle jeta un regard en biais sur son amant. Ce qu'elle vit ne lui donna pas bon espoir. L'ex-capitaine de hussards, épouvanté par cette brusque demande en mariage, avait, à tout hasard, pris un air buté et considérait le plafond sans rien dire. Elle l'observa un moment et bientôt ne le reconnut plus. A mesure que se précisaient, dans l'esprit d'Hippolyte, les conséquences d'une union avec la créole, ses sourcils se rapprochaient, ses yeux devenaient ternes, sa bouche tombait, son nez s'allongeait et l'ensemble de son visage prenait l'aspect d'un masque de polichinelle atterré.

Joséphine comprit qu'elle faisait fausse route. La veille, elle était allée demander conseil à Barras et à Gohier, président du Directoire. Barras s'était prononcé contre le divorce, mais Gohier, qui espérait devenir son amant, l'avait vivement engagée à se séparer de Bonaparte et à épouser M. Charles.

Le manque d'enthousiasme manifesté par celui-ci résolvait le problème... Incapable de fixer longtemps sa pensée, même sur une déception, elle entreprit de dérider Hippolyte « en lui chatouillant les aisselles avec ses doigts de pied ».

L'ex-capitaine, comprenant que le danger était passé, respira, et s'intéressa de nouveau au corps satiné de Joséphine, jusqu'au moment où, épuisés, tous deux s'endormirent alors que la dernière diligence passait en grinçant sur le petit pont de la Grange-Batelière...

Le lendemain soir, Joséphine se rendit au Luxembourg où les Gohier l'avaient priée à dîner.

Pendant tout le repas, les convives s'amusèrent d'une histoire qui courait la capitale, et dont le héros malheureux était un membre éminent de l'Institut.

Cette histoire, qui fit la joie des Parisiens en cet automne 1799, nous est rapportée ainsi par *La Chronique secrète* :

« M. L... était grand amateur de curiosités naturelles ; il travaillait à la formation d'un cabinet où les productions des quatre parties du monde venaient, tour à tour, prendre rang. Un beau jour, on apporte la superbe dépouille d'un tigre royal ; il la place sur une sorte de mannequin, de manière à lui rendre l'apparence de la vie, et il invite ses amis à venir l'admirer.

» Or, tandis que M. L... s'occupait de zoologie, Mme L..., son épouse, s'intéressait passionnément à un jeune lieutenant de dragons de vingt-deux ans, beau comme Adonis, et taillé en gladiateur combattant.

» Dès que l'érudit quittait sa maison, le lieutenant y établissait son quartier général.

» Ce manège dura quelque temps, à la satisfaction des amants qui se savouraient en toute tranquillité... Mais tout a un terme, et la mauvaise fortune a la fâcheuse habitude de remplacer la bonne.

» Il advint que, dans le moment où l'on croyait notre illustre savant à l'Institut, il se présenta, non seul, mais en compagnie, amenant deux particuliers pour qu'ils vissent son tigre...

» Où cacher l'amant ? Toutes les issues sont fermées, et, s'il est rencontré, quel scandale ! Mais comment faire ?... Une idée se présente. On ignore ce que veut le savant ; il ressortira peut-être... Et vite, vite, l'amant est niché sous la peau bigarrée. Il est fort à l'aise ; la carcasse est vaste, le mannequin posté très à propos.

» Cependant, le mari et les invités arrivent.

» — Ma femme, ces citoyens viennent voir ma peau !

» — Votre peau ?

» — Oui, celle de notre bête !

» — La voilà, citoyens !

» — Qu'elle est belle !

» Et chacun de s'extasier, et la dame de frémir. On tourne autour, on examine. L'un passe sa main sur le poil, l'autre soulève un pan...

» — Oh ! que vois-je, dit celui-ci ; on a doublé ce tigre avec un habit militaire...

» Il tire, on résiste, il ne lâche point ; tout à coup, un juron se fait entendre et les trois hommes bondissent vers la porte.

» — Attention ! crie l'un d'eux, il n'est pas mort !

» Et les voilà qui dévalent dans le jardin comme si le fauve était à leurs trousses.

» A cinquante pas de la maison, ils s'arrêtent, se concertent et décident de retourner voir le tigre.

» — Je suis pourtant sûr qu'il était mort, dit l'amateur de curiosités naturelles.

» Naturellement; le jeune lieutenant avait filé, et, quand nos trois hommes, un peu tremblants, soulevèrent la peau, ils ne trouvèrent qu'une carcasse vide... [77] »

Le mari fut rassuré. Et, dans le silence de son cabinet, il put continuer à caresser, avec orgueil, la peau du tigre, tandis que sa femme, dans la tiédeur d'un grand lit, caressait, avec amour, celle du dragon...

Joséphine riait encore de cette histoire, lorsque, au dessert, un garde apporta une dépêche au président. L'ayant lue, celui-ci sembla stupéfait et se tourna vers son invitée :

— Une dépêche vient d'arriver par le télégraphe optique. Bonaparte est en France...

Ce fut comme un coup de foudre, Joséphine devint blême :

— Où est-il ?

— Il a débarqué hier à Fréjus. Dans deux jours au plus tard, il sera ici.

Prise de vertige, la créole se sentit perdue. En arrivant à Paris, Bonaparte allait être informé de son inconduite par Laetitia, par Joseph, par Lucien, qui la haïssaient. Il fallait voler à sa rencontre, le charmer, le reprendre par les sens... Elle se leva :

— Je vais au-devant de lui, dit-elle. Il est important pour moi que je ne sois pas précédée par ses frères, qui m'ont toujours détestée. Du reste, je n'ai rien à craindre de la calomnie. Quand Bonaparte apprendra que ma société particulière a été la vôtre, il sera aussi flatté que reconnaissant de l'accueil que j'ai reçu dans votre maison pendant son absence [78].

Et, prenant congé, elle rentra chez elle immédiatement. Le lendemain matin, accompagnée de sa fille, elle montait dans la chaise de poste et s'élançait sur la route de Lyon...

Cette extraordinaire équipée a été contée par la reine Hortense.

« Le général Bonaparte débarqua à Fréjus au moment où il était le moins attendu. L'enthousiasme fut si grand que tous les habitants de la ville se portèrent vers la frégate, y montèrent et rompirent par là les lois de la quarantaine.

» La France, à cette époque, était si malheureuse, que tous les bras lui furent ouverts et que toutes les espérances se tournèrent vers lui. Je partis avec ma mère pour aller à sa rencontre. Nous traversâmes la Bourgogne où, à chaque ville, à chaque village, des arcs de triomphe

77. *Chronique secrète du Directoire.*
78. BOURRIENNE, *Mémoires.*

étaient élevés. Lorsque nous nous arrêtions pour changer de chevaux, le peuple se pressait autour de notre voiture et nous demandait s'il était bien vrai que leur *sauveur* arrivât, car c'est le nom que la France entière lui donnait alors. L'Italie perdue, les finances épuisées, le gouvernement directorial sans force et sans considération, faisaient regarder ce retour comme un bienfait du ciel [79]. »

Mais Joséphine ne pensait pas à la politique. A peine distinguait-elle les arcs de triomphe... Le visage crispé, les yeux fixés sur l'horizon, elle pensait :

— Que je le voie la première, et je suis sauvée !

En arrivant à Lyon, Joséphine s'aperçut avec stupéfaction que des ouvriers démontaient les portiques fleuris, décrochaient les lampions et roulaient les banderoles destinées à saluer en termes pompeux le retour du général.

Elle en conçut une inquiétude. Faisant arrêter sa voiture, elle passa la tête par la portière et interpella un homme :

— Je suis la citoyenne Bonaparte. Pourquoi retirez-vous ces drapeaux et ces feuillages ?

L'ouvrier la considéra un instant.

— Parce que la fête est finie, dit-il.

Joséphine se sentit mal à l'aise. Elle bredouilla :

— Et Bonaparte ?

L'autre fronça les sourcils :

— Le général Bonaparte ? Mais il y a deux jours qu'il est passé...

La pauvre eut alors l'impression que le sol s'affaissait sous ses pieds. Refusant pourtant de croire à une aussi effroyable réalité, elle dit encore :

— C'est impossible, je viens de Paris et je ne l'ai pas rencontré...

L'ouvrier éclata de rire :

— C'est qu'il y a deux routes, ma bonne dame... Vous avez pris celle de Bourgogne et le général celle du Bourbonnais...

Cette fois, Joséphine comprit qu'elle était perdue. Elle alla se rasseoir dans le fond de la voiture. Son accablement était tel qu'elle ne pouvait articuler une parole. Et la berline serait sans doute restée longtemps en stationnement dans ce faubourg lyonnais si Hortense n'avait eu la présence d'esprit de crier au cocher :

— Vite, filons à Paris par la route du Bourbonnais. Et tâchons de le rattraper...

L'instant d'après, les deux femmes remontaient à toute vitesse vers la capitale avec l'espoir insensé de rejoindre Bonaparte...

Insensible aux cahots, Joséphine, livide, les traits tirés, réfléchissait. Pour la première fois de sa vie, elle se jugeait stupide, inconséquente et frivole. Elle, si rouée, si finaude d'habitude, avait abandonné,

79. La reine HORTENSE, *Mémoires.*

trompé, bafoué l'homme que toute la France acclamait — et qui, demain peut-être, prendrait la place de Barras au Directoire — pour un avorton tout juste bon à trafiquer et à faire des calembours... Son manque de clairvoyance l'avait conduite à s'afficher avec Hippolyte Charles sur les boulevards et au théâtre sans se soucier de la famille Bonaparte, qui devait être en train d'instruire le général de son infortune.

A cette idée, Joséphine frissonna.

A trente-sept ans, déjà fanée, les dents gâtées, la peau flétrie, elle risquait d'être répudiée. Prise de vertige, elle pensa à ses deux enfants, aux dettes qu'elle avait contractées pour acheter la Malmaison, pour meubler somptueusement l'hôtel de la rue de la Victoire, pour s'habiller, pour recevoir... Renvoyée par Bonaparte, qui paierait ses créanciers ? Qui l'hébergerait ? L'habillerait ? La ferait vivre ? Barras ? Gohier ? Ni l'un ni l'autre ne voudrait se charger d'un million et demi de dettes et de deux enfants, en échange de charmes usés et d'un visage abîmé par les fards...

Effondrée, elle se mit à pleurer doucement...

Pendant ce temps, Bonaparte arrivait à Paris, accompagné d'Eugène de Beauharnais. Extrêmement ému à la pensée de revoir Joséphine, il se rendit immédiatement rue de la Victoire où — il n'en doutait pas — la maison était en fête pour le recevoir.

Lorsque la berline s'arrêta dans la cour de l'hôtel Chantereine, le Corse, oubliant les accusations portées par Junot et les soupçons qui l'avaient tant fait souffrir au Caire, n'avait plus qu'une idée : serrer contre lui le corps adorable de sa femme...

Il sauta de voiture, courut vers la maison, entra et fut saisi : le vestibule était sombre et désert. Il appela, ouvrit des portes : les pièces étaient vides, froides. Furieux, il monta au premier étage et trouva un domestique :

— Où est ma femme ?

— Elle est partie à votre rencontre.

— C'est faux ! Vous mentez ! Elle est avec son amant ! Prenez toutes ses affaires, faites-en des paquets et portez-les chez le concierge. Elle les fera prendre.

A ce moment, Laetitia parut, les larmes aux yeux :

— Je t'attendais, dit-elle.

Puis, ayant embrassé son garçon, elle se lança dans un discours féroce et véhément contre Joséphine, qu'elle traita plusieurs fois de « putana »...

Le soir, Joseph, Lucien, Élisa et Pauline vinrent, à leur tour, accabler l'absente.

Quand il alla se coucher, Bonaparte était bien décidé à divorcer...

Le lendemain, Collot, riche fournisseur aux armées d'Italie, financier rival d'Ouvrard et de Récamier, vint lui faire une visite. Il le trouva dans sa chambre, penché sur un grand feu, l'air abattu.

En deux mots, Bonaparte, qui, on le sait, ne pouvait rien garder pour lui, le mit au courant de sa décision.

Selon Bourrienne, qui rapporte cette scène dans ses *Mémoires,* Collot sursauta :

« — Quoi ! dit-il. Vous voulez quitter votre femme ?

» — Ne l'a-t-elle pas mérité ?

» — Je l'ignore, mais est-ce le moment de vous en occuper ? Soyez à la France. Elle a les yeux fixés sur vous. Elle s'attend à voir tous vos instants consacrés à son salut ; si elle s'aperçoit que vous vous agitez dans des querelles domestiques, votre grandeur disparaît. Vous n'êtes plus, à ses yeux, qu'un mari de Molière. Laissez là les torts de votre femme. Si vous n'en êtes pas satisfait, vous la renverrez quand vous n'aurez pas autre chose à faire. Mais commencez par relever l'État. Après, vous trouverez mille raisons pour justifier votre ressentiment ; aujourd'hui, la France n'en trouverait aucune, et vous connaissez trop bien nos mœurs pour ne pas sentir combien il vous importe de ne pas débuter par le ridicule.

» — Non. Mon parti est pris. Elle ne mettra pas le pied dans ma maison. Que m'importe ce qu'on dira, répliqua Bonaparte. On en bavardera un jour ou deux ; on n'en parlera plus le troisième. Au milieu d'événements qui s'amoncellent, que sera-ce qu'une rupture ? La mienne ne sera point aperçue. Ma femme ira à la Malmaison. Moi, je resterai ici. Le public en sait assez pour ne pas se tromper sur les raisons de son éloignement.

» — Tant de violence, lui dit Collot, me prouve que vous en êtes toujours épris. Elle paraîtra, s'excusera ; vous lui pardonnerez et vous serez plus tranquille. »

Bonaparte sauta sur place, comme piqué par un insecte.

« Moi ? lui pardonner ? Jamais... Vous me connaissez bien... Si je n'étais pas sûr de moi, j'arracherais ce cœur et je le jetterais au feu... [80] »

Le lendemain, vers 11 heures du soir, Joséphine arriva rue de la Victoire. Le concierge l'arrêta, fort gêné.

— Le général a défendu de vous laisser entrer.

Humiliée comme si on l'avait giflée, Joséphine éclata en sanglots. Ému, le portier ouvrit la grille.

Sur la porte de l'hôtel, Agathe, la cameriste, attendait sa maîtresse.

— Le général s'est enfermé à clé dans sa chambre, murmura-t-elle.

Joséphine monta en pleurant, frappa à la porte, supplia, se coucha sur le palier, implora son pardon, bredouilla des mots sans suite, rappela le temps de leurs amours, leurs nuits de volupté, leurs caresses et finit par gémir doucement, la tête appuyée contre la porte, sans se

80. Bourrienne, *Mémoires.*

douter que, dans la chambre, Bonaparte, déchiré par l'émotion, pleurait lui aussi... Au bout d'une heure, la brave Agathe, qui sanglotait dans l'escalier, eut une idée : elle alla chercher Hortense et Eugène, et leur demanda d'intercéder pour leur mère. Les deux enfants — qui pleuraient comme tout le monde — se mirent à genoux et implorèrent Bonaparte dans le style du temps :

« N'abandonnez pas notre mère !... Elle en mourra !... Et nous, pauvres orphelins, nous dont l'échafaud a déjà dévoré le protecteur naturel, faut-il que l'injustice nous prive de celui que la Providence nous avait envoyé ?... [81] »

Alors Bonaparte ouvrit la porte. Blême, les yeux brillants, il tendit les bras à Joséphine, qui s'y précipita...

Écoutons-le nous raconter lui-même cette scène : « On ne m'a pas fait un cœur pour voir impunément couler les larmes. J'ai été profondément ému ; je n'ai pas pu tenir aux sanglots de ces deux pauvres enfants ; je me suis dit : doivent-ils être victimes des fautes de leur mère ? Que voulez-vous que je fasse à cela ? On n'est pas homme sans être faible. »

Après l'avoir embrassée, Bonaparte entraîna Joséphine sur son lit. Et le lendemain, quand Joseph vint rue de la Victoire, il les trouva couchés tous les deux.

... Au cours d'une nuit savoureuse, le pardon avait été accordé.

10

Désirée Clary, alliée secrète de Bonaparte

> En politique, il faut avoir l'appui des femmes ;
> les hommes vous suivront alors tout seuls.
>
> ADOLF HITLER

Après le départ de son frère, Bonaparte se leva, s'habilla et ouvrit la fenêtre. Des parfums d'automne pénétrèrent dans la chambre. Il les respira avec délices et contempla un long moment son jardin et la butte Montmartre où s'étageaient les vergers, les vignes et les moulins à vent...

Des cultivateurs, la pioche sur l'épaule, s'en allaient à leurs champs. D'autres venaient des petits villages de La Chapelle ou des Batignolles en voiture à âne pour vendre leurs légumes, leurs fruits et leurs œufs au marché Saint-Honoré. Certains, dans de grands paniers couverts, portaient des fromages et du beurre destinés à quelque membre du gouvernement. En ces temps de disette, seuls les gens en place pouvaient, en effet, se payer des produits aussi rares. La plupart des denrées coûtaient d'ailleurs fort cher, et le petit peuple, qui avait tant espéré de la Révolution, se retrouvait, après dix années de drame, plus

81. Duchesse D'ABRANTÈS, *Mémoires.*

malheureux qu'avant 1789... La demi-livre de café valait 210 livres, un paquet de chandelles 625 livres, une voie de bois 7 300 livres... Quant au sucre, il était si rationné que les Français usaient d'un curieux stratagème pour le faire durer : on en attachait un morceau au bout d'une ficelle fixée au plafond, et chaque membre de la famille le trempait un temps déterminé (et égal pour tous) dans sa tasse de café ou de tisane. Celui qui avait le malheur de le conserver quelques secondes de trop était injurié, nous dit-on, « comme s'il s'était rendu coupable d'un véritable vol »...

Bonaparte savait tout cela. Sa mère et ses frères lui avaient parlé longuement de la misère du peuple, de la dévalorisation des assignats, du scandale des agioteurs et de la malhonnêteté des membres du Directoire. Brusquement, il désira connaître les sentiments des Parisiens à l'égard des gouvernants. L'action qu'il projetait ne pouvait être entreprise que si le peuple de la capitale était prêt à le suivre, que si les cinq Directeurs avaient écœuré toutes les classes de la société, que si, en un mot et pour utiliser l'expression dont il usait lui-même, « la poire était mûre »...

Il referma la fenêtre, embrassa Joséphine qui dormait en souriant, et descendit dans son bureau pour accueillir les différents personnages qui lui avaient annoncé leur visite.

Le corps et l'esprit apaisés par sa nuit d'amour, il les reçut courtoisement, les interrogea avec habileté, et, tout au long de cette première matinée de travail effectif, prit le pouls de la population parisienne.

Ce qu'il apprit l'enchanta...

Le régime était exécré, et chaque jour, ou presque, les habitants de la capitale trouvaient le moyen de se moquer ouvertement — et avec esprit — des cinq Directeurs.

C'est ainsi que le soir de la première représentation de *la Caverne,* au moment où les quatre voleurs qui figuraient dans la pièce avaient paru en scène, un spectateur s'était écrié :

— Il n'y en a que quatre ? Et le cinquième ?

La salle avait manifesté une telle joie que les comédiens, gagnés par le fou rire, s'étaient approchés de la rampe pour mêler leurs bravos à ceux du public, et qu'on avait assisté à cette scène incroyable et unique sans doute dans l'histoire du théâtre : des acteurs alignés sur l'avant-scène et applaudissant un spectateur...

Bonaparte apprit également qu'un parfumeur de la rue de la Loi avait gagné beaucoup d'argent en vendant un éventail séditieux sur lequel étaient peintes cinq bougies allumées, dont une, placée au milieu, surmontait les quatre autres par sa grandeur. On lisait d'un côté ces mots : *Supprimez-en quatre* ; et, de l'autre : *Il faut de l'économie.*

Peu à peu, en effet, devant le scandale et l'incapacité du nouveau gouvernement, bien des gens envisageaient benoîtement un retour à la monarchie... Et Bonaparte, qui se disait farouchement républicain, malgré ses projets précis, feignit la colère en apprenant que les

Incroyables et les Muscadins, dont les sentiments royalistes n'étaient un secret pour personne, réclamaient l'avènement de Louis XVIII par une chanson contre les Cinq-Cents [82].

Cette chanson, bâtie sur un amusant « à peu près », s'intitulait : *les Cinq Sens.*

> *Jusqu'à ce jour, de nos cinq sens,*
> *On a vanté la jouissance ;*
> *Mais aujourd'hui, moi je prétends*
> *Qu'un seul est nécessaire en France.*
>
> *Pour respirer un air malsain*
> *Que sert un* odorat *facile ?*
> *Et réduit à mourir de faim*
> *Le* goût *peut-il nous être utile ?*
>
> *Dépouillés de tout, sans argent,*
> *Du* toucher *que pouvons-nous faire ?*
> *Et la* vue *est-elle un présent*
> *Pour qui ne voit que la misère ?*
>
> *Mais pour, d'un heureux changement,*
> *Avoir la nouvelle prospère,*
> *Des cinq sens, l'ouie [83] est vraiment*
> *Le seul qui nous soit nécessaire [84].*

L'éventualité d'un complot royaliste effleura un moment l'esprit de Bonaparte qui fronça les sourcils. Une petite histoire le dérida :

On racontait qu'un Gascon avait envoyé un mémoire au Conseil des Cinq-Cents en l'intitulant : *Mémoire au conseil des 500 000.* Quelqu'un lui ayant fait observer qu'il avait mis trois zéros de trop, le brave homme s'était écrié :

— Sandis ! Je n'en mettrai jamais autant qu'il y en a...

Un visiteur, enfin, combla d'aise Bonaparte en lui apprenant que les ennemis du régime étaient si convaincus de voir la chute du Directoire que, deux mois plus tôt, à la nouvelle de la victoire d'Aboukir, beaucoup d'entre eux avaient porté des breloques représentant une lancette, une laitue et un rat, rébus concret qui signifiait : *L'an sept les tuera...*

Le soir, Bonaparte, le cœur léger, se rendit au Théâtre-Français en compagnie de Joséphine. Au moment où il descendait de voiture, une femme l'aborda et lui dit :

— C'est fort bien, mon ami, de frotter les ennemis, mais tu devrais maintenant chasser les cinq coquins qui nous dévorent.

Puis elle ajouta, en clignant de l'œil :

82. Le corps législatif était alors formé de deux assemblées : le Conseil des Anciens et le Conseil des Cinq-Cents.

83. Louis XVIII.

84. *Mémorial ou journal historique et anecdotique de la Révolution de France,* par LECOMTE, 1801.

— Toi au moins, si tu nous manges, le laurier ne manquera pas à la sauce...

Bonaparte éclata de rire et entra au théâtre où les braves gens qui, depuis Fréjus, semblaient le pousser à agir, l'applaudirent chaleureusement.

Décidément, la poire était bien mûre. Il ne restait plus qu'à la cueillir...

Pendant le spectacle, sachant qu'il était indispensable, pour inspirer confiance aux braves gens, de donner tous les signes du bonheur conjugal, Bonaparte tint ostensiblement la main de Joséphine.

Au moment où il se préparait à conquérir le pouvoir, le moindre scandale dans sa vie privée pouvait être — en effet — catastrophique. Il fallait que le couple, las des désordres de Barras, désirât être gouverné par un homme vertueux, marié à une épouse fidèle... Il fallait que son ménage fût le symbole de l'ordre qu'il voulait rétablir dans la nation...

Or, au même instant, à huit cents lieues de Paris, sur les bords du Nil, une femme amoureuse s'apprêtait à revenir en France où elle voulait reprendre sa tumultueuse liaison avec Bonaparte.

Cette femme, c'était Pauline Fourès... Pauline, que le Corse, occupé par les soucis de la politique et les retrouvailles de Joséphine, avait un peu oubliée...

Après le départ de son amant, la pauvre Bellilote, mise en quarantaine par les officiers, repoussée par ses anciennes « amies », était allée demander aide et protection à Kléber, le nouveau général en chef.

Prompt dans ses décisions, celui-ci l'avait mise immédiatement dans son lit. Comme il était fort beau, Pauline, à qui la chasteté commençait à peser, n'avait pas protesté... Pourtant, elle aimait Bonaparte, et son seul désir était de le rejoindre, de lui donner un fils, d'être sa femme. A plusieurs reprises, elle avait demandé à Kléber de l'autoriser à prendre un bateau. Trop heureux de retenir près de lui la maîtresse de l'homme qu'il traitait de déserteur, l'Alsacien avait refusé.

Pendant deux mois, patiemment, humblement, Bellilote pria, supplia. Désespérée, elle finit par s'adresser au docteur Desgenettes, qui alla plaider sa cause auprès de Kléber et obtint qu'elle fît partie du prochain convoi à destination de Marseille.

Folle de joie, Pauline reçut le lendemain son passeport et un bon pour une somme rondelette à toucher dans une banque d'Alexandrie, accompagnés de ce petit mot :

Ma chère amie, vous n'avez plus rien à faire ici. Regagnez la France, où vous avez un ami *qui ne peut manquer de s'intéresser à vous. Soyez heureuse et, au milieu de votre prospérité, pensez quelquefois à celui que vous laissez ici. Il eut un jour la main lourde, mais la postérité dira qu'il avait le cœur bon* [85].

KLÉBER.

A cet aimable billet était jointe une lettre de recommandation destinée au général Menou, commandant de Rosette :

Au Caire, le 9 vendémiaire an VIII.
La personne qui vous remettra cette lettre, mon cher général, est la citoyenne Forest (sic) ; *elle désire passer en France, rejoindre le héros, l'amant qu'elle a perdu, et attend de votre obligeante courtoisie que vous lui ferez faire ce voyage le plus tôt possible et en bonne compagnie, et tout cela elle saura mieux le solliciter que moi.*
Je vous salue bien cordialement.

KLÉBER.

Pauline quitta Le Caire le 15 octobre, et, neuf jours plus tard, Menou envoyait cette lettre à Kléber :

Mon cher général, la belle est arrivée, mais je ne l'ai point vue. Je lui rendrai sans la voir tous les services qui seront en mon pouvoir, pourvu qu'il n'y ait rien à démêler avec le mari. Il y a longtemps que je sais et que j'ai éprouvé qu'il ne revient rien de bon *à se mêler d'affaires semblables. Soyez assuré qu'en France il sera parlé de celle-ci ; l'homme en question a beaucoup d'ennemis et il se trouvera au corps législatif quelqu'un qui fera sur la galante aventure un discours de* deux heures au moins. *Vous voyez d'ici tout ce qu'on peut dire là-bas ? Nous serions bien arrangés,* nous autres pauvres diables, *si nous entrions pour quelque chose dans la bataille.*

En attendant le départ du bateau et pour passer agréablement le temps, Pauline devint la maîtresse de Junot, qui, lui aussi, s'apprêtait à quitter l'Égypte. Enfin, le 25 octobre, tous deux montèrent à bord de l'*America*...

Huit jours plus tard, Bellilote débarquait à Marseille...

Si les fonctionnaires marseillais chargés de faire observer les lois sanitaires avaient agi à l'égard de Pauline comme avec Bonaparte, la jeune femme, à peine débarquée, eût sauté dans une voiture de poste et serait partie immédiatement pour Paris.

... Et le coup d'État du 18 Brumaire n'aurait peut-être pas eu lieu...

Les membres du Directoire, ainsi que les adversaires jacobins et royalistes du futur consul se seraient empressés, en effet, de révéler aux Parisiens que l'homme qui représentait à leurs yeux l'ascétisme et la vertu était « relancé » par une concubine...

Des pamphlets auraient révélé, sur un mode plaisant et en termes

---

85. Un soir, dans un geste de colère, Kléber l'avait lancée dans son jardin, « comme un paquet », par la fenêtre du salon. Cf. E. GUILLON, *Un trottin de l'an VII : Histoire de l'armée d'Égypte,* Grande Revue, 1er novembre 1899.

gaulois, le rôle joué par Pauline au Caire. Des libelles « remplis des turpitudes de ce héros réputé sans tache »[86] seraient parvenus, par les soins des colporteurs, jusque dans les chaumières, et le bon peuple, déçu, aurait pensé que ce Bonaparte ne valait pas mieux que les autres...

Mais les fonctionnaires de Marseille firent leur devoir, et Pauline Fourès, soupçonnée d'être porteuse du germe de la peste, comme tout voyageur revenant d'Égypte, dut subir la loi de la quarantaine.

Pendant qu'elle se morfondait dans un lazaret, son amant se préparait à renverser le Directoire, à chasser ceux qu'il appelait les « pourris » et à remplacer la Constitution de l'An III par une nouvelle charte propre à lui donner le pouvoir.

Avec la complicité d'un des Directeurs, Emmanuel Sieyès[87] qui avait un texte tout prêt, il projetait de faire convoquer le Conseil des Anciens en séance extraordinaire, d'y venir dénoncer un pseudo-complot contre la sûreté de l'État, de faire transférer, sous prétexte de la mettre à l'abri des agitateurs, le corps législatif au château de Saint-Cloud[88], de se faire nommer commandant en chef des troupes de Paris et de se présenter, enfin, devant le Conseil des Cinq-Cents présidé par Lucien Bonaparte pour y faire élire trois consuls chargés de réviser la Constitution...

Après avoir pris de nombreux contacts et s'être assuré des concours dans tous les milieux, le Corse découvrit qu'il existait un homme, Jacobin fanatique et ambitieux, contre lequel il allait devoir lutter. Cet homme, depuis longtemps, le détestait et l'enviait. Un matin, il en parla à Bourrienne :

« Je crois bien, dit-il, que j'aurai Bernadotte et Moreau contre moi. Je ne crains pas Moreau ; il est mou, sans énergie. Je suis sûr qu'il préfère le pouvoir militaire au pouvoir politique ; on le gagnera, avec la promesse du commandement d'une armée. Mais Bernadotte ! Il a du sang maure dans les veines, il est entreprenant et hardi, il est allié à mes frères ; il ne m'aime pas ; je suis presque certain qu'il sera contre moi. S'il devenait ambitieux, il se croirait en droit de tout oser... »

Bourrienne, qui rapporte ces propos, ajoute :

« Le bruit courut que Bernadotte avait émis l'avis de faire traduire Bonaparte devant un conseil de guerre, tant pour avoir quitté son armée que pour avoir enfreint les lois sanitaires[89]. »

Or, pour « neutraliser » ce terrible adversaire, qui pouvait, d'un mot, ameuter les quartiers populaires et empêcher le coup d'État,

---

86. Baron DE SOUBEILLE, *Mémoires.*
87. Les quatre autres étaient Barras, Roger Ducos, Moulins et Gohier.
88. En réalité, il s'agissait, bien entendu, de retirer aux députés la possibilité de soulever le peuple de Paris contre Bonaparte et ses complices.
89. BOURRIENNE, *Mémoires.*

Bonaparte allait avoir une alliée inattendue, inespérée, insolite même : Désirée Clary, son ex-fiancée...

Le 17 août 1798, Désirée avait épousé le général Bernadotte, « un beau parti sans doute, nous dit Frédéric Masson, mais le plus insupportable des Jacobins pionnants et maîtres d'école, un Béarnais qui n'a du Gascon ni la vive allure, ni l'aimable repartie, mais dont la finesse calculatrice cache toujours un double jeu, qui tient Mme de Staël pour la première entre les femmes parce qu'elle est la plus pédante et qui occupe sa lune de miel à faire des dictées à sa jeune femme » [90]. Cette déplaisante cuistrerie n'empêchait pas Désirée d'être amoureuse de son mari. « Elle l'aimait, raconte la duchesse d'Abrantès. Jusquelà, c'est assez naturel, mais cet amour devint un vrai fléau pour le pauvre Béarnais [91], qui, n'ayant rien d'un héros de roman, se trouvait même fort embarrassé quelquefois de son rôle. C'étaient des larmes continuelles. Lorsqu'il était sorti, c'était parce qu'il était absent ; lorsqu'il devait sortir, encore des larmes ; et lorsqu'il rentrait, elle pleurait encore parce qu'il devait ressortir... peut-être huit jours après !... [92] »

Malgré ce naïf attachement, Désirée n'oubliait pas l'homme avec lequel, quatre ans plus tôt, elle avait échangé des serments d'amour éternel. Et lorsque, le 6 juillet 1799, elle était devenue la mère d'un gros garçon que le destin devait se charger de mettre un jour sur le trône de Suède, elle avait écrit à Bonaparte pour lui demander d'en être le parrain.

Ce geste était une petite méchanceté bien féminine dirigée contre Joséphine qu'elle détestait et qu'elle appelait « la vieille ». Sachant que Bonaparte était fort déçu de n'avoir point encore d'héritier, elle pensait ainsi lui donner quelque dépit.

Le Corse avait-il eu les regrets qu'elle espérait ? On ne le saura jamais ; car, pour toute réponse, il s'était contenté de demander à Désirée d'appeler son fils Oscar, ce qu'elle avait fait sans discuter...

Lorsqu'il était revenu d'Égypte, la jeune femme avait été saisie d'une immense émotion. Si son mari, l'esprit occupé par la politique, ne s'en était pas avisé, en revanche, Julie sa sœur et Joseph Bonaparte, son beau-frère, en avaient été frappés.

Aussi, quand Bernadotte commença à se montrer ouvertement hostile au vainqueur des Pyramides, pensèrent-ils à utiliser Désirée pour l'amadouer et, peut-être, le ramener dans le camp familial.

Seul de tous les généraux, il ne s'était pas présenté rue de la Victoire, bien qu'il eût servi naguère en Italie sous les ordres de Bonaparte.

— Je ne veux pas attraper la peste, disait-il.

90. Frédéric Masson, *Napoléon et les femmes.*
91. Bernadotte était né à Pau.
92. Duchesse d'Abrantès, *Mémoires.*

Au bout de deux semaines, cédant aux prières de Désirée, à qui Joseph et Julie avaient fait la leçon, il consentit à se rendre chez son ancien chef.

L'entrevue faillit être orageuse. Après avoir vanté la situation brillante de la France, il regarda Bonaparte bien en face et dit :

— Je ne désespère pas du salut de la République, et je suis certain qu'elle saura bien contenir ses ennemis extérieurs et *intérieurs.*

Sans Joséphine, qui, fort habilement, fit dévier la conversation sur des futilités, les deux hommes en seraient probablement venus à des mots — et peut-être à des gestes — regrettables...

Quelques jours plus tard, Bonaparte, sachant par son frère Joseph que Désirée avait un peu calmé Bernadotte, s'invita à déjeuner chez son adversaire.

En compagnie de Joséphine, il se rendit rue Cisalpine, où habitait le Béarnais et fut reçu par son ex-fiancée, défaillante d'émotion. Aussitôt, il se lança dans des discours interminables qui n'avaient pour but que de dissimuler le trouble extrême qui l'étreignait lui aussi.

Pendant tout le repas — qui fut gai — la jeune maîtresse de maison le regarda, fascinée. Sans doute, devant cet homme, dont le nom commençait à faire trembler le monde et dont la présence à Paris affolait le Directoire, pensait-elle au petit officier timide qui lui faisait la cour à Marseille.

Après le dessert, les deux ménages partirent pour Mortefontaine où Joseph Bonaparte venait d'acheter une maison de campagne. Dans la voiture, Désirée, placée en face de Napoléon, genoux contre genoux, « sentit renaître en son cœur toute la passion qui l'avait naguère consumée ».

A Mortefontaine, délaissant les sujets aimables et mondains, les hommes abordèrent les questions qui les passionnaient. Le résultat fut désastreux. En effet, tandis que Joséphine redoublait de charme et de grâce avec Julie et son ancienne rivale, Bonaparte eut, dans le parc, une discussion assez violente avec Bernadotte.

C'est à ce moment que Désirée prit la décision de servir, de façon effective cette fois, les desseins politiques de l'homme qu'elle continuait d'aimer, d'aider les conspirateurs et même d'espionner son mari...

Ce dévouement inattendu de la part d'une fiancée abandonnée était-il sans arrière-pensée ? Certains historiens supposent, avec quelque vraisemblance, que Désirée espérait ainsi s'attacher de nouveau Bonaparte et l'amener à répudier Joséphine... Cette hypothèse est défendue entre autres par Léonce Pingaud, qui écrit :

« On a pu se demander si un sentiment de jalousie et de vengeance contre Mme Bonaparte n'influait pas alors sur sa conduite. Bonaparte était rentré à Paris, averti des infidélités publiques de sa femme et décidé à divorcer d'avec elle. Mme Bernadotte, ressaisie par de tendres souvenirs, entrevit-elle la perspective d'un autre divorce lui permettant de réparer le passé et de s'unir au conquérant de l'Égypte, au maître du lendemain ? A cette époque de relâchement moral, un tel projet n'était pas impossible, et certains indices transmis par les traditions l'appuient[93]. »

Quoi qu'il en soit, au retour de Mortefontaine, Désirée commença son travail. Tâche obscure et passionnée, sans laquelle Bonaparte n'aurait sans doute pas réussi son coup d'État...

Chaque matin, la jeune femme rencontrait sa sœur Julie et lui racontait en détail tout ce qui s'était dit, tout ce qui s'était passé dans sa maison entre Bernadotte et les autres Jacobins ennemis de Bonaparte.

Elle notait les conversations, les noms des généraux qui voulaient protéger le Directoire, et, le soir, avant de s'endormir, demandait d'un air candide à son mari ce qu'il préparait pour empêcher « ce brigand de Napoléon » de prendre le pouvoir.

Le lendemain, les confidences de Bernadotte parvenaient rue de la Victoire où Bonaparte pouvait immédiatement se préparer à déjouer les manœuvres de ses adversaires.

Étrange collaboration dont peu d'historiens ont parlé, bien qu'elle ait été connue de plusieurs contemporains. Barras, par exemple, écrit dans ses *Mémoires :*

« L'inclination de Mme Bernadotte pour les Corses[94] était une véritable dépendance qui l'entraînait à un abandon dangereux de tous les détails personnels des intimités politiques de son mari... » Et il ajoute : « Et voilà comment Bonaparte, par le moyen de Joseph, et Joseph, par le moyen de la femme de Bernadotte, faisaient la police jusque dans le lit de Bernadotte. »

Mais celui-ci était finaud. Il finit par s'étonner de l'intérêt subit que prenait sa femme pour la politique. Le jour où ses amis lui apprirent que des propos secrets échangés rue Cisalpine avaient été répétés à Bonaparte, il comprit que sa femme était liée aux conspirateurs.

Trop amoureux pour lui faire un reproche, il se contenta de prendre quelques précautions. Écoutons encore Barras : « S'étant aperçu plus d'une fois des inconvénients que lui suscitait cette alliance dans son intérieur, il prit le parti de veiller sur lui-même avec soin, pour se livrer le moins possible à sa femme par son caractère expansif. Lorsqu'il parlait avec abandon à son secrétaire intime et que Mme Bernadotte entrait dans le cabinet de son mari, il se taisait ou changeait de conversation, faisant même signe à son secrétaire de garder le silence devant l'indiscrète, qu'il appelait quelquefois en riant la ''petite espionne''... »

Le soir du 17 brumaire, Bonaparte et Joséphine allèrent dîner au ministère de la Justice, chez Cambacérès.

Le Corse avait tenu à faire entrer dans son complot cet important jurisconsulte dont l'influence était considérable. Comme l'écrit Albert

93. Léonce Pingaud, correspondant de l'Institut, *Bernadotte et Napoléon.*
94. Joseph et Napoléon.

Olivier : « Étant grand maître dans la maçonnerie, ayant un frère archevêque et des mœurs spéciales, Cambacérès touchait, si l'on peut dire, tout un monde particulier [95]. »

De tels appuis ne l'empêchaient pas d'être parfois l'objet de tendancieuses railleries. C'est ainsi que le général Danican, dans *les Brigands démasqués,* avait écrit sur lui, après le 13 vendémiaire :

> *Si vous avez peau douce et fine*
> *Et chute de reins d'Apollon,*
> *Vite il vous suit à la sourdine,*
> *Il vous attaque, et, sans façon,*
> *Du plat d'une main pateline,*
> *Il vous caresse le menton :*
> *La luxure adoucit son ton,*
> *De petits noms doux il vous nomme*
> *Et même en plein jour il est homme*
> *A viletiser son garçon.*

Mais ce genre de brocards ne suffisait point à émouvoir Cambacérès, qui continuait de vivre tranquillement, entouré de disciples « blancs comme lait et frais comme la rosée... [96] ».

Le soir du 17 brumaire, tous ces éphèbes virevoltaient dans les salons du ministère de la Justice ; mais ni Bonaparte ni Joséphine ne manifestèrent, comme ils l'avaient fait parfois, la moindre ironie.

L'heure, il est vrai, n'était pas aux plaisanteries égrillardes. Les convives, qui étaient tous du complot, devaient prendre en dînant leurs dernières dispositions.

— Et Bernadotte ? dit soudain Cambacérès.

— Nous n'avons rien à craindre de sa part, répondit Bonaparte. Il fera la mauvaise tête, parlera bien fort de son respect de la Constitution, de sa foi jacobine et de son mépris pour les fauteurs de désordre, mais il n'entreprendra rien de grave contre nous.

— Il y a quelques jours, vous l'appeliez pourtant « l'homme-obstacle ».

Bonaparte sourit :

— J'ai trouvé le moyen de lui lier les pieds et les mains sans même qu'il s'en doute... Alors qu'il croit encore vouloir notre perte, au fond de son cœur, grâce à une complicité que je vous révélerai un jour, il nous déteste beaucoup moins [97]...

— Et le président Gohier ?

— J'ai un autre projet pour l'avoir avec nous.

95. Albert Olivier, *Le 18 Brumaire.*
96. En ces temps de désordre, Cambacérès n'était pas le seul à vivre entouré de mignons. Barras lui-même avait les siens. Et Albert Olivier nous rappelle que « d'être arrivé un jour où Barras venait d'en perdre un, noyé dans un bassin de sa propriété, et d'avoir tenu les propos qui convenaient, avait permis à Talleyrand de décrocher le portefeuille des Affaires extérieures, plus peut-être que l'appui de Mme de Staël ».
97. A Sainte-Hélène, Napoléon avouera au général Gourgaud que cette alliée était Désirée...

Onze heures sonnèrent. Bonaparte se leva, prit congé et rentra chez lui, suivi de Joséphine. A peine arrivé, il obligea celle-ci à s'asseoir devant son petit bureau.

— Pour rassurer Gohier, dit-il, je me suis invité à dîner chez lui pour demain. Mais ce n'est pas suffisant. Il faut le tenir ici dès le matin. Il est amoureux de toi. Tu vas lui demander de venir... Écris...

Et il dicta :

Venez, mon cher Gohier, et votre femme, déjeuner avec moi demain, à 8 heures du matin.

Joséphine releva la tête :

— A huit heures du matin ? Il va trouver cela curieux !

— Non... Il croira que tu t'ennuies de lui, il sera flatté... Continue...

... N'y manquez pas. J'ai à causer avec vous de choses très intéressantes. Adieu, mon cher Gohier, comptez toujours sur ma sincère amitié.

LAPAGERIE-BONAPARTE.

Lorsque Joséphine eut signé, Bonaparte éclata de rire :

— Ainsi, et grâce à toi, Gohier sera demain mon allié ou mon prisonnier[98]...

Malgré l'heure tardive — il était minuit — il envoya son aide de camp porter le billet au Luxembourg ; puis il adressa un message à Moreau, Macdonald et Lefebvre pour leur demander de se rendre chez lui à cheval dès le lever du jour. Après quoi, un peu anxieux tout de même, il se coucha. Il allait être trois heures du matin.

11

L'amour permet le coup d'État du 18 Brumaire

Depuis Adam, il n'y a guère eu de méfait dans ce
monde où une femme ne soit entrée pour quelque chose.
WILLIAM THACKERAY

Le 18 brumaire, Bonaparte se leva à cinq heures du matin. La nuit était encore complète. Il ouvrit la fenêtre, chercha « son étoile », la découvrit entre deux arbres, plus scintillante, plus grosse, plus bleutée que jamais, et fut rassuré.

---

98. Cf. le général baron GOURGAUD, qui rapporte ces propos de Napoléon à Sainte-Hélène : « Gohier, assez bon vivant, mais un imbécile, d'ailleurs, venait souvent chez moi. Je ne sais s'il était mon partisan, mais, au moins, il faisait la cour à ma femme. Tous les jours, à 4 heures, il venait à la maison. Lorsque j'eus fixé la date du 18, je voulus lui tendre un guet-apens. En fait de conspiration, tout est permis. Je voulais que Joséphine, n'importe comment, l'invitât à venir à 8 heures déjeuner avec elle. Je l'aurais, alors, bon gré, mal gré, fait monter à cheval avec moi. Il était président du Directoire, sa présence pouvait faire beaucoup. » *(Journal de Sainte-Hélène.)*

Mis de bonne humeur par ce clin d'œil du destin, il alla faire sa toilette en chantant : *Vous m'avez jeté un regard, Marinette,* petite romance à la mode dont il détériora consciencieusement la mélodie...

A six heures, le bruit d'un « long piétinement de légions en marche » fit trembler les maisons et réveilla les habitants de la rue de la Victoire. C'était les quatre cents dragons commandés par le colonel Sébastiani qui passaient devant l'hôtel de Bonaparte, avant d'aller se placer près des Tuileries, suivant le plan convenu.

Stupéfaits par ce défilé matinal, les braves gens demeurèrent à l'affût, en robe de chambre et en bonnet de coton, derrière leurs volets entrouverts. Ils ne devaient pas le regretter. A partir de six heures et demie, des généraux en grande tenue bottés, culottés de blanc et portant le bicorne à plumage tricolore, arrivèrent à cheval chez Bonaparte qui les avait conviés. Nos Parisiens, emmitouflés jusqu'aux oreilles, virent passer Murat, Lannes, Berthier, Junot, Moreau, Macdonald, et beaucoup d'autres dont ils ne connaissaient pas encore les noms.

Bientôt, les voisins du futur empereur s'interpellèrent d'une fenêtre à l'autre, et un mémorialiste rapporte les propos échangés par le couple Baron et la dame Soulard, habitant respectivement au 45 et au 46 de la rue de la Victoire [99] :

« — C'est donc aujourd'hui qu'on va chasser les pourris ?

» — Ça se pourrait bien !

» — Ce soir, on aura peut-être un roi [100] !...

» — Taisez-vous donc !

» — Je répète ce qu'on m'a dit... Il paraît que Barras a demandé au comte de Provence de monter sur le trône [101].

» — Taisez-vous ! On n'a pas fait la révolution pour revoir un roi... Ce qu'il nous faut, c'est un bon républicain, honnête et propre... J'espère bien que le général Bonaparte va se décider à jeter dehors les cinq pourris... »

A huit heures, tandis qu'aux Tuileries le Conseil des Anciens était informé, sur l'ordre secret de Bonaparte, d'un prétendu complot royaliste, les époux Baron virent arriver une dame rue de la Victoire.

C'était Mme Gohier, qui venait, seule, déjeuner avec Joséphine, le président du Directoire s'étant méfié [102].

A huit heures et demie, alors que toute la rue était encombrée de

99. GUSTAVE PONTHIER, *Les rues de Paris sous le Consulat et l'Empire,* 1890.

100. A cette époque, pour le peuple, il n'y avait que deux régimes politiques possibles : la république ou la monarchie. Bonaparte lui-même ne songea à l'empire que beaucoup plus tard.

101. Authentique. Barras traitait depuis quelque temps avec Louis XVIII.

102. Bonaparte, déçu, demanda à Mme Gohier d'écrire à son mari pour l'obliger à venir. Fine mouche, la femme du Directeur acquiesça et fit porter le mot suivant au Luxembourg : « Tu as bien fait de ne pas venir, mon ami, tout ce qui se passe ici m'annonce que l'invitation était un piège. Je ne tarderai pas à te rejoindre !... »

voitures, de chevaux, de gardes et d'officiers qui discutaient avec force gestes, Joseph Bonaparte arriva, suivi du général Bernadotte en civil.

Une demi-heure plus tard, M. Baron, Mme Baron et leur voisine virent ressortir le mari de Désirée Clary, pâle de fureur. Ils devaient apprendre, le soir, qu'une scène assez violente s'était déroulée chez Bonaparte.

En voyant entrer Bernadotte, le Corse avait sursauté :

— Comment, vous n'êtes pas en uniforme !

L'autre s'était redressé :

— Je ne suis pas de service !

— Vous y serez dans un moment. Le Conseil des Anciens m'a nommé ce matin commandant de Paris, de la garde nationale et de toutes les troupes de la division... Allez mettre votre uniforme ; vous me rejoindrez aux Tuileries où je vais de ce pas.

— Jamais !

— En ce cas, vous allez demeurer ici jusqu'à ce que je reçoive le décret des Anciens...

Bernadotte, livide, avait alors sorti sa canne-épée :

— Il est possible de me donner la mort, mais je ne suis pas un homme qu'on retient malgré lui !...

Bonaparte, sachant bien que Désirée tenait son mari en main, s'était contenté de sourire :

— Tout ce que je vous demande, général Bernadotte, c'est que vous me donniez votre parole d'honneur que vous n'entreprendrez rien contre *moi*.

Le Béarnais avait réfléchi un instant. La dernière — et très habile — phrase de Bonaparte l'avait touché. Ne s'était-il pas engagé envers sa femme — et cela au nom de leur amour — à ne rien faire contre Bonaparte ?

Il avait relevé la tête :

— Oui, comme citoyen, je vous donne ma parole d'honneur de ne point agir.

— Qu'entendez-vous par là ?

— J'entends que je n'irai point dans les casernes et les lieux publics pour travailler l'esprit des soldats et du peuple...

Puis il était parti, furieux d'être ainsi paralysé à cause de la femme qu'il aimait.

Or, à ce moment, Bernadotte pouvait encore empêcher le coup d'État. Il lui eût suffi de courir chez ses amis de l'Assemblée, de révéler ce qui se passait rue de la Victoire et de faire voter un décret mettant Bonaparte hors la loi...

Écoutons Thibaudeau :

« Avec un décret de mise hors la loi, Augereau et Jourdan, qui étaient là tout prêts, et Bernadotte, qui attendait en secret l'événement, auraient pu entraîner les grenadiers de la garde des Conseils, qui n'avaient pas l'esprit de l'armée, et ébranler les autres troupes [103]. »

103. A.-C. THIBAUDEAU, *Mémoires*.

Mais Bernadotte aimait sa femme. Lié par la promesse qu'il lui avait faite — *et pour ne point lui déplaire* —, il demeura neutre et laissa faire les conjurés.

Plus tard, il reconnaîtra sa « lâcheté » et dira à Lucien, dont l'attitude dans ses fonctions de président des Cinq-Cents avait été fort discutable :

« Oui, vous avez forfait à votre devoir, à votre conscience républicaine, car, vous le saviez mieux que moi, la mise hors la loi était juste... Mais est-ce bien à moi de vous reprocher de n'avoir pas imité les grands modèles de patriotisme que l'Histoire nous offre, quand moi-même j'ai pu faillir aussi grâce aux prières de Joseph ? Pourquoi ? Je le demande. *Parce que Joseph est le mari de Julie, sœur de Désirée, ma femme.* Voilà pourtant à quoi tiennent les destinées d'un grand empire.

» Vous le savez, le faubourg Saint-Antoine était à moi ; nous avions des armes et des hommes qui n'auraient pas été des jobards pour s'en servir sous mes ordres. Mais non, tout a été de travers ce jour-là ! La faiblesse a triomphé : grâce à vous dans l'Orangerie, et grâce à moi en me laissant enjôler dans de belles paroles *quand je pouvais tout empêcher !* [104] »

Une fois de plus, l'amour jouait un rôle déterminant dans l'histoire de notre pays...

A neuf heures, les Baron et Mme Soulard qui, ce matin-là, délaissèrent complètement leurs habituelles occupations, virent une voiture officielle s'arrêter devant chez Bonaparte. Trois hommes, dont un messager d'État en grand costume, en descendirent :

— C'est une délégation de l'Assemblée, dit M. Baron. On vient chercher Bonaparte pour le mettre au pouvoir.

M. Baron, dans son enthousiasme, précipitait un peu les événements. En réalité, les trois hommes venaient transmettre au Corse le décret du Conseil des Anciens, précisant qu'en raison du complot découvert, le corps législatif était transféré à Saint-Cloud, et que « le général Bonaparte, chargé du commandement des troupes parisiennes, devait prendre toutes les mesures nécessaires pour la sûreté de la représentation nationale ».

Ce texte, rédigé par ses complices, allait permettre au Corse de renverser le Directoire.

Un quart d'heure plus tard, les Baron et Mme Soulard virent des gardes sortir en courant de l'hôtel Chantereine, monter sur leurs chevaux et partir au triple galop.

— Ils partent pour arrêter les membres du Directoire, dit Mme Soulard.

La brave femme se trompait. Les gardes allaient transmettre l'ordre

104. *Lucien Bonaparte et ses mémoires.*

d'afficher les proclamations que Bonaparte avait fait imprimer la veille, et faire distribuer des tracts...

« Soudain, nous dit Gaston Ponthier, tous les habitants de la rue de la Victoire crièrent ensemble :

» — Le voilà !

» Et tout aussitôt, on entendit :

» — Vive Bonaparte ! Sauvez la République ! A bas le Directoire ! »

Le Corse venait d'apparaître sur un cheval blanc, suivi des généraux. Sous les acclamations, le cortège se dirigea vers le boulevard de la Madeleine et les Tuileries.

A dix heures, Bonaparte prêtait serment devant l'Assemblée. A onze heures, Sieyès, Roger Ducos et Barras démissionnaient, tandis que Gohier et Moulins (qui refusaient de se démettre) étaient gardés au Luxembourg par des sentinelles.

A midi, il n'y avait plus de Directoire...

Le soir, assez content de lui, Bonaparte rentra rue de la Victoire où Joséphine l'attendait, un peu inquiète.

— Tout s'est bien passé, lui dit-il en riant. Si bien même que je n'ai pas eu à prononcer aux Tuileries le discours que j'avais préparé.

— Quel dommage ! dit Joséphine, qui s'était assise sur ses genoux, il était si bien... J'aimais beaucoup tes formules : « Je vous ai laissé la paix, et je retrouve la guerre ; je vous ai laissé des conquêtes et l'ennemi passe vos frontières... »

— Attends, dit Bonaparte. Je ne l'ai pas prononcé aux Tuileries, mais la foule l'a entendu tout de même... Après la séance, alors que je me trouvais dans le jardin, Botot, le secrétaire de Barras, est venu m'apporter la démission de notre ami. Il m'a servi d'interlocuteur et, devant les troupes, je lui ai récité le discours que tu aimais tant... Mon succès fut extraordinaire...

Joséphine, ravie, embrassa son mari dans le cou.

— Le pauvre Botot a dû être bien étonné que tu t'adresses à lui en termes aussi pompeux.

— Aussi, ai-je bien pris soin de le rassurer à voix basse pendant que l'on m'applaudissait...

— Va-t-il suivre Barras à Grosbois ?

— Non ! il abandonne la politique et redevient dentiste...

— C'est peut-être un sage, soupira Joséphine [105].

Bonaparte ne répondit pas. Quand il avait sur les genoux le corps adorable de la créole, il n'avait ni l'envie, ni la possibilité de philosopher... « Son esprit, nous dit le docteur Jourdan, était littéralement embrasé par un désir qui lui retirait la plupart de ses facultés intellectuelles. De plus, la sensation de sa propre force, après une victoire, par exemple, le mettait dans un état qui lui eût permis de

---

105. Après la chute de Barras, François-Marie Botot, que Bonaparte considérait comme l'espoir du Directoire, quitta en effet la scène politique et créa avec sa sœur une fabrique d'eau dentaire : l'eau de Botot...

prendre très honorablement part à quelque cérémonie priapique... Il lui fallait alors une femme dans le plus bref délai [106]. »

Sa nomination à la tête des troupes de Paris, la démission de Barras, la chute du Directoire, le transfert des Assemblées à Saint-Cloud étaient autant de victoires qui, en cette soirée du 18 brumaire, mettaient Bonaparte d'humeur galante.

Sur un coin de canapé, selon son habitude, il rendit un rapide hommage à Joséphine et se retira dans sa chambre.

La journée de Bonaparte avait été bien remplie. Il restait toutefois deux décisions importantes à faire voter par les Assemblées : la révision de la Constitution de l'an III et la création d'un consulat provisoire... Une partie difficile restait à jouer.

Avant de s'endormir, Bonaparte plaça à portée de sa main deux pistolets chargés.

A tout hasard...

Le matin du 19 brumaire, Paris était extrêmement calme. Le menu peuple, qui ne comprenait rien à la politique, s'imaginait que Bonaparte, auquel il attribuait des fonctions vagues, mais officielles, « dirigeait le gouvernement » et n'en demandait pas plus.

Aussi, les braves gens s'entretenaient-ils d'un sujet bien différent. Le bruit courait que le corps du maréchal de Turenne avait été transporté au Jardin des plantes, et qu'il figurait dans la salle du Muséum, entre un squelette de girafe et une carapace de tortue géante...

Information étonnante qui scandalisait les âmes sensibles. Fort heureusement, les gazettes vinrent rassurer les esprits. Voici ce que l'une d'elles publia au sujet de cet étrange événement :

« Le cadavre de Turenne repose maintenant au cabinet d'histoire naturelle, à côté du squelette d'une girafe ; est-il convenable que les restes de ce grand guerrier demeurent exposés à une profanation journalière ? Pourquoi sont-ils là ? Est-ce par dérision ? Ce serait un crime.

» La gloire de Turenne ne tient pas, il est vrai, au lieu où son corps repose ; d'ailleurs, celui-ci n'a pas été choisi dans un mauvais dessein ; bien au contraire, on a vu en lui un moyen de conserver ces vénérables reliques. Il y a trois ans que le citoyen Desfontaine, professeur de botanique au Jardin des plantes, passant par Saint-Denis, apprit que les autorités d'alors délibéraient sur le dernier supplice et les dernières ignominies auxquels ils pouvaient condamner cette momie d'aristocrate, encore trop vivante pour eux. Il se rendit à la maison commune, il représenta que le corps de Turenne pourrait servir à des démonstrations d'histoire naturelle et le demanda pour le musée du Jardin des plantes de Paris ; et voilà le héros sauvé des mains des barbares, comme le cadavre d'un criminel est sauvé de la voirie pour passer sous le scalpel d'un chirurgien. Telle est la cause de la translation de Turenne au

---

106. Docteur PIERRE JOURDAN, *La Complexion amoureuse de Bonaparte.*

Muséum ; ce n'est donc point pour l'enseignement de l'histoire naturelle qu'il est là, c'est parce que l'histoire naturelle l'a réclamé quand la raison, la justice, la reconnaissance publique, l'abandonnaient : elle lui a donné asile, et n'a point prétendu l'avilir [107]. »

Cette mise au point calma les braves gens.

Tandis que les Parisiens se passionnaient ainsi pour les restes de Turenne, Bonaparte arrivait à Saint-Cloud, où les députés s'apprêtaient à tenir leur première assemblée.

Les esprits étaient échauffés. A la tribune, les orateurs se succédaient pour crier :

— A bas les dictateurs ! Vive la Constitution ! Pas de Cromwell !...

A trois heures de l'après-midi, Bonaparte, qui bouillait d'impatience, pénétra dans la salle des Anciens, suivi de ses aides de camp, s'imaginant vaincre l'hostilité des députés en rappelant ses victoires.

Hélas ! il se lança dans des phrases interminables, bafouilla, tenta d'improviser, chercha ses mots, et perdit pied lamentablement dès que des murmures hostiles s'élevèrent des rangs.

Écoutons Bourrienne :

« Tous les discours que l'on a arrangés, depuis l'événement, pour Bonaparte, diffèrent entre eux, cela doit être : il n'en a point été prononcé aux Anciens, à moins que l'on appelle discours une conversation brisée avec le président, conversation tenue sans noblesse, sans dignité. On n'entendait que ces mots : *frères d'armes... franchise de soldat.* Les questions du président se pressaient assez rapidement ; elles étaient claires. Rien de plus confus, de plus mal énoncé, que les paroles ambiguës et entortillées de Bonaparte. Il parlait sans suite *de volcans, d'agitations sourdes, de victoires, de Constitution violée* ; il reprochait même le 18 Fructidor, dont il fut le premier promoteur et le plus puissant soutien... Puis venaient *César, Cromwell, tyran...* Il répéta plusieurs fois : *Je n'ai plus que cela à vous dire* et il ne disait rien [108]. »

Brusquement, un membre des Anciens lui cria :

— Et la Constitution ?

Alors Bonaparte, désemparé, se mit à bredouiller des mots sans suite et, nous dit Bourrienne, on ne comprit plus rien que « 18 Fructidor... 30 Prairial... hypocrites... intrigants... je ne le suis pas... je vais tout vous dire... *J'abdiquerai le pouvoir aussitôt que le danger qui menace la République sera passé* »...

Puis, les murmures devinrent plus violents, et son discours fut encore plus dépourvu de suite et d'ordre...

A plusieurs reprises, le président lui demanda de s'expliquer claire-ment. Ne sachant que répondre, Bonaparte se mit à crier :

---

107. ROGER DE PARNES, *Portefeuille d'un Incroyable.* Par la suite, les restes de Turenne furent transportés au musée des Monuments français. En 1800, Bonaparte les fit solennellement déposer sous le dôme des Invalides.
108. BOURRIENNE, *Mémoires.*

— Souvenez-vous que je marche accompagné du dieu de la victoire et du dieu de la fortune.

Alors Bourrienne, gêné, le tira par la manche et lui dit tout bas :

— Sortez, général, vous ne savez plus ce que vous dites...

Et, le prenant par le bras, il l'entraîna, pantelant, hors de la salle. Dans le couloir, le Corse retrouva ses amis.

— Te voilà dans de beaux draps ! lui dit Augereau.

Et Sieyès soupira :

— Tout est raté !

Conscient d'avoir été ridicule, et voulant se racheter, Bonaparte se rendit alors à l'Orangerie où siégeait le Conseil des Cinq-Cents. Son entrée fut saluée par des clameurs furieuses :

— Sortez ! Vous n'avez pas le droit d'être ici. Vous violez le sanctuaire des lois... Hors la loi, le dictateur ! A bas le dictateur !... Vive la République et la Constitution de l'an III !

Malgré les appels au calme du président, Lucien Bonaparte, le général fut bousculé, saisi au collet, frappé de coups de poing...

Sans avoir pu prononcer une parole, il sortit, livide, et se jeta dans les bras de Sieyès en bredouillant :

— Général ! ils veulent me mettre hors la loi !

Puis il tomba en syncope.

En s'entendant appeler « général », l'abbé Sieyès, qui de sa vie n'avait été militaire, pensa que Bonaparte ne jouissait plus de toutes ses facultés et que le coup d'État avait définitivement échoué.

Tout semblait, en effet, bien compromis. C'est alors que Lucien eut une idée. Il fit courir le bruit que son frère avait failli être assassiné. La garde, bouleversée par cette fausse nouvelle, se groupa devant l'Orangerie. Aussitôt, Murat profita de cette émotion. Désignant la salle du Conseil, il cria :

— Il faut venger votre général ! Allez ! Foutez-moi tout ce monde-là dehors !

Les soldats n'attendaient que cet ordre. Baïonnette au canon, ils bondirent dans la salle et chassèrent les députés qui s'enfuirent par les portes et par les fenêtres...

A minuit, Lucien, ayant pu réunir une trentaine d'élus, fit admettre la création d'une « commission consulaire exécutoire, composée des citoyens Sieyès, Roger Ducos et de Bonaparte... ».

La farce était jouée. L'émotif général pouvait rentrer chez lui.

Écoutons encore Bourrienne qui l'accompagna jusqu'à la rue de la Victoire :

« A trois heures du matin, je montai avec Bonaparte dans sa voiture, et nous revînmes à Paris. Bonaparte était extrêmement fatigué après tant d'assauts et de tribulations ; un nouvel avenir s'ouvrait devant lui, aussi était-il entièrement absorbé dans ses pensées, et, pendant la route, il ne me dit pas un seul mot. Mais, arrivé à sa maison de la rue de la Victoire, à peine fut-il monté dans sa chambre, après avoir été dire bonsoir à sa femme, qui était au lit et dans la plus vive inquiétude de ne pas le voir arriver, qu'il me dit devant elle :

» — Bourrienne, j'ai donc dit bien des bêtises ?

» — Pas mal, général ! »

Ce qui était assez vrai.

Mais cela devait bientôt être oublié et, dès le lendemain, une chanson flatteuse courait Paris :

> *Je me disais l'autre jour,* a parte
> *Quand de nos maux verrons-nous donc le terme ?*
> *Lors, un esprit me répond,* a parte,
> *Bientôt, bientôt, un héros juste et ferme*
> *Viendra chasser hors de votre cité*
> *Tous les brigands, les loups qu'elle renferme,*
> *Et vous rendra votre tranquillité.*
> *- Ah ! vive Dieu ! C'est un bon* a parte... (bis).

Le futur empereur avait déjà ses courtisans.

12

La Grassini trompe Bonaparte avec un violoniste

> Il avait un bon coup d'archet.
>
> Mme D'ABRANTÈS

Le 20 brumaire (11 novembre), à dix heures du matin, Bonaparte et Joséphine s'installèrent au Luxembourg. Le général-consul arpenta avec orgueil les salles de ce palais où il était désormais chez lui.

— Aurais-tu imaginé qu'un jour tu coucherais dans l'ancien château de Monsieur, frère du roi ?

La créole se contenta de sourire, et Bonaparte crut que son épouse était à ce point émerveillée que la parole lui manquait. En réalité, Joséphine souriait en pensant que le destin était bien amusant qui la ramenait avec son mari dans ces salons et cette chambre où elle s'était tant de fois déshabillée en compagnie de Barras...

Pendant trois mois, Bonaparte et Joséphine restèrent au Luxembourg. Chaque matin, le consul, ayant déjeuné à dix heures, recevait des visites, lisait des rapports, signait des lettres, s'informait des événements, faisant ainsi son apprentissage d'homme d'État. Quand tout le monde était parti, il passait son temps à bavarder avec Joséphine, à chantonner quelques chansons à la mode, ou bien encore à taillader soigneusement le bras de son fauteuil au moyen d'un canif...

Occupation peu enrichissante pour l'esprit, sans doute, mais qui avait l'avantage de coûter moins cher à la France que l'entretien d'une maîtresse et qui, de plus, lui laissait le loisir de penser à son avenir...

Le 12 décembre, la nouvelle Constitution ayant été acclamée, le pouvoir exécutif fut confié à Bonaparte, qui reçut le titre de « Premier Consul ». Deux autres consuls, Cambacérès et Lebrun, devaient l'assister dans ses fonctions. Aussitôt, il quitta le Luxembourg et alla s'installer aux Tuileries. En arrivant, il donna une grande claque dans le dos de son secrétaire et dit :

— Bourrienne, ce n'est pas tout d'être aux Tuileries, il faut y rester !...

Puis il visita les appartements et découvrit des bonnets phrygiens peints sur les murs. Il appela l'architecte Lecomte :

— Faites-moi disparaître tout cela, lui dit-il. Je ne veux pas de pareilles saloperies [109] !

Après quoi, il entraîna Joséphine dans « la couche des rois ».

— Allons, petite créole, lui dit-il en riant, venez vous mettre dans le lit de vos maîtres !

Et, fidèle à sa coutume de fêter galamment chacune de ses victoires, il la rejoignit d'un bond pour goûter le « joli péché du monde... ».

Quelques jours après son avènement, Bonaparte, soucieux de se faire adopter par le peuple français, qui commençait déjà à être las de la guerre, écrivit à toutes les puissances d'Europe pour leur faire des propositions de paix. La Russie et la Prusse se montrèrent favorables et nouèrent des relations amicales avec la France, mais l'Autriche et l'Angleterre demeurèrent rétives à tout projet de détente.

Il fallait donc conquérir la paix par une suprême victoire.

Aussitôt, Bonaparte, ravi, se mit à taillader son fauteuil en préparant un plan de bataille.

Au début de février, il fut interrompu dans ses travaux d'ébénisterie par l'arrivée de Duroc.

Furieux, il rangea son canif.

— Pourquoi me déranges-tu ?

Le premier aide de camp lui tendit une lettre. Sans répondre, le Corse fit sauter les cachets et blêmit. La lettre était de Pauline Fourès.

A sa sortie du lazaret de Marseille, la jeune femme avait appris la stupéfiante ascension de son amant. Se voyant déjà installée au palais du Luxembourg à la place de Joséphine, elle avait bondi dans une voiture en partance pour Paris. Dès son arrivée dans la capitale, elle était allée trouver quelques anciens amis d'Égypte : Berthier, Lannes, Murat, Monge, Berthollet, avec l'espoir qu'ils l'aideraient à approcher le nouveau maître de la France. Mais tous l'avaient éconduite presque grossièrement. L'un d'eux s'était même laissé aller jusqu'à lui dire :

— Le Premier Consul n'a pas besoin de putains.

Ce qui lui avait fait gros cœur.

Alors, elle s'était adressée à Duroc qui, lui, avait bien voulu servir d'intermédiaire.

109. Bourrienne, *Mémoires.*

Tout cela était dans la lettre que lisait Bonaparte. Tout cela et aussi deux phrases par lesquelles Pauline précisait qu'elle n'avait quitté l'Égypte que par amour et que son plus grand désir était de revoir — ne serait-ce qu'un instant — son cher amant...

Extrêmement ému, Bonaparte replia la lettre et marcha en silence pendant quelques instants.

— C'est impossible, dit-il soudain. Impossible. Va lui dire que si je n'écoutais que ma tendresse, je lui ouvrirais mes bras. Mais les choses ont changé. Ma nouvelle position m'oblige à donner l'exemple, et je ne peux installer ma maîtresse à côté de ma femme.

Il ajouta :

— Va lui dire aussi que, non seulement je ne peux la revoir, mais que je lui prescris de quitter Paris. Qu'elle prenne une maison aux environs, qu'elle soit discrète, et je veillerai à ce qu'elle ne manque de rien. Tu lui donneras ce bon de soixante mille francs à toucher sur la caisse des jeux.

Après quoi, il congédia Duroc et se remit à taillader le bras de son fauteuil en s'efforçant de penser à la guerre [110]...

Au mois d'avril 1800, la France disposait de quatre armées : celle du Nord, commandée par Brune ; celle du Danube, sous les ordres de Jourdan (qui avait été obligé de repasser le Rhin) ; celle d'Helvétie, conduite par Masséna (qui avait battu les Suisses à Zurich), enfin l'armée d'Italie qui se ralliait en désordre sur les cols des Apennins.

L'Autriche avait, de son côté, deux grandes armées : l'une en Italie, sous les ordres du maréchal Melas, qui devait s'emparer de Gênes, de Nice et de Toulon où se trouvaient déjà les Anglais ; l'autre en Allemagne. La ligne d'opération s'étendait donc de Strasbourg au Var. Au début de mai, Moreau, ayant passé le Rhin, coupa en deux les

---

110. Pauline s'installa dans un petit château situé à Belleville. Pendant des mois, elle essaya de rencontrer le Premier Consul. On la vit dans les bals, au théâtre, à l'Opéra, l'œil aux aguets. Mais la chance ne la servit pas. De temps en temps, Duroc lui signait un nouveau bon, qu'elle allait toucher à la caisse des jeux. Ce qui lui permettait de vivre largement.

Durant l'été 1801, Fourès vint sonner à sa porte et prétendit reprendre la vie commune, sous le prétexte que leur divorce n'avait pas été confirmé par la justice française.

Bonaparte fut informé aussitôt de ce retour. Affolé à la pensée qu'il pouvait être ridiculisé dans une affaire de cocuage, il donna l'ordre formel à Pauline de se remarier avant un mois sous peine d'être exilée, ainsi que Fourès.

Bellilote, qui avait une petite cour d'adorateurs, était depuis quelque temps courtisée par le chevalier de Ranchoup. Elle l'épousa en octobre 1801, et, le Premier Consul leur ayant offert comme cadeau de mariage un poste de vice-consul à Santander, ils partirent aussitôt pour l'Espagne. Ils en revinrent en 1810, brouillés, et se séparèrent. Ce fut alors que le hasard permit à Pauline de revoir Napoléon. Cette rencontre fortuite qui les émut tous les deux eut lieu lors d'un bal chez Berthier. Après quoi, l'ancienne petite modiste qui n'était pas rassasiée d'aventures, s'embarqua pour l'Amérique du Sud et devint négociante en bois précieux. Pendant vingt ans, elle traversa l'Atlantique avec des chargements d'acajou, de palissandre et de bois de rose qu'elle achetait au Brésil et revendait en France. A soixante ans, elle se retira des affaires, fortune faite, et s'installa rue de la Ville-l'Évêque, dans le quartier de la Madeleine, où elle vécut encore trente-deux ans, faisant de la peinture, jouant de la harpe et écrivant des romans...

armées autrichiennes. C'est alors que Bonaparte décida de faire franchir les Alpes à quarante mille hommes par le Grand-Saint-Bernard pour aller surprendre le maréchal Melas en Lombardie.

Le 6 mai, le Premier Consul quitta Paris et courut vers la Suisse. A Genève, il organisa la formidable entreprise qu'il avait conçue. Bien que passionné par ce projet, il lui arrivait pourtant de délaisser ses cartes pour penser au corps délectable de Joséphine. Un soir, il lui écrivit ce petit mot badin qui indique clairement le sens de ces rêveries...

Je suis à Genève, ma bonne amie, j'en partirai cette nuit. J'ai reçu ta lettre du 27 (floréal). Je t'aime beaucoup... Je désire que tu m'écrives souvent et que tu sois persuadée que ma Joséphine m'est bien chère.

Mille choses aimables à la petite cousine. Recommande-lui d'être bien sage. Entends-tu ?

Est-il besoin de préciser que l'expression « la petite cousine » servait au ménage Bonaparte, tout comme « la petite forêt noire », à désigner le « joli corbillon » de la charmante consulesse...

Le passage du Grand-Saint-Bernard commença dans la nuit du 14 au 15 mai. En quelques jours, les quarante mille soldats, les vivres, les tonneaux de vin, les munitions, les affûts de canons placés dans les troncs de sapins creusés et tirés chacun par cent hommes, tout passa. Et, tandis que Melas refusait encore de croire à l'arrivée des Français, Bonaparte entrait triomphalement à Milan...

Parmi les fêtes qui furent organisées en son honneur, un concert donné à la Scala devait avoir des conséquences galantes.

En voyant paraître sur scène la Grassini, le Premier Consul, ébloui, se demanda pourquoi, deux ans plus tôt, il l'avait refusée, alors qu'elle s'offrait à lui. La voix merveilleuse de la cantatrice acheva de le rendre amoureux. A la fin du spectacle, plus pâle que d'habitude, « il la fit demander, dit le *Mémorial,* et, après le premier moment d'une prompte connaissance, elle se mit à lui rappeler qu'elle avait débuté précisément lors des premiers exploits du général de l'armée d'Italie.

» — J'étais alors, dit-elle, dans tout l'éclat de ma beauté et de mon talent. Il n'était question que de moi dans les *Vierges du Soleil.* Je séduisais tous les yeux. J'enflammais tous les cœurs. Le jeune général seul était demeuré froid, et, pourtant, lui seul m'occupait. Quelle bizarrerie ! Quelle singularité ! Quand je pouvais valoir quelque chose, que toute l'Italie était à mes pieds, que je la dédaignais héroïquement pour un seul de vos regards, je n'ai pu l'obtenir ; et voilà que vous les laissez tomber sur moi aujourd'hui que je n'en vaux pas la peine, que je ne suis plus digne de vous ».

Voulant s'assurer « qu'elle en valait encore la peine », Bonaparte l'emmena immédiatement chez lui, soupa avec elle, et, avant le dessert, incapable de se contenir plus longtemps, la traîna vers un lit, où, dans un grand — mais très mélodieux — cri, elle se donna sans restriction...

Au petit matin, Bourrienne, étant venu annoncer au Premier Consul la capitulation de Gênes, trouva les deux amants dormant enlacés.

Le 13 juin, Bonaparte quitta Giuseppina pour aller battre les Autrichiens à Marengo et revint bien vite se remettre au lit [111].

« Les plus grands amoureux, écrit gravement le docteur Simon Walter dans son savant ouvrage sur *le Sexe et ses environs,* ont besoin d'entractes pour laisser à leurs sens repus — ou simplement rassasiés — le temps de puiser dans la merveilleuse réserve de la sève humaine le tonus capable de rendre à la branche molle la rigidité et le piquant de l'épine... »

Soumis aux mêmes lois que le commun, Bonaparte et la Grassini occupaient leurs entractes à fréquenter les milieux artistiques de Milan. Ils recevaient des compositeurs, des comédiens, des musiciens, des chefs d'orchestre. Un soir, ils invitèrent le chanteur Marchesi, dont certaines notes, nous dit Abragui, « éveillaient des échos dans les grottes utérines des belles spectatrices ». Comme tous les cabots, cet artiste était sensible au luxe un peu clinquant. Il fut donc choqué en voyant l'uniforme très simple que portait Bonaparte, et devint méprisant.

Aussi, lorsque le Premier Consul lui demanda de chanter un air, se redressa-t-il de toute sa petite taille pour répondre avec un regard terrible.

— Signor Zénéral, si c'est oun bon air qu'il vous faut, vous en trouverez oun excellent en faisant oun pétit tour dé zardin...

Bonaparte n'aimait pas beaucoup ce genre de plaisanteries. Marchesi fut arrêté sur-le-champ et conduit en prison pour six mois.

Au cours d'une autre soirée, Bonaparte fit la connaissance de Cressentini, le célèbre chanteur qui devait sa voix cristalline à un émondage dont Abélard, quinze cents ans plus tôt, avait été déjà la victime.

Après le concert, le futur empereur, voulant encourager le mérite sous toutes ses formes, eut une idée assez singulière : il décora le castrat de la croix des braves.

Naturellement, cet acte scandalisa bien des gens. Certains prétendirent qu'un être qui avait perdu les attributs de la virilité ne pouvait porter une médaille réservée aux hommes complets.

La Grassini intervint :

— Bonaparte a bien fait dé loui donner cet ordre, dit-elle. Il lé mérite...

111. La victoire de Marengo provoqua un enthousiasme incroyable dans toute la France. Pendant trois jours, on dansa dans les rues, on s'enivra et l'on tira des feux d'artifice. Bonaparte commença à prendre l'aspect d'un surhomme. A tel point qu'un brave inventeur, qui devait être récompensé dans une exposition, envoya ce mot extraordinaire aux Tuileries : « Si le Premier Consul, au lieu de me donner une médaille, voulait faire un enfant à ma femme, je serais bien content... » (Arch. Nat. F. 7, 3830.)

— Pourquoi ? demanda quelqu'un.

La cantatrice prit un air tragique :

— Hé... Né fout-ce qu'à cause dé ses blessoures...

Tout le monde éclata de rire, et Bonaparte « comprit, nous dit Julien Brisson, que sa maîtresse, comme toutes les femmes sensuelles, supportait malaisément qu'un homme fût privé des hochets de la bagatelle... ».

Bonaparte était si fier d'avoir séduit « la cantatrice la plus belle d'Europe » qu'il décida de la ramener en France afin de l'exhiber et d'en tirer une gloire nouvelle.

Au soir du 25 juin, le quatrième bulletin de l'armée annonça cette nouvelle en termes tellement pompeux que les Français, un peu surpris, se demandèrent s'il s'agissait d'une prise de guerre ou d'un amoureux caprice. Ils ne devaient pas tarder à être fixés.

Le 3 juillet, la Grassini arrivait à Paris avec des allures de grande favorite. Descendant d'une berline tirée par huit chevaux, elle salua la foule d'un geste royal et s'installa dans un hôtel que lui avait loué son amant au 762 de la rue Caumartin [112].

Dès lors, chaque nuit, Bonaparte alla la retrouver incognito, enveloppé dans une grande houppelande. Les Parisiens qui assistaient à ces rendez-vous nocturnes, cachés derrière leurs volets, en conclurent que le nouveau régime avait bien des rapports avec l'ancien, et certains vieillards, contemporains de Louis XV, s'en trouvaient rajeunis... Le 14 juillet 1800, le Premier Consul fit chanter sa *prima donna* à l'église des Invalides, transformée en temple de Mars. Le menu peuple vint en foule pour admirer la voix, le visage et les formes de « la dame qui couchait avec le nouveau maître ». Le succès de cette cérémonie érotico-politique fut considérable. On compara la Grassini à une source chantante, à une Vénus démocratique et à une émanation sonore de la Révolution française.

Ce qui était curieux pour une Italienne.

Devenue l'idole de la capitale, elle reçut de Bonaparte la mensualité rondelette de vingt mille francs (soixante mille francs actuels), fréquenta chez M. de Talleyrand et fut admise dans le salon très fermé de Pierre-Jean Garat, le célèbre chanteur pédéraste dont le Tout-Paris copiait les tics...

C'est chez lui qu'un soir de décembre elle rencontra un jeune violoniste nommé Pierre Rode, beau garçon à l'œil tendre, dont elle aima bientôt le coup d'archet...

Pendant plusieurs mois, elle reçut ainsi alternativement chez elle le premier violon et le Premier Consul, faisant des comparaisons « peu flatteuses pour le futur empereur, dont les étreintes avaient un caractère furtif qui laissait souvent les dames sur leur désir... » [113].

---

112. Depuis la Révolution, les maisons étaient numérotées par îlot.
113. Docteur Pierre Jourdan, *La complexion amoureuse de Bonaparte.*

Bonaparte fut informé de son infortune par hasard. Un soir qu'il reprochait à Fouché de n'être au courant de rien, le policier répondit :
— Oui, il y a des choses que j'ignorais, mais que je sais maintenant. Par exemple : un homme de petite taille, couvert d'une redingote grise, sort assez souvent par une porte secrète des Tuileries à la nuit noire et accompagné d'un seul domestique. Il monte dans une voiture borgne et va chez la Signora Grassini. Quand il a terminé ce qu'il y va faire, et qu'il s'en revient aux Tuileries, un grand jeune homme arrive à son tour et prend place dans le lit de la cantatrice. Ce petit homme, c'est vous, et le grand jeune homme, c'est le violoniste Rode, avec qui la signora vous fait des infidélités.

Bonaparte, fort gêné par cette révélation, ne répondit rien. Il tourna le dos à Fouché qui se retirait d'un air suave, et se mit à siffler une chanson italienne pour se donner une contenance.

Une semaine plus tard, la Grassini quittait Paris avec son violoniste...

13

Mme Junot fut-elle la maîtresse de Bonaparte ?

> Il y a des questions qui équivalent à des réponses.
>
> JEAN JAURÈS

Au cours de l'été 1801, Joséphine, qui espérait toujours donner un héritier à son mari, retourna prendre les eaux de Plombières, auxquelles on prêtait, je l'ai dit, des vertus fécondantes [114]...

Pendant son absence, Bonaparte s'installa à la Malmaison avec Hortense et quelques jolies femmes. Laure Permont, future duchesse d'Abrantès qui venait, à vingt ans, d'épouser Junot, était du nombre.

Jamais le Premier Consul ne fut plus gai qu'à cette époque. Il riait, jouait aux cartes, faisait réciter des vers et courait après ses invitées sur les pelouses en jouant aux barres...

Il courait aussi après elles d'une autre façon. Et Mme Junot, devenue duchesse d'Abrantès, racontera un jour, dans ses *Mémoires,* une bien curieuse histoire. Écoutons-la :

« Un matin, je dormais profondément. Tout à coup, je suis éveillée par un coup très violent frappé près de moi, et tout aussitôt j'aperçois le Premier Consul près de mon lit ! Je crus rêver et me frottai les yeux. Il se mit à rire :

» — C'est bien moi, dit-il. Pourquoi cet air étonné ?

» Je pris ma montre. Il n'était pas cinq heures.

» — Vraiment, dit-il quand je la lui montrai, il n'est que cette heure-là ? Eh bien ! tant mieux, nous allons causer !

» Et, prenant un fauteuil, il le plaça au pied du lit, s'y assit, croisa

---

114. Elle s'y rendit, cette fois, sans Hippolyte Charles avec qui elle avait rompu en octobre 1799.

ses jambes et s'établit là. » Il tenait à la main un énorme paquet de lettres. Pendant un quart d'heure, installé sur les draps comme sur son bureau, il dépouilla son courrier en faisant des commentaires ironiques à Mme Junot qui était toujours couchée. Soudain, il s'écria :

— Ah ! ça ! Voici une attrape !

Et il retira d'un pli une, deux, trois, quatre enveloppes, portant l'inscription : *Au Premier Consul. Pour lui seul et en mains propres.*

« Finalement, continue la duchesse d'Abrantès, il dit fort drôlement, et comme s'il s'adressait à la lettre :

» — Mais c'est moi ! C'est bien moi ! Et, quant à mes mains — et il retournait sa jolie main modelée — j'espère qu'elles sont propres !

» Il était enfin arrivé à la dernière enveloppe. Toutes celles qu'il avait enlevées sentaient l'essence de rose à n'y pas résister. J'avais attiré une de ces enveloppes et je regardais l'écriture, qui était assez jolie, lorsque le Premier Consul se mit à rire.

» — C'est une déclaration, dit-il, non pas de guerre, mais d'amour. C'est une belle dame qui m'aime, dit-elle, depuis le jour où elle me vit présenter le traité de paix de Campoformio au Directoire. Et, si je veux la voir, je n'ai qu'à donner des ordres au factionnaire de la grille du côté de Bougival pour qu'il laisse passer une femme vêtue de blanc, qui dira : *Napoléon !* Et cela, ma foi, dès ce soir.

» — Mon Dieu, m'écriai-je, vous n'allez pas faire une pareille imprudence ?

» Il ne me répondit pas, mais me regarda fixement :

» — Qu'est-ce que cela vous fait que j'aille à la grille de Bougival ?

» — Ce que cela me fait ? Ce qu'il peut vous arriver ? Mais, général, voilà d'étranges questions. Comment ne voyez-vous pas que cette femme est une misérable gagnée peut-être par vos ennemis ? Mais le piège est lui-même trop grossier...

» Napoléon me regarda encore, puis il se mit à rire :

» — Je disais cela pour plaisanter, me dit-il ; croyez-vous donc que je sois assez simple, assez bête, pour mordre à un pareil appât ? Imaginez-vous que tous les jours je reçois des lettres de ce genre-là, avec des rendez-vous indiqués tantôt ici, tantôt aux Tuileries, tantôt au Luxembourg ; mais la seule réponse que je fasse à ces belles missives, et la seule qu'elles méritent, c'est celle-ci.

» Et, allant vers la table, il écrivit quelques mots. C'était un renvoi au ministre de la Police.

» — Diable ! voilà six heures, dit-il en entendant sonner une pendule. Adieu, madame Junot !

» Et, s'approchant de mon lit, il ramassa tous ses papiers, me pinça le pied à travers mes couvertures et, me souriant avec cette grâce qui éclairait sa figure, il s'en alla en chantant d'une voix fausse et criarde :

Non, non, z'il est impossible
D'avoir un plus bel enfant,

Un plus aimable. Ah ! si vraiment... etc. [115] »

Quand Bonaparte eut disparu, Mme Junot se leva et s'habilla en pensant à cette curieuse visite matinale.

Le soir, vers neuf heures, dans le salon, le Premier Consul s'approcha d'elle et lui dit tout bas :

— Je vais à la grille de Bougival.

Mme Junot le regarda dans les yeux :

— Je n'en crois pas un mot. Vous savez très bien que vous feriez trop de mal à la France s'il vous arrivait de succomber.

Interloqué, Bonaparte resta un instant songeur, puis, renonçant à son projet, passa dans la salle de billard.

Le lendemain matin, Mme Junot fut encore réveillée par le même coup à la porte, et le Premier Consul entra, comme la veille, avec un paquet de lettres et de journaux à la main. Ayant déjà ses habitudes, il s'installa sur le lit et ouvrit son courrier en plaisantant avec la jeune femme. Après quoi, nous dit Mme d'Abrantès, « il me pinça encore le pied à travers la couverture, me dit bonjour et descendit dans son cabinet en marmottant quelques fausses notes »...

Depuis un siècle, cette anecdote trouble les historiens, qui se demandent avec passion si Bonaparte s'est contenté de pincer le pied de la charmante Mme Junot ou s'il a poussé plus avant ses gamineries... Nous verrons plus loin ce qu'il faut en penser. Laissons pour l'instant Mme d'Abrantès nous conter la suite. Elle ne manque pas d'intérêt :

« J'appelai ma femme de chambre. Je lui dis, sans aucune explication, que je défendais d'ouvrir lorsqu'on frapperait d'aussi bonne heure chez moi.

» — Mais, madame, si c'est le Premier Consul ?

» — Je ne veux pas être réveillée d'aussi grand matin par le Premier Consul pas plus que par tout autre. Faites ce que je vous dis. »

L'après-midi, Bonaparte emmena toutes ces belles invitées jusqu'au pavillon du Butard, qu'il venait d'acheter à Vaucresson. Comme les femmes de chambre avaient déjà raconté à qui voulait l'entendre que le Premier Consul était sorti deux jours de suite à six heures du matin de la chambre de Mme Junot, une curieuse atmosphère régna au cours de cette promenade. La jeune femme eut droit à des égards particuliers. On la traita en favorite reconnue, on s'écarta sur son passage, on la salua respectueusement, et Bonaparte confirma tous les soupçons en adressant à haute voix — lui si avare de louanges — un très long compliment à Mme Junot.

Arrivé au Butard, il annonça son intention d'organiser un déjeuner et une chasse le surlendemain.

---

115. La duchesse d'Abrantès précise que Bonaparte a toujours prononcé : « z'il est impossible ». Ce qui n'a rien d'étonnant, puisqu'on sait qu'il s'exprima toute sa vie dans un français très approximatif. Il disait : les îles « Philippiques » pour « Philippines », « section » pour « session », point « fulminant » pour point « culminant », « armistice » pour « amnistie » et « rentes voyagères » pour « rentes viagères »...

— Cela me fera du bien et nous amusera tous. Je vous donne rendez-vous ici à dix heures.

Le soir, à la Malmaison, Mme Junot se coucha, sans parvenir à s'endormir.

« A six heures, écrit-elle, j'entendis les pas du Premier Consul dans le corridor. Il s'arrêta à la porte et frappa, mais un coup beaucoup moins fort que les jours précédents.

» Il attendit un moment, puis frappa une autre fois. Ma femme de chambre s'éveilla alors probablement et j'entendis qu'elle lui disait que j'avais pris la clef. Il ne répondit rien et s'en alla. »

Fort troublée par ce qu'elle venait de faire, Mme Junot nous dit qu'elle se mit à pleurer en pensant à la peine que devait ressentir Bonaparte. Finalement, elle se rendormit. Un bruit de porte la réveilla. Le Premier Consul, qui était allé chercher une autre clef, se trouvait dans sa chambre, fort en colère.

— Craignez-vous donc que l'on vous assassine ? dit-il.

Puis, sans écouter les explications de Mme Junot, il aurait ajouté :

— C'est demain notre chasse au Butard. Nous partirons de bonne heure et, pour que vous soyez prête, je viendrai moi-même vous éveiller. Et comme vous n'êtes pas ici au milieu d'une horde de Tartares, ne vous barricadez pas comme vous l'avez fait. Au reste, vous voyez que votre précaution contre un vieil ami ne l'a pas empêché d'arriver jusqu'à vous. Adieu !

Et il s'en alla, mais cette fois sans chanter.

Or, le soir même, alors que tout le monde était endormi, Junot arriva à l'improviste à la Malmaison et se coucha près de sa femme.

Ne pouvant pas prévenir Bonaparte, Laure attendit le matin avec quelque inquiétude.

Écoutons-la nous conter sa version :

« La demie de cinq heures venait de sonner lorsque j'entendis le bruit des pas du Premier Consul retentir au bout de notre long corridor. Le cœur me battit violemment. J'aurais donné ma vie pour que Junot fût à Paris. J'aurais voulu le rendre invisible, le cacher, mais il n'était plus temps.

» En reposant ma tête sur l'oreiller, j'attendis les événements.

» La porte s'ouvrit avec bruit.

» — Comment ! Encore endormie, madame Junot ! Un jour de chasse ! je vous disais bien que...

» Tout en parlant, le Premier Consul avait fait le tour nécessaire pour arriver en face du lit, il avait soulevé le rideau et demeurait immobile à la vue de cette figure tant connue, de ce visage de l'ami le plus fidèle, le plus dévoué !

» Je suis presque sûre qu'il crut d'abord que c'était une vision.

» De son côté, Junot, à peine éveillé, appuyé sur un de ses coudes, regardait le Premier Consul avec un air étonné qui aurait égayé un tiers dans ce moment singulier.

» — Eh ! mon Dieu, mon général, que venez-vous faire chez nos femmes à cette heure-ci ?

» — Je venais réveiller Mme Junot pour la chasse, répondit le Premier Consul après m'avoir lancé un long regard dont le prolongement est encore présent à ma pensée malgré les trente années qui me séparent de ce moment. Mais je vois qu'elle a un réveille-matin beaucoup *plus matinal* encore que moi. Je pourrais gronder, car enfin, monsieur Junot, vous êtes ici en contrebande [116]. »

Après quelques plaisanteries sur un ton de bonne humeur forcé, Bonaparte sortit, et Junot, dont la naïveté était extrême, sauta du lit en disant à sa femme :

— Voilà, je dois l'avouer, un bien excellent homme ! Quelle bonté !... Au lieu de me gronder, au lieu de me renvoyer comme un vilain faire mon devoir à Paris... Ma Laure, conviens que c'est vraiment un être non seulement étonnant, mais hors du cercle de l'humaine nature...

Une heure plus tard, tout le monde se trouva réuni sur le pont de pierre du jardin. Bonaparte grimpa dans une petite calèche et appela Laure :

— Madame Junot, voulez-vous m'honorer de votre compagnie ?

La jeune femme monta, et la voiture quitta le château. Au bout d'un moment, le Premier Consul dit :

— Vous vous croyez beaucoup d'esprit ?

Très gênée — toujours d'après ses *Mémoires* — Mme Junot répondit :

— Je ne me crois pas un esprit au-dessus de la portée ordinaire, mais je pense que je ne suis pas une imbécile.

— Une imbécile, non, mais une sotte !

Comme elle gardait le silence, il ajouta :

— Pouvez-vous m'expliquer pour quelle raison vous avez fait rester votre mari ?

— L'explication sera claire et concise, général. J'aime Junot. Nous sommes mariés et j'ai pensé qu'il n'y avait nul scandale à ce qu'un mari demeurât près de sa femme.

— Vous saviez que je l'avais défendu et vous savez aussi que mes ordres doivent être exécutés.

— Ils ne me regardent pas. Lorsque les consuls auront signifié leurs volontés pour le degré d'intimité qui doit régner entre deux personnes mariées ensemble, et le nombre de jours et d'heures qu'elles doivent accorder à leurs entrevues, alors je verrai à m'y soumettre. Jusque-là, général, mon bon plaisir, je vous l'avoue, sera ma seule loi.

Le soir même, Laure Junot quittait la Malmaison.

L'anecdote racontée par Mme d'Abrantès est-elle vraie ? La tentative galante du Premier Consul fut-elle vaine ? Les historiens modernes refusent de le croire.

---

116. Junot était gouverneur de Paris, et il était interdit à toutes les « autorités agissantes » de quitter la capitale une seule nuit.

Tout le chapitre des *Mémoires* que j'ai résumé n'a, semble-t-il, été écrit que pour expliquer l'arrivée de Bonaparte dans la chambre de Laure, le matin où Junot s'y trouvait.

D'autre part, il est un fait assez significatif : l'aventure de la Malmaison se situe pendant l'été de 1801. Or, le 6 septembre, Bonaparte, qui n'aurait eu vraiment aucune raison d'être gentil avec les Junot après la scène décrite par Laure, fit remettre au ménage une somme fort importante.

En outre, précise Jean Savant, Junot passa — sans motif valable — du grade de général de brigade *à celui de général de division.*

On n'est pas aussi généreux avec une femme qui s'est refusée. Il faut donc admettre que, lorsque Bonaparte venait le matin chez Mme Junot, ce n'était pas uniquement pour y lire son courrier, mais pour y commencer la journée par une bagatelle qui vaut tous les massacres...

14

Bonaparte s'évanouit dans les bras de Mlle George

> Elle le trouvait bien. Il se trouva mal...
>
> GENEVIÈVE DE VILMORIN

Le 25 juin 1802, les Parisiens qui se rendirent au théâtre Favart pour voir la troupe des Italiens créer *la Tromperie heureuse,* de Paisiello, furent extrêmement déçus.

Une affiche annonçait que le spectacle était remplacé par une bouffonnerie sans intérêt, interprétée, en outre, par des comédiens de second choix.

Quelques habitués allèrent demander des explications au directeur.

— Je ne suis pas responsable de ce changement de programme, répondit celui-ci. Ce matin, le Premier Consul a convoqué les meilleurs éléments de ma troupe à la Malmaison pour qu'ils donnent une représentation des *Noces de Dorine...* Je n'ai eu, vous le pensez bien, qu'à m'incliner...

Le caprice de Bonaparte fut rapidement connu et, dans la foule murmurante, des gens à l'esprit mal tourné commencèrent à raconter que le Premier Consul n'avait pas fait venir les comédiens chez lui pour le plaisir d'entendre de la musique et des voix italiennes, mais pour tâter les charmes d'une actrice de la troupe.

Comme toujours, les mauvaises langues avaient raison.

Joséphine étant retournée à Plombières avec l'espoir de faire cesser sa navrante stérilité, Bonaparte, qui se sentait, en ce merveilleux mois de juin, des ardeurs impétueuses, avait fait venir les Italiens pour entourer de soins particuliers une jeune comédienne nommée Louise Rolandeau.

Cette charmante personne était fort jolie. « Elle n'est pas Italienne, écrit d'elle un rédacteur des *Débats,* mais ce n'est pas un défaut pour le public français. Sa tournure et son jeu, bien plus que son chant, annoncent une actrice de Paris. On se plaît à l'entendre et on aime à la voir. Elle réunit la sensibilité à la coquetterie et, dans toutes les situations, elle a ce maintien particulier, ces manières justes et cette noblesse qui semblent un attribut particulier à la nation et que les Italiens saisissent avec beaucoup plus de peine que nous en avons à imiter leur accent musical. »

Après la représentation des *Noces de Dorine,* Bonaparte fit demander à Louise de ne pas rentrer à Paris avec ses camarades.

La comédienne, ravie à la pensée de voir en chemise l'homme que toute l'Europe admirait en uniforme, accepta avec empressement.

Constant la conduisit dans un salon où le Premier Consul vint la retrouver. Depuis qu'il avait signé la paix d'Amiens, conclu le concordat avec Rome et fait plébisciter son consulat à vie, Bonaparte était d'une extrême gaieté. Il organisait des bals, des spectacles avec Hortense, jouait à saute-mouton sur les pelouses et faisait des farces à ses invités. Cette gaminerie, que les historiens officiels nous cachent soigneusement, étonna un peu la jeune Louise Rolandeau. A peine fut-il assis auprès d'elle que Bonaparte, en effet, s'amusa à lui trousser la robe en riant.

— C'est un lever de rideau, répétait-il, enchanté de son bon mot.

Puis, « les mains bien au chaud dans les jupons et les dentelles, il devint lyrique et fit de jolis compliments à la demoiselle sur son talent, ses yeux, sa peau, ses cheveux blonds et sa cambrure. Louise, éblouie, se laissait chiffonner, palper, chatouiller sans rien dire, rêvant déjà d'être la Pompadour de ce grand homme qui la désirait »[117].

Finalement, le Premier Consul l'entraîna vers une chambre, la déshabilla et la porta sur le lit. Piaffant, comme à l'approche d'une bataille, il se dévêtit prestement, renifla une prise de tabac et se précipita dans les bras de Louise.

L'instant d'après, il apaisait ses ardeurs avec une fougue dont la comédienne n'eut qu'à se louer.

La liaison de Bonaparte avec Louise Rolandeau dura peu. Joséphine, informée de la rencontre du 25 juin, rentra de Plombières à bride abattue et fit une scène épouvantable. Le Premier Consul, confus, installa la comédienne dans un des plus beaux hôtels de la capitale, promit d'être sage et retourna rédiger le Code civil[118].

Mais Louise — et avant elle la Grassini[119] avait donné à Bonaparte

117. Antoine de Sainte-Foix, *Napoléon et le théâtre.*
118. Louise Rolandeau quitta l'Opéra-Comique en 1806 et devint directrice du Théâtre de Gand. L'année suivante, elle revint à Paris. Un soir qu'elle bavardait près d'une cheminée, le feu prit à sa robe, et elle fut brûlée vive...
119. Certains ajoutent Mme Branchu, qui aurait été la première comédienne « savourée » par Bonaparte.

le goût des actrices. Cinq mois plus tard, le 20 novembre, il devait être ébloui par la belle et sculpturale Mlle George, qui, à quinze ans, faisait ses débuts au Théâtre-Français, dans le rôle de Clytemnestre d'*Iphigénie en Aulide.*

Le soir même, Bonaparte se renseigna sur cette pulpeuse jeune fille et apprit qu'elle se nommait Weymer, que ses parents dirigeaient un petit théâtre forain à Amiens, qu'elle avait été découverte par Mlle Raucourt, actrice et lesbienne célèbre, qu'elle habitait depuis peu Paris, qu'elle avait eu une courte liaison avec son frère Lucien Bonaparte et qu'elle était, pour l'heure, entretenue par un Polonais, le prince Sapiéha...

Tout ceci allécha le Premier Consul, et le lendemain Constant allait chercher Mlle George.

La demoiselle, fort intimidée, suivit le valet de chambre au château de Saint-Cloud où Bonaparte venait de s'installer. Reçue par Roustan, elle se posa sur un fauteuil et attendit en tremblant.

Mais laissons-lui nous conter elle-même cette rencontre dans son style naïf de starlette :

« Le Consul était en bas de soie, culotte satinée blanche, uniforme vert, parements et collets rouges, son chapeau sous le bras. Je me levai. Il vint à moi, me regarda avec ce sourire enchanteur qui n'appartenait qu'à lui, me prit par la main, me fit asseoir sur un énorme divan et leva mon voile, qu'il jeta par terre sans plus de façon. Mon beau voile, c'est aimable, s'il marche dessus. Il va me le déchirer, c'est fort désagréable.

» — Comme votre main tremble. Vous avez donc peur de moi, je vous parais effrayant ; moi, je vous ai trouvée bien belle, hier, madame, et j'ai voulu vous complimenter. Je suis plus aimable et plus poli que vous, comme vous voyez.

» — Comment cela, monsieur ?

» — Comment ? Je vous ai fait remettre 3 000 francs après vous avoir entendue dans *Émilie,* pour vous témoigner le plaisir que vous m'aviez fait. J'espérais que vous me demanderiez la permission de vous présenter pour me remercier. Mais la belle et fière Émilie n'est point venue.

» Je balbutiais, je ne savais que dire.

» — Mais je ne savais pas, je n'osais prendre cette liberté.

» — Mauvaise excuse ; vous aviez donc peur de moi ?

» — Oui.

» — Et maintenant ?

» — Encore plus.

» Le Consul se mit à rire de tout son cœur.

» — Dites-moi votre nom.

» — Joséphine-Marguerite.

» — Joséphine me plaît ; j'aime ce nom, mais je voudrais vous appeler Georgina, hein ? Voulez-vous ? Je le veux.

» (Le nom m'est resté dans la famille de L'Empereur.)

» — Vous ne parlez pas, ma chère Georgina ?

» — Parce que toutes ces lumières me fatiguent, faites-les éteindre, je vous prie, il me semble qu'alors je serai plus à l'aise pour vous entendre et vous répondre.

» — Ordonnez, chère Georgina.

» Il sonne Roustan :

» — Éteins le lustre. Est-ce assez ?

» — Non, encore la moitié de ces énormes candélabres.

» — Fort bien, éteins. A présent, y voit-on trop ?

» — Pas trop, mais assez.

» Le Consul, fatigué quelquefois de ses glorieuses et graves préoccupations, semblait goûter quelque plaisir à se trouver avec une jeune fille qui lui parlait tout simplement. C'était, je le pense, nouveau pour lui [120].

» — Voyons Georgina, racontez-moi tout ce que vous avez fait ; soyez bonne et franche, dites-moi tout.

» Il était si bon, si simple, que ma crainte disparaissait.

» — Je vais vous ennuyer, puis, comment dire tout cela ? Je n'ai pas d'esprit ; je vais très mal raconter.

» — Dites toujours.

» Je fis le récit de ma très petite existence, comment je vins à Paris, toutes mes misères.

» — Chère petite, vous n'étiez pas riche, mais à présent, comment êtes-vous ? Qui vous a donné ce beau cachemire, le voile, etc. ?

» Il savait tout. Je lui racontai toute la vérité sur le prince Sapiéha.

» — C'est bien, vous ne mentez pas ; vous viendrez me voir, vous serez discrète, promettez-le-moi.

» Il était bien tendre, bien délicat, il ne blessait pas ma pudeur par trop d'empressement, il était heureux de trouver une résistance timide. Mon Dieu, je ne dis pas qu'il était amoureux, mais bien certainement je lui plaisais. Je ne pouvais en douter. Aurait-il accepté tous mes caprices d'enfant ? Aurait-il passé une nuit à vouloir me convaincre ? Il était très agité pourtant, très désireux de me plaire, il céda à ma prière qui lui demandait toujours en grâce :

» — Pas aujourd'hui. Attendez, je reviendrai, je vous le promets.

» Il cédait, cet homme devant lequel tout pliait. Est-ce peut-être ce qui le charmait ? Nous allâmes ainsi jusqu'à cinq heures du matin. Depuis huit heures, c'était assez.

» — Je voudrais m'en aller.

» — Vous devez être fatiguée, chère Georgina. A demain ; vous viendrez ?

» — Oui, avec bonheur, vous êtes trop bon, trop gracieux pour que l'on ne vous aime pas... et je vous aime de tout mon cœur.

» Il me mit mon châle, mon voile. J'étais loin de m'attendre à ce

120. Il faut avouer que, d'après l'exemple qu'elle vient de nous en donner, la conversation de Mlle George ne semble pas avoir été d'une richesse exténuante.

qui allait arriver à ces pauvres effets. En me disant adieu, il vint m'embrasser au front. Je fus bien sotte, je me mis à rire et lui dis :

» — Ah ! c'est bien : vous venez d'embrasser le voile du prince Sapiéha.

» Il prit le voile, le déchira en mille petits morceaux ; le cachemire fut jeté sous ses pieds. Puis, j'avais au col une petite chaîne qui portait un médaillon des plus modestes, de la cornaline ; au petit doigt, une petite bague plus modeste encore, en cristal, où Mme de Ponty avait mis des cheveux blancs de Mlle de Raucourt. La petite bague fut arrachée de mon doigt, le consul la brisa sous son pied. Ah ! Il n'était plus doux alors. Je fus interdite et me disais :

» — Quand tu me reverras, il fera beau.

» Je tremblais. Il revint tout gentiment près de moi.

» — Chère Georgina, vous ne devez rien avoir que de moi. Vous ne me bouderez pas, ce serait mal, et j'aurais mauvaise opinion de vos sentiments s'il en était autrement.

» On ne pouvait pas en vouloir longtemps à cet homme ; il y avait tant de douceur dans sa voix, tant de grâce, qu'on était forcée de dire :

» — Au fond, il a bien fait.

» — Vous avez bien raison. Non, je ne suis pas fâchée, mais je vais avoir froid, moi.

» Il sonna Constant.

» — Apporte un cachemire blanc et un grand voile d'Angleterre.

» Il me conduisit jusqu'à l'Orangerie.

» — A demain, Georgina, à demain. »

Et la comédienne rentra chez elle avec une écharpe appartenant à Joséphine...

Ainsi se serait passée la première nuit de Mlle George à Saint-Cloud. Pour qui connaît la nature impétueuse du futur empereur, il semble incroyable que la comédienne n'ait pas été troussée, déshabillée et comblée au cours des dix premières minutes d'entretien. Mais nous savons que les « Mémoires » ne sont écrits, le plus souvent, que pour cacher joliment certaines faiblesses...

Le lendemain, Mlle George revint. Cette fois, nous dit-elle, Bonaparte osa se montrer timidement galant :

« Le Consul fut plus tendre que la veille, plus pressant ; mon trouble était palpitant, je n'ose dire ma pudeur, puisque j'étais venue de ma propre volonté ; il m'accablait de tendresses, mais avec une telle délicatesse, avec un empressement rempli de trouble, craignant toujours les émotions pudiques d'une jeune fille qu'il ne voulait pas contraindre, mais qu'il voulait amener à lui par un sentiment tendre et doux, sans violence. Mon cœur éprouvait un sentiment inconnu, il battait avec force, j'étais entraînée, malgré moi. Je l'aimais cet homme si grand qui m'entourait de tant de ménagements, qui ne brusquait pas ses désirs, qui attendait la volonté d'une enfant, qui se pliait à ses caprices. »

Le troisième jour, enfin — toujours d'après Mlle George — le Premier Consul passa aux actes. Écoutons la comédienne :

« Il défaisait petit à petit toute ma toilette. Il se faisait femme de chambre avec tant de gaieté, tant de grâce et de décence qu'il fallait bien céder, en dépit qu'on en ait. Et comment n'être pas fascinée et entraînée vers cet homme ? Il se faisait petit et enfant pour me plaire. Ce n'était plus le Consul, c'était un homme amoureux peut- être, mais dont l'amour n'avait ni violence ni brusquerie ; il vous enlaçait avec douceur, ses paroles étaient tendres et pudiques : impossible de ne pas éprouver près de lui ce qu'il éprouvait lui-même. »

C'est alors que Bonaparte, ayant complètement dénudé la comédienne, se montra homme de bonne compagnie...

Particulièrement brillant ce soir-là, il renouvela plusieurs fois ses bonnes manières, et « l'entretien » se termina à l'aube.

Un peu confuse, Mlle George continue :

« Je me séparai du Consul à sept heures du matin, mais honteuse du désordre charmant que cette nuit avait causé. J'en témoignai tout mon embarras.

» — Permettez-moi d'arranger cela.

» — Oui, ma bonne Georgina, je vais même t'aider dans ton service.

» Et il eut la bonté d'avoir l'air de ranger avec moi cette couche, témoin de tant d'oublis et de tant de tendresses... [121] »

Devenue maîtresse de Bonaparte, Mlle George, la fesse à l'air et le duvet au vent, allait être un extraordinaire témoin pour l'histoire...

La liaison du Premier Consul et de Georgina, malgré l'extrême discrétion de leurs rencontres, ne tarda pas à être connue du public.

Bientôt, des couplets moqueurs coururent Paris. En voici deux qui donneront une idée du ton assez leste employé par les chansonniers :

Au château de Saint-Cloud,
La ravissante George,
Point timide du tout,
Va dénuder sa gorge.
Comme elle est jolie fille,
Ce beau panorama
Fait lever la béquille
Du père Barnaba [122]...

Aussitôt, mise en goût
Elle devient soumise
Retire ses bijoux,

121. Mlle GEORGE, *Mémoires.*
122. « La béquille du père Barnaba » était une expression gauloise née des mésaventures d'un capucin du XVIIIᵉ siècle, qui avait, disait-on, oublié, un soir, sa béquille dans un mauvais lieu...

> *Ses bas et sa chemise,*
> *Et se met dans les draps*
> *Pour goûter la béquille*
> *Du père Barnaba...*

Cette chanson malicieuse fut chantée, à voix basse, pendant quelque temps ; puis les Parisiens s'enhardirent. Un soir que Mlle George jouait *Cinna* au Théâtre-Français, une petite manifestation vint prouver à Bonaparte que ses valets écoutaient aux portes et manquaient de discrétion. Lorsque la jeune tragédienne arriva au vers :

> *Si j'ai séduit Cinna, j'en séduirai bien d'autres,*

tous les spectateurs, levés d'un bond, se tournèrent, en effet, vers la loge du Premier Consul et applaudirent à tout rompre...
Ce qui ne fit pas plaisir à Joséphine.

Les domestiques du palais, déjà si bavards, allaient avoir bien d'autres choses à raconter.
Le comportement de Bonaparte avec Mlle George prit bientôt un caractère tellement extravagant que les soirs où les amants se retrouvaient, il n'y avait plus une place libre aux trous de serrure. Valets et femmes de chambre, stupéfaits, voyaient le maître de la France se livrer à des plaisanteries de collégien, se cacher sous la table, mettre la robe de Georgina, imiter un chanteur d'opéra ou faire des grimaces...
Ce Napoléon inconnu, mais savoureux, nous est montré par Mlle George elle-même dans ses *Mémoires* :
« J'arrive un soir aux Tuileries. Constant me dit :
» — Le Consul est monté, il vous attend.
» J'entre. Personne. Je cherche dans toutes les chambres. J'appelle. Rien. Personne. Je sonne.
» — Constant, le Consul est redescendu ?
» — Non, Madame ; cherchez bien.
» Il me fait signe et me montre la porte du boudoir où je n'avais pas eu idée d'entrer. Le Consul était là, caché sous les coussins, et riant comme un écolier. »
Un autre soir, Bonaparte s'adonna à des enfantillages que les écrivains fervents et les historiens austères se sont bien gardés de nous rapporter. Écoutons encore Mlle George :
« J'avais une jolie couronne de roses blanches. Le Premier Consul qui, ce soir-là, était d'une gaminerie charmante, se coiffa avec ma couronne, et, en se regardant dans la glace, me dit :
» — Hein, Georgina, comme je suis joli avec la couronne. J'ai l'air d'une mouche dans du lait. (Ce sont ses enfantines paroles.)
» Puis il se mit à chanter et me força à chanter avec lui le duo de la *Fausse Magie* :

> *Vous souvient-il de cette fête*
> *Où l'on voulut nous voir danser ? »*

Les domestiques, ce soir-là, durent passer un bon moment...

Lorsqu'il était avec Mlle George, Bonaparte n'occupait pas, bien entendu, tout son temps à faire des pitreries. Il savait aussi être tendre, passionné et d'une virilité de bon aloi. « A cette époque, nous dit Albert Sylvain, son appétit sexuel prit les formes d'une boulimie. En homme méticuleux, il organisa sa vie en conséquence et eut bientôt, à deux pas de son bureau, un boudoir propice aux rencontres rapides et discrètes [123]. » A Saint-Cloud, il fit aménager un petit appartement jouxtant sa bibliothèque et, aux Tuileries, il transforma le logement qu'avait occupé Bourrienne en un lieu de détente et de délices [124]...

Dans ces retraites sûres, pour peu qu'il eût quelques loisirs, il oubliait les soucis du pouvoir en batifolant comme un amoureux de vingt ans.

Écoutons encore Mlle George, bien placée pour nous renseigner :

« Pendant les quinze premiers jours, il a satisfait à ma scrupuleuse délicatesse, et j'ose dire à ma pudeur, en réparant le désordre des nuits, en ayant l'air de refaire le lit. Il faisait ma toilette, me chaussait et même, comme j'avais des jarretières à boucles, ce qui l'impatientait, il me fit faire des jarretières fermées, que l'on passait par le pied... »

Après avoir rappelé ces détails charmants, la pudique tragédienne, craignant d'en avoir trop dit, s'empressa d'ajouter une longue note pour Marceline Desbordes-Valmore, qui devait revoir, élaguer, récrire au besoin, le manuscrit des *Mémoires* [125] :

« Je vous donne crûment ces détails, parce que vous m'avez dit de tout mettre sur le papier, bien bonne madame Valmore. J'obéis. Comment pourrez-vous vous en tirer ? Vous seule êtes capable de faire passer des détails aussi épineux. Par exemple, pouvez-vous dire que le sommeil de l'Empereur était aussi calme que celui d'un enfant, sa respiration douce ; que son réveil était charmant et avait le sourire sur les lèvres ; qu'il reposait sa noble tête sur mon sein et dormait presque toujours ainsi et que, toute jeune que j'étais, je faisais des réflexions presque philosophiques en voyant ainsi cet homme, qui commandait au monde, s'abandonner tout entier dans les bras d'une fille ? Ah ! il savait bien que je me ferais tuer pour lui. Tous ces détails pour vous,

---

123. ALBERT SYLVAIN, *Napoléon et la sexualité.*
124. Cf. MOLE : « J'ai reçu de ceux qui approchaient Napoléon des révélations curieuses sur sa vie privée. Elle se modifia par degrés, quoiqu'elle n'ait jamais été scandaleuse. D'abord, elle fut austère, sans que cela parût lui coûter. Peu à peu, son teint s'éclaircit, il prit de l'embonpoint, mangea davantage et parut prendre des habitudes et des facultés nouvelles. C'est vers l'époque du Consulat à vie que le public put remarquer la révolution qui s'était faite dans l'organisation de cet homme que fixaient les regards du monde. Sa femme, qu'il avait passionnément aimée, se plaignait hautement de ses infidélités, dont elle tirait, d'ailleurs, de complètes vengeances. Il se faisait amener de nuit, secrètement, telle ou telle actrice. Joséphine se vengeait avec quelques-uns de ses aides de camp. » *(Mémoires.)*
125. La larmoyante poétesse commença ce travail ingrat, mais ne le termina point. Nous devons nous en féliciter, car elle eût mis de la littérature dans un récit dont la maladresse et la simplicité font tout le charme. Ce sont des extraits du manuscrit non retouché que je publie dans ce chapitre.

ma chère Valmore ; je serais confuse si votre cher fils les lisait. L'amour de l'Empereur était doux. Jamais de dévergondage dans les moments les plus intimes. Jamais de paroles obscènes. Des mots charmants : "M'aimes-tu, ma Georgina ? Es-tu heureuse d'être dans mes bras ? Moi, je vais dormir aussi." Tout cela est vrai, mais comment le dire ? Vous avez le secret de faire comprendre délicatement ; moi, je ne suis qu'une brute. »

Malgré la jalousie de Joséphine, Mlle George vint ainsi, pendant plusieurs mois, donner le meilleur d'elle-même au Premier Consul, qui trouvait dans ses bras un excellent dérivatif à ses ennuis de chef d'État.

Or, au début de 1803, il eut singulièrement besoin du corps nacré et savoureux de la jeune tragédienne. Les Anglais cherchaient, en effet, à rompre le traité d'Amiens et lui causaient mille tracasseries.

Au mois de mars, excédé, il envisagea un débarquement en Angleterre et décida brusquement de partir pour Boulogne. Quelques heures avant de monter en voiture, il fit appeler Mlle George.

Écoutons-la :

« On vint me chercher à huit heures du soir. J'arrive à Saint-Cloud et, ce soir-là, je passai dans la pièce attenant à la chambre à coucher. C'était la première fois que je voyais cette pièce, qui était la bibliothèque.

» Le Consul vint aussitôt.

» — Je t'ai fait venir plus tôt, Georgina. J'ai voulu te voir avant mon départ.

» — Ah ! mon Dieu, vous partez ?

» — Oui, à cinq heures du matin. Pour Boulogne. Personne ne le sait encore.

» Nous nous étions assis tout simplement sur le tapis.

» — Eh bien ! tu n'es pas triste ?

» — Mais si, je suis triste.

» — Non, tu n'éprouves aucune peine de me voir éloigné.

» Il mit la main sur mon cœur et fit, comme s'il me l'arrachait, d'un ton moitié colère et moitié tendre :

» — Il n'y a rien pour moi dans ce cœur.

» *(Ses propres paroles.)*

» J'étais au supplice et j'aurais tout donné au monde pour pouvoir pleurer ; mais enfin je n'en avais pas envie.

» Nous étions sur le tapis, près du feu. Mes yeux étaient fixés sur le feu et les chenets brillants. Restant là, figée comme une momie, soit l'éclat du feu ou des chenets ou de ma sensibilité, si vous l'aimez mieux, deux grosses larmes tombèrent sur ma poitrine, et le Consul, avec une tendresse que je ne peux reproduire, baisa ces larmes et les but. (Hélas ! comment dire cela ? Et pourtant, c'est vrai.)

» Je fus tellement touchée au cœur de cette preuve d'amour que je mis à sangloter de véritables larmes. Que vous dire ? Il était délirant de bonheur et de joie. Je lui aurais demandé les Tuileries dans ce moment-là qu'il me les aurait données. Il riait, il jouait avec moi, il me faisait courir après lui.

» Pour éviter de se laisser attraper, il montait sur l'échelle qui sert à prendre les livres, et moi, comme l'échelle était sur roulettes et très légère, je promenais l'échelle dans toute la longueur du cabinet, lui riant et me criant :

» — Tu vas me faire mal ! Finis, ou je me fâche !

» Ce soir-là, le Consul me fourra dans la gorge un gros paquet de billets de banque.

» — Eh, mon Dieu ! pourquoi me donnez-vous tout cela ?

» — Je ne veux pas que ma Georgina manque d'argent pendant mon absence.

» *(Ses propres paroles.)*

» Il y avait quarante mille francs. »

A son retour, Bonaparte et Georgina reprirent leurs habitudes, et leur liaison eût été sans nuages si un incident fâcheux n'avait provoqué un scandale aux Tuileries.

Alors que le Premier Consul pouvait, nous dit-on, « diriger à son gré les mouvements orageux de la volupté », un soir, il fut pris d'une crise de nerfs — certains disent d'épilepsie — et perdit connaissance entre les bras de la tragédienne, qui le crut mort. Affolée, Mlle George se pendit aux sonnettes. « On court chercher médecin et chirurgien ; la rumeur parvient à Joséphine et l'éveille. Elle passe un peignoir, court chez Bonaparte et le trouve toujours évanoui, soutenu par Mlle George, nue. Elle s'empresse et, quand le malade reprend ses sens, il voit, l'entourant, la maîtresse et l'épouse. Il se mit dans une fureur qui manqua de le faire retomber dans l'état où il venait de sortir. On fit disparaître l'actrice tremblante, et jamais il ne lui pardonna l'esclandre qu'elle avait occasionné [126]. » Comme quoi une favorite doit savoir conserver en toute occasion son sang-froid, même si certains côtés de son individu sont un peu chauds...

15

Bonaparte quitte Mlle George pour être sacré Empereur

Tous les prétextes lui étaient bons.

MICHELET

Pendant quelque temps, Bonaparte écarta de son lit la trop émotive Mlle George et chercha une autre comédienne pour enchanter ses nuits.

Il ne fut pas long à la trouver.

Il y avait alors dans la troupe de la Comédie-Française une jeune personne aux yeux chauds, nommée Catherine-Joséphine Raffin et dite Duchesnois, dont les vieux habitués s'entretenaient avec gourmandise.

126. COUSIN D' AVALLON, *Bonapartiana*.

Une rivalité sourde opposait Georgina à cette pétulante actrice, et leur petite guerre passionnait le public. Chacune avait ses partisans. Ironiques, les gazettes appelaient ceux de la belle Mlle George les Georgiens et ceux de Mlle Duchesnois — qui était fort maigre — les Carcassiens... Et l'on chantait :

Entre deux actrices nouvelles,
Les beaux esprits sont partagés,
Mais ceux qui ne se sont rangés
Sous les drapeaux d'aucune d'elles,
Préféreront sans contredit,
Sauf le respect de Melpomène,
D'entendre l'une sur la scène
Et tenir l'autre dans son lit.

Bonaparte ne fut pas de cet avis. Un soir, après avoir entendu Mlle Duchesnois sur scène, il désira la connaître plus profondément et l'envoya chercher par Constant.

Ancienne « fille à parties », la tragédienne ne se fit pas prier. Elle mit des dessous affriolants, une robe élégante et grimpa dans la voiture qui attendait devant sa porte.

— Vous croyez qu'il va me prendre dans ses bras ? demanda-t-elle.

Constant était discret, galant et ambigu comme un diplomate. Il répondit habilement que ce serait là, sans doute, la moindre des choses.

Lorsqu'ils furent aux Tuileries, le valet conduisit Mlle Duchesnois dans la chambre secrète et alla prévenir le Premier Consul. Celui-ci, entouré de ses conseillers, était en plein travail.

— Qu'elle attende, dit-il.

Au bout d'une demi-heure, la jeune femme, un peu inquiète, demanda à Constant de rappeler à son maître qu'elle était là.

Le valet entrouvrit la porte du bureau et transmit le message.

— Qu'elle se déshabille, dit Bonaparte.

Mlle Duchesnois obéit, et, nous dit-on, « ne garda que la portion de vêtement la plus indispensable... » [127].

Une demi-heure passa encore. Le Premier Consul, penché sur ses dossiers, oubliait la victime grelottante qui l'attendait dans la chambre sans feu. Alors, Mlle Duchesnois sonna et pria Constant d'aller dire qu'elle était transie.

— Qu'elle se couche, dit Bonaparte, sans même lever la tête.

Une demi-heure plus tard, ne voyant rien venir, Mlle Duchesnois rappela Constant, qui se rendit une nouvelle fois dans le bureau du Premier Consul. Cette fois, Bonaparte fit un geste agacé :

— Qu'elle s'en aille, dit-il.

Et il reprit son travail.

---

127. ÉTIENNE BOIVIN, *L'amour aux Tuileries.*

Mlle Duchesnois, atrocement vexée, se releva, se rhabilla, et retourna chez elle, avec, dans le cœur, le germe d'une belle haine [128]...

Le 18 mai 1804, l'Empire fut institué par un *sénatus consulte,* et pendant quelques semaines, Napoléon consacra tout son temps aux affaires de l'État. Mais un soir, il eut l'œil allumé en remarquant la croupe appétissante de Mlle Bourgoin, jeune et jolie sociétaire du Théâtre-Français dont le grand chimiste Chaptal (alors ministre de l'Intérieur) était l'amant en titre [129].

Il se renseigna, apprit que la demoiselle, qu'on appelait « la déesse de la joie et des plaisirs », avait des goûts prononcés pour le libertinage, qu'elle aimait les plaisanteries épicées et que son air ingénu masquait un tempérament fougueux auquel se réchauffaient avec ravissement les cinquante ans du ministre...

Alléché, il demanda à Constant de faire venir cette ravissante cavale aux Tuileries. Le valet lui répondit que Chaptal en était très jaloux.

— Cela me donne une idée... Convoquez le ministre pour dix heures ce soir. Quand il sera là, vous ferez chercher Mlle Bourgoin. Il saura ainsi à quoi s'en tenir sur la vertu de sa protégée...

Le soir, Chaptal était en train de travailler dans le bureau de Napoléon quand Constant entra :

— Sire, Mlle Bourgoin est là, elle vous attend dans la chambre !...

— Dites-lui de se déshabiller, j'arrive, dit l'Empereur.

Après quoi, curieux de connaître les réactions de Chaptal, il se retourna et eut la stupéfaction de voir le ministre de l'Intérieur ramasser ses papiers, les remettre calmement dans son portefeuille, saluer et sortir sans un mot.

Le soir même, Napoléon, ayant savouré le corps délectable de Mlle Bourgoin, reçut la démission du savant...

Sa plaisanterie galante lui avait fait perdre un collaborateur de premier ordre...

Le lendemain, dans tous les coins sombres des Tuileries, on ne parlait que du pauvre M. Chaptal et de ses ennuis sentimentaux.

— Voilà ce que c'est d'être quotidiennement avec des cornues..., disaient les beaux esprits, il vous en reste quelque chose...

Sans doute aurait-on ri de ce bon mot pendant la semaine entière si un autre savant n'avait été, le surlendemain, le héros d'un exploit sans précédent.

Depuis quelques jours, on savait à Paris que le jeune physicien Joseph-Louis Gay-Lussac, qui s'était, un mois plus tôt, élevé en ballon à la hauteur vertigineuse de 4 000 mètres pour faire des observations sur la force magnétique, avait décidé de tenter une nouvelle expérience.

128. « Ce en quoi, écrit Albert Sylvain, la belle avait tort, car sans cette anecdote, qui parlerait encore de Mlle Duchesnois ? » *Napoléon et la sexualité.*
129. Elle l'appelait amicalement « papa clystère »...

Son dessein était naturellement discuté avec une sentencieuse imbécillité par des marchands de vin, des dames de la halle et des cireurs de bottes.

Les uns se demandaient comment le savant redescendrait au cas où il parviendrait jusqu'à la lune, d'autres prétendaient qu'il serait attaqué par des aigles, d'autres encore « qu'il se brûlerait aux étoiles », tous enfin étaient d'accord pour affirmer qu'il était navrant de voir les impôts servir à financer de telles plaisanteries.

Ces critiques n'empêchaient pas les braves gens d'être fort excités par l'entreprise de Gay-Lussac. Et, le 16 septembre au matin, il y avait foule autour du Conservatoire des arts et métiers, d'où le physicien devait s'envoler.

A 9 heures, on coupa les cordes, et le ballon, dont on voyait le sommet au-dessus des arbres, monta rapidement dans le ciel de Paris. Pendant vingt minutes, le jeune savant, vers qui s'élevaient de folles acclamations, fit des signes d'adieu avec son bicorne. Puis le « laboratoire volant » disparut derrière les nuages.

Or, tandis que les Parisiens rentraient chez eux en pensant que l'aéronautique était arrivée à un point de perfection qu'il serait difficile de dépasser, Gay-Lussac, poussé vers la Normandie par les vents du sud-est, se trouvait stoppé dans son ascension à 4 000 mètres. Bien décidé à battre son précédent record, il jeta tout son lest, et le ballon bondit jusqu'à 5 500 mètres. Le physicien, considérant qu'il pouvait faire mieux encore, prit alors sa chaise et la lança dans le vide. Cette fois, l'aéronef grimpa à 7 016 mètres. Jamais un être humain n'avait espéré monter si haut.

Ivre de joie, Gay-Lussac observa que sa respiration était gênée, son pouls accéléré et son gosier sec. Il en prit note fébrilement, sans se douter qu'au-dessous de lui un curieux incident se produisait. Traversant les airs, sa chaise était tombée aux pieds d'une bergère. Prise d'une religieuse frayeur, la paysanne pensa qu'il s'agissait d'une des chaises sur lesquelles sont assis les Bienheureux à la droite de Dieu... Et, dans sa naïve piété, elle alla en porter les débris à l'église de son village...

Quelques jours plus tard, cette histoire était rapportée à Paris, où la cour s'en divertit à grands cris.

Mlle Bourgoin, malgré tous ses talents, ne retint pas longtemps l'Empereur. Au bout de deux semaines, agacé par les plaisanteries grossières qui constituaient le fond de sa conversation, il cessa de la faire venir et rappela Georgina.

La jeune tragédienne, qui avait souffert de la rupture, commença par refuser. Puis elle se rendit aux Tuileries, où Napoléon l'accueillit avec empressement, la déshabilla avec gourmandise et l'honora avec vigueur...

Quand ils eurent retrouvé leur calme, l'Empereur embrassa tendrement Mlle George et lui dit :

— Ma chère Georgina, pendant un certain temps, nous allons cesser de nous rencontrer. Il va se passer un grand événement qui prendra tous mes instants ; mais je vous reverrai, je vous le promets.

Cet événement était le sacre. Depuis quelque temps, en effet, Napoléon avait décidé de se faire couronner et, dans sa famille, les princes, les altesses, les ducs étaient déjà désignés...

Ces titres, pourtant prestigieux, ne réussirent point à entamer la mauvaise humeur habituelle des Bonaparte. Au contraire. En apprenant qu'Hortense devenait princesse, Pauline, Caroline et Élisa entrèrent dans une violente colère.

— Quoi ? une étrangère ! criaient-elles.

— A vous entendre, leur dit Napoléon avec humour, on croirait que je vous ai volé l'héritage de feu notre père...

Les trois femmes se calmèrent. Mais quand elles surent que l'Empereur voulait faire sacrer Joséphine par le pape, leur rage se réveilla et n'eut plus de limites.

Courant chez leur frère, elles lui firent une scène épouvantable, assourdissante, dans un mélange de français et d'italien.

Excédé, Napoléon répondit calmement qu'il était le maître et qu'il ne se laisserait pas dicter ses actes par des putains. Puis il quitta la pièce tandis que Caroline tombait évanouie sur le tapis.

Le soir, Joseph s'éleva à son tour contre le couronnement de Joséphine :

— Cette consécration, dit-il, favorise les enfants de Louis. Ils vont devenir petit-fils d'impératrice, tandis que les miens seront fils de bourgeoise [130].

Il n'eut pas plus de chance que ses sœurs. L'Empereur se contenta de hausser les épaules.

Sa décision était irrévocablement prise : la femme qu'il avait aimée lorsqu'il était le général Vendémiaire deviendrait « plus que reine ».

Un soir, il se confia à Roederer :

— Si j'avais été jeté dans une prison, au lieu de monter sur le trône, dit-il, elle aurait partagé mes malheurs. Il est donc juste qu'elle participe à ma grandeur.

Et il ajouta, avec sa générosité habituelle :

— Elle sera couronnée, dût-il m'en coûter deux cent mille hommes.

Quand elle sut qu'elle allait être sacrée à Notre-Dame, la créole, qui commençait à craindre d'être répudiée, voulut profiter de l'occasion pour obliger Napoléon à l'épouser religieusement.

L'affaire étant délicate, elle imagina de s'assurer l'appui du pape.

Secrètement, elle demanda une audience privée à Pie VII, qui venait d'arriver, et lui avoua qu'elle n'était unie à Napoléon que par le lien civil.

Sa Sainteté sursauta discrètement.

130. Louis Bonaparte avait épousé Hortense le 14 janvier 1802.

— Je crains, dans ce cas, ajouta hypocritement Joséphine, que le sacre ne soit pas possible.

Le pape, ravi de cette petite tracasserie qui allait le venger de bien des brimades, répondit en souriant :

— Soyez en paix, ma fille, nous arrangerons cela !

Quelques jours plus tard, il prenait l'Empereur à part :

— Nous sommes au regret, mon fils, de vous rappeler que vous n'êtes pas marié selon les règles sacrées de notre Sainte Église... Aussi, tout comme notre bienheureux prédécesseur Jean VIII, qui refusa de couronner Louis le Bègue, dont le mariage n'était pas valable, ne pouvons-nous vous donner les saintes marques du sacre tant que vous n'aurez pas reçu la bénédiction nuptiale.

Napoléon dut s'incliner. Et, le 1er décembre, veille de la cérémonie à Notre-Dame, un autel ayant été dressé dans la chambre de Joséphine, l'oncle de l'Empereur, le cardinal Fesch, maria en cachette les deux souverains.

Dès lors, l'ancien général jacobin pouvait être couronné empereur avec la complicité de la Sainte Église catholique...

Le sacre eut lieu le lendemain dimanche 2 décembre 1804.

Écoutons Mlle George, témoin exceptionnel, nous faire le reportage de cette extraordinaire journée :

« J'étais d'une tristesse accablante. Pourquoi ? Je devais être joyeuse de voir le grand Napoléon élevé au rang qui lui appartenait et qu'il avait conquis ; mais l'égoïsme est toujours là. Il me semblait qu'une fois sur le trône, jamais l'Empereur ne reverrait la pauvre Georgina. Je ne désirais pas voir cette cérémonie. J'avais des places pour Notre-Dame. Rien ne m'aurait décidée à y aller. D'ailleurs, je n'ai jamais eu la moindre curiosité pour les fêtes publiques. Mais ma famille voulait voir. Je fis louer des croisées dans une maison qui faisait face au Pont-Neuf ; pour 300 francs, nous en fûmes quittes ; mais il fallait aller à pied, j'eus bien de la peine à m'y décider ; de la rue Saint-Honoré, la course était bonne, et au mois de décembre ! Nous fîmes nos toilettes à la lumière et, quand nous partîmes, à peine s'il faisait jour. Les rues étaient encombrées, sablées, on ne pouvait marcher qu'au pas, tant il y avait du monde. Au bout de deux heures, nous étions en possession de nos chères fenêtres. Mon valet de chambre ayant été à l'avance commander un bon feu et le déjeuner, nous étions à l'abri du froid et de la faim. L'argent est bon quelquefois. Nous avions quatre fenêtres, deux sur la place et deux sur le quai. Le salon était bien, très bonnes bergères, très bons fauteuils, c'est-à-dire tous très durs, les meubles de cette époque étaient atroces.

» Au moindre mouvement, on se jetait aux fenêtres.

» — Viens, ma sœur, viens voir le cortège.

» — C'est bien, j'aurai le temps. Vous ouvrez les fenêtres à chaque instant, je suis gelée, laisse-moi au feu, il faudra peut-être jouer demain : je n'ai pas envie de m'enrhumer.

» Puis j'étais d'un ennui assommant.

» — Je dors. Vous m'éveillerez quand vous verrez les chevaux.

» — Ah ! ah ! Le cortège.

» Cette fois, c'était bien lui.

» Les voitures à glace, toute la famille, les sœurs de l'Empereur, cette belle et suave Hortense. La voiture du pape Pie VII ; le porte-croix monté sur sa mule et que les mauvais petits gamins tourmentaient ; les pièces de monnaie que l'on jetait dans la foule.

» Enfin, la voiture de l'Empereur, chargée d'or ; tous les pages sur les marchepieds, derrière, partout, étaient admirables à voir. Nous étions au premier étage et rien ne nous échappait : nos regards plongeaient dans les voitures. L'Empereur, calme, souriant ; l'Impératrice Joséphine était merveilleuse ; les grandeurs ne l'avaient pas changée : c'était une femme d'esprit et de cœur [131].

» Le brillant cortège fini, je rentrai chez moi, le cœur triste, en me disant :

» Allons, tout est fini. »

En effet, tout était fini pour elle. Et Alexandre Dumas lui ayant un jour posé cette question :

— Comment Napoléon vous a-t-il quittée ?

Elle pourra répondre fièrement :

— Il m'a quittée pour se faire empereur...

Pourtant, elle revit une fois son amant.

Écoutons-la :

« Après plus de cinq semaines, Constant arriva.

» — Quel hasard vous mène ici après une si longue absence ? Que voulez-vous ?

» — L'Empereur vous prie de venir ce soir.

» — Ah ! Il se souvient de moi. Dites à l'Empereur que je me rendrai à ses ordres. Quelle heure ?

» — Huit heures.

» — Je serai prête.

» Ah ! cette fois, j'étais impatiente, je ne tenais pas en place ; j'avais mon pauvre cœur froissé, mon Dieu.

» J'avais fait une toilette éblouissante. L'Empereur me reçut avec la même bonté.

» — Que vous êtes belle, Georgina. Quelle parure !

» — Peut-on être trop bien, Sire, quand on a l'honneur d'être admise auprès de Votre Majesté ?

» — Ah ! ma chère, quelle tenue et quel langage maniéré. Allons, Georgina, les manières guindées vous vont mal. Soyez ce que vous étiez, une excellente personne, franche et simple.

131. A Notre-Dame, les sœurs de l'Empereur, qui portaient la traîne de Joséphine, avaient failli créer un incident. Furieuses d'être chargées d'une « besogne aussi servile », elles tirèrent à certain moment sur le manteau avec tant de force que les assistants virent l'Impératrice trébucher et manquer de tomber à la renverse.

Bref, la petite guerre s'était poursuivie jusqu'au pied du trône pontifical...

» — Sire, en cinq semaines on change, vous m'avez donné le temps de réfléchir et de me déshabituer. Non, je ne suis plus la même, je le sens. Je serai toujours honorée quand Votre Majesté daignera me recevoir. Voilà tout. Je ne suis plus gaie. Que voulez-vous ? Je suis découragée. Il faut que je change d'air.

» Que vous dirai-je ? Il fut très indulgent, il fut parfait, se donnant la peine de me désabuser sur mes craintes. Je recevais ses bonnes paroles, mais je n'y croyais pas. Je rentrai avec des pensées très mauvaises, presque paralysée. Dois-je croire ? Dois-je douter ? Oui, je l'ai retrouvé, comme par le passé, mais je ne sais pourquoi l'Empereur a chassé mon Premier Consul. Tout est plus grand, plus imposant, le bonheur ne doit plus être là. Cherchons-le ailleurs, si le bonheur existe. »

Ainsi se termina cette idylle entre une tragédienne pulpeuse et le futur maître de l'Europe [132]...

16

Le maréchal Ney veut faire de sa femme une nouvelle Montespan

> L'ambition des maris amoureux est sans limite.
>
> MARCEL PRÉVOST

Lorsque l'Empire avait été institué, la joie de Bonaparte s'était accompagnée de quelques craintes. Comment ses anciens frères d'armes, tous ces généraux de la République qui le tutoyaient, allaient-ils désormais s'adresser à lui ? Obtiendrait-il qu'ils lui accordassent le titre de « Sire » exigé par l'étiquette de la cour ?

Pour les y contraindre, il eut une idée. Le 19 mai, il éleva dix-huit généraux, choisis parmi les plus effrontés, à la dignité de maréchal. Ainsi les nouveaux promus, ravis de se faire appeler « Monseigneur » ne pourraient lui refuser le « Sire » qu'il désirait tant [133].

Cette habile manœuvre réussit pleinement, et les maréchaux, comprenant que leur titre était avalisé par la marque de respect qu'on exigeait d'eux, « jouèrent le jeu » avec une application enfantine.

Un homme pourtant continua de manifester son antipathie à l'Empereur. Cet homme, brave parmi les braves, mais d'esprit borné, était un Alsacien, issu d'une famille juive, que sa récente conversion

---

132. Mlle George partit quelque temps plus tard en tournée à l'étranger et devint, à Saint-Pétersbourg, la maîtresse du tsar Alexandre. En 1812, elle revint en France alors que Napoléon commençait la campagne de Russie. En passant à Brunswick, elle partagea pendant deux nuits le lit de Jérôme Bonaparte, roi de Westphalie. Comme toutes les comédiennes, elle avait le don de plaire aux chefs d'État. Elle mourut en 1867, âgée de quatre-vingts ans. Très pauvre, presque dans la misère, elle avait, lors de l'Exposition de 1855, sollicité — vainement — le privilège du bureau des parapluies...

133. Les dix-huit maréchaux étaient : Berthier, Murat, Moncey, Jourdan, Masséna, Augereau, Bernadotte, Soult, Brune, Lannes, Mortier, Ney, Davout, Bessières, Kellermann, Lefebvre, Pérignon et Serrurier.

au catholicisme avait fait surnommer Neu (nouveau) ; mais qui se faisait appeler Ney...

Alors que Napoléon faisait des efforts pour se concilier ce héros, celui-ci lui préparait un piège que l'intelligence de certains faits rend assez savoureux.

Deux ans auparavant, dans le dessein de diriger à sa guise le rétif Alsacien, Bonaparte lui avait fait épouser Aglaé Auguié, camarade de pension et amie intime d'Hortense. Or, en ce début de 1805, Ney s'efforçait, par un juste retour des choses, de mettre sa femme dans la couche de l'Empereur pour en faire une nouvelle Montespan et devenir tout-puissant...

Pendant des jours, il obligea Aglaé à se tortiller devant Napoléon, à montrer sa poitrine jusqu'à la limite de la décence et à « prendre des mines ». Mais l'Empereur ne tomba pas dans le piège. Écoutons un mémorialiste : « Depuis quelque temps, la maréchale Ney joue de la croupe et de la prunelle pour attirer l'attention de Sa Majesté. L'Empereur semble se méfier et garde un œil froid [134]. »

Un autre confirme : « La cour essayait alors de pousser dans le lit de l'Empereur la jolie maréchale Ney. Il se montra rétif envers la cabale et glacé envers l'aspirante. Le maréchal, qui était l'âme damnée de la cabale, ne pardonna jamais à l'Empereur, et il est probable que son principal grief envers son bienfaiteur était de n'avoir pas été cocufié par celui-ci... [135] »

Cet auteur ajoute que la personne de la maréchale était mal choisie pour plaire à Napoléon. « Mlle Auguié, malgré son élévation, avait conservé un esprit subalterne, des goûts vulgaires, un esprit mesquin et des habitudes d'antichambre. Voilà pourquoi l'Empereur ne lui accorda pas même la gloriole d'un caprice. »

Et, sur cet épisode, peu connu de l'histoire intime de Napoléon, il ajoute les détails suivants :

« Mme de R... était l'âme de cette intrigue de sérail : sa grotesque laideur et son nez imposant ne lui permettaient pas de briguer le rang de favorite. La dangereuse comédienne conçut un dépit amer de n'avoir pas réussi dans l'emploi des maquerelles. Il n'est pas probable que l'Empereur se soit fait scrupule de cocufier le ''brave des braves''. Il estimait, avec Molière, qu'un partage avec Jupiter n'a rien qui déshonore, mais enfin il se réservait le droit de choisir. Il se fit ainsi deux ennemis irréconciliables. »

A peine sur le trône, Napoléon était donc l'objet d'intrigues de cour. Toutes les femmes qui fréquentaient les Tuileries, dames de compagnie, lectrices, épouses d'officiers et de ministres, amies d'Hortense ou nièces de prélats, frétillaient avec un entrain comique dès que le nouveau souverain paraissait. Chacune, connaissant sa générosité (il donnait

134. *Portefeuille d'un habitué des Tuileries et de Saint-Cloud*, 1824.
135. CHARLES LÉGER, *Balzac mis à nu et les dessous de la société romantique d'après les Mémoires inédits d'un contemporain*.

facilement vingt mille francs pour une nuit), espérait attirer son regard et éveiller son désir.

Certaines, ayant appris que l'Empereur était émoustillé par les tempéraments ardents, se livraient à des expériences érotiques extrêmement osées avec des membres de son entourage immédiat, à seule fin qu'il en fût informé...

Ces excès de rouerie devaient valoir à l'une des dames de la cour, la ravissante Mme de V..., une très désagréable aventure.

« En janvier 1805, nous raconte É. Boivin, il se passa, aux Tuileries, un scandale dont il nous faut parler malgré notre répugnance à aborder ce genre d'histoires, car il témoigne du laisser-aller et du libertinage qui régnaient alors parmi les dames de la suite de l'Impératrice. Mme de V..., ravissante blonde aux yeux verts, avait, prétendait-on, décidé de devenir, par tous les moyens, la maîtresse de l'Empereur et désirait lui faire savoir par la rumeur publique qu'elle ne dédaignait pas certaines complications amoureuses, ceci afin de le mettre en goût. »

Un soir, Mme de V... invita dans son appartement trois gardes du palais de gigantesque stature, les fit boire, les pria de se déshabiller, se dénuda et leur expliqua qu'elle ne pouvait connaître les joies de l'amour qu'en triplant les plaisirs...

« Le groupe se mit alors sur le tapis et chacun des gardes plaça son drapeau dans le fortin qui lui convenait... [136] »

Or, à certain moment, alors que les quatre partenaires s'activaient à la satisfaction de chacun, un rat pénétra dans la pièce. A la vue de cet animal, Mme de V... poussa un cri strident et se releva d'un bond, faisant tomber les trois gardes les uns sur les autres...

Blessés dans leur virilité, les malheureux poussèrent ensemble un hurlement qui ameuta l'étage.

Des valets et des femmes de chambre se précipitèrent et découvrirent Mme de V... en proie à une crise de nerfs et les gardes se tenant la nature en gémissant [136]...

Cette histoire déplut énormément à Napoléon, qui fit, quelques jours plus tard, un peu de morale aux dames de la suite...

Écoutons Mme de Rémusat :

« Un jour que nous étions un assez grand nombre de dames du palais déjeunant avec l'Impératrice, Bonaparte entre tout à coup dans la salle à manger et, avec un visage assez gai, s'appuyant sur le dos du fauteuil de sa femme, nous adresse aux unes et aux autres quelques paroles insignifiantes. Puis, nous questionnant toutes sur la vie que nous menons, il nous apprend, d'abord à mots couverts, que, parmi nous, il y en a quelques-unes qui sont l'objet des discours du public. L'Impératrice, qui connaissait son mari et qui savait que, de paroles en paroles, il pouvait aller très loin, veut rompre cette conversation. Mais Napoléon, la suivant toujours, arrive en peu de moments à la rendre assez embarrassante.

» — Puis, mesdames, dit-il, vous occupez les bons habitants du

136. Étienne Boivin, *L'amour aux Tuileries*.

faubourg Saint-Germain. Ils disent, par exemple, que vous, madame X..., vous avez telle liaison avec M. Y... ; que vous, madame..., en s'adressant ainsi à deux ou trois d'entre nous, les unes après les autres.

» On peut se figurer aisément l'embarras dans lequel un semblable discours nous mettait toutes. Je crois encore, en vérité, que Napoléon s'amusait de ce malaise qu'il excitait.

» — Mais, ajouta-t-il tout à coup, qu'on ne croie pas que je trouve bons de semblables propos. Attaquer ma cour, c'est m'attaquer moi-même. Je ne veux pas qu'on se permette une parole, ni sur moi, ni sur ma famille, ni sur ma cour.

» Et alors son visage devint menaçant, son ton de voix plus sévère, il fit une longue sortie contre la partie de la société de Paris qui se montrait encore rebelle, disant qu'il exilerait toute femme qui prononcerait un mot sur une dame du palais... [137] »

Le lendemain, une histoire amusante vint heureusement détendre un peu l'atmosphère des Tuileries et faire oublier l'algarade impériale.

Un commissaire des Domaines avait été chargé d'un inventaire au domicile du comte Langlais de Pomeuse. Après avoir fouillé chaque pièce, le fonctionnaire, ayant pénétré dans la garde-robe de la comtesse, s'était trouvé devant un meuble qui l'avait laissé perplexe. Il s'agissait d'un bidet dont la cuvette avait disparu. Ne connaissant pas l'existence de cet objet, le commissaire avait dicté à son greffier : « *Item* un étui à violon recouvert d'une peau rouge, garni de clous dorés, monté sur quatre pieds, et dans lequel étui, le violon ne s'est pas trouvé... »

Cette naïveté eut un tel succès que, pendant huit jours, les violonistes de l'orchestre impérial durent cesser de jouer, tant leur apparition au concert déclenchait d'hilarité.

Comme dans une comédie bien agencée, l'Empereur profita du moment où la cour tout entière était occupée à rire pour s'esquiver.

Délaissant, en effet — pour un temps — les dames du palais trop bavardes ou trop expansives à son gré, Napoléon venait de louer une petite maison dans l'allée des Veuves, afin d'y retrouver secrètement des demoiselles ardentes auxquelles il se faisait un plaisir d'éteindre les feux...

Là, nous dit le docteur Passard, « il cocufiait soigneusement des maris dont le bon goût correspondait au sien ».

Cette retraite ne l'empêcha pas de se rendre, un soir, au domicile d'une mystérieuse dame, si l'on en croit Constant, le fidèle valet de chambre :

« Un soir, écrit-il, entre onze heures et minuit, l'Empereur me fait appeler, demande un frac noir et un chapeau rond et m'ordonne de le suivre. Nous montons, le prince Murat troisième, dans une voiture de couleur sombre ; César conduisait. Il n'y avait qu'un seul laquais pour ouvrir les portières, et tous deux étaient sans livrée. Après une petite

137. Mme DE RÉMUSAT, *Mémoires*.

course dans Paris, l'Empereur fit arrêter dans la rue de... Il descendit, fit quelques pas en avant, frappa à une porte cochère et entra seul dans un hôtel. Le prince et moi étions restés dans sa voiture. Des heures se passèrent, et nous commençâmes à nous inquiéter. La vie de l'Empereur avait été assez souvent menacée pour qu'il ne fût que trop naturel de craindre quelque nouveau piège ou quelque surprise. L'imagination fait du chemin lorsqu'elle est poursuivie par de telles craintes. Le prince Murat jurait et maudissait énergiquement, tantôt l'imprudence de Sa Majesté, tantôt sa galanterie, tantôt la dame de ses complaisances. Je n'étais pas plus rassuré que lui, mais plus calme ; je cherchais à le calmer. Enfin, ne pouvant plus résister à son impatience, le prince s'élança hors de la voiture, je le suivis, et il avait la main sur le marteau de la porte lorsque l'Empereur en sortit. Il était déjà grand jour. Le prince lui fit part de nos inquiétudes et des réflexions que nous avions faites sur sa témérité.

» — Quel enfantillage ! dit là-dessus Sa Majesté, qu'aviez-vous tant à craindre ? Partout où je suis, ne suis-je pas chez moi ? [138] »

Et tout le monde remonta en voiture. A ce moment, Constant aperçut dans les rues voisines de nombreux hommes appartenant à la police qui surveillaient discrètement le logis d'amour...

Napoléon savait allier le plaisir à la sécurité...

17

Napoléon, amoureux de sa nièce, courait après elle dans les couloirs

En amour, la seule victoire, c'est la fuite.

NAPOLÉON

Au début de l'année 1805, Napoléon avait trois préoccupations dominantes : il voulait glisser sa tête sous la couronne d'Italie, poser le pied sur les côtes d'Angleterre et mettre la main au séant de la jeune Stéphanie de Beauharnais...

Cette demoiselle était la nièce de Joséphine. Blonde aux yeux bleus, elle avait séduit l'Empereur qui désirait lui enseigner, en catimini, quelques-uns des mystères de l'existence.

Mais l'Impératrice veillait.

Un jour, elle le surprit courant dans un couloir après Stéphanie.

— Avez-vous perdu la raison ? Au moment où l'Empire a les yeux fixés sur votre personne, vous vous livrez à des gamineries et vous rêvez de coucher avec votre nièce ?...

Napoléon n'aimait pas beaucoup qu'on se permît de juger sa conduite. Il entra dans une violente colère, cassa un vase, déchira un rideau et regagna son bureau en claquant les portes. Pourtant, la

138. CONSTANT, *Mémoires.*

remarque de Joséphine le fit réfléchir, et, pendant quelque temps, il s'abstint de jouer les faunes dans les couloirs des Tuileries.

Pour occuper sa virilité, il continua de rendre des visites discrètes à des demoiselles convoquées par Constant dans la petite maison de l'allée des Veuves. A minuit, lorsque tout Paris dormait, il mettait son chapeau rond, sa redingote, et sortait des Tuileries en cachette, après avoir pris le soin de placer des chandelles allumées près de la fenêtre de son bureau pour maintenir sa réputation de travailleur acharné...

Mais ces sorties nocturnes ne tardèrent pas à le fatiguer. Certaines nuits de février, il glissa dans la neige et s'étala devant le poste de garde. La lueur d'ironie qu'il vit briller dans les yeux du factionnaire lui fit comprendre tout le ridicule de sa conduite. Dès le lendemain, il décidait d'utiliser pour son plaisir « le troupeau des dames du palais » qui s'offrait à lui avec tant de persévérante gentillesse malgré son mépris.

Ces dames avaient une telle envie de faire « fricon-friquette » dans la couche impériale qu'elles se laissaient insulter, en effet, sans protester, trouvant encore bien bon que le maître leur adressât la parole.

Les façons de Napoléon étaient pourtant cavalières. Lorsqu'il avait envie de les voir, il les convoquait dans un salon où elles devaient s'aligner comme des soldats. Liste en main, un chambellan procédait à l'appel et précisait :

— Aucune d'entre vous ne doit se déplacer sous aucun prétexte !

Une porte alors s'ouvrait et un garde criait :

— L'Empereur !

Napoléon, l'œil moqueur, s'avançait en sifflotant et passait en revue ce bataillon en jupon. Devant chaque femme il s'arrêtait, posant des questions comme à ses troupiers et faisait des commentaires peu aimables :

— Votre nom ? Quel âge avez-vous ? Combien d'enfants ?... Ah ! c'est vous !... Bon Dieu ! On m'avait dit que vous étiez jolie !...

Devant une jeune femme de vingt-trois ans qui lui souriait, il fit un soir une vilaine grimace et dit :

— Savez-vous que vous vieillissez terriblement ?

Une autre fois, il pinça l'oreille d'une dame un peu mûre en s'exclamant :

— A votre âge, on n'a pas longtemps à vivre...

S'adressant à la fille du comte Beugnot, il ricana :

— Ah ! pardieu, j'aurais dû vous reconnaître à votre gros nez, qui est bien celui de votre père.

Un jour, un témoin notera ce dialogue qui nous est rapporté par Stendhal :

— Votre nom ?

La jeune femme rougit :

— Montesquieu.

— Ah ! vraiment, c'est un beau nom à porter !
— C'était un bon citoyen.
— Mais non ! c'était un grand homme.
Puis il se tourna vers une voisine de Mme de Montesquieu :
— Que cette femme est bête [139] !...

Malgré cette muflerie appliquée, les dames du palais continuaient de frétiller de façon impudique en pensant à l'Empereur...

C'est dans cet escadron énamouré que Napoléon choisit la maîtresse qu'il cherchait. Elle s'appelait Mme Duchâtel. Son mari, conseiller d'État et directeur général de l'Enregistrement, était trop âgé pour lui donner les soins galants qu'exigeait son tempérament ardent. Aussi succomba-t-elle sans se faire prier...

Elle était fort jolie. La duchesse d'Abrantès nous dit qu'elle possédait « un charme irrésistible dans le regard prolongé de son grand œil bleu foncé à double paupière », ajoutant que « ses yeux avaient toutes les impressions qu'elle voulait leur donner, hors celle de la franchise, parce que les habitudes de son caractère la portaient à la dissimulation... ».

Dès leur première rencontre dans le petit appartement secret attenant au bureau impérial, Napoléon et Mme Duchâtel comprirent qu'ils étaient faits pour accomplir au lit de grandes choses... Ils s'en réjouirent et se livrèrent à des essais qui les firent bien augurer de l'avenir...

Mais Joséphine ne tarda pas à soupçonner sa nouvelle infortune et, nous dit Joseph Turquan, « mit tout son personnel d'espions de campagne pour surprendre son mari » [140].

Celui-ci, renseigné par sa police, décida de ne plus obliger Mme Duchâtel à se promener dans les couloirs à des heures insolites. Et c'est lui qui, pieds nus, alla la rejoindre dans son appartement.

Écoutons Constant :

« L'Empereur attendait chaque soir pour se rendre chez sa maîtresse, écrit-il, que tout fût endormi au château, et poussait même la précaution jusqu'à faire le trajet qui séparait les deux appartements avec un pantalon de nuit, sans souliers ni pantoufles. Je vis une fois le jour poindre sans qu'il fût de retour, et craignant le scandale, j'allai, d'après l'ordre que l'Empereur m'en avait donné lui-même, si le cas arrivait, avertir la femme de chambre de Mme Duchâtel pour que, de son côté, elle allât dire à sa maîtresse l'heure qu'il était. Il y avait à peine cinq minutes que ce prudent avis avait été donné, lorsque je vis revenir l'Empereur dans une assez grande agitation dont je connus bientôt la cause : il avait aperçu à son retour une femme de l'Impératrice qui le guettait au travers d'une croisée d'un cabinet donnant sur le corridor. L'Empereur, après une vigoureuse sortie contre la curiosité du beau sexe, m'envoya vers la jeune éclaireuse du *camp ennemi* pour lui intimer l'ordre de se taire, si elle ne voulait point être chassée, et de ne pas recommencer à l'avenir. Je ne sais s'il n'ajouta à ces terribles

139. Jean Savant, *Tel fut Napoléon*.
140. Joseph Turquan, *Napoléon amoureux*.

menaces un argument plus doux pour *acheter* le silence de la curieuse, mais, crainte ou gratification, elle eut le bon esprit de se taire [141]. »

Malgré toutes ces précautions, Joséphine allait bientôt découvrir les preuves qu'elle redoutait et faire éclater aux Tuileries un scandale dont toute la cour se régala...

Un soir, Berthier donna une fête à laquelle furent conviés les souverains. Napoléon, qui voulait endormir la méfiance de l'Impératrice, se montra à son égard d'une prévenance et d'une galanterie tellement inusitées qu'elle en fut alarmée.

La bouche pincée, elle le considérait du coin de l'œil, se demandant ce qu'une telle gentillesse pouvait bien cacher. A un certain moment, il alla même jusqu'à retirer une assiette des mains d'un page pour la lui donner.

Stupéfaite, elle le remercia d'un sourire crispé et s'installa dans un coin du salon pour le surveiller tout à son aise, « sachant bien, nous dit Favre, que pareille démonstration de tendresse n'était que le paravent d'un désir lubrique et que Napoléon n'allait pas tarder à rôder vers le jupon qui l'attirait... ».

Elle n'avait point tort. L'Empereur, se croyant quitte avec Joséphine, fit le tour de la table et s'arrêta entre Mme Junot et Mme Duchâtel, qui, justement, tendait le bras pour atteindre un ravier d'olives.

Aux aguets, l'œil mauvais, l'Impératrice vit Napoléon saisir le plat et le présenter à la dame de compagnie en disant :

— Vous avez tort de manger des olives le soir, cela vous fera mal !

A ce moment, il remarqua le regard soupçonneux de Joséphine, et voulant la tranquilliser, s'adressa à son autre voisine. Mais, nous dit encore Favre, « le sentiment qu'il portait à Mme Duchâtel le poussa à être plus éloquent qu'il ne l'aurait désiré » :

— Et vous, madame Junot, dit-il, vous ne mangez pas d'olives ? Vous faites bien... et doublement bien de ne pas imiter Mme Duchâtel, car en tout elle est inimitable...

Mme Duchâtel rougit, et son trouble n'échappa pas à l'Impératrice, qui résolut de savoir ce que son mari avait bien pu lui dire de galant. Le lendemain, elle invita Mme Junot à déjeuner :

— L'Empereur avait l'air bien gai, hier soir, chez Berthier. Était-ce de votre prochain départ pour le Portugal qu'il vous parlait [142] ?

— Oui, Madame, il me parlait de ma toilette et de mes devoirs comme Française élégante ; c'est un sujet que l'Empereur ne traite pas ordinairement.

L'Impératrice s'efforça de prendre un air indifférent :

— Et à Mme Duchâtel, lui parlait-il aussi de sa toilette ?

— Non, Madame, il lui a dit, autant que je puis me le rappeler, qu'il ne fallait pas manger d'olives le soir...

Joséphine éclata d'un rire aigu :

141. CONSTANT, *Mémoires*.
142. Junot venait d'être nommé ambassadeur à Lisbonne.

— Eh ! puisqu'il lui donnait des conseils, il aurait dû lui dire aussi qu'il est ridicule de faire la Roxelane avec un aussi long nez !...

Puis d'un pas nerveux, elle alla jusqu'à la cheminée où se trouvait un ouvrage que venait de publier Mme de Genlis sur Mlle de La Vallière...

— Voilà un livre, dit-elle en le tendant à Mme Junot, qui tourne la tête à toutes les femmes qui ont les cheveux blonds et qui sont maigres. Elles se croient toutes des *favorites* ! Mais on y mettra bon ordre...

Pendant tout le repas, Joséphine gémit, grinça des dents et rumina, à voix haute, des projets de vengeance.

Mme Junot fit un déjeuner exécrable.

Au dessert, l'Impératrice éclata tout à coup en sanglots :

— Quand je pense, dit-elle, qu'il y a dix jours encore, l'Empereur est venu me retrouver dans ma chambre... Nous avons passé une nuit merveilleuse... Il était tendre et ardent comme un lieutenant...

Et, sans aucune pudeur, elle raconta, en détail, ce que Napoléon lui avait fait sur le lit et même à côté... Mme Junot écoutait bouche bée, attentive à ne rien perdre de ces propos stupéfiants, qui allaient lui permettre de briller dans les salons de Lisbonne...

Soudain, Napoléon entra et Joséphine devint blême. Prévoyant une belle scène, Mme Junot prit congé — à regret — et s'éclipsa...

Dès qu'elle fut sortie, les hostilités commencèrent. L'Impératrice jeta sa serviette par terre, se tordit les mains et déclara en pleurant qu'elle était la femme la plus malheureuse du monde.

On eût dit un vieux bedeau psalmodiant un *credo* approximatif. Ce faux cantique agaça Napoléon. D'un geste il la fit taire.

— Vous devez, dit-il, vous soumettre à toutes mes fantaisies et trouver tout simple que je me donne de pareilles distractions. J'ai le droit de répondre à toutes vos plaintes par un éternel *moi*. Je suis à part de tout le monde, et n'accepte les conditions de personne [143] !

Ensuite de quoi, il jeta quelques assiettes sur le sol, brisa une carafe, déchira la nappe et sortit d'un pas vif.

Cette scène n'avait servi à rien, car Joséphine ne savait toujours pas si l'Empereur était l'amant de Mme Duchâtel.

Demeurée seule, elle se demanda si le fait d'interdire à une dame de manger des olives le soir pouvait être considéré comme une preuve d'adultère. Au moment où on lui apporta son chocolat, elle avait choisi de donner à la phrase de Napoléon une signification gaillarde.

Dans cette funeste disposition d'esprit, elle occupa la fin de la journée à imaginer des moyens de prendre son mari en flagrant délit. Mais, comme elle était de nature indolente, elle s'endormit sur son canapé avant d'avoir trouvé ce qu'elle cherchait...

Le soir, au cercle de l'Impératrice, l'Empereur alla s'asseoir tranquil-

143. Mme DE RÉMUSAT, *Mémoires*.

lement à une table de jeu et nomma, pour faire sa partie, Mme Murat, Mme de Rémusat et Mme Duchâtel.

Joséphine, assise dans un fauteuil, à l'autre bout du salon, les observa avec une haine mal dissimulée.

Napoléon entama une dissertation à perte de vue sur l'amour, émit les idées les plus inattendues, les théories les plus étonnantes, et amusa beaucoup son auditoire féminin, tout en s'amusant lui-même.

De l'amour, il passa à la jalousie et fit, à très haute voix, un portrait de la femme jalouse qui correspondait si bien à Joséphine, qu'un silence gêné s'établit dans le salon. L'Impératrice, atrocement mortifiée, s'en alla pleurer dans sa chambre, suivie du regard par tous les invités ravis d'être les témoins d'une pareille scène.

Pendant quelques jours, Joséphine passa son temps à dicter de venimeuses lettres anonymes à Mme de Rémusat, qui les détruisait en cachette. Puis elle fit surveiller la petite maison de l'allée des Veuves.

Napoléon l'apprit. Agacé, il convoqua Mme de Rémusat :

— Si vous n'approuvez point l'inquisition qu'exerce contre moi l'Impératrice, comment n'avez-vous pas assez de crédit sur elle pour la retenir ? Elle nous humilie tous deux par l'espionnage dont elle m'environne, elle fournit des armes à ses ennemies. Il faut que vous m'en répondiez ou je me prendrai à vous de toutes ses fautes.

Mme de Rémusat baissa la tête. Il continua :

— Je sais que l'Impératrice prétend que je suis amoureux et que j'ai une favorite. C'est faux ! L'amour est fait pour des caractères autres que le mien ! La politique m'absorbe tout entier. Je ne veux nullement, dans ma cour, de l'emprise des femmes. Elles ont fait du tort à Henri IV et à Louis XIV. Mon métier à moi est bien plus sérieux que celui de ces princes. Les Français sont devenus trop graves pour pardonner à leur souverain des liaisons affectées et des maîtresses en titre [144].

Après quoi, laissant Mme de Rémusat, il s'en fut retrouver Mme Duchâtel, qui, nue dans son lit, l'attendait pour connaître avec lui les joies discrètes d'une liaison sans affectation...

Un jour, à Saint-Cloud, Joséphine trouva enfin l'occasion qu'elle cherchait.

Alors qu'elle était entourée d'un cercle assez nombreux, elle vit Mme Duchâtel sortir discrètement du salon. Au bout de dix minutes, la jeune femme n'étant pas revenue, l'Impératrice, tremblante de jalousie, se pencha vers Mme de Rémusat :

— Je vais éclaircir mes soupçons ; demeurez dans ce salon avec tout mon cercle et, si l'on cherche ce que je suis devenue, vous direz que l'Empereur m'a demandée.

Un quart d'heure plus tard, elle rentrait, défigurée, chancelante, et

144. Mme DE RÉMUSAT, *Mémoires.*

demandait à Mme de Rémusat de la suivre dans sa chambre. Là, elle explosa :

— Tout est perdu, s'écria-t-elle en fermant la porte derrière sa confidente, ce que j'avais prévu n'est que trop avéré. Je suis allée chercher l'Empereur dans son cabinet et il n'y était point ; alors je suis montée par l'escalier dérobé dans le petit appartement ; j'en ai trouvé la porte fermée et, à travers la serrure, j'ai entendu la voix de l'Empereur et de Mme Duchâtel. J'ai frappé fortement en me nommant. Vous concevez le trouble que je leur ai causé ; ils ont fort tardé à m'ouvrir, et, quand ils l'ont fait, l'état dans lequel ils étaient tous deux, leur désordre, ne m'a pas laissé le moindre doute. Je sais bien que j'aurais dû me contraindre ; mais cela n'a pas été possible ; j'ai éclaté en reproches. Mme Duchâtel s'est mise à pleurer. L'Empereur est entré dans une colère si violente que j'ai eu à peine le temps de m'enfuir pour échapper à son ressentiment. En vérité, j'en suis encore tremblante et je m'attends à une terrible scène.

Mme de Rémusat, se souvenant des paroles de Napoléon, voulut donner un bon conseil à Joséphine.

— Retournez vers Sa Majesté, dit-elle. Et, par votre douceur, efforcez-vous de calmer sa colère.

L'Impératrice obéit.

Croyant avoir agi avec adresse, Mme de Rémusat regagna le salon où venait d'arriver Mme Duchâtel, agitée par une intense émotion.

Tout à coup, des hurlements firent taire tous les invités. On entendait la voix de l'Empereur rouler comme un tonnerre et l'Impératrice pousser des cris. Enfin, des bruits de coups, de gifles, de meubles brisés et de carreaux cassés vinrent prouver à l'assistance que le drame qui couvait depuis des semaines venait d'éclater.

Livide, Mme Duchâtel se leva, demanda ses chevaux et repartit pour Paris. Les autres demeurèrent, trop heureux de se délecter d'un scandale dont ils pourraient parler à leurs petits-enfants.

Après cet incident, la vie au palais devint infernale ; des clans se formèrent, les Murat prirent la défense de Mme Duchâtel, les Rémusat protégèrent Joséphine, Madame Mère s'en mêla, les sœurs de l'Empereur répandirent généreusement leur venin, et la cour vécut dans une atmosphère d'intrigue. Pendant quelque temps, on vit des princes écouter aux portes, des duchesses cancaner comme des portières et des maréchaux passer leurs journées à répéter des ragots d'antichambre... Napoléon lui-même délaissait ses plans d'attaque contre l'Angleterre pour aller casser des potiches dans la chambre de l'Impératrice...

Au milieu de tout ce remue-ménage, Mme Duchâtel triomphait. Car, pour aller la retrouver en cachette, l'Empereur, commettant mille extravagances, se conduisait comme un collégien. Un soir, qu'il se promenait avec elle à Villiers [145] en compagnie de Duroc, il entendit

145. Paroisse dont dépendait alors Neuilly où Murat avait acheté une maison de campagne.

venir un passant. Affolé à l'idée qu'il pouvait être surpris avec sa maîtresse, il bondit vers un mur, l'escalada et sauta dans un jardin, « d'une si grande hauteur, nous dit la reine Hortense, qu'il courut le risque de se blesser ».

Attitude gamine, à laquelle MM. Mallet et Isaac ne nous ont point préparés...

A la fin de février, Napoléon alla passer quelques jours à la Malmaison, avec sa femme, sa maîtresse et sa cour. Il s'y conduisit avec une désinvolture stupéfiante. Écoutons Mme de Rémusat :

« L'Empereur, au grand étonnement de ceux qui le voyaient, se promenait dans les jardins avec Mme Duchâtel et la jeune Mme Savary, et donnait à ses affaires moins de temps que de coutume. L'Impératrice demeurait dans sa chambre, répandant beaucoup de larmes. Elle n'avait plus la force de faire des scènes inutiles ; mais sa tristesse déposait pour sa souffrance secrète et finit par toucher son époux [146]. »

En réalité, ce n'est pas l'air malheureux de Joséphine qui éloigna Napoléon de Mme Duchâtel, mais l'ambition qu'il sentit naître chez celle-ci. Il ne pouvait supporter de s'entendre dicter ou même suggérer ses actes.

— Ma vraie maîtresse, disait-il, c'est le pouvoir. J'ai eu trop de mal à la conquérir pour me la laisser ravir, ou souffrir même qu'on la convoite.

Or, nous dit Frédéric Masson, « il sentait qu'on lui gagnait à la main ». Pourtant, la dame, très intelligente et adroitement conseillée, ne demandait rien pour elle-même.

Habile jusqu'au machiavélisme, elle refusait même les cadeaux de son amant.

Un jour, Napoléon lui envoya son portrait enrichi de diamants magnifiques ; elle garda le portrait et renvoya les diamants, « s'en trouvant offensée » [147].

Ces marques de désintéressement stupéfièrent l'Empereur, qui faillit s'y laisser prendre. Tout d'abord, il accepta de nommer sa maîtresse dame du palais, « bien que sa position ne la désignât point, et que rien dans son passé ne la rattachât au passé des Bonaparte ». Ensuite, il accorda une oreille attentive à ses recommandations. C'est ainsi que, grâce à elle, Murat — qui avait été son protecteur — fut promu à la dignité de prince grand-amiral et devint altesse sérénissime...

Mais Napoléon finit par comprendre le jeu de sa maîtresse.

— Elle voulait, dira-t-il un jour, se mettre sur le même niveau que moi. Je lui avais écrit des lettres d'amour que je lui fis réclamer par Duroc. Je n'avais pas envie qu'elles fussent imprimées comme je l'avais vu de divers souverains.

Dès qu'il eut la conviction que sa maîtresse voulait devenir « favorite » et régner à ses côtés, Napoléon décida de rompre. Le moyen

146. Mme de Rémusat, *Mémoires*.
147. Reine Hortense, *Mémoires*.

qu'il utilisa pour cela est assez étonnant. Il se rendit chez Joséphine et, nous dit Mme de Rémusat, « lui avoua qu'il avait été fort amoureux, mais que cela était fini. Il ajouta qu'il croyait s'apercevoir qu'on avait voulu le gouverner : il lui confia que Mme Duchâtel lui avait fait une foule de révélations assez malignes ; il poussa ses aveux jusqu'à des confidences intimes *qui manquaient à toutes les lois de la plus simple délicatesse* et finit par demander à l'Impératrice de l'aider à rompre une liaison qui ne lui plaisait plus »...

L'idée de charger sa femme de le débarrasser d'une maîtresse gênante était assez curieuse. Elle ne choqua pas Joséphine.

« L'Impératrice, nous dit Mme de Rémusat, n'était nullement vindicative ; cette justice lui doit être rendue. Dès qu'elle vit qu'elle n'avait plus rien à craindre, son courroux s'éteignit. Charmée d'ailleurs d'être hors de son inquiétude, elle ne s'avisa d'aucune sévérité envers l'Empereur et redevint pour lui cette épouse facile et indulgente qui lui pardonnait toujours à si bon marché.

» Elle s'opposa à ce qu'aucun éclat fût fait à cette occasion, et même assura son mari que, s'il allait changer de manières avec Mme Duchâtel, elle, de son côté, en changerait aussi et s'efforcerait de la soutenir et de couvrir le tort qu'un tel éclat pourrait lui faire dans le monde. »

L'Impératrice fit donc venir la dame du palais et lui annonça, avec beaucoup de gentillesse, que son mari n'irait plus la retrouver dans son lit.

— De votre côté, ajoute-t-elle, je vous saurais gré de ne point essayer de lui échauffer les sangs par vos décolletés audacieux. L'Empereur m'a chargée de vous dire qu'il recevrait très mal désormais toutes espèces de marques de tendresse que vous pourriez vous croire autorisée à lui donner.

Mme Duchâtel ne broncha pas. « Elle se montra, nous dit Mme de Rémusat, parfaitement maîtresse d'elle-même, niant avec sang-froid qu'elle méritait de pareils avertissements ; ne laissant voir aucune émotion, encore moins aucune reconnaissance, et, devant toute la cour, qui eut pendant quelque temps les yeux sur elle, elle conserva une attitude froide et contenue qui prouva que son cœur n'était pas fortement intéressé à la liaison qui venait de se rompre. »

Quant à Napoléon, son attitude fut, cette fois encore, assez inélégante. Écoutons Mme de Rémusat :

« L'Empereur, qui craignait pour lui les apparences du moindre joug, mit une sorte d'affectation à faire paraître que celui sous lequel il avait plié un moment était rompu. Il oublia, à l'égard de Mme Duchâtel, jusqu'aux démonstrations de la politesse ; il ne la regardait plus, parlait d'elle légèrement, s'appliquant à présenter ses sentiments comme une fantaisie passagère dont il racontait les différentes phases avec une sincérité peu décente. Il rougissait d'avoir été amoureux parce que c'était avouer qu'il avait été soumis à une puissance supérieure à la sienne [148]. »

Bref, il se conduisait comme un parfait goujat...

18

Joséphine se montre nue à un camérier du pape

> On ne doit se montrer nue à un
> prêtre qu'en confession.
>
> GEORGE SAND

Le 31 mars 1805, Napoléon quitta Saint-Cloud et alla se faire couronner roi d'Italie. Tout heureux à la pensée de recevoir la fameuse couronne de fer des rois lombards, il oublia un moment ses ennuis sentimentaux [149].

Le voyage fut agrémenté d'un incident savoureux qui se produisit à Turin.

En arrivant dans cette ville, Napoléon, voulant visiter le palais qu'il ne connaissait pas, fit enfoncer toutes les portes condamnées.

— Je suis le maître ! Ouvrez ! disait-il aux chambellans atterrés.

Or, quelques jours plus tard, l'avant-garde du souverain pontife s'étant installée à Turin, un vieux camérier du pape pénétra par inadvertance dans un des salons « violés par l'Empereur ». Ce digne ecclésiastique eut alors la plus étonnante vision de son existence. Devant lui, en effet, se trouvait, un peu interdite, mais pleine de dignité, l'Impératrice complètement nue.

Un instant, la gêne paralysa les acteurs de cette scène inattendue. Puis Joséphine éclata de rire, et le saint homme, ayant par pudeur fermé un œil, se retira en bredouillant des excuses.

Informé de cette rencontre peu protocolaire, l'Empereur fut, nous dit-on, « plongé dans une joie profonde », et l'affaire n'eut aucune suite [150].

Joséphine, il est vrai, avait depuis longtemps l'habitude de montrer sa mignonnette aux messieurs.

---

148. Mme Duchâtel demeura au service de Joséphine. Après Waterloo, elle fut l'une des trop rares personnes qui tinrent à venir donner un dernier gage de respect et de fidélité à l'Empereur déchu.

149. Cette célèbre couronne datait du VIe siècle. Lorsque Théodelinde, devenue veuve d'Autharis, roi des Lombards, se remaria avec Agilulphe, duc de Turin, elle la fit fabriquer pour l'offrir à son nouvel époux. Elle était composée d'un cercle de fer recouvert de lames d'or. C'est bien à tort, en effet, que certains historiens ont prétendu qu'elle était d'or pur. Les auteurs contemporains qui ont laissé des écrits à ce sujet affirment qu'elle était faite de fer et d'or, pour faire comprendre à celui qui la portait que la « couronne » est un poids dont l'incommodité est cachée sous un éclat trompeur. La tradition veut, en outre, que le fer intérieur soit celui d'un des longs clous ayant servi à crucifier Jésus.

Charlemagne et Charles Quint avaient porté cette « couronne de fer » avant Napoléon.

150. Cf. THIARD, *Mémoires*.

Avant de reprendre la route de Milan, Napoléon décida de séjourner au château de Stupinigi, ancienne maison de plaisance des rois de Sardaigne, située à deux ou trois lieues de Turin.

— Je veux que ce voyage soit une suite de fêtes, disait-il, que la musique en poétise les étapes et que les femmes en soient le principal ornement.

L'idée de porter bientôt la couronne d'Italie le rendait joyeux et primesautier. Il riait avec les dames du palais, pinçait l'oreille aux princesses, racontait des gauloiseries aux duchesses et « mettait allègrement la main aux fesses des femmes de maréchaux ».

C'est dans cet état d'esprit qu'il remarqua, un soir, une ravissante créature attachée depuis peu au service de Joséphine.

Cette jeune femme avançait dans la vie précédée d'une réputation galante qui lui ouvrait bien des portes et lui valait des hommages dénués de formalité. On racontait qu'un jour, dans un jardin, la demoiselle avait séduit un jeune peintre, qui, jetant palette et pinceaux, s'était précipité sur elle, l'avait troussée sans qu'elle eût esquissé le moindre geste de réprobation, et s'était efforcé, en usant d'un moyen vieux comme le monde, de lui montrer, sur le gazon, la chaleur de ses sentiments.

Une femme de chambre, qui se trouvait à une fenêtre, décrivit la scène dans un style naïf et plaisant : « Mlle N..., raconta-t-elle, était étendue, les jambes ouvertes, au pied d'un arbre, dans une posture peu en rapport avec la dignité d'une demoiselle. Ses jupes, que le garçon avait retroussées, ne voilaient que la partie de son corps qui se trouve entre la ceinture et les épaules ; le bas était livré à la curiosité publique et on lui voyait la marmotte. Elle semblait attendre.

» Tout à coup, le jeune homme se précipita sur elle, l'étreignit comme un forcené et lui ravauda la nature en poussant des cris de joie.

» Quand ils en eurent tout leur soûl, ils se relevèrent et cueillirent des petites fleurs... [151] »

Cette jeune disciple de Jean-Jacques séduisit Napoléon par son air délicieusement pervers, sa poitrine provocante et sa croupe offerte avec une générosité gamine.

Informé de son goût pour les aventures impromptues, il la prit un jour par un bras, l'entraîna dans un petit salon et, la renversant sur un canapé, la rendit impératrice pour quelques instants...

Fort satisfait de cette première prise de contact, l'Empereur résolut de s'entretenir plus longuement avec la demoiselle.

— J'irai vous retrouver un soir dans votre chambre, dit-il. J'ai encore beaucoup de choses à vous dire.

Mlle N..., rougissante, fit une révérence et remercia Napoléon.

---

151. *Chronique scandaleuse sous le premier Empire.*

Hélas ! malgré cet avertissement, « l'ardente luronne », comme la nomme René Pichard, reprit ses habituels ébats avec tout un chacun. Et le soir où l'Empereur s'introduisit dans sa chambre, il se passa une scène digne d'un vaudeville.

Écoutons Constant :

« Dans la chambre que j'occupais, écrit-il, avait été logée une des dames de Joséphine quand l'Empereur habita le palais de Stupinigi, à l'époque du couronnement d'Italie.

» L'Empereur avait une clef qui ouvrait toutes les portes. Il entre une nuit dans la chambre de la dame en question, muni d'une lanterne sourde, s'assoit devant la cheminée et se met en devoir d'allumer les bougies. Hélas ! la belle dame n'était pas seule. Pourquoi ? Je n'en sais rien ; c'est peut-être parce qu'elle avait peur des souris, dont il y avait beaucoup à Stupinigi. Quoi qu'il en soit, un aide de camp se trouvait, par hasard, dans le lit de la dame quand Napoléon entra.

» L'aide de camp, au premier bruit de la clef dans la serrure, pensant bien que l'Empereur seul pouvait venir à cette heure, s'était laissé glisser dans la ruelle, entraînant avec lui tout ce qui pouvait témoigner de sa présence. Cependant, l'Empereur s'était approché de la belle, qui feignait de dormir. Que voit-il ? *Horresco referens !* Il voit... précisément ce vêtement que Louvet a si heureusement surnommé, à l'usage des oreilles de bonne compagnie, le vêtement nécessaire ; car qui est-ce qui oserait dire une *culotte* ? Ce n'est pas moi, assurément. Je me figure l'Empereur, les yeux fixés sur la fatale pièce à conviction. A cette vue, il dit d'un ton sévère, mais calme :

» — Il y a un homme ici ! Qui que vous soyez, je vous ordonne de vous montrer !

» Il n'y avait pas à tortiller ; il fallut obéir, et l'Empereur, reconnaissant son aide de camp, lui dit seulement :

» — Habillez-vous !

» L'aide de camp s'habilla et sortit. Je ne sais malheureusement pas ce qui se passa ensuite entre l'Empereur et la belle dame, mais selon toute probabilité, elle dut commencer par essayer de faire croire à l'Empereur qu'il se trompait. Je sais seulement que, le lendemain, à l'heure du lever, l'aide de camp était dans ses petits souliers ; que, cependant, il y parut parce qu'il ne pouvait faire autrement. Il en fut quitte pour la peur, car jamais l'Empereur ne lui dit un mot qui pût lui faire croire qu'il se souvenait de la scène nocturne de ma chambre de Stupinigi [152]. »

L'aide de camp pouvait dormir tranquille. Mlle N... s'était ingéniée, par des moyens naturels et voluptueux, à faire oublier son infidélité à l'Empereur.

Dès le lendemain, il alla la retrouver et, pendant tout le séjour de la cour à Stupinigi, lui rendit un hommage fervent et vigoureux.

De temps à autre, Joséphine, toujours méfiante, s'étonnait :

— On ne reprend pas bientôt la route pour Milan ?

152. CONSTANT, *Mémoires*.

— J'attends le pape, répondait l'Empereur évasif.

Pieux mensonge qui lui permettait de continuer à caresser sans danger le corps de sa nouvelle maîtresse.

Au bout de quelques jours, l'Impératrice finit par remarquer chez son mari une hostilité qui l'alarma. Un soir, après le dîner, elle lui demanda ce qu'il avait.

Cette question irrita Napoléon.

— Ce que j'ai ? cria-t-il, une maîtresse, jeune, belle et ardente.

Et sans aucun respect pour son épouse, il se lança dans une description minutieuse de tous les charmes de Mlle N... et de toutes les caresses qu'elle lui prodiguait. Puis, laissant la pauvre Joséphine pleurer à chaudes larmes, il sortit en claquant la porte.

Cette attitude désinvolte était habituelle chez lui. Écoutons, à ce propos, Mme de Rémusat :

« J'ai toujours remarqué, écrit-elle, que, dès que Bonaparte s'occupait d'une autre femme, soit que le despotisme de son caractère lui fît trouver étrange que sa femme même ne se soumît point à approuver cet usage de l'indépendance en toutes choses qu'il voulait conserver exclusivement pour lui, soit que la nature lui eût accordé une si faible portion d'affections aimantes qu'elles étaient toutes absorbées par la personne instantanément préférée, et qu'il ne lui restât pas la moindre légère bienveillance à répartir sur toute autre, il était dur, violent, sans pitié pour sa femme dès qu'il avait une maîtresse. Il ne tardait pas à le lui apprendre et à lui montrer une surprise presque sauvage de ce qu'elle n'approuvait pas qu'il se livrât à des distractions qu'il démontrait, pour ainsi dire mathématiquement, lui être permises et nécessaires.

» — Je ne suis pas un homme comme les autres, disait-il, et les lois de morale ou de convenance ne peuvent être faites pour moi [153]. »

Il allait bientôt le prouver d'éclatante façon...

19

En Italie, Napoléon tombe amoureux d'une lectrice

Il adorait la lecture...

MICHELET

Pendant deux semaines, Napoléon consacra toutes ses forces aux charmes capiteux de Mlle N... et perdit les belles couleurs qu'il avait prises en traversant les Alpes.

Un matin, dans son miroir, il se fit peur. L'œil éteint, la bouche tombante, la mèche fanée, le teint cireux, il ressemblait aux caricatures que le dessinateur anglais Gillray faisait de lui...

Fort impressionné, il décida de rompre immédiatement avec cette dangereuse bacchante. Mlle N... fut donc priée d'aller offrir à d'autres

153. Mme DE RÉMUSAT, *Mémoires*.

les agréments d'une nature trop exigeante pour un empereur déjà surmené. Volage par goût, la belle n'éprouva aucune amertume. Elle sourit, fit un petit geste d'impuissance, et s'en fut choisir sur-le-champ un bel officier dont elle se régala le soir même...

Libre, Napoléon s'ennuya. Le souvenir des nuits qu'il avait passées avec l'ardente demoiselle du palais le hantait. Au bout de deux jours, il se mit à regarder avec intérêt les dames de la suite et découvrit une petite blonde attachée à l'Impératrice en qualité de lectrice. Elle s'appelait Anna Roche de La Coste et avait tout juste vingt ans [154].

Une rapide enquête lui permit de savoir que cette jeune personne était, depuis quelques jours, la maîtresse de son chambellan Théodore de Thiard.

Il en fut irrité. Nerveux, il appela Constant et lui demanda des détails. Le valet, qui était au courant de tout, lui apprit que la chose s'était passée à La Novalaire, après la descente du mont Cenis.

— De quelle façon ? Racontez.

— Vous vous souvenez, sire, que M. de Thiard s'occupait de la voiture qui le précédait, afin que les femmes de S.M. l'Impératrice n'allassent point rouler dans le précipice. Or, au moment où nous redescendions dans la vallée, il se contenta de placer un domestique entre la voiture et le ravin, et il disparut.

— Je sais, il est monté dans une ramasse [155] et il est arrivé quatre heures avant nous à La Novalaire. Mais comment Mlle de La Coste l'a-t-elle rejoint ?

Constant parut gêné :

— Mais, sire, Mlle de La Coste était également dans la ramasse... Or leur descente ne dura que dix minutes. Ils eurent donc quatre heures devant eux [156]...

Constant ayant accompagné sa dernière phrase d'un geste fort explicite, Napoléon, agacé, se leva et marcha de long en large, donnant,

154. « Elle était orpheline, sans fortune et élevée par une tante que l'on disait fort intrigante. Sans être extrêmement jolie, elle était fort bien faite de sa personne, quoiqu'elle fût un peu maigre et que sa démarche eût peut-être un peu trop d'assurance. Mais elle était parfaitement bien faite et avait de jolis cheveux blonds. Elle était d'ailleurs d'un caractère fort doux et avait reçu une excellente éducation ; elle joignait à beaucoup d'esprit une gaieté séduisante. »

155. Traîneau.

156. Un jour, THIARD évoquera dans ses *Mémoires* le souvenir de cette descente vertigineuse en compagnie de Mlle de La Coste : « Le charme que l'on ressent pendant ce trajet est inexplicable. Il dégénère en une espèce de fureur, tant il excite des sensations diverses...

» Si ces instants que l'on passe en quelque sorte entre le ciel et la terre, entre l'existence et le néant, produisent une extase qu'il faut avoir éprouvée pour la comprendre, combien ce charme ne doit-il pas être plus puissant quand vous ne vous lancez pas seul dans l'éternité, si vous avez une compagne, si des formes, en devançant l'âge, laissent sur le visage l'aspect de la plus tendre jeunesse, si une blonde chevelure détachée par l'émotion et flottant en désordre se répand sur un sein agité du charme indéfinissable que cause un danger que l'on a cherché soi-même et que l'on partage... »

de temps en temps, des coups de pied dans les meubles et lançant des injures à la cantonade...

L'après-midi, il fut d'une humeur massacrante. Délaissant son courrier, les préparatifs du couronnement et les affaires de l'État, il partit faire une promenade à cheval, afin de mieux réfléchir au moyen d'évincer Thiard sans causer de scandale.

Après deux heures de méditation, il crut soudain avoir trouvé, rentra précipitamment et appela Constant :

— Est-ce que M. de Thiard va rejoindre tous les soirs Mlle de La Coste ?

— Je ne crois pas, sire. Hier soir, il a dormi avec Mme de Serrant...

— Merci.

Et, comme s'il s'était agi d'encercler les armées autrichiennes, Napoléon prépara son attaque. Sur une grande feuille de papier, il dessina le plan du château et disposa des objets — figurant les gardes — dans les couloirs qui conduisaient à la chambre de Mlle de La Coste. Il fallait parvenir dans cette pièce sans éveiller l'attention des membres de la suite, sans rencontrer Thiard et sans alerter la vigilance des espionnes de Joséphine.

Quand il eut mis au point son dispositif, l'Empereur se redressa avec fierté. Ses dons de stratège se manifestaient là avec autant d'évidence que sur un champ de bataille... Il rappela Constant et lui tendit la feuille de papier.

— Vous ferez placer des gardes, à partir de dix heures, ce soir, aux endroits qui sont indiqués ici. Et que personne n'approche de l'appartement de Mlle de La Coste pendant que j'y serai...

Constant s'inclina et alla transmettre les ordres. Dès qu'il fut sorti, Napoléon, ravi de son stratagème, se mit à chantonner *Malbrough s'en va-t'en guerre* ainsi qu'il avait coutume de le faire avant chaque bataille [157]...

A onze heures, il quitta le salon où il venait de faire une partie de cartes avec quelques dames de la suite de Joséphine et feignit de monter dans sa chambre. Mais, arrivé au premier étage, il se déchaussa, grimpa quatre à quatre jusqu'au second et rencontra un garde.

Malgré son aspect d'amant d'opérette, malgré les chaussures qu'il tenait à la main, il prit un air sévère :

— Tu n'as vu personne ?

— Non, sire.

Très digne, il se dirigea, toujours en chaussettes, jusqu'au couloir qui menait à la chambre de la lectrice. A l'angle, se trouvait un autre garde. Il le regarda bien dans les yeux :

— Rien d'anormal ?

— Rien, sire.

Cette fois, Napoléon avança sur la pointe des pieds. Arrivé devant

157. Cf. ADOLPHE PENEAU, *Napoléon en Italie,* et M. DE PERSAING, *Mémoires.*

la porte, il tira une clé de sa poche [158], l'introduisit avec précaution dans la serrure, tourna lentement et poussa le battant.

Ce qu'il vit alors le surprit beaucoup.

Sur le lit, Mlle de La Coste, complètement nue, était en train de « s'éjouir » avec M. de Thiard, qui avait pour tout vêtement ce qu'on appelait « une petite redingote » avant qu'on ne donnât à cet objet une étiquette anglaise...

L'Empereur demeura figé et Mlle de La Coste en profita pour voiler sa nudité derrière un édredon. Puis il se reprit et, s'efforçant de cacher les chaussures qu'il tenait à la main, il dit :

— Comment êtes-vous entré ici, monsieur de Thiard ?

Le chambellan, qui avait bondi sur son pantalon, bredouilla :

— Par la porte, sire.

Napoléon ricana :

— C'est impossible... A quelle heure ?

— A cinq heures, cet après-midi, sire.

L'Empereur, cette fois, fut incapable d'articuler un mot. Toute sa science de stratège s'écroulait donc devant un peu de passion, un peu de fantaisie. Lui, qui était pressé en toutes choses, n'avait pu imaginer qu'un homme fût assez « turlupin » pour caresser une femme pendant six heures...

Il se mordit les lèvres, lança un regard furieux aux amants et repartit en claquant la porte [159].

Cette scène burlesque avait mis l'Empereur dans un véritable état de rage. Rentré dans ses appartements, il cassa des vases, injuria ses gardes, malmena ses valets, et se coucha en cherchant dans quelle terre lointaine il pourrait bien exiler M. de Thiard...

A son réveil, un peu calmé, il pensa qu'il valait mieux oublier l'incident et conquérir Anna par des moyens que n'avait pas le chambellan.

Il lui fit porter un bijou. La belle était ambitieuse. Dès cet instant, nous dit Adolphe Peneau, dans son style particulier, « M. de Thiard n'eut plus dans le secret de son cœur que le titre dérisoire de "précédent"... ».

Quelques jours plus tard, la cour quitta Stupinigi pour aller s'installer à Milan où le couronnement devait avoir lieu. A peine arrivé, Napoléon chargea son chambellan d'une mission auprès des autorités religieuses et, nous dit Adolphe Peneau, « tandis que M. de Thiard allait s'incliner devant le cardinal Bocelli, l'Empereur, qui était aller retrouver Anna dans sa chambre, s'agenouillait pour des motifs moins avouables... ».

Il faut reconnaître que Napoléon avait alors d'autres désirs que celui de baiser l'anneau d'un cardinal.

Le lendemain, l'Empereur voulut que sa victoire sur M. de Thiard fût éclatante. Devant toute la cour, il offrit une bague à Mlle de La

---

158. Napoléon avait toujours un jeu de clés de toutes les portes des palais qu'il habitait.

159. Cf. THIARD, qui fait allusion à cette scène dans ses *Mémoires*.

Coste. Alors, Joséphine éclata en sanglots et regagna ses appartements en claquant les portes.

C'est dans cette charmante atmosphère que le pape allait être bientôt reçu...

Pendant deux semaines, Joséphine fit tant de scènes, poussa tant de cris, mouilla tant de mouchoirs, qu'un matin Napoléon, excédé, accepta de se séparer d'Anna :

— Tu veux qu'elle parte ? Eh bien ! qu'elle parte ! Mais je pose mes conditions : d'abord que sa tante vienne de Paris pour la chercher ; ensuite, que tu la reçoives à ton cercle un soir de grande réception.

Joséphine blêmit. L'étiquette interdisait aux lectrices de sortir de l'appartement intérieur. L'exigence de l'Empereur risquait donc de provoquer un scandale humiliant pour elle. Sachant que c'était là le seul moyen de se débarrasser d'Anna, l'Impératrice accepta pourtant.

Elle fut payée de ses peines. Un jour, Mlle de La Coste, chaperonnée par sa tante, monta dans une voiture et reprit la route de Paris. Les deux femmes pleuraient à chaudes larmes. Chaque tour de roue les éloignait de la fortune qu'elles avaient cru tenir, et l'avenir leur paraissait singulièrement sombre.

Fort heureusement, le voyage devait leur apporter une douce consolation. Avant Modane, elles furent violées dans la forêt par des brigands...

Elles en conservèrent un souvenir ébloui jusqu'à Paris [160]...

Après le départ d'Anna, l'Empereur n'eut pas le temps de se chercher une nouvelle maîtresse. Les préparatifs du couronnement, qui le prenaient tout entier, l'empêchaient de se livrer à la chasse aux demoiselles dans les couloirs du palais de Milan...

Le 23 mai, il reçut la couronne de fer. Laissons à un témoin, Mlle Avrillon, le soin de nous conter cet événement :

« L'Empereur fut couronné dans la cathédrale, l'un des plus beaux monuments que compte aujourd'hui l'Italie. On l'avait décorée avec goût, mais dans le goût italien. La majeure partie des draperies était en gaze ou en crêpe.

» La cérémonie fut magnifique. L'Impératrice y assista dans une tribune d'où l'on voyait parfaitement. J'étais placée un peu plus bas, au-devant d'une tribune, avec quelques personnes de sa maison.

» La couronne de fer, que l'on disait avoir servi au couronnement de Charlemagne et qui servit à celui de l'Empereur, avait été déposée à Monza. On l'alla chercher en grande cérémonie et on l'y reporta le lendemain. Au moment du couronnement, l'Empereur prit la couronne

---

160. Plus tard, Napoléon maria Anna de La Coste avec M. Levavasseur, receveur général du département de Maine-et-Loire. Cette union n'apaisa pas les ardeurs de l'ex-lectrice, qui devint successivement la maîtresse d'un diplomate russe, d'un ministre de Prusse, et, finalement, du tsar...

à deux mains, l'enfonça hardiment plutôt qu'il ne la posa sur sa tête, et dit, d'une voix forte et retentissante :

» — Dieu me l'a donnée, gare à qui y touche !

» Ceci est connu de tout le monde, et personne n'ignore que ces paroles devinrent la légende de l'ordre de la couronne de fer, que l'Empereur institua alors peu après. Mais ce que l'on ne peut savoir, ce que l'on ne saurait se figurer, c'est l'expression de la physionomie de l'Empereur en ce moment : elle était rayonnante de joie [161]. »

Après le couronnement, Napoléon pensa qu'étant empereur des Français et roi d'Italie, il avait bien droit désormais à deux favorites, et se trouva bien malheureux de n'en avoir aucune.

Un rapide coup d'œil sur les dames de la suite le persuada qu'il devait chercher ailleurs.

Les fêtes données à Gênes pour célébrer la réunion de la République ligurienne à l'Empire français allaient lui permettre de trouver une maîtresse assez savoureuse pour contenter deux souverains...

Voulant accueillir Napoléon avec grâce, les Génois avaient eu l'heureuse idée, en effet, de grouper, en une meute accorte et frétillante, les plus jolies femmes de la ville.

La seule condition pour appartenir à ce groupe étant d'être belle, il y avait là des dames de toute condition, aristocrates, petites-bourgeoises, comédiennes et demoiselles de peu.

Parmi celles-ci se trouvait une ravissante personne qui surpassait en charme et en beauté toutes ses compagnes.

Elle s'appelait Carlotta Gazzani.

Fille d'une danseuse, elle n'avait jamais évolué dans les salons, mais son élégance naturelle lui donnait une allure princière.

Écoutons Mlle Avrillon :

« Je ne crois pas, écrit-elle dans ses *Mémoires*, avoir vu de ma vie une figure plus régulièrement jolie. Il y avait dans sa physionomie je ne sais quoi de séduisant qui obligeait les yeux, même ceux d'une femme, à s'arrêter sur sa figure ; et plus on détaillait ses traits, plus on était sous l'empire du charme que l'on éprouvait en la regardant. Ses yeux, animés par une douceur vraiment angélique, semblaient être de velours, et son regard avait quelque chose de caressant ; c'était comme un magnétisme qu'elle exerçait sur tous ceux qui la regardaient. Sa taille était belle, mais moins remarquable pourtant que sa figure, car on aurait pu lui souhaiter un peu d'embonpoint... »

Talleyrand, « qui avait toujours des maîtresses plein ses poches », pensa que cette dame pourrait faire une délectable favorite, et il en parla en termes chaleureux à l'Empereur.

Napoléon l'écouta, l'œil brillant. Puis il se mit à marcher dans le salon à grandes enjambées, en sifflotant un air guerrier. De temps en

161. *Mémoires* de Mlle Avrillon, première femme de chambre de l'Impératrice, sur la vie privée de Joséphine, sa famille et sa cour.

temps, il s'arrêtait pour interroger le diplomate sur l'académie de Carlotta.

— Comment sont ses seins ? Ses pieds ? Ses jambes ? Ses fesses ? Ses genoux ?

Imperturbable, Talleyrand, qui s'était renseigné, répondait à toutes les questions sur le ton grave et impersonnel d'un guide qui décrit une cathédrale...

A mesure que le tableau se formait, l'Empereur accélérait son allure. Au comble de la surexcitation, il ressembla bientôt à un rat affolé. Alors, l'œil congestionné, il s'arrêta net et dit d'une voix essoufflée :

— Allez la chercher !

Talleyrand eut un léger sourire :

— Il faudra attendre quelques jours, sire.

— Pourquoi ?

— Mme Gazzani a, depuis peu de temps, un amant auquel elle semble très attachée...

— Un Français ?

— Oui, sire.

— Son nom ?

— Il s'agit de M. de Thiard, sire...

Napoléon demeura un instant sans voix. Puis il devint écarlate, bondit sur un vase et le brisa aux pieds de Talleyrand, toujours impassible...

Ainsi donc, pour la seconde fois, l'Empereur avait la désagréable surprise de trouver son chambellan dans le lit d'une femme dont il était désireux de connaître les bons côtés.

Il en éprouva une vive contrariété et, toutes affaires cessantes, conçut un plan pour obtenir les faveurs qu'il souhaitait. Une dépêche de Paris annonçant les intentions belliqueuses de l'Angleterre l'empêcha de mener à bien sa galante entreprise. Contraint de rentrer immédiatement en France, il prit une décision qui fit jaser : pour tenter de réaliser un peu plus tard ce qu'il ne parvenait point à faire le jour même, il attacha Carlotta Gazzani à la cour de Joséphine comme lectrice, à la place de Mlle de La Coste. La belle Génoise ne connaissant pas un mot de français, sa nomination eût pu sembler extravagante ; fort heureusement, l'Impératrice avait horreur de la lecture...

Et Joseph Turquan ajoute malicieusement : « Comme l'Empereur, de son côté, ne songeait qu'à effeuiller avec elle le livre d'amour, peu lui importait que la lectrice ne sût pas lire le français : elle parlait l'italien, il le parlait aussi : l'italien est la langue de l'amour : ils devaient donc s'entendre [162]. »

Au mois de juin, Napoléon, ayant obtenu de Joséphine la promesse qu'elle n'aurait pas de migraine pendant le voyage, monta dans une voiture et fila vers Saint-Cloud où il arriva huit jours plus tard [163]. Une

162. JOSEPH TURQUAN, Napoléon amoureux.
163. Avant de partir, il avait nommé Eugène de Beauharnais vice-roi d'Italie.

semaine après, Mme Gazzani rejoignait la cour, à la grande joie de M. de Thiard qui pensa que l'Empereur était vraiment d'une bonté exceptionnelle.

Il dut bientôt déchanter...

Un matin, Napoléon l'appela et le chargea d'une mission diplomatique avec ordre de partir sur-le-champ, sans reparaître à la cour. Comme le chambellan paraissait stupéfait, le souverain laissa tomber d'un ton sec :

— On vous croit en disgrâce et peut-être aurait-on quelque motif à le supposer.

Puis il se leva, redressa sa petite taille d'un air victorieux, et, savourant déjà les charmes de Carlotta, il laissa partir le pauvre M. de Thiard complètement effondré [164]...

Le soir même, Napoléon faisait venir Mme Gazzani dans le petit appartement qu'il réservait pour son déduit.

Joséphine, toujours à l'affût, ne tarda pas à être informée de la nouvelle liaison de son mari. Furieuse, elle chercha à le surprendre en flagrant délit d'adultère, ainsi que nous le conte Constant dans ses *Mémoires* :

« Un jour que l'Empereur avait rendez-vous avec cette dame dans les petits appartements, il m'ordonna de rester dans sa chambre et de répondre aux personnes qui le demanderaient, fût-ce même S.M. l'Impératrice, qu'il travaillait dans son cabinet avec un ministre.

» Le lieu de l'entrevue était l'ancien appartement occupé par M. de Bourrienne, dont l'escalier donnait dans la chambre à coucher de Sa Majesté. Cet appartement avait été arrangé et décoré fort simplement : il avait une seconde sortie sur l'escalier, dit l'escalier noir, parce qu'il était sombre et peu éclairé. C'était par là qu'entrait Mme Gazzani. Quant à l'Empereur, il allait la trouver par la première issue. Il y avait peu d'instants qu'ils étaient réunis quand l'Impératrice entra dans la chambre de l'Empereur et me demanda ce que faisait son époux.

» — Madame, l'Empereur est occupé en ce moment : il travaille dans son cabinet avec un ministre.

» — Constant, je veux entrer.

» — Cela est impossible, Madame ; j'ai reçu l'ordre formel de ne pas déranger Sa Majesté, même pas pour Sa Majesté l'Impératrice.

» Là-dessus, celle-ci s'en retourna mécontente et même courroucée. Au bout d'une demi-heure, elle revint et, comme elle renouvela sa demande, il me fallut bien renouveler ma réponse. J'étais désolé de voir le chagrin de S.M. l'Impératrice, mais je ne pouvais manquer à ma consigne.

» Le même soir, à son coucher, l'Empereur me dit d'un ton sévère que l'Impératrice lui avait assuré tenir de moi que, lorsqu'elle était

---

164. Plus tard, Napoléon continuera d'éloigner Thiard de Mme Gazzani en l'employant auprès de lui pendant la campagne d'Austerlitz, puis en Dalmatie, enfin pendant la campagne de 1806-1807. (JEAN SAVANT, *Les Amours de Napoléon*.)

venue le demander, il était enfermé avec une dame. Je répondis à l'Empereur sans me troubler que certainement il ne pouvait croire cela.

» — Non, reprit Sa Majesté, revenant au ton amical dont elle m'honorait habituellement, je vous connais assez pour être assuré de votre discrétion ; mais malheur aux sots qui bavardent, si je parviens à les découvrir [165]. »

Puis, ayant enfilé une robe de chambre blanche, il alla retrouver Mme Gazzani qui l'attendait, la fesse joyeuse...

20

Napoléon découvre une femme nue au château d'Austerlitz

> Ce que j'aime dans la guerre,
> c'est l'imprévu des batailles...
>
> MARÉCHAL FOCH

Excédé par la jalousie de Joséphine, Napoléon quitta Paris un beau matin pour se rendre à Boulogne où cent soixante mille hommes attendaient que la flotte française fût assez puissante pour leur permettre de débarquer en Angleterre.

Dans tous les ports de France, sur toutes les rivières, on construisait en hâte des bateaux plats, des canonnières, des péniches destinées à porter l'expédition.

A Paris, l'Empereur avait fait mettre en chantier quatre-vingts chaloupes. Terminées en juin, elles avaient été lancées sur la Seine, conduites au Havre, équipées, armées et dirigées le long des côtes vers le pas de Calais. Sur le rivage, des escadrons de cavalerie et d'artillerie légère avaient suivi tous leurs mouvements, prêts à les protéger contre une attaque ennemie.

De la Loire, de la Gironde, de la Charente, de l'Adour, sortaient sans cesse de semblables flottilles et, lorsque Napoléon arriva à Boulogne, près de mille chaloupes étaient déjà à pied d'œuvre.

Ravi de se retremper dans l'atmosphère d'un camp militaire, le souverain retrouva son langage d'artilleur et se détendit. Après huit mois d'étiquette et d'intrigues de cour, il en avait besoin. On le vit plaisanter gaillardement avec ses soldats, s'allonger par terre pour consulter une carte, jurer comme tous les bandits corses réunis et émettre sur les femmes du pays des jugements brefs et vigoureux qui témoignaient d'une psychologie amoureuse un peu simpliste, mais d'une belle virilité.

Une occasion de s'intéresser aux Boulonnaises allait précisément lui être donnée de façon inattendue.

A la fin du mois d'août, un drame qui couvait depuis longtemps

---

165. CONSTANT, *Mémoires.*

éclata. Il faut dire que les cent soixante mille hommes du camp hantaient les rêves des dames de la ville, qui, toutes ou presque, auraient voulu être victimes des délicieuses brutalités d'un canonnier ou même d'un fantassin.

Lorsque les régiments étaient arrivés à Boulogne, les bourgeoises les plus sages, penchées à leur balcon, avaient été prises d'un délire que le patriotisme seul ne parvenait pas à justifier. En voyant ces beaux militaires, certaines avaient senti courir le long de leur échine un frémissement voluptueux et s'étaient mises à rêver d'odieux traitements ou de viols sur la voie publique...

Au bout d'une semaine, aucune femme n'ayant été troussée par les soldats de l'Empereur, quelques demoiselles particulièrement énervées allèrent rôder aux abords du camp.

Mal leur en prit, car des cantinières qui faisaient le guet les chassèrent brutalement en les traitant de « filles à marins », de « putains avariées » et de « blanchisseuses de tuyaux de pipe »...

Fort choquées par ce langage audacieux, les jeunes filles rentrèrent chez elles et cachèrent leur équipée. Quelques jours plus tard, des dames allèrent se promener, à leur tour, sous des prétextes futiles, autour du camp. L'une d'elles réussit même à engager la conversation avec un militaire ; mais l'entretien dura peu, car une horde de cantinières sortit d'une tente et se précipita sur l'imprudente Boulonnaise, qui n'eut que le temps de prendre ses jambes à son cou.

L'incident fit le tour de la ville, et l'on sut bientôt que les deux cents « soldates » du camp, jalouses comme des épouses, entendaient se réserver les hommages des cent soixante mille hommes qu'on leur avait confiés.

Chaque soir, elles se tenaient prêtes, dans leurs tentes respectives, et, vers neuf heures, les hommes arrivaient, dix par dix, animés par un beau rêve. Au printemps, ces charmantes jeunes femmes eurent parfois trente militaires *chacune* à consoler par jour. Elles le faisaient courageusement, ayant toutes un fier tempérament et un brave petit cœur de Française...

Mais un soir du mois d'août, le bruit courut qu'une Boulonnaise avait réussi à se faire violer par un artilleur. Aussitôt, un groupe de deux cents femmes se dirigea vers le camp pour y narguer les cantinières. En entendant les refrains goguenards qui étaient chantés à leur adresse, celles-ci sortirent de leurs tentes comme des furies et se précipitèrent sur les Boulonnaises.

La rencontre fut effroyable. Au bout d'une heure, quand on put séparer les combattantes, il y avait sur le pré vingt-huit femmes édentées, dix-sept à demi étranglées, cinq quasi tondues, et deux complètement déshabillées qui exposaient leur nature sous le ciel de Picardie...

Napoléon, lorsqu'il apprit ces faits navrants, se contenta de sourire.

Les dames du palais lui avaient donné une belle dose de philosophie...

Après avoir passé huit jours au milieu de ses soldats à pincer des oreilles et à goûter la soupe, l'Empereur eut soudain du vague à l'âme. Il pensa aux jolies femmes qu'il avait laissées à Paris et trouva son lit singulièrement désert. Il s'en ouvrit un matin à Murat :

— Depuis quelques jours, je ne vois que des figures à moustaches ; c'est fort triste.

Le maréchal jouait volontiers les entremetteurs ; il éclata de rire :

— Je connais justement une dame génoise, belle et spirituelle, qui a le plus grand désir de vous voir...

L'œil de Napoléon s'alluma.

— Comment est-elle ?

Murat, qui avait pris soin, en bon courtisan, d'essayer la dame avant de la proposer à son souverain, donna de nombreux détails fort alléchants. Le soir même, l'Empereur, mis en appétit, envoya Constant chercher la Génoise, qui arriva en rougissant.

— On m'avait dit que vous étiez belle, dit Napoléon, on m'avait menti. Vous êtes *très* belle.

Émue, elle éclata en sanglots. Alors, il retira son habit et son pantalon pour la consoler.

A trois heures du matin, lui ayant prouvé qu'en bon empereur il était prêt à œuvrer personnellement pour le bonheur de ses sujettes, il la fit reconduire à son domicile et s'endormit calmement en pensant à Joséphine.

Pendant tout son séjour à Boulogne, Napoléon, dont le sang était fouetté par le vent du large, rendit un hommage quotidien et vigoureux à cette jolie Génoise, dont Constant — qui nous rapporte l'anecdote — ne nous révèle ni le nom, ni le prénom...

On s'en doute, Napoléon ne passait pas tout son temps avec sa belle amie. Penché sur des cartes de l'Angleterre, il étudiait les points qui lui semblaient les plus favorables pour un débarquement et, dix fois par jour, montait sur une falaise pour voir si la flotte française arrivait.

— Quand Villeneuve sera là avec ses vaisseaux pour protéger nos trois mille chaloupes, disait-il, nous passerons la Manche et nous irons vaincre les Anglais chez eux !...

Mais il avait beau scruter l'horizon avec sa longue-vue, il ne voyait rien venir et en souffrait.

Un jour, une nouvelle accablante lui parvint : l'amiral Villeneuve, trouvant l'entreprise trop hasardeuse, avait préféré rester à Cadix...

Napoléon entra dans une colère épouvantable, cassa quelques meubles et prit une décision stupéfiante :

— Eh bien ! puisque nous ne pouvons aller battre les Anglais dans leur île, nous irons les battre en Autriche...

Une nouvelle coalition, en effet, se formait. La Russie, achetée par l'Angleterre, acceptait de s'unir à l'Autriche, et « une partie du vieil hémisphère semblait prête à se renverser sur les jardins de la France.

Des millions de soldats étaient déjà en marche venant de l'Oural et des glaces du pôle » [166].

Changeant de tactique, l'Empereur fit partir immédiatement les armées de Boulogne sur le Rhin et rentra à Saint-Cloud pour préparer son plan.

Après un an de paix, la guerre recommençait. Mais, à la cour, personne ne paraissait y penser. Quand l'Empereur arriva, tout le palais riait à cause d'une galante aventure dont Mme de Staël venait d'être l'héroïne. Napoléon, qui la détestait, se fit conter l'histoire et passa, lui aussi, un bon moment.

Cette histoire, la voici, telle qu'elle nous est rapportée par le vicomte de Beaumont-Vassy.

Mme de Staël avait été invitée à une partie de chasse à Mortefontaine. Or, elle était tellement ennuyeuse, avec sa manie de philosopher sur tout, que les chasseurs s'empressèrent de l'abandonner pour jouir en paix de leur journée de campagne. Restée seule, elle prit la *Vie de Marc-Aurèle* et s'en alla lire dans les bois. A sept heures du soir, alors que la chasse était terminée, elle se trouvait toujours assise sur un tronc d'arbre et plongée dans son livre.

« Tout à coup, un garde paraît à travers bois, regagnant son logis. C'était un grand et beau garçon, qui, peut-être, avait trop fêté Bacchus à l'issue de la chasse. Il voit devant lui une femme plantureuse, à la figure un peu virile et rappelant pour le teint celles des paysannes d'alentour, vêtue, d'ailleurs, avec une simplicité qui n'avait rien d'imposant ; il la prend résolument par la taille et l'embrasse en guise de compliment. On comprend la stupéfaction de l'auteur de *Corinne*. Mais elle se sent glisser à terre sous la robuste impulsion du gars, qui n'avait certes pas tout l'esprit que déploya plus tard Benjamin Constant, mais possédait assurément, de son côté, des qualités que Benjamin Constant n'avait pas. Mme de Staël veut crier et ses cris sont étouffés ; elle lutte, et ses efforts comprimés deviennent promptement inutiles [167]. »

Troussée d'un geste vif, elle eut bientôt à l'air la partie la moins intellectuelle de sa personne. Le garde profita de la situation avec un manque total de savoir-vivre.

Abasourdie, choquée, mais heureuse, Mme de Staël se garda bien d'appeler au secours ; elle se laissa violer en pensant qu'après tout il fallait bien, de temps en temps, faire quelque chose pour les gens du peuple qui ne connaissent pas les joies de l'esprit...

« Quelques instants s'écoulent, poursuit M. de Beaumont-Vassy, et l'on entend des pas dans le bois ; c'est Mathieu de Montmorency qui, inquiet de son amie, s'est dirigé du côté où il la supposait attardée dans sa promenade. Il est accompagné de loin par un domestique. Le garde se sauve sans qu'il le voie ; mais, à l'aspect de Mme de Staël et du désordre dans lequel il la trouve, il ne peut s'empêcher de s'écrier :

» — Eh, ma chère, que vous est-il arrivé ?

166. SAINT-GEORGES DE BOUHÉLIER, *Napoléon, grandeurs et misères*.
167. Vicomte DE BEAUMONT-VASSY, *Mémoires secrets du XIXᵉ siècle*, 1874.

» Mme de Staël a trop d'esprit pour vouloir du scandale et trop d'empire sur elle-même pour ne pas reprendre vite tout son sang-froid.

» — A moi ? Mais rien, mon ami.

» — Cependant, l'état dans lequel je vous vois ?

» — Vous ne voyez rien, vous dis-je. Je m'étais probablement endormie et vous m'avez réveillée en sursaut.

» — Mon Dieu, reprend vivement l'excellent homme, je consens à n'avoir rien vu, mais quel singulier rêve faisiez-vous donc ? »

Sans répondre, Mme de Staël se releva et suivit son ami en s'efforçant de prendre un air dégagé. Sans doute pensait-elle que personne ne connaîtrait jamais son aventure. Elle ignorait que, derrière un bosquet, se trouvait le domestique de Mathieu de Montmorency, lequel n'était pas aussi discret que son maître...

Tandis que la cour s'amusait de cette aventure, une armée autrichienne pénétrait en territoire bavarois.

Immédiatement, Napoléon fit ses bagages. Le 24 septembre 1805, il quittait Saint-Cloud avec Joséphine pour se rendre à Strasbourg.

Le 1er octobre, il en repartait seul pour diriger ses troupes, qui, désormais, allaient s'appeler la *Grande Armée*. Le 2, il était à Ludwigsburg ; le 12, à Burgau ; le 24, à Munich ; le 13 novembre, à Vienne... A chaque étape, il envoyait un mot tendre à l'Impératrice, dont il connaissait la jalousie. Ces lettres ne l'empêchaient pas, bien entendu, de penser à la bagatelle. Et à Vienne, Murat, toujours aux petits soins, le mit en relation avec une femme agréable au toucher.

Écoutons Napoléon lui-même nous conter cette aventure :

« A Vienne, en 1805, Murat me dit : "Je veux vous faire connaître une femme charmante qui est folle de vous, ne veut que vous." Quoique cela me parût un peu suspect, je lui dis de me l'amener. Elle ne parlait pas un mot de français, et moi pas un mot d'allemand. Elle me plut tant que je passai la nuit avec elle. C'est une des femmes les plus agréables que j'aie connues, pas d'odeur. Au jour, elle m'a réveillé, et depuis je ne l'ai jamais revue. Je n'ai jamais su qui elle était. Seulement, en 1809, le chef de la police de Vienne dit à Savary que c'était une Judith, et peut-être, depuis, a-t-on voulu faire ce conte-là. Il faut qu'une femme soit jolie et aimable pour me plaire, mais alors son affaire est bientôt faite [168]. »

Le sens en repos grâce à cette gentille Viennoise, Napoléon se prépara à rencontrer les troupes ennemies.

Le 1er décembre il s'écria :

— Il nous faut finir cette campagne comme un coup de foudre.

Et ce fut Austerlitz...

Le lendemain, il écrivit à Joséphine ce mot célèbre :

168. Déclaration de Napoléon faite à Sainte-Hélène en 1817 et rapportée par le général Gourgaud.

Austerlitz : 12 frimaire an XIV
(3 décembre 1805.)
Je t'ai expédié Lebrun du champ de bataille. J'ai battu l'armée russe et autrichienne commandée par deux empereurs. Je me suis un peu fatigué. J'ai bivouaqué huit jours en plein air, par des nuits assez fraîches. Je couche ce soir dans le château du prince Kaunitz où je vais dormir deux ou trois heures.

L'armée russe est non seulement battue, mais détruite. Je t'embrasse.

NAPOLÉON.

Pendant que l'Empereur, en bon mari, rendait compte de sa journée à Joséphine, les survivants de l'extraordinaire bataille qui venait d'être livrée, encore hébétés, se tâtaient les membres avec une joie profonde.

— Vous serez toujours considérés comme des braves, leur dit Napoléon. Quant à ceux qui sont tombés, la France les honorera à jamais.

Il est pourtant des morts qui connurent des destins peu glorieux. Je ne citerai pour preuve que l'étrange aventure qui arriva aux restes du général Morland.

Écoutons le général Marbot nous conter la chose :

« Mon pauvre ami le capitaine Fournier avait été tué, ainsi que le général Morland. L'Empereur, toujours attentif à ce qui pouvait exciter l'émulation parmi les troupes, décida que le corps du général Morland serait placé dans un monument qu'il se proposait de faire ériger au centre de l'esplanade des Invalides à Paris. Les médecins n'ayant sur le champ de bataille ni le temps, ni les ingrédients nécessaires pour embaumer le corps du général, l'enfermèrent dans un tonneau de rhum qui fut transporté à Paris ; mais les événements qui se succédèrent ayant retardé la construction du monument destiné au général Morland, le tonneau dans lequel on l'avait placé se trouvait encore dans l'une des salles de l'École de médecine lorsque Napoléon perdit l'empire en 1814. Peu de temps après, le tonneau s'étant brisé par vétusté, on fut très étonné de voir que le rhum avait fait pousser les moustaches du général d'une façon si extraordinaire qu'elles tombaient plus bas que la ceinture. Le corps était parfaitement conservé, mais la famille fut obligée d'intenter un procès pour en obtenir la restitution d'un savant qui en avait fait un objet de curiosité. Aimez donc la gloire et allez vous faire tuer pour qu'un olibrius de naturaliste vous place ensuite dans sa bibliothèque, entre une corne de rhinocéros et un crocodile empaillé... [169] »

Tant il est vrai que le destin agit parfois avec une désinvolture dont n'oserait pas user un romancier...

Tandis qu'on remettait un peu d'ordre sur ce champ de bataille où traînaient quinze mille tués, vingt mille blessés, des canons, des fusils,

---

169. Général MARBOT, *Mémoires*.

des sabres, des cadavres de chevaux, des épées, des drapeaux et des paires de bretelles, Napoléon se rendit au château d'Austerlitz.

Les serviteurs, que l'empereur d'Autriche et le tsar avaient quittés quelques heures plus tôt, le reçurent avec respect. Pendant qu'ils lui préparaient à dîner, il parcourut pensivement les salles vides où le mobilier en désordre témoignait du départ précipité de ses ennemis. Au bout d'un couloir, il trouva une porte fermée à clef. On la força sur son ordre. Il aperçut alors une ravissante jeune femme qui, les draps tirés jusqu'au nez, le considérait du fond d'un grand lit.

Il en fallait plus pour étonner Napoléon.

— Qui est-ce ? dit-il simplement.

Les serviteurs répondirent qu'ils ignoraient le nom de cette demoiselle qui avait été oubliée par le tsar.

L'Empereur s'arrêta au pied du lit et considéra un instant cette charmante personne, dont les yeux, brusquement, s'étaient emplis de larmes.

— Qui êtes-vous ?

La belle continua de pleurer sans répondre.

— Le tsar Alexandre est parti, dit encore Napoléon, et il n'a pas pris soin de vous. Ce n'est pas d'un galant homme. Veuillez vous habiller, je vous prie. Je vais charger un de mes officiers de vous conduire jusqu'aux avant-postes russes.

L'inconnue, touchée par la galanterie de l'Empereur, se leva à demi, sourit et voulut s'incliner comme pour une révérence. Le mouvement qu'elle esquissa fit glisser son drap et Napoléon vit qu'elle était nue.

Un instant, il envisagea de profiter de cette extraordinaire occasion, puis il pensa qu'il avait besoin de toutes ses forces pour entamer des pourparlers de paix avec l'Autriche, et se contenta de saluer le joli sein qui pointait vers lui.

Un peu congestionné tout de même, il sortit et fit appeler Duroc. Quelques minutes plus tard, le maréchal était chargé de reconduire la demoiselle en calèche chez les Russes...

Le lendemain, Napoléon rencontra l'empereur d'Autriche, l'embrassa devant ses soldats un peu stupéfaits, discuta avec lui auprès d'un feu de bivouac et le reconduisit à sa voiture.

En revenant vers ses officiers, il s'écria :

— Messieurs, nous retournons à Paris. La paix est faite.

Et, montant dans sa berline, il se rendit à Munich où l'attendait Joséphine. Là, pour s'occuper un peu, il décida de marier Eugène de Beauharnais — dont il avait fait son fils adoptif — avec la princesse Augusta de Bavière.

Le roi fut extrêmement vexé de voir l'Empereur disposer ainsi de sa fille. Il déclara avec humeur :

— Napoléon doit croire que je suis le père d'un laideron difficile à caser. Il ignore que la princesse Augusta est jolie et qu'elle est aimée du prince de Bade...

Et, pour mettre les choses au point, il eut l'idée d'une curieuse exhibition.

Écoutons Napoléon : « Le roi de Bavière vint dans mon cabinet avec une personne voilée. Il leva le voile : c'était sa fille. Je la trouvai charmante et fus, je l'avoue, assez embarrassé. C'est ce qui a fait dire au roi que j'étais tombé en extase. Je fis asseoir la jeune personne et sermonnai ensuite sa gouvernante, Mme de Würmser. Est-ce que les princesses doivent aimer ? Ce ne sont que des marchandises politiques[170]. »

Ces commentaires peu galants de l'Empereur risquaient de tout faire échouer.

Fort heureusement, la ravissante Augusta trouva Eugène de Beauharnais fort beau et désira lui appartenir. Ainsi, aidé par l'amour, Napoléon n'eut plus qu'à conclure le mariage.

Tandis qu'on préparait la cérémonie, l'Empereur lorgnait d'un œil gourmand le corsage de la reine de Bavière et sentait naître en lui des désirs impurs. Sans se soucier du scandale qui pouvait en résulter, il fit une cour pressante à la ravissante souveraine. Lui-même l'avoua à Sainte-Hélène :

« La reine de Bavière était jolie ; j'avais du plaisir à me trouver avec elle. Un jour de chasse, le roi partit devant, je lui promis de le rejoindre, mais je fus chez la reine avec qui je restai une heure et demie. Cela fit causer et mit le roi fort en colère et, lorsque les époux se retrouvèrent, il la gronda. Elle lui répondit :

» — Vouliez-vous donc que je le misse à la porte ?

» Depuis, j'ai bien payé ces galanteries-là...[171] »

N'ayant pu ajouter le nom de la reine de Bavière sur la liste déjà longue des « dames de la courtepointe », comme disait malicieusement Mérimée, Napoléon fit hâter les préparatifs du mariage d'Eugène et d'Augusta.

La cérémonie eut lieu le 14 janvier 1806 et provoqua la mauvaise humeur du clan Bonaparte.

« L'Empereur eut, à cause de ce mariage, quelques scènes de famille à supporter, nous dit Hortense. Murat et sa femme[172] ne voulurent pas y assister. L'un ne pouvait souffrir qu'un jeune homme passât avant lui après la campagne brillante qu'il venait de faire, et *il brisa son épée* en apprenant l'adoption de mon frère ; la vice-royauté d'Italie lui avait déjà donné beaucoup d'humeur. L'autre se révoltait à l'idée d'une alliance avantageuse pour une famille qu'elle ne regardait pas comme la sienne[173]. A son retour, elle m'en parla franchement et m'avoua qu'à Munich elle avait conseillé à son frère de divorcer et d'épouser lui-même la princesse Augusta, car c'était, disait-elle, la

---

170. Cités par le général Gourgaud, *Journal de Sainte-Hélène*, 30 novembre 1817.
171. Général Gourgaud, op. cit.
172. Caroline Bonaparte, sœur de Napoléon.
173. On connaît l'hostilité de la famille Bonaparte à l'égard de Joséphine et de ses enfants. J'y reviendrai.

femme qui lui convenait. Mais il fallut obéir à l'Empereur, avec la plus mauvaise grâce du monde, faire ce qu'il voulut... [174] »

Après la cérémonie nuptiale, et tandis que les nouveaux époux, qui étaient vice-roi et vice-reine d'Italie, quittaient la Bavière pour Milan, Napoléon et Joséphine rentrèrent à Paris.

En arrivant, ils trouvèrent le Tout-Paris mondain, politique et financier, bouleversé par une aventure stupéfiante survenue à la très vertueuse Mme Récamier. Cette jeune femme, qui avait alors vingt-huit ans, était d'une beauté si grande qu'un de ses contemporains nous assure que lorsqu'elle entrait dans un salon, on avait envie d'applaudir...

Mariée à un banquier de vingt ans son aîné, et qui, probablement, était son père [175], elle menait une vie luxueuse, mais irréprochable.

Or sa bonne réputation gênait considérablement les autres femmes, et tout particulièrement la très belle et très dévergondée Mme Hamelin, dont les amants ne se comptaient plus et qui avait reçu le sobriquet de « plus grand polisson de France ».

Un jour, cette gracieuse peste apprit que Mme Récamier avait un flirt avec un de ses amants, le beau Montrond. Aussitôt, elle la suivit partout, dans le dessein de lui jouer un tour de sa façon. Elle devait en avoir bientôt l'occasion.

Un soir, la belle Juliette se rendit à un bal masqué pour y rencontrer son Roméo. Tous deux avaient décidé de profiter de l'incognito conféré par leurs travestis pour quitter discrètement la fête, prendre un fiacre et se faire conduire dans une maison située hors de la barrière de Clichy.

Mme Hamelin, naturellement, était là. Ayant reconnu Mme Récamier, malgré son costume de paysanne, et M. de Montrond, en dépit de son uniforme de mousquetaire, elle les suivit dans la rue et les vit monter en voiture.

« A l'instant, nous dit le général Thiébault, elle se jette dans un cabriolet de louage, dépasse le fiacre au moment où il arrive à la barrière, saute du cabriolet après avoir ôté son domino, saisit les chevaux du fiacre par la bride, les arrête et se met à crier à tue-tête :

» — Au secours ! au secours ! Ce fiacre contient une malheureuse qui m'enlève mon mari.

» Les commis, la garde, chacun accourt ; on entoure le fiacre ; on apporte des lumières, et, au milieu du vacarme le plus affreux, on force M. de Montrond et Mme Récamier, plus morte que vive, à mettre pied à terre, et, lorsque cette dame en est là, au milieu d'un attroupement qui augmente sans cesse, Mme Hamelin s'écrie :

---

174. Reine HORTENSE, *Mémoires*.
175. On sait que M. Récamier avait été l'amant de Mme Bernard, mère de Juliette. Certains historiens assurent que la future égérie de Chateaubriand était née de ces amours coupables. Or, en 1793, le banquier craignit d'être guillotiné. Il aurait alors pensé à l'avenir de sa fille. Estimant que le seul moyen de lui assurer la transmission de sa fortune était de l'épouser, il n'aurait pas hésité à contracter avec elle un mariage blanc... Cette thèse, défendue notamment par Mme Mohl, a été reprise par Édouard Herriot. Cf. Mme MOHL, *Mme Récamier with à sketch of the history of society in France*, 1862, et ÉDOUARD HERRIOT, *Mme Récamier et ses amis*, 1909.

» — Madame Récamier !... Comment, Madame Récamier, c'est vous ? Ah ! je me suis trompée !

» Et, enchantée de son esclandre, elle remonte en cabriolet, remet son domino, retourne au bal et, par mille propos atroces, donne l'éveil sur le fait qui vient de la venger. »

Elle ne s'arrêta pas là. Le lendemain, elle se rendit dans vingt maisons, notamment chez la princesse Caroline Murat, pour y raconter sur un ton hypocrite :

— Il m'est arrivé, cette nuit, un malheur affreux. J'adore M. de Montrond ; eh bien ! vers onze heures du soir, je le vois partir en fiacre avec une femme du bal masqué du marquis de... Je les suis... A la barrière de Clichy, je les force à mettre pied à terre, et jugez de mon désespoir en reconnaissant avec lui Mme Récamier.

Tout le monde s'exclamait :

— Comment ? Mme Récamier ?...

— Mais oui, disait la chipie, vraiment, à qui se fier ?...

Tant de perfidie finit par déplaire, et quelques dames décidèrent de fermer leur salon à Mme Hamelin... « Mais, nous dit le général Thiébault, le mal fait par elle était sans remède... [176] »

Certains Parisiens commencèrent, en effet — et avec cent cinquante ans d'avance — à douter de la vertu de Juliette [177]...

Tandis que tout Paris commentait cette aventure avec une malveillance sournoise, Napoléon, voulant se délasser après le prodigieux effort qu'il venait d'accomplir de Boulogne à Austerlitz, désira s'amuser

176. Général THIÉBAULT, *Mémoires*.

177. Pendant cent cinquante ans, en effet, Mme Récamier eut une réputation d'intouchable, Mérimée ayant prétendu qu'elle était victime d'une défectuosité physique qui lui interdisait — pour employer une expression alors à la mode — « de se faire entamer la merveilleuse ».

Or, M. Beau de Loménie, arrière-petit-neveu de Juliette, a découvert en 1960 un document qui détruit définitivement cette légende. Il s'agit d'un carnet rédigé en 1841 par Louis de Loménie, son grand-père. A cette époque, ce jeune écrivain envisageait d'écrire une biographie de Mme Récamier pour sa *Galerie des contemporains illustres*. Reçu à l'Abbaye-au-Bois, il notait tout ce que la charmante vieille dame voulait bien lui dire. Ils devinrent intimes. Un soir qu'elle lui parlait de ses anciennes amours avec le prince Auguste de Prusse, il recueillit cette confidence capitale :

« On allait se promener sur l'eau. Le prince ramait et était ravi. Dans la persuasion où j'étais que nous allions nous marier, nos rapports étaient fort intimes. Toutefois, je dois vous prévenir qu'il *lui manquait quelque chose*. Le souvenir de ces quinze jours, et celui des deux années de l'Abbaye, au temps des amours avec M. de Chateaubriand, sont les plus beaux, les seuls beaux de ma vie. Il y a cependant une différence ; *c'est qu'il manquait quelque chose* au prince de Prusse. A M. de Chateaubriand, *il ne manquait rien...* »

Heureux René !

De son côté, Edouard Herriot avait écrit en 1948, dans son ouvrage *Jadis* : « J'eus par d'autres documents la confirmation que Juliette Récamier avait été une personne parfaitement normale et que Chateaubriand en avait eu la preuve irréfutable... »

Par conséquent, les mauvaises langues de 1806 avaient probablement raison lorsqu'elles affirmaient, en un style imagé, que la pure Mme Récamier « se faisait gonfler la mouflette » par M. de Montrond...

un peu. Hélas ! il n'était pas fait pour les distractions mondaines, ainsi que Constant nous en fournit la preuve :

« Un matin, l'Empereur m'appela et me dit :

» — Constant, je me décide à danser, ce soir, chez l'ambassadeur d'Italie. Vous porterez dans la journée dix costumes complets dans l'appartement qu'il a fait préparer pour moi.

» J'obéis, et, le soir, je me rendis avec Sa Majesté chez M. de Marescalchi. Je l'habillai de mon mieux en domino noir, et m'appliquai à le rendre tout à fait méconnaissable. Tout allait assez bien, malgré bon nombre d'observations de la part de l'Empereur sur ce qu'un déguisement a d'absurde, sur la mauvaise tournure que donne un domino, etc. Mais, quand il fut question de changer de chaussures, il s'y refusa absolument, malgré tout ce que je pus lui dire à cet égard. Aussi fut-il reconnu dès son entrée au bal. Il va droit à un masque, les mains derrière le dos, selon son habitude. Il veut nouer une intrigue, et, à la première question qu'il fait, on lui répond en l'appelant "Sire".

» Alors, désappointé, il se retourne brusquement et revient à moi :

» — Vous aviez raison, Constant, on m'a reconnu... Apportez-moi des brodequins et un autre costume.

» — Je lui chaussai des brodequins, et le déguisai de nouveau, en lui recommandant bien de tenir ses bras pendants, s'il ne voulait pas être reconnu au premier abord. Sa Majesté me promit de suivre de point en point ce qu'elle appelait mes instructions. Mais, à peine entrée avec son nouveau costume, elle est accostée par une dame qui, lui voyant encore les mains croisées derrière le dos, lui dit :

» — Sire, vous êtes reconnu.

» L'Empereur laissa aussitôt tomber ses bras, mais il était trop tard, et déjà tout le monde s'éloignait respectueusement pour lui faire place.

» Il revint encore à son appartement et prit un troisième costume, me promettant bien de faire attention à ses gestes, à sa démarche, et s'offrant à parier qu'il ne serait pas démasqué.

» Cette fois, en effet, il entra dans la salle comme dans une caserne, poussant et bousculant tout autour de lui ; malgré cela, on vint encore lui dire à l'oreille :

» — Votre Majesté est reconnue [178]. »

Vexé, Napoléon retourna changer de costume et s'habilla en pacha turc.

Hélas ! dès qu'il reparut dans la salle, toute l'assistance se leva en criant :

— Vive l'Empereur !

Vaincu, le souverain alla remettre son uniforme et rentra chez lui, furieux de ne pas savoir se déguiser comme tout le monde.

Fort heureusement, il avait, ailleurs, d'autres satisfactions...

---

178. CONSTANT, *Mémoires.*

21

Joséphine accuse Napoléon d'être l'amant de sa sœur Pauline

> La paix des familles est souvent
> troublée par la défiance.
>
> LA BRUYÈRE

Ce matin-là, Napoléon dictait des décrets en lançant au bout de chaque phrase une énorme grossièreté que les secrétaires, bien élevés, s'appliquaient à ne pas transcrire sur les papiers de l'État.

L'Empereur était furieux contre son frère, le prince Jérôme. Ce jeune homme, alors âgé de vingt-deux ans, adorait faire des farces, mais, nous dit un mémorialiste, « il avait le malheur de les faire mauvaises ».

Or, Napoléon venait d'apprendre par un rapport de Fouché que, la veille, Jérôme, se promenant dans les jardins du Luxembourg avec plusieurs farceurs de son espèce, s'était approché d'une vieille dame qui portait une robe démodée et lui avait dit :

— Madame, je suis amateur enthousiaste des antiques et je n'ai pu voir votre robe sans éprouver le besoin d'y imprimer un baiser d'admiration et de respect. Me le permettez-vous ?

La dame lui avait répondu, d'un ton suave :

— Très volontiers, monsieur ; et, si vous voulez prendre la peine de passer demain chez moi, vous pourrez également baiser mon derrière qui est de quarante ans plus antique que ma robe [179].

Cette aventure avait déplu à Napoléon. Lui qui s'était donné tant de mal pour élever sa famille à un rang princier ne pouvait supporter que son frère continuât de se comporter comme un voyou.

Il le fit appeler, le semonça et le renvoya chez lui en disant :

— Tu n'es pas digne du titre que je t'ai donné. Je t'interdis de reparaître ici.

L'après-midi, Pauline vint aux Tuileries pour tenter d'arranger les choses entre les deux frères.

Elle parla longuement de Charles Bonaparte, leur père, de la douleur qu'il eût éprouvée en voyant ses fils divisés, de leur enfance à Ajaccio, de leur devoir d'être unis comme si les merveilleux événements qui faisaient d'eux les premiers princes d'Europe n'avaient pas eu lieu, comme s'ils étaient toujours les petits Bonaparte faisant une ronde autour de la *mama*...

Napoléon eut les larmes aux yeux et pardonna.

---

179. *Paris, Saint-Cloud et les départements, ou Buonaparte, sa famille et sa cour. Recueil d'anecdotes relatives aux personnages qui ont figuré depuis le commencement de la Révolution française, par un chambellan forcé de l'être*, 1820.

Alors, Pauline en profita pour attaquer Joséphine que tout le clan corse détestait.

— C'est elle qui te dresse contre nous. C'est elle qui désunit notre famille. Elle qui ne peut pas t'en donner de nouvelle...

Napoléon baissa la tête. Pauline venait d'aborder brutalement le sujet qui le tourmentait jour et nuit. Depuis dix ans, il se demandait s'il était stérile ou si Joséphine, usée par le plaisir, avait cessé de pouvoir lui donner le fils qu'il désirait.

— C'est elle qui ne peut plus avoir d'enfants, dit la jeune femme. Divorce...

Mais l'Empereur n'avait pas en ses facultés procréatrices la même confiance que Pauline. Jamais, en effet, une de ses maîtresses ne lui avait donné la moindre preuve de ses possibilités dans ce domaine.

Tristement, il embrassa sa sœur et rentra dans son cabinet.

Naturellement, Joséphine fut informée de la visite de Pauline. Elle en conçut une belle jalousie, qui la rendit cadavérique et l'obligea à user d'une dose incroyable de fard et de fond de teint...

Puis, sa rancœur ayant animé son imagination de façon nettement déraisonnable, elle se livra, un jour, à un acte insensé.

Écoutons Louis Favre, qui fut le dernier secrétaire du chancelier Pasquier, nous conter la chose :

« Un peu en froid avec Napoléon, Volney resta fidèle à Joséphine qui avait du goût pour son esprit et à laquelle il avait voué une sincère amitié. Pour le voir plus souvent, elle lui avait donné un petit appartement au pavillon Marsan, et c'est dans cet appartement que se passa l'incident que je vais dire et qui m'a été conté par un témoin oculaire.

» Pendant l'hiver de 1806, un dimanche, la date importe peu, Volney causait tranquillement, les pieds sur les chenets, avec l'ami dont je parle, et qui était son visiteur familier, très assidu. L'entretien roulait sur l'Amérique, sur les États-Unis, dont Volney parlait toujours avec amertume, regrettant peut-être qu'on l'eût presque obligé à quitter ce pays. Tout à coup, un violent coup de sonnette se fait entendre ; on entend un bruit de voix dans l'antichambre. Volney se lève pour aller s'informer du motif de l'algarade ; son visiteur en fait autant pour sortir, dans la crainte d'être importun.

» — Restez, lui dit Volney, quelque marchand sans doute.

» Mais, avant qu'il eût pu achever sa phrase, la porte s'ouvre brusquement et l'Impératrice Joséphine pénètre dans le cabinet du savant, va au-devant de lui et, prenant ses deux mains :

» — Ah ! mon ami, dit-elle, mon cher Volney, je suis bien malheureuse.

» Et elle éclata en sanglots.

» L'embarras du visiteur était extrême. Il était debout dans un angle de la cheminée ; il aurait voulu gagner la porte, se soustraire à cette scène presque de famille. Mais Joséphine empêchait sa fuite, elle parcourait la chambre, agitait ses bras avec colère.

» — Calmez-vous, madame, disait Volney, habitué, il le confia plus tard, aux explosions de jalousie de Joséphine, et qui croyait à quelque infidélité de l'Empereur ; calmez-vous, l'Empereur vous aime, vous le savez. Vous vous êtes trompée.

» Et comme les larmes de Joséphine redoublaient :

» — Eh bien ! dit-il, je vous crois ; mais je vous l'assure, c'est une fantaisie qui durera une heure, un jour.

» A ces mots, l'Impératrice se redressa :

» — Taisez-vous, dit-elle ; l'Empereur est un misérable.

» Puis elle ajouta, en soulignant chaque parole d'une accentuation de mépris :

» — Si vous saviez ce que je viens de voir. J'ai surpris l'Empereur, entendez-vous ? dans les bras de Pauline.

» Puis, soulagée par cette confidence, elle sortit comme une trombe et disparut [180]. »

Dans sa colère, Joséphine venait de lancer une calomnie que les ennemis de l'Empereur allaient recueillir et propager avec délices. Et cette calomnie la dépeint tout entière.

« En effet, dit Henri d'Alméras, Joséphine était fort capable de tenir les propos que lui attribue l'ancien secrétaire du chancelier Pasquier. Courtisane couronnée, elle excellait, comme toutes ses pareilles, à forger des mensonges compliqués et à les prendre elle-même au sérieux. Les écarts de sa vie privée avaient depuis longtemps sali son imagination et la portaient à supposer chez les autres les pires instincts. Elle était d'ailleurs terriblement jalouse de sa belle-sœur et d'une jalousie qui ne reculait devant aucune calomnie, devant aucune invraisemblance. Même si l'on ne suspecte pas sa bonne foi, son caractère, son passé, son tempérament d'hystérique ne permettent pas d'ajouter le moindre crédit à ses affirmations. Qu'elle ait pris pour de l'amour incestueux une très vive affection fraternelle, un peu exagérée, à la mode italienne, dans ses manifestations, c'est ce qui nous paraît très probable et ce que nous admettrons jusqu'à preuve du contraire [181]. »

Malheureusement, l'extravagante accusation de l'Impératrice fut reprise sous la Restauration. Beugnot, devenu ministre de la Police de Louis XVIII pendant que Napoléon était à l'île d'Elbe, prétendit que ses services avaient intercepté des lettres de Pauline dont les termes ne laissaient rien ignorer de l'inceste impérial.

Voici la note rédigée par le Cabinet noir d'après ces lettres qui n'ont jamais existé que dans l'imagination malveillante de Beugnot, mais dont celle-ci n'aurait pas eu l'idée sans Joséphine :

180. Louis Favre, *Histoire du palais du Luxembourg*.
181. Henri d'Alméras, *Une amoureuse : Pauline Bonaparte*.

... C'est cette femme (Pauline) *que Bonaparte a appelée à l'île d'Elbe pour l'y consoler. Elle s'y morfond d'ennui. Pour faire diversion, elle s'occupe de quelques liaisons sur le continent. Il est évident par sa correspondance qu'elle a un amant à attirer dans l'île, M. le baron Duchand, colonel du deuxième régiment d'artillerie ; un autre à empêcher d'y arriver, celui qu'elle appelle du nom mystérieux d'Adolphe, et, de plus, des devoirs très étroits à remplir envers son frère. Elle objecte ces derniers à Adolphe pour le retenir sur le continent et même pour l'effrayer un peu. Elle en parle aussi à M. Duchand, mais, à celui-ci, de manière à le rassurer et à le satisfaire, s'il n'est pas difficile, le partage (lui semblant) tout naturel. Le frère aura la journée. Le baron aura une partie de la soirée et la nuit tout entière. Il ne doit pas être mécontent.*

Cependant, si le baron connaissait toute cette correspondance, il ne serait pas entièrement rassuré, car, entre autres commissions que la princesse donne à la dame Michelot, sa femme de confiance à Paris, elle lui demande six bouteilles de Rob Laffecteur, c'est-à-dire du remède le plus actif qu'on puisse appliquer au virus syphilitique invétéré. Il est à craindre que la princesse ne donne à son frère des consolations amères, et que M. le baron ne fasse pas un voyage fort sain, et c'est dans la prévoyance (sic) *de toutes ces fâcheuses conséquences que la princesse fait une provision si ample de Rob Laffecteur. Il y a de quoi guérir toute l'île d'Elbe* [182].

Tout Paris connut bientôt le texte de cette note, et le comte de Jaucourt, ministre des Affaires étrangères par intérim, s'empressa de la résumer à l'intention de M. de Talleyrand, qui se trouvait alors au Congrès de Vienne. Voici le texte de la dépêche qu'il lui adressa le 3 décembre 1814 :

La nymphe Pauline écrit à deux colonels de son intimité, à l'un que Bonaparte est trop jaloux pour qu'il vienne encore, à l'autre qu'il se hâte de venir, que Bonaparte ne la voit que le jour et qu'il pourra s'en occuper le soir et toute la nuit. Elle appelle son auguste frère vieux pourri *et demande deux bouteilles de Rob Laffecteur.*

Il est tellement inconcevable que Pauline ait appelé son frère « vieux pourri » que ces deux mots suffiraient, si l'on avait encore quelques doutes, à retirer toute vraisemblance à l'anecdote. Mais Arthur Lévy, l'un des écrivains les plus documentés sur Napoléon, nous donne une autre raison de ne pas croire aux lettres « interceptées » par le Cabinet noir.

« A l'île d'Elbe pas plus qu'ailleurs, écrit-il, on ne trouve la moindre trace d'une anomalie quelconque dans les rapports du frère et de la sœur.

» D'abord, la présence de la vieille mère paraît être une garantie suffisante. Ensuite, dans les papiers de l'Empereur, rien n'évoque

---

182. Papiers de BEUGNOT, versés aux Archives nationales.

même l'idée d'une intimité complaisante. Il sera bien permis d'avancer que, peut-être, Napoléon, refusant de solder une modique somme de soixante-deux francs trente centimes, n'eût pas fait preuve envers une maîtresse d'une telle lésinerie. C'est cependant ce qu'il fit le jour où le général Bertrand, faisant fonction de grand maréchal du palais, lui présenta une note ainsi conçue : "J'ai l'honneur de soumettre à Votre Majesté la dépense faite pour établir huit stores dans le salon de la princesse Borghèse ; la toile a été fournie par la princesse, la dépense faite s'élève à soixante-deux francs trente centimes."

» L'Empereur écrivit de sa main, en marge de cette demande :

» "N'ayant pas ordonné cette dépense qui n'est pas portée au budget, la princesse payera" [183]. »

D'autre part, si l'on prend l'exposé des comptes laissé par M. Peyrusse, trésorier de la Couronne à l'île d'Elbe, on y voit, au titre V, chapitre III, une somme de deux cent quarante francs qui, par ordre de l'Empereur, « doit être payée par la princesse pour la nourriture de ses chevaux » [184].

Lorsqu'on sait que Napoléon couvrait ses maîtresses de cadeaux, on l'imagine mal refusant à celle-ci soixante-deux francs trente. Une telle pingrerie indique clairement que les relations de l'Empereur et de sa sœur n'avaient pas dépassé les limites de l'affection fraternelle.

Mais la calomnie de Joséphine était trop belle dans son ignominie pour que les royalistes, les républicains et les aigris se laissassent influencer par de tels arguments. Pour plaire à Louis XVIII, qui adorait les contes libertins, on inventait des détails. Fouché répétait, comme s'il s'était agi d'une preuve, cette réponse de Pauline à Mme Mathis :

— Savez-vous, madame, que l'on ne doit jamais dire non à une volonté exprimée par l'Empereur ? Et que moi, qui suis sa sœur, s'il me disait : « *Je veux* », je lui répondrais : « Sire, je suis aux ordres de Votre Majesté... »

De son côté, M. de Semonville, rapporteur au Sénat, racontait que Pauline — dont il avait été l'amant — s'était un jour exclamée :

— Je suis très bien avec mon frère. Il a déjà couché deux fois avec moi.

Et M. Mounier, maître des requêtes, notait, pour un livre de Mémoires qu'il ne publia d'ailleurs jamais :

« Quant aux rapports intimes de Napoléon avec ses sœurs, MM. Lesperut et Capelle n'en doutaient pas, ni M. Beugnot qui, chargé de la police immédiatement après l'Empire, s'est occupé de tout cela, ne fût-ce que pour amuser le roi. Du reste, M. Lesperut nous avait avoué la chose dès 1807 [185]. »

La malheureuse petite phrase de Joséphine faisait son chemin. Elle devait aller plus loin encore. Ramassée dans la boue par l'Anglais

183. Arthur Lévy, *Napoléon intime*.
184. *Correspondance de Napoléon Ier*, Porto Ferrajo, 31 janvier 1815.
185. Comte d'Hérisson, *Le Cabinet noir*.

Lewis Goldsmith, elle alla prendre place dans un pamphlet publié en 1814 à Londres, auprès d'une amusante accusation de sodomie qui émanait du général Foy[186]. Comme un « beau mentir » s'enjolive toujours à mesure qu'il voyage, la calomnie de l'Impératrice s'amplifia en traversant la Manche. Et Goldsmith ne se contenta pas de mettre Pauline dans le lit impérial, il y ajouta Caroline :

« Sans respect pour la décence, écrivit-il, l'inceste même ne lui paraît pas devoir être déguisé ; il a vécu publiquement avec ses deux sœurs, Mmes Murat et Borghèse, la première s'en vantait à tout le monde[187]. »

On vit même quelques partisans de Napoléon, aveuglés par une admiration un peu excessive, se ranger involontairement du côté des calomniateurs en voulant à tout prix excuser les écarts supposés de leur dieu :

— Si l'Empereur est l'amant de sa sœur, disaient-ils, l'œil brillant, cela prouve qu'il est un homme plus grand que les autres et que les lois de la morale, utiles pour réprimer le vulgaire, ne s'appliquent pas à lui...

Sous le second Empire, les ennemis du régime, cherchant à atteindre le neveu à travers l'oncle, utilisèrent abondamment la calomnie de Joséphine, et des pamphlets remplis de détails scabreux coururent la France.

Aujourd'hui, il n'existe pas un historien sérieux pour prétendre que Napoléon ait montré, à l'égard de ses sœurs, une gentillesse déplacée. Cette accusation n'est plus exploitée que par quelques auteurs friands d'anecdotes croustillantes...

22

Napoléon devient père d'un petit Léon

> Petit Léon, dans le sein de ta mère,
> Tu n'as jamais connu la pauvreté...
>
> *Le baptême du petit ébéniste*

Lorsque le clan des Bonaparte apprit que Joséphine accusait Napoléon de prendre un plaisir déplacé dans le lit de sa sœur, il y eut d'affreux grincements de dents. On traita l'Impératrice de « vieille guenon fripée » et l'on jura de pousser l'Empereur au divorce.

Au cours d'un véritable conseil de tribu, Pauline déclara :

— Il faudrait lui faire connaître une femme jeune et capable de lui donner un enfant... Il serait alors certain de la stérilité de Joséphine et la répudierait.

— J'ai la personne que tu cherches, dit Caroline.

186. Les militaires entre eux ont toujours à dire. Ce général accusait l'Empereur d'avoir des bontés excessives pour le grand maréchal Duroc, dès que celui-ci avait le dos tourné...
187. LEWIS GOLDSMITH, *Histoire secrète du cabinet de Napoléon Buonaparte et de la Cour de Saint-Cloud*, Londres, 1814.

La princesse Murat venait de prendre à son service une ravissante brunette de dix-huit ans, fort bien faite et, nous dit-on, « nullement élevée pour avoir des scrupules »[188].

Cette jeune personne s'appelait Éléonore Denuelle de La Plaigne. Après quelques études chez Mme Campan, elle avait épousé un certain Revel, capitaine au 15e régiment de dragons, et ne s'en trouvait pas satisfaite. L'officier, en effet, avait été, en 1805, condamné à deux ans de prison par la Cour de justice criminelle de Seine-et-Oise pour faux en écritures...

Privée de soutien, elle s'était alors adressée à Mme Campan, qui lui avait dit :

— Allez donc voir la princesse Murat, cette petite Annunziata Bonaparte, qui fut votre compagne et qui se fait appeler maintenant Caroline.

Éléonore, intimidée, avait bredouillé :

— Elle ne me recevra pas...

Mme Campan s'était dressée :

— Il ferait beau voir qu'elle ne vous reçût pas ! Elle aurait affaire à moi ![189]...

Et la jeune femme s'était rendue au château de Neuilly, demeure des Murat, où Caroline l'avait prise immédiatement à son service, en qualité de lectrice.

— Cette petite rouée, dit la princesse Murat, fera exactement ce que nous lui dicterons. Elle est vicieuse et elle aime l'argent... Laissez-moi agir...

Quelques jours plus tard, Napoléon était invité par sa sœur au château de Neuilly. La première personne qu'il y vit fut naturellement Éléonore.

Il en eut, sur-le-champ, le plus vif désir, et s'enquit de l'endroit où elle logeait.

— Dans le pavillon du parc, lui dit Caroline.

Après le déjeuner, qui fut expédié, l'Empereur courut au pavillon et demanda à Éléonore le plus savoureux des desserts...

Le lendemain, la jeune femme était reçue dans l'appartement secret des Tuileries et montrait à Napoléon un autre aspect de son talent. Émerveillé, celui-ci lui demanda de revenir souvent.

Bien qu'elle n'eût aucun goût pour l'Empereur, Éléonore accepta et revint presque chaque jour passer deux heures en sa compagnie. Mais ces « séances de plaisir » l'ennuyaient profondément. Elle racontera plus tard qu'elle profitait d'un moment où Napoléon la caressait pour

188. Sa mère donnait dans la galanterie, et son père, qui se disait rentier, vivait d'affaires assez louches.

189. Mme Campan conserva toujours de l'autorité sur ses anciennes élèves. Un jour que Caroline, devenue reine de Naples, lui disait : « Vraiment, je suis étonnée que vous ne soyez pas plus intimidée devant nous. Vous nous parlez aussi librement que lorsque nous étions vos élèves... », l'ancienne dame de Marie-Antoinette répondit : « Vous n'avez rien de mieux à faire que d'oublier vos titres lorsque vous êtes avec moi, car je ne saurais avoir peur des reines que j'ai mises en pénitence. » (M. MAIGNE, *Journal anecdotique de Mme Campan.*)

pousser, avec le pied, la grande aiguille d'une pendule sans globe placée dans l'alcôve et l'avancer de trente minutes...

Grâce à ce subterfuge, le souverain, qui avait l'habitude de regarder l'heure après chacun de ses ébats, sursautait, se rhabillait à la hâte et retournait en courant à ses affaires...

Informés de ces galantes rencontres, les Murat attendaient, confiants, le résultat de leur manœuvre.

A la fin de février 1806, le clan des Bonaparte se réunit à Neuilly, et Caroline, navrée, fut obligée d'annoncer que Napoléon n'avait pas encore « ensemencé le sein de Mme Revel »...

Cette nouvelle causa une grande déception, car, nous dit Léon Boisard dans son style particulier, « les Corses espéraient voir sortir des flancs d'Éléonore un bébé qui, tel l'ange exterminateur, aurait montré la porte à Joséphine » [190].

Après une longue discussion, au cours de laquelle chacun émit une opinion touchant les facultés procréatrices de l'Empereur, Murat prit secrètement une décision assez inattendue. Puisque les choses semblaient traîner, il allait être l'amant de la jeune lectrice et s'efforcer, par des moyens éprouvés, de lui donner l'enfant que Napoléon ne semblait pas capable de faire.

Le soir même, sans rien dire à Caroline, qui n'eût peut-être pas trouvé le procédé à son goût, il se rendit chez Éléonore et, avec toute l'ardeur de son tempérament de Méridional, il la poussa sur le lit et la viola consciencieusement.

La jeune lectrice n'était pas démonstrative. Elle ne fit aucune réflexion, mais elle en conclut qu'elle plaisait beaucoup dans la famille.

Le lendemain, Murat retourna coopérer à l'œuvre impériale, et la chose devint bientôt une habitude. Dès qu'Éléonore rentrait des Tuileries, Murat, qui la guettait de la fenêtre, se précipitait à sa suite, montait dans le petit pavillon du parc où elle logeait, et, dans un style plus large que Napoléon, lui donnait ce que Léon Boisard appelle joliment « un coup d'archet dans le violoncelle »...

Or, tandis que le beau Joachim se dépensait ainsi pour le louable but d'aider sa belle-famille, Napoléon, habitué à mener plusieurs affaires de front, connaissait un nouvel engouement pour Stéphanie de Beauharnais...

La jeune nièce de Joséphine, que l'Empereur venait d'adopter bien qu'elle eût encore son père, devait épouser le prince Louis de Bade. Tout était prêt, sauf elle, qui n'avait d'yeux que pour Napoléon et détestait son fiancé.

La chose fit jaser, et Mme de Rémusat nous donne un écho de cette aventure qui passionna le palais :

« Stéphanie avait alors dix-sept ans, une figure agréable, de l'esprit

---

190. Léon Boisard, *Napoléon et ses sœurs*, 1825.

naturel, de la gaieté, même un peu d'enfantillage, qui lui allait bien, un son de voix charmant, un joli teint, des yeux bleus animés et des cheveux d'un beau blond.

» Le prince de Bade ne tarda pas à devenir amoureux d'elle ; mais, d'abord, il ne fut guère aimé. Il était jeune, mais très gros, d'une figure commune et sans expression ; il parlait peu, semblait gêné dans toute son allure et s'endormait un peu partout. La jeune Stéphanie, vive, piquante, éblouie d'ailleurs de son sort, fière de l'adoption de l'Empereur, crut faire au prince de Bade beaucoup d'honneur en lui donnant sa main. On essaya en vain de redresser ses idées sur ce mariage ; elle montrait une grande soumission à le faire quand on voudrait ; mais elle répondait que la fille de Napoléon aurait pu épouser des fils de roi et des rois. Cette petite vanité, accompagnée de plaisanteries piquantes auxquelles ses dix-sept ans donnaient de la grâce, ne déplut point à l'Empereur et finit par l'amuser. Il prit un peu plus à gré sa fille adoptive, qu'il ne l'eût fallu, et, précisément au moment de la marier, il devint publiquement amoureux d'elle.

» Cette conquête acheva de tourner la tête à la nouvelle princesse, et la rendit encore plus hautaine à l'égard de son futur époux, qui cherchait en vain les moyens de lui plaire. »

En constatant que la jeune fille dont il désirait depuis longtemps les faveurs le regardait avec un émerveillement de bon aloi, Napoléon, perdant un peu le sens de la mesure, l'installa au palais avec toutes les prérogatives d'une favorite. Ce qui ne fit plaisir, on le conçoit, ni à Joséphine, ni à la famille Bonaparte, ni au gros fiancé...

Écoutons encore Mme de Rémusat :

« L'Empereur ordonna qu'elle passât partout immédiatement après l'Impératrice, prenant le pas sur toute la famille : Mme Murat ne manqua pas d'en éprouver un déplaisir extrême. Elle la haïssait cordialement, et son orgueil et sa jalousie ne purent se dissimuler.

» La jeune personne en riait comme de tout le reste et elle en faisait rire l'Empereur, déterminé à s'égayer de tout ce qu'elle disait. »

Cette connivence excita la jalousie de Joséphine : « L'Impératrice, nous dit notre mémorialiste, devint assez mécontente de cette nouvelle fantaisie de son époux. Elle parla sérieusement à sa nièce et lui montra le tort qu'elle se ferait si elle ne résistait avec évidence aux efforts que tentait Bonaparte pour achever de la séduire. Mlle de Beauharnais écouta les conseils de sa tante avec quelque docilité, elle la fit confidente des entreprises quelquefois un peu vives de son père adoptif, et promit de se conduire avec réserve. Ces confidences renouvelèrent les anciens démêlés du ménage impérial. Bonaparte, toujours le même, ne dissimula point son penchant et, trop sûr de son pouvoir, il trouvait mauvais que le prince de Bade pût s'aviser de se blesser de ce qui se passait sous ses yeux. »

Le prince n'était pas le seul à se scandaliser. Toute la cour considérait l'Empereur avec stupéfaction.

— L'amour, disaient les uns à voix basse, le pousse à agir de façon incohérente, car il est singulier de faire sa fille de celle qu'on veut mettre dans son lit.

— D'autant, ajoutaient les autres, qu'en l'adoptant, il contracte les devoirs d'un père, et que ces devoirs s'opposent très exactement à ce qu'il a envie de lui faire...

Les mines s'allongèrent encore lorsqu'on apprit que Napoléon, de plus en plus amoureux, avait commandé pour Stéphanie un trousseau comprenant des robes et des parures pour un prix exorbitant et qu'il lui offrait en outre une parure de diamants de 1 500 000 francs en dot[191].

Malheureusement, Napoléon ne se borna pas à couvrir d'argent sa chère Stéphanie. Il lui donna un territoire : le Brisgau.

... Le Brisgau, qui lui aurait permis de faire de Vieux-Brisach « une place formidable », beaucoup plus importante que Kehl et dont la force eût, en 1814, empêché les Alliés d'agir sur Bâle...

Ainsi, l'amour devait donc, au moment des revers, priver l'Empereur d'un atout capital.

A quelques jours de la cérémonie nuptiale, Napoléon, craignant un éclat, devint plus prudent et cessa d'adresser en public des coups d'œil complices à Stéphanie. Celle-ci, de son côté, chapitrée par sa tante, résistait farouchement aux assauts de l'Empereur.

Elle n'en haïssait pas moins son fiancé...

« Le soir de son mariage, nous dit encore Mme de Rémusat, il fut impossible de la déterminer à le recevoir dans son appartement. Peu de temps après, la cour alla à Saint-Cloud. Le jeune ménage aussi ; mais la princesse continua de repousser son mari. Il passait la nuit sur un fauteuil dans sa chambre, priant, pressant avec insistance, et s'endormant ensuite sans avoir rien obtenu.

» Il se plaignait à l'Impératrice, qui grondait sa nièce, l'Empereur la soutenait et reprenait toutes ses espérances. Tout cela avait un assez mauvais effet[192]. »

Finalement, Napoléon, fatigué par les scènes de jalousie de Joséphine, et comprenant qu'il ne deviendrait jamais l'amant de Stéphanie, laissa partir le jeune couple pour la principauté de Bade[193]. Mais toute cette affaire, nous dit Léon Boisard, « avait excité son ardeur galante, et la belle Éléonore en avait le savoureux profit ». Tous les jours, il la faisait venir dans la chambre réservée aux amours clandestines et reportait sur elle l'affection que lui inspirait sa nièce.

Après quoi, naturellement, la jeune femme avait droit aux démonstra-

---

191. Chiffre cité par Jean Savant, qui a étudié longuement les comptes secrets de l'Empereur.

192. Mme de Rémusat, *Mémoires*.

193. Pendant quelque temps, Stéphanie continua de se refuser à son mari. Napoléon fut obligé d'envoyer des négociateurs secrets pour lui faire comprendre l'importance qu'il y avait pour elle à devenir la mère d'un prince. Elle se soumit et eut de nombreux enfants. L'un d'eux devait, hélas ! lui être enlevé et être assassiné sous le nom de Gaspard Hauser... Cf. Alain Decaux, *Les grandes énigmes de l'Histoire.*

tions non moins fougueuses de Murat qui continuait de lui honorer « le violoncelle ».

Une telle activité en un endroit aussi sensible ne pouvait que porter ses fruits. Au début du mois d'avril, Éléonore s'aperçut qu'elle était enceinte.

Aussitôt, elle alla annoncer la bonne nouvelle à l'Empereur qui, fou de joie, fit louer pour elle, immédiatement, un petit hôtel au 29 de la rue de la Victoire [194].

Aux Tuileries, les courtisans furent abasourdis en apprenant ce nouveau scandale et, pendant quelques jours, ne s'entretinrent que des conséquences qui pouvaient en résulter...

Les femmes, ravies, disaient :

— Maintenant, l'Empereur va répudier Joséphine, puisqu'il est prouvé que c'est elle qui ne peut avoir d'enfant.

— A moins qu'il ne légitime celui que Mme Revel va lui donner, répliquaient les hommes, Louis XIV ne l'a-t-il pas fait pour le duc du Maine et le comte de Toulouse, les bâtards qu'il avait eus de Mme de Montespan ?

— Sans doute, mais la dynastie était alors suffisamment solide pour qu'un souverain se permette de telles fantaisies.

— Et puis, ajoutaient les mauvaises langues, il serait savoureux de voir monter un jour, sur le trône impérial, un enfant dont Murat est peut-être le père...

Alors tout le monde éclatait de rire.

Mais sous cape.

Or, tandis que les courtisans faisaient ainsi, à voix très basse, des commentaires plutôt malveillants, Napoléon se sentait le cœur gonflé de reconnaissance à l'égard des Murat, dont il ne soupçonnait pourtant pas toute l'étendue du dévouement.

Un moment, il chercha une récompense proportionnée au bonheur qu'il ressentait. Puis il se souvint qu'il leur avait donné, un mois plus tôt, le grand-duché de Berg et de Clèves, et ce cadeau princier lui parut, à la réflexion, suffisant. Comme Talleyrand, Napoléon pensait qu'il ne faut jamais se montrer « excessivement obligé... » [195].

Après quoi, il donna l'ordre de faire activer les formalités de divorce entre Éléonore et Jean-François-Honoré Revel, qui était toujours en prison.

194. On remarquera que cette rue joue un rôle important dans l'histoire amoureuse de Napoléon. C'est là, au 6, qu'il habitait avec Joséphine. C'est là qu'il installa Éléonore. C'est là qu'il logera un jour Marie Walewska.

195. C'était l'époque où Napoléon préparait une Europe familiale. Joseph avait été créé roi de Naples et de Sicile ; Louis, roi de Hollande ; Élisa, duchesse de Lucques ; Pauline, duchesse de Guastalla ; Bernadotte, beau-frère de Joseph et mari de Désirée Clary, prince de Pontecorvo...

Quelques amis furent également pourvus : Berthier reçut la principauté de Neuchâtel, et Talleyrand, celle de Bénévent, tandis qu'une vingtaine de maréchaux et généraux devenaient ducs...

Celui-ci protesta, disant qu'il aimait sa femme et ne voulait pas s'en séparer. On lui apprit alors, sans ménagements, qu'elle était devenue la maîtresse du souverain. Il fut abasourdi, et comme il ignorait tout, bien entendu, du petit complot bonapartiste qui avait placé Éléonore dans le lit de l'Empereur, il se crut la victime d'une ténébreuse affaire. Oubliant qu'il était en prison pour avoir commis un faux en écritures, il accusa Napoléon de l'avoir fait arrêter à seul fin d'enlever son épouse.

Plus tard, il rédigea même sur ce sujet un libelle intitulé *Bonaparte et Murat ravisseurs d'une jeune femme. Mémoires historiques écrits par un mari outragé.*

Au milieu d'accusations délirantes dues à son ignorance des faits, il y révèle quelques détails intéressants :

« On peut citer des princes qui ont enlevé la femme d'un sujet, écrit-il ; mais je ne sache pas qu'aucun, jusqu'à Murat et Bonaparte, ait conçu et exécuté à la fois l'inutile, stupide et horrible projet de réduire le mari à la mendicité et à la perspective de l'infamie.

» Qui aurait cru que la fille d'un La Plaigne eût vu à ses pieds des têtes couronnées et eût enchaîné l'ogre qui a dévoré tant d'êtres vivants et couvert l'Empire de crêpes de deuil et d'urnes funéraires ?

» Les courtisans, qui s'étaient tout d'abord amusés d'elle, tremblèrent au moment de son élévation. C'était à qui lui rendrait des hommages. Il était sans exemple jusqu'alors parmi eux que Bonaparte eût avoué une maîtresse. Cet événement les étonna, les opinions se divisèrent. Chacun forma des projets pour plaire à la sultane prochaine. Mme Murat elle-même dissimula ses ressentiments. Si Éléonore avait eu l'esprit d'une du Barry, elle eût dispensé, comme elle, les faveurs souveraines ; mais, statue sans âme, elle borna son ambition aux voitures, aux robes, à un peu d'or, à quelques diamants...

» Après les fêtes de Neuilly, Éléonore fut inaugurée dans le temple des plaisirs de Buonaparte, rue de la Victoire, sous la garde de Regnault de Saint-Jean-d'Angely, eunuque d'un nouveau genre, qui, plus que sultan, jouissait des faveurs de l'odalisque. »

Puis il arrive à la scène de demande en divorce.

« La dissolution de mes liens conjugaux, écrit-il dans son style noble, était la condition mise au bris de mes fers. »

En effet, les avocats lui spécifièrent qu'il ne serait libéré qu'après avoir accepté la séparation. Il refusa. Le juge alors usa d'un argument décisif :

— Bien ! Vous serez déporté à la Guyane. Ce point est décidé dans le cas où vous résisteriez à l'ordre supérieur qui vous impose le devoir de renoncer à votre épouse.

« La menace d'une déportation, ajoute Revel, pouvait se réaliser. De quoi n'étaient pas capables Buonaparte et Murat ? Après avoir mûrement réfléchi, déterminé surtout par la considération puissante du sort de mes enfants, dont la perte était infaillible après la mienne, je me rendis. »

Le divorce fut prononcé le 19 avril 1806.

Tandis qu'Éléonore, libérée, préparait discrètement un héritier à Napoléon, celui-ci, fier d'avoir réussi dans un domaine où il n'avait connu jusqu'alors que des échecs, se mit gaillardement à transformer l'Europe.

L'empire germanique, après dix siècles d'existence, venait d'être dissous. Un très grand nombre des trois cent soixante-dix États qui se partageaient le sol allemand et y entretenaient une anarchie permanente fut supprimé au profit des princes les plus puissants de l'Allemagne occidentale et centrale.

Ces princes « dorlotés par Napoléon », suivant le mot d'un historien, créèrent, sous la protection de la France, une *Confédération du Rhin,* dont la Prusse, puissance en partie slave, fut exclue. Elle en ressentit une amertume que la reine Louise, farouchement antifrançaise, se chargea de transformer en fureur.

Le 19 septembre, assurée du concours de la Russie, car le tsar était amoureux d'elle, la très belle souveraine fit envoyer un ultimatum à Napoléon : les troupes françaises laissées en Allemagne après Austerlitz étaient sommées de se retirer immédiatement de l'autre côté du Rhin.

Le 25, l'Empereur quitta Saint-Cloud. Le surlendemain, il était devant ses troupes et lançait un étonnant communiqué, dans lequel il précisait qu'il ne fallait pas faire attendre les ennemis, car une belle reine se trouvait parmi eux...

Galants, les Français se précipitèrent, et la rencontre eut lieu le 14 octobre à Iéna...

Elle fut regrettable pour les Prussiens.

Le 27, Napoléon entra triomphalement à Berlin. Aussitôt, guerrier fatigué, il chercha pour son repos, quelques petites Berlinoises gracieuses et ardentes.

Constant lui en fournit plusieurs et sa fringale fut bientôt connue dans la ville. Un jour, une jeune fille, instruite de sa générosité, vint s'offrir sans aucune pudeur.

Écoutons Constant nous conter la chose :

« Napoléon passant une grande revue à Berlin, une jeune personne, accompagnée d'une femme âgée, lui présenta une pétition. Napoléon, rentré au palais, en prit connaissance et me dit :

» — Constant, lisez cette demande, vous y verrez la demeure des femmes qui me l'ont présentée. Vous irez chez elles pour savoir qui elles sont et ce qu'elles veulent. »

Le valet de chambre prit la lettre et vit que la jeune fille demandait un « entretien particulier » avec Napoléon. Aussitôt, il se rendit à l'adresse indiquée et trouva une demoiselle de quinze à seize ans d'une admirable beauté.

— L'Empereur m'envoie vous chercher, dit-il.

Cette phrase n'eut pas l'effet qu'il en attendait, car la jeune fille ignorait le français.

Elle lui jeta un regard torve dont il ne sut que faire.

Heureusement, la mère de cette charmante personne arriva sur ses entrefaites et s'enquit dans un français approximatif :

— Pourquoi venez-vous faire ici ?

Constant se contenta de montrer le carrosse qui attendait devant la porte, en disant :

— Napoléon !

A ce nom, les deux femmes bondirent de joie et s'embrassèrent en poussant des exclamations gutturales que le valet de chambre n'eut aucune peine à traduire.

Puis la maman expliqua la situation aussi clairement qu'elle put :

— Je suis un officier prussien morte de la femme, dit-elle, et son père était de ma fille. Je veux bien que la voir l'Empereur Napoléon, mais je demande que le présenter aussi...

Constant, qu'une longue pratique des peuples étrangers avait habitué à tous les langages, répondit à la veuve de l'officier que, l'étiquette s'y opposant, elle ne pouvait assister à l'audience impériale dont sa fille était seule bénéficiaire.

— Je suis tout de même avec, déclara la mère sans se démonter.

Et, comme Constant conduisait la demoiselle au carrosse, elle les accompagna.

Les gardes du palais les virent donc arriver tous les trois. Mais, dans le premier salon, le valet de chambre poussa la mère abusive vers un fauteuil.

— Asseyez-vous là, dit-il, et attendez.

Après quoi, il emmena la belle *fraulein* dans l'appartement privé de l'Empereur.

Laissons Constant nous conter la suite :

« Quoique la conversation ne dût pas être fort intéressante entre deux personnes qui ne pouvaient se comprendre que par des signes, écrit-il, elle ne laissa pas de se prolonger une partie de la nuit.

» Vers le matin, m'ayant appelé, Napoléon me demanda 4 000 francs, qu'il remit lui-même à la jeune Prussienne, qui paraissait être fort contente.

» Elle rejoignit ensuite sa mère, qui n'avait pas eu l'air d'éprouver la moindre inquiétude sur la longue durée de l'entretien. Elles remontèrent dans la voiture qui les attendait et je les reconduisis à leur demeure.

» Napoléon me dit qu'il n'avait pu rien comprendre que *Das ist miserable !... Das ist gut !...* (Cela est misérable !... Cela est bon !...) [196]. »

Ce qui résume assez bien la conversation d'une femme amoureuse...

Quelques jours plus tard, Napoléon se précipita vers la Pologne que

196. Constant, *Mémoires.*

les Prussiens et les Autrichiens s'étaient partagée dix ans plus tôt. Il y fut accueilli en libérateur.

Le 31 décembre, alors qu'il faisait halte à Pultusk, il reçut un message qui lui causa une émotion profonde. Caroline lui annonçait qu'Éléonore avait mis au monde un garçon dix-huit jours plus tôt.

Ce garçon avait été déclaré à la mairie « de père absent » et la jeune maman, qui aurait voulu l'appeler Napoléon, avait eu l'idée de le baptiser Léon, ce qui pouvait passer pour un diminutif...

L'Empereur lui envoya une lettre tendre et lui fit porter de l'argent, des bijoux, des œuvres d'art...

La jeune femme faillit alors devenir impératrice. Écoutons Revel :

« Après la naissance de Léon, le crédit d'Éléonore n'eut plus de bornes, Bonaparte accordait à sa maîtresse tout ce qu'elle demandait. La bonne élève de Mme Campan exigea l'arrestation de sa mère. Mme de La Plaigne fut conduite aux Magdelonnettes. Elle voulut ensuite sa déportation : le ministre de la Police l'ordonna. Éléonore régnait enfin, et peu s'en fallut que Buonaparte ne partageât sa couronne avec elle. Ce que j'avance n'est point une fiction : si Buonaparte n'eût trouvé une si grande résistance parmi les siens, Éléonore fût devenue impératrice. »

Sans le savoir, Joséphine n'était déjà plus qu'une figurante...

Malgré les soins pris par la cour pour cacher le fils d'Éléonore, les Parisiens ne tardèrent pas à savoir qu'un semi-aiglon venait de naître clandestinement rue de la Victoire.

On en parla le soir à la veillée, avec mille précautions, car la police impériale était d'une redoutable vigilance.

Le choix du prénom amusait particulièrement les braves gens. Et un chansonnier, qui préféra garder l'anonymat, composa sur ce sujet une chanson malicieuse dont les couplets se transmirent de bouche à oreille « à la vitesse de l'éclair », nous dit un auteur du temps. En voici un extrait :

> *On dit qu'un grand monarque*
> *Vient d'avoir un enfant,*
> *Et que c'est là la marque*
> *D'un fier tempérament.*
> *Pour ce roi, quelle gloire.*
> *Mais vraiment, faut-il croire*
>   *Les « on-dit »* (bis)
>   *Léon* (bis)
>   *Les « on-dit » ?*

> *On dit que l'heureux père*
> *Lui a donné ses dons*
> *Et par-devant notaire*
> *La moitié de son nom.*
> *Pour l'enfant, quelle gloire !*

> *Mais vraiment faut-il croire*
> *Les « on-dit »* (bis)
> *Léon* (bis)
> *Les « on-dit » ?*

> *Mais on dit qu'en cachette*
> *Tout cela s'est passé,*
> *Que la mère est jeunette*
> *Et qu'un bâtard est né.*
> *Mes amis, quelle histoire.*
> *Mais vraiment, faut-il croire*
> *Les « on-dit »* (bis)
> *Léon* (bis)
> *Les « on-dit »...* [197] *?*

23

Marie Walewska est offerte à Napoléon pour le salut de la Pologne

> Les petits cadeaux entretiennent l'amitié.
>
> sagesse des nations

Tandis que Paris chantonnait sans grand respect la naissance de son premier fils, Napoléon se préparait à entrer à Varsovie.

La Pologne, à ce moment, je l'ai dit, avait cessé, depuis treize ans, d'exister en tant qu'État sur la carte du monde. La Prusse, l'Autriche et la Russie se l'étaient partagée.

La venue de l'Empereur des Français suscitait donc chez les patriotes polonais un enthousiasme indescriptible. On sortait les drapeaux gardés religieusement, on revêtait les costumes nationaux et les uniformes de l'ancienne armée, on s'embrassait, on chantait les hymnes interdits et l'on dansait des polkas effrénées. Tout le monde pensait qu'il allait être aussi facile à Napoléon de ressusciter la Pologne que d'anéantir la Prusse. « Le voyant arriver, écrit Jacques Bainville, l'ayant chez eux, l'entourant et l'adulant, touchant du doigt, par l'Empereur et la Grande Armée, cette France dont ils disent dans leurs jours de détresse qu'elle est trop loin comme Dieu est trop haut, les Polonais s'imaginent que l'heure de la réparation est venue, que l'iniquité dont ils ont été les victimes n'aura été qu'un bref mais sombre chapitre de leur histoire. Et Napoléon n'est pas insensible à leur patriotisme, à leur chevalerie, à leur enthousiasme [198]. »

L'historien ajoute ce détail capital : « Il n'est pas non plus insensible à la grâce de leurs femmes... »

Cet intérêt allait donner une idée singulière aux chefs de la « résistance » polonaise. Ils imaginèrent de pousser une jeune femme

---

197. Cité dans la *Chronique scandaleuse de l'Empire*.
198. JACQUES BAINVILLE, *Napoléon*.

dans le lit de Napoléon avec mission de commettre un adultère patriotique.

L'enthousiasme innocent d'une ravissante aristocrate de vingt et un ans allait servir leurs desseins.

Le 1er janvier 1807, Napoléon, venant de Pultusk et se rendant à Varsovie, s'arrêta pour changer de chevaux dans un relais de poste établi aux portes de la petite ville de Blonie.

Sa voiture fut immédiatement entourée par une foule en délire. Soudain, deux élégantes jeunes femmes, qui avaient réussi à se frayer un chemin au milieu des paysans gesticulants et braillards, agrippèrent le bras de Duroc.

La plus jolie des deux, une blonde aux yeux bleus très tendres qui portait le bonnet national, lui dit en français :

— Ah ! monsieur, je vous en supplie, conduisez-nous à l'Empereur et faites que je puisse l'entrevoir un seul instant.

Le grand maréchal considéra cette jolie Polonaise, pensa que son maître serait bien aise de l'admirer et sourit.

— Venez ! dit-il.

Et, prenant la jeune femme par la main, il la tira jusqu'à la portière de la voiture impériale.

— Sire, dit-il, voici une jeune personne qui a bravé tous les dangers de la foule pour vous. Elle veut absolument vous parler.

Napoléon regarda, fut séduit, retira son chapeau et se pencha pour dire quelques mots aimables. Il n'en eut pas le temps. La petite Polonaise, rougissante, mais singulièrement exaltée, lui prit la main, la baisa et s'écria :

— Soyez le bienvenu, mille fois le bienvenu, sur notre terre ! Rien de ce que nous ferons ne rendra d'une façon assez énergique les sentiments que nous portons à votre personne, ni le plaisir que nous avons à vous voir fouler le sol de cette patrie qui vous attend pour se relever !

L'Empereur, touché et pensant qu'il y avait là une occasion à ne pas laisser échapper, prit alors dans sa voiture un bouquet qu'on lui avait offert à son départ et le tendit à la jeune femme.

— Gardez-le, dit-il, comme garant de mes bonnes intentions. Nous nous reverrons à Varsovie, je l'espère, et je réclamerai un merci de votre belle bouche...

S'étant ainsi, à tout hasard, réservé l'avenir, il rappela Duroc et donna l'ordre de repartir.

La voiture s'éloigna rapidement. Mais la foule, qui hurlait sa joie, vit Napoléon agiter son chapeau par la portière à l'adresse de la blonde inconnue.

Cette jeune femme s'appelait Marie Walewska.

Fille de Mathieu Laczinski, elle appartenait à une très ancienne, mais très pauvre famille de Pologne. Après la mort de son père, qui laissait Mme Laczinska avec six enfants, elle avait été une petite fille vibrante, passionnée et plus occupée du sort de son pays que des robes de ses poupées.

Au point qu'un soir, son précepteur, Nicolas Chopin, père du compositeur, avait écrit dans la marge de ses devoirs :

« Pour quelle raison cet enthousiasme démesuré ? » Et plus loin : « Que viennent faire ces pleurs sur la Pologne à propos des guerres puniques ? »

A dix-sept ans, un jeune homme, beau, charmant, riche et bien né lui avait demandé sa main. Bien qu'il lui plût infiniment, Marie l'avait refusé parce qu'il était russe...

Alors, le comte Anastase Colonna de Walewice-Walewski, riche châtelain de soixante ans, veuf pour la seconde fois, et grand-père d'un garçon ayant neuf ans de plus que Marie, s'était déclaré prétendant.

Mme Laczinska, ravie de voir entrer une belle fortune dans la famille, avait agréé le vieillard.

Informée du sort qu'on lui préparait, la jeune fille s'était permis de faire quelques objections. Elle avait reçu une paire de gifles.

Rendue malade par cette réaction imprévue, Marie était restée quatre mois entre la vie et la mort.

Ce qui donne la mesure de sa sensibilité.

A peine remise, elle avait été conduite à l'autel. L'année suivante, malgré son peu de goût pour le comte Walewski, elle s'était laissé fléchir et avait consenti à accomplir son devoir conjugal.

Un enfant était né de cette minute d'abandon.

Depuis, elle vivait dans l'espoir que l'empereur des Français — qu'elle idolâtrait — viendrait un jour délivrer son pays. Cette passion l'avait conduite à Blonie...

Tandis que Marie Walewska, suivie de son amie Elzunia, rentrait au château de Walewice en tenant précieusement son bouquet, Napoléon s'installait à Varsovie.

A peine arrivé dans le palais qu'on avait mis à sa disposition, il fit préparer un bain — très chaud, comme il les aimait — se mit dans l'eau et rêva longuement de la petite blonde de Blonie.

— Qu'on fasse rechercher cette jeune femme, fit-il à Duroc. Par tous les moyens. Je veux la revoir !

Après quoi, se souvenant que Joséphine voulait venir le rejoindre, il écrivit à l'Impératrice le mot suivant :

Ma bonne amie, je reçois ta lettre du 27 avec celles de M. Napoléon [199] *et d'Hortense qui y étaient jointes.*

Je t'avais priée de rentrer à Paris. La saison est trop mauvaise, les

199. Fils d'Hortense.

chemins peu sûrs et détestables, les espaces trop considérables pour que je permette que tu viennes ici où mes affaires me retiennent.
Il te faudrait au moins un mois pour arriver. Tu y arriverais malade. Il te faudrait repartir alors. Ce serait donc folie.
Ton séjour à Mayence est trop triste. Paris te réclame. Vas-y. C'est mon désir.
Je suis plus contrarié que toi. J'eusse aimé partager les longues nuits de cette saison avec toi. Mais il faut obéir aux circonstances.
Adieu, mon amie.
Tout à toi.

N.

Car le propre de Napoléon n'était pas seulement l'audace, c'était aussi la prudence [200]...

Marie avait espéré que sa rencontre avec Napoléon demeurerait ignorée ; mais, dès le lendemain, tout Varsovie en connaissait les détails par Elzunia, qui n'avait pu tenir sa langue. Il fut donc facile pour la police impériale d'identifier l'inconnue de Blonie.

Quand il sut que sa jeune admiratrice était mariée à un vieillard, Napoléon se frotta les mains et envoya Duroc chez le ministre de la Guerre du gouvernement provisoire, le prince Poniatowski, dont le palais de la Blacha était le centre de la haute société polonaise.

— Vous lui direz que je m'intéresse à cette dame et que je désire la rencontrer le plus tôt possible.

Duroc courut répéter ces propos au prince qui, sur-le-champ, conçut d'utiliser à des fins politiques les bons sentiments de Napoléon à l'égard de Marie Walewska.

— Veuillez répondre à Sa Majesté que, si elle veut bien me permettre de lui offrir demain soir un bal, elle y rencontrera cette jeune femme.

Pendant que le grand maréchal allait, tout joyeux, porter cette réponse à Napoléon, le prince Poniatowski informait les membres du gouvernement de son dessein et se rendait chez les Walewski. Marie le reçut, un peu effarée.

— Je sais, madame, dit-il, que vous avez rencontré Napoléon à Blonie. Aujourd'hui, cet empereur tout-puissant veut vous revoir. L'intérêt qu'il vous porte est une chance inespérée pour notre pays. J'offre, en son honneur, un bal, demain soir, en mon palais. Il faut que vous y soyez.

Devant ce prince qui souriait avec un air complice, Marie fut atterrée. Elle pensa qu'on s'était mépris sur le sens de son geste, et des larmes lui vinrent aux yeux.

— Non, dit-elle, je n'irai pas !

Joseph Poniatowski prit alors un air sévère :

200. En fait, si Joséphine voulait rejoindre Napoléon à Varsovie, c'était surtout pour retrouver son amant du moment, Frédéric Berckeim, jeune écuyer de l'Empereur...

— Je vous répète, dit-il, que le ciel se servira peut-être de vous pour rétablir notre chère Pologne.

Mais Marie ne céda point, et le prince se retira.

Aussitôt, une délégation des principaux représentants de la Pologne se fit annoncer.

Ces braves gens, animés par un profond amour de leur patrie, incitèrent vivement la jeune comtesse à se rendre au bal et à être soumise en tout au grand empereur Napoléon.

Marie, affolée, se débattait de toutes ses forces, lorsque son mari rentra. Le comte Walewski n'était pas au courant de l'entrevue de Blonie. S'imaginant que sa femme avait été choisie en considération de son rang, il montra une grande fierté et, devant les ministres, qui avaient bien du mal à conserver leur sérieux, il ordonna à Marie de rencontrer l'Empereur.

— Napoléon, dit-il, ne peut être que charmé en voyant une aussi jolie Polonaise...

Vaincue, la jeune femme accepta.

Après tout, l'Empereur n'allait pas la violer au cours de la réception...

Lorsqu'elle arriva au bal, Napoléon, le visage crispé, marchait de long en large dans un coin du salon.

Dès qu'il vit entrer Marie, il s'arrêta, appela Poniatowski et lui exprima son enthousiasme par une série de phrases lapidaires un peu crues, dont les invités qui n'avaient pas été artilleurs s'étonnèrent.

Aussitôt, le prince alla vers la jeune femme.

— *On* vous a attendue avec impatience, lui dit-il. *On* vous a vue arriver avec joie. *On* s'est fait répéter votre nom jusqu'à l'apprendre par cœur. *On* a examiné votre mari. *On* a haussé les épaules en disant : « Malheureuse victime ! » et l'*on* a donné l'ordre de vous engager dans la danse !

— Je ne danse pas, répondit Marie. Je n'ai nulle envie de danser.

Furieux, le prince alla informer l'Empereur de cette mauvaise volonté. Napoléon, les mains dans le dos, reprit sa ronde nerveuse. Tout à coup, il avisa Louis de Périgord et Bertrand auprès de Marie. Blême de colère et de jalousie, il appela Berthier et lui ordonna d'expédier sur-le-champ Louis de Périgord au 6e corps sur la Passarge et Bertrand au quartier général du prince Jérôme, devant Breslau...

Après quoi, tranquillisé, il alla faire un petit tour dans les salons en s'efforçant d'être aimable. Mais l'attitude de Marie le préoccupait tellement qu'il parla à tort et à travers.

A une jeune fille, il demanda combien elle avait d'enfants ; à une vieille demoiselle, si son mari était jaloux de sa beauté ; à une dame d'un embonpoint monstrueux, si elle aimait beaucoup la danse...

Enfin, il arriva devant Marie.

Écoutons-la nous conter elle-même la scène :

« Tel était mon embarras, dit-elle, que je manquai ma révérence. J'étais si pâle aussi que, désignant du doigt mon visage et ma robe blanche, il me dit brusquement que "le blanc sur le blanc n'allait pas". Puis il quitta ce ton sévère et me demanda pourquoi je paraissais gênée.

» — Vous étiez pourtant à votre aise, dit-il, et parliez facilement, le 1er janvier dernier, à ce relais. M'aurait-on desservi ? Allons, parlez, reprit-il après un court silence, je suis sûr que vous avez quelque chose à me dire.

» Comme il m'avait rassérénée, je répondis qu'avec toutes mes compatriotes, je formais ce vœu : le rétablissement par ses soins de la Pologne dans ses anciennes frontières, après l'écrasement de ses ennemis, et notre couronne sur sa tête.

» — C'est parler bien légèrement, murmura-t-il, mais vous m'aiderez à rendre tout cela sérieux. »

Puis il ajouta tout bas :

— Ce n'est pas l'accueil auquel j'étais en droit de m'attendre après...

La jeune femme, cette fois, ne répondit rien, et Napoléon n'insista pas. Quelques instants plus tard, il quittait le bal.

Marie, qui était devenue le point de mire de toute l'assistance, désira rentrer aussitôt chez elle.

Dans la voiture, heureuse d'en avoir fini, elle soupira.

Pas longtemps.

Car son mari, toujours ravi, toujours hilare, lui apprit qu'il avait accepté une invitation à un dîner où l'Empereur devait se trouver.

— Cette fois, dit-il, tu mettras une robe plus élégante. Car j'ai cru remarquer, ce soir, qu'il n'était pas satisfait de ta toilette. Or, c'est me faire honneur que de lui plaire !...

Marie l'aurait volontiers giflé. Elle se contenta de tapoter son appui-bras. Mais, dès qu'ils furent arrivés, elle courut se réfugier dans sa chambre.

Elle s'y trouvait à peine qu'une femme de chambre vint lui remettre ce billet qu'elle eut du mal à déchiffrer :

Je n'ai vu que vous, je n'ai admiré que vous, je ne désire que vous. Une réponse bien prompte pour calmer l'impatiente ardeur de

N.

De ce mot bref, Marie ne vit qu'une seule phrase : « Je ne désire que vous. »

Choquée, elle froissa le papier et fit dire à Joseph Poniatowski, qui attendait dans la rue, qu'il n'y avait pas de réponse.

Le prince, à qui le patriotisme donnait toutes les audaces, remonta derrière la cameriste et, à travers la porte de la chambre, supplia Marie de se plier aux désirs de l'Empereur.

Au risque d'un scandale, il implora, puis menaça :

— Pensez à notre chère Pologne, Madame ! Pour la ressusciter, chacun de nos soldats est prêt à donner sa vie. Votre devoir est, certes, différent ; il n'est pas moins sublime !

Pendant une demi-heure, le ministre de la Guerre s'efforça de faire admettre à Marie la beauté et la pureté du sacrifice qui lui était demandé.

Il partit sans avoir obtenu de réponse.

Le lendemain, à son réveil, la comtesse trouva un second billet. Elle ne l'ouvrit pas, l'attacha au premier et ordonna qu'on les rendît au porteur.

Dès qu'elle fut levée, on vint lui annoncer une délégation du gouvernement.

Sur l'ordre de son mari, et bien qu'elle eût prétexté une migraine, elle dut recevoir tout ce monde. Alors, le plus âgé des hommes d'État la regarda d'un air sévère et dit :

— Tout doit céder, madame, en vue de circonstances si hautes, si majeures pour toute une nation. Nous espérons donc que votre mal passera d'ici au dîner projeté, dont vous ne pouvez vous dispenser sans paraître une mauvaise Polonaise.

Lorsque la délégation eut pris congé, Marie, poussée par son mari, se rendit chez Mme de Vauban, maîtresse du prince Poniatowski, pour y recevoir quelques conseils sur la toilette à porter au dîner.

Mme de Vauban était du complot. Elle lui lut cette extraordinaire lettre signée par les personnages les plus importants de la nation :

Madame, les petites causes produisent souvent de grands effets. Les femmes, en tout temps, ont eu une grande influence sur la politique du monde. L'histoire des temps reculés comme celle des temps modernes nous certifie cette vérité. Tant que les passions domineront les hommes, vous serez, mesdames, une des puissances les plus redoutables.

Homme, vous auriez abandonné votre vie à la digne et juste cause de la Patrie. Femme, vous ne pouvez la servir à corps défendant, votre nature s'y oppose. Mais aussi, en revanche, il y a d'autres sacrifices que vous pouvez bien faire et que vous devez vous imposer, quand même ils vous seraient pénibles.

Croyez-vous qu'Esther se soit donnée à Assuérus par un sentiment d'amour ? L'effroi qu'il lui inspirait, jusqu'à tomber en défaillance devant son regard, n'était-il pas la preuve que la tendresse n'avait aucune part dans cette union ? Elle s'est sacrifiée pour sauver sa nation et elle a eu la gloire de la sauver.

Puissions-nous en dire autant pour votre gloire et notre bonheur.

N'êtes-vous pas fille, mère, sœur, épouse de zélés Polonais, qui tous forment avec nous le faisceau national, dont la force ne peut augmenter qu'en raison du nombre et de l'union des membres qui le composent. Mais sachez, madame, ce qu'a dit un homme célèbre, un saint et pieux ecclésiastique, Fénelon : « Les hommes, qui ont toute autorité en public, ne peuvent, par leurs délibérations, établir aucun bien effectif si les femmes ne les aident à l'exécuter. » Écoutez cette voix réunie à la nôtre pour jouir du bonheur de vingt millions d'hommes.

Après quoi, voyant Marie ébranlée, Mme de Vauban lui lut le second billet de Napoléon, celui qu'elle avait refusé de décacheter :

Vous ai-je déplu, madame ? J'avais cependant le droit d'espérer le contraire. Me suis-je trompé ? Votre empressement s'est ralenti, tandis que le mien augmente. Vous m'ôtez le repos. Oh ! donnez un peu de joie, de bonheur, à un pauvre cœur tout prêt à vous adorer. Une réponse est-elle difficile à obtenir ? Vous m'en devez deux.

N.

Or, pendant que la pauvre Marie se débattait comme la chèvre de M. Seguin, les soldats de la Grande Armée, qui croyaient leur empereur depuis longtemps pourvu d'une maîtresse polonaise, chantaient sur l'air de « Quand la mer Rouge apparut », cette chanson un peu leste :

*Notre emp'reur nous a conduit
Pour faire la guerre
Dans un bien vilain pays
Où l'on n'se plaît guère.
On y gèle. Il y fait froid
Partout, sauf en un endroit
     Car les Po po po
     Car les Lo lo lo
     Car les Po
     Car les Lo
     Car les Polonaises
     Ont le c... de braise.*

*C'est là qu'il faut séjourner
Si l'on veut survivre ;
C'est là qu'il faut s'abriter
Du gel et du givre.
Et l'on donne pour payer
Quelques coups de tisonnier.
     Car les Po po po
     Car les Lo lo lo
     Car les Po
     Car les Lo
     Car les Polonaises
     Ont le c... de braise.*

*Notre emp'reur, à ce qu'on dit,
Chez la plus aimable,
A découvert un abri
Chaud et confortable.
Si chaud qu'à la Saint-Elbeuf
Il y a fait cuire un œuf.
     Car les Po po po
     Car les Lo lo lo
     Car les Po*

Car les Lo
Car les Polonaises
Ont le c... de braise.

Ce qui prouve que le peuple a le goût du merveilleux.

Dès qu'on sut que Marie avait accepté d'assister au dîner qui était offert à l'Empereur, une vague d'enthousiasme souleva les patriotes polonais.

Ce repas présentait, en effet, pour eux, le premier pas de la jeune comtesse vers le lit impérial. Certains assuraient, les larmes aux yeux, qu'à l'instant où la chose se passerait, ils allumeraient une bougie devant l'icône familiale. D'autres juraient d'accrocher un drapeau à leur fenêtre. D'autres encore prétendaient qu'on n'avait rien vu de plus beau depuis le sacrifice d'Abraham.

Bref, tout le monde pensait, le cœur gonflé d'émotion, que la minute où Marie allait donner sa marmotte à Napoléon serait un grand moment dans l'histoire de la Pologne.

Délégués par le gouvernement provisoire, des gens vinrent, avec des mines compassées, serrer la main de la jeune comtesse ; et ce geste était à la fois destiné à la plaindre, à l'encourager et à la féliciter de son héroïque décision.

Quand le soir tomba, Mme de Vauban, qui connaissait la faiblesse de la nature humaine, craignit que Marie ne changeât d'avis pendant la nuit et, à toutes fins utiles, fit placer un planton devant sa porte...

Le lendemain matin, en présence du comte Walewski, qui ne soupçonnait toujours rien, la jeune femme fut habillée comme une mariée.

Puis on la conduisit au Zamek où avait lieu la réception. En arrivant, elle fut surprise par l'empressement insolite que lui montrèrent les invités. Sur son passage, la plupart faisaient des courbettes, louaient à haute voix sa beauté ou s'extasiaient en termes nettement excessifs sur l'élégance de sa robe. Quelques-uns — déjà — sollicitaient sa protection...

Ce spectacle lamentable acheva d'écœurer Marie.

Lorsque l'Empereur entra, elle blêmit et baissa les yeux. Napoléon, enjoué, fringant, fit le tour du salon et, selon son habitude, distribua aux dames des compliments dans un style plus militaire qu'impérial :

— Bravo ! Belles dents !... Jolis yeux !... Quel corsage !... Grands pieds, hein ?

Devant Marie, il s'inclina et dit simplement :

— Je croyais Madame souffrante ; est-elle tout à fait remise ?

La petite comtesse lui sut gré de cette discrétion et reprit l'espoir de garder son honneur.

A table, elle se trouva placée à côté de Duroc et presque en face de Napoléon. Gênée par tous les regards attendris qui étaient braqués sur elle, Marie ne remarqua pas tout de suite l'étonnant manège auquel se livrait l'Empereur.

Tout en parlant de la Pologne, de la guerre avec la Prusse et de la politique du tsar, il faisait des gestes surprenants, se fourrait un pouce dans la bouche, se glissait les doigts en V sous le nez, se tapait le dessus de la tête avec le poing, s'enfonçait l'annulaire gauche dans l'oreille droite, etc.

Les convives étaient d'autant plus étonnés que le discours de Napoléon, truffé de formules géniales, de paradoxes amusants et de traits fort spirituels, ne témoignait d'aucun désordre mental.

Ils en conclurent, un peu hâtivement, que l'Empereur avait des tics.

Ils se trompaient.

Ces gestes faisaient partie d'un code secret que Napoléon avait établi avec Duroc. Ils lui permettaient de dicter au Grand Maréchal les questions auxquelles il voulait que Marie répondît.

A certain moment, l'Empereur se tapa plusieurs fois la poitrine avec le pouce. Duroc hésita un moment sur le sens à donner à ce signe. Il comprit finalement qu'il s'agissait du bouquet que Napoléon avait offert à Marie lors de l'entrevue de Blonie.

Se penchant vers sa voisine, il lui demanda ce qu'était devenu ce bouquet.

— Je le conserve religieusement pour mon fils, répondit la jeune femme.

En entendant cette réponse, Napoléon frétilla d'aise et se crut déjà le plus heureux des hommes.

Après le repas, il s'approcha de Marie, lui prit la main devant les invités ravis, et dit :

— Non, non, avec des yeux si doux, si tendres, avec cette expression de bonté, on se laisse fléchir, on ne se plaît pas à torturer, ou l'on est la plus coquette, la plus cruelle des femmes...

Puis il rentra dans ses appartements accompagné de Duroc. Aussitôt, les membres du gouvernement entourèrent Marie :

— Merveilleux ! Il n'a vu que vous. Il vous jetait des flammes ! Vous seul pouvait plaider la cause de notre nation. Seule vous pouvez l'attendrir et le déterminer à rétablir la Pologne !

A ce moment, Duroc revint. Il portait une lettre qu'il posa sur les genoux de Marie. Les bons vins du dîner l'avaient rendu lyrique. Il s'écria :

— Pourriez-vous repousser la demande de celui qui n'a jamais essuyé d'échecs ? Ah ! Sa gloire est environnée de tristesse, et il dépend de vous de la remplacer par des instants de bonheur !...

Les invités faillirent applaudir. Mais comme Marie pleurait, Mme de Vauban ouvrit le billet et, à la satisfaction générale, le lut à haute voix :

Il y a des moments où trop d'élévation pèse, et c'est ce que j'éprouve. Comment satisfaire le besoin d'un cœur épris qui voudrait s'élancer à vos pieds et qui se trouve arrêté par le poids des hautes considérations paralysant le plus vif des désirs ? Oh ! si vous vouliez... Il n'y a que vous seule qui puissiez lever les obstacles qui nous séparent. Mon ami Duroc vous en facilitera les moyens.

Oh ! venez. Venez. Tous vos désirs seront remplis. Votre patrie me sera plus chère quand vous aurez pitié de mon pauvre cœur.

N.

Accablée par tant d'impudeur, Marie n'osait même plus redresser la tête.

A demi consciente, elle finit par dire :

— Faites de moi ce que vous voudrez !

Les patriotes se congratulèrent.

Le soir même, on la conduisit chez l'Empereur. Écoutons le témoignage de Constant :

« Elle consentit à venir voir l'Empereur le soir, entre dix et onze heures. Le grand personnage dont j'ai parlé reçut l'ordre d'aller la prendre en voiture dans un endroit désigné. L'Empereur, en attendant, se promenait à grands pas et témoignait autant d'émotion que d'impatience. A chaque instant, il me demandait l'heure.

» Madame Walewska arriva enfin, mais dans quel état ! Pâle, muette et les yeux baignés de larmes. Aussitôt qu'elle parut, je l'introduisis dans la chambre de l'Empereur ; elle pouvait à peine se soutenir et s'appuyait en tremblant sur mon bras.

» Quand je l'eus fait entrer, je me retirai avec le personnage qui l'avait amenée. Pendant son tête-à-tête avec l'Empereur, Mme Walewska pleurait et sanglotait tellement que, malgré la distance, je l'entendais gémir de manière à me fendre le cœur. Il est probable que, dans ce premier entretien, l'Empereur ne put rien obtenir d'elle.

» Vers deux heures du matin, Sa Majesté m'appela. J'accourus, et je vis sortir Mme Walewska, le mouchoir sur les yeux et pleurant à chaudes larmes. Elle fut reconduite chez elle par le même personnage. Je crus bien qu'elle ne reviendrait pas. »

En rentrant chez elle, Marie, qui sanglotait toujours, envoya ce mot à son mari :

Votre première idée, Anastase, sera de me reprocher ma conduite quand vous devinerez la raison pour laquelle je vous ai écrit. Mais quand vous aurez lu, vous n'accuserez que vous. J'ai tout fait pour vous ouvrir les yeux. Hélas ! vous étiez aveuglé par une vanité sans nom et, je le reconnais, par votre patriotisme : vous n'avez pas voulu voir le danger.

J'ai passé plusieurs heures chez..., la nuit dernière. Vos amis politiques vous diront qui m'y a envoyée. J'en suis sortie sans tache, en promettant de revenir ce soir. Je ne le puis, car, maintenant, je sais trop ce qui m'arriverait...

Le lendemain matin, une dame vint apporter à Marie un écrin contenant un bouquet et une guirlande de diamants.

Furieuse, la jeune femme jeta les bijoux par terre. Alors la messagère lut le mot, digne d'une midinette, qui les accompagnait :

Marie, ma douce Marie, ma première pensée est pour toi, mon premier désir est de te revoir. Tu reviendras, n'est-ce pas ? Tu me l'as promis. Sinon, l'aigle volerait vers toi ! Je te verrai à dîner, l'ami le dit. Daigne donc accepter ce bouquet : qu'il devienne un lien mystérieux qui établisse entre nous un rapport secret au mileu de la foule qui nous environne. Exposés aux regards de la multitude, nous pourrons nous entendre. Quand ma main pressera sur mon cœur, tu sauras qu'il est tout occupé de toi, et, pour répondre, tu presseras ton bouquet.

Aime-moi, ma gentille Marie, et que ta main ne quitte jamais ton bouquet !

N.

Au dîner, Marie parut sans bouquet ; mais le soir, poussée par les patriotes, elle fut conduite de nouveau chez l'Empereur. Le mameluk Roustan la reçut :

— Tard, bien tard... Empereur très fâché... Attendre longtemps, très longtemps, madame comtesse, dit-il dans son jargon.

Puis il l'introduisit dans le salon où Napoléon l'attendait en se chauffant près du feu. Très raide, les yeux baissés, elle déposa sur une table l'écrin contenant les diamants.

— Votre Majesté voudra bien me pardonner, dit-elle simplement, mais je n'aime guère les bijoux. Et celui-ci est vraiment trop beau pour être un souvenir...

L'Empereur tapa du pied :

— Je me f... que vous les aimiez ou non !

Il s'approcha d'elle, détailla son costume — elle portait un manteau, un chapeau, un voile, des gants et des bottes noirs — et s'écria :

— Comédienne ! Il ne vous manque qu'un bonnet de nonne !

Elle tenta de se justifier :

— Si je me présente à cette heure... et dans cette tenue...

— Allez vous asseoir ! Là-bas ! comme hier ! Et dites-moi maintenant si j'ai raison de vous appeler comédienne.

Elle se mit à trembler :

— Je ne comprends pas, sire, pourquoi je mérite ce nom.

— C'est que vous n'avez pas lu Lucrèce, qui écrivait *Slavus saltans*, en mentionnant les Polonais ?

— Je ne comprends pas.

— Vous allez comprendre. Madame ne trompe pas la confiance de son bon à rien de mari, mais trompe celle de celui qu'elle appelle tout-puissant... Joue les diplomates, mais se fait prier pour être admise auprès d'un souverain. Refuse un présent de lui... Accoste un homme sur la route, et il faut des interventions étrangères pour qu'elle dîne avec lui... Quand le noir irait bien, comme pour un grand bal, elle s'habille en mousseline blanche, et, pour venir chez l'empereur des

Français qui côtoie tous les jours la mort, elle a soin de se mettre en deuil...

Elle esquissa un pâle sourire, alors il explosa :

— J'ai eu tort de vous appeler comédienne, c'est *folle* que j'aurais dû dire [201].

Puis il se mit à déclamer :

— Dire que Lannes, cet homme dont les jugements s'inspirent toujours d'un rare bon sens, que Talleyrand, le plus fin diplomate actuellement sur terre, et bien d'autres, la liste est longue, m'avaient mis en garde contre la duplicité des Polonais. Pourquoi suis-je resté sourd à leurs avertissements ? Vous m'avez tous menti, berné, trahi, pour que je m'engage, que je ne puisse reculer. Qu'est-ce que cela peut vous faire que j'aie des embarras à cause de cette Pologne, maudite lors des traités de paix ? Et à Mme Walewska, qu'est-ce que cela peut lui faire si, ayant cru trouver en elle une amie sincère, la confidente recherchée par mon âme depuis des années, je me sois pris à l'aimer ? Elle sait bien que mon séjour dans son pays est passager. Mais d'où sortez-vous donc, et comment vous a-t-on élevée ? Était-ce une leçon que vous récitiez à ce relais de malheur, avec votre charme diabolique et vos yeux langoureux, quand vous parliez du sang de vos hommes et cœur de vos femmes ?

Tout à coup, d'un geste de colère, il tira sa montre de son gousset :

— Tiens, cria-t-il, en projetant cette montre à terre et en l'écrasant du talon, ainsi ferai-je de la Pologne, si tu me refuses ton amour.

« Ses yeux me foudroyaient, écrit Marie Walewska. Je croyais avoir un cauchemar horrible. Toute ma volonté tendait à ce que je me réveillasse, mais ce regard sauvage braqué sur moi semblait me lancer des pieux de fer qui me clouaient à ma couche. J'étais serrée dans un coin moelleux du canapé où il m'avait indiqué d'aller m'asseoir d'un signe autoritaire, peu après mon arrivée. Une sueur froide m'inondait, je tremblais. J'entendis des coups, c'était l'écho persistant du bruit que ses talons avaient fait sur la pauvre montre. Tout à coup, j'eus comme l'impression d'être soulevée. Je pensai : "Enfin, me voilà réveillée." Mais que m'arrivait-il ? Un poids m'écrasait et l'air n'arrivait plus à mes poumons. Je compris. »

Marie s'évanouit.

Et Napoléon en profita...

Lorsqu'elle sortit de sa syncope, Marie s'aperçut, avec la contrariété qu'on imagine, que l'Empereur avait abusé d'elle. Ses jupes étaient relevées, ses dentelles déchirées, et ses escarpins traînaient au milieu de la pièce. Près du feu, Napoléon, affalé dans un fauteuil, reprenait lentement son souffle.

L'irréparable était donc accompli. Avec beaucoup de sagesse et d'abnégation, la jeune comtesse pensa qu'il fallait profiter de la

---

201. Cette scène est rapportée par le comte d'Ornano, biographe de Marie Walewska, son aïeule.

situation au mieux des intérêts de la Pologne. Des reproches, des injures, une crise de nerfs n'effaceraient point l'acte qui venait d'être commis ; l'Empereur, au contraire, pouvait en être irrité, renier toutes ses promesses, appeler un chambellan et la chasser à tout jamais.

Elle se leva, s'approcha de lui en s'efforçant de sourire.

Napoléon, un peu inquiet, un peu moins amoureux aussi depuis qu'il avait assouvi son désir, ne savait trop quelle contenance avoir.

Quand elle fut devant lui, elle s'agenouilla et dit :

— Je vous pardonne.

Cette phrase le soulagea. Il saisit les mains de Marie, les baisa et déclara qu'ils allaient désormais se revoir souvent.

Elle prit alors un air grave :

— Vous croyez donc que je vais maintenant rentrer chez moi, reprendre ma vie auprès de mon mari, et venir vous retrouver le soir en cachette ? Jamais. Ce qui vient de se passer m'unit à vous et m'interdit de reparaître devant le comte Walewski...

Napoléon, très embarrassé, baissa la tête et se demanda pendant quelques instants ce qu'il allait faire de Marie. Tout en réfléchissant, il l'observait du coin de l'œil. La jeune femme, qui avait tout intérêt maintenant à assurer sa liaison, souriait, jouait des paupières. Finalement, elle lui posa ses lèvres chaudes dans le creux de la main. Ce contact le fit frémir et, nous dit Dorvin, « le désir impérial, qui s'était un peu assoupi, se réveilla ».

Le regard brillant, Napoléon dit :

— Tu as raison. Tu habiteras désormais avec moi.

Puis il releva Marie, la porta jusque sur le canapé et, dans un grand désordre de jupons troussés, lui montra ce qu'il avait fait pendant qu'elle était évanouie...

Marie s'installa donc au palais, et sa liaison avec Napoléon devint officielle. Les patriotes exultaient, pensant que, sous le charme de leur héroïque compatriote, l'empereur des Français allait ressusciter la Pologne.

Chaque jour, Mme de Vauban venait encourager la petite comtesse et lui dicter les paroles à prononcer sur l'oreiller. Quand elle la trouvait trop accablée, trop honteuse, elle lui précisait son rôle. Ce rôle, Frédéric Masson l'a très exactement décrit :

« Elle ne sera pas pour Napoléon une maîtresse de passage, elle sera une sorte d'*épouse à côté ;* qui ne participera, à la vérité, ni aux dignités de la couronne, ni aux splendeurs du trône, mais qui occupera un rang spécial, qui sera l'ambassadrice de sa patrie près de l'Empereur, *sa femme polonaise.* Par un lien très léger encore, mais qu'elle pourra resserrer plus tard, elle unira le cœur de Napoléon aux destinées de la Pologne. Rien que par sa muette présence, elle l'obligera à se souvenir de ses promesses, à se justifier de ne point les tenir, lui imposera le remords de sa dette non payée [202]. »

202. FRÉDÉRIC MASSON, *Napoléon et les femmes.*

Chaque soir, fidèlement, Marie répétait les phrases de Mme de Vauban, parlait de la Pologne et rappelait à Napoléon ses engagements. Mais il l'écoutait distraitement, préférant, après l'amour, les commérages de salon aux conversations sérieuses.

La jeune femme était stupéfaite de le voir s'intéresser à la vie privée de ses généraux, de ses ministres et même des membres du gouvernement polonais. Il se régalait de toutes les petites histoires de coucheries qui couraient la ville et les répétait avec délectation.

« Je le plaisantais sur ce goût, écrit Marie Walewska, disant que personne au monde ne croirait que le plus grand personnage de son siècle, celui sur lequel reposaient les intérêts du monde entier, se plût à de pareilles vétilles. »

Mais il éclatait de rire et continuait de s'amuser comme un collégien. Un soir, il essaya de composer une chanson pour ses soldats, n'y parvint pas, déchira ses gribouillages et se consola en entraînant Marie sur un lit.

C'était encore l'occupation qu'il préférait avec la petite comtesse.

Son tempérament devenait d'ailleurs chaque jour plus ardent. Le 29 janvier 1807, il écrivit à son frère Joseph :

Ma santé n'a jamais été aussi bonne, tellement que je suis devenu plus galant que par le passé...

En conséquence, Marie devait donc plusieurs fois par jour se donner pour le salut de la Pologne...

Un soir qu'elle avait montré au cours des ébats un esprit d'initiative tout à fait inattendu, Napoléon, reconnaissant, voulut bien, enfin, aborder les problèmes qui préoccupaient sa maîtresse :

« Tu peux être sûre, lui dit-il, que la promesse que je t'ai faite sera tenue. J'ai déjà forcé la Russie à lâcher la part qu'elle usurpait, le temps fera le reste. Ce n'est pas le moment de réaliser tout. Il faut patienter. La politique est une corde qui casse quand on la tend trop fort. En attendant, vos hommes politiques se forment.

» Tu sais bien que j'aime ta nation ; que mon intention, mes vues politiques, tout me porte à désirer son entier redressement. Je veux bien seconder ses efforts, soutenir ses droits : tout ce qui dépendra de moi sans altérer mes devoirs et l'intérêt de la France, je le ferai sans nul doute ; mais songe que de trop grandes distances nous séparent : ce que je puis établir aujourd'hui peut être détruit demain.

» Mes premiers devoirs sont pour la France, je ne puis faire couler le sang français pour une cause étrangère à ses intérêts et armer mon peuple pour courir à votre secours chaque fois qu'il sera nécessaire. Mais je ressusciterai la Pologne ! »

Marie, folle de joie, pensa que son sacrifice n'avait pas été inutile.

Hélas ! quelques jours plus tard, Napoléon annonça qu'il quittait Varsovie.

La petite Polonaise faillit s'évanouir de nouveau. Écoutons-la :

« Je fus atterrée lorsque Sa Majesté m'eut dit, à son entrée chez elle :

» — Marie, je pars demain. De grandes responsabilités pèsent sur moi. Je suis appelé pour repousser les orages prêts à éclater sur mes peuples. »

Elle éclata en sanglots, pensant qu'il partait sans avoir rien fait pour la Pologne, qu'il s'était joué d'elle, qu'elle s'était inutilement déshonorée.

« — Que vais-je devenir ? grand Dieu !

» — Tu viendras à Paris, ma bonne Marie. Je te donne Duroc pour tuteur. Il veillera à tes intérêts. Tu t'adresseras à lui dans tous les cas, et tes désirs seront remplis, à moins que tu n'exiges l'impossible. »

Effondrée, elle lui répéta qu'elle n'avait qu'un désir : qu'il lui rende sa patrie.

— Tous les trésors du monde ne sauraient me contenter, ni me relever dans ma propre estime... En attendant que la Pologne soit reformée, j'irai vivre en recluse à la campagne...

Il devint plus caressant :

— Non, non, Marie, il n'en sera pas ainsi. Je sais que tu peux vivre sans moi. Je sais que ton cœur n'est pas à moi. Tu ne m'aimes pas, Marie ! Je le sais, car tu es franche, sans art ; et c'est par cela même que tu me charmes, plus qu'aucune ne m'a charmé. Mais tu es bonne, douce, ton cœur est si noble et si pur. Pourrais-tu me priver de quelques instants de félicité passés chaque jour près de toi ? Ah ! Marie, je n'en puis avoir que par toi ! Et l'on me croit le plus heureux des hommes...

Il eut alors un sourire « si amer et si triste » que, prise de pitié, elle se jeta dans ses bras et promit de l'attendre où il voudrait.

Le lendemain, il rejoignait son armée, tandis qu'elle se rendait à Vienne où l'ambassadeur de France se mit à ses ordres.

Le 7 février, les troupes françaises et les troupes russes se rencontraient dans la plaine d'Eylau et s'entre-massacraient consciencieusement. Quand la nuit tomba, il n'y avait ni vainqueur ni vaincu, mais des bandes d'hommes hagards qui couraient au milieu des cadavres. Au petit matin du second jour, les Russes s'étant repliés, Napoléon décida que la victoire était française. Et, tout aussitôt, sur un tambour, il écrivit ce mot à Marie :

Ma douce amie, tu auras appris plus que je ne puis t'en dire aujourd'hui sur les événements, quand tu liras cette lettre. La bataille a duré deux jours et nous sommes restés maîtres du terrain.

Mon cœur est avec toi. S'il dépendait de lui, tu serais citoyenne d'un pays libre. Souffres-tu comme moi de notre éloignement ? J'ai le droit de le croire. C'est si vrai que je désire que tu retournes à Varsovie ou à ton château. Tu es trop loin de moi.

Aime-moi, ma douce Marie, et aie foi en N.

Après quoi, il envoya un mot tout chaud d'amour à Joséphine qui, de son côté, l'attendait à Paris...

Marie Walewska, ravie de pouvoir se rapprocher de Napoléon, dont elle commençait à subir le charme, retourna en Pologne et s'installa chez sa mère pendant trois semaines.

A la fin de mars, elle eut soudain la nostalgie du « contact impérial ». Après avoir passé plusieurs nuits à se retourner dans un lit froid et à rêver d'étreintes passionnées, elle enfila brusquement un manteau d'ours, se coiffa d'un bonnet de fourrure, bondit dans un traîneau et se fit conduire au château de Finckenstein où l'Empereur avait décidé de passer le printemps.

Là, pendant trois mois, ils vécurent la plus douce et la plus exténuante des lunes de miel.

Marie y tenait le rôle d'une impératrice et présidait avec son amant des dîners qui réunissaient Murat, Berthier, Duroc, des ambassadeurs, des princes étrangers. Au cours de ces repas, Napoléon utilisait un nouveau langage secret qu'il avait inventé à son intention. Devant les diplomates ahuris, il se fourrait soudain un doigt dans une narine, fermait un œil ou remuait les oreilles. Mimique qui ravissait la petite comtesse, devenue fort habile à traduire toutes les nuances de ce télégraphe particulier.

Dès que les convives avaient disparu, l'Empereur attirait Marie sur un canapé, la serrait contre lui, et devenait lyrique comme au temps où il aimait Joséphine...

Témoignages d'une passion démesurée, les métaphores qu'il trouvait alors n'étaient pas toujours très heureuses. Un soir, par exemple, il lui dit cette phrase étonnante, que nous rapporte sans sourciller le grave Frédéric Masson :

— Tandis que je fais le chêne pour tous, j'aime à redevenir un gland pour toi toute seule...

Après avoir exprimé son amour en ces termes choisis, Napoléon, gagné par l'émotion, se jetait sur Marie avec une telle impétuosité que les choses se terminaient parfois sur le tapis du salon...

Rendu plus léger par cet exercice, il descendait alors dans la cour et, retrouvant les gestes de l'écolier de Brienne, jouait aux quilles avec ses soldats...

Napoléon fut rarement aussi heureux que pendant ce séjour à Finckenstein. Pour la première fois de sa vie, il avait près de lui un être doux, aimant, soumis, sincère, sans détour et sans coquetterie.

Un seul point le chiffonnait : les toilettes sombres de Marie.

— Pourquoi ce noir ? lui dit-il un jour en faisant mine de déchirer sa jupe. Tu sais bien que je n'aime que les robes de couleur.

Elle se dégagea d'un air farouche :

— Une polonaise doit porter le deuil de sa patrie. Quand vous la ressusciterez, je ne quitterai plus le rose...

Il sourit :

— Prends patience. Au printemps, je reprendrai l'offensive contre les Russes.

Le temps n'était pas propice, en effet, aux jeux militaires. Certains jours, des tempêtes de neige isolaient complètement le château et, la nuit, le thermomètre descendait à 30 degrés au-dessous de zéro... En attendant la première pâquerette, les soldats de la Grande Armée faisaient d'interminables parties de cartes, en chantant des refrains orduriers...

A Finckenstein, malgré les troncs d'arbres que l'on faisait brûler dans les cheminées, il régnait une atmosphère glaciale.

C'est pourquoi les deux amants étaient le plus souvent au lit où le batifolage leur permettait de se réchauffer...

Un matin du mois de mai, alors qu'il était encore couché avec Marie, on apporta un pli à Napoléon. C'était une lettre de Joséphine qui, dans un accès de jalousie mal dirigé, lui reprochait de correspondre tendrement avec des Parisiennes.

Très digne, l'Empereur se leva et, d'une plume allègre, répondit aussitôt par ce mot :

Je reçois ta lettre.

Je ne sais ce que tu me dis des dames en correspondance avec moi.

Je n'aime que ma petite Joséphine, bonne, boudeuse et capricieuse, qui sait faire une querelle avec grâce, comme tout ce qu'elle fait. Car elle est toujours aimable, hors cependant quand elle est jalouse. Alors elle devient toute diablesse.

Mais revenons à ces dames.

Si je devais m'occuper de quelques-unes d'entre elles, je t'assure que je voudrais qu'elles fussent de jolis boutons de roses. Celles dont tu parles sont-elles dans ce cas ?

Adieu mon amie.

Tout à toi.

Après quoi, trouvant que Marie avait, précisément, la fraîcheur d'un bouton de rose, il se remit au lit avec elle et l'effeuilla...

24

Napoléon eut-il un fils de sa belle-fille, la reine Hortense ?

> Homme démesuré, Napoléon était à la fois le grand-père et l'oncle de son fils...
>
> JEAN-PAUL PELLERIN

Le 26 mai 1807, la lune de miel des amants de Finckenstein fut brusquement interrompue par une nouvelle qui accabla Napoléon. Le fils aîné de la reine Hortense, Napoléon-Charles, âgé de cinq ans, venait de mourir à La Haye[203].

Or cet enfant, depuis sa naissance en 1802, passait généralement pour être le fils de l'Empereur. On murmurait que la grâce d'Hortense avait extrêmement troublé son beau-père et que celui-ci allait souvent la retrouver dans sa chambre quand tout dormait aux Tuileries...

Les témoignages abondent :

« Dès qu'Hortense fut nubile, écrit le général Thiébault, le Premier Consul eut des regards pour elle, et Mme Campan, d'accord avec Joséphine, ménageait les entretiens. Sitôt que le Premier Consul arrivait, Mme Campan emmenait Caroline, qui, quoique bien jeune et par instinct de femme, devina le secret[204]. »

Un autre mémorialiste ajoute :

« On a prétendu qu'il n'y avait jamais eu de commerce illicite entre Napoléon et sa fille adoptive : c'est vraiment aller trop impudemment contre la vérité ! Toute la cour et tout Paris connaissaient les chagrins que ce commerce causait à Joséphine, et toutes les circonstances du mariage de Louis étaient aussi bien racontées en ville que dans les antichambres des Tuileries[205]. »

Sans doute, Bourrienne s'est dressé contre ces accusations : « On a menti par la gorge, écrit-il, quand on a prétendu que Bonaparte avait eu pour Hortense d'autres sentiments que ceux d'un beau-père pour sa fille. » Mais le baron Mounier répond : « Bourrienne a cru prouver dans ses *Mémoires* qu'il n'y avait aucune liaison amoureuse entre Napoléon et sa belle-fille. Cela me paraît tout à fait faux. M. Lesperrat m'en a souvent parlé comme d'une chose *reconnue*. Il en était de même dans la maison impériale.

» On regardait généralement le fils — prétendu — de Louis comme l'enfant de Napoléon. Il voulait l'adopter et le désigner pour son successeur. Je me rappelle avoir vu moi-même Napoléon, au commencement de 1806, le tenant par la main et traversant la galerie de Saint-Cloud. La satisfaction et l'orgueil se peignaient sur sa figure. L'enfant était beau et lui ressemblait, évidemment. Tant que l'enfant a vécu, les projets de divorce ont été repoussés, parce qu'il avait un héritier[206]. »

Enfin, Frédéric Masson semble paradoxalement donner raison à la rumeur publique en essayant de justifier le comportement singulier de Napoléon avec son neveu :

« Il est ravi quand l'enfant, voyant passer des grenadiers dans le jardin, crie : "Vive Nonon, le soldat !" Il le fait apporter pendant qu'il dîne, le fait mettre sur la table servie, et s'amuse à le voir toucher à tous les plats et renverser tout ce qui est à sa portée. Il l'emmène

---

203. Depuis 1806, Louis Bonaparte et sa femme Hortense de Beauharnais étaient roi et reine de Hollande.
204. Caroline était alors pensionnaire avec Hortense à l'institution de Mme Campan, à Saint-Germain-en-Laye.
205. Général DE RICARD, *Mémoires*.
206. Comte D'HÉRISSON, *Souvenirs intimes et notes du baron Mounier, secrétaire de Napoléon Ier, pair de France, directeur général de la police*.

donner du tabac aux gazelles, le place à califourchon sur l'une d'elles, rit de s'entendre appeler l'oncle Bibiche. On le lui amène à sa toilette, et, après l'avoir embrassé, lui avoir tiré les oreilles, lui avoir fait des grimaces, il se met à quatre pattes sur le tapis, pour mieux jouer avec lui. Eh bien ! cet enfant, s'il l'adopte pour son héritier, on sera convaincu qu'il en est le père. Que lui importe ?

» En lui, on verra alors son sang, sa race, son génie. L'hérédité ne sera plus alors une hérédité factice, en contradiction avec toutes les Constitutions de tous les peuples : elle sera une hérédité qui, pour le peuple, sera fondée sur la descendance, la seule base que la raison populaire admette à l'hérédité. Cela est contraire aux bonnes mœurs ? soit ; mais Napoléon n'a pas de préjugés : il tient que sa destinée d'exception l'a mis à ce point au-dessus du commun de l'humanité que les formules ordinaires de morale ne lui sont point appliquées par la nation et que l'immense intérêt qu'elle trouve à assurer à jamais sa stabilité gouvernementale la fera très simplement passer sur l'inconvenance qu'elle soupçonnera [207]. »

Cet enfant, dont la disparition accablait Napoléon, posait donc une énigme [208].

Cette énigme, depuis plus de cent cinquante ans, divise les historiens. Je vais essayer de résumer les deux thèses généralement soutenues par les auteurs qui veulent expliquer l'attitude étrange de Napoléon à l'égard d'Hortense et du petit Napoléon-Charles.

La première est politique. Elle prend ses racines en 1799, au lendemain du 18 Brumaire.

A ce moment, Bonaparte est tourmenté par le problème de sa succession. Joséphine est stérile. Lui-même n'est pas sûr de ses facultés procréatrices. Il lui est donc impossible de rétablir à son profit le pouvoir héréditaire.

Une première solution s'offre à lui :

Répudier Joséphine et se remarier avec une femme plus jeune. Mais comme il a des doutes sur la qualité de sa semence, et qu'en outre il aime encore cette créole experte aux jeux de l'amour, il joue les époux nobles :

207. FRÉDÉRIC MASSON, Napoléon et les femmes.

208. En mettant au monde un enfant adultérin, Hortense n'aurait fait que suivre une tradition familiale. Voici, en effet, la lettre que son « père », le vicomte de Beauharnais, envoya à Hortense lors de sa naissance :

« Que penser de ce dernier enfant survenu après huit mois et quelques jours de mon retour d'Italie ? Je suis forcé de le prendre, mais j'en jure par le ciel qui m'éclaire, il est d'un autre, c'est un sang étranger qui coule dans ses veines. Il ignorera toujours ma honte, et, j'en fais encore le serment, il ne s'apercevra jamais, ni dans les soins de son éducation, ni dans ceux de son établissement, qu'il doit le jour à l'adultère ; mais vous sentez combien je dois éviter un pareil malheur pour l'avenir. Prenez donc vos arrangements ; jamais, jamais, je ne me mettrai dans le cas d'être encore abusé, et, comme vous seriez femme à en imposer au public si nous habitions le même toit, ayez la bonté de vous rendre au couvent sitôt ma lettre reçue ; c'est mon dernier mot, et rien dans la nature entière n'est capable de me faire revenir. »

— Comment, dit-il à Roederer, renvoyer cette bonne femme à cause que je deviens plus grand ! Non, cela passe ma force, j'ai un cœur d'homme ; je n'ai pas été enfanté par une tigresse [209] !

Une seconde solution lui est bientôt suggérée par sa famille : nommer ses frères héritiers du pouvoir. Joseph et Lucien se disputent alors le titre de dauphin, l'un parce qu'il est l'aîné, l'autre parce qu'il est père de famille...

Le Premier Consul les repousse et choisit une troisième solution. Il mariera son frère Louis à Hortense de Beauharnais et adoptera leur premier fils, celui-ci ayant à la fois du sang des Bonaparte et du sang de Joséphine...

Hortense est à ce moment une très belle jeune fille de dix-sept ans pleine de vie, de gaieté et d'entrain. Louis Bonaparte, au contraire, est un être rendu morose par une maladie vénérienne qui lui cause de nombreux troubles [210].

Sa main droite est atteinte de demi-paralysie, il a des difficultés à se mouvoir, un relâchement de la glotte, une déviation de la colonne vertébrale. Pour guérir cette mauvaise maladie, il a recours à des rebouteux qui lui indiquent des remèdes répugnants : il prend des bains de tripes fumantes, il couche dans les chemises et les draps d'un galeux de l'hôpital, il se fait faire d'ignobles inoculations...

Quand elle est avertie des intentions de Napoléon, Hortense, qui flirte avec Duroc, éclate en sanglots. Mais Joséphine lui fait comprendre qu'en épousant Louis, et en ayant un enfant de cet infirme, elle la sauve du divorce.

Le mariage a lieu le 4 janvier 1802. Le Consul part pour Lyon le 8. Un mois plus tard, Hortense annonce qu'elle est enceinte. L'enfant naît le 10 octobre ; et, si l'on considère que le temps normal d'une grossesse est de deux cent soixante-dix jours, on peut donc fixer la conception du petit Napoléon-Charles au 14 janvier, c'est-à-dire six jours après le départ de Bonaparte.

A son retour à Paris, celui-ci annonce bientôt qu'il veut adopter son neveu.

Louis refuse. Pour le fléchir, le Consul lui décerne des dignités militaires et civiles, lui donne des revenus immenses, un million d'apanage, l'épée de grand connétable, la Toison d'or, un siège au conseil de l'ordre de la Légion d'honneur.

En vain.

En janvier 1805, il propose une dernière fois d'adopter l'enfant et de le faire roi d'Italie sous le nom de Napoléon II. Louis refuse encore. En 1806, Napoléon donne à son frère le trône de Hollande... Sans obtenir plus de succès.

En mai 1807 enfin, l'enfant meurt du croup, et l'Empereur, qui sait

---

209. ROEDERER, *Bonaparte me disait.*
210. Napoléon disait : « La comtesse C... lui laissa en Italie un gage de ses faveurs dont il se souviendra longtemps... »

depuis la naissance du petit Léon qu'il n'est pas stérile, pense cette fois sérieusement au divorce...

L'autre thèse est plus humaine. Elle prend ses racines dans le lit du Premier Consul.

A en croire les bruits qui courent aux Tuileries, Bonaparte est l'amant d'Hortense depuis l'été 1801. En décembre, la jeune fille s'aperçoit, avec une certaine gêne, qu'elle est enceinte. Affolé, le futur empereur informe Joséphine de la situation et décide de marier Hortense au faible Louis pour éviter le scandale.

En larmes, Joséphine accepte. Écoutons un mémorialiste :

« Ce qui ne laisse aucun doute sur la liaison de Bonaparte et de sa belle-fille, ce sont les larmes de Joséphine et ce mariage avec Louis qu'elle hâta elle-même, espérant que le titre de belle-sœur serait un frein plus puissant pour retenir Napoléon, et que ce mariage, éloignant une rivale aussi chère, lui rendrait le repos et le bonheur qu'elle avait perdus depuis longtemps [211]. »

Peu avant le mariage, Lucien se rend chez Louis et lui conseille d'ouvrir les yeux.

— Hortense est la maîtresse de Napoléon, dit-il.

— Je sais, répond Louis, on me l'a déjà dit, mais cette affaire est terminée depuis six mois.

Le mariage a eu lieu le 4 janvier. Le 8, Bonaparte part pour Lyon, et, le 10 octobre, Hortense met au monde le petit Napoléon-Charles. Le 10 octobre, c'est-à-dire à une date qui, nous l'avons vu, s'oppose à la paternité du Premier Consul.

« Or, nous dit Pierre de Lacretelle, il n'existe aujourd'hui aucune preuve indiscutable que le premier fils d'Hortense est né le 10 octobre 1802, à 9 heures du soir. Une note du *Moniteur* annonce bien, en trois lignes, qu'à cette date sa mère l'a mis au monde, mais les informations de presse dépendaient du Consul, et on sait le parti qu'il a toujours su en tirer. Quant à l'acte authentique, il a disparu — brûlé, sans doute, comme tant d'autres pendant la Commune — et on n'en connaît que des copies ; elles démontrent que la venue de cet enfant, en qui la France et Napoléon voyaient un héritier, a été enregistrée bien discrètement.

» Alors que tant de parents, tant de hauts dignitaires, ont signé l'acte et le contrat de Louis et d'Hortense, aucun proche, aucun fonctionnaire de l'État, ne fut convié le 15 octobre à la mairie, bien que la présence du moindre d'entre eux eût apporté le plus sûr démenti aux bruits malveillants dont le Consul s'était préoccupé deux mois auparavant.

» Trois signatures figurent seulement sur ces transcriptions, celles des deux témoins, qui sont Bonaparte et Joséphine, et celle de Louis. »

Hortense a donc très bien pu accoucher clandestinement un mois ou

211. Général DE RICARD (aide de camp du roi Jérôme), *Mémoires*.

un mois et demi avant la date officielle de la naissance de Napoléon-Charles.

La suite des événements semble d'ailleurs confirmer la paternité de l'Empereur.

« Le véritable drame, ajoute Pierre de Lacretelle[212], ne fait que commencer. Pendant trois ans, Napoléon et Louis vont s'affronter dans une lutte fratricide, où Hortense n'a jamais cessé de soutenir son beau-frère contre son mari. Au surplus, quand on observe l'amour passionné que Napoléon porte à son neveu, qui lui ressemble comme un fils ; quand on le voit jeter des couronnes à ses frères, afin de les désarmer ; quand on connaît les ruses dangereuses auxquelles il s'abaisse dans l'espoir d'assurer le trône à l'enfant, ce n'est plus, semble-t-il, un chef de race qui pense à sa dynastie, mais un père qui veut, à tout prix, reprendre son fils. Il lui faudra, finalement, accepter sa défaite, car Louis, prêt à tous les éclats, entend se venger de la comédie qu'il accuse Joséphine, Napoléon et Hortense d'avoir jouée aux dépens de son honneur[213]. »

Pendant que Louis-Bonaparte se soigne dans des villes d'eaux, Napoléon entoure de soins particuliers sa belle-fille. Il lui offre un hôtel rue de la Victoire et, après la proclamation de l'Empire, elle a droit à des honneurs stupéfiants.

Alors que Madame Mère attend encore un titre et son douaire, la maison d'Hortense est formée avec l'évêque de Nancy, comme aumônier, cinq dames d'honneur, un chambellan, l'écuyer cavalcadour, trois gouvernantes pour les jeunes princes, une lectrice et un secrétaire des commandements...

Chaque jour, Napoléon fait venir l'enfant que toute l'Europe regarde comme son fils, et joue avec lui. Il se met à quatre pattes, marche au pas, imite les soldats pour le faire rire et lui barbouille la figure avec de la crème ou des confitures[214]. Puis, prenant à témoin l'assistance, il fait remarquer combien le petit Napoléon-Charles tient de lui.

Cette ressemblance — morale et physique — est d'ailleurs frappante.

Le général Thiébault nous en fournit la preuve. Un jour, au cours d'une réception chez la reine Hortense, la comtesse d'Arberg dit à l'enfant, au sujet de ses filles :

— Monseigneur, je les recommande à vos bontés.

« A ces mots, cet enfant âgé de quatre à cinq ans, écrit-il, la fixe, mais d'un regard que je n'avais jamais vu qu'à l'Empereur, et, après un moment d'étonnement et de silence :

» — Madame, répondit-il, c'est à ces dames d'avoir des bontés pour moi.

» Hortense l'embrassa ; tout le monde s'extasia, et je fus confondu de cette leçon de tact, de délicatesse, de convenances, donnée par un

212. PIERRE DE LACRETELLE, *Secrets et malheurs de la reine Hortense.*
213. Un jour, il écrivit à l'Empereur : « Je vous renvoie ma femme et *vos* enfants... »
214. Cf. Mlle AVRILLON, *Mémoires.*

si jeune enfant à une dame de quarante ans. Et comme je ne pus cacher mon étonnement au chevalier d'honneur de l'Impératrice :

» — Cet enfant, me dit-il, dépasse tout ce que vous pouvez penser ; pour ne citer qu'un fait, quelque chose qu'on puisse lui conter, ou qu'on puisse conter devant lui, quelque temps qu'on y mette, il écoute comme l'Empereur, dans une immobilité totale, et, du moment où l'on finit de parler, par une faculté qui prouve autant de jugement que de mémoire et de sagacité, il résume en une pensée générale tout ce qu'il vient d'entendre.

» Tel était l'enfant qu'à tort ou à raison on regardait comme le fils de l'Empereur, que l'on signalait généralement comme le successeur du moderne César, et à l'existence duquel se rattachaient peut-être d'immenses destinées, celle de la France y comprise.

» Trois mois après, cet enfant, qui était un Napoléon, tandis que les autres fils d'Hortense ne furent que des Bonaparte, cet enfant n'existait plus [215]. »

La conclusion nous sera donnée par un grand spécialiste des questions napoléoniennes, Jean Savant :

« Il reste un point mystérieux, dans cette histoire. Le voici :

» Hortense a mis au monde plusieurs enfants, dont trois ont pour père légal Louis Bonaparte :

» 1° Napoléon-Louis-Charles, né le 10 octobre 1802, mort le 5 mai 1807 ;

» 2° Napoléon-Louis, né le 11 octobre 1804 ;

» 3° Charles-Louis-Napoléon, né le 20 avril 1808.

» Or il est admis, reconnu, répété par tous les historiens que Napoléon s'est déterminé au divorce à la mort du petit Napoléon-Louis-Charles, et parce que la disparition de cet enfant le privait de tout héritier mâle du nom de Bonaparte.

» A la mort de ce bambin, le futur Napoléon III (Charles-Louis-Napoléon) n'était pas né, ajoute-t-on.

» Soit. Mais que devient, dans ces raisonnements, le petit Napoléon-Louis, le deuxième fils d'Hortense ? N'était-il pas bien vivant en 1807 ? Pourquoi ce silence sur son existence ? Napoléon n'aimait-il donc point ce neveu à l'égal de l'autre ? Cela apparaît comme impossible. Dès lors, pourquoi ne l'appelle-t-il pas à succéder au petit enfant mort prématurément ?

» Le problème reste à résoudre. Tant qu'il ne sera pas résolu, il sera pratiquement impossible de nier absolument les allégations des contemporains, si formels sur les rapports intimes du général Bonaparte avec sa belle-fille et belle-sœur Hortense de Beauharnais [216]. »

215. Général THIÉBAULT, *Mémoires.*
216. JEAN SAVANT, *Les Amours de Napoléon.* A la question de Jean Savant, on peut répondre que le second fils d'Hortense n'était probablement ni de Napoléon ni de Louis, mais d'un amant de passage comme le sera le futur Napoléon III. Ne chantait-on pas :

> *Le roi de Hollande*
> *Fait de la contrebande.*
> *Et sa femme en son huis*
> *Fait de faux Louis...*

Dans ces conditions, il est permis d'avancer que, si les Hollandais ont eu, pendant quatre ans, un roi français, c'est peut-être parce que, un jour de 1801, Napoléon a mis sa belle-fille dans son lit...

25

*Napoléon crée le grand-duché de Varsovie
par amour pour Marie Walewska*

> L'amour est à l'origine de toutes les créations
> politiques, intellectuelles et artistiques.
>
> SIMONE CANOUELLE

Un matin du mois de mai 1807, Napoléon entra dans la chambre que Marie Walewska occupait au château de Finckenstein. Il avait l'air triste.

— Les beaux jours sont revenus, dit-il. La guerre va recommencer. Je dois partir inspecter mes armées. Tu ne peux rester seule ici.

Marie baissa la tête. Elle savait que Napoléon devait aller combattre les Russes pour ressusciter la Pologne. Elle savait que son chagrin ne comptait pas. Elle savait que cette séparation était nécessaire pour que son sacrifice eût un sens. Mais elle savait aussi que jamais plus elle ne serait heureuse comme elle l'avait été pendant ces quatre mois. Et son cœur lui faisait mal.

— Quand dois-je partir ? dit-elle simplement.

L'Empereur était très ému :

— Aujourd'hui même. Je quitte Finckenstein ce soir.

Sans rien ajouter, il retourna dans son cabinet. Dès qu'elle fut seule, la jeune femme se laissa tomber sur le tapis et se mit à pleurer. Longtemps, elle contempla, à travers ses larmes, cette chambre dont elle voulait graver chaque détail dans sa mémoire. Enfin, elle se leva, prit des ciseaux et découpa, pour l'emporter, un petit morceau de la tenture de *leur* lit [217]...

Deux heures plus tard, elle faisait ses adieux à Napoléon. Ils étaient blêmes tous les deux.

— N'oublie pas que tu m'as promis de reconstituer la Pologne, dit-elle, en s'efforçant de sourire.

L'Empereur l'embrassa :

— C'est pour tenir cette promesse que nous allons nous battre.

Elle monta en voiture, et agita la main comme il avait fait, lui, à Blonie.

— Aie confiance, nous nous retrouverons bientôt ! dit encore Napoléon.

... Ils ne devaient se revoir qu'en 1808.

217. Au château de Finckenstein, le trou fait par ce découpage existe toujours.

L'Empereur quitta le château deux heures après Marie, alla goûter la soupe de quelques régiments, pinça des oreilles, tomba trois fois de cheval [218], prononça quelques mots historiques pour sa légende et revint à Finckenstein le 25 mai.

Le lendemain, on l'informait de la capitulation de Dantzig. Avant même de dicter un bulletin pour Paris, il écrivit ce petit mot tendre à Marie :

Ma douce amie, la place de Dantzig a capitulé. Je sais que tu seras heureuse de l'apprendre par moi. Je pars pour Dantzig, mais je n'oublie pas ma promesse. Sois calme et heureuse, car l'horizon s'éclaire, et nous nous reverrons bientôt. C'est mon vœu le plus cher.

N.

Quinze jours plus tard, il était à Heilsberg. Ses troupes se trouvaient, pour l'heure, à quelques lieues des Russes, et tout laissait prévoir qu'une bataille décisive allait avoir lieu. Pourtant, au milieu des derniers préparatifs, et entre deux conseils avec ses maréchaux, Napoléon prit le temps d'écrire ces quelques lignes à Marie :

Ma douce amie,
Tout marche comme je l'avais prévu, nous sommes sur les talons de l'ennemi, et la division polonaise est remplie d'enthousiasme et de courage. Le jour approche d'une réunion que j'appelle de tout mon cœur, où nous pourrons vivre l'un pour l'autre. Ton

N.

Deux jours plus tard, il écrasait l'armée russe à Friedland...

Après cette victoire qui stupéfia l'Europe, Napoléon convia le tsar à Tilsit pour préparer la paix.

L'entrevue eut lieu sur un radeau amarré au milieu du Niémen et fut prétexte aux beuveries, aux discours stupides et aux festivités d'usage.

C'est là que l'Empereur vit pour la première fois la reine de Prusse. Il fut ébloui et désira immédiatement devenir son amant.

— C'est une très belle femme, dit-il à l'un de ses généraux.

L'officier était courtisan :

— *Ce sera une rose près d'une touffe de lauriers,* répondit-il.

Cette phrase mit Napoléon de bonne humeur pour toute la durée des pourparlers.

Dès le premier soir, il se montra extrêmement galant avec la souveraine. Il fit des ronds de jambe et lui offrit des fleurs.

— Nous nous connaissons bien peu, dit la reine, troublée.

---

218. Napoléon était un très mauvais cavalier. Un jour, il tomba de sa monture alors qu'il passait ses troupes en revue, place du Carrousel. Son chapeau ayant roulé, un jeune lieutenant le lui ramassa. Dans son trouble, l'Empereur lui dit : « Je te remercie, capitaine. » L'autre avait de l'à-propos : « Dans quel régiment, Sire ? » Napoléon fut beau joueur : « Dans ma garde », dit-il.

L'Empereur insista :

— Acceptez, madame ; c'est un doux présage de l'amitié que je vous voue.

C'était presque une déclaration.

Le lendemain, il l'invita à dîner en tête à tête. Au dessert, le voyant se trémousser sur sa chaise avec les signes évidents d'un violent désir, elle s'enhardit et osa demander la place de Magdebourg pour son fils...

Cela jeta un froid.

— Magdebourg...Magdebourg..., dit Napoléon, « comme un homme qui se dérobe à la séduction de ses sens », vous n'y songez pas, madame, vous n'y songez pas...

Et il la quitta.

Ayant compris le danger que présentait une liaison avec la reine Louise — qui était d'autre part la maîtresse du tsar — , il se tint désormais sur ses gardes.

Un soir, il l'avoua dans une lettre à Joséphine :

La reine de Prusse est réellement charmante. Elle est pleine de coquetterie pour moi. Mais n'en sois pas jalouse : je suis une toile cirée sur laquelle tout ne fait que glisser. Il m'en coûterait trop cher pour faire le galant.

« Il n'en est pas moins vrai, nous dit un mémorialiste, que l'infortunée princesse obtint de l'Empereur des compositions fort avantageuses pour son époux et qu'elle lui conserva la moitié de ses États [219]. »

Le 9 juillet, le traité de paix fut signé. Malgré les diplomates qui craignaient de mécontenter le tsar, dont la France recherchait l'alliance, Napoléon, fidèle aux engagements pris avec sa maîtresse, avait reconstitué une partie de la Pologne. Ce territoire, qui prenait le nom de grand-duché de Varsovie, existait donc grâce à Marie Walewska...

En apprenant cette nouvelle, la jeune femme fut ivre de joie. Elle eût voulu se jeter dans les bras de son amant. Pendant des jours, elle l'attendit, sans se douter qu'il était parti pour la France le soir même de la ratification du traité.

Alors qu'elle guettait en tremblant tous les bruits de voiture, Napoléon traversait à toute allure la Pologne et la Prusse. Après quatre-vingt-douze heures de route, il s'arrêta quelques jours à Dresde pour se dégourdir les jambes, s'entretenir avec le prince de Saxe et devenir l'amant d'une jeune femme dont on lui avait vanté les charmes : Charlotte de Kielmannsegge [220].

Le 22 juillet, Napoléon quitta Dresde. Le 27, il était à Saint-Cloud. Le 29, il envoya ce mot cruel à Marie Walewska qui attendait toujours son arrivée :

---

219. COUSIN D'AVALLON, *Bonapartiana*.
220. Charlotte de Kielmannsegge deviendra, quelques années plus tard, une importante espionne au service de Napoléon.

Ma douce et chère Marie, toi qui aimes tant ton pays, tu comprendras avec quelle joie je me retrouve en France, après presque un an d'absence. Cette joie serait entière si tu étais ici, mais je t'ai dans mon cœur.

L'Assomption est la fête de mon anniversaire. C'est une double raison pour que nos âmes soient à l'unisson ce jour-là. Tu m'as certainement écrit, comme je le fais en t'envoyant mes souhaits. Ce sont les premiers. Faisons des vœux pour que bien d'autres les suivent pendant beaucoup d'années.

Au revoir, ma douce amie. Tu viendras me rejoindre. Ce sera bientôt, quand les affaires me laisseront la liberté de t'appeler.

Crois à mon inaltérable affection.

N.

Marie, accablée de chagrin, se cloîtra dans sa chambre et attendit la lettre qui l'inviterait à se rendre à Paris...

Pendant quelques jours, Napoléon fut fêté par les Parisiens ravis de connaître enfin les douceurs de la paix.

Dès qu'il put sortir des bras de Joséphine, il courut jusqu'à la rue de la Victoire où Éléonore Denuelle s'était installée avec le petit Léon, son fils.

Il fut émerveillé.

— Jamais, dit-il, je n'ai vu un enfant aussi beau !

Après quoi, il entreprit de démontrer combien ce bébé, d'ailleurs, lui ressemblait.

— Il a mon nez, ma bouche, mon menton, et même ma mèche...

Heureux d'un bonheur qui le « transfigurait », il alla embrasser Éléonore, tandis que, dans ses yeux, s'allumaient deux petits soleils d'Austerlitz.

Par la suite, l'Empereur se fit amener plusieurs fois par semaine le petit Léon aux Tuileries où il le gorgeait de bonbons, l'accablait de jouets et, selon le mot amusant d'un mémorialiste, « l'usait de caresses »... Les valets de chambre assistaient alors à des scènes imprévues. Pour faire sourire son fils, l'homme que tous les souverains d'Europe imaginaient penché sur des plans de bataille et des projets d'alliance marchait à quatre pattes, soufflait dans une trompette et imitait la poule qui vient de pondre...

Un instant, Napoléon pensa à reconnaître publiquement cet enfant qu'il adorait et à le désigner comme son successeur. Puis il craignit le scandale et y renonça [221].

221. Le petit Léon fut alors confié à une nourrice, Mme Loir, qui l'éleva discrètement sous le nom de Mâcon. Après la rupture de l'Empereur avec Éléonore, Caroline Murat s'occupa de l'enfant. C'était elle qui le faisait venir aux Tuileries. Lorsqu'il eut six ans, Napoléon lui donna son secrétaire, Méneval, comme tuteur. Puis il lui constitua une fortune. En 1815, avant de quitter Paris, il s'inquiéta de son sort et lui fit remettre encore 100 000 francs. A Sainte-Hélène, enfin, il lui légua 300 000 francs en spécifiant : « Je ne serais pas fâché que le petit Léon entrât dans la magistrature, si cela était à son goût. »

Au mois de septembre, Napoléon, qui était devenu le souverain le plus puissant d'Europe, créa une noblesse d'Empire et rêva de renouer avec les fastes de l'Ancien Régime. Pensant que le décor avait une grande importance dans l'affaire, l'ex-général de la République alla s'installer dans la vieille demeure des rois de France, à Fontainebleau.

Hélas ! les dames d'honneur qui accompagnaient l'Impératrice firent surtout renouer l'Empereur avec les habitudes de Louis XV...

Écoutons Constant :

« Une de ces dames, belle et spirituelle, attira les regards de Sa Majesté. Il y eut d'abord quelques billets doux échangés ; enfin, un soir, l'Empereur m'ordonna de porter une nouvelle lettre.

» Dans le palais de Fontainebleau est un jardin intérieur appelé le jardin de Diane, où Leurs Majestés seules avaient accès. Ce jardin est entouré des quatre côtés par des bâtiments. Celui du milieu contenait les appartements de Leurs Majestés ; enfin, en face, et formant le carré, de grandes arcades derrière lesquelles étaient les bâtiments destinés à diverses personnes attachées soit aux princes, soit à la maison impériale.

» Mme de Barral, la dame que l'Empereur avait remarquée, logeait dans un appartement situé derrière ces arcades, au rez-de-chaussée. Sa Majesté me prévint que je trouverais une fenêtre ouverte, par laquelle j'entrerais avec précaution ; que, dans les ténèbres, je remettrais son billet à une personne qui me le demanderait. Cette obscurité était nécessaire, parce que la fenêtre ouverte derrière les arcades, mais sur le jardin, aurait pu être remarquée s'il y avait eu de la lumière.

» Ne connaissant pas l'intérieur de ces appartements, j'arrivai et entrai par la fenêtre ; croyant alors marcher de plain-pied, je fis une chute bruyante, occasionnée par une haute marche qui était dans l'embrasure de la croisée.

» Au bruit que je fis en tombant, j'entendis un cri et une porte se fermer brusquement. Je m'étais légèrement blessé au genou, au coude et à la tête.

» Je me relevai avec peine tant j'étais endolori, et je me mis à

Le comte Léon eut une existence agitée. Après avoir perdu une partie de sa fortune au jeu, il se lança dans la politique, voulut se battre en duel, en 1840, avec le futur Napoléon III, intenta des procès à sa mère, et finit par échouer aux élections législatives de 1848. Sous le second Empire, il se maria avec la fille de son jardinier, Françoise Jonet, dont il eut quatre enfants : Charles, Gaston, Fernand et Charlotte. En 1881, il mourut à Pontoise, obscur, oublié et presque dans la misère. Son fils aîné, Charles, devint entrepreneur de travaux publics au Venezuela où il construisit des chemins de fer ; Gaston fut représentant en dictionnaires à la Librairie Larousse ; Fernand, lieutenant de cavalerie, puis écuyer de cirque, entra dans la troupe de Buffalo Bill et mourut aux États-Unis ; Charlotte devint institutrice, d'abord en Algérie, puis à Bry-sur-Marne. Elle mourut en 1946. Le dernier comte Léon, né en 1911 (fils de Gaston), installé à Villiers-sur-Marne, successivement coiffeur, aviculteur, régisseur de domaines, a consacré sa retraite à une œuvre de recherches sur les maladies de cœur. Le 23 octobre 1961, il a marié sa fille Monique à M. Jean-Claude Charasse, ingénieur, en l'église Saint-Louis des Invalides, à quelques mètres du tombeau de l'Empereur...

chercher à tâtons autour de cet appartement obscur ; mais, n'entendant plus rien, craignant de faire un nouveau bruit qui pourrait être entendu par les personnes qui ne devaient pas me savoir là, je pris mon parti et retournai auprès de l'Empereur auquel je contai ma mésaventure.

» Voyant qu'aucune de mes blessures n'était grave, l'Empereur se prit à rire de tout son cœur ; puis, il ajouta :

» — Oh ! Oh ! Il paraît qu'il y a une marche, c'est bon à savoir. Attendons que Mme de Barral soit remise de sa frayeur, j'irai chez elle et vous m'accompagnerez. »

Au bout d'une heure, l'Empereur sortit à son tour, traversa le jardin, passa par la fenêtre avec mille précautions et entra sans incident dans la chambre de la comtesse de Barral.

La jeune femme, effrayée par le bruit qu'avait fait Constant, se tenait cachée dans un coin d'ombre.

— Où êtes-vous ? demanda Napoléon.

— Derrière le lit.

— Allumez !

— Non !

Ils se rejoignirent sans se voir, se couchèrent dans l'obscurité et se donnèrent du plaisir à tâtons — si j'ose dire — jusqu'au petit matin...

Napoléon ne retourna pas chez cette trop prudente comtesse.

« Quoique Mme de Barral fût digne d'un véritable attachement, nous dit Constant, sa liaison avec l'Empereur ne dura pas longtemps. Ce ne fut qu'une fantaisie. Je pense que la difficulté de ces visites nocturnes refroidit singulièrement Sa Majesté ; car l'Empereur n'était pas tellement amoureux qu'il voulût tout braver pour voir sa belle maîtresse [222]. »

Une autre dame venait d'ailleurs de reprendre le cœur volage de Napoléon...

A la fin du mois de septembre, l'Empereur rencontra un soir Carlotta Gazzani, la belle Génoise qu'il avait ramenée d'Italie deux ans plus tôt. Elle était vêtue d'une robe blanche et portait dans les bras une gerbe de fleurs. Napoléon ne l'avait pas revue depuis plus d'un an. Il la trouva séduisante et désira sur-le-champ la remettre dans son lit.

Carlotta était d'une nature douce et passive. En 1806, quand il l'avait tout à coup abandonnée, elle était rentrée dans le rang, sans un mot d'amertume, sans une plainte. Les « retrouvailles » se passèrent avec autant de simplicité.

— Je serai dans ta chambre dans un quart d'heure, dit Napoléon.

Carlotta inclina la tête, regagna le palais, posa ses fleurs sur un meuble et monta se déshabiller...

Quinze minutes plus tard, l'Empereur poussait sa porte.

Les différentes parties du célèbre uniforme de colonel des chasseurs à cheval volèrent à travers la pièce, ainsi que les souliers à boucle d'or

222. CONSTANT, *Mémoires*.

et le grand cordon de la Légion d'honneur, et Carlotta sentit brusquement sur elle tout le poids de l'homme le plus puissant du monde.

Moins douée que Bossuet pour les rêveries philosophiques, elle pensa seulement qu'il avait un peu grossi...

Napoléon tira de ce petit tête-à-tête des satisfactions qui dépassèrent ses espérances. Le soir même, quittant ses appartements sur la pointe des pieds, il revint dans le lit de la Génoise.

Les jours suivants, il la convia chez lui, et toute la cour sut bientôt qu'elle était rentrée en grâce. On en jasa un moment, puis la liaison devint quasi officielle et l'on s'y habitua, ainsi que nous le dit Mme de Rémusat :

« Il l'avait fait loger à Fontainebleau, de manière qu'elle pût se rendre à ses ordres quand il la faisait appeler ; on se disait à l'oreille que, le soir, elle descendait chez lui ou bien qu'il allait dans sa chambre ; mais, au milieu des cercles, il ne lui parlait pas plus qu'à une autre, et notre cour ne prêta pas longtemps attention à toute cette affaire, prévoyant qu'elle ne produirait aucun changement. M. de Talleyrand, qui avait le premier persuadé à Bonaparte le choix de cette maîtresse, recevait la confidence du plus ou moins de plaisir qu'elle lui procurait, et ce fut tout [223]. »

M. de Talleyrand n'était pas le seul à connaître, par le menu, les caresses que Carlotta prodiguait à Napoléon. L'Empereur, avec son tact habituel, faisait chaque matin à Joséphine une relation complète de la nuit qu'il avait passée avec sa maîtresse.

La pauvre Impératrice, qui ne recevait plus que très rarement la visite nocturne de son époux, devait écouter sans broncher le récit de scènes galantes que l'Empereur, en bon comédien, allait jusqu'à lui mimer...

Brave femme, Joséphine applaudissait aux bons endroits, s'extasiait sur certaines performances, et félicitait finalement Napoléon d'avoir trouvé une aussi experte partenaire [224].

Ces compliments valurent à Carlotta un traitement de choix. Flatté, en effet, par les éloges d'une femme qu'il savait connaisseuse en la matière, l'Empereur fit verser à la Génoise (avec un rappel d'un an) la somme de six mille francs par an et ajouta huit mille francs pour les frais de toilette.

En outre, il nomma par décret le mari de Carlotta receveur général

---

223. Mme DE RÉMUSAT, *Mémoires*.

224. CAULAINCOURT écrit : « Il était si pressé de raconter ses succès que l'on eût pu croire qu'il ne les avait recherchés que pour les publier. L'Impératrice était alors sa première confidente. Malheur à la belle qui avait cédé, si elle n'était pas comme la Vénus de Médicis, car aucun détail n'échappait à sa critique et au plaisir qu'il avait à l'exercer... Ce grenadier du camp de Boulogne ne se trompait pas trop quand il répondait à un de ses camarades qui lui demandait si « le Petit Caporal » avait des enfants : « F... bête ! Ne sais-tu pas qu'il a ses c... dans la tête ?... »

du département de l'Eure, avec un traitement de cent mille francs par an.

Ainsi, toute la famille Gazzani participa aux joies intimes de l'Empereur des Français...

Napoléon avait, on le sait, une assez bonne opinion de lui-même. Aussi s'imaginait-il naïvement qu'il était le seul, en cet automne 1807, à connaître dans son palais les joies énervantes du libertinage.

Il se trompait lourdement. Prise d'une frénésie amoureuse depuis que la paix était signée, toute la cour se livrait au plaisir avec un entrain soutenu.

Un curieux scandale éclata d'ailleurs au début du mois d'octobre.

Écoutons M. de Bouillé :

« Tout le monde savait à Fontainebleau que la jolie Mme Savary avait la cuisse alerte et trompait son mari avec la désinvolture des filles de bonne naissance [225]... Mais l'on ignorait que cette charmante personne aimait ajouter aux délices de l'adultère en rencontrant son amant sous les fougères du parc, en un endroit baptisé Mare aux Loups. Il fallut une bien amusante aventure pour que la cour fût informée de ce goût pour l'herbe tendre [226]. »

Un soir, M. de V..., qui finissait de dîner avec deux amis, révéla que, selon certains bruits, une dame du palais allait retrouver le soir, près de la Mare aux Loups, un membre de la garde personnelle de l'Empereur.

— On dit même, ajouta-t-il, que ce n'est jamais le même militaire qui se trouve au rendez-vous et que la belle a déjà goûté presque tous les hommes du régiment.

L'anecdote fit rire. Soudain l'un des convives montra la fenêtre.

— Regardez, dit-il, c'est ce soir la pleine lune. Si nous allions faire un tour vers le « buisson d'amour » ? Peut-être découvririons-nous l'identité de cette ardente jeune femme.

L'idée fut acceptée. Bientôt nos trois amis sortaient du palais et s'enfonçaient dans le parc.

Arrivés près de la Mare aux Loups, M. de V... s'arrêta.

— Écoutez !

Un bruit étrange montait des fougères. On aurait cru que toute cette partie de la forêt était remplie de blessés qui râlaient.

— Ce doit être un effet de l'écho, murmura M. de V..., nous allons nous cacher ici, près de ce chemin éclairé par la lune, et nous allons leur faire peur.

Lorsqu'ils furent dans l'ombre d'un taillis, il mit ses mains en cornet devant sa bouche et imita le hurlement du loup.

Le résultat fut extraordinaire. En un instant, des hommes et des femmes à peu près nus sortirent de tous les buissons et coururent dans

225. Mme Savary était née Félicité de Faudoas.
226. Baron DE BOUILLÉ, *Chronique scandaleuse sous l'Empire*. Cette anecdote se trouve également dans *Le portefeuille d'un homme de Cour*.

le chemin. Chaque couple était formé d'un soldat de la garde et d'une demoiselle du palais.

M. de V... et ses amis virent passer devant eux, poitrines au vent, quelques jolies filles de leur connaissance, plusieurs femmes mariées et, au milieu de ce troupeau de dévergondées, la belle Mme Savary.

En apprenant cette aventure, Napoléon entra dans une colère épouvantable. Il fit venir le mari de Félicité et, sans prendre de forme, lui apprit son infortune.

— Votre devoir, lui dit-il, est de surveiller votre femme. Puisque vous n'en êtes pas capable, elle continuera à vous tromper et vous serez la risée de la cour. Sortez !

C'était là sa façon d'arranger les choses, ainsi que nous le dit Mme de Rémusat :

« Bonaparte tenait à ce que sa cour fût grave, et il eût trouvé mauvais que les femmes y prissent le moindre empire. Il voulait se réserver à lui le droit de toutes les libertés ; il tolérait l'inconduite de quelques personnes de sa famille, parce qu'il voyait qu'il ne pourrait la réprimer. Au reste, les femmes de cette cour avaient grande raison de s'observer un peu, car l'Empereur, dès qu'il était instruit de quelque chose, et il l'était toujours, soit pour s'amuser, soit par je ne sais quel autre motif, ne tardait guère à mettre au fait le mari de ce qui se passait. A la vérité, il lui interdisait le bruit et la plainte.

» C'est ainsi que nous avons su qu'il avait appris à Savary quelques-unes des aventures de sa femme, et qu'il lui ordonna si impérieusement de ne point montrer de courroux, que Savary, toujours parfaitement soumis, consentit à se laisser tromper [227]. »

Quelques jours plus tard, un autre scandale éclatait à la cour. Beaucoup plus retentissant celui-là, puisque Jérôme Bonaparte, roi de Westphalie et frère de l'Empereur, était en cause, avec Stéphanie de Beauharnais, princesse de Bade.

Un soir, au cours d'un bal, Jérôme, qui venait d'épouser la princesse Catherine de Wurtemberg, dansa sans discontinuer avec Stéphanie, dont il était tombé éperdument amoureux.

Leur accointance était si évidente que la pauvre Catherine en eut un malaise, à deux pas de Mme de Rémusat, qui s'empressa de noter l'événement :

« Nous vîmes tout à coup cette nouvelle reine de Westphalie pâlir, laisser échapper des larmes, se pencher sur sa chaise et enfin s'évanouir tout à fait.

» Le bal fut interrompu.

» On la transporta dans un salon voisin ; l'Impératrice, suivie de quelques-unes d'entre nous, s'empressa à lui donner secours ; nous

227. Plus tard, Napoléon deviendra lui-même l'amant de Mme Savary, ce qui vaudra au mari le titre de duc de Rovigo, le ministère de la Police et une immense fortune...

entendîmes l'Empereur adresser à son frère quelques paroles dures, après quoi il se retira.

» Jérôme, effrayé, s'approcha de sa femme, et, la posant sur ses genoux, cherchait à lui rendre sa connaissance en lui faisant mille caresses.

» La princesse, en revenant à elle, pleurait encore et ne semblait point s'apercevoir de tout ce monde qui l'entourait.

» Je la regardais en silence, et je me sentais saisie d'une impression assez vive en voyant ce Jérôme, qu'une foule de circonstances, toutes indépendantes assurément de son mérite, avaient porté sur le trône, devenu objet de la passion d'une princesse, ayant tout à coup acquis le droit d'être aimé d'elle et la négliger.

» Je ne puis dire tout ce que j'éprouvais en la voyant assise, familièrement sur lui, la tête penchée sur son épaule, recevant ses caresses, et, lui, l'appelant à plusieurs reprises du nom de Catherine et l'engageant à se remettre, en la tutoyant familièrement [228]. »

Ce spectacle, dans le grand salon impérial, devait manquer de majesté. Mais la cour était à la veille d'un scandale bien plus grand encore...

26

Caroline Murat devient la maîtresse de Junot
pour faire monter son mari sur le trône impérial

Le lit n'est bien souvent qu'un marchepied.

COURTELINE

Un matin d'octobre, alors qu'une brume glacée pénétrait dans les salons du château de Fontainebleau, la cour fut saisie d'une stupeur qui la réchauffa en apprenant que l'ambassadeur d'Autriche à Paris, M. de Metternich, était l'amant de la grande-duchesse de Berg, Caroline Murat...

Avant d'expliquer comment une sœur de Napoléon pouvait se trouver dans le lit d'un diplomate autrichien, il faut revenir un peu en arrière.

Lorsque, en 1806, Napoléon donna le royaume de Hollande à son frère Louis et à Hortense, Caroline eut un violent accès de jalousie qui l'obligea à se mettre au lit.

Pour la calmer, Napoléon accorda aux Murat les grands-duchés de Berg et de Clèves. Mais cette souveraineté dérisoire ne fit qu'accroître la fureur de la petite Corse, qui avait une ambition au moins égale à celle de son frère.

Elle voulait être reine, porter une couronne, recevoir les hommages d'un peuple, être appelée Majesté, se choisir des amants comme la Grande Catherine et utiliser à son profit le Trésor d'un État.

228. Mme DE RÉMUSAT, *Mémoires*.

Au début de 1807, une fausse nouvelle allait lui donner une idée. Après Eylau, en effet, le bruit courut à Paris que Napoléon avait été blessé par les Russes. Cette rumeur fit réfléchir Caroline. Elle se demanda comment son mari pourrait bien succéder à l'Empereur, si celui-ci était tué au cours d'une bataille. Sans doute, Joseph, Louis et leurs héritiers étaient désignés par un *sénatus-consulte* pour remplacer Napoléon, mais peut-être y avait-il un moyen de s'emparer de la couronne sans suivre la filière légale.

Elle chercha, et son imagination féconde lui permit bientôt d'élaborer un plan d'une extrême audace [229]. Il s'agissait d'amener l'armée à désigner Murat comme nouvel empereur et de forcer la nation à accepter cette décision.

C'était un véritable coup d'État.

Pour le réussir, il fallait s'assurer de la complicité de Junot, gouverneur de Paris [230].

Caroline, sûre de ses charmes, convia celui-ci au palais de l'Élysée, où elle habitait depuis quelque temps, le troubla par un décolleté qui faisait office de présentoir (ses seins, nous dit-on, y étaient posés comme sur un petit plat), le fit rougir par des regards immodestes et l'entraîna finalement sur un lit confortable...

Junot, qui était bien loin de soupçonner la machination de Caroline, délira de joie.

— Tu es un amant merveilleux, lui dit-elle. Reviens quand tu veux.

Il revint le soir même et ils ne se quittèrent plus. « Elle allait au spectacle dans la loge du général, écrit la malheureuse Mme Junot ; elle s'y rendait dans l'équipage de ce dernier... Il n'était pas rare de voir à des heures inconvenantes la voiture et la livrée de Junot dans la cour de l'Élysée. »

Bientôt, tout Paris connut la liaison du gouverneur, et les petites gens prirent l'habitude de dire, en riant, que le maréchal Murat devait avoir bien de la chance sur les champs de bataille polonais...

Or, tandis que le peuple jasait, une autre femme avait presque la même idée que Caroline. Cette femme, c'était Joséphine.

Effrayée soudain à la pensée que Napoléon pouvait être tué au cours d'un combat, comme un simple soldat, elle avait imaginé de faire passer la couronne impériale sur la tête de son fils Eugène.

Mais, pour réussir cette opération, il lui fallait — à elle aussi — le concours du gouverneur de Paris.

Elle l'invita à déjeuner et lui exposa franchement son plan.

Junot avait pour Napoléon un véritable culte. Il sursauta :

— Mais, madame, l'ordre de succession au trône a été réglé par l'Empereur...

L'Impératrice éclata de rire.

— Personne en France ne voudrait ni de Joseph ni de Louis, encore

---

229. Ce plan sera repris, cinq ans plus tard, par le général Malet.
230. Les Junot étaient rentrés du Portugal au début de 1806.

moins de Jérôme. Quant à mes petits-fils, bien qu'ils soient fils de Louis et d'Hortense, ils trouveraient une grande opposition. Et puis il faudrait une régence. Cela pourrait bouleverser le pays et causer une nouvelle révolution. Tandis que mon fils Eugène, lui, au moins, est connu de l'armée, et on l'y aime beaucoup...

Après le repas, Junot, scandalisé, courut à l'Élysée rapporter cette conversation à Caroline.

La grande-duchesse de Berg eut ainsi la surprise d'apprendre qu'elle avait une rivale.

— Que pensez-vous d'un tel plan ? dit-elle.

Aussi gaffeur à Paris qu'il l'était jadis en Égypte, le gouverneur répondit :

— Je tuerai volontiers de ma main ceux qui espèrent la mort de l'Empereur et font des plans pour le remplacer...

Caroline ne broncha pas, et le brave homme continua d'ignorer qu'il était un pion sur l'échiquier de deux femmes ambitieuses.

Son rôle, en effet, était capital, ainsi que nous le précise Joseph Turquan :

« Ces deux femmes avaient la même pensée. Junot, en effet, si la nouvelle de la mort subite de l'Empereur arrivait, pouvait mettre la couronne sur la tête de qui lui convenait. Il disposait de toutes les garnisons du ressort militaire de Paris. Les autres garnisons ne pourraient que se soumettre au fait accompli, de même que les armées en campagne. Le peuple s'inclinerait à son tour devant la volonté de l'armée : le moyen, d'ailleurs, de faire autrement ?

» Et voilà pourquoi, depuis la proclamation de l'Empire, la princesse Caroline soignait tant l'armée et cherchait à se concilier la faveur des officiers. Ses ambitions, d'abord vagues et indécises, avaient pris corps. Voilà pourquoi elle donnait des fêtes auxquelles elle invitait les officiers de la garnison de Paris et ceux de l'état-major de la place ; voilà pourquoi elle était allée au camp de Boulogne, sous prétexte de voir son frère et son mari, en réalité pour se montrer à la revue et faire dire partout que rien de ce qui concernait l'armée et sa gloire ne lui était indifférent.

» Voilà aussi pourquoi, mais ceci est, par son odieux même, d'une nature infiniment plus délicate, voilà aussi pourquoi elle avait feint d'être amoureuse de Junot, qu'elle l'avait provoqué au jeu de l'amour et avait amené le dénouement que le naïf gouverneur de Paris, dans sa fatuité inconsciente, croyait ne devoir qu'à ses mérites irrésistibles ; voilà pourquoi, au su de tout Paris, elle était devenue la maîtresse du général Junot [231]. »

Plus habile que Joséphine, Caroline ne confia pas ses projets au brave général, mais, nous dit Joseph Turquan, « elle avait murmuré à

231. JOSEPH TURQUAN, *Les sœurs de Napoléon*.

son amant, dans l'enivrement de l'alcôve, de ces choses qui faisaient que, le moment arrivé, Junot ne pourrait rien lui refuser ».

Leur liaison prit bientôt une allure conjugale.

Chaque soir, le gouverneur, quittant son bureau, arrivait à l'Élysée où Caroline l'attendait dans des déshabillés affriolants.

Avant toute chose, elle demandait d'un ton angoissé si l'on avait reçu de bonnes nouvelles de l'Empereur. Junot, croyant la rassurer, s'empressait de lui communiquer les dépêches dont il avait eu connaissance.

Bonne comédienne, Caroline poussait un gros soupir.

— Je suis si inquiète ! disait-elle.

Après quoi, elle l'entraînait dans sa chambre et lui faisait connaître des plaisirs à ce point délectables que le gouverneur, perdant toute retenue, ne savait pas toujours taire son contentement...

Pendant des semaines, Caroline attendit ainsi la mort de son frère.

Ne voyant rien venir, eut-elle alors la pensée d'aider le destin ?

C'est ce que la duchesse d'Abrantès n'hésite pas à écrire dans ses *Mémoires* :

« Je dois à la mémoire de mon mari, dit-elle, de dévoiler toutes les manœuvres qui furent employées pour l'acquérir au parti de Murat, dans la terrible hypothèse d'un malheur arrivant à l'Empereur dans l'une de ses absences militaires.

» Du moins ne parlait-on alors que de cette circonstance.

» Mais, une fois qu'on se serait habitué à considérer Murat assis dans le même fauteuil que Napoléon, Murat montant le même cheval, Murat maître enfin de l'Empire de France, quand le burlesque de cette possibilité se serait évanoui par l'habitude de la fixer, parce qu'il n'est rien que l'œil ne finisse par trouver convenable en le regardant longtemps avec persévérance, alors, un jour, on aurait dit : "Mais la balle ennemie met bien longtemps à frapper. Les hasards de la guerre sont bien incertains."

» Et de cette réflexion à suppléer à la paresse ou à la lenteur de la balle ennemie, il y a bien peu de distance [232]. »

Il convient, bien entendu, de laisser à la duchesse d'Abrantès toute la responsabilité de cette accusation...

Tous les ans, le 19 mars, la cour organisait, dans un secret relatif, une surprise pour la fête de l'Impératrice. Cette année-là, Caroline et Pauline Bonaparte chargèrent Junot de monter un spectacle.

Le gouverneur de Paris fut très embarrassé, car le seul théâtre qu'il connût était celui des opérations. Il alla demander conseil à M. de Longchamp, secrétaire des commandements de la grande-duchesse de Berg. Ce gentilhomme était ce qu'on appelait alors un « homme à talents ». Il se proposa pour écrire lui-même une pièce « accordée aux circonstances et aux personnages ».

---

232. Duchesse d'ABRANTÈS, *Mémoires*.

— Je mettrai en évidence, dit-il, la beauté de Son Altesse la princesse Pauline et tout l'esprit de Son Altesse la princesse Caroline.

Junot exulta.

— Naturellement, ajouta M. de Longchamp, vous allez tenir un rôle, ainsi que Mme Junot. Il faut que tout le monde soit en scène...

Le gouverneur de Paris accepta, bien que sa femme fût enceinte, et « l'homme à talents » se mit au travail.

Trois jours plus tard, la petite comédie était faite et l'on commença à répéter. La pauvre Mme Junot s'aperçut alors que toute la pièce n'était qu'une allusion aux amours de son mari et de la grande-duchesse de Berg.

Sous le nom de Charles, Junot faisait une déclaration à une jeune paysanne dont le rôle était tenu par Caroline. Après quoi, les deux amants enlacés chantaient un duo « mêlé de soupirs et d'attouchements ».

Cette exhibition n'était pas le côté le plus navrant du spectacle. En effet, la grande-duchesse de Berg chantait faux et le gouverneur de Paris était si ému de caresser sa maîtresse en public qu'il avait des trous de mémoire et remplaçait le texte dont il ne se souvenait plus par des phrases de sa façon.

Ce qui rendait la scène grotesque.

Naturellement, Mme Junot considérait tout cela avec beaucoup de chagrin et devait faire effort pour ne point éclater en sanglots quand Junot embrassait Caroline à bouche-que-veux-tu « pour les besoins du rôle »...

Le jour de la fête arriva. La pièce fut représentée sur le petit théâtre de la Malmaison et les gens bien informés tendirent l'oreille. Précaution inutile, car les allusions à la liaison de Junot et de Caroline étaient transparentes. Aussi fit-on un sort à chaque réplique. L'une d'elles eut pourtant plus de succès que les autres. A certain moment, le gouverneur de Paris devait dire à sa partenaire :

— Quand je suis près de vous, ma bergère, j'ai le sang qui circule mal...

Réplique étrange, on en conviendra.

Hélas ! Junot, troublé, bafouilla et fit avec la deuxième partie de cette phrase une épouvantable contrepèterie...

Ce fut du délire. Le public, debout, applaudit à tout rompre, et les acteurs eurent bien du mal à terminer la pièce.

Après le spectacle, Caroline, qui avait eu le trac, piqua une crise de nerfs. L'Impératrice se précipita, et délaça le corsage de sa belle-sœur. Une lettre tomba.

Joséphine la ramassa au moment où Caroline revenait à elle.

— Donnez, c'est une lettre de Murat, dit-elle sur un ton agressif.

Joséphine ne répondit pas, mais elle avait reconnu l'écriture du gouverneur de Paris.

Quand la fête fut terminée, tout le monde quitta la Malmaison, et la grande-duchesse de Berg fit aux Junot l'honneur de monter dans leur voiture.

A trois heures du matin, le trio arriva devant l'Élysée. Galamment, le général tendit la main à Caroline pour l'aider à descendre, puis il l'accompagna jusqu'à ses appartements.

Mme Junot attendit sagement qu'il revînt.

Au petit jour, pourtant, elle s'impatienta et donna l'ordre à son cocher de la ramener chez elle.

Sage détermination, car le gouverneur ne sortit de l'Élysée qu'à midi...

Napoléon était à Tilsit lorsqu'il apprit par le général Savary que sa sœur était la maîtresse de Junot. Il en conçut une froide colère qui explosa dès son retour à Paris.

A peine arrivé, il convoqua Caroline et lui reprocha sa conduite en des termes qu'une tenancière de maison galante eût trouvés un peu vifs.

La grande-duchesse de Berg était habile. Elle laissa passer l'orage, se fit douce, caressante et, connaissant son frère, lui expliqua tout bonnement pourquoi elle avait mis Junot dans son lit.

Cette franchise était habile.

Devant une telle ambition, Napoléon fut, à la fois, stupéfait et émerveillé. « De ce jour, nous dit-on, il conçut une plus haute idée de la capacité de sa sœur, et c'est à cette intrigue qu'elle dut, en partie, son élévation au trône de Naples. »

Le lendemain, l'Empereur convoqua Junot et lui annonça qu'il était au courant de sa liaison. Bégayant, tremblant, le gouverneur de Paris offrit de donner satisfaction à Murat si celui-ci se jugeait offensé.

— Mon hôtel, dit-il, est près de l'Élysée et ...

— Oui, dit Napoléon, beaucoup trop près.

Et il défendit formellement à Junot de se battre avec Murat, un duel risquant de provoquer un scandale inopportun.

— Tu ne te battras pas, dit-il, mais tu vas quitter Paris. Tu vas commander le corps d'observation de la Gironde. Puis tu iras diriger les opérations au Portugal...

Junot s'inclina et rentra chez lui, fort marri.

Cette décision de l'Empereur allait avoir des conséquences fort graves. Écoutons Joseph Turquan :

« Tout s'enchaîne dans la vie des nations comme dans la vie des hommes. Caroline, on ne saurait trop le répéter, est la cause première des désastres de la France et de la chute de Napoléon ; elle en est aussi la cause dernière et déterminante.

» Si elle avait été une honnête femme, elle n'eût pas noué une intrigue avec Junot, Napoléon n'eût point enlevé à Junot le gouvernement militaire de Paris ; il eût envoyé au Portugal un général capable de commander en chef et non ce "sous-lieutenant de hussards", comme l'appelle justement le général Thiébault ; un autre général n'aurait jamais perdu la bataille de Vimeiro et eût, au contraire, anéanti l'armée anglaise ; par conséquent, il n'y aurait pas eu de convention de Cintra et d'évacuation du Portugal. Les Anglais n'auraient sans doute pas envoyé une seconde armée en ce pays.

» Lorsqu'il fallut le reprendre, les Portugais s'étaient formés, aguerris, et étaient bien plus nombreux sous les armes ; les Anglais avaient enfin trouvé un champ de bataille en Europe pour combattre les Français ; les paysans des campagnes s'étaient insurgés et massacraient les traînards et les isolés ; de plus, les Espagnols s'étaient soulevés sur les derrières des Français et l'armée d'invasion du Portugal n'avait plus ni base d'opérations, ni communications avec la France.

» L'Empereur perdit, assurent les écrivains les plus sérieux, près de trois cent mille hommes dans cette guerre d'Espagne, et il ne faut pas oublier que le soulèvement général de l'Espagne ne se serait pas produit sans l'évacuation du Portugal. Ces pertes, indépendamment des corps d'armée qu'il fallait maintenir dans la péninsule, empêchèrent l'Empereur d'être en état de faire face, avec des troupes suffisantes en nombre et en instruction militaire, aux forces de l'Europe entière coalisée.

» Il n'est donc pas téméraire d'affirmer que Caroline a été la cause première de l'ébranlement de la puissance du colosse ; elle lui a aussi donné le dernier coup et a contribué plus puissamment que personne à sa chute en le trahissant d'une façon telle que les mots manquent pour la qualifier [233]. »

Ce qui explique peut-être pourquoi Napoléon écrivit un jour : « Les femmes sont l'âme de toutes les intrigues. On devrait les reléguer dans leur ménage ; les salons des gouvernements devraient leur être fermés... »

Junot devait quitter Paris le 28 août. Or, la dernière nuit qu'il passa dans la capitale faillit être dramatique.

Sa femme nous en rapporte les détails avec une franchise exceptionnelle :

« Le général Junot avait été invité à venir dîner chez Leurs Altesses Impériales le même jour. Le billet ajoutait que la princesse désirait beaucoup que mon état me permît d'accepter. Elle savait fort bien que je n'allais pas en voiture à cause de mon état. Le général s'y rendit, et, le soir, à huit heures et demie, il était déjà rentré. Son air était agité. Je craignais les malheurs qui pouvaient arriver à chaque heure du jour. Je me hasardai à lui parler. Il me répondit d'une manière fort dégagée qu'il allait passer un autre habit et finir sa soirée près de moi.

» Il y avait dans mon salon le cardinal Maury, le baron de Breteuil, M. de Narbonne, M. de Valence et quelques dames de nos amies. A neuf heures, en effet, il passe chez lui pour changer de toilette et quitter son uniforme. Une heure s'écoule, il ne revient pas. Je passe

233. Joseph Turquan, *Les sœurs de Napoléon*.

chez lui, personne. Je sonne : son valet de chambre de confiance arrive.

» — Où est le général ?

» — Madame, il est sorti.

» — En voiture ?

» — Non, madame, à pied.

» — C'est bon, sortez !

» Quand il fut éloigné, je me laissai tomber sur une chaise, tout à fait anéantie ; il n'était que trop clair pour moi que c'était un rendez-vous donné. Et il devait partir à sept heures du matin.

» Je rentrai dans le salon et je dis pour l'excuser que des ordres de l'Empereur l'avaient appelé au château. Bientôt, tout le monde s'éloigna, à l'exception du comte de Narbonne et de Mme Juste de Noailles. Ils connaissaient tous deux ma position. Je pouvais donc pleurer devant eux. Ils demeurèrent jusqu'à une heure du matin...

» Quand je fus seule, je me livrai à tout mon désespoir... Me laisser au moment de s'éloigner de moi pour un temps indéterminé, me laisser au moment d'être mère, sans passer près de moi les derniers instants de son séjour, et pour qui ? Pour une femme que je savais moi-même indigne de lui.

» Assise sur un divan dans le coin le plus obscur de ma chambre à coucher, je venais de compter trois heures à ma pendule. Alors, mon agitation redoubla et changea d'objet. Tout ce que l'inquiétude a de sinistre pour un objet adoré vint se presser en foule autour de mon esprit. Le jour allait poindre. Il était impossible que le général fût assez imprudent pour ne pas le prévenir. Je me figurai que Murat, se doutant que cette dernière nuit aurait été donnée à l'amour, les avait surpris ; que Junot avait peut-être péri d'une manière tragique...

» Plus l'heure avançait, plus mes idées se troublaient. Mon pouls battait avec une rapidité et une inégalité effrayantes. J'entendais des bruits extraordinaires. Je voyais errer autour de moi des formes bizarres ; enfin, j'étais dans un état complet de folie... Oh ! combien j'ai souffert, cette cruelle nuit du 27 au 28 août. Quel souvenir !...

» A quatre heures, il me fut impossible de résister à ce que j'éprouvais. Je traversai le petit salon qui sert de communication aux deux appartements et je sonnai son valet de chambre... Je lui fis part de mes craintes, et elles devinrent bien plus vives quand je vis qu'il les partageait. Il me dit, sans que je le lui demandasse, que le général était venu pour se déshabiller, qu'après avoir relu un très petit billet qu'il avait fort bien remarqué, le général avait plusieurs fois frappé sa tête, avait chargé ses pistolets de poche, puis était sorti par la porte du petit hôtel qui donne sur la rue Saint-Honoré.

» Tout cela ne m'apprenait rien, et cependant ces détails redoublèrent mes larmes et mes inquiétudes. Je congédiai Heldt et je demeurai dans cette chambre. Je regardais ce lit et je frissonnais en pensant que son possesseur allait peut-être venir y mourir à peine au printemps de sa vie, pour une femme qui n'avait jamais pu apprécier ni son cœur ni tout ce qu'il valait [234]. »

Les craintes de Mme Junot n'étaient pas imaginaires.

Bien au contraire...

A cinq heures du matin, Laure, qui était prostrée sur le lit, en proie au plus profond désespoir, entendit un craquement. Elle leva la tête et vit son mari au milieu de la pièce. Il était entré sans bruit « par un escalier dérobé ».

« En le voyant, écrit-elle, je fus si heureuse, mon cœur fut tellement inondé de bonheur, que je ne pus lui adresser aucun reproche. Je m'élançai à son cou et, l'enlaçant de mes bras, je le couvris de baisers et de caresses. Ses yeux, ses cheveux, ses habits, tout en lui était l'objet d'une caresse nouvelle.

» Je le serrai contre moi, nos bouches se rencontrèrent. Un de ces baisers de feu me rappela à ma triste douleur. Il voulut... Ah ! mon Dieu, avec quelle rapidité je m'élançai loin de lui. Lui-même ne chercha pas à me retenir.

» — Pourquoi avoir veillé si tard ? me demanda-t-il avec douceur. Quelle imprudence !

» Il rougit et mit la main sur mon sein pour sentir un mouvement de son enfant. Le pauvre petit semblait remercier la main paternelle.

» — Laure, me dit-il, tu méritais un meilleur sort.

» J'avais posé ma tête sur sa poitrine, et, là, je pleurais avec moins d'amertume. »

Junot s'aperçut que les choses commençaient à s'arranger. Il voulut brusquer le dénouement. L'œil un peu égrillard, il dit :

— Prouve-moi que tu me pardonnes !

— Je veux bien.

Il tenta alors d'entraîner de nouveau sa femme vers le lit.

« Cette fois, écrit Mme d'Abrantès, je m'éloignai moins brusquement, mais non moins résolument. »

Le gouverneur de Paris pensa que sa tentative était encore un peu prématurée. Il reprit un air sombre, marcha de long en large et se frappa la tête à coups de poing. Puis il s'arrêta devant Laure, la fixa longtemps, et dit :

— Je ne veux pas partir sans avoir eu une explication qui importe à notre bonheur futur.

Après un baiser où chacun mit gentiment du sien, ils allèrent dormir dans leurs appartements respectifs. Le lendemain, Junot emmena sa femme au château du Raincy (une magnifique propriété qui avait appartenu jadis au duc d'Orléans), où elle devait s'installer pendant son absence.

Là, ils montèrent dans une petite voiture de promenade et partirent

234. Duchesse d'ABRANTÈS, *Mémoires*.

en forêt. Le gouverneur de Paris avait de curieuses révélations à faire à son épouse.

Écoutons-la nous conter la chose dans son style fiévreux :

« Alexandre [235] était fortement ému. Son émotion fut loin de se calmer en me parlant de ce qui l'agitait. Abordant ce sujet avec une noble confiance, il ne nia aucun des chagrins qu'il m'avait donnés : il s'accusa même de cruauté. Il convint de tout. Mais il me donna la preuve, *la preuve écrite,* de la persécution qu'il avait supportée et à laquelle un ange aurait fini par succomber.

» — Oui, je l'ai aimée, me dit-il, mais jamais mon cœur n'a battu pour elle. Elle est jolie ; elle est princesse, sœur de mon maître... Tout ce prestige m'a séduit. Ma tête a tourné et j'ai fait ton malheur et peut-être le mien. Hier, hier encore, en quel état je t'ai trouvée. Et pour qui exposais-je ainsi ma femme, mon enfant ?... Car ma mort, je le sais, aurait entraîné la tienne dans ce moment.

» — Ta mort, m'écriai-je en devenant pâle de terreur...

» Il ne dit rien, mais, sortant un billet de son sein, il me le donna à lire. Je vis, écrits sans orthographe, à son ordinaire, et de la main de la princesse, ces mots remarquables :

» *Je ne puis me résoudre à penser que vous allez partir sans qu'un dernier rendez-vous ait eu lieu entre nous. En rentrant chez vous, vous aurez à supporter des criailleries et des pleurnicheries. Laissez tout cela et venez auprès de votre Caroline. Venez par le chemin ordinaire. Tout sera ouvert. Mais surtout, et n'y manquez pas, venez armé et bien armé. Vous comprenez pourquoi.*

» Ce que j'éprouvai en lisant les dernières lignes de ce billet, dégoûtant du reste par sa tournure commune et le sentiment tout matériel qu'il semblait exprimer, ce que j'éprouvai ne peut se rendre. Ainsi donc, une femme pouvait, pour satisfaire des sens emportés, exposer au même instant la vie de son mari, du père de ses enfants, la vie de l'amant qu'elle prétend aimer... Le souvenir de cet instant me fait encore frissonner. Alexandre me prit la main...

» J'appris alors qu'à peine entré dans sa chambre, elle avait elle-même examiné si les pistolets étaient en état, et sa jolie main avait tiré de son étui un superbe cangiar turc qu'Alexandre portait toujours dans ses courses nocturnes, avait essayé si la pointe en était assez aiguë ; puis elle avait plaisanté de la résistance qu'on pouvait opposer si Murat voulait entrer.

» Alexandre me dit que cette conduite, jointe à ce billet, avait produit sur lui un tel effet que ses sens, ordinairement si fougueux auprès d'elle, étaient tout à fait muets. Peu habituée à un pareil traitement, au lieu de comprendre la cause d'un tel état, elle le rendit encore plus humiliant pour ses charmes par la fureur où elle s'abandonna.

» — Vous êtes retourné à *cette femme,* criait-elle avec rage, vous

---

235. Prénom que Mme Junot avait substitué à celui d'Andoche pour appeler son mari.

êtes retourné à elle. Vous ne vous attendiez pas que j'aurais le courage de vous voir cette nuit.

» — Non, lui répondit-il froidement, car elle ne l'aurait pas voulu. Au surplus, ne prononçons pas son nom, je vous en ai déjà priée. »

« Ce fut ainsi que se passa la première heure de ce malheureux rendez-vous. Elle employa tout l'art des séductions pour ramener un amour qui jetait sa dernière lueur. Mais le bandeau avait été dénoué, le prestige avait fui, et Alexandre me dit qu'en voyant cette femme se consumer en efforts impuissants et lascifs, et jouant le rôle d'une prostituée, l'effet qu'elle avait produit sur lui avait été de le frapper de nullité. Sa rage, alors, n'avait plus connu de bornes. Les menaces les plus violentes, contre moi surtout, lui avaient échappé et il me dit que, dans ce moment, elle lui avait fait horreur.

» — Oh ! mon Dieu, s'était-elle écriée, enfin, il fait jour. Je puis espérer que Murat te verra sortir et que tu ne rentreras chez toi que privé de vie.

» — Taisez-vous, lui dit Alexandre avec violence et en s'élançant du lit, taisez-vous. Jusqu'à présent, vous ne m'inspiriez que du dégoût, maintenant, vous me faites horreur. Mais écoutez bien : si jamais j'apprends que vous avez attenté en quoi que ce soit au repos de ma femme, je vous démasque. A mon tour, je vous menace, et, moi, je tiendrai parole. Je ne me vengerai pas dans l'ombre, mais la France, l'Europe entière sauront votre conduite et surtout celle de cette nuit. Songez-y bien.

» Elle se calma, elle pleura, se mit à genoux, demanda et obtint son pardon, rejeta tout sur la violence de sa passion et, par ses douces manières, elle obtint de Junot un raccommodement qui devait être le dernier soupir de cette malheureuse liaison [236]. »

Ayant fait ces aveux, Junot ramena sa femme au château du Raincy et prépara son départ.

A cinq heures du matin, il montait dans une voiture qui devait le conduire à Bordeaux. Laure l'embrassa.

— Tu ne me tromperas pas ?

Il haussa les épaules en souriant et elle ajouta, encore un peu inquiète :

— Tu es tout à moi, maintenant ?

— Tu n'as plus rien à craindre...

Mais, cinq minutes plus tard, au premier tournant de la route, Junot enfilait à son poignet un bracelet fait avec les cheveux de la grande-duchesse de Berg...

Dès que son amant « se fut estompé à l'horizon », comme nous le

---

236. Il semble qu'un destin malicieux ait fait de la chambre où Caroline prenait ses ébats avec Junot un des hauts lieux de l'adultère. Au XVIIIe siècle, Mme de Pompadour s'y livrait déjà aux joies de la bagatelle et Félix Faure devait y mourir en 1899 dans les navrantes circonstances que l'on sait...

dit Mme de Salles avec la préciosité du temps, Caroline se mit en quête d'un nouveau protecteur.

A Fontainebleau, où elle se trouvait un mois plus tard avec la cour, il lui apparut bientôt que le seul homme capable de l'aider dans la réalisation de ses desseins était M. de Metternich, l'ambassadeur d'Autriche.

Ce diplomate aux yeux bleus était, nous dit-on, « doué du don de plaire ». Grand amateur de jolies femmes, il savait user habilement de son charme et entraînait dans le lit que la France avait mis à sa disposition toutes les dames de la cour qui avaient, selon la formule d'un spécialiste, « seins durs et fesses coquines »[237].

Naturellement, M. de Metternich désira s'ébattre en compagnie de Caroline dont l'ardeur avait une belle réputation. La grande-duchesse ne se montra pas farouche. « Soit par esprit de coquetterie, nous dit Mme de Rémusat, soit plutôt par suite d'une ambition précautionneuse, elle commença à accueillir avec assez d'attention les hommages d'un ministre qui avait crédit à la cour et pouvait peut-être la servir[238]. »

Au bout de quelques jours, elle devint la maîtresse du bel Autrichien qui ajouta au plaisir de savourer une jolie femme celui de cocufier le plus valeureux maréchal de la Grande Armée... Et chaque fois qu'il faisait entrer Caroline dans sa couche, M. de Metternich avait un peu l'impression de prendre une revanche sur la défaite d'Austerlitz.

La liaison du diplomate et de la grande-duchesse de Berg ne tarda pas à être connue, et la cour fut scandalisée. On estima que la sœur de l'Empereur avait une façon un peu trop chaleureuse de recevoir les ambassadeurs étrangers, et l'on ne se gêna pas pour critiquer publiquement sa conduite. Un inconnu composa même une petite chanson où se trouvait résumée l'opinion de chacun :

> *L'œil de la blonde Alizon*
> *Est plus ardent qu'un tison.*
> *Quel tison que l'œil de son*
> *Altesse !* (bis)
>
> *Mais le feu qui brûle là,*
> *Sur mon âme ne vaut pas,*
> *Ne vaut pas le feu qu'elle a*
> *Aux fesses !* (bis)

Ce qui était vrai, mais un peu désinvolte.

Indifférente aux critiques, Caroline continuait de passer des moments exaltants sur la courtepointe de M. de Metternich, « avec l'espoir, nous dit joliment Mme de Salles, de donner son "joyau" pour obtenir une couronne... ».

En devenant la maîtresse du diplomate, la grande-duchesse de Berg

237. *Chronique scandaleuse de l'Empire.*
238. Mme DE RÉMUSAT, *Mémoires.*

voulait s'assurer l'amitié de l'Autriche. Plus pessimiste encore que Madame Mère, qui soupirait : « Pourvou qué ça doure ! », elle prévoyait avec sang-froid l'écroulement de l'Empire, la disparition de Napoléon et la chute vertigineuse de la famille Bonaparte.

Son plan, en conséquence, était simple : obtenir un royaume de son frère et s'y maintenir après la chute du régime, grâce à l'aide de l'Autriche.

M. de Metternich ne devait pas décevoir Caroline, Mme de Rémusat nous l'affirme nettement : « Il parut s'attacher à Mme Murat, écrit-elle, et il lui a conservé un sentiment qui a maintenu longtemps son époux sur le trône de Naples [239]. »

Tous les après-midi, Caroline allait donc retrouver M. de Metternich dans ses appartements, et, d'une croupe alerte, œuvrait courageusement pour le bien de son mari.

Celui-ci était, naturellement, le seul à ignorer la nouvelle liaison de sa femme. Il est vrai qu'il était alors pris de son côté par une charmante dame du palais qui lui donnait, paraît-il, d'étourdissantes satisfactions sur le tapis de sa chambre, « le lit ayant été jugé trop frêle par les fougueux amants »...

Ayant bien en main — si j'ose dire — l'ambassadeur d'Autriche, Caroline s'allia Maret, premier commis de l'Empereur, et Fouché, ministre de la Police. Restait M. de Talleyrand, ministre des Relations extérieures. La grande-duchesse était habile. Elle se mêla à la petite cour du « diable boiteux », sourit à ses bons mots, applaudit à ses anecdotes, lui réclama une histoire dix fois entendue et s'en fit un ami...

Lorsqu'elle le sentit bien à elle, Caroline attaqua. « Alors, les entretiens, nous dit Mme de Rémusat, devinrent un peu plus graves. Mme Murat ne dissimula point à M. de Talleyrand qu'elle voyait avec envie ses frères occuper des trônes et qu'elle sentait en elle la force de porter un sceptre ; elle lui reprocha de s'y opposer. M. de Talleyrand objecta le peu d'étendue d'esprit de Murat ; il plaisanta sur son compte et ses plaisanteries ne furent point repoussées amèrement. Au contraire, la princesse livra son mari d'assez bonne grâce ; mais elle objecta qu'elle ne lui laisserait point, à lui seul, la charge du pouvoir... »

Talleyrand ne pouvait rien refuser à une femme qui citait ses calembours dans tous les salons en ajoutant qu'il était l'homme le plus spirituel du monde. Il promit de parler à l'Empereur et d'amener celui-ci à donner un sceptre à Murat. Un sceptre que manierait avec autorité la petite main blanche de Caroline...

En sortant de cet entretien, le ministre avait les yeux si brillants de satisfaction qu'un de ses amis s'en étonna.

---

239. « De son côté, M. de Metternich avait adopté le même genre de politique que la grande-duchesse de Berg, nous dit JOSEPH TURQUAN, et avait fait, avec Hortense et avec Pauline, si l'on veut en croire Fouché, de la diplomatie policière et précautionneuse d'alcôve. » (*Les sœurs de Napoléon.*)

— C'est, dit Talleyrand, que je viens de parler avec la grande-duchesse de Berg.

— Et alors ?

Le ministre hocha la tête en connaisseur :

— Elle a la tête de Machiavel sur le corps d'une jolie femme...

Ce qui, dans la bouche de Talleyrand, n'était point une critique, mais sans doute le plus beau des compliments...

Tandis que la grande-duchesse de Berg préparait ainsi ses affaires et avançait peu à peu vers le but qu'elle s'était fixé, Joséphine se livrait à l'adultère mondain tout comme la plus humble de ses sujettes. En août, elle avait retrouvé, alors qu'il rentrait de Prusse où il avait gagné les galons de colonel de cuirassiers, le jeune et beau Frédéric de Berckheim, qui était son amant depuis l'été 1806. Affamée de tendresse, elle s'était conduite avec une impudeur que certains courtisans avaient jugée sévèrement. Tous les après-midi, en effet, sans se soucier du qu'en-dira-t-on, elle entraînait Frédéric dans sa chambre et l'exténuait de caresses. Le pauvre, qui avait la charge d'un régiment, finit par craindre pour sa santé et quitta Fontainebleau.

L'Impératrice porta alors ses yeux chauds sur un jeune Allemand, le duc Frédéric-Louis de Mecklembourg-Schwerin, âgé de vingt-neuf ans. Bien qu'elle en eût quarante-cinq et qu'elle commençât à se faner, il tomba amoureux d'elle et devint son amant. Cette aventure devait resserrer un peu plus les liens qui unissaient les membres de la cour impériale. Quoi qu'on en ait dit, en effet, cette cour était l'une des plus unies d'Europe. Les parentés, pour être souvent de la main gauche, n'en étaient pas moins réelles. Napoléon était le mari de Joséphine, qui avait été la maîtresse de Murat, dont la femme se donnait à Junot, lequel avait pour épouse une des maîtresses de l'Empereur. D'autre part, Caroline Murat avait pour amant M. de Metternich, qui allait bientôt prendre Mme Junot pour maîtresse avant de coucher avec Mme de Salles, maîtresse elle-même du prince de Mecklembourg-Schwerin, qui était l'amant de l'Impératrice, laquelle était la femme de Napoléon que l'on accusait d'inceste avec Caroline... Ainsi tout se tenait dans cette admirable cour...

27

Napoléon veut se marier avec sa nièce

> Il aimait beaucoup trop sa famille.
>
> MICHELET

Napoléon avait une façon tout à fait personnelle de diriger les plaisirs de la cour à Fontainebleau. Lorsqu'il ouvrait un bal, il se plaçait au milieu du salon, regardait les assistants d'un air terrible et, d'une voix brève, comme s'il se fût agi de lancer les troupes à l'assaut, s'écriait :

— Et maintenant... amusez-vous !

Il en résultait une atmosphère peu détendue...

Au bout de quelques instants, les couples, obéissant à l'ordre que le maître venait de leur donner, commençaient à danser avec application, le dos courbé par la crainte.

Mais personne n'osait prononcer un mot, les demoiselles étaient écarlates de peur, les dames montraient un sourire crispé, les messieurs, craignant d'être interpellés par l'Empereur, regardaient le parquet, et les musiciens tremblaient à l'idée de faire une fausse note.

Ce manque d'entrain agaçait prodigieusement Napoléon.

— Mais enfin, disait-il, pourquoi ont-ils l'air aussi triste ? Ne leur ai-je pas dit de s'amuser ?

Un soir qu'il faisait cette réflexion à M. de Talleyrand, le ministre répondit en souriant :

— Justement... Il suffirait peut-être de ne pas leur en donner l'ordre...

Napoléon se retira, vexé. Et les fêtes continuèrent d'avoir ce caractère aimable.

La cour s'ennuya bientôt tellement à Fontainebleau que le courrier de Paris constituait le grand événement de la journée. On se précipitait sur les lettres, on interrogeait les cochers, et les nouvelles étaient commentées fiévreusement jusqu'au déjeuner...

Or, un matin, une stupéfiante information vint réjouir tout le monde : un des secrétaires de Fouché arriva de Paris en affirmant qu'une petite actrice des *Variétés,* Mlle Cuizot, prétendait que Cambacérès l'avait rendue enceinte...

Un immense éclat de rire se propagea dans tout le château. Personne n'ignorait, en effet, que M. l'Archichancelier avait, en matière d'amour, des goûts assez hétérodoxes et « donnait dans le travers », comme disaient onctueusement les ecclésiastiques.

Napoléon ne se gênait d'ailleurs pas pour en plaisanter publiquement. Un matin que Cambacérès, en retard au Conseil, s'était excusé en prétendant qu'une dame l'avait retardé, l'Empereur lui avait dit en souriant :

— Monsieur l'Archichancelier, lorsqu'une dame vous retiendra encore de cette façon, vous lui direz : « Monsieur, prenez votre chapeau, votre canne et laissez-moi. L'Empereur m'attend ! »

La nouvelle annoncée par le secrétaire de Fouché occupa la cour pendant toute une journée. Chaque personne qui arrivait de Paris était interrogée.

On finit ainsi par savoir que Cambacérès s'était effectivement épris de la petite comédienne, un soir qu'il l'avait vue travestie « en étudiant en droit »... Depuis, assurait-on, il ne la quittait plus.

De telles révélations étaient stupéfiantes, et M. de Salles, au nom de tous les courtisans, décida d'envoyer quelqu'un à Paris pour se renseigner auprès de l'Archichancelier lui-même...

L'émissaire revint le lendemain soir, rapportant la réponse de Cambacérès. Cette réponse tenait en deux phrases qui mirent la cour en joie. Loin de nier ses relations avec Mlle Cuizot, l'Archichancelier avait répondu :

— La grossesse de Mlle Cuizot regarde M. de B..., son ancien protecteur. Moi, je ne l'ai connue que postérieurement...

Le mot, bientôt traduit par les ambassadeurs qui se trouvaient à Fontainebleau, fut expédié par dépêches diplomatiques et fit le tour des capitales d'Europe...

Joséphine, qui aimait les plaisanteries un peu lestes, avait ri plus que tout le monde. Un témoin nous dit qu'« oubliant toute dignité, elle avait dû se coucher sur un sofa en se tenant les côtes ».

Sans le savoir, l'Impératrice goûtait là ses derniers moments de bonheur et d'insouciance...

Au même instant, en effet, Napoléon se préparait au divorce. Depuis la naissance du petit Léon, il savait que « la stérilité était chez Joséphine » et qu'il lui fallait changer de femme pour avoir un héritier.

Mais il hésitait encore à répudier cette créole qu'il avait tant aimée et pour laquelle, malgré ses infidélités, il conservait une immense tendresse. Et puis le jugement de l'Europe lui faisait peur...

Le seul moyen pour n'être point accusé de cruauté était d'amener Joséphine à partir d'elle-même. Après la mort du jeune Napoléon, fils d'Hortense, il avait fait une petite allusion à la nécessité où il pourrait se trouver de prendre une femme qui lui donnât des enfants. Et timidement il avait ajouté :

— Si pareille chose arrivait, Joséphine, alors ce serait à toi de m'aider à un tel sacrifice. Je compterais sur ton amitié pour me sauver de tout l'odieux de cette rupture forcée. Tu prendrais l'initiative, n'est-ce pas ? Et, entrant dans ma position, tu aurais le courage de décider toi-même de ta retraite.

Joséphine s'était raidie et avait répondu :

— Sire, vous êtes le maître, et vous déciderez de mon sort. Quand vous m'ordonnerez de quitter les Tuileries, j'obéirai à l'instant ; mais c'est bien le moins que vous l'ordonniez d'une manière positive. Je suis votre femme, j'ai été couronnée par vous en présence du pape ; de tels honneurs valent bien qu'on ne les quitte pas volontairement. Si vous divorcez, la France entière saura que c'est vous qui me chassez et elle n'ignorera ni mon obéissance ni ma profonde douleur.

L'Empereur, ému par cette réponse, s'était bien gardé d'insister. Il n'avait plus parlé de divorce ; mais son tourment était si grand que, nous dit Mme de Rémusat, « il laissait assez souvent échapper des larmes, et paraissait réellement agité par des passions contraires »...

En octobre 1807, Napoléon fit dresser une liste des princesses d'Europe en âge d'être mariées et propres à lui convenir. Quand on la lui apporta, il hocha la tête : elle ne comportait que deux Bavaroises, deux Autrichiennes, deux Saxonnes, une Espagnole et une Portugaise.

L'Empereur, qui avait alors des vues sur l'Espagne et le Portugal, raya les deux dernières et se trouva devant six noms peu excitants pour l'esprit.

D'un geste brusque, il déchira la feuille et l'envoya en boule dans la corbeille à papiers.

— J'épouserai la sœur du tsar, dit-il. L'alliance politique que nous avons conclue à Tilsit sera ainsi renforcée. Ce mariage me permettra d'avoir un héritier et de vaincre l'Angleterre...

Pendant ce temps, Joséphine, inconsciente du danger qu'elle courait, continuait de batifoler avec le duc de Mecklembourg-Schwerin.

Un soir, Fouché se fit annoncer chez l'Impératrice. Elle le reçut immédiatement, bien qu'il ne fût plus de ses amis [240]. Le ministre de la Police avait le sourire fielleux qui lui était habituel.

— Madame, dit-il, il est temps de faire le geste qui permettra à la dynastie de naître... Je sais qu'il s'agit là d'un pénible sacrifice pour votre cœur, mais il est de votre devoir d'annoncer au Sénat votre volonté de quitter l'Empereur.

Joséphine blêmit.

— Est-ce lui qui vous envoie ?

— Non, sans doute, mais mon dévouement à la dynastie m'oblige à parler comme je le fais à Votre Majesté.

L'Impératrice se leva.

— Je ne vous dois nul compte. Je m'expliquerai avec l'Empereur !...

Dès que Fouché fut sorti, elle envoya un valet chercher Mme de Rémusat.

Celle-ci fut catégorique :

— Il faut avoir immédiatement une explication avec l'Empereur.

Joséphine était au bord de la syncope.

— Je n'en ai pas la force, gémit-elle.

— Dans ce cas, répliqua Mme de Rémusat, j'irai moi-même.

Et malgré l'heure tardive, elle se rendit chez Napoléon.

Restée seule, l'Impératrice s'effondra en larmes sur le lit. Elle savait, cette fois, qu'elle était condamnée...

Il était une heure du matin quand Mme de Rémusat — en chemise de nuit — se fit annoncer chez l'Empereur.

Napoléon allait se mettre au lit. Sa curiosité fut piquée.

— Qu'elle entre ! dit-il.

---

240. Sous le Consulat, elle recevait de Fouché une somme de mille francs par jour pour espionner Bonaparte...

Ayant réenfilé rapidement sa culotte, qui, mal reboutonnée aux mollets, battait sur les bas en accordéon, il vint au-devant de la jeune femme en essayant d'avoir une allure majestueuse.

— Qu'avez-vous de si urgent à m'apprendre ? dit-il.

Mme de Rémusat, qui, de son côté, s'efforçait de prendre un air mondain, lui conta la visite de Fouché à Joséphine. Napoléon devint blême.

— Cet imbécile veut me faire répudier par ma femme ? C'est insensé !

Et, tenant sa culotte, qui aurait pu glisser dans l'aventure, il courut chez l'Impératrice.

En voyant Joséphine sangloter, il s'apitoya, pleura, la prit dans ses bras et devint bientôt si tendre que Mme de Rémusat, qui l'avait suivi, fut obligée de se retirer sur la pointe des pieds...

Dès le lendemain, le ministre de la Police reçut une terrible semonce pour s'être mêlé de ce qui ne le regardait pas et, pendant quelque temps, les « impériaux époux », comme dit curieusement Ernest Lavisse, vécurent une nouvelle lune de miel [241]. Cependant, malgré l'extrême gentillesse de Napoléon, Joséphine ne pouvait oublier que ses jours de règne étaient désormais comptés...

Napoléon — tous les historiens sont d'accord sur ce point — avait une puissance de travail extraordinaire. Cette qualité, qui lui permettait de s'occuper simultanément d'un traité de paix, de l'étiquette de la cour de Westphalie, des finances de la France, du nombre de boutons à disposer sur les uniformes de hussard, du statut des comédiens-français et de l'organisation des sapeurs-pompiers, se retrouvait dans sa vie sentimentale.

Alors qu'il renouait des relations nocturnes avec Joséphine, il n'en continuait pas moins de correspondre tendrement avec Marie Walewska, de courtiser Mme de B..., de donner des joies intimes à la Gazzani et de violer allégrement, sur un coin de sopha, les demoiselles du palais dont la poitrine lui semblait attrayante...

En cette fin d'octobre, la jeune femme qui avait l'honneur de recevoir ces hommages furtifs, mais vigoureux, s'appelait Félicité Longroy et avait le titre de « dame d'annonce » de l'Impératrice [242]. Pour remplir la double tâche de garder la porte de Joséphine et d'ouvrir la sienne à Napoléon, elle touchait, par mois, une certaine somme — qui était relativement modeste alors que l'Empereur était chez elle tous les matins, tous les après-midi et quelquefois le soir après minuit...

241. On a essayé d'expliquer la démarche de Fouché. Il semble que son but, en la circonstance, ait été de favoriser le divorce pour permettre un remariage qui devait consolider la situation au pouvoir des « régicides nantis », dont il faisait partie...

242. Sous le second Empire, l'auteur d'un pamphlet accusa Napoléon de s'être conduit avec Félicité Longroy comme un vrai malappris. Enlevée sur son ordre, elle aurait été attachée à un lit, bâillonnée et violée par lui « de différentes façons »...

Il s'agit d'une médisance.

Cette prodigieuse activité galante n'empêchait pas Napoléon de continuer à chercher une épouse plus prolifique que Joséphine.

Au début de novembre, il pensa brusquement que la ravissante princesse Augusta de Bavière — femme d'Eugène de Beauharnais — avait une sœur, la princesse Charlotte. Il se leva, marcha de long en large dans son cabinet, et se dit que si cette jeune personne était aussi jolie que son aînée, il aurait bien du plaisir à se mettre au lit chaque soir.

— Convoquez à Milan, chez le vice-roi Eugène, le roi, la reine et la princesse Charlotte de Bavière, dit-il à ses secrétaires. Je m'y rends immédiatement.

Le lendemain 16 novembre, il partait pour l'Italie — seul —, pensant avec raison que Joséphine ne pouvait pas lui être d'un grand secours dans cette affaire.

Le voyage fut extrêmement pénible et, dans sa course à l'épouse, Napoléon connut de grands périls.

Écoutons Roustan :

« Nous arrivâmes au pied du mont Cenis. Il faisait un temps affreux. L'Empereur voulut monter dans sa voiture, mais, un quart d'heure avant que d'arriver sur le plateau, il vint un ouragan et un vent épouvantables, des tourbillons de neige qui aveuglaient les chevaux. Ils refusèrent de marcher, et il fallut faire halte.

» Impatient d'être ainsi dans l'inaction, Napoléon descendit de voiture avec le maréchal (Duroc), et les voitures de la suite restèrent en arrière. Nous cheminâmes tous trois, avec l'intention d'atteindre une petite baraque qui était sur la route, à peu de distance, mais la tourmente s'accrut, et l'Empereur fut suffoqué. Il perdait la respiration. Le maréchal, quoique assez fort, eut de la peine à lutter contre le vent.

» Je pris l'Empereur dans mes bras, je le portai pour ainsi dire, non pas comme on porterait un enfant, car ses pieds touchaient la terre, mais je l'aidai de mes forces pour le faire avancer. Nous arrivâmes, non sans peine, à la petite baraque. Elle était habitée par un paysan qui vendait de l'eau-de-vie aux passants.

» Napoléon entra et s'assit près de la cheminée où il y avait un modeste feu. Sa Majesté dit :

» — Eh bien ! Duroc, il faut convenir que ce pauvre Roustan est bien fort et bien courageux.

» Il se tourna vers moi et me dit :

» — Qu'allons-nous faire, mon gros garçon ?

» — Nous passerons, sire, répliquai-je. Le couvent n'est pas bien loin.

» Et je m'occupai de chercher dans la maison ce qui pouvait convenir pour faire une chaise à porteurs de circonstance. Je trouvai, dans un coin, une échelle courbée dont je m'emparai. Je pris des fagots : j'en fis des cerceaux que je liai fortement ensemble et à l'échelle, avec de grosses cordes. Je mis mon manteau par-dessus... [243] »

C'est dans cet équipage de fortune que l'Empereur parvint au couvent...

En arrivant à Milan, Napoléon eut une grosse déception : la princesse Charlotte était laide...

Poli, il ne fit aucun commentaire, mais déclara qu'à la réflexion certains pourraient trouver étrange de le voir devenir le beau-frère de son beau-fils, et qu'il valait mieux renoncer à ce projet de mariage.

Ayant salué le souverain de Bavière, fort contrit, il s'en alla dire deux mots à son frère Lucien, qui s'était remarié sans son consentement, avec Mme Jauberthon, femme divorcée d'un agent de change véreux [244].

Tout de suite, il l'attaqua :

— Je t'ordonne de divorcer !

— Non !

— Pourquoi ?

— Parce que j'aime ma femme !

Alors, l'Empereur déroula une carte de l'Europe sur la table et dit :

— Jette les yeux sur cette carte. Sois des nôtres, Lucien, et prends ta part. Elle sera belle, je te le promets. Le trône de Portugal est vacant (j'ai déclaré que le roi avait cessé de régner) : je te le donne... Tout ce que tu voudras et pourras vouloir, tu l'auras si ton divorce précède le mien...

Lucien continuant de secouer la tête, Napoléon, furieux, devint menaçant :

— J'ai vaincu l'Europe... Je ne reculerai pas devant toi. C'est à ma bonté que tu dois de vivre tranquille à Rome, mais je te donnerai l'ordre d'en sortir et de quitter l'Europe.

— Et si je n'obéis pas ?

— Je te ferai arrêter !

— Ensuite ?

— Parle-moi un autre langage, ne crois pas m'en imposer [245] !...

Et l'Empereur se retira en claquant la porte...

Dans un couloir, il aperçut sa nièce Charlotte, dite Lolotte, fille aînée de Lucien, dont les quinze ans étaient fort jolis à contempler.

Pensant qu'une aussi jolie fille ne devait point sortir de la famille, il lui vint aussitôt l'idée saugrenue de l'épouser. Le grave Frédéric Masson nous parle de ce projet avec le plus grand calme :

« N'était-elle point déjà grandelette et bonne à marier, cette Lolotte qu'il n'a point vue depuis cinq ans et que, jadis, la tenant par la main, il menait par ses salons consulaires ?

» C'est la fille des premières noces de Lucien avec cette Catherine Boyer que Napoléon aimait en sœur, malgré qu'elle fût la fille de

243. ROUSTAN, *Souvenirs*.
244. Catherine Boyer, première femme de Lucien, était morte en 1800.
245. Tout ce dialogue est rapporté par Lucien lui-même.

petits aubergistes de Saint-Maximin-du-Var et que, à ses débuts dans la famille, elle ne sût même pas signer son nom. Sans doute, depuis qu'elle a échappé à la tutelle d'Elisa, depuis qu'elle est partie de France avec son père et sa belle-mère, Lolotte a dû embrasser leurs querelles ; mais elle n'a pas encore quinze ans, les souvenirs de la première enfance peuvent se réveiller en elle. »

Arrivant à l'extraordinaire projet de Napoléon, le digne historien — toujours prêt à excuser les faiblesses de son grand homme — ajoute sans sourciller : « L'Empereur, à ce point familial qu'il a scrupule de distraire, pour qui n'est point Bonaparte, une part quelconque de ses grâces souveraines, à ce point fraternel que, avec ses frères, sa vie se passe à pardonner et que la réconciliation avec Lucien lui semble un intérêt de premier ordre, *peut rêver d'enter sa postérité sur sa propre race et de faire ainsi procéder sa dynastie uniquement de lui*[246]. »

Fort heureusement, ce projet audacieux n'eut pas de suite. Et Napoléon, que l'on accusait déjà de connaître intimement ses sœurs, ne fonda pas sa dynastie en donnant un enfant à sa nièce...

28

A Madrid, Napoléon, incommodé, doit quitter le lit d'une jeune fille trop parfumée

> Rien ne lui plaisait tant que l'odeur
> de la poudre et du sang.
>
> RENÉ BAYLE

Le 1er janvier 1808, à neuf heures du soir, Napoléon, qui avait traversé la France incognito sous le nom de « comte de Venise », arriva aux Tuileries.

Les Parisiens, fort étonnés par ce retour inattendu, firent aussitôt mille suppositions, toutes plus extravagantes les unes que les autres, et les salons de la capitale bourdonnèrent de fausses nouvelles. Chaque « information » indiquait d'ailleurs un état d'esprit. Les fielleux prétendaient que Napoléon revenait d'Italie pour répudier Joséphine. Les bilieux assuraient qu'il était atteint d'un mal d'estomac exigeant une opération urgente et délicate. Les malicieux soutenaient qu'il avait attrapé une mauvaise maladie avec des demoiselles usagées. Les optimistes, enfin, racontaient qu'il était mourant...

Tous ces bruits, rapportés fidèlement par les agents de Fouché, parvinrent bientôt aux oreilles de l'Empereur qui en fut vivement contrarié.

Pour prouver aux Parisiens qu'il était en parfaite santé et que ses relations avec l'Impératrice n'avaient rien qui pût faire jaser, il se

---

246. FRÉDÉRIC MASSON, *Napoléon et les femmes.*

montra dans tous les bals, dansa, virevolta, et posa publiquement sur Joséphine des regards d'une belle concupiscence.

Au cours de ces divertissements, son caractère espiègle le poussait à commettre parfois des farces qui amusaient la cour.

Un soir, à l'Opéra, il fut malheureusement pris alors qu'il croyait prendre...

Écoutons Constant nous conter la chose. Une fois de plus, nous verrons combien Napoléon était différent du personnage grave et compassé que les historiens nous montrent habituellement.

« L'Impératrice témoigna le désir d'aller une fois au bal masqué de l'Opéra. L'Empereur, qu'elle pria de l'y conduire, refusa, malgré tout ce que l'Impératrice put lui dire de tendre et de séduisant pour le décider. On sait de combien de grâce elle entourait une prière, mais tout fut inutile ; l'Empereur dit nettement qu'il n'irait pas.

» — Eh bien ! j'irai sans toi.

» — Comme tu voudras.

» Et l'Empereur sortit.

» Le soir, à l'heure fixée, l'Impératrice partit pour le bal. L'Empereur, qui voulait la surprendre, fit appeler une des femmes de chambre et lui demanda la description exacte du costume de l'Impératrice. Ensuite, il me dit de l'habiller en domino, monta dans une voiture sans armoirie avec le grand maréchal du palais, un officier supérieur et moi, et nous voilà en chemin pour l'Opéra. Arrivés à l'entrée particulière de la maison de l'Empereur, nous éprouvons beaucoup de difficultés de la part de l'ouvreuse qui ne nous laissa passer qu'après m'avoir fait décliner mon nom et ma qualité...

» — Ces messieurs sont avec vous ?

» — Vous le voyez bien.

» — Pardon, monsieur Constant, c'est que, voyez-vous, dans des jours comme aujourd'hui... il y a toujours des personnes qui cherchent à s'introduire sans payer...

» — C'est bon... c'est bon...

» Et l'Empereur riait de tout son cœur des observations de l'ouvreuse. Enfin, nous entrons. Ayant pénétré dans la salle, nous nous promenâmes deux à deux. Je donnais le bras à l'Empereur, qui, en me tutoyant, me recommanda d'en faire de même à son égard. Nous nous étions donné des noms supposés. L'Empereur s'appelait *Auguste,* le duc de Frioul *François,* l'officier supérieur dont le nom m'échappe *Charles,* et moi *Joseph.* Dès que Sa Majesté apercevait un domino semblable à celui que la femme de chambre de l'Impératrice lui avait dépeint, elle me serrait fortement le bras en me disant :

» — Est-ce elle ?

» — Non, si... non, Auguste, répondais-je toujours en me reprenant, car il m'était impossible de m'habituer à appeler l'Empereur autrement que *Sire* ou *Votre Majesté.*

» Il m'avait, comme je l'ai dit, recommandé bien expressément de le tutoyer : mais il était à chaque instant obligé de me rappeler sa recommandation, car le respect me liait la langue toutes les fois que j'allais dire *tu*... Enfin, après avoir tourné de tous côtés, visité tous les coins et recoins de la salle, le foyer, les loges, etc., examiné tout, détaillé chaque costume pièce à pièce, Sa Majesté, ne trouvant point d'Impératrice, commença à concevoir de vives inquiétudes, que je parvins néanmoins à dissiper en lui disant que, sans doute, Sa Majesté l'Impératrice était allée changer de costume. A l'instant où je parlais, arrive un domino qui s'attache à l'Empereur, lui parle, l'intrigue, le tourmente de toutes les façons, avec une vivacité telle qu'*Auguste* peut à peine s'y reconnaître. Je ne parviendrai jamais à donner une juste idée de ce qu'avait de comique l'embarras de Sa Majesté. Le domino, qui s'en apercevait, redoublait de verve et d'épigrammes, jusqu'à ce que, pensant qu'il était temps d'en finir, il disparût dans la foule.

» L'Empereur était piqué au vif ; il n'en voulut pas savoir davantage, et nous partîmes.

» Le lendemain matin, en voyant l'Impératrice :

» — Eh bien ! dit Sa Majesté, tu n'étais pas hier au bal de l'Opéra.

» — Si vraiment, j'y étais.

» — Allons donc.

» — Je t'assure que j'y suis allée. Et toi, mon ami, qu'as-tu fait toute la soirée ?

» — J'ai travaillé.

» — Oh ! c'est singulier. J'ai vu hier, au bal, un domino qui avait le même pied et la même chaussure que toi ; je l'ai pris pour toi et je lui ai parlé en conséquence.

» L'Empereur rit aux éclats en apprenant qu'il avait été ainsi pris pour dupe, et que l'Impératrice, au moment de partir pour le bal, avait changé de costume parce qu'elle ne trouvait pas le premier assez élégant [247]. »

Pendant trois semaines, Napoléon fut de toutes les fêtes, de tous les bals, de toutes les sauteries. Il dansa tant et tant que la tête, un soir, lui tourna. Écœuré, il désira poser son front sur l'épaule d'une femme aimante et ne trouva personne. Joséphine le trompait. Les dames de la cour étaient d'une vénalité qui effaçait tout autre sentiment. Éléonore Denuelle de La Plaigne ne l'attirait plus et Mlle Longroy venait de se marier...

Un visage alors le hanta : celui de la douce Marie qu'il avait laissée en Pologne. Le lendemain, un courrier partait pour Varsovie, chargé de la ramener à Paris.

La petite comtesse arriva à la fin du mois de janvier et s'installa discrètement quai Voltaire.

Aussitôt, Napoléon alla lui rendre visite.

— Je viens vous présenter mes hommages, dit-il.

247. CONSTANT, *Mémoires*, t. III, p. 14.

Comme il était rapide dans ses gestes, la fin de la phrase les trouva au lit...

Dès lors, l'Empereur se rendit chaque jour en cachette chez Marie Walewska. Vers cinq heures du soir, fuyant ses dossiers, il grimpait dans une voiture fermée et se faisait conduire quai Voltaire où il était accueilli avec toutes les marques d'une grande passion.

Après des ébats chaque fois plus compliqués, Marie s'asseyait à ses pieds, lui récitait des poèmes ou lui chantait une vieille chanson polonaise.

L'Empereur oubliait alors tous ses soucis de souverain, toutes les intrigues de la cour, tous ses problèmes de conquérant, et savourait l'amour comme un adolescent...

Un soir, il prit un calendrier et, parce qu'il était trop ému, écrivit au dos ces quelques phrases que Marie lut les larmes aux yeux.

Tu es pour moi une nouvelle sensation, une révélation perpétuelle. C'est que je t'étudie avec impartialité, c'est qu'aussi je connais ta vie jusqu'à ce jour. D'elle, vient, chez toi, ce singulier mélange d'indépendance, de soumission, de sagesse et de légèreté, qui te fait si différente de toutes...

Parfois, Napoléon mettait un habit de bourgeois, un gros foulard et un chapeau rond, et emmenait Marie dans les rues de la capitale. Mêlé à la foule, qui ne le reconnaissait pas, il lui montrait les rues où il avait vécu dans ses années pauvres, les restaurants qu'il avait fréquentés alors, et les promenades des Champs-Élysées où, certains jours de découragement, il s'était interrogé sur son avenir...

Anonymes, pareils à tous les amoureux de Paris, ils allaient s'asseoir sur un banc du cours la Reine et bavardaient tendrement jusqu'à la tombée de la nuit...

Quand vint le printemps, les amants durent prendre davantage de précautions pour échapper à la surveillance de Fouché. Ils partaient le soir après dîner, en voiture « citadine », et se faisaient arrêter dans les quartiers populaires. Là, ils flânaient, main dans la main, devant les petits théâtres où les comédiens faisaient la parade. Après quoi, ils se rendaient dans une auberge de banlieue pour s'y aimer gentiment pendant deux ou trois heures [248].

Au petit matin, ils rentraient à Paris, le cœur léger, et s'amusaient à passer devant les Tuileries où, comme d'habitude, derrière la fenêtre du cabinet impérial, des bougies étaient allumées pour qu'on ne pût soupçonner l'escapade du souverain [249]...

---

248. Comte d'ORNANO, *Marie Walewska.*
249. Ces promenades devaient rappeler à l'Empereur le temps où, Premier Consul, il s'en allait, en compagnie de Bourrienne, faire incognito un tour dans les rues voisines des Tuileries. Habillé en muscadin, il courait les boutiques de la rue Saint-Honoré et, sous prétexte d'emplettes, entrait en conversation avec les marchands. Il leur demandait alors ce qu'ils pensaient de « ce farceur de Bonaparte », et délirait de joie lorsqu'on le mettait à la porte...

Au cours de ses promenades sentimentales dans Paris avec l'Empereur, Marie Walewska s'efforçait d'amener la conversation sur son pays, qu'avec un entêtement bien féminin elle voulait toujours ressusciter. Mais Napoléon avait alors d'autres préoccupations.

Au mois de novembre 1807, les armées de Junot s'étaient emparées du Portugal, qui, seul de tous les États européens, restait ouvert aux Anglais, contrairement aux exigences du blocus. Et le monde, saisi de stupeur, avait vu les souverains portugais s'enfuir en Amérique du Sud.

Devant une victoire aussi facile, les appétits de Napoléon s'étaient aussitôt accrus. Il voulait maintenant s'approprier l'Espagne et fondait son ambition sur un raisonnement assez curieux :

— Depuis Louis XIV, disait-il, la couronne d'Espagne appartient à la famille qui règne sur la France. Puisque j'ai recueilli l'héritage du grand roi, il est normal que cette couronne soit portée par un de mes parents. J'ai choisi mon frère Joseph pour succéder à Charles IV.

En ce printemps 1808, l'Empereur allait être aidé dans ses desseins par l'anarchie qui régnait en Espagne. Le roi Charles IV, passionné de chasse, laissait, en effet, le pouvoir entre les mains de sa femme, la reine Marie-Louise, hystérique couronnée qui se donnait aux valets, aux palefreniers, aux cochers, et vivait publiquement avec un ancien garde du corps, Manuel Godoy, qu'elle avait fait capitaine général du royaume, ministre d'État, et haut dignitaire de la Toison d'or.

Ce personnage bête et méchant était maître absolu de l'Espagne.

Détesté par le peuple, il avait pour ennemi personnel le prince des Asturies, héritier de la couronne.

Au début de mars, Napoléon envoya des troupes dans la péninsule sous le commandement de Murat, qui, poussé par Caroline, réclamait la couronne de Charles IV.

Connaissant la faiblesse du roi et la vénalité du favori de la reine, l'Empereur avait déclaré :

— Nous obtiendrons l'Espagne sans combat...

Des événements imprévus allaient modifier la situation : le 19, à Aranjuez, le peuple arrêta Godoy, mit sa maison à sac et obligea le roi à abdiquer en faveur du prince des Asturies, qui prit le nom de Ferdinand VII.

A la suite de cette révolution, l'armée française, qui approchait de Madrid, fut accueillie en libératrice. « Comme nous étions alors dans les environs, dit Blaze, les Espagnols ne doutèrent pas que nous fussions venus tout exprès pour préparer et soutenir cette révolution. On détestait Godoy, Ferdinand était aimé de tout le monde. Il n'en fallait pas davantage pour nous faire aimer aussi [250]. »

Et Murat, s'imaginant qu'il allait être roi d'Espagne, écrivit à l'Empereur :

250. BLAZE, *Mémoires d'un apothicaire.*

Partout on attend Votre Majesté et avec elle le bonheur. Jamais peuple ne fut plus malheureux par sa mauvaise administration et jamais il n'en exista plus digne d'un meilleur sort. Je suis persuadé que ce bon peuple vous intéressera [251].

Le 23, l'armée française, tambour battant, entra dans Madrid par la porte d'Alcala.

Pensant que le moment d'agir était venu, Napoléon décida de se rendre, sans tarder, près de la frontière pour y diriger personnellement les opérations.

Il partit de Paris le 2 avril, tandis que Marie Walewska, en larmes, retournait en Pologne.

Un petit scandale assez amusant pimenta le voyage en Espagne. Si l'on en croit le baron de Bouillé, une dame de la suite de l'Impératrice se serait laissé surprendre dans une posture rendue fâcheuse par une malice de la nature [252]...

A chaque étape, cette jeune personne, dont le sang était particulièrement vif, cherchait, d'un œil gourmand, le villageois le plus séduisant et, sous un prétexte futile, entrait en conversation avec lui. Les choses étaient alors rondement menées. Tandis que l'autre lui indiquait le nom d'un arbre ou le temps qu'il ferait le lendemain, la petite rouée sortait légèrement la langue et se léchait l'index en donnant à sa bouche une forme arrondie et obscène...

L'effet était immédiat. Le garçon écarquillait l'œil, rougissait, devenait moite et se sentait envahi par un désir impérieux de s'approprier la dame.

Celle-ci étant peu fière, l'aventure avait généralement sa conclusion dans un fossé, une grange, un taillis, ou un placard à balais...

En Poitou, cette jeune évaporée se sentit de l'humeur pour le fils d'un aubergiste et entendit le savourer sur-le-champ, comme les précédents. Sans plus de formalités, elle lui demanda la recette de la poularde au vin, le regarda dans les yeux, mouilla son doigt et vit avec satisfaction le désir faire de rapides progrès dans les artères du jeune homme.

L'instant d'après, ils étaient tous les deux dans la cave de l'auberge et se donnaient du plaisir sur un petit tonneau de Bourgueil...

Sans doute mirent-ils quelque exubérance à leurs ébats, car l'aubergiste fut alerté. Croyant que des soldats de la suite impériale se régalaient de son vin, il descendit dans la cave à pas de loup et surgit devant les amoureux.

Son apparition plongea Mme de S... dans un tel saisissement qu'un phénomène curieux se produisit à l'endroit de son honneur. « Contractée par la peur, nous dit-on, elle fut incapable de rendre la

251. Lombroso, *Lettres de Murat.*
252. Cf. Baron de Bouillé, *Chronique scandaleuse sous l'Empire.*

liberté au jeune villageois, qui était ainsi retenu par le meilleur de lui-même[253]. »

Fort ému de voir une dame de la haute société dans cette posture inhabituelle, l'aubergiste commença par retirer son bonnet en bredouillant des excuses. Puis il tenta de dégager son fils. Tirant à droite, tirant à gauche, il agit, nous précise-t-on, « comme s'il eût voulu déboucher une bouteille ». Mais l'entreprise était au-dessus de ses forces, et il ne parvint qu'à faire gémir les deux malheureux.

Affolé à l'idée que son fils allait peut-être demeurer dans cette navrante situation jusqu'à la fin de sa vie, le brave homme remonta dans la rue pour chercher du secours.

Quelques paysans, auxquels se mêlèrent plusieurs cochers de l'Impératrice, descendirent dans la cave. Peu doués intellectuellement, ils s'intéressèrent d'abord au côté leste du spectacle et firent des commentaires gaillards en se donnant des bourrades. Défaillante de honte, Mme de S... demanda, au nom de la charité chrétienne, qu'on voulût bien lui épargner les quolibets. Sa prière toucha les cochers. Cessant de rire, ils essayèrent différentes opérations, qui échouèrent avec une grande régularité.

Finalement, l'aubergiste entoura les amants d'une couverture, et l'on attendit que la nature consentît à desserrer son étreinte.

Deux heures plus tard, le jeune villageois cessait d'être le captif d'une grande dame trop émotive...

Bien que ce genre d'incidents ne fût pas connu de tout le monde, la cour n'était pas entourée d'un grand respect, et l'on ne se gênait pas pour traiter Joséphine elle-même assez cavalièrement. Écoutons le duc de Broglie, qui se trouvait aux Ormes, sur la route de Bordeaux, et assista au passage du convoi :

« Je vis passer l'Impératrice, en grande pompe, écrit-il. La cohue splendide des dames d'honneur, d'atours et de palais marchait à sa suite et, à sa suite aussi, le cortège des lectrices qui formaient le harem de notre sultan, et l'aidaient à prendre en patience encore pendant quelque temps la vieillesse plâtrée de la sultane émérite. Il paraît néanmoins qu'entre le couple impérial, le marché n'était pas sans conditions, car, peu de jours après, nous vîmes repasser, tout éplorée, l'une de ces odalisques, et les curieux apprirent du valet qui l'accompagnait qu'elle venait d'être chassée pour avoir pris de trop grands airs[254]. »

Cette demoiselle, d'origine irlandaise, s'appelait Virginie Guillebaut. Fille d'une dame galante, elle rêvait d'être favorite et réussit à se glisser dans le lit de l'Empereur au château de Marrac, près de Bayonne, où la cour s'installa le 17 avril.

Écoutons Mlle Avrillon :

---

253. Ce phénomène est plus fréquent qu'on ne l'imagine. Il porte le nom de *penis captivum*.
254. Duc DE BROGLIE, *Souvenirs*.

« Notre séjour à Marrac fut marqué par une petite aventure. L'Impératrice, par un singulier contraste de caractère, était extrêmement jalouse et aimait à s'entourer de jeunes et jolies personnes : Mlle Guillebaut fut une de celles qui briguèrent l'honneur de lui appartenir et elle était du voyage de Bayonne.

» Cette jeune personne était réellement d'une figure charmante, d'une rare fraîcheur, d'une taille élégante, et, de plus, elle était, comme on dit, affligée de dix-huit ans.

» Après beaucoup d'hésitations, comme si un secret démon nous poussait toujours à faire ce qui doit nous causer des regrets, Sa Majesté s'était décidée à l'emmener ; elle lui donna en même temps le titre de lectrice, emploi très facile à remplir auprès de Sa Majesté, car je ne sache pas que personne à la cour ait jamais lu une seule page en présence de l'Impératrice.

» A notre arrivée à Marrac, poursuit Mlle d'Avrillon, on donna à Mlle Guillebaut une chambre qu'elle habita seule ; sa femme de chambre, ne pouvant être logée au palais, couchait dehors. Mlle Guillebaut se trouvait donc, après son départ, dans un isolement presque complet. Le soir seulement, encore n'était-ce pas tous les soirs, l'Impératrice la faisait venir dans le salon pour y faire de la musique. Là, elle éprouvait toutes sortes de désagréments, parce que les dames du palais de Sa Majesté la regardaient du haut de leur grandeur... Ce fut dans une des soirées de l'Impératrice que l'Empereur la vit et la remarqua. L'ayant trouvée jolie, il résolut d'aller la voir chez elle et la fit prévenir de sa visite par Roustan. C'était un ordre. »

Obéissante et ravie, Virginie se laissa prendre et avertit sa maman du bonheur dont le destin venait de la combler. Mme Guillebaut, voulant la faire profiter de son expérience amoureuse, lui envoya aussitôt une longue lettre remplie de conseils assez osés. Lavalette, directeur du Cabinet noir, intercepta le pli et le remit à Napoléon qui fut choqué.

Il appela Duroc :

— Faites partir sur-le-champ cette demoiselle en chaise de poste. C'est une intrigante et une putain...

Bonne âme, Joséphine tenta d'intervenir, disant que cette petite ne pouvait voyager seule.

— Eh bien ! qu'on écrive à sa mère de venir la chercher ! dit Napoléon. Après avoir voulu la débaucher, elle saura peut-être la défendre...

On écrivit donc à Mme Guillebaut. Mais, au bout de quelques jours, comme l'Empereur s'impatientait, on fit partir Virginie avec des femmes de chambre. En route, nous dit Mlle Avrillon, « elle rencontra sa mère, qui rebroussa chemin... »[255].

---

255. Mlle Avrillon, première femme de chambre de l'Impératrice, *Mémoires*. (Plus tard, Mlle Guillebaut, dont les sentiments bonapartistes avaient été fort entamés à la suite de son renvoi, devint la maîtresse du duc de Berri.)

On imagine la conversation amère des deux femmes pendant tout le voyage...

Napoléon n'eut pas le temps de regretter les caresses un peu scolaires de Mlle Guillebaut.

Les affaires d'Espagne évoluaient avec une rapidité effrayante. Murat, sur l'ordre de l'Empereur, ayant pris les ex-souverains sous sa protection, les sentiments du peuple à l'égard de la France se refroidirent singulièrement. On commença à murmurer que Napoléon ne voulait reconnaître ni Ferdinand ni Charles, et que son dessein était de s'emparer de l'Espagne. Des troubles éclatèrent. Agacé, l'Empereur convoqua toute la famille royale au château de Marrac. Le plan qu'il avait conçu était d'une assez belle hypocrisie...

Savary se rendit chez Ferdinand et lui dit :

— Sa Majesté vous attend pour saluer en vous le seul et vrai souverain d'Espagne.

Et, comme l'autre hésitait, il ajouta :

— J'accepte de me laisser couper la tête si, un quart d'heure après votre arrivée à Bayonne, Napoléon ne vous a pas reconnu pour roi d'Espagne et des Indes [256]...

Au même instant, un autre envoyé de l'Empereur tenait exactement les mêmes propos à Charles IV...

Sans méfiance, les deux souverains partirent pour la France.

Lorsqu'ils furent à Marrac, la terrifiante émeute du 2 mai éclata à Madrid. Chargé de la répression, Murat tua douze cents Espagnols, en fit fusiller deux cents et laissa des milliers de blessés dans les rues ensanglantées.

Napoléon — qui n'était peut-être pas étranger à ces troubles — tenait là un excellent prétexte. Il manda Ferdinand au château, l'injuria grossièrement, le traita d'incapable, de traître et lui ordonna de rendre sans tarder la couronne à son père.

Le jeune roi, très mortifié, demanda à réfléchir. Alors l'Empereur fit venir Charles IV et Marie-Louise qui grondèrent leur fils comme s'il avait volé des confitures.

Penaud, Ferdinand rendit la couronne à son papa, lequel tout aussitôt dut l'abandonner à Napoléon...

Joseph allait pouvoir devenir roi d'Espagne [257].

Tout le monde a parlé de cette victoire politique, mais peu d'historiens ont révélé qu'elle s'était accompagnée d'une déception. Napoléon, qui connaissait par ses diplomates tous les détails de la vie galante de Marie-Louise d'Espagne, s'imaginait que la reine était une femme sémillante, au sein provocant et à la croupe hardie. Romantique, il

256. *Mémoires* de Joseph IV.
257. Une fois de plus, Murat fut extrêmement mécontent. Poussé par sa femme, il alla se plaindre à Napoléon et réclama un trône. Excédé, l'Empereur lui donna, le 15 juillet 1808, le royaume de Naples. Caroline triomphait...

s'était plu à rêver de propos badins et de rendez-vous secrets qui eussent eu pour effet de « charger un peu plus la tête du roi Charles ». La réalité le fit déchanter. La reine était laide, avait la peau jaune, un air méchant et un décolleté qui laissait voir des « mamelles longues et flasques »...

... Dès que les pourparlers furent terminés, Napoléon sauta dans son carrosse.

Alors qu'il était en route vers Paris, un courrier le rejoignit pour lui apprendre de bien fâcheuses nouvelles ; l'Andalousie s'était soulevée, les troupes françaises avaient dû capituler à Baylen, le roi Joseph était en fuite. Toute l'Espagne s'insurgeait, et un petit corps anglais venait de débarquer à Lisbonne sous les ordres d'Arthur Wellesley, le futur Wellington...

L'Empereur craignit alors que l'Autriche ne profitât de cette situation pour reprendre les armes et pensa que la Russie devait l'aider à empêcher la création d'un second front.

Il appela le tsar Alexandre à Erfurt et s'y rendit.

La rencontre s'accompagna d'un faste qui secoua la torpeur distinguée des ambassadeurs. Toute la noblesse d'Empire était présente et, avec elle, son complément normal : la Comédie-Française [258]...

C'est là que Talma, entre deux leçons de maintien données à l'Empereur, joua devant un « parterre de rois ».

C'est là aussi que le tsar tomba amoureux de Mlle Bourgoin, jeune actrice que Napoléon avait soulevée jadis au savant Chaptal.

Un soir qu'il se sentait poussé vers elle par un sentiment que Mgr Dupanloup, auteur d'un pieux ouvrage sur le mariage, condamne avec rigueur, Alexandre demanda conseil à l'Empereur. Celui-ci fut catégorique :

— Oh ! ne vous y aventurez pas.

— Pourquoi ? Me refuserait-elle ?

— Non certainement ; mais c'est demain jour de courrier, et, dans cinq jours, tout Paris saurait comment est faite Votre Majesté des pieds à la tête, en passant par où vous savez... Et puis... et puis... votre santé m'intéresse...

Le tsar sourit :

— Y auriez-vous goûté ?

Napoléon prit un air digne :

— Non, c'est tout simplement par ouï-dire [259].

Cette méchanceté toute gratuite n'empêcha pas le tsar de prendre « le petit chemin ombragé » où s'était aventuré avec plaisir Napoléon, un soir de 1804.

---

258. Pour la circonstance, Napoléon avait créé de nouveaux ducs, de nouveaux comtes et de nouveaux barons... Certains étaient de vrais nobles auxquels, dans sa folie, il redonnait des titres. Ces malheureux furent surnommés des « comtes refaits ».

259. DORIS, *Les amours secrètes de Napoléon et des princes et princesses de sa famille, d'après les documents historiques de M. de B.*, Paris, 1815.

Ce qui acheva de justifier le titre de « cousin » que se donnaient les deux souverains depuis l'entrevue de Tilsit [260]...

Alexandre et Napoléon, on s'en doute, ne passèrent pas tout leur temps au théâtre ou au lit avec des comédiennes. Ils s'occupèrent aussi de politique. Penchés sur une carte de l'Europe, ils se répartirent allégrement les territoires dont ils avaient envie.

— Prenez donc la Valachie, mon cher, disait Napoléon, et laissez-moi les mains libres en Espagne.

— Soit ! répliquait le tsar, mais à la condition que je puisse prendre également la Moldavie...

— Prenez ! Prenez !... répliquait l'Empereur, jovial. Mais, dans ce cas, j'ajouterai peut-être à mon Empire le royaume d'Etrurie...

Alexandre souriait :

— Alors je prends aussi la Finlande...

— Faites donc, faites donc...

Bref, ils s'entendirent comme larrons en foire et dépecèrent les quelques États qui avaient réussi à conserver un semblant d'autonomie.

Lorsque les entretiens furent terminés, Napoléon était si heureux qu'il envisagea de nouveau le mariage russe.

Trop fier pour en parler lui-même à Alexandre, il chargea Talleyrand et Caulaincourt de faire les premiers pas, en les priant, pour que les convenances fussent respectées, d'avoir l'air d'en prendre l'initiative.

Pendant toute une soirée, il leur fit la leçon.

Sachant que la mère du tsar lui était farouchement hostile, il leur souffla des arguments propres à la rassurer. C'est ainsi qu'ils eurent à faire valoir, entre autres, « qu'un nouveau mariage contribuerait à calmer son ardeur guerrière et à lui faire aimer son *chez lui*... » [261].

Alexandre écouta les deux diplomates avec intérêt — ne fut pas dupe — et déclara que sa sœur, la grande-duchesse Catherine, âgée de vingt ans, serait certainement ravie de devenir l'impératrice des Français... A moins que Napoléon ne préférât la grande-duchesse Anne, âgée de quatorze ans...

Caulaincourt et Talleyrand rapportèrent cette réponse à l'Empereur qui se déclara fort satisfait. Toutefois, craignant de s'être un peu trop découvert, il ne fit plus aucune allusion à ce projet de mariage, et les choses en restèrent là, au grand étonnement du tsar.

La convention politique fut néanmoins signée et, quelques jours plus tard, ayant obtenu des Russes les garanties qui lui permettaient de continuer la guerre d'Espagne, Napoléon quitta Erfurt pour se rendre dans les Pyrénées.

Là, il prit lui-même la direction des opérations. En quelques semaines, il disloqua complètement les armées anglo-espagnoles, rétablit son frère sur le trône et entra dans Madrid le 4 décembre 1808.

260. C'est pendant son séjour à Erfurt que Napoléon rencontra Goethe, qu'il appelait bizarrement « Monsieur Goète ».
261. CAULAINCOURT, *Mémoires*, t. I.

Aussitôt installé au palais, il appela M. de Bausset, que l'on surnommait l'archi-complaisant de l'Empire, et lui dit, dans ce langage tout en nuances, qui le caractérisait :

— J'ai besoin d'une femme [262] !

Le lendemain, le préfet du palais présentait à Napoléon une jeune actrice de quinze ans, veloutée comme une pêche. L'Empereur se lécha les babines...

Hélas ! sa galante entreprise devait se terminer bien mal. Écoutons Constant nous conter cette lamentable aventure :

« Au grand théâtre, était alors une fort jolie personne, de quinze à seize ans tout au plus, aux cheveux noirs, à l'œil plein de feu et d'une fraîcheur ravissante. Elle avait su, on le disait du moins, préserver sa vertu des dangers auxquels sa profession d'actrice l'exposait ; elle avait une belle âme, un bon cœur, une vivacité adorable... Voilà ce que dit un jour à Sa Majesté M. de Bausset, qui était allé au théâtre la veille et qui en était revenu tout émerveillé.

» M. de Bausset ajouta que cette jeune fille n'avait plus ni père ni mère ; qu'elle vivait chez une vieille tante, que cette tante, aussi avare que dépravée, la surveillait avec un soin particulier, affectant pour elle un attachement très vif, faisant partout l'éloge des charmes et des qualités de sa *chère enfant,* dans l'espérance qu'elle nourrissait de fonder bientôt sa fortune sur la libéralité de quelque protecteur riche et puissant.

» Sur un portrait si engageant, l'Empereur ayant témoigné le désir de voir cette belle actrice, M. de Bausset courut chez la tante, avec laquelle il fut bientôt d'accord, et le soir, la nièce était à Champ-Martin, parée d'une manière éblouissante, et parfumée de tous les parfums imaginables.

» J'ai déjà dit que l'Empereur avait un dégoût très prononcé pour les odeurs ; aussi ne manqua-t-il pas de le témoigner quand j'introduisis dans sa chambre cette pauvre fille, qui sans doute avait cru faire grand plaisir à Sa Majesté en se couvrant ainsi d'essences. Mais enfin, elle était si jolie, si séduisante, qu'en la regardant, l'Empereur sentit s'évanouir son antipathie.

» Il y avait deux heures à peu près que j'étais sorti de la chambre à coucher, lorsque j'entendis sonner à casser le cordon ; j'entrai bien vite et ne trouvai que la jeune personne. L'Empereur était dans son cabinet de toilette, la tête appuyée sur ses mains.

» — Constant, s'écria-t-il en me voyant, emmenez-moi cette petite ! Elle me fera mourir avec ses odeurs : cela n'est pas supportable. Ouvrez les fenêtres, les portes... mais surtout, emmenez-la ! Dépêchez-vous !

» Il était bien tard pour renvoyer ainsi une femme. Mais enfin l'ordre n'admettait point de réplique... J'allai donc faire part à la

---

262. Napoléon était coutumier du fait. Le baron Larrey, fils du chirurgien en chef de la Grande Armée, raconte qu'un jour, après une bataille, son père vit arriver l'Empereur au quartier général, l'œil allumé, haletant, nerveux.

— Une femme !... Une femme tout de suite ! criait-il, qu'on m'amène une femme !...

pauvre petite des intentions de Sa Majesté... Elle ne comprit pas d'abord, et je fus obligé de lui répéter plusieurs fois :

» — Mademoiselle, Sa Majesté désire que vous vous retiriez...

» Alors, elle se mit à pleurer, à me conjurer de ne pas la faire sortir à une pareille heure ; j'eus beau lui dire que je prendrais toutes les précautions nécessaires, une voiture douce et bien fermée ; elle ne mit fin à ses prières qu'à la vue d'un présent considérable dont l'Empereur m'avait chargé pour elle.

» En rentrant, je trouvai l'Empereur encore assis dans son cabinet et se frottant les tempes avec de l'eau de Cologne ; il s'appuya sur moi pour aller se recoucher... [263] »

Attitude navrante, on en conviendra, pour un souverain qui faisait trembler le monde...

Napoléon eut bien d'autres désagréments en Espagne. Après cette aventure qui l'avait rendu ridicule aux yeux d'une jeune fille, il apprit, par hasard, ce que ses soldats pensaient de lui.

Les troupes étaient lasses de massacrer des Espagnols, écœurées par une guerre injuste, fatiguées de patauger dans une boue glacée.

Un soir de neige, alors qu'il traversait la chaîne du Guadarrama, il entendit un soldat s'écrier en le désignant :

— Mais foutez-lui donc un coup de fusil !

Le mot ne lui fit pas plaisir.

Il sauta sur un cheval et rentra en France, le chapeau enfoncé jusqu'aux yeux...

A Paris, d'autres ennuis l'attendaient. Talleyrand et Fouché s'étaient unis pour tenter de le détrôner et mettre Murat à sa place. Il les convoqua, injuria l'un, précisa à l'autre qu'il était « de la m... dans un bas de soie », et alla finir de passer ses nerfs sur la belle Italienne dont il s'était régalé jadis au camp de Boulogne et que, à tout hasard, il avait gardée à portée de la main...

Hélas ! cette jeune personne était si expansive qu'à certain moment, Napoléon poussa un cri de douleur. Dans sa fougue, et au cours de mouvements désordonnés, elle lui avait « coudé la nature... » [264].

Tous ces ennuis lui firent oublier la grande-duchesse Catherine qui attendait un signe de sa part. Devant son silence, la famille impériale de Russie pensa qu'il avait changé d'avis. Vexé, le tsar maria sa sœur au duc d'Oldessbourg.

— Tant pis ! dit Napoléon, j'épouserai la petite Anne !

Hélas ! de nouveaux événements allaient l'empêcher de préparer ce mariage.

Le 12 avril, il fut averti par le télégraphe Chappe que les Autrichiens venaient de pénétrer en Bavière. Fort contrarié de constater que

263. CONSTANT, *Mémoires*.
264. La scène est rapportée par plusieurs témoins. Cf. *Les souvenirs militaires du colonel Gonneville* et *Napoléon en Espagne*, de GEOFFROY DE GRANDMAISON.

l'alliance d'Erfurt n'avait servi à rien, il quitta Paris le lendemain à l'aube et arriva quatre jours plus tard sur le théâtre des opérations.

Le 22, il écrasait les troupes de l'archiduc Charles à Eckmühl et, le 10 mai, il était devant Vienne, qu'il faisait bombarder.

Le destin, dont j'ai souvent loué le grand talent d'auteur dramatique, organisa en cette occasion une scène savoureuse. « Quelques boulets étaient déjà tombés dans la cour du palais impérial, écrit Constant, lorsqu'une trompette sortit de la ville pour annoncer que l'archiduchesse Marie-Louise n'avait pu suivre son père, qu'elle était malade au palais et exposée à tous les dangers de l'artillerie. L'Empereur donna l'ordre aussitôt de faire changer la direction des pièces, de manière que les bombes et les boulets passassent par-dessus le palais. »

Cette galanterie toute gratuite — Napoléon voulait encore épouser la sœur du tsar — venait de sauver celle qui, onze mois plus tard, allait devenir Impératrice des Français...

Après la chute de Vienne, Napoléon s'installa à Schönbrunn, ce château qu'il adorait [265].

Là, entre deux plans de bataille, il écrivit à Marie Walewska — dont l'existence était, une fois de plus, troublée par la guerre — cette lettre tendre dont le comte d'Ornano nous dit qu'elle est la plus libre de toutes celles qu'il lui ait écrites :

Chère Marie,

Tes lettres m'ont fait plaisir, comme toujours. Je n'approuve guère que tu aies suivi l'armée à Cracovie, mais ne puis te le reprocher.

Les affaires de Pologne sont établies, et je comprends les anxiétés que tu as eues. J'ai agi, c'était mieux que de te prodiguer des consolations. Tu n'as pas à me remercier ; j'aime ton pays et j'apprécie à leur juste valeur les mérites d'un grand nombre des tiens.

Il faut plus que la prise de Vienne pour amener la fin de la campagne. Quand j'en aurai terminé, je m'arrangerai pour me rapprocher de toi, ma douce amie, car j'ai hâte de te revoir. Si c'est à Schönbrunn, nous goûterons ensemble le charme de ses beaux jardins et nous oublierons tous ces mauvais jours.

Prends patience et garde confiance.

N.

Aussitôt après la victoire de Wagram, Marie vint s'installer à Schönbrunn, et, pour la première fois, les deux amants, sur qui les yeux de l'Europe entière étaient braqués, vécurent ensemble publiquement.

On les voyait, le soir, quitter le palais et se promener, les doigts entrelacés, dans les jardins. Parfois, Marie faisait monter l'Empereur dans une voiture légère, et tous deux s'en allaient jusqu'au Danube.

265. Par une curieuse coïncidence, les deux palais préférés de l'Empereur portaient le même nom : Fontainebleau et Schönbrunn qui signifie, en allemand, « belle fontaine »...

Là, ils s'asseyaient sur la berge et regardaient passer les bateaux. A la nuit tombante, Napoléon se levait soudain :

— Rentrons, j'ai du travail !

La douce Polonaise savait ce que signifiait cette phrase. Elle appelait le cocher, et la voiture les ramenait à Schönbrunn où l'Empereur l'entraînait rapidement dans sa chambre. Au bout de quelques semaines de ce traitement quotidien, Marie eut le bonheur d'annoncer à Napoléon qu'elle avait reçu en son sein les principaux éléments du futur prince Walewski.

Le souverain se déclara fou de joie.

Ce qui ne l'empêcha pas de continuer à s'enflammer pour tous les jupons qui passaient...

Écoutons Constant, fidèle valet de chambre et témoin indiscret, nous rapporter une de ses passades :

« Pendant son séjour à Schönbrunn, les aventures galantes ne manquaient pas à Napoléon.

» Un jour qu'il était à Vienne et qu'il se promenait dans le *Prater* avec une suite fort peu nombreuse (le *Prater* est une superbe promenade située dans le faubourg Léopold), une jeune Allemande, veuve d'un négociant fort riche, l'aperçut et s'écria involontairement, parlant à quelques dames qui se promenaient avec elle :

» — C'est lui !

» Cette exclamation fut entendue par Napoléon, qui s'arrêta tout court et salua les dames en souriant.

» Celle qui avait parlé devint rouge comme du feu. Napoléon la reconnut à ce signe non équivoque et la regarda longtemps, puis il continua sa promenade.

» Il n'y a pour les souverains ni longues attentes ni grandes difficultés. Cette nouvelle conquête de Napoléon ne fut pas moins rapide que les autres [266]. »

Quelques jours plus tard, l'Empereur eut une autre aventure assez curieuse. Voici comment Frédéric Masson nous la rapporte : « A Vienne, il remarque une jeune fille qui, de son côté, s'est monté la tête pour lui. Sur son ordre, on suit cette jeune fille ; on lui fait la proposition, qu'elle accepte, de venir un soir à Schönbrunn. Elle arrive, elle est introduite.

» Comme elle ne parle qu'italien ou allemand, la conversation s'engage en italien et, aux premiers mots, Napoléon découvre que cette jeune fille appartient à des parents respectables, qu'elle n'a nullement conscience de ce qu'on attend d'elle, et que, si elle éprouve pour lui une admiration passionnée, son ingénuité est entière. »

L'Empereur n'aimait pas les vierges qui lui faisaient perdre un temps précieux. Il pâlit et appela Constant :

266. Constant, *Mémoires*. (Pour ne point se séparer de son illustre amant, cette dame suivit l'armée en Bavière, puis vint s'installer à Paris, où elle mourut en 1812.)

— Qu'on reconduise immédiatement cette jeune fille chez ses parents !

La pauvre éclata en sanglots.

Pour la consoler, Napoléon lui fit remettre vingt mille florins et, montant à l'étage supérieur, s'en alla faire profiter Marie Walewska de ses bonnes dispositions inemployées...

29

Pour quitter le trône, Joséphine exige trois châteaux
et un milliard par an

Elle avait toujours peur de manquer...

BARON DE BOUILLÉ

A cette époque, bien qu'il commençât à prendre un sérieux embonpoint, Napoléon sautait encore de lit en lit avec une légèreté qui faisait plaisir à voir.

A la fin d'août, il remarqua, dans la foule massée sur la place du château pour l'acclamer, une jeune Viennoise dont la croupe ronde et la poitrine drue lui donnèrent des démangeaisons au creux des paumes...

Une rapide enquête lui permit d'apprendre que cette charmante adolescente, âgée de dix-neuf ans, s'appelait Eva Kraus, et qu'elle était la fille adoptive du commissaire à la Guerre, Philippe Maironi.

Profitant d'un moment où Marie Walewska, enfermée dans sa chambre, pleurait sur le destin de la Pologne, il fit venir la petite Autrichienne, la déshabilla, la mit au lit et lui enseigna quelques figures que le lieutenant de vaisseau Hébert a curieusement omises dans son *Traité de gymnastique naturelle*...

La jeune Eva était, nous dit-on, d'une grande naïveté. Elle prit à ces jeux un plaisir étonné, mais sincère.

— Est-ce bon pour la santé ? disait-elle.

— Excellent ! répondait Napoléon sur ce ton sans réplique qui l'aida tant dans sa carrière.

Après quoi, d'un geste vigoureux, il replaçait la demoiselle dans une position attrayante, et tous deux reprenaient leur séance de culture physique...

Ces exercices firent beaucoup de bien à Eva Kraus. Au bout de quelques jours, elle eut l'œil plus brillant. Au bout de quelques semaines, sa démarche s'assura. Au bout de quelques mois, sa taille s'arrondit.

Ainsi, Napoléon, qui avait, pendant si longtemps, douté de ses facultés procréatrices, venait, sans effort apparent, d'ensemencer deux jeunes femmes. Il en montra une majestueuse satisfaction [267].

267. Eva Kraus mit au monde un garçon, qui devint, dit-on, un savant juriste viennois sous le nom d'Eugène Megerie. Sa ressemblance avec l'Empereur était, paraît-il, stupéfiante.

L'intérêt qu'il portait à la blonde Eva n'empêchait pas l'Empereur, qui avait l'œil à tout, de correspondre tendrement avec Joséphine, de s'enquérir de la santé d'Éléonore Denuelle et de son bambin, d'écrire à Hortense — qui venait de mettre au monde, de père inconnu, le futur Napoléon III —, de faire distribuer d'énormes sommes à d'anciennes maîtresses et de roucouler avec Marie Walewska comme si elle eût été la seule dans son cœur.

L'état de la jeune comtesse, dont il connaissait l'extrême sensibilité, l'inquiétait un peu. A la fin de septembre, il fit venir à Schönbrunn son premier médecin, Corvisart, qu'il traitait amicalement de charlatan, et lui demanda d'examiner Marie.

Le savant ajusta son binocle, prit une large inspiration et mit son œil dans la « nature » de la comtesse.

Comme il paraissait s'attarder dans sa contemplation, Napoléon le rappela à l'ordre :

— Eh bien ?

Corvisart releva la tête, rajusta sa cravate et dit :

— Mme Walewska est enceinte.

Napoléon eut l'air agacé :

— Je le savais ! dit-il. Mais l'accouchement aura lieu quand ?

Corvisart fronça le sourcil, se gratta le front et, sur un ton humble, demanda la permission de procéder à un nouvel examen.

Pour faire oublier le côté plaisant de l'opération, il prit un air sévère et glissa deux doigts là où il avait mis l'œil.

Au bout de trois minutes, Napoléon, qui n'était pas prêteur — c'était là son moindre défaut —, s'impatienta :

— Assez !

Corvisart, un peu congestionné, se redressa :

— Dans six ou sept mois, Sire, dit-il.

L'Empereur aurait aimé savoir si tout se passerait bien. Mais à la pensée de ce que le médecin allait peut-être devoir, cette fois, introduire pour lui répondre, il renonça à s'enquérir.

Au bout de trois jours, Corvisart vint demander la permission de rentrer à Paris. Napoléon s'étonna :

— Comment ! Vous voulez partir déjà ? Est-ce que vous vous ennuyez ?

— Non, Sire, dit le médecin ; mais je préférerais être à Paris plutôt qu'à Schönbrunn.

L'Empereur chercha quelle distraction pourrait retenir Corvisart. L'idée qui lui vint était singulière. Il l'énonça néanmoins :

— Restez avec moi, dit-il. Je donnerai une grande bataille, et vous verrez combien c'est intéressant.

Le médecin fit la moue :

— Non, non, Sire, je vous remercie, je ne suis pas curieux.

Napoléon lui fit alors cette réplique incroyable :

— Ah ! vous êtes un badaud. Vous voulez aller à Paris pour tuer vos pauvres malades en détail[268]...

Corvisart rentra donc en France, et l'Empereur, que les grossesses d'Eva et de Marie rendaient impatient de montrer ses capacités paternelles dans un domaine moins illégitime, résolut de précipiter la répudiation de Joséphine.

Pour commencer, il écrivit ce mot bref au grand maréchal du palais :

Faites immédiatement murer la porte qui fait communiquer, à Fontainebleau, mon appartement avec celui de l'Impératrice.

Puis il demanda à Caulaincourt, ambassadeur de France à Saint-Pétersbourg, d'activer les démarches en vue d'un mariage avec la sœur du tsar. Après quoi, pour endormir les soupçons de Joséphine, il lui envoya ce petit mot tendre et malhonnête :

Je me fais une fête de te revoir, et j'attends ce moment avec impatience.

Le 12 octobre, au cours d'une parade, un jeune homme d'allure distinguée, Frédéric Staps, tenta d'enfoncer la lame de son couteau dans le cœur de Napoléon. D'un geste irréfléchi, le général Rapp fit échouer l'entreprise. Marie, qui avait assisté à la scène, eut un malaise, et l'on craignit pour le futur prince Walewski.

— Après une telle émotion, lui dit l'Empereur, tu devrais aller respirer le bon air de ton pays natal.

La jeune femme se troubla.

— D'ailleurs, ajouta Napoléon, pour que ton enfant soit un Walewski, il faut qu'il naisse en Pologne. Tu n'as donc que le temps de rentrer chez toi...

Et, sans se soucier des larmes que versait la comtesse, il la poussa dans une voiture, l'embrassa et la fit reconduire à Varsovie.

Le lendemain, il signait le traité de Vienne, qui faisait perdre à l'Autriche la Galicie et les provinces illyriennes, montait dans sa voiture et se faisait ramener en France.

Le 26 octobre, il était à Fontainebleau. Aussitôt, sa sœur Pauline, que la condamnation de la porte de communication avait ravie, résolut d'activer le départ de Joséphine en plaçant une nouvelle maîtresse dans le lit impérial.

La jeune femme sur laquelle elle fixa son choix était une blonde Piémontaise un peu grasse, mais douée d'un air vicieux qui plaisait généralement. Elle s'appelait Christine Mathis. Mariée au comte Scipion Mathis de Bra de Cacciorna, elle appartenait au groupe frétillant des dames de la princesse Borghèse.

Au milieu des fesses tristes qui hantaient le palais, sa croupe rebondie, joyeuse et bien placée, attirait l'œil des connaisseurs.

268. Cf. Jean Savant, *Napoléon et Joséphine*.

Dès qu'il vit cette rondeur appétissante, Napoléon oublia ses ennuis et devint sentimental.

Depuis dix ans qu'il menait les hommes à la victoire par un mot et les femmes à la défaite par un regard, Napoléon avait acquis en ce mot et en ce regard (toujours les mêmes) une certaine confiance. Aussi fut-il extrêmement déçu en constatant que Christine Mathis ne semblait pas sensible aux prestiges de son œil...

La blonde Piémontaise, qui ne voulait point être prise pour une vulgaire femme du monde, avait décidé de faire quelques manières avant de se donner.

Impatient de goûter des charmes dont l'idée l'empêchait de dormir, l'Empereur pria sa sœur d'intervenir. Pauline convoqua la jeune rebelle et prononça ce sermon qui fit tant jaser :

— Savez-vous bien, madame, que l'on ne doit jamais dire *non* à une volonté exprimée par l'Empereur ? Et que moi, qui suis sa sœur, s'il me disait : « Je veux », je lui répondrais : « Sire, je suis aux ordres de Votre Majesté » ?

Malgré ces paroles exceptionnelles, Christine se fit encore prier. Nerveux, tendu, Napoléon fut bientôt incapable de travailler. Abandonnant ses ministres, délaissant l'Europe qui s'agitait, oubliant l'Espagne où nos soldats étaient massacrés, il se mit à chasser pendant des journées entières pour distraire sa pensée. Le soir, en rentrant au palais, il courait à son bureau et griffonnait des billets enflammés qu'un garde allait, sur-le-champ, porter à Christine.

Finalement, ayant respecté « les délais par où une femme honnête se différencie d'une *sautez-moi, monsieur* », la jeune comtesse accepta de se rendre dans la chambre impériale. En un instant, elle fut entièrement déshabillée, jetée sur le lit et unie au destin fabuleux de Napoléon par un lien solide et vigoureux...

Dès qu'il fut comblé, l'Empereur, l'esprit plus libre, renoua avec ses préoccupations habituelles. Décidé plus que jamais à divorcer, et sans se soucier de Joséphine qui pleurait depuis le jour où elle avait découvert que la porte de communication de leurs appartements était murée, il fit envoyer à Caulaincourt une lettre chiffrée dont voici la traduction :

Monsieur l'ambassadeur... L'Empereur va enfin se décider à divorcer... Des propos de divorce étaient revenus à Erfurt aux oreilles de l'empereur Alexandre qui doit se rappeler en avoir parlé à l'Empereur et lui avoir dit que la princesse Anne, sa sœur, était à sa disposition. L'Empereur veut que vous abordiez franchement et simplement la question avec l'empereur Alexandre... Vous n'en parlerez sous quelque prétexte que ce soit à M. de Romanzof... Il vous restera à nous faire connaître les qualités de la jeune princesse et surtout l'époque où elle peut être en état de devenir mère...

Car c'est un « ventre », selon son mot fameux, que Napoléon voulait épouser. Malheureusement, la princesse Anne n'avait que quatorze ans et la mère du tsar hésitait à donner une enfant à ce monarque connu pour sa luxure.

En attendant la réponse de Saint-Pétersbourg, l'Empereur — sûr d'être agréé — s'éloigna de plus en plus de Joséphine, et bientôt ne la vit plus qu'à l'heure des repas. Le 14 novembre, suivi de Christine, qui lui faisait toujours passer des nuits exquises, et de l'Impératrice, dont l'air malheureux affligeait la cour, il rentra à Paris.

Pendant seize jours, il recula devant la scène définitive. Enfin, le 30 novembre, à la fin d'un dîner, il annonça à celle qu'il avait, jadis, tant aimée, qu'elle devait s'en aller. Joséphine poussa un cri et tomba sur le sol... Ce qui suivit a été raconté de diverses manières. C'est pourquoi je crois préférable de laisser la parole à M. de Bausset, préfet du palais, qui fut le témoin de cette scène extraordinaire :

« J'étais de service aux Tuileries depuis le lundi 27 novembre. Ce jour-là, le mardi et le mercredi qui suivirent, il me fut facile de remarquer une grande altération dans les traits de l'Impératrice, et une silencieuse contrainte dans Napoléon. Si, pendant le dîner, il rompait le silence, c'était pour faire quelques brèves questions, dont il n'écoutait pas la réponse. Ces jours-là, le dîner ne dura pas plus de dix minutes. »

Puis Bausset arrive à la soirée du 30 novembre :

« Leurs Majestés se mirent à table. Joséphine portait un grand chapeau blanc noué sous le menton, et qui cachait une partie de son visage. Je crus cependant m'apercevoir qu'elle avait versé des larmes, et qu'elle les retenait encore avec peine. Elle me présenta l'image de la douleur et du désespoir.

» Le silence le plus profond régna pendant ce dîner. Ils ne touchèrent que pour la forme aux mets qui leur furent présentés. Les seuls mots qui furent prononcés furent ceux que m'adressa Napoléon :

» — Quel temps fait-il ?

» En les prononçant, il se leva de table. Joséphine suivit lentement. Le café fut présenté, et Napoléon prit lui-même sa tasse, que tenait le page de service, en faisant signe qu'il voulait être seul.

» Je sortis bien vite, mais, inquiet, tourmenté et livré à mes tristes pensées. Je m'assis dans le salon de service, qui d'ordinaire servait de salle à manger pour Leurs Majestés, sur un fauteuil à côté de la porte du salon de l'Empereur. J'observais machinalement les employés qui enlevaient les objets qui avaient servi au dîner de Leurs Majestés, lorsque, tout à coup, j'entends partir du salon de l'Empereur des cris violents poussés par l'Impératrice Joséphine...

» L'huissier de la chambre, pensant qu'elle se trouvait mal, fut au moment d'ouvrir la porte. Je l'en empêchai, en lui faisant observer que l'Empereur appellerait du secours s'il le jugeait convenable. J'étais debout près de la porte, lorsque Napoléon l'ouvrit lui-même et, m'apercevant, me dit vivement :

» — Entrez, Bausset, et fermez la porte.

» J'entre dans le salon et j'aperçois l'Impératrice étendue sur le tapis, poussant des cris et des plaintes déchirants.

» — Non, je n'y survivrai point, disait l'infortunée.

» Napoléon me dit :

» — Êtes-vous assez fort pour enlever Joséphine et la porter chez elle par l'escalier intérieur qui communique à son appartement, afin de lui faire donner les soins et les secours que son état exige ?

» J'obéis et je soulevai cette princesse que je croyais atteinte d'une attaque de nerfs. Avec l'aide de Napoléon, je l'enlevai dans mes bras, et lui-même, prenant un flambeau sur la table, m'éclaira et ouvrit la porte du salon qui, par un couloir obscur, conduisait au petit escalier dont il m'avait parlé.

» Parvenu à la première marche de cet escalier, je fis observer à Napoléon qu'il était trop étroit pour qu'il me fût possible de descendre sans danger de tomber...

» Il appela alors le gardien du portefeuille qui, jour et nuit, était placé à l'une des portes du cabinet qui avait son entrée sur le palier de ce petit escalier. Napoléon lui remit le flambeau, dont nous avions peu de besoin, puisque ces passages étaient déjà éclairés. Il ordonna à ce gardien de passer devant, prit lui-même les deux jambes de Joséphine pour m'aider à descendre avec plus de ménagements. Mais je vis le moment où, embarrassé par mon épée, nous allions tomber. Heureusement, nous descendîmes sans accident, et déposâmes ce précieux fardeau sur une ottomane, dans la chambre à coucher.

» Napoléon se porta au cordon des sonnettes et fit venir les femmes de l'Impératrice.

» Lorsque, dans le salon d'en haut, j'enlevai l'Impératrice, elle cessa de se plaindre. Je crus qu'elle se trouvait mal, mais dans le moment où je m'embarrassai dans mon épée au milieu du petit escalier dont j'ai déjà parlé, je fus obligé de la serrer davantage, pour éviter une chute qui aurait été funeste aux acteurs de cette douloureuse scène, parce que nos positions n'étaient pas la suite d'un arrangement calculé à loisir.

» Je tenais l'Impératrice dans mes bras, qui entouraient sa taille ; son dos était appuyé sur ma poitrine et sa tête était penchée sur mon épaule droite.

» Lorsqu'elle sentit les efforts que je faisais pour m'empêcher de tomber, elle me dit tout bas :

» — Vous me serrez trop fort.

» *Je vis alors que je n'avais rien à craindre pour sa santé et qu'elle n'avait pas perdu connaissance un seul instant.*

» Pendant toute cette scène, je n'avais été occcupé que de Joséphine, dont l'état m'affligeait. Je n'avais pu observer Napoléon. Mais lorsque les femmes de l'Impératrice furent auprès d'elle, Napoléon passa dans le petit salon qui précédait la chambre à coucher. Je le suivis. Son agitation, son inquiétude étaient extrêmes. Dans le trouble qu'il éprouvait, il m'apprit la cause de tout ce qui venait de se passer, et me dit ces mots :

» — L'intérêt de la France et de ma dynastie a fait violence à mon cœur... Le divorce est devenu un devoir rigoureux pour moi... Je suis d'autant plus affligé de la scène que vient de faire Joséphine que, depuis trois jours, elle a dû savoir, par Hortense, la malheureuse obligation qui me condamne à me séparer d'elle... Je la plains de toute mon âme. Je lui croyais plus de caractère... Et je n'étais pas préparé aux éclats de sa douleur...

» En effet, l'émotion qu'il éprouvait le forçait à mettre un long intervalle entre chaque phrase qu'il prononçait, pour respirer. Les mots s'échappaient avec peine, et sans suite. Sa voix était émue, oppressée, et des larmes mouillaient ses yeux... Il fallait réellement qu'il fût hors de lui pour me donner tant de détails, à moi, placé si loin de ses conseils et de sa confiance...

» Toute cette scène ne dura pas plus de sept à huit minutes.

» Napoléon envoya chercher Corvisart, la reine Hortense, Cambacérès, Fouché. Et, avant de remonter dans son appartement, il fut s'assurer par lui-même de l'état de Joséphine, qu'il trouva plus calme et plus résignée.

» Je le suivis quand il monta chez lui, et je rentrai dans le salon de service, après avoir repris mon chapeau que j'avais jeté sur le tapis pour avoir les mouvements plus libres. Pour éviter toutes espèces de commentaires, je dis, devant les pages et les huissiers, que l'Impératrice avait eu une attaque de nerfs des plus violentes [269]. »

Cet extraordinaire témoignage prouve que Joséphine devait mentir jusqu'à l'ultime scène de sa vie commune avec Napoléon.

Après avoir feint de l'aimer, après l'avoir trompé sur sa fortune et sur son âge, après l'avoir allégrement cocufié avec tout Paris, elle lui jouait la comédie de la douleur, et le rideau se baissait sur un faux évanouissement.

Pauvre et naïf Empereur...

Pendant quelques jours, Joséphine poussa des gémissements qui s'échappaient par la porte de son appartement, résonnaient dans les couloirs, descendaient les escaliers et s'en allaient jusque dans les salons porter aux courtisans attentifs un écho inattendu de sa vie privée...

Les membres de la famille Bonaparte écoutaient naturellement ces cris avec un soin particulier. L'oreille aux aguets, ils savouraient chaque plainte, et leur joie s'exprimait dans une langue dénuée de prétention, comme il sied aux vrais grands :

— Écoutez-la donc, cette putain, disait la reine de Naples.

— Oui, elle en a pris un coup, la vieille, ajoutait sévèrement le roi de Westphalie.

---

269. BAUSSET (ancien préfet du palais impérial), *Mémoires anecdotiques sur l'intérieur du palais et sur quelques événements de l'Empire depuis 1805 jusqu'au 1er mai 1814, pour servir à l'histoire de Napoléon.*

— D'autant qu'à son âge, elle ne peut plus faire le tapin au Palais Royal, disait le prince Borghèse.

— C'est bien fait pour ses fesses, concluait gentiment le roi de Hollande.

Ainsi conversaient en toute simplicité les rois, les reines et les altesses sous les lambris dorés du palais des Tuileries, en écoutant les « sanglots monstrueux » de l'Impératrice répudiée.

Une part de comédie entrait naturellement dans les manifestations larmoyantes de Joséphine. Voulant faire croire à un chagrin d'épouse amoureuse, elle exagérait avec science les regrets que lui causait la perte d'une situation confortable.

Et ces regrets-là étaient sincères. A la pensée des honneurs, de l'argent, des palais, des robes, des bijoux, des attelages, dont elle allait être privée, la créole sanglotait et courait sans aucune dignité confier sa douleur à des femmes de chambre ou à des modistes.

Malgré ce désarroi, Joséphine dut paraître et faire bonne figure dans toutes les cérémonies officielles qui furent données, en ce début de décembre 1809, pour honorer les souverains venus à Paris fêter le traité de Vienne.

Pendant quelques jours, Napoléon lui conserva sa place. Mais, un matin, lors d'une solennité à Notre-Dame, il voulut montrer publiquement que la séparation était proche et, pour la première fois, l'Impératrice reçut l'ordre de traverser Paris dans une autre voiture que celle de l'Empereur.

Une curieuse méprise allait empêcher le bon peuple de s'en apercevoir.

Avec Napoléon était monté Jérôme, roi de Westphalie. Petit, mince, gracieux, le frère de l'Empereur était vêtu d'un costume de satin blanc, orné d'un jabot de dentelles et coiffé d'une toque de velours noir, ombragée d'un panache de plumes blanches retenues par un nœud de diamants.

Tous les Parisiens le prirent pour Joséphine. On l'acclama. On l'applaudit ; et, lorsqu'il salua de la main, la foule, émue, cria :

— Vive l'Impératrice !

Quiproquo qui eût conduit un spectateur anglo-saxon à des conclusions fâcheuses pour la famille impériale...

Quand les fêtes furent terminées, Napoléon fit préparer par Cambacérès, prince des juristes, la procédure du divorce. Pendant qu'on créait de toutes pièces un cérémonial, Joséphine négociait âprement sa répudiation.

Elle exigea trois châteaux, un à Paris, un en banlieue, un en province. Napoléon lui donna l'Élysée, Malmaison et Navarre.

Après quoi, elle demanda le paiement de ses dettes et une rente annuelle.

L'Empereur proposa un million.

Joséphine secoua la tête et déclara que pour une somme aussi ridicule elle ne signerait jamais l'acte de divorce.

— Un million et demi ? demanda l'Empereur.

Avec la tranquille assurance d'une ancienne femme entretenue, la créole se contenta cette fois de hausser les épaules.

— Deux millions ?

Elle tapota la table, sourit et dit simplement :

— Trois.

Napoléon pensa que c'était beaucoup ; mais il accepta.

Alors Joséphine, oubliant son chagrin, sauta au cou de l'Empereur avec une joie enfantine...

— En outre, ajouta Napoléon, tu garderas ton titre et ton rang d'impératrice-reine couronnée.

Cette fois, la créole fut émue ; car ce n'était pas le maître de l'Europe qui lui faisait ce cadeau contraire aux canons de l'Église et aux textes de la loi, c'était son amoureux passionné de l'an IV...

Quelques jours après, le 15 décembre, à neuf heures du soir, devant la famille Bonaparte réunie, devant Hortense et Eugène en larmes, devant Cambacérès, archichancelier de l'Empire, et devant Regnault de Saint-Jean-d'Angély, secrétaire de la Maison impériale, l'Impératrice, tout de blanc vêtue, mais sans ornement ni bijou, les cheveux noués d'un simple ruban, vint signer le procès-verbal de divorce...

Napoléon, qui avait tracé son paraphe d'une main nerveuse, la regardait, blême, les larmes aux yeux.

Quand tous les assistants eurent apposé leur signature sur le registre, l'Empereur serra fortement la main de Joséphine et rentra dans son appartement.

La journée devait se terminer de façon imprévue.

« Le soir, nous dit Constant, comme il venait de se mettre au lit et que j'attendais ses derniers ordres, tout à coup, la porte s'ouvre, et je vois entrer l'Impératrice, les cheveux en désordre, la figure toute renversée. Cet aspect me terrifia. Joséphine s'avança d'un pas chancelant vers le lit de l'Empereur. Arrivée tout près, elle s'arrête et pleure d'une manière déchirante. Elle tombe sur le lit, passe ses bras autour du cou de Sa Majesté, et lui prodigue les caresses les plus touchantes. Mon émotion ne peut se décrire.

» L'Empereur se mit à pleurer aussi ; il se leva sur son séant, et serra Joséphine sur son sein, en lui disant :

» — Allons ! ma bonne Joséphine, sois plus raisonnable. Allons ! du courage ; je serai toujours ton ami.

» Étouffée par ses sanglots, l'Impératrice ne pouvait répondre ; il y eut alors une scène muette qui dura quelques minutes pendant lesquelles leurs larmes et leurs sanglots confondus en dirent plus que n'auraient pu le faire les expressions les plus tendres.

» Enfin, Sa Majesté, sortant de cet accablement comme d'un rêve, s'aperçut que j'étais là et me dit d'une voix altérée par les pleurs :

» — Sortez, Constant !

» J'obéis et passai dans le salon à côté. »

D'après certains historiens, qui, bien sûr, n'étaient point là pour tenir — comme on dit — la chandelle, Napoléon aurait alors rendu un dernier hommage à la « petite forêt noire » de Joséphine, et M. de Bouillé, qui ne mâche pas ses mots, nous dit dans ses *Mémoires* « que ce fut là le coup de l'étrier »[270].

La chose est fort possible. Après quinze ans de mariage, le désir du général Bonaparte pointait toujours sous l'habit impérial de Napoléon...

Quoi qu'il en soit, l'Impératrice demeura une heure dans la chambre de l'Empereur, ainsi que nous le précise Constant :

« Une heure après, écrit-il, je vis repasser Joséphine, toujours bien triste, toujours en larmes ; elle me fit un signe de bienveillance en passant. Alors je rentrai dans la salle à coucher pour en retirer les flambeaux, comme j'avais coutume de faire tous les soirs. L'Empereur était silencieux comme la mort, et tellement enfoncé dans son lit qu'il me fut impossible de voir son visage[271]. »

Le lendemain, Joséphine quitta pour toujours le palais des Tuileries où elle avait été « plus que reine » pendant cinq ans, et alla s'installer à la Malmaison avec ses huit cents robes, ses vingt manteaux de vison, ses deux mille paires de bas de soie, son perroquet, ses chiens, sa guenon et ses souvenirs.

Tandis qu'elle roulait sous une pluie battante en pleurant ses honneurs perdus, Napoléon, par une autre route, se dirigeait vers Trianon qu'il avait décidé d'habiter pendant quelques jours.

Incapable de demeurer aux Tuileries, où flottait encore le parfum de la créole, il avait choisi cette retraite pour cacher son chagrin. Les cérémonies du divorce l'avaient profondément affecté, et il ne voulait pas donner à la cour le spectacle d'un Empereur aux yeux rougis. Dans ce petit palais, loin des curieux et des méchants, il allait pouvoir se consacrer entièrement à sa peine. Il s'y installa avec une immense satisfaction.

— Je crois qu'ici nous serons bien, dit-il à Christine Mathis.

Car, connaissant les limites de la douleur humaine, il avait pris soin d'emmener avec lui sa dernière maîtresse.

Dès le lendemain, l'Empereur alla faire une courte visite à Joséphine qui, à sa vue, se mit à pousser des gémissements et à inonder le petit travail de broderie qu'elle avait entrepris pour occuper ses heures de solitude.

Désolé d'être la cause d'une telle humidité, Napoléon s'ingénia à la consoler. Il n'y parvint pas facilement et se retira fort triste. Aussitôt rentré à Trianon, il lui écrivit un petit mot tendre :

270. M. DE BOUILLÉ, *Mémoires*.
271. CONSTANT, *Mémoires*.

Mon amie, je t'ai trouvée aujourd'hui plus faible que tu ne devais l'être. Tu as montré du courage, il faut que tu en trouves pour te soutenir.

Il ne faut pas te laisser aller à une funeste mélancolie. Il faut te trouver contente, et surtout soigner ta santé, qui m'est si précieuse. Si tu m'es attachée, et si tu m'aimes, tu dois te comporter avec force, et te placer (sic) heureuse.

Tu ne peux pas mettre en doute ma constante et tendre amitié, et tu connaîtrais bien mal tous les sentiments que je te porte si tu supposais que je puis être heureux si tu n'es pas heureuse, et content si tu ne te tranquillises.

Adieu, mon amie, dors bien. Songe que je le veux !

Après quoi, pour chasser de son esprit les images mélancoliques qu'il avait rapportées de la Malmaison, il alla sur un grand lit se consacrer, avec Christine, à la plus saine des occupations...

Pendant dix jours, l'Impératrice reçut, chaque matin, une lettre de l'Empereur. Ces deux êtres, qui venaient de se séparer pour toujours après s'être trompés sans aucun ménagement, vécurent alors la plus inattendue des lunes de miel.

A l'aube, Napoléon quittait furtivement le lit de sa favorite pour griffonner un petit mot qu'un garde portait, au galop, à Joséphine. Après quoi, le temps lui pesait. Incapable de s'occuper de ses affaires, ayant suspendu sa correspondance, ses audiences, ses conseils, il chassait, rêvait au coin du feu, pleurait et s'allait, finalement, consoler dans les bras de Christine[272]...

Le soir de Noël, il convia la créole, Hortense et Eugène à Trianon. Après ce dernier dîner pris en commun, l'Impératrice remonta dans son carrosse et rentra à la Malmaison. Le lendemain, l'Empereur regagnait les Tuileries.

En apprenant qu'il s'était réinstallé à Paris, Joséphine se jeta dans les bras de Mme de Rémusat :

— Il me semble, lui dit-elle, que je suis morte et qu'il ne me reste qu'une sorte de faculté vague de sentir que je ne suis plus...

Cet état peu rassurant ne l'empêchait pas de se tenir au courant des projets matrimoniaux de son ex-mari. Elle allait même être mêlée personnellement à de curieuses négociations.

A ce moment, Napoléon espérait toujours épouser la grande-duchesse Anne, sœur du tsar. Cette union lui tenait tant à cœur qu'il était prêt, pour la contracter, à trahir la promesse faite, jadis, à Marie Walewska. Déjà une convention secrète était prête sur le bureau de Caulaincourt. Elle précisait que le grand-duché de Varsovie ne pourrait jamais redevenir royaume ni reprendre le nom de Pologne...

---

272. MOLLIEN nous dit dans ses *Mémoires* que ces jours « sont peut-être les seuls pendant lesquels les sentiments aient eu plus d'empire sur lui que les affaires ».

Lorsqu'un document secret traîne sur le bureau d'un ambassadeur, toutes les chancelleries ne tardent pas à être informées de son contenu.

Le prince Poniatowski apprit donc rapidement que Napoléon était prêt à sacrifier la Pologne pour épouser la petite Anne. Il en instruisit Marie qui fut atterrée.

— Que dois-je faire ?

— Aller à Paris. D'ailleurs, il vaut mieux, pour son avenir, pour le vôtre et pour le nôtre, que l'enfant de Napoléon naisse en France. Vous y séjournerez le temps nécessaire et vous obtiendrez de l'Empereur qu'il renonce à son mariage plutôt que de signer une telle convention avec la Russie.

Malgré son état, Marie partit le lendemain.

Or, pendant qu'elle glissait sur les routes glacées d'Europe orientale, Napoléon apprit que la tsarine, mère d'Alexandre, racontait, à qui voulait l'entendre, qu'il était impuissant et que, pour cette raison, elle hésitait à lui donner sa fille...

Il fut vivement contrarié et pensa qu'il convenait de chercher une autre princesse à épouser. Justement, l'empereur d'Autriche, qui voyait avec effroi les liens se resserrer entre la Russie et la France, essayait depuis quelque temps d'attirer l'attention de Paris par mille amabilités. Napoléon décida d'entamer des négociations en vue d'un mariage avec la jeune archiduchesse Marie-Louise, âgée de dix-neuf ans.

Les pourparlers devant rester officieux (il espérait toujours une union avec la grande-duchesse Anne), il eut l'idée singulière d'en charger Joséphine...

L'Impératrice s'ennuyait tellement à la Malmaison qu'elle accepta, heureuse d'avoir une occupation intéressante.

D'autre part, les liens qu'elle avait noués depuis longtemps avec l'Autriche, son amitié avec Louis de Coblentz, sa familiarité avec Metternich lui donnaient à penser qu'elle avait tout à gagner d'un mariage autrichien.

Le 1er janvier 1810, elle invita Mme Metternich. La femme de l'ambassadeur, un peu surprise, se rendit le 2 à la Malmaison et fut d'abord reçue par Hortense qui, après quelques banalités polies, lui dit ces mots stupéfiants :

— Vous savez que nous sommes tous autrichiens dans l'âme, mais vous ne devineriez jamais que ma mère a eu le courage de conseiller à l'Empereur de demander votre archiduchesse.

Mme Metternich n'eut pas le temps de répondre. Joséphine venait d'entrer et enchaînait :

— J'ai un projet qui m'occupe exclusivement et dont la réussite seule me fait espérer que le sacrifice que je viens de faire ne sera pas en pure perte : c'est que l'Empereur épouse votre archiduchesse ; je lui en ai parlé hier et il m'a dit que son choix n'était pas encore fixé, mais je crois qu'il le serait s'il était sûr d'être accepté par vous.

Mme Metternich, un peu interloquée, répondit qu'elle regarderait ce mariage comme un grand bonheur ; mais qu'il serait peut-être pénible, pour une archiduchesse d'Autriche, de venir s'établir en France où l'on avait guillotiné Marie-Antoinette.

Joséphine eut un petit geste désinvolte.

— Il faut que nous tâchions d'arranger cela, dit-elle [273].

Quelques jours plus tard, Metternich faisait savoir à l'Impératrice que le cabinet autrichien était favorable à un projet de mariage.

Napoléon, aussitôt informé, se frotta les mains. Il pouvait attendre maintenant, sans inquiétude, la réponse de Saint-Pétersbourg, et donner au monde l'illusion d'un choix.

C'est alors que Marie Walewska, poussée par Poniatowski, débarqua à Paris. L'Empereur, devinant ce qu'elle venait lui rappeler, la reçut avec un peu d'embarras.

Il lui parla affectueusement de sa santé. Puis il déclara :

— Notre fils (car pour lui le sexe de l'enfant ne faisait aucun doute) sera prince de Pologne !

A ces mots, Marie éclata en sanglots et révéla ce qu'elle savait de la convention préparée à Saint-Pétersbourg.

Napoléon fut gêné. Il baissa la tête, et la jeune femme en profita. Pendant deux heures, elle se fit tour à tour convaincante, chatte, diplomate et amoureuse. Finalement, l'Empereur, très ému, promit de ne pas sacrifier la Pologne et d'épouser l'Autrichienne.

A l'heure du choix, une femme venait, une fois de plus, de collaborer au destin de la France. Et, fait significatif, elle intervenait pour permettre à une autre femme de jouer un rôle — capital, celui-là — dans l'existence du maître alors incontesté de l'Europe. Napoléon, qui avait été lancé vers le zénith par sa première épouse, sera précipité dans la chute par la seconde...

Après quoi, d'autres dames viendront, légères, sournoises, efficaces, toujours gracieuses, teinter la royauté renaissante d'un romantisme, qui, hélas ! fera école...

---

273. Toute cette conversation est rapportée par Mme Metternich elle-même.

Livre VIII

L'AMOUR SOUS L'EMPIRE

> Dans les grandes crises, le lot des femmes est d'adoucir nos revers.
>
> NAPOLÉON

1

A quinze ans, Marie-Louise d'Autriche s'amusait à « égorger » Napoléon

C'était la plus douce des petites filles.

SIMONE BOUVIER

Le 16 janvier 1806, dans un salon du palais de Schönbrunn, devant une immense cheminée où brûlaient des troncs d'arbre, un jeune garçon et une fillette, allongés sur le tapis, jouaient avec des soldats de bois.

Ces deux enfants étaient intéressants à plus d'un titre.

D'abord, ils avaient la lèvre inférieure épaisse et un peu pendante — signe particulier qu'ils tenaient d'un aïeul assez disgracieux nommé paradoxalement Philippe le Beau —, ensuite, ils étaient fils et fille de l'empereur François Ier d'Autriche.

Il s'agissait, en effet, de l'archiduc Ferdinand, âgé de douze ans, et de l'archiduchesse Marie-Louise, qui venait d'en avoir quinze.

Ayant placé leurs armées face à face à chaque extrémité de la pièce, ils préparèrent une belle bataille. Mais au moment de donner une nationalité aux belligérants, une dispute éclata : ni Ferdinand ni Marie-Louise ne voulait commander les Français.

— Je ne veux avoir que des militaires loyaux et non des révolutionnaires assoiffés de sang, dit l'archiduchesse.

A quoi, l'archiduc répliqua que le ciel l'ayant fait naître héritier d'un empire, il ne pouvait être le général d'une horde de sauvages.

Puis il cracha par terre.

Alors l'adolescente, dont le regard bleu s'était soudain durci, déclara qu'elle préférait renoncer à jouer plutôt que d'avoir sous ses ordres « l'armée de brutes » qui avait battu les troupes de leur père à Austerlitz.

Finalement, les enfants se mirent d'accord pour commander à deux l'armée autrichienne et pour mettre en pièce l'armée française.

Marie-Louise choisit alors le plus laid des soldats, lui dessina une mèche sur le front et annonça :

— Celui-ci sera le « Corsicain [1] » !

Après quoi, cette réduction de Napoléon ayant été placée devant les régiments ennemis, le combat commença. Tout de suite, grâce aux bons instincts des deux petits princes, la bataille atteignit un haut degré de sauvagerie. Au moyen de billes, de cailloux, de cubes, les « Français » furent renversés, bombardés, disloqués, réduits en poussière, au milieu

---

1. « Corsicain » était le nom que l'on donnait alors en Autriche à Napoléon.

d'un concert d'apostrophes dont la charité, il faut bien le dire, laissait un peu à désirer...

Lorsque tous les soldats représentant la Grande Armée eurent été abattus, Ferdinand et Marie-Louise, animés par une incroyable frénésie, allèrent les piétiner, achevant les blessés, brisant les drapeaux, écrasant les têtes à coups de talon.

Puis, l'archiduchesse s'empara du « Corsicain ».

— Quant à celui-ci, dit-elle, il n'a pas assez souffert. Nous allons l'égorger.

Et, s'approchant d'une table à ouvrage, elle prit des épingles qu'elle enfonça avec rage dans les yeux, le nez, le cou et la poitrine du petit soldat[2].

— Monstre ! Monstre ! criait-elle.

Quand la figurine ressembla à un hérisson, la fillette la jeta à toute volée contre un mur où elle se brisa...

Cette haine contre Bonaparte, Marie-Louise l'avait depuis sa plus tendre enfance. A cinq ans, on lui présentait le Premier Consul comme un ogre. Plus tard, il était devenu pour elle le complice des hommes qui avaient guillotiné sa grand-tante Marie-Antoinette. Depuis deux mois, il représentait l'envahisseur. A cause de lui, en novembre 1805, tous les membres de la famille impériale d'Autriche, en effet, avaient dû quitter Vienne précipitamment et fuir sur les routes à la recherche d'un abri...

D'autres faits avaient contribué à noircir encore le portrait du « monstre corse ». L'empereur François Ier recevait régulièrement d'Angleterre des caricatures en couleurs montrant « le petit Bonaparte », personnage chétif, contrefait, souvent bossu, assistant le bourreau sur le plancher rouge de la guillotine, portant le bonnet phrygien ou se préparant à déchirer l'Europe à pleines dents. Il y avait eu pire. A douze ans, Marie-Louise, qui était très pratiquante, avait été choquée dans sa foi chrétienne en apprenant par sa mère — de façon un peu déformée — l'attitude de Bonaparte en Égypte. Voici, d'ailleurs, la lettre qu'elle avait écrite à ce propos, en 1803 :

Maman m'a fait écrire le titre d'un livre qu'elle veut faire venir de France et qu'elle croit être pour nous. C'est le Plutarque de la jeunesse *par le même Blanchard qui a fait ces deux ouvrages que nous avons déjà lus, c'est la vie des hommes illustres depuis Homère jusqu'à Bonaparte. Ce nom ternit son ouvrage et j'aurais mieux aimé qu'il ait terminé par François II, qui a fait des actions remarquables en rétablissant le Theresianum, etc., tandis que l'autre n'a commis que des injustices, en ôtant à quelques-uns leur pays.*

Maman m'a raconté une drôle de chose à présent, que Monsieur Bonaparte s'est sauvé quand toute l'armée a été ruinée, avec seulement

---

2. Tous ces détails sont rapportés par le baron de Méneval dans *Napoléon et Marie-Louise. Souvenirs historiques*, 1845.

deux, trois personnes et qu'il s'est fait Turc, c'est-à-dire qu'il leur a dit : moi je ne suis pas votre ennemi, je suis un musulman, je reconnais pour prophète le grand Mahomet, et puis en revenant en France il a fait le catholique [3]...

Cette histoire avait révolté Marie-Louise.

Enfin, la jeune archiduchesse était persuadée, pour l'avoir entendu raconter maintes fois à la cour de son père par des personnages dignes de foi, que Napoléon rossait ses ministres comme un portefaix, qu'il distribuait des soufflets aux évêques désobéissants et qu'il tuait de sa propre main les généraux qui avaient le malheur de lui perdre une bataille...

Témoignages qui, on le reconnaîtra, ne contribuaient pas à rendre le personnage sympathique.

Aussi, dans sa fougue enfantine, Marie-Louise n'hésitait-elle pas à le supprimer symboliquement...

Bien entendu, la petite archiduchesse ne passait pas tout son temps à ces jeux cruels. Sachant qu'un jour, pour les besoins de la politique autrichienne, elle épouserait un souverain, elle apprenait le rudiment des princesses : la musique, le dessin, l'équitation, le billard, le beau style et les langues. Elle parlait l'allemand, l'anglais, le turc, l'espagnol, l'italien, le français et le latin, pour être à même de pouvoir converser avec son futur époux d'où qu'il vînt.

Mais, pour être propre à servir d'appoint dans quelque traité, il fallait que Marie-Louise parvînt au mariage dans un état de virginité absolue. Une grossesse prématurée, due aux bons soins d'un cousin, d'un jardinier ou d'un précepteur, eût bouleversé les plans des diplomates et changé le destin de l'Europe...

L'Empereur, qui connaissait la chaleur de son sang et la fertilité des femmes de la maison d'Autriche, avait donc décidé de veiller particulièrement sur la vertu de Marie-Louise. Et pour que la charmante enfant ne fût point poussée vers un acte irréparable par quelque malsaine curiosité, on s'était efforcé de lui laisser ignorer l'existence du sexe masculin...

Entreprise singulière, qui nécessitait, on s'en doute, des soins constants, ainsi que nous le rapporte Frédéric Masson : « Avec des précautions dont s'avisent seuls les casuistes de la grande école espagnole, on s'est ingénié, pour ménager l'innocence de Marie-Louise, à de tels raffinements pudibonds qu'ils en deviennent presque obscènes. Dans les basses-cours, rien que des poules, point de coqs ; point de serins dans les cages, rien que des serines ; point de petits chiens dans les appartements, rien que des chiennes. Les livres — et quels pitoyables livres ! — sont expurgés ciseaux en main ; des pages, des lignes, des

3. *Correspondance de Marie-Louise* (1799-1847).

mots même coupés, sans qu'il vienne à l'idée des coupeurs que, devant ces trous, les archiduchesses rêvent... [4] »

C'est ainsi qu'à quinze ans, pour avoir été mal informée, la future impératrice des Français croyait candidement que son père était une femme...

L'empereur d'Autriche avait pourtant une virilité du meilleur aloi. Il s'en servait en grand seigneur, honorant toutes les personnes du sexe qu'il rencontrait, pourvu qu'elles eussent du charme, de beaux yeux, les seins fermes et la jambe bien faite.

Du lever au coucher, il parcourait son palais, l'œil en éveil, à la recherche d'une soubrette, d'une dame de compagnie, ou d'une cuisinière appétissante et, sur-le-champ, il lui montrait son savoir-faire.

Le soir ne le trouvait pas harassé. Au contraire. Il se précipitait au lit avec l'ardeur d'un nouveau marié et poussait l'impératrice Marie-Thérèse dans ses derniers retranchements.

La malheureuse n'avait pas le tempérament fougueux de son époux. Après lui avoir donné dix-sept enfants, elle mourut à la tâche. On l'enterra le 13 août 1807.

Neuf mois plus tard, l'insatiable empereur se remaria avec sa nièce, la ravissante Maria-Ludovica d'Este, de quatre ans plus âgée que Marie-Louise.

En voyant arriver à Schönbrunn cette jeune belle-mère dont elle était la cousine germaine, Marie-Louise fut d'abord animée par un vilain sentiment de jalousie. Puis Maria-Ludovica réussit à l'apprivoiser, et les deux adolescentes devinrent bientôt les meilleures amies du monde. Ensemble, elles composaient un herbier, elles dansaient, elles faisaient de la tapisserie ou de l'aquarelle. Mais, vers quatre heures de l'après-midi, lorsque l'archiduchesse s'en allait goûter sur l'herbe avec la fille de sa gouvernante, la jeune impératrice se retirait dans sa chambre pour accomplir un curieux devoir conjugal. Chaque jour, en effet, elle écrivait à son mari des lettres extrêmement libertines, que l'Empereur lisait avec volupté dans ses moments de solitude [5]...

Quand elle avait rempli consciencieusement ses quatre pages de mots orduriers, de descriptions audacieuses ou de souvenirs lascifs, Maria-Ludovica venait retrouver sa belle-fille et faisait avec elle une candide partie de chat perché...

Au début de mai 1809, Marie-Louise et Maria-Ludovica abandonnèrent cette vie calme pour fuir devant les troupes de Napoléon qui, une fois encore, s'approchaient de Vienne. Elles allèrent se réfugier en

---

4. Frédéric Masson, *Napoléon et les femmes*.
5. Dans son remarquable livre sur *L'Aiglon*, André Castelot écrit de Maria-Ludovica : « Elle-même se pliait d'ailleurs avec bonne grâce à toutes les exigences de son mari. Elle s'était révélée pour François une partenaire idéale, acceptant même, pour raviver une flamme qui n'avait nul besoin de vestale, d'écrire dans la journée, à son mari, des lettres érotiques absolument impubliables. »

Hongrie. C'est là que, le 23 mai, elles apprirent la rencontre d'Essling, où vingt-sept mille Autrichiens avaient été tués. L'archiduchesse n'eut plus, dès lors, assez de mots cruels et injurieux pour désigner l'Empereur des Français.

— C'est l'Antéchrist, disait-elle. Qui donc débarrassera l'univers de ce monstre ?

Chaque soir elle faisait des prières pour que son oncle, l'archiduc Charles, réussît à vaincre Napoléon. Puis elle se couchait et imaginait benoîtement toutes les tortures, tous les supplices qu'elle eût aimé faire subir à son ennemi. Les yeux fermés, souriant aux anges, elle se voyait lui crevant les prunelles, lui enfonçant des poignards dans le ventre ou le faisant rôtir à petit feu. Ravie, elle croyait l'entendre pousser des plaintes effroyables...

La défaite de Wagram l'atterra.

— Notre monarchie est perdue, disait-elle en pleurant.

Elle ignorait que son père se préparait à lui faire jouer un rôle capital dans le salut de l'Autriche et dans l'histoire du monde.

Depuis quelque temps, l'empereur François Ier suivait avec intérêt les tractations secrètes engagées par Paris avec Saint-Pétersbourg en vue d'un mariage entre la grande-duchesse Anne de Russie et Napoléon. Celui-ci, au faîte de sa puissance et de sa gloire, voulait avoir pour femme une princesse qui pût lui donner un héritier réellement apparenté à toutes les familles couronnées de l'Europe. Or, les pourparlers étaient constamment ralentis par la mère du Tsar qui détestait le Corse. Informé de ces atermoiements, François Ier pensa qu'il avait une carte à jouer. La dernière, peut-être, avant l'anéantissement de l'Autriche : donner sa fille à Napoléon afin de séparer celui-ci des Russes.

Il en parla à ses conseillers, et le baron Brandau déclara :

— Nous pourrons ainsi tenir, les mains liées, le plus terrible adversaire que nous ayons eu depuis l'invasion de 1683...

Bientôt une autre idée vint à l'esprit de l'empereur d'Autriche. Une idée machiavélique, en vérité, mais qui pouvait débarrasser l'Europe de son épouvantail. Cette idée, la voici : Napoléon avait quarante ans ; il était déjà usé physiquement. Marie-Louise en avait dix-huit ; elle était fraîche et en excellente santé. Livré à une adolescente pleine de vigueur et douée — François Ier n'en doutait pas — du tempérament exigeant qui était une des caractéristiques de la famille d'Autriche, le Corse devait sombrer rapidement dans d'épuisants excès sexuels propres à amoindrir ses facultés et à le conduire à un gâtisme précoce.

Mis dans la confidence, Metternich exulta :

— Il faut que ce mariage se fasse !

Au début de décembre 1809, Napoléon, qui espérait toujours épouser la sœur du tsar, répudia Joséphine et fit annoncer officieusement qu'il allait prendre pour femme une princesse de sang impérial...

Toute l'Europe effarée se demanda qui serait l'élue. C'est alors que, fort habilement, Metternich commença à faire prononcer le nom de

Marie-Louise. Aussi fut-il ravi de recevoir de M. de Fahnenberg la lettre suivante :

Ratisbonne, le 30 décembre

Le divorce de l'empereur Napoléon d'avec son épouse Joséphine a fait ici une grande sensation. Tout ce qu'on dit pour le justifier est bien loin de satisfaire. Charlemagne a bien également répudié sa première épouse Himiltrude, d'après le conseil de sa mère Bertrade, pour épouser la fille du roi lombard Didier, mais il se repentit bientôt de cet acte de violence.

Les conjectures varient sur le choix d'une nouvelle épouse que l'Empereur français fera. Les uns croient que le choix tombera sur Son Altesse Impériale l'archiduchesse Marie-Louise ; d'autres sur la princesse royale d'Angleterre, héritière de la couronne de la Grande-Bretagne, Charlotte-Augusta, ou sur la princesse impériale russe Anna Paulowna ; et, enfin, d'autres prétendent que ce sera la reine de Hollande [6], après avoir également divorcé d'avec son mari.

Il ajoutait, et ce passage dut faire sourire Metternich :

La première supposition n'est point invraisemblable. Il paraît que la haute politique conseille d'apprivoiser le destructeur du monde, Napoléon, par les liens doux de l'amour et de la parenté. Il est vrai, le sacrifice sera pénible, et les souvenirs douloureux pourront bien augmenter l'amertume de ce sacrifice, mais le bien-être de la monarchie autrichienne paraît l'exiger néanmoins, surtout si la restitution des provinces perdues était comprise dans le présent de noces...

Bien entendu, Marie-Louise n'avait pas été mise au courant des intentions de son père. Aussi, le 10 janvier 1810, tandis que les premières propositions de l'Autriche arrivaient à Paris, écrivit-elle naïvement à son amie la comtesse de Colloredo :

Bude est comme Vienne, et l'on ne parle que du divorce de Napoléon. Je laisse parler tout le monde et ne m'en inquiète pas du tout, je plains seulement la pauvre princesse qu'il choisira, car je suis sûre que ce n'est pas moi qui deviendrai la victime de la politique. Les nouvellistes de Bude nomment la fille du prince Maximilien de Saxe et la princesse de Parme.

Quelques jours plus tard, en lisant un journal, elle apprit avec effroi que son nom avait été prononcé à Paris et que Napoléon, renonçant au mariage russe, souhaitait devenir, par un mariage autrichien, le « neveu » de Louis XVI...

Tremblante, elle écrivit à Mlle de Poutet :

Napoléon a trop peur d'un refus et trop envie de nous faire encore du mal pour faire une pareille demande, et papa est trop bon pour me contraindre sur un point d'une telle importance.

6. Hortense, fille de Joséphine.

Pendant près d'un mois, Marie-Louise, qui ignorait tout des pourparlers engagés avec la France, essaya de se rassurer, pensant que les bruits qui couraient sur son mariage avec le *Corsicain* étaient inventés par des journalistes. Chaque soir, elle priait longuement pour que cette union « épouvantable » ne se fît pas et pour qu'elle pût épouser l'homme qu'elle aimait : son cousin l'archiduc François d'Autriche. Mais au début de février Metternich vint l'informer qu'il était chargé de demander officiellement sa main à François Ier de la part de Napoléon.

Elle faillit s'évanouir :
— Je frémis à la seule pensée de l'entrevoir, dit-elle, car cela serait un supplice pire que tous les martyres.
Pourtant, elle ajouta :
— Quelle est la volonté de mon père ?
Metternich la regarda dans les yeux :
— Il vous laisse libre de choisir, dit-il.
Mais le ton ne trompait personne. Comprenant qu'elle devait sacrifier son bonheur à l'intérêt de l'empire, elle murmura, en pleurant :
— Je ferai tout comme le désire mon cher papa !...

Dès lors, tout se passa pour elle comme dans un rêve. Le 16 février, son consentement fut expédié à Paris ; le 23, elle reçut une lettre fort tendre du *Corsicain* ; le 24, les fiançailles furent rendues publiques ; le 4 mars, le maréchal Berthier arriva à Vienne ; le 8, on attachait publiquement au cou de la jeune fille une miniature de son futur mari ; le 9 au matin, Berthier et Metternich signaient le contrat, calqué sur celui du dauphin Louis — futur Louis XVI — et de Marie-Antoinette ; le 9 au soir, pour que l'Europe entière comprît bien le sens de cette union, François Ier faisait représenter *Iphigénie en Aulide*, et le 11, à la cathédrale Saint-Étienne, Marie-Louise était mariée par procuration à l'homme qu'elle haïssait le plus au monde[7]...
Le 13, elle fit ses adieux à sa famille. Avant de monter dans la voiture qui devait la conduire dans cette France qu'elle détestait depuis son enfance, elle dit à son père ces mots énigmatiques :
— Je travaillerai à votre bonheur et au mien.
Avait-elle été instruite par Metternich du plan diabolique de l'empereur François ? Certains historiens l'ont assuré. « Marie-Louise, écrit Gérard Despeau, partait en France pour y accomplir une mission. Son père l'avait chargée d'amollir Napoléon, d'énerver sa constitution et d'égarer son génie, afin de précipiter sa chute et de permettre à l'Europe de respirer[8]. »
Marie-Louise reçut-elle ces directives ?
On ne le saura jamais.

---

7. Malicieux, comme toujours, Napoléon avait désigné pour le représenter à la cérémonie l'archiduc Charles, qui, pendant douze ans, l'avait combattu sur tous les champs de bataille d'Europe...
8. GÉRARD DESPEAU, *Le Rôle politique de Marie-Louise*.

Mais il est troublant de constater que, pendant quatre ans, son attitude sera exactement conforme au plan qu'avait, dans son machiavélisme, imaginé l'empereur d'Autriche...

2

La nuit de noces de Napoléon scandalise la cour

Il était hâtif en toutes choses.

MICHELET

Tandis que les quatre-vingt-trois carrosses qui amenaient Marie-Louise et sa suite roulaient vers la France, Napoléon piaffait.

Tous les jours, il appelait les officiers qui revenaient de Vienne et leur demandait, en faisant des gestes expressifs :

— A-t-elle de cela ?... Et de cela ?... Hein, dites-moi, dites-moi [9] !...

Les pauvres aides de camp de Berthier, extrêmement gênés, s'efforçaient alors de renseigner leur empereur sur les rotondités de la nouvelle impératrice en dessinant dans l'air des volumes à faire rêver un moine tibétain...

Mis en verve par ces perspectives, Napoléon courait vers sa glace et se demandait avec anxiété s'il pourrait plaire à cette « belle génisse » que l'empereur d'Autriche avait la bonté de lui envoyer.

Ce problème le tourmentait tellement que, depuis des semaines, il essayait de se rajeunir, se parfumait, se fardait, se pomponnait, se privait de tabac, fredonnait les airs à la mode, se faisait faire un costume couvert de broderies et s'efforçait de perdre du ventre.

Parfois, il s'enfermait pendant deux heures dans son cabinet avec le fameux Dubois, consignant sévèrement sa porte. Conférait-il d'une alliance ? D'une guerre ? Non. Tout simplement il apprenait à danser la valse pour séduire Marie-Louise.

Toutes ces coquetteries finirent par être connues, et la duchesse d'Abrantès put écrire : « Notre Salomon attend sa reine de Saba, et il verse dans tous les divertissements enfantins... »

Pour cette jeune femme qu'il ne connaissait pas encore, mais qu'il aimait déjà, parce qu'elle avait « de cela » et « de cela », il voulait que le palais des Tuileries fût rénové et lui-même, abandonnant les affaires de l'État, surveillait la décoration des appartements de la nouvelle souveraine. Il courait, s'agitait, indiquait la place d'un meuble, faisait changer un tissu et donnait des idées. Il avait, entre autres, imaginé un boudoir assez étrange, aux sièges asiatiques et entièrement tapissé de cachemires rares des Indes dont le prix dépassa 400 000 francs.

De temps en temps, il tirait de sa poche une miniature de Marie-

9. GÉNÉRAL LEJEUNE, *Mémoires*.

Louise et la contemplait avec une joie d'enfant. Parfois, il la comparait à une médaille des Habsbourg.

— Ah ! c'est bien la lèvre autrichienne, s'écriait-il alors avec ravissement.

Et ce trait semblait le rapprocher encore de Louis XVI, son nouvel oncle...

Quand il reçut les soixante paires de souliers brodés qu'il avait commandés pour Marie-Louise, il se mit à jongler avec les deux plus beaux. Les faisant admirer aux menuisiers, aux peintres, aux valets de chambre, aux ministres, il dit alors :

— Regardez. Connaissez-vous une femme qui ait un plus petit pied ?

Son exaltation était telle qu'on le sentait prêt à commettre les pires extravagances pour que tout fût parfait lors de l'arrivée de Marie-Louise. Il devait d'ailleurs en donner la preuve le jour où on l'informa que les tapissiers chargés de transformer le grand salon du Louvre en chapelle, pour la bénédiction, ne savaient pas où mettre les nombreux et merveilleux tableaux qui s'y trouvaient. Sans hésiter, il déclara :

— Il n'y a qu'à les brûler !...

Fort heureusement, quelqu'un trouva une solution moins expéditive.

Marie-Louise était bien loin de se douter que son arrivée provoquait un pareil trouble dans le cœur de Napoléon.

Tremblante, malgré les marques de tendresse qu'il lui témoignait quotidiennement par des lettres, des cadeaux, des convois de gibier, elle regardait les paysages d'Allemagne défiler dans la vitre de son carrosse.

Le 16 mars, à Braunau-sur-Inn bruissante de carillons et de salves d'artillerie, elle avait été « remise » par le prince Trauttmansdorf au maréchal Berthier, mandataire de Napoléon. Devenue officiellement Impératrice des Français, elle s'était séparée en pleurant de sa suite autrichienne pour adopter un quarteron de dames d'honneur que commandait avec un rien d'aigreur la charmante Caroline Bonaparte.

Puis elle était passée sous un arc de triomphe orné d'une banderole où les braves gens avaient, dans leur candeur habituelle, tracé ces deux phrases pleines d'une émouvante espérance :

L'amour nous assure contre de futurs dangers.
Qu'il nous fasse aussi heureux que nous pouvons l'être.

Après quoi, elle était repartie vers Ulm, Stuttgart et Strasbourg, où des fêtes d'un éclat exceptionnel avaient été organisées pour l'accueillir.

En voyant le Rhin, limite naturelle de la terre allemande, Marie-Louise s'était mise à sangloter. Et lorsque son carrosse, après avoir franchi le fleuve sur un pont de bateaux, était parvenu à la rive française, elle avait crié :

— Adieu Deutschland !...

Exclamation pathétique qui la faisait ressembler plus à une prisonnière qu'on enlève qu'à une souveraine qui s'en va vers son trône...

Marie-Louise avait quitté Strasbourg le 24 mars sous la pluie. Elle était passée à Lunéville, Nancy, Toul, Ligny-en-Barrois, Bar-le-Duc, Châlons, Reims, Sillery.

Le 27, alors qu'elle venait de quitter Vitry-sur-Marne, elle contempla la miniature de Napoléon et sourit pour la première fois.

— Il a belle allure, dit-elle.

Puis elle ajouta :

— Je m'ennuie bien de voir l'Empereur.

Caroline lui expliqua :

— Vous rencontrerez Sa Majesté demain après-midi, près de Soissons, sous une tente élevée près de la ferme de Pontarché.

Marie-Louise poussa un soupir :

— Va-t-on me faire recommencer tout le cérémonial de Braunau ?

Profondément déprimée par cette perspective, elle s'enfonça dans les coussins de la voiture et considéra avec mélancolie la pluie qui frappait la vitre...

Lorsque la berline arriva à l'entrée du village de Courcelles, deux hommes enveloppés dans des capes surgirent brusquement du porche d'une église où ils s'étaient abrités et se placèrent sur la route, devant les chevaux.

— Arrêtez !

Le cocher, un peu inquiet, immobilisa sa voiture.

L'un des mystérieux personnages — le plus petit — ouvrit alors la portière. Il était tout mouillé. Une mèche de cheveux, collée par la pluie, lui tombait sur l'œil.

Marie-Louise, qui croyait à un attentat, était blême de peur.

— Sa Majesté l'Empereur, dit Caroline en s'inclinant.

C'était Napoléon, en effet, qui, ne pouvant attendre plus longtemps, avait quitté Compiègne en compagnie de Murat.

— Madame, j'éprouve à vous voir un grand plaisir, dit-il.

Après quoi, jugeant les présentations suffisantes, il monta dans la berline, se jeta sur son épouse un peu interloquée et l'embrassa à plusieurs reprises.

— Maintenant, dit-il, vite, à Compiègne !

La voiture reprit la route à bride abattue, traversant en trombe des villages pavoisés où des maires qui avaient préparé un discours ne trouvaient même pas le temps de faire un salut.

— Vive l'Empereur ! criaient-ils, éberlués. Mais la berline était déjà loin.

A Soissons, un grand dîner avait été prévu. Les rues étaient noires de monde. Des enfants agitaient des drapeaux :

— Vive l'Empereur !

Le cortège se fraya un passage et continua sa route, laissant les Soissonnais fort déçus. Certains ricanèrent :

— Une nuit de noces, dame ! Cela rend les gens pressés...

Leurs réflexions eussent été plus vertes encore s'ils avaient vu Napoléon, quelques minutes plus tard, faire descendre Caroline, qui trouva place dans la deuxième voiture, afin de continuer la route seul avec son épouse...

Il faisait nuit lorsque la berline de Leurs Majestés s'arrêta devant l'escalier du château de Compiègne.

Marie-Louise, vêtue d'un long manteau de velours et coiffée d'une toque ornée de plumes de perroquet, descendit à petits pas, et d'une façon un peu sautillante qui étonna l'assistance.

Puis, elle s'appuya sur le bras de Napoléon et gravit les marches du perron avec le même air agité.

Enfin, elle arriva dans un salon où deux fillettes vinrent, assez gauchement, lui présenter des fleurs et lui dire un compliment. Pendant toute cette scène l'Impératrice n'arrêta pas de sauter d'un pied sur l'autre en montrant un sourire crispé.

Quand elle eut remercié, on la vit se pencher pour dire quelques mots à sa dame de compagnie, Mme de Montebello. Aussitôt celle-ci lui fit un signe et, sans se soucier des courtisans qui attendaient d'être présentés, l'entraîna à vive allure vers le fond des appartements. En voyant passer ainsi leur nouvelle impératrice coudes au corps, certains se prirent à regretter les manières plus douces et plus élégantes de Joséphine. Habitués à considérer les membres de la famille impériale comme des demi-divinités, ils ne pouvaient supposer que Marie-Louise s'en allait tout simplement et tout bourgeoisement faire pipi [10]...

Quelques instants plus tard, elle réapparut, souriante et visiblement soulagée.

Les présentations commencèrent. Mme de Montebello, toute rouge d'émotion, en profita pour aller raconter à ses amies ce que venait de faire Marie-Louise. Et les dames du palais, fort excitées d'être les dépositaires d'une telle confidence, pensèrent que le règne de la nouvelle impératrice commençait de façon bien attrayante.

Lorsque toutes les présentations furent faites, et tandis que les familiers de la cour s'apprêtaient à se diriger vers la salle à manger, Napoléon prit Marie-Louise par la main et la conduisit à sa chambre. Là, se trouvait Mgr Fesch. L'Empereur l'attira dans une encoignure de fenêtre.

— Le mariage par procuration est-il valable aux yeux de l'Église ?

— Oui, Sire.

— Nous sommes donc mariés, l'Impératrice et moi ?

— Parfaitement, Sire !...

Napoléon respira largement et sourit.

---

10. Cf. Édouard Gachot, qui dit : « Un besoin de se mettre à l'aise la commandait », *Marie-Louise intime.*

— Merci !

Puis il congédia l'évêque, Caroline, les dames de compagnie et s'approcha de Marie-Louise.

— Que vous a-t-on dit à Vienne ?

L'Impératrice rougit un peu :

— D'être à mon mari tout à fait et de lui obéir en toute chose !...

Cette fois, Napoléon se frotta les mains.

— Fort bien ! dit-il. Dans ce cas, déshabillez-vous et couchez-vous, je reviens.

Et, tout frétillant, il alla dans ses appartements pour quitter son uniforme, prendre un bain et se parfumer. Un quart d'heure plus tard, nu sous sa robe de chambre, il réapparaissait chez Marie-Louise.

Couchée au fond du lit, les draps tirés jusqu'au nez, la jeune fille, qui, un an plus tôt, ignorait l'existence du sexe masculin, s'efforçait de rassembler dans sa mémoire les informations fragmentaires et confuses qu'elle possédait sur le mécanisme des nuits de noces.

Sans prononcer un mot, Napoléon se déshabilla et bondit auprès de son épouse. « Alors, nous dit Joseph Turquan, celle-ci comprit qu'elle s'était unie à un homme d'action... »

Tandis que Napoléon donnait ainsi — et avec sa fougue habituelle — une première leçon d'amour à l'Impératrice, les invités attendaient toujours le moment de passer à table.

Soudain, un chambellan vint leur annoncer :

— Leurs Majestés se sont retirées !

Ces mots provoquèrent une grande stupeur.

Comme il paraissait impossible que les souverains se fussent permis d'aller dîner en cachette quand tout le monde les attendait, quelqu'un demanda :

— Mais où sont-ils ?

A ce moment, le général Bertrand arriva, essoufflé.

— Il paraît qu'ils sont couchés !

Cette fois, les ducs, les duchesses, les maréchaux, les barons se considérèrent avec effarement. Jamais, de mémoire de courtisan, on n'avait vu une nuit de noces se dérouler de façon aussi désinvolte.

Les lèvres pincées, chacun se retira dans ses appartements. Mais, en dépit d'un air volontairement sévère, il y avait dans les regards une petite étincelle qui témoignait de l'orientation des pensées...

« Le lendemain matin, nous dit Constant, l'Empereur me demanda, à sa toilette, si l'on s'était aperçu de l'accroc qu'il avait fait au programme. Je répondis que non, au risque de mentir. A ce moment, entra un des familiers de l'Empereur qui n'était point marié. Sa Majesté, lui tirant les oreilles, lui dit :

» — Mon cher, épousez une Allemande. Ce sont les meilleures femmes du monde : douces, bonnes, naïves et fraîches comme des roses.

» A l'air de satisfaction de Sa Majesté, il était facile de voir qu'elle faisait un portrait, et qu'il n'y avait pas longtemps que le peintre avait quitté le modèle.

» Après quelques soins donnés à sa personne, l'Empereur retourna chez l'Impératrice, et, vers midi, il fit monter à déjeuner pour elle et pour lui, se faisant servir près du lit, et par les femmes de Sa Majesté. Tout le reste du jour, il fut d'une gaieté charmante... [11] »

Le soir, il déclara à des amis :

— Elle a fait cela en riant !...

Pendant vingt-quatre heures, l'Empereur fut intarissable sur sa nuit de noces, donnant des détails sur son plaisir, sur la longueur des ébats et sur la virginité de Marie-Louise. Puis il fallut penser aux choses sérieuses.

Le 29 mars, on partit pour Saint-Cloud où fut célébré, en présence de la cour, le mariage civil, et, le 2 avril, par un soleil radieux, l'Empereur et l'Impératrice firent leur entrée solennelle dans la capitale.

Sous les acclamations de trois millions de spectateurs, Marie-Louise descendit les Champs-Élysées et traversa la place de la Concorde. Là où dix-sept ans plus tôt sa grand-tante, Marie-Antoinette, avait été décapitée, le peuple français applaudissait l'arrivée d'une nouvelle Autrichienne...

Le cortège traversa les jardins des Tuileries et se rendit au Louvre, où devait être célébré le mariage religieux.

Le début de la cérémonie fut troublé par un incident : les sœurs de Napoléon se refusaient à porter la queue du manteau de l'Impératrice. L'Empereur les interpella vertement :

— Reine de Naples ! Grande-Duchesse de Toscane ! Princesse Borghèse ! cria-t-il, quand on a porté le panier au marché, on peut bien, sans déchoir, soutenir une traîne impériale.

Tout rentra dans l'ordre.

Pendant trois semaines, Napoléon et Marie-Louise passèrent leur temps sur des lits, des sofas, des canapés. Lorsqu'ils eurent l'impression de se connaître un peu, ils se regardèrent en souriant. Alors l'Empereur décida d'emmener sa jeune femme en voyage de noces. Le 27, ils quittèrent Saint-Cloud et partirent visiter leurs peuples du Nord, les Flamands, les Belges et les Hollandais. Tendrement enlacés, ils parcoururent Saint-Quentin, Cambrai, Valenciennes, Bruxelles, Anvers, Bruges, Ostende, etc.

Dans un gros bourg de Hollande, il se passa une scène fort savoureuse. La municipalité avait fait élever un arc de triomphe orné d'une immense banderole portant cette extraordinaire inscription :

Il n'a pas fait une sottise
En épousant Marie-Louise.

11. Constant, *Mémoires.*

Dès qu'il eut aperçu ce distique, Napoléon fit demander le bourgmestre.

— Monsieur le Maire, lui dit-il, on cultive les muses françaises chez vous ?

L'autre rougit.

— Sire, je fais quelques vers...

— Ah ! c'est donc vous... Prenez-vous du tabac ?

Et l'Empereur présenta une tabatière enrichie de diamants.

Le bourgmestre devint écarlate.

— Oui, sire, mais je suis confus...

— Prenez, prenez, dit Napoléon en souriant. Gardez la boîte et le tabac. Puis il ajouta d'un ton théâtral :

> *Quand vous y prendrez une prise*
> *Rappelez-vous de Marie-Louise...*

Depuis quelques jours, en effet, Napoléon était d'une extrême gaieté.

L'Impératrice s'en réjouissait, sans se douter que cette bonne humeur était due à la naissance d'Alexandre-Florian de Walewice Walewski, gros bâtard que Marie Walewska venait de donner à Napoléon...

3

Marie-Louise empêche Napoléon de s'occuper des affaires de l'État

> Elle lui suçait la vie.
> JEAN-RENÉ MARTINEAU

Napoléon, on le sait, avait au plus haut point le sens de l'organisation. C'est ainsi qu'au cours du voyage en Hollande il avait prévu dans son emploi du temps un certain nombre de moments de tendresse pour la « préparation du roi de Rome ». A heures fixes, il entraînait l'Impératrice sur un grand lit et s'efforçait de l'ensemencer par des moyens éprouvés.

Ce travail de jardinier plaisait infiniment à Marie-Louise dont l'initiation amoureuse avait été fulgurante. Vraie fille de son père, elle était devenue, en quelques semaines, une partenaire pleine d'initiatives et de raffinement, ce dont Napoléon lui savait gré...

De son côté, la jeune femme était reconnaissante à l'Empereur de lui avoir fait connaître les jeux de la volupté, et si sa haine de jadis ne s'était pas encore transformée en amour, du moins avait-elle fait place à une tendre complicité qui pouvait en donner l'illusion. Elle l'appelait *Nana, Popo*, ou *mon très méchant galant*, et disait aux dames de sa suite :

— L'Empereur est bien charmant et bien doux pour un homme de guerre si redoutable.

Gourmande au lit, comme elle l'était à table, elle faisait passer à

Napoléon des nuits merveilleuses, mais un peu épuisantes pour un chef d'État.

Obéissait-elle alors à la fougue de ses dix-neuf ans ou à des ordres précis envoyés par son père, comme le supposent — je l'ai dit — certains historiens ? On l'ignorera toujours.

Mais il est certain que, le lendemain, le grand Empereur, le cerveau vidé, les jambes molles et l'œil terne, avait bien du mal à s'occuper des affaires de l'Empire.

Comme nous le dit Joseph Turquan, « l'Impératrice développait dangereusement chez l'Empereur une nature déjà portée aux excès génésiques ».

Ces défaillances intellectuelles ne ralentissaient pas l'ardeur de Napoléon dont l'objectif capital était alors de concevoir un héritier. Préférant prononcer de mauvais discours, dicter des lettres sans queue ni tête, mais créer une dynastie, il courait, plusieurs fois par jour, savourer l'Impératrice.

Au contact de cette charmante nymphomane, l'Empereur, qui avait déjà un goût immodéré pour la bagatelle, devint véritablement obsédé.

« Les excès génésiques, auxquels l'entraînait Marie-Louise, écrit le docteur Passard, provoquèrent rapidement chez cet homme de quarante et un ans, assez sobre, un état presque constant d'excitation vénérienne. Atteint de priapisme au moment où il lui aurait fallu justement le calme des sens pour parachever son destin de façon grandiose, il devint une marionnette dont chaque dame qui passait faisait tourner la tête et dresser les membres [12]... »

On le vit bien en Hollande. Alors que Marie-Louise exigeait de lui des hommages qui eussent exténué plusieurs artilleurs, il devint l'amant de la belle princesse Aldobrandini et de la duchesse de Montebello, dame de compagnie de l'Impératrice...

L'attitude de Marie-Louise en cette occasion est sévèrement commentée par Alexandre Mahan :

« Si elle avait été une Circé ou quelque mauvaise fée envoyée pour débarrasser l'Europe de son conquérant et venger la mort de Marie-Antoinette, écrit-il, elle n'aurait pas agi autrement.

» Quel était le moyen le plus sûr de conduire Napoléon à la ruine ? L'étude de son caractère nous a révélé une faiblesse : sa passion pour les femmes et sa méconnaissance de l'influence qu'elles pouvaient exercer sur lui ; sur ce sujet, il avait trop confiance en lui-même et se trouvait par conséquent exposé à toutes les surprises. Il ne savait pas se défendre d'une femme portant l'auréole d'une origine royale ; cette femme, même visiblement dangereuse, devait forcer aisément la cuirasse de son cœur ; une fois dans la place, elle userait de ses charmes et de son aristocratie pour s'approprier exclusivement ses soins, en lui suscitant maintes difficultés ; il lui était facile de le tenir en son pouvoir et de lui faire des ennemis partout en le poussant à faire du tort à ses

---

12. Dr Passard, *Napoléon et l'amour*.

propres amis pour la protéger et réveiller par des imprudences la colère de ses ennemis.

» Elle l'endormirait dans ses bras et il se réveillerait ensuite en s'écriant : "Le monde entier est contre moi [13]." »

Pour l'instant, Marie-Louise, volontairement ou non, se contentait d'amoindrir les facultés de l'Empereur...

Au retour de Hollande, les souverains, réinstallés aux Tuileries, continuèrent — sur tous les lits — à préparer le roi de Rome. Tant d'efforts devaient être récompensés. Au mois d'août, la jeune Impératrice annonça, en rougissant, à Napoléon qu'elle avait « la belle espérance »...

L'Empereur poussa un cri de joie et, sans plus attendre, nomma les personnages qui devaient constituer la maison du futur petit prince.

Pendant sept mois, un affolement extraordinaire régna à la cour. On prépara des berceaux, des langes, des robes, des bonnets, des chaussons, des berceuses, des cantates, des jouets en quantité suffisante pour équiper les maternités des cinq parties du monde.

Enfin, le 19 mars 1811 au soir, Marie-Louise ressentit les premières douleurs. Dès lors, et jusqu'après l'accouchement, les scènes les plus burlesques et les plus folles devaient se dérouler. Les dames d'honneur s'évanouirent, le médecin se mit à trembler, un valet renversa un meuble garni de verrerie, un garde alla faire sonner le bourdon de Notre-Dame, et Napoléon courut prendre un bain...

Ce vent de folie souffla toute la nuit. A l'aube, l'Empereur était toujours dans sa baignoire lorsqu'il vit arriver le docteur Dubois, pâle et défait.

— Alors ?

L'autre bredouilla quelques mots inintelligibles.

Napoléon, complètement égaré, crut comprendre que Marie-Louise était morte. Il se dressa tout nu et prononça cette phrase stupéfiante :

— Eh bien ! si elle est morte, on l'enterrera !

Dubois réussit à expliquer que rien ne s'était encore passé, mais que les choses se présentaient mal et qu'on allait devoir employer les fers.

Napoléon, regrettant sans doute les paroles qu'il venait de prononcer, dit alors d'un ton ferme :

— Sauvez la mère ! Avec elle je peux avoir un autre enfant !

Puis il passa dans l'appartement de l'Impératrice. Mais la pauvre poussait de tels cris qu'il préféra attendre la fin de l'opération dans un cabinet de toilette.

A huit heures vingt, un hurlement plus effrayant que les autres lui apprit que Marie-Louise était délivrée. Il se précipita dans la chambre, et demeura saisi. Tandis que tout le monde se congratulait, le roi de Rome, objet de tant de soins, gisait sur le tapis...

13. ALEXANDRE MAHAN, *Marie-Louise, la Némésis de Napoléon.*

En voyant paraître l'Empereur, Mme de Montesquiou ramassa vivement le nouveau-né.

Deux heures plus tard, l'énervement n'ayant pas encore pris fin, Mme Blanchard, très excitée, partit en ballon de l'École militaire pour aller répandre dans les villes et les villages la grande nouvelle...

La naissance du roi de Rome inspira naturellement les chansonniers. Grisés par l'enthousiasme, certains ne surent pas s'arrêter à la limite du bon goût. On chanta par exemple :

> *Une rose nouvelle*
> *Charmait Napoléon*
> *Par les soins qu'il prit d'elle*
> *Elle donne un bouton.*

Plus loin, l'auteur, accréditant la légende de Napoléon superhomme, écrivait :

> *En amour comme en guerre,*
> *Il est sûr de son fait.*
> *Il a dit : « Je veux faire*
> *Un garçon. » Il l'a fait.*

Enfin, une certaine gaillardise n'était pas absente de ces chansons laudatives, ainsi que le prouve ce couplet :

> *On dit qu'ça fait un bel enfant*
> *Et qu'il est v'nu au monde en riant.*
> *Qu' c'est tout' la figur' de sa mère,*
> *Mais tout l' reste est d' monsieur son père...*

Ce qui faisait rire le bon peuple de France.

C'est au château de Navarre — près d'Évreux —, où elle résidait sur l'ordre de Napoléon depuis que Marie-Louise était enceinte, que Joséphine apprit la naissance du roi de Rome.

Le maire donnait ce soir-là un grand dîner à l'occasion de la Saint-Joseph, patron de la Créole, lorsqu'on entendit tonner le canon.

Dès le vingt-deuxième coup, l'ex-Impératrice, les larmes aux yeux, se tourna vers Mme d'Arberg, sa première dame d'honneur, et dit :

— Un fils. Comme l'Empereur doit être heureux !

Puis, tandis que les membres de sa petite cour l'abandonnaient pour courir, avec un empressement servile, porter leurs félicitations à Napoléon, Joséphine monta dans sa chambre et écrivit la plus belle lettre que nous possédions d'elle :

Sire, au milieu des nombreuses félicitations qui vous parviennent de tous les coins de l'Europe, de toutes les villes de France et de chaque régiment de l'armée, la faible voix d'une femme pourra-t-elle arriver jusqu'à vous ? Et daignerez-vous écouter celle qui, si souvent, consola vos chagrins, adoucit les peines de votre cœur, lorsqu'elle n'a à vous

parler que du bonheur qui achève de mettre le comble à vos vœux ?
Ayant cessé d'être votre épouse, oserai-je vous féliciter d'être père ?

J'aurais désiré apprendre la naissance du roi de Rome par vous et non par le canon d'Évreux, mais je sais qu'avant tout vous vous devez au corps de l'État et surtout à l'heureuse princesse qui vient de réaliser vos plus chères espérances. Elle ne peut vous être plus dévouée que moi, mais elle a pu davantage pour votre bonheur en assurant celui de la France. Elle a donc droit à vos premiers sentiments, à tous vos soins ; et moi, qui ne fus votre compagne que dans les temps difficiles, je ne puis exiger qu'une place bien éloignée de celle qu'occupe l'impératrice Marie-Louise dans votre affection. Ce ne sera donc qu'après avoir embrassé votre fils que vous prendrez la plume pour causer avec votre meilleure amie...

C'est de vous que je désire savoir si votre enfant est fort, s'il vous ressemble, s'il me sera un jour permis de le voir ; enfin, c'est une confiance entière que j'attends de vous et sur laquelle je crois avoir le droit de compter, en raison de l'attachement sans borne que je vous conserverai tant que je vivrai...

A minuit, un courrier spécial emporta la lettre à Paris. Et, le lendemain, Joséphine reçut le billet de l'Empereur :

Mon amie, j'ai reçu ta lettre ; je te remercie.
Mon fils est gros et très bien portant. J'espère qu'il viendra bien.
Il a ma poitrine, ma bouche et mes yeux, j'espère qu'il remplira sa destinée.

Et, pour consoler un peu son ancienne compagne, il avait ajouté :

Je suis toujours très content d'Eugène. Il ne m'a jamais donné aucun chagrin...

Ces dernières lignes avaient profondément touché Joséphine. Elle les fit lire à Mme d'Arberg.

— L'Empereur m'aime encore, lui dit-elle. Voyez comme il est bon d'associer Eugène à son fils et d'en parler comme s'il était vraiment nôtre...

Bouleversée par la gentillesse de Napoléon, elle alla pleurer de bonheur dans la chambre de Mme Gazzani, ancienne maîtresse de l'Empereur, dont elle avait fait sa dame d'atours pour pouvoir s'entretenir sans aucune restriction des divers talents de son ex-mari. Et, longtemps, les deux femmes évoquèrent avec émotion les moments enivrants où, les trompant réciproquement, Napoléon les mettait chacune dans son lit...

Après quoi, Joséphine alla retrouver son amant, le jeune Théodore de Turpin-Crissé, dont le titre de chambellan recouvrait des fonctions extrêmement étendues...

Ce jeune homme de vingt-neuf ans était un peintre de talent que l'Impératrice avait attaché à son service intime depuis deux ans, et qui se trouvait être indirectement à l'origine du divorce impérial.

La comtesse de Kielmanssegge — ravissant agent secret de l'Empereur — écrit en effet dans ses *Mémoires* : « Le divorce de Napoléon et de Joséphine ne laissait pas de me causer une assez profonde émotion, bien que je susse qu'aucune sorte de considération n'aurait été assez forte pour décider l'Empereur à un acte d'une aussi exceptionnelle gravité pour lui-même et pour Joséphine si celle-ci se fût comportée à l'égard de son époux comme son âge et sa dignité lui en faisaient le devoir.

» Nous n'étions que quelques-uns à savoir que, pendant l'absence de l'Empereur, et malgré le sincère attachement qu'elle éprouvait pour lui, Joséphine entretenait une liaison secrète, comme elle en avait du reste l'habitude, avec l'un des plus jeunes chambellans de sa maison, M. de Turpin-Crissé.

» Ses ennemis personnels ne manquèrent pas d'envoyer à l'Empereur des preuves de sa trahison, et c'est très certainement ce qui lui donna, à lui, le courage de dompter son propre cœur [14]. »

Depuis la répudiation, le jeune aristocrate suivait Joséphine pas à pas, toujours prêt à lui donner sur un canapé ou sur une carpette le calmant dont elle avait un besoin constant. Son ardeur, en effet, était si grande que M. de Bouillé nous dit qu'« il lui arrivait de se trousser entre deux portes et de demander à son chevalier de la servir debout, adossée au mur »...

Au début de 1810, le duc de Mecklembourg-Schwerin étant venu demander la main de Joséphine, M. de Turpin-Crissé avait craint pour sa situation. Mais l'Impératrice entendait conserver la pension que lui versait Napoléon, et le duc était reparti la main vide...

Alors, le beau Théodore avait suivi sa dame à la Malmaison, à l'Élysée, à Navarre, à Genève, à Chamonix, à Aix, en accomplissant consciencieusement, trois ou quatre fois par jour, le savoureux labeur pour lequel il avait été engagé...

Un tel effort méritait une récompense. En 1811, Napoléon, qui connaissait le tempérament de Joséphine, nomma M. de Turpin-Crissé baron de l'Empire...

En 1816, un pamphlet, intitulé *Le Moniteur secret* ou *Un tableau de la Cour de Napoléon*, vint jeter le trouble dans certains esprits faibles. L'auteur — anonyme — y racontait, avec un grand luxe de détails, une visite faite par Napoléon à Joséphine en 1811.

Je lui laisse la parole :

« Ce jour-là, écrit-il, l'Empereur arriva sans escorte à la Malmaison. En le voyant entrer, Joséphine s'avança précipitamment, puis s'arrêta, fort émue.

14. Comtesse de KIELMANSSEGGE, *Mémoires*.

» — J'ai voulu vous revoir, dit Napoléon, pour vous montrer que la politique ne me fait pas oublier mon affection. Les intérêts de ma dynastie sont assurés : maintenant je renonce à ces précautions qui blessent autant mon pouvoir que mon repos.

» Les deux anciens époux s'assirent alors sur un sofa pour évoquer des souvenirs. Au bout de quelques instants, Napoléon regarda Joséphine d'un air fort amoureux et lui dit :

» — Savez-vous que jamais vous n'avez été mieux ?

» L'Impératrice sourit tristement.

» — Oh ! je sais bien que le chagrin et l'isolement m'ont cruellement changée.

» — Non, Joséphine ! Et vous m'intéressez au plus haut point. Ah ! si vous n'étiez pas le fruit défendu...

» — Eh bien !

» — Mais, n'ai-je pas toujours mes droits ?

» — Auxquels vous avez renoncé !

» — Que je puis faire revivre.

» — Que je ne vous laisserai pas reprendre. Grand Dieu ! Et votre religion ? Et vos serments ?

» — La religion ? Les serments ? Croyez-vous donc à tout cela ? D'ailleurs n'étais-je pas votre époux ? Puis-je cesser de l'être ?

» — Mais le divorce ?

» — Chose de convenance. Au reste, attendez. Nous allons avoir sur cela quelque solution théologique. Holà ! Roustan ! N'y a-t-il pas dans l'antichambre un cardinal et un archevêque ? Que l'on m'amène aussitôt ce que l'on pourra trouver de ces gens-là.

» Quelques minutes passèrent et l'on annonça l'archevêque de Malines et le cardinal Maury. Joséphine couvrit de ses deux mains la rougeur feinte ou vraie de son front.

» — Venez, messieurs, leur dit l'Empereur, dissiper les scrupules de Madame. Elle prétend que le divorce a détruit tous mes droits sur elle. Elle parle d'adultère, de fornication et de je ne sais quelles autres fadaises dont, auparavant, elle ne m'avait jamais fatigué.

» Le cardinal Maury baissa les yeux et garda le silence. M. de Malines lorgna, en tapinois, la timide Joséphine et ne dit rien. Alors, Napoléon perdit patience et s'écria :

» — Eh bien ! messieurs les Docteurs, la question est-elle trop délicate pour vos chastes oreilles ?

» — Sire, dit Mgr de Malines, l'Église !

» — Pas d'Église ! C'est moi qui suis l'Église !

» Le cardinal Maury s'inclina :

» — Dans ce cas, Sire, nous n'avons pas à délibérer puisque votre volonté nous est connue.

» Napoléon frappa du pied avec violence :

» — Délibérez, vous dis-je, non pas pour moi, puisque je sais à quoi m'en tenir, mais pour calmer les scrupules de Madame.

» Les prélats se retirèrent. Mais ils n'eurent pas le temps de résoudre le problème épineux qui leur était proposé car, dix minutes plus tard, l'Empereur, essoufflé et mal reboutonné, sortit brusquement du salon et les informa qu'il n'avait plus besoin de leur décision... »

Ce récit, est-il besoin de le dire, relève de la plus haute fantaisie. Imagine-t-on, en effet, l'ardente Joséphine refusant de se donner à Napoléon pour des raisons de morale, et celui-ci alertant des prélats pour les entretenir de ses intentions érotiques ?

Tout cela est invraisemblable.

Il s'est trouvé, cependant, des historiens pour accorder foi à ce pamphlet et prétendre, très sérieusement, que Napoléon avait continué d'être l'amant de Joséphine après son mariage avec Marie-Louise...

Aujourd'hui, une telle accusation n'est plus soutenue que par des auteurs légers. Pourtant, si les « mémoires » de témoins irréfutables établissent, de façon formelle, que l'Empereur n'eut aucune relation galante avec son ex-épouse, il n'en demeure pas moins vrai qu'il allait parfois la voir en cachette de Marie-Louise...

Au cours de ces rapides entrevues, Napoléon et Joséphine se promenaient dans le parc en bavardant tendrement, et leur attitude « n'avait rien qui pût choquer la pudeur ». Ils évoquaient quelques souvenirs et s'entretenaient de leurs soucis respectifs. C'est alors que l'incorrigible Créole en profitait pour parler de ses dernières dettes.

L'Empereur grondait un peu pour la forme, mais finissait toujours par dire :

— Envoie-moi tous les papiers, je ferai régler cela par le Trésor de la Couronne [15]...

Naturellement, Marie-Louise finit par être informée des voyages clandestins que faisait Napoléon à la Malmaison. Elle s'en montra jalouse.

La petite archiduchesse était-elle donc devenue amoureuse du « Corsicain » ?

Elle le croyait. Au point qu'après la naissance du roi de Rome, elle avait écrit à son père :

Je n'aurais jamais cru que je serais si heureuse. Depuis la naissance de mon fils, mon amour pour mon mari n'a fait que croître, et je ne puis me rappeler sa tendresse sans verser des larmes. Si je ne l'avais aimé auparavant, je ne pourrais manquer de l'aimer à présent.

Je vous enverrai le portrait du petit et vous verrez comme il ressemble à son père. Il est en parfaite santé et passe toute la journée dans le jardin. L'Empereur s'intéresse étonnamment à lui. Il le porte dans ses bras, joue avec lui et l'a déjà rendu malade en le faisant manger...

Oui, Marie-Louise croyait aimer Napoléon. Elle se réjouissait d'être près de lui, admirait son autorité, recherchait ses caresses, détestait, a

---

15. Malgré ses trois millions de pension annuelle, Joséphine avait, en 1811, un million de dettes...

priori, toutes les femmes qui pouvaient l'approcher et s'inquiétait de la présence de Joséphine à quatre lieues de Paris. Et, pourtant, la haine qu'elle avait si longtemps nourrie demeurait intacte au fond d'elle-même et la faisait agir inconsciemment. Ainsi, comme nous le dit Alexandre Mahan, qui a merveilleusement analysé le caractère de Marie-Louise, « deux esprits l'animaient » :

« L'un la poussait à être une épouse et une mère aimantes ; l'autre à être une mauvaise fée ; l'un l'entraînait à rendre Napoléon heureux, l'autre à le plonger dans la ruine ; l'un voyait en lui un mari affectueux et un père dévoué, l'autre le considérait comme l'Esprit de la Révolution qui avait assassiné sa double grand-tante Marie-Antoinette, torturé le dauphin jusqu'à la mort, le démon qui avait cruellement humilié son « cher papa », emprisonné le pape, détruit le Saint-Empire romain germanique, le conquérant sans pitié qui avait couvert de tombes toute l'Autriche et rempli le pays de veuves et d'orphelins. »

La première action détestable de la « mauvaise fée » fut d'éloigner Napoléon de son travail. Douce, sensuelle, ronronnante, elle le retint dans son lit, le caressa, le fatigua, l'amollit. En quelques mois, le terrible maître du monde fut transformé en un petit-bourgeois pantouflard qui préférait la tiédeur d'une chambre aux aléas d'un bivouac et une partie de bézigue aux joies plus farouches d'un beau carnage militaire.

Écoutons encore Alexandre Mahan :

« Les mémorialistes du temps nous disent que, pendant plusieurs mois après son mariage, Napoléon n'accorda plus aucune attention aux affaires de l'État. Auparavant, c'était un bourreau de travail, restant de longues heures à son bureau, se couchant à dix heures et se levant à deux pour reprendre ses dossiers et ses cartes. Après son mariage, il changea entièrement ses habitudes, restant au lit très tard le matin ; il avait perdu sa grande activité.

» A Sainte-Hélène, il arriva à Napoléon de parler de ce changement et de la négligence de ses devoirs dans la période qui suivit son mariage ; il s'en excusait en disant que, nouvellement marié à une jeune femme de l'aristocratie, il avait bien le droit de se réchauffer un peu à ses charmes. Il oubliait que sa situation n'était pas celle du commun des mortels : son poste était celui de geôlier de l'Europe, dont la moitié au moins attendait et surveillait le moment de s'échapper et de briser ses chaînes. Le moindre relâchement devait lui être fatal [16]. »

En effet, pendant qu'il était ainsi absorbé par sa jeune épouse, l'Espagne lui échappait complètement, la Prusse et l'Autriche s'alliaient en secret avec la Russie, et la Suède, livrée à Bernadotte, se jetait dans les bras du tsar [17]...

16. ALEXANDRE MAHAN, *Marie-Louise, la Némésis de Napoléon.*
17. En 1810, Bernadotte avait été proclamé, par les Suédois à la recherche d'un héros, prince royal et héritier présomptif de la Couronne. Accueilli comme un fils par le roi Charles XIII, il régna de fait et s'unit bientôt à la coalition contre Napoléon. En 1818, à la mort de Charles XIII, il devait être couronné sous le nom de Charles XIV et entraîner sur le trône de Suède l'ex-petite fiancée de Bonaparte, la douce Désirée Clary...

A cause d'une femme trop tendre, Napoléon allait perdre son Empire...

4

Émilie de Pellapra était-elle la fille de Napoléon ?

> Ce doute, toujours ce doute !
>
> RAYMOND DEVOS

La vie familiale que Marie-Louise lui faisait mener n'avait retiré à Napoléon qu'une part de son activité. S'il négligeait les affaires de l'État, en revanche, il continuait d'être attiré, comme avant, par tous les jupons qu'il rencontrait...

État d'esprit que Constant résume par cette phrase savoureuse : « Il ne se piquait guère plus que du temps de Joséphine de pousser jusqu'au scrupule la fidélité conjugale... »

En avril 1811, Bausset, qui était le surintendant des plaisirs impériaux, vint dire à Napoléon qu'un de ses rabatteurs habituels, le général Loison, avait découvert à Bourg-la-Reine une ravissante jeune fille de dix-sept ans, aux appas bien dessinés...

L'Empereur, alléché, demanda des détails. Bausset fut lyrique :

— Elle s'appelle Lise Lebel, elle est brune, élancée, et possède dans son corsage deux adorables seins dont sa maman m'a garanti la fraîcheur et la belle tenue.

Le tableau avait du charme. Napoléon appela Constant et l'envoya sur-le-champ à Bourg-la-Reine chercher cette séduisante personne.

« Ma visite, raconte celui-ci, ne causa aucune surprise, et je vis que ces dames avaient été prévenues, sans doute par leur obligeant patron (le général Loison), car elles m'attendaient avec une impatience qu'elles ne cherchèrent point à dissimuler.

» La jeune personne était éblouissante de parure et de beauté, et la mère rayonnait de joie à la seule idée de l'honneur destiné à sa fille. Je vis bien que l'on s'était figuré que l'Empereur ne pouvait manquer d'être captivé par tant de charmes, qu'il allait être pris d'une grande passion...

» — Mon Dieu ! Mon Dieu ! disait Mme Lebel, que le ciel est bon pour nous ! »

Après avoir embrassé sa fille et lui avoir recommandé d'être bien gentille avec l'Empereur, la brave femme se jeta sur un prie-Dieu et récita une dizaine de chapelets en action de grâces...

Tandis qu'elle priait, Constant fit monter Lise dans la voiture et l'emmena au château de Saint-Cloud, où Napoléon calmait son impatience en prenant un bain très chaud.

Ils arrivèrent à onze heures du soir, sous une pluie battante.

« Nous entrâmes par l'Orangerie, écrit Constant, dans la crainte de regards indiscrets. Comme, d'ailleurs, j'avais les passe-partout de toutes les portes du château, je la conduisis sans être remarqué jusque dans la chambre de l'Empereur [18]. »

Napoléon fut émerveillé en voyant Lise.

— Vive Bourg-la-Reine ! s'écria-t-il.

Constant s'éclipsa. Aussitôt, l'Empereur fit asseoir la jeune fille sur un canapé et, le plus poliment qu'il put, lui demanda si elle était encore vierge.

Lise baissa la tête et assura qu'elle l'était. Le visage de Napoléon se rembrunit. Il avait horreur de cela. Pour lui, le plaisir ne devait être le fruit d'aucun effort, et l'idée de « peiner » pour connaître la volupté « réduisait ses désirs ».

— Je n'aime pas beaucoup les vierges, dit-il avec un sourire crispé.

Lise se vit perdue. Elle éclata en sanglots et avoua qu'un de ses cousins lui avait pris son « avantage » en moissonnant les blés.

Napoléon fut soulagé.

— Je préfère cela, dit-il.

Puis il déshabilla rapidement la jeune fille, la porta sur son lit et fit en sorte qu'elle eût l'impression d'être revenue au temps des moissons.

Au bout de trois heures, il eut soudain l'envie d'être seul. Il appela Constant :

— Reconduis mademoiselle !

Lise ne s'attendait pas à être jetée dehors après usage.

— Il est deux heures du matin, dit-elle.

L'Empereur prit un air sévère :

— A cette heure-là, dit-il, une demoiselle qui a bon genre doit être rentrée chez sa mère.

Et il tourna les talons.

Constant, malgré la pluie qui tombait toujours à verse, reconduisit alors la jeune fille à Bourg-la-Reine. Il était cinq heures du matin lorsqu'il frappa à la porte de Mme Lebel. En voyant qu'on lui ramenait sa fille, la brave femme fut effondrée.

Lise lui sauta au cou :

— Ne pleure pas, maman, l'Empereur m'a fait la chose trois fois...

Mme Lebel joignit les mains :

— Merci, mon Dieu ! dit-elle. J'ai eu tellement peur...

Dans la semaine qui suivit, Napoléon fit chercher Lise à plusieurs reprises et la combla de cadeaux. Mais il n'eut jamais pour elle cette passion qu'espérait pieusement la bonne Mme Lebel.

Le 22 mai 1811, les souverains, qui étaient installés depuis quelques semaines au château de Rambouillet, partirent faire un petit voyage en Normandie.

A Caen, une fête champêtre fut donnée en l'honneur de l'Impératrice.

18. CONSTANT, *Mémoires*.

Dix-neuf jeunes femmes, choisies parmi les plus jolies de la ville, lui présentèrent des corbeilles de fleurs et de fruits en chantant une cantate dont les paroles étaient d'une aimable niaiserie :

> *Voici, voici nos cœurs, au milieu de ces fleurs,*
> *Pour Votre Majesté et pour notre Empereur.*
> *Voici, voici nos cœurs au milieu de ces pommes,*
> *Pour Votre Majesté et pour le roi de Rome...*

Ensuite, nous dit-on, « parut un jeune enfant porté sur un riche brancard où étaient placées deux barriques dorées, remplies l'une de cidre et l'autre de lait ; il en descendit avec deux coupes de cristal pour faire, aux pieds de Sa Majesté, des libations de ces productions régionales. Puis il dit un poème ».

Cet enfant était une petite fille de quatre ans, nommée Émilie de Pellapra. Charmée par sa grâce, Marie-Louise l'embrassa et lui fit remettre une belle montre à son chiffre.

Après la fête, tandis que l'Impératrice regagnait l'hôtel d'Hautefeuille, rue Guibert, où elle logeait, la petite Émilie retrouva sa maman, qui la confia à une bonne. Mme Françoise de Pellapra, gracieuse épouse du receveur des Finances du Calvados, n'avait pas le temps, en effet, de s'occuper de la fillette. Un rendez-vous important lui avait été fixé. Elle se perdit dans la foule, prit de petites rues et arriva devant une maison qu'entourait une garde discrète. D'un pied léger, elle gravit trois marches. Un chambellan lui ouvrit la porte et l'accompagna respectueusement jusqu'à un salon où se trouvait Napoléon...

Dès qu'ils furent seuls, l'Empereur la prit dans ses bras.

— Nous n'avons qu'un quart d'heure, dit-il.

La jeune femme ne se formalisa point. Elle retira ses souliers, se coucha sur le canapé, releva candidement sa robe « et offrit sa bergamote à Napoléon. Celui-ci vint montrer avec fougue l'intérêt qu'il portait à l'objet [19] », et M. le Receveur des Finances du Calvados, une fois de plus, fut cocu...

Car l'Empereur était l'amant de Mme de Pellapra depuis quelques mois déjà.

C'était donc par la fille de sa maîtresse qu'il avait fait réciter un poème à Marie-Louise...

Curieuse idée, on en conviendra...

Napoléon avait rencontré pour la première fois Mme de Pellapra le 25 février 1810 au bal masqué donné par le ministre des Affaires étrangères d'Italie, Marescalchi, et s'était senti fort troublé à la vue d'une gorge dont on nous dit « qu'elle donnait des picotements au creux des mains les plus honnêtes ».

19. Dr PASSARD, *Napoléon et l'amour.*

Dès son retour aux Tuileries, il avait appelé Bausset :

— Renseignez-vous. Il faut m'amener cette femme !

Le « surintendant des plaisirs impériaux », ayant effectué une rapide enquête, avait appris que Mme de Pellapra, née Françoise Leroy, était une Lyonnaise de vingt-six ans qui avait épousé en 1805 M. Leu-Henry-Alain de Pellapra, banquier de trente-trois ans, dont elle avait une fille depuis le 11 novembre 1806.

En juin 1808, M. de Pellapra, entraîné dans la chute de la maison Ouvrard, avait dû fermer sa banque de Lyon. Fort heureusement, Fouché, dont la jolie Françoise était la maîtresse, lui avait fait obtenir la recette des Finances à Caen. Les deux époux vivaient dans le Calvados depuis le mois de décembre 1808.

Ayant rapporté ces détails à Napoléon, Bausset s'était incliné en souriant :

— Je dois dire encore à Votre Majesté qu'avant Fouché Mme de Pellapra avait été la maîtresse d'Ouvrard et de quelques autres...

Ce qui était apparu à l'Empereur comme une précision de bon augure...

Quelques jours plus tard, Françoise avait été amenée aux Tuileries par Bausset, mais s'était fait désirer sans rien accorder. Le lendemain, Napoléon l'avait fait revenir, bien décidé, cette fois, à la savourer de gré ou de force... Écoutons la jeune femme nous conter elle-même cette seconde et capitale rencontre :

« Je portais un fourreau de soie rose qui moulait mon corps jusqu'aux épaules et laissait à mes membres leur langueur, leur souplesse et leur liberté. Cette fois, l'Empereur n'essaya plus de réfréner sa passion. Il me redit tout son amour et mit tant d'ardeur dans ses paroles que le thé refroidit sur le guéridon... Il se jeta à mes pieds. La sensualité qui se dégageait de son regard m'étourdit et me grisa... Il me prit les lèvres... Son impétuosité était pour moi une chose nouvelle et me surprit. Je fermai les yeux. Mon cœur battait précipitamment. Je ne pus me défendre que bien faiblement... L'Empereur ne pouvait quitter des yeux ma chair fascinante et ombrée, qu'il caressait... Il soupira longuement. Ses mains enveloppèrent ma poitrine, mes seins, puis descendirent peu à peu le long de mes hanches...

» La suite fut étourdissante, inconfortable, brutale, mais délicieuse... Napoléon avait su trouver les caresses qu'il fallait. Vaincue, je cédai. Alors un double sanglot de volupté et un gémissement réciproque ne tardèrent pas à ponctuer nos ébats dans cette étreinte passionnée et profonde [20]... »

La fin du séjour à Paris de Mme de Pellapra avait été illuminée par ses rendez-vous avec l'Empereur. Presque tous les jours, pendant plus d'un mois, elle était venue dans les appartements secrets des Tuileries connaître les frissons de l'adultère mondain en compagnie du maître

---

20. Mme de PELLAPRA, *Mémoires intimes*.

de l'Europe. Mais les joies humaines sont éphémères, et, à la fin d'avril, elle avait dû regagner Caen, où son mari commençait à s'impatienter.

C'est là que Napoléon venait de la retrouver après un an de séparation.

Ils ne devaient se revoir qu'en avril 1814 à Lyon, lors du retour de l'île d'Elbe. Françoise, ayant sollicité une entrevue, eut le bonheur de se voir bousculée sur un sofa et maltraitée comme au premier jour...

Cette liaison, qui allait se terminer dans le tumulte de la reconquête du trône, devait être à l'origine d'une curieuse fable.

Après la mort de M. de Pellapra, survenue en 1852, un bruit étrange commença à courir dans la famille de Françoise. On murmurait qu'Émilie — qui avait épousé en 1830 le prince de Caraman-Chimay, fils de l'ex-Mme Tallien — était la fille naturelle de Napoléon.

Pressée de questions par ses descendants, Mme de Pellapra, alors âgée de soixante-dix ans, prit des airs d'enfant coupable et raconta qu'elle avait rencontré pour la première fois Napoléon à Lyon, en mars 1808, que l'Empereur « l'ayant vue, désirée et un instant aimée », elle avait conçu de lui une fille, née non pas le 11 novembre 1806, mais le 11 novembre 1808.

Une aussi belle histoire émerveilla la famille, qui se la transmit avec un touchant orgueil. Et, en 1921, la princesse Bibesco, qui avait pour belle-mère la princesse Valentine, née Caraman-Chimay — propre fille d'Émilie —, publia un article dans la *Revue des Deux Mondes* pour révéler aux historiens éberlués l'existence de cette fille de Napoléon.

Deux mois plus tard, la princesse Bibesco publiait les *Mémoires* de Françoise de Pellapra, préfacés par Frédéric Masson. Le grand spécialiste de l'histoire napoléonienne, souscrivant aux affirmations de la famille de Caraman-Chimay, racontait qu'en 1890 la princesse Mathilde trouvait à Émilie une grande ressemblance avec l'Empereur...

Il ajoutait que pour son beau-frère, M. Lefèbvre de Béhaine, diplomate distingué, l'origine d'Émilie ne faisait point de doute, et confirmait que l'enfant était bien née le 11 novembre 1808.

Tant d'assurance de la part d'un historien dont la parole faisait autorité permit de considérer la filiation d'Émilie comme un fait acquis. Celle-ci, nous dit André Gavoty, « semblait devoir, pour la postérité, prendre place entre le comte Léon, né en 1806, et le comte Walewski, né en 1810, dans la descendance naturelle, mais authentique, de Napoléon Ier » [21].

Or, il y a quelques années, deux érudits lyonnais, MM. Audin père et fils, firent une découverte capitale qui détruit irrémédiablement la légende créée par Françoise de Pellapra. Il s'agit de l'acte de naissance d'Émilie. Le voici : « Le 12 novembre mil huit cent six... a comparu Leu-Henry-Alain de Pellapra, banquier, quai Saint-Clair, 25, lequel a

---

21. André Gavoty, *Émilie de Pellapra n'est pas la fille de Napoléon*, Revue de l'Institut Napoléon, n° 35, avril 1950.

présenté un enfant du sexe féminin, né hier matin à six heures, *de lui, comparant*, et de Françoise-Marie Leroy, son épouse, auquel enfant on a donné le prénom d'Émilie-Louise-Marie-Joséphine... »

Émilie est donc bien née en 1806. Or, cette année-là, Napoléon n'est pas allé à Lyon.

Autre erreur : la princesse Bibesco écrit : « Une chose est certaine : M. de Pellapra refuse de reconnaître l'enfant que la loi lui donne [22]. » L'acte d'état civil dément formellement cette affirmation. Il serait fastidieux de relever ici toutes les inexactitudes qui se trouvent dans le récit de la princesse Bibesco. Elles fourmillent. Qu'on sache seulement qu'il n'est plus possible, après la découverte de MM. Audin et les études minutieuses de l'éminent historien M. André Gavoty, de croire qu'Émilie de Pellapra était la fille de l'Empereur.

D'ailleurs, avant 1860, personne ne fit jamais allusion à l'existence d'une bâtarde impériale. Et lorsqu'un écrivain de l'époque se pencha sur la vie des Pellapra, il se contenta d'écrire :

« Ce Pellapra a douze millions, il avait une fort jolie femme, très coquette sous l'Empire et la Restauration. En 1815, elle était la maîtresse du duc de Berry... Mme de Pellapra avait eu Ouvrard, puis Fouché, puis Murat, et, enfin, Napoléon. C'était comme une échelle à laquelle elle montait. L'Empereur ne la garda que six semaines. »

« Or, nous dit M. André Gavoty, ces lignes indiscrètes ne sont pas les ragots d'un obscur pamphlétaire, elles sont signées Victor Hugo, et figurent dans les *Choses vues*. Ce ne sont pas, en outre, de simples on-dit, car Victor Hugo, pair de France, était alors appelé à juger devant la Chambre des Pairs, érigée en Haute Cour, M. de Pellapra, inculpé d'avoir obtenu de M. Teste, naguère ministre, et pour quatre-vingt-quinze mille francs, l'attribution d'une concession minière. Victor Hugo avait donc à sa disposition tous les documents de l'instruction menée contre M. de Pellapra, alors en fuite, et que sa femme devait si utilement défendre. »

Si Émilie avait été la fille de Napoléon, Victor Hugo l'eût appris et nous l'eût conté avec gourmandise... Or, il n'en a rien fait...

5

La duchesse de Bassano est responsable de la disgrâce de Talleyrand

> A chaque tournant de la vie de
> M. de Talleyrand, il y a une femme.
>
> M. DE BOUILLÉ

A la fin de 1811, d'un bout à l'autre de l'Europe, les peuples commencèrent à se soulever contre Napoléon. L'édifice qu'il avait

22. PRINCESSE BIBESCO, *Revue des Deux Mondes*, 15 mars 1921.

essayé de construire craquait de toutes parts, et déjà certains esprits clairvoyants annonçaient la catastrophe finale.

Pendant ce temps, l'Empereur, toujours aussi soumis aux caprices de son épouse, passait ses soirées à jouer à *colin-maillard* ou au *furet du bois joli*...

Le 2 décembre, il reçut un long rapport de Davout sur l'état menaçant des esprits en Allemagne.

Agacé, il répondit :

Je vous prie de ne pas me mettre de semblables rapsodies sous les yeux. Mon temps est trop précieux pour que je le perde à m'occuper de pareilles fantaisies.

Puis il alla faire sa partie habituelle avec l'Impératrice et quelques amis.

Ce soir-là, Marie-Louise avait organisé un jeu de *Pigeon vole*. Napoléon, ayant levé par plaisanterie la main au mot « ministre », fut condamné à une « pénitence ». On lui demanda de faire « le chevalier à la triste figure », c'est-à-dire de s'asseoir dans un fauteuil et de recevoir sur ses genoux une dame qu'un autre joueur viendrait embrasser.

Il joua ce rôle en simulant une profonde jalousie qui fit rire l'assemblée.

Puis il demanda, en réparation de la brimade qu'elle lui avait infligée, que Marie-Louise voulût bien montrer un talent de société.

L'Impératrice n'en avait qu'un ; mais elle en était fière. Elle se leva, jeta un regard reconnaissant à Napoléon et remua son oreille gauche sans bouger aucun muscle de sa face.

Ce spectacle stupéfia l'assistance. Au point que Marie-Louise dut recommencer deux fois.

— Encore ! Encore ! disaient les invités enthousiasmés. Mais l'Impératrice, que l'exercice fatiguait, demanda grâce.

— Je recommencerai demain soir, promit-elle.

Puis elle reprit le jeu et donna une pénitence à la jolie duchesse de Bassano, qui, étourdiment, avait fait « voler » un escadron.

— Vous, lui dit-elle, vous devrez « embrasser le chandelier ».

La jeune femme connaissait toutes les pénitences alors en vogue. Elle n'alla pas poser ses lèvres sur un bougeoir, comme l'avait fait, un soir, à la grande joie des dames de la cour, la femme d'un receveur des Finances de Limoges. Elle prit une chandelle, la donna à Napoléon. qui, devenu « chandelier » vivant, reçut un long baiser...

Tout le monde applaudit, et l'Impératrice rit beaucoup de la mine embarrassée de l'Empereur. Sans doute se fût-elle moins amusée si elle avait vu les lueurs d'ironie qui flottaient dans les regards. Tous les témoins de la scène savaient, en effet, que Mme de Bassano était, depuis plusieurs mois déjà, la maîtresse de Napoléon...

Les fonctions que cette jeune femme, née Marie-Madeleine Lejeas, remplissait dans le lit impérial avaient largement contribué à améliorer la situation de son mari. Celui-ci, Hugues-Bernard Maret, politicien médiocre, était devenu, grâce à elle, duc de Bassano et ministre des Relations extérieures (Affaires étrangères).

Elle était, il est vrai, fort habile.

Pour plaire au maître, elle utilisait tous les moyens dont elle disposait. Au lit, se laissant aller aux instincts primitifs qui sommeillaient en elle, elle se montrait une infatigable bacchante, émerveillant Napoléon par des trouvailles d'un érotisme badin, et l'exténuant sous des caresses compliquées. A la cour, elle se parait de robes moulantes dont le décolleté s'arrêtait à la pointe des seins. Dans son salon, sachant que l'Empereur désirait voir les femmes s'occuper de leur intérieur, elle ourlait des torchons devant ses invités...

Au début de 1812, alors que Napoléon se préparait à entrer en guerre contre la Russie, les charmes de Marie-Madeleine allaient mettre l'Empire en péril. A ce moment, l'Empereur, qui prévoyait combien la campagne serait dure, pensa à rappeler Talleyrand et à lui confier une mission délicate en Pologne. Il s'agissait d'aller à Varsovie pour diriger les affaires polonaises pendant son expédition. Mme de Bassano fit échouer ce plan, qui eût peut-être changé le cours de l'Histoire.

Écoutons Caulaincourt :

« Vers la fin de l'hiver (mars 1812), l'Empereur avait mieux traité M. de Talleyrand. Il eut même plusieurs conversations avec lui. Un soir, il le garda fort tard, *ce qui alarma beaucoup Mme de Bassano, qui le voyait déjà le successeur de son mari.* »

Informé des inquiétudes de la jeune femme, l'Empereur convoqua Bassano et lui révéla les détails de la mission qu'il avait confiée à Talleyrand.

— Vous voyez, ajouta-t-il, que vous n'avez rien à craindre. Le prince de Bénévent va me servir auprès des Polonais, veiller sur Vienne et l'Allemagne, sans empiéter sur vos prérogatives. Il s'agit plus d'un travail d'agent secret que d'une activité de diplomate.

Quelques jours plus tard, Napoléon apprit que la mission dont il avait chargé Talleyrand faisait l'objet de toutes les conversations de salons. Furieux, il retira définitivement sa confiance au prince de Bénévent, qu'il croyait coupable de cette indiscrétion, et lança même contre lui un ordre d'exil.

Que s'était-il passé en réalité ?

M. de Bassano, mis au courant des intentions de l'Empereur concernant M. de Talleyrand, était rentré chez lui très affecté et avait parlé à sa femme. « Celle-ci, nous dit Caulaincourt, ne perdit pas de temps et pria un ami commun de divulguer la mission de Talleyrand comme tenant ces détails de son intimité.

» La disposition d'esprit où était l'Empereur à l'égard de M. de Talleyrand rendait sa perte facile. M. de Rambuteau, chambellan de l'Empereur, fit circuler la nouvelle. L'Empereur, instruit par ses polices du bruit des salons, fut furieux contre le prince... M. de Bassano triompha, et M. de Talleyrand, qui, on peut le dire, évita miraculeusement l'exil, fut plus en disgrâce que jamais [23]. »

Cette disgrâce privait l'Empereur d'un collaborateur précieux entre tous, au profit d'un homme dont la nullité allait être désastreuse pour la France.

Napoléon s'en aperçut trop tard et se confia à Caulaincourt, qui nota ses plaintes :

« L'Empereur me parla des Turcs, des Suédois. Il se plaignait beaucoup de M. de Bassano. Il l'accusait d'imprévoyance. Il disait qu'il n'était pas servi, que le ministère des Relations n'allait qu'autant qu'il le poussait ; que M. de Bassano ne pensait à rien ; qu'il fallait que tout vînt de lui : que la Suède devrait être en armes depuis trois mois pour profiter de l'occasion de reconquérir la Finlande ; que les Turcs devraient avoir deux cent mille hommes sur le Danube ; qu'un autre que M. de Bassano leur aurait fait déployer l'étendard de Mahomet depuis deux mois ; que ces deux puissances n'auraient jamais une aussi belle occasion de recouvrer ce que la Russie leur avait enlevé ; que leur inaction était une grande faute politique ; et que la prompte coopération de ces forces, dans ce moment, lui manquait par la faute de M. de Bassano ; qu'il *en serait responsable à la France...* »

Ainsi la France se trouvait, une fois de plus, en danger à cause d'une femme trop jolie, trop ardente et trop ambitieuse...

6

Une femme est la cause de la guerre franco-russe

> La femme est un bienfait des dieux.
>
> ANATOLE FRANCE

Les historiens austères qui refusent d'accorder la moindre importance aux femmes dans l'existence des États racontent volontiers que Napoléon et le tsar se brouillèrent en 1812 pour des raisons politiques.

Cette version officielle satisfait peut-être les économistes distingués, quelques vieux conservateurs des hypothèques et les professeurs sentencieux qui cherchent dans la vie une justification de leur propre gravité : mais, pour les autres, ceux qui savent qu'à l'origine de presque tous les événements se trouve une femme, elle est nettement insuffisante.

Ce sont, bien entendu, ces incrédules qui ont raison. Car le différend qui motiva la tension entre la Russie et la France, poussa Alexandre à rouvrir ses portes aux marchandises anglaises et Napoléon à entrepren-

23. Général CAULAINCOURT, duc de Vicence, grand écuyer de l'Empereur, *Mémoires*.

dre la plus désastreuse campagne militaire de notre histoire a, en effet, pour cause quelques-unes de ces ravissantes « semeuses de discorde » dont parlait Saint-Simon.

L'Empereur lui-même le reconnaîtra un jour :

— Le tsar, dira-t-il, fut offensé, et nous sommes entrés en guerre parce que j'ai épousé une archiduchesse d'Autriche...

Il faut remonter à l'entrevue d'Erfurt pour trouver l'explication du désaccord franco-russe. A ce moment, Napoléon, séduit par le charme slave, avait laissé entendre qu'il pourrait divorcer d'avec Joséphine et épouser une sœur du tsar [24].

Celui-ci s'était montré enthousiasmé, et, sans plus attendre, avait écrit à la grande-duchesse Catherine pour lui annoncer l'immense bonheur qui l'attendait. Hélas ! dès son retour en France, Napoléon s'était ravisé.

La petite princesse russe, qui, déjà, préparait son trousseau, avait appris ce revirement avec la fureur qu'on imagine. Habile, elle s'était employée aussitôt à faire partager son ressentiment au tsar. On la trouvait dans tous les salons, allongée sur un canapé ou sur un tapis, gémissant comme une forcenée. Parfois, elle simulait une syncope ou une crise de nerfs. Tout cela était si bien imité qu'Alexandre, blessé dans son orgueil dynastique, n'avait pas tardé à traiter publiquement Napoléon de mufle et de gros porc, épithètes qui ne témoignaient pas d'une particulière sympathie. Enfin, il avait donné sa sœur en mariage au duc d'Oldenbourg...

« L'éternel motif de querelle sur la terre : la femme, écrit Alexandre Mahan, venait de semer la brouille entre les deux souverains. A partir de ce moment, tout le mal était fait. Un peu plus tard, Napoléon essaiera de gagner les bonnes grâces du tsar en lui proposant d'épouser sa plus jeune sœur (Anne), mais cela ne fera que compliquer les choses, qui ne tarderont pas à empirer. La guerre entre la France et la Russie était dès ce moment presque inévitable [25]. »

Le mariage de Napoléon avec Marie-Louise n'avait fait, bien entendu, qu'aggraver la situation, à la grande joie de François Ier d'Autriche qui assistait à la réalisation de son plan.

A la fin de 1811, l'Empereur, qui avait été vexé par le mariage rapide de Catherine, annexa le duché d'Oldenbourg, privant ainsi de son petit territoire le mari de celle qu'il avait pensé épouser. D'où une irritation croissante de la famille impériale russe à l'égard de la France.

Devinant que les sentiments qu'il inspirait à Saint-Pétersbourg étaient rien moins qu'amicaux, Napoléon commença à masser quatre cent mille hommes à la frontière polonaise.

Le 25 avril 1812, il reçut du tsar un ultimatum lui enjoignant de retirer ses troupes. Il ne répondit pas ; mais, le 5 mai, accompagné de Marie-Louise, il partit brusquement pour Dresde...

24. V. Livre VII.
25. ALEXANDRE MAHAN, op. cit.

Là, il fut reçu comme le suzerain de l'Europe par l'empereur d'Autriche, les rois de Prusse, de Bavière, de Saxe et une foule de princes venus l'assurer de leur dévouement.

Le spectacle de toutes ces couronnes qui s'inclinaient devant lui le gonfla d'orgueil. Il se crut invincible. Et, le 29 mai, tandis que François Ier partait s'installer à Prague avec sa chère fille retrouvée, il alla prendre le commandement de ses troupes contre la Russie.

Très vite Napoléon s'aperçut que les Russes se dérobaient à tout engagement sérieux.

— Ils ont peur ! disait-il.

Il s'agissait, en réalité, d'une machiavélique manœuvre. Le tsar, en reculant, l'obligeait à s'enfoncer dans l'immense Russie où l'hiver allait se charger bientôt de geler sur place les soldats de la Grande Armée...

Les exploits héroïques des hommes au cours de cette terrible campagne ont été souvent relatés. Ceux des femmes sont moins connus. Elles étaient nombreuses, pourtant, dans les régiments, où leurs vertus ménagères étaient aussi utiles le jour que l'étaient, la nuit, leurs talents amoureux. C'est pourquoi il m'a semblé intéressant de publier le témoignage de l'une d'entre elles, la fameuse Ida de Saint-Elme, qui était la maîtresse de Ney.

Cet extraordinaire document révèle un aspect ignoré de la campagne de Russie :

« Il y avait beaucoup de femmes à la suite de l'armée et j'eus le bonheur de trouver une amie dans une jeune Lituanienne que son enthousiasme pour les Français avait élevée jusqu'à l'héroïsme. Elle avait donné au prince Eugène un avis très important sur la marche de Platow, ce qui avait valu à cette vaillante fille la reconnaissance et l'admiration des soldats.

» Nidia — c'était son nom — cédait cependant à une passion plus intime et plus secrète. Hélas ! elle eut la douleur de perdre dans cette terrible campagne celui qui lui inspirait tant de courage. Un jour que je lui demandais ce qui la poussait au milieu de tant de dangers, elle me répondit :

» — Les éloges du prince Eugène.

» Elle eût pu ajouter aussi : ''Et l'amour que j'ai pour le général Montbrun.''

» Je ne raconterai pas tout ce que nous eûmes à souffrir, tout ce que nous vîmes de courage et de persévérance dans cette terrible campagne.

» Nous voyagions quatre femmes ensemble, parmi lesquelles il n'y avait qu'une Française ; tour à tour en calèche, en traîneau, plus tard à pied, à cheval. Deux de ces malheureuses succombèrent.

» Nidia et moi, plus aguerries, nous résistâmes.

» Après une marche de trente lieues dans des marais presque impraticables, on nous fit faire halte dans un assez beau château.

» En entrant dans Moscou occupé enfin par nos troupes, cette ville immense nous apparut comme un vaste tombeau ; ses rues vides, ses édifices déserts, cette solennité de la destruction serraient le cœur.

» Nous étions logées rue de Saint-Pétersbourg, près du palais Miomonoff, qui fut bientôt occupé par le prince Eugène. La vue de ce jeune héros, les acclamations des soldats dont il était adoré nous rendirent toutes les illusions de la victoire. Nous nous étions endormies, bercées par de doux songes... Hélas ! nous fûmes réveillées aux cris du pillage et de toutes les horreurs. »

Le père de la comtesse de Ségur, le gouverneur Rostopchine, avait fait allumer mille incendies dans la ville et Moscou brûlait.

« Les portes de notre appartement, poursuit Ida de Saint-Elme, furent bientôt enfoncées par une troupe de soldats du 4e corps qui nous engagèrent à quitter promptement le palais que déjà envahissait l'incendie. Comment décrire la scène d'épouvante qui s'offrait alors à nos regards ?

» Sans guides, sans protection, nous parcourûmes cette vaste cité encombrée de ruines et de cadavres, poussées par les flots des soldats, par des troupeaux de malheureux fuyant la mort, par des hordes de scélérats portant la flamme de tous côtés.

» Nidia et moi, nous avions des pistolets. Naturellement fortes et courageuses, enhardies d'ailleurs par la nécessité, nous marchions au milieu de ces périls. Au détour d'une rue, nous aperçûmes trois misérables dépouillant un militaire blessé et sans défense. Nidia, obéissant à son seul instinct, saisit un de ses pistolets et fit feu sur l'un des bandits, qui tomba à l'instant. Lâches comme le crime et la peur, ses deux complices s'enfuirent devant deux femmes. Nous conduisîmes le blessé dans une église... »

Tandis que Napoléon perdait un temps précieux à Moscou, où il espérait tous les jours recevoir des propositions de paix du tsar, l'hiver parut. En quelques jours les chemins furent couverts de neige, et le thermomètre descendit à 20 °C au-dessous de zéro. L'Empereur comprit alors dans quel piège il était tombé. Il décida de se replier sur la Pologne. Toutefois, pour ne pas avouer au monde qu'il reculait, il laissa Mortier avec dix mille hommes dans le Kremlin. Le 19 octobre, après trente-cinq jours d'occupation, l'armée française quitta Moscou. Au même instant, les Russes, qui avaient regroupé leurs forces, attendaient Napoléon sur la route de Smolensk, bien décidés à lui porter le coup final...

Écoutons encore Ida de Saint-Elme :

« On a peint admirablement cette guerre fabuleuse, les épisodes de cette retraite si pleine d'émotions terribles et nouvelles pour les Français, mais le pinceau énergique et pittoresque des grands écrivains n'a pu en reproduire toutes les couleurs.

» J'ai vu de malheureuses femmes payer par de tristes complaisances la faveur d'approcher les feux d'un bivouac... Je les ai vues, abandonnées, périr sur la neige ou sous les pas de ceux qui ne reconnaissaient plus, dans les misères du lendemain, les victimes qui, la veille, avaient pourtant excité leurs désirs.

» Jusque-là, les Cosaques n'avaient pas encore inquiété nos équipages, mais ils parurent bientôt derrière les chariots. Je n'avais pas l'énergie guerrière de Nidia, mais à l'approche du tigre, je sentis le besoin de le tuer.

» C'est dans les déserts qu'il faut avoir vu ces Cosaques tombant sur nos soldats, non pour les combattre, mais pour les piller et les laisser nus sous la neige. Dans cette première et subite alerte, Nidia tira huit coups de pistolet, dont cinq portèrent. J'essayai de ne pas être en dessous d'elle. Un soldat qui ajustait l'ennemi par-dessus mon épaule me dit :

» — Votre main tremble... Auriez-vous pitié de cette canaille ?

» Je lâchai le coup et, tout en mâchant une autre cartouche, le soldat me fit frissonner par l'énergie de cette approbation militaire :

» — Bien visé, cela !...

» Nidia, électrisée, s'était saisie d'une carabine et elle allait se jeter encore plus dans la mêlée quand le bruit de la cavalerie qui arrivait mit en fuite les Cosaques.

» Il y eut tant d'éloges pour Nidia que j'aurais rougi de démentir notre amitié par mon peu de courage.

» L'occasion se renouvela souvent d'en donner des preuves dans les innombrables attaques de bagages, triomphe ordinaire des soldats de Platow. Voir en face les sales Cosaques du Don eût suffi pour inspirer la force de les braver.

» Près de Viazma, Nidia, qui s'était un moment éloignée, nous sauva tous encore par son énergie ; là, elle eut à lutter corps à corps avec un Cosaque qui, reconnaissant une femme, devenait intrépide par convoitise. La fortune nous amena heureusement du renfort, et le Cosaque ainsi que ceux qui l'accompagnaient n'eurent plus envie de nous suivre.

» Dans un assaut qui eut lieu à quelques jours de là, Nidia, toujours héroïque, reçut à mes côtés une large blessure à la tempe. L'effroi me fit redevenir femme et je sanglotai de douleur.

» — Calmez-vous, me dit la courageuse fille. Si je reste en arrière, je suis perdue... Il ne faut pas que je descende de cheval.

» Et elle y demeura avec une puissance étonnante de résolution.

» La foule grossissait d'heure en heure, poursuivie par le feu meurtrier des batteries russes [26]. »

La retraite commençait.

Trois cent mille hommes allaient y périr, parce que Napoléon avait dédaigné une petite princesse russe...

26. IDA DE SAINT-ELME, *Mémoires*.

7

Napoléon fait de Marie-Louise la régente de l'Empire

Il l'aimait jusqu'à l'aveuglement.

H. FLEISCHMANN

Tandis que les soldats de la Grande Armée tombaient de faim et de froid dans les steppes, où, certaines nuits, le thermomètre marquait — 30°, Marie-Louise, ignorante du désastre que connaissait l'Empereur, vivait tranquillement au château de Saint-Cloud.

Le 23 octobre, vers dix heures du matin, coiffée d'une toque de velours noir, enveloppée d'un manteau gris, elle descendit dans le parc, accompagnée de Mme de Montebello. Malgré un léger brouillard, elles firent leur promenade quotidienne en commentant les « excellentes nouvelles » que Napoléon, soucieux du moral de l'Impératrice, envoyait tous les jours[27].

Soudain, elles virent arriver en courant le prince Aldobrandini qui semblait en proie à une profonde émotion. Lorsqu'il fut à deux pas d'elles, il retira son chapeau et prononça cette phrase inattendue :

— Madame ! Une révolution vient d'éclater à Paris...

L'Impératrice perdit brusquement ses couleurs de bonbon fondant. Se voyant déjà traînée à la Conciergerie et à l'échafaud, comme sa grand-tante Marie-Antoinette, elle se mit à trembler.

— Mais qui a fait cela ? bredouilla-t-elle.

Le prince, fort troublé lui-même, expliqua, dans un grand désordre d'élocution, que le général Malet s'était présenté de nuit dans une caserne avec un prétendu décret du Sénat qui annonçait la mort de l'Empereur et le faisait commandant militaire de Paris.

L'autorité du conspirateur était si grande que les officiers avaient été abusés. Suivi bientôt d'un détachement de la garde nationale, le général Malet s'était rendu chez Savary, le ministre de la Police, l'avait arrêté et conduit à la prison de la Force[28]. Puis il avait fait de même avec le préfet de Police.

— A l'heure actuelle, conclut le prince, Malet, aidé du général Lahory, dispose de plusieurs régiments. Il tient l'Hôtel de Ville, et ses hommes ont pris position à la barrière Saint-Martin, à la barrière de Vincennes, à la Préfecture de Police, sur le quai Voltaire, sur la place de Grève et sur la place Royale...

Marie-Louise fut atterrée.

— Il faut sauver le roi de Rome, dit-elle.

---

27. Napoléon présentait fort habilement sa retraite. Il n'écrivait pas, en effet, à Marie-Louise : « Je recule », mais : « Chaque jour, je me rapproche un peu plus de toi... »
28. La belle Mme Savary avait tenté d'arracher son mari aux ravisseurs. Dans son affolement, elle était sortie de sa chambre toute nue. Ce qui avait fait dire, le lendemain, aux Parisiens : « Mme Savary est la personne qui s'est le mieux montrée... »

Et elle rentra précipitamment au château, suivie de Mme de Montebello en larmes.

Un quart d'heure plus tard, une voiture était prête à conduire à Saint-Cyr le fils de Napoléon et l'Impératrice. Déjà l'on y plaçait à la hâte quelques bagages, quand un cavalier passa au galop la grande grille.

— Rassurez-vous, cria-t-il, tout est terminé !...

Introduit immédiatement auprès de l'Impératrice, le cavalier, qui était envoyé par le duc de Feltre, ministre de la Guerre, expliqua ce qui s'était passé.

Après avoir blessé d'un coup de pistolet à la tête le général Hulin, qui montrait quelque méfiance à l'annonce de la mort de l'Empereur, Malet s'était rendu chez le général Doucet, chef d'état-major. Mais ce militaire n'avait pas été dupé. Après avoir lu le sénatus-consulte fabriqué par le conspirateur, il s'était écrié :

— C'est un faux !...

Alors Malet avait porté la main à son pistolet. Geste imprudent, car un adjudant, nommé Laborde, s'était précipité sur le général rebelle et l'avait ceinturé.

— Malet est maintenant en prison avec ses complices, ajouta l'aide de camp du duc de Feltre. Le ministre de la Police et le préfet ont été libérés, et Paris est calme. Votre Majesté peut être entièrement rassurée...

Marie-Louise respira.

Deux heures plus tard, ayant retrouvé son esprit primesautier, elle plaisantait avec ses dames de compagnie sur les inconvénients qu'il y avait à être guillotiné...

Napoléon n'allait pas prendre les choses aussi légèrement. Lorsque, dix-sept jours plus tard, un courrier lui apprit ce qui s'était passé, il demeura, nous dit-on, « comme frappé par la foudre ».

Jamais il n'avait imaginé qu'on pût attenter à sa puissance. Pourtant, il avait suffi qu'un général illuminé annonçât son décès pour que l'Empire risquât de s'écrouler... Il fut abasourdi et amer ; car il était clair qu'à la nouvelle de sa mort personne à Paris n'avait pensé à proclamer le roi de Rome Napoléon II.

Inquiet soudain, il décida de retourner immédiatement en France afin d'arriver aux Tuileries avant que la nouvelle de son désastre militaire n'y fût parvenue.

Abandonnant son armée, il monta dans un traîneau avec Caulaincourt et se dirigea vers la Berezina. Là, il donna l'ordre au général Éblé de construire un pont et passa le premier, suivi de ses hommes qui, dans un désordre indescriptible, s'efforçaient d'échapper aux Cosaques. Écoutons Ida de Saint-Elme, maîtresse de Ney, nous conter ce navrant épisode de notre histoire :

« Le maréchal Ney, à force de prodiges, parvint à ranimer le combat pour que la fuite elle-même devînt possible. Trois jours n'avaient pu suffire à l'écoulement de tous ces flots d'hommes : on ne pensait plus qu'à soi dans cette fatale bagarre que sillonnait par intervalles la lueur des canons russes.

» Un boulet vint tomber à dix pas de nous. Je m'élançai, affolée : Nidia me rassura avec un calme sublime. Cette fille était merveilleuse.

» Nous nous retranchâmes alors sous une voiture avec une vivandière et ses deux enfants, en attendant que le danger eût disparu. Enfin, la division du général Gérard vint frayer et assurer un passage.

» — Le moment est venu, me dit Nidia. Il faut suivre.

» Mais la pauvre vivandière, qui avait déjà affronté tant de dangers, n'osa affronter celui-là.

» — Donnez-nous un de vos enfants, lui dis-je, nous le passerons.

» — Impossible, répondit-elle, ils me sont tous deux également chers.

» Nous fûmes forcées de nous éloigner, la mort dans l'âme, pour suivre ceux qui, déjà, traversaient le pont.

» Nous étions à peine sur l'autre bord que ce pont craqua. Tout à coup, il se rompit et nous entendîmes un cri, un seul cri poussé par la multitude, un cri indéfinissable. Il retentit encore à mon oreille chaque fois que j'y pense. Tous les malheureux restés sur l'autre bord tombaient écrasés par la mitraille, car les Russes venaient d'arriver. C'est alors que nous pûmes comprendre toute l'étendue de ce désastre. La glace n'étant pas assez forte, elle se rompait, engloutissant hommes, femmes, chevaux, voitures... »

Ida de Saint-Elme et son amie Nidia s'éloignèrent de la Berezina :

« Avec de l'or, nous pûmes enfin nous procurer une malheureuse calèche et nous arrivâmes ainsi sur les terres de la Pologne.

» Ce fut là que je quittai Nidia, cette courageuse fille, qui, je l'ai su par hasard, trouva la mort au passage de l'Elbe, à Torgau.

» Avant de me séparer de ma petite Lituanienne, nous avions rejoint la division Gudin, qui s'était réunie au 3e corps commandé par Ney.

» Il y a des choses qui coûtent singulièrement à avouer pour l'orgueil féminin. Ma toilette était si horrible qu'elle était un véritable déguisement. Dans une personne ainsi accoutrée, on pouvait à peine soupçonner une femme.

» Ney, cependant, n'eut qu'à jeter les yeux de mon côté pour me reconnaître.

» J'allais m'élancer au-devant de lui quand il s'écria :

» — Que faites-vous ici ?... Que voulez-vous ?... Éloignez-vous vite !

» Je balbutiai quelques mots, mais il ne m'écouta pas. Son mécontentement de me voir là était si grand, il en laissait échapper les expressions avec tant de vivacité, que je crus que dans sa colère il allait me repousser au bord opposé du Dniepr.

» Étourdie de cette réception, je demeurai inerte, les yeux fixés dans le vague, croyant toujours le voir : mais il avait disparu [29]. »

Pendant qu'Ida de Saint-Elme éprouvait cette déception, Napoléon s'arrêtait au château de Walewice pour y embrasser Marie Walewska. Il passa la nuit avec elle et repartit le lendemain, le cœur content.

Après avoir traversé l'Europe en traîneau, il prit une berline à Dresde et arriva aux Tuileries le 18 décembre à minuit. Personne ne l'attendait. Quand il pénétra dans son appartement, toutes les femmes poussèrent un cri. L'Impératrice elle-même eut du mal à le reconnaître avec sa barbe de huit jours et son bonnet de zibeline.

Une heure plus tard, ayant pris un bain et embrassé son fils, Napoléon allait retrouver Marie-Louise dans son lit et lui montrait que le froid des steppes russes n'avait pas entamé la chaleur de ses bons sentiments...

Le lendemain, Napoléon, curieux de savoir ce qu'on pensait de lui à Paris, se fit apporter tous les pamphlets, toutes les brochures qui circulaient sous le manteau, malgré la police vigilante de Savary.

Il fut rapidement édifié...

Jamais les folliculaires royalistes et républicains ne s'étaient déchaînés contre lui avec autant de hargne, de rogne et de grogne... On le traitait de « boucher », de « tyran », d'« ogre assoiffé de sang », on le menaçait d'un coup de pistolet « pour délivrer la France », on le comparait à Néron, à une sangsue, à une hyène...

Certains libelles avaient — déjà — pour sujet la retraite de Russie, le passage de la Berezina et les six cent mille hommes restés pour rien dans la neige...

Agacé, l'Empereur tournait les pages. Soudain, il découvrit une chanson intitulée *Les Mérites de Bonaparte*. Dans la marge, le policier avait noté : « Cette chanson se chante actuellement dans tout Paris. Nous en avons saisi des centaines de copies. Nous n'avons pas encore trouvé l'auteur. »

Napoléon lut :

> *J'ai de l'esprit et du goût*
> *Partout je l'entends dire.*
> *Si l'on me vante beaucoup*
> *C'est que je suis propre à tout*
> *... Détruire* (ter).

> *En tous lieux on doit savoir*
> *Combien je suis aimable.*
> *Et chacun, fier de m'avoir,*
> *Donnerait tout pour me voir*
> *... Au diable* (ter).

> *Dans ce pays agité,*

29. Ida de Saint-Elme, *op. cit.*

> *Je sème la discorde.*
> *Mais aussi, sans vanité,*
> *De lui, j'ai bien mérité*
> *... La corde* (ter).
>
> *Enfin, de notre bonheur,*
> *L'édifice s'achève ;*
> *Comme je suis dictateur*
> *Je mourrai comblé d'honneur*
> *... En Grève* (ter).

C'était la première fois que des couplets aussi féroces obtenaient un succès populaire. L'Empereur en fut vivement contrarié. Il appela Marchand[30].

— Qu'on recherche l'auteur de cette chanson et qu'on l'arrête.

Puis, il se leva et fit les cent pas dans le salon en tortillant le pan de son habit.

Toutes ces critiques, tous ces pamphlets, tous ces couplets prouvaient que le peuple commençait à redresser la tête. Déjà, dans les campagnes, des hommes refusaient de partir aux armées. On signalait de nombreux cas de mutilation volontaire. Des milliers de jeunes villageois, entre autres, s'étaient cassé les deux incisives supérieures, sachant qu'elles étaient nécessaires pour déchirer les cartouches[31].

Napoléon alla s'asseoir auprès du feu.

Il comptait reprendre l'offensive au printemps. Il lui fallait donc assurer ses arrières et empêcher les généraux, dont il soupçonnait l'hostilité, de s'emparer du pouvoir. Là où Malet avait échoué, d'autres, mieux organisés, pouvaient réussir. Après avoir longuement réfléchi, il lui apparut que le seul garant de son autorité dans la capitale, pendant qu'il se battrait, ne pouvait être que Marie-Louise, sacrée rituellement par le pape.

Cette cérémonie était facile à organiser puisqu'il tenait prisonnier Pie VII à Fontainebleau depuis deux ans...

Quelques jours plus tard, Napoléon, accompagné de l'Impératrice, rendit visite au Saint-Père.

Pendant une heure, nous dit-il, « il le bichonna, le caressa, lui fit mille chatteries pour se faire pardonner ses brimades ».

Pie VII parut satisfait.

Alors Napoléon proposa la signature d'un nouveau concordat et demanda à son « détenu » d'officier pour la cérémonie du couronnement de l'Impératrice.

— Ma dynastie a besoin de l'appui moral de l'Église catholique

---

30. Marchand avait succédé à Constant en 1811.
31. Il fallait en effet déchirer la cartouche avec les dents, vider son contenu dans le canon du fusil, introduire la balle et la bourre, glisser la baguette pour tasser le tout et verser le pulvérin dans le bassinet d'amorce à l'aide d'une poire. Après quoi, si l'on était encore vivant, il ne restait plus qu'à tirer...

pour la garantir contre de futurs assauts, dit-il. Toutes les couronnes d'Europe s'appuient sur l'Église de Rome, et, en raison de son titre, le petit roi, mon fils, a plus qu'aucun autre besoin de cet appui.

Le pape considéra l'Empereur avec malice :

— Il est heureux, dit-il, que vous ne m'ayez pas fait mourir de chagrin comme vous en aviez l'intention, car mon successeur n'aurait peut-être pas été capable, par cet hiver rigoureux, de faire le voyage de Rome à Paris... Dieu est bon !...

Napoléon prit un air contrit dont le Saint-Père ne fut pas dupe, mais qui lui sembla témoigner d'une bonne éducation.

Finalement, les deux hommes se mirent d'accord pour célébrer le sacre à Notre-Dame le 7 mars.

De retour à Saint-Cloud, Napoléon fit envoyer des invitations et commença les préparatifs pour ce grand événement.

Hélas ! quelques jours plus tard, Pie VII, poussé par les cardinaux qui avaient subi mille humiliations, annonçait à l'Empereur que, réflexion faite, il lui serait impossible d'assister au couronnement.

Fort déçu de ne pouvoir laisser à Paris une Impératrice sacrée, Napoléon décida que, pendant son absence, Marie-Louise aurait le titre de régente...

Le 30 mars, il signa un ordre de service où les attributions de son épouse étaient réglées en détail. Voici les énormes responsabilités que l'Empereur transmettait à cette jeune femme de vingt et un ans qui ne s'était jamais occupée de politique...

« L'Impératrice-Régente présidera le Sénat, le Conseil d'État, le Conseil des ministres, le Conseil privé et les conseils extraordinaires qui seront réunis dans le cas où l'Impératrice-Régente le jugerait convenable... Elle exercera le droit de faire grâce, de commuer les peines et d'accorder tout sursis à l'exécution des arrêts et jugements de condamnation... Elle pourra signer les décrets de nomination qui seront du petit ordre ou lorsque des circonstances urgentes le requerront. Dans les affaires du petit ordre, sont compris, pour le Département de la Guerre : les sous-lieutenants, lieutenants et capitaines ; dans le Département de la Marine, les officiers jusqu'au grade de lieutenant inclusivement, et, dans l'ordre judiciaire et administratif, les fonctionnaires que nous ne désignerons pas de notre propre mouvement... »

Cette « promotion » fut accueillie diversement à la cour.

Les uns rappelaient que jamais Joséphine n'avait eu droit à cet honneur.

— C'est qu'elle n'était pas de sang royal, répondait-on.

D'autres assuraient que l'Empereur avait agi par amour. A quoi les grincheux répliquaient qu'en l'occurrence l'amour semblait l'avoir particulièrement aveuglé...

Fort heureusement, tous ces bavardages furent interrompus par un petit scandale assez amusant qui allait alimenter les conversations de Saint-Cloud pour un moment.

Une jeune lectrice de l'Impératrice, Mlle de B.., dont le sang était singulièrement chaud, avait voulu célébrer son anniversaire d'une manière peu commune.

Écoutons M. de Rancy :

« Elle invita à dîner dans son appartement autant de beaux messieurs qu'elle avait d'années d'âge, c'est-à-dire dix-huit. Un délicieux repas leur fut servi, arrosé de Chambertin et de champagne en quantité suffisante pour que les liens de la pudeur se relâchassent quelque peu... »

Après le dessert, ces liens se relâchèrent tellement que la jeune femme se trouva bientôt dans le plus simple appareil, étendue sur le tapis et aux prises avec les bons instincts d'un de ses convives.

Lorsque ce monsieur eut terminé son ouvrage, Mlle de B..., dont la boulimie vénusienne n'était pas apaisée, cria :

— Un autre !

Docilement un second invité vint prendre — si j'ose dire — la relève.

Quand il eut fini, la jeune femme, de plus en plus exaltée, cria :

— Au suivant !

Un troisième se présenta, fut accueilli avec empressement et œuvra.

Derrière lui, les quinze autres invités, qui avaient fini par comprendre dans quel agréable guet-apens Mlle de B... les avait attirés, faisaient la queue patiemment.

Sept d'entre eux furent honorés. Mais hélas ! après le dixième amant, Mlle de B... éprouva une lassitude.

— Tout à l'heure, murmura-t-elle. J'ai besoin de me reprendre un peu...

Les huit gaillards, qui attendaient leur tour avec une certaine nervosité, ne l'entendirent pas de cette oreille.

Ils bondirent tous ensemble sur la jeune femme, la maintinrent sur le tapis et, l'un après l'autre, lui donnèrent le meilleur d'eux-mêmes.

La pauvre Mlle de B... s'aperçut alors qu'elle avait eu les yeux plus grands que le cœur. Gavée de caresses, elle voulut repousser ses assaillants. En vain. Elle se mit alors à pousser des hurlements qui attirèrent les gardes de son étage.

Délivrée au moment où le dix-huitième invité allait lui rendre un fervent hommage, elle fut mise au lit dans un état piteux. Elle y resta, honteuse et endolorie, pendant quinze jours, méditant sur la faiblesse de notre condition et les tristes limites des jouissances humaines[32]...

---

32. Cf. M. de Rancy, *Petite Chronique scandaleuse de l'Empire.*

8

Caroline pousse Murat à trahir l'Empereur
pour conserver le trône de Naples

> Elle portait une tête de Cromwell
> sur les épaules d'une jolie femme.
>
> TALLEYRAND

Napoléon était très superstitieux. Au début d'avril 1813, sentant que, pour la première fois, le destin lui était contraire, il eut envie de se rapprocher de celle qui, pendant quatorze ans, avait été son « bon ange ».

Il se rendit à la Malmaison, où Joséphine l'accueillit avec d'émouvants transports de joie.

— Ma fortune a changé le jour où nous nous sommes séparés, lui dit-il. Peut-être n'aurais-je jamais dû te répudier...

Elle sourit tristement.

— Tu as un fils...

— Que deviendra-t-il ? Au moment où Malet a fait courir le bruit de ma mort, personne n'a pensé à lui... Son avenir est sombre...

Joséphine n'avait jamais vu Napoléon aussi accablé, aussi pessimiste. Elle en fut profondément affectée. Au point de lui faire une incroyable proposition :

— Si vraiment tu crois que j'ai pu être le talisman de ta destinée, dit-elle, peut-être me suffira-t-il de rencontrer l'impératrice Marie-Louise pour lui transmettre mes « bons pouvoirs »... Je te l'ai déjà demandé. J'aimerais tant la connaître...

Napoléon savait qu'elle eût admis de revenir à la cour en « invitée » pour se lier avec l'Impératrice, lui donner des avis et l'éclairer de ses conseils. Mais il secoua la tête :

— Louise n'acceptera jamais. Elle est trop jalouse de toi.

Joséphine eut un petit rire :

— Jalouse ?

— Oui. Elle sait combien je t'ai aimée et combien je t'aime encore...

— Alors, permets-moi de voir le roi de Rome, une fois, rien qu'une fois, et de l'embrasser.

Elle lui avait déjà bien souvent fait cette prière ; mais l'Empereur, qui craignait Marie-Louise, avait toujours refusé.

Le voyant hésiter encore, Joséphine lui avoua qu'elle connaissait déjà son autre fils, Alexandre Walewski.

— De temps en temps, je fais venir ici Mme Walewska que tu as tant fait souffrir aussi. Nous sommes devenues amies. Elle amène le petit Alexandre et ce m'est une joie profonde de le combler de jouets et de caresses...

Tout cela était vrai. Parfois même, Joséphine recevait son ancienne rivale en compagnie de sa lectrice, Mme Gazzani. Toutes trois s'entretenaient alors le plus simplement du monde des bontés de leur grand homme...

— Alexandre est plein de grâce, dit-elle ; mais je voudrais tant connaître le roi de Rome, cet enfant qui doit continuer l'œuvre que tu as commencée lorsque j'étais près de toi...

Très ému, Napoléon accepta.

Il fut convenu que l'on donnerait à la rencontre un caractère fortuit pour que Marie-Louise — au cas où elle l'apprendrait — ne s'en fâchât point.

Rien n'était plus facile. Le petit prince faisait régulièrement une promenade en voiture au bois de Boulogne avec sa gouvernante, Mme de Montesquiou (maman Quiou). Il suffisait qu'un jour on allongeât le parcours jusqu'à Bagatelle où Joséphine se trouverait par hasard.

Rendez-vous fut pris pour le surlendemain. Ce jour-là, Napoléon accompagna son fils à cheval. Il voulait avoir la joie de le présenter lui-même. En arrivant dans l'ancienne folie du comte d'Artois, Mme de Montesquiou fit descendre l'enfant et le confia à l'Empereur. Personne ne devait assister à l'entrevue.

Dans un salon, Joséphine attendait en chiffonnant un mouchoir. Soudain, la porte s'ouvrit ; Napoléon était aussi pâle qu'elle.

— Je vous amène le roi de Rome, dit-il.

Puis il se pencha vers son fils et ajouta :

— Allez embrasser cette dame qui vous porte une vive affection.

L'Impératrice tendit les bras au petit prince qui s'avançait vers elle d'un pas mal assuré.

— Qu'il est beau !

Quand il eut atteint son fauteuil, elle le prit, l'assit sur ses genoux et le couvrit de baisers. L'enfant était rieur et tendre. Il s'amusa avec les bijoux de Joséphine, tira sur ses boucles d'oreilles et, finalement, se blottit dans ses bras.

Les larmes aux yeux, la Créole le berça un moment sans rien dire.

Puis Napoléon intervint :

— Embrassez Madame une dernière fois, dit-il à son fils. Il nous faut partir. Maman Quiou nous attend...

Le petit prince donna un baiser à Joséphine et rejoignit son père. Alors l'Empereur s'approcha de cette femme qu'il avait passionnément aimée et l'embrassa.

L'instant d'après, il refermait la porte du salon et la laissait seule.

Ce fut leur dernière rencontre...

En rentrant à Saint-Cloud, Napoléon apprit une nouvelle qui ne lui fit pas plaisir. Sa sœur, Caroline Murat, reine de Naples, venait d'être l'héroïne d'un scandale dont ses sujets se gaussaient.

L'ardente jeune femme avait déjà fait parler d'elle quelques mois plus tôt, lorsqu'elle s'était donné pour amant le duc de La Vauguyon, colonel général de la garde du roi Murat. Cette fois, le scandale avait un aspect bouffon...

Écoutons Joseph Turquan nous conter la chose :

« Lors de la faveur, pourtant si courte, du duc de La Vauguyon, la reine de Naples fit faire quelques travaux d'aménagement intérieur dans le palais. Le prétexte qu'elle en donnait à Murat, en femme bien avisée et qui pense à tout, était qu'avec les sentiments si mobiles de la population napolitaine, il était prudent de prendre quelques précautions pour s'assurer une retraite en cas de révolte du peuple, d'envahissement du palais et de danger imminent. Elle avait donc commandé à son architecte, M. Mazois, d'établir un couloir secret allant de son appartement à la grande galerie, où se trouvaient des dégagements et des issues de tous côtés.

» Ce couloir, pour être secret, devait être fort étroit et n'était destiné qu'à laisser passer une seule personne de front.

» Quand M. de La Vauguyon était appelé chez la reine, il y passait, lui qui était mince et souple comme un jonc, très facilement. Quand, plus tard, la reine voulut avoir avec M. Daure, son ministre de la Guerre et de la Marine, des entretiens particuliers sur la politique ou sur d'autres sujets moins abstraits et moins dénués de poésie, elle lui indiqua le passage secret afin qu'il pût, à toute heure de jour ou de nuit, se rendre à son appel sans déranger le personnel d'huissiers et de valets de pied, toujours prompts à parler de ce qui ne les regardait pas et à porter des jugements plus ou moins téméraires sur leurs maîtres. Elle lui donna donc la clé de la porte donnant sur la galerie.

» Or, il advint que le soir même de ce jour la reine eut le besoin, ou simplement le désir, de causer avec M. Daure. Elle le lui fit savoir. L'heure qu'elle avait fixée était passée depuis longtemps et M. Daure ne paraissait pas. Inquiète de ne pas le voir, elle se décida à aller le trouver, prit une lampe et s'engagea dans le couloir secret. Elle y découvrit aussitôt l'explication du retard de M. Daure : infiniment plus gros que M. de La Vauguyon, pour qui, seul, le couloir avait été en réalité construit, le ministre de la Marine y était resté en détresse, échoué comme une vieille carcasse de navire entre deux rochers, ne pouvant ni avancer, ni reculer [33]. »

La situation était on ne peut plus ridicule. Caroline, armée de ciseaux, découpa les vêtements de son amant et finit par le délivrer. A moitié nu, geignant, meurtri, elle le traîna jusqu'à sa chambre où le pauvre dut se montrer hardi compagnon...

Mais la reine de Naples allait bientôt se conduire beaucoup plus mal encore...

Pendant ce temps, en France, Marie-Louise menait une vie sage et des plus tranquilles. Seule notre langue lui causait quelques difficultés,

33. JOSEPH TURQUAN, *Les Sœurs de Napoléon.*

ce qui l'amena, un soir, à proférer une énormité. Voici en quelles circonstances.

Quelques jours avant le début des hostilités contre la Prusse, la famille impériale finissait de déjeuner à Saint-Cloud lorsqu'un secrétaire vint remettre à Napoléon un rapport précisant que l'Autriche était en train de se rapprocher des coalisés. L'Empereur se tourna vers l'Impératrice et lui dit :

— Votre père est une ganache !

Marie-Louise ne connaissait pas ce mot. Elle sourit à tout hasard. Mais après le repas, elle s'adressa au premier courtisan venu :

— L'Empereur me dit que mon père est une ganache. Pourriez-vous m'expliquer ce que cela veut dire ?

L'autre fut extrêmement gêné. Il finit par balbutier :

— Madame, cela désigne un homme sage, de poids et de bon conseil...

Or, le lendemain, Marie-Louise présidait le Conseil d'État.

A un certain moment, la discussion étant trop animée à son gré, elle interpella Cambacérès, qui bayait aux corneilles :

— Monsieur l'Archichancelier, c'est à vous à nous mettre d'accord dans cette importante occasion. Vous serez notre oracle, car je vous tiens pour la première ganache de l'Empire.

L'émotion fut vive. Si vive que l'Impératrice, se doutant de quelque chose, alla consulter un dictionnaire.

Elle sut ainsi ce que l'Empereur pensait de son cher papa.

Ce qui ne lui fit pas plaisir...

Le 15 avril 1813, Napoléon quitta Saint-Cloud, et alla rejoindre ses armées à Mayence. Pour lutter contre cette sixième coalition formée de l'Angleterre, la Russie, la Prusse, la Suède et l'Espagne, il avait fait recruter par l'Impératrice deux cent mille adolescents que l'on appelait les « Marie-Louise ». Avec ces jeunes soldats, dont la plupart ne savaient même pas tenir un fusil, il parvint à battre l'ennemi le 2 mai à Lützen et le 20 à Bautzen, où Duroc, son fidèle ami, fut tué.

Metternich, qui croyait Napoléon épuisé après la retraite de Russie, s'affola. Il intervint pour qu'un armistice fût signé. L'Empereur, influencé par son entourage qui, depuis six mois, était démoralisé, commit la faute d'accepter.

Cette trêve allait permettre à l'Autriche d'achever sa mobilisation et de préparer son entrée en guerre contre la France.

En juin, Napoléon commença à être sérieusement inquiet sur l'attitude des Autrichiens. Toutefois, il n'en laissa rien paraître dans les lettres qu'il envoyait quotidiennement à Marie-Louise. Le 25, il lui écrivit (je respecte l'orthographe) :

Mon amie, j'ai fait, aujourd'hui, une course d'une vingtaine de lieu dans les bois, aus environs de Dresde. Je rentre à 10 h. du soir. Ma senté est fort bonne. Méternic est arrivé ce soir à Dresde ; nous allons voire ce qu'il nous dira et ce que veut papa François. Il augmente toujours son armée en Bohême ; je fortifie la mienne en Italie. Donne un baisé à ton fils. J'ai bien envie de le voir. Adio, mio bene.

NAP.

Le lendemain il reçut Metternich et lui dit :

— Ainsi, vous voulez la guerre. C'est bien. Vous l'aurez. J'ai anéanti l'armée prussienne à Lützen. J'ai battu les Russes à Bautzen. Vous voulez avoir votre tour. Je vous donne rendez-vous à Vienne. Les hommes sont incorrigibles. Les leçons de l'expérience sont perdues pour eux. Trois fois, j'ai rétabli l'empereur François sur son trône. Je lui ai promis de rester en paix avec lui tant que je vivrais. J'ai épousé sa fille. Je me disais alors : « Tu fais une folie. » Elle est faite. Je la regrette aujourd'hui...

Mais le soir, ne voulant pas encore inquiéter l'Impératrice, il se contenta de lui écrire ce petit mot :

Ma bonne amie, j'ai causé longtemps avec Metternich, cela m'a fatigué. Ma senté est cependant bonne. Ce que tu me dis de la jalousie du petit roi m'a fait rire. Je voudrais bien le voir. Ambrasse-le pour moi trois fois. As-tu vu au Jardin des Plantes l'éléphant ? Adio, mio bene. Tout à toi.

NAP.

En juillet, l'Empereur eut soudain un tel désir de Marie-Louise, qu'il décida de la faire venir à Mayence. Elle y arriva le 24. Aussitôt, il la conduisit sur son lit et oublia, dans un grand désordre de draps soulevés, les aléas de la politique.

Pendant quinze jours, il savoura ainsi le corps voluptueux de l'Impératrice, sans se douter que « papa François » mettait à profit ces instants d'abandon...

Le 11 août, l'armistice était rompu, et l'Autriche déclarait la guerre.

Napoléon fit une dernière politesse à Marie-Louise, puis la renvoya en France.

Deux jours plus tard, il bousculait les coalisés devant Dresde.

Mais les jours suivants, ses maréchaux essuyèrent d'affligeants échecs qui le contraignirent à se porter sur Leipzig pour éviter d'être encerclé.

Là, du 16 au 19 octobre, 185 000 Français luttèrent contre 333 000 coalisés. Le troisième jour, les régiments saxons qui étaient restés dans la Grande Armée passèrent à l'ennemi, en pleine bataille, et se retournèrent sur ceux qui, l'instant d'avant, étaient leurs camarades de combat. Cette trahison obligea Napoléon à donner l'ordre de retraite.

Cinq jours après le désastre de Leipzig, Napoléon reçut Murat sous sa tente et commenta, devant lui, la situation peu brillante dans laquelle il se trouvait. Pour la première fois il semblait découragé.

Le roi de Naples l'écouta avec attention. Puis il le salua et, suivant les instructions que lui avait données sa charmante épouse, il se rendit d'un pied ferme chez les Autrichiens pour le trahir...

Caroline était, en effet, depuis longtemps, en relations avec Metternich — dont elle avait été la maîtresse — et avec le comte Mier, ancien ambassadeur de Vienne à Naples.

Après la retraite de Russie, elle avait dit à Murat :

— L'Empire s'écroule, Napoléon sera bientôt écrasé, qu'adviendra-t-il de nous ? Pour conserver le royaume de Naples, il nous faut l'appui de l'Autriche. Elle peut nous aider... A nous de savoir négocier à temps avec elle...

Elle avait ajouté :

— Je dis « à temps », c'est-à-dire sans précipitation. Car Napoléon est capable de tous les sursauts...

Ayant jugé le moment opportun, Murat s'était donc rendu au camp autrichien. Il se fit conduire auprès du général comte Mier, ami de Caroline, et lui demanda ses conditions.

— Elles sont simples, répondit Mier en souriant, et S.M. la reine de Naples les connaît déjà : il vous suffit d'entrer dans les vues de la coalition... En remerciement, l'empereur d'Autriche vous garantit la possession de vos États...

Murat accepta de faire marcher ses soldats contre les troupes du prince Eugène et revint au camp français, où, homme bien élevé, il voulait une dernière fois saluer l'Empereur avant de s'en aller.

Après quoi, il monta dans une berline et rentra à Naples en passant prudemment par la Suisse...

A Naples, le beau Joachim fut accueilli avec joie par Caroline.

L'adorable créature connaissait déjà, par Metternich, tous les détails de l'entrevue de son mari avec le général Mier.

— Nous sommes sauvés ! dit-elle.

Et pour célébrer cette trahison qui allait précipiter la chute de son frère, elle organisa une belle fête.

Le 11 janvier 1814, Murat signa un traité d'alliance avec l'Autriche... En échange « de la jouissance libre et paisible du titre de souveraineté de tous les territoires qu'il possédait en Italie », il s'engageait à coopérer de tout son pouvoir à la guerre contre Napoléon « et à fournir 30 000 hommes... ».

Mme Récamier, qui se trouvait de passage à Naples, alla, ce jour-là, rendre visite aux souverains. Elle les trouva dans un état qui la surprit.

Caroline était pâle, elle marchait de long en large. Ses mains tremblaient. Quant à Murat, il avait les cheveux défaits, les yeux hors de la tête, les lèvres et le nez enflés, comme s'il avait pleuré...

Au moment de signer le traité, le pauvre avait été pris de remords, et la reine, furieuse, venait de l'injurier. Devant Mme Récamier, elle continua :

— Au nom de vous-même, au nom de votre gloire, cria-t-elle,

demeurez ici et n'allez pas vous montrer dans l'état où vous voilà ! Je vous demande un peu si vous pouvez vous faire voir ainsi à votre peuple !... Un roi qui ne sait pas l'être !... Demeurez ici ! Je vous l'ordonne !...

Puis elle sortit. Alors Murat s'approcha de Mme Récamier. Il était hagard :

— Ah ! madame, on est bien malheureux parfois d'être sur un trône... Mais dites-moi ce qu'il faut faire ; guidez-moi... Oh ! comme vous devez penser du mal de moi...

— Calmez-vous, Sire, dit-elle. Et dites-moi ce qui vous est arrivé !

— Ah ! on m'appellera traître, répondit le roi de Naples, on m'appellera Murat le traître !...

Puis il alla ouvrir la fenêtre qui donnait sur la mer.

— Regardez !

Et il lui montra la flotte anglaise qui entrait à pleines voiles dans le golfe de Naples.

— Je suis un traître !

Il était à bout de forces. Il se laissa tomber sur un fauteuil, cacha sa tête dans ses mains et se mit à sangloter comme un enfant.

A ce moment, Caroline rentra. Voyant le roi effondré, elle alla le secouer, le força à se lever et lui dit :

— Ce qui est fait est fait ! Maintenant, vous devez montrer du courage...

Et fielleuse, elle ajouta :

— Dans cinq ou six semaines, Napoléon sera peut-être en Italie !...

Murat retomba dans un fauteuil.

— Allez, levez-vous ! dit-elle. Nous devons nous montrer à notre peuple !

Et elle l'entraîna dans une voiture.

Deux jours plus tard, Murat quittait Naples — après avoir institué Caroline régente du royaume — et allait attaquer les troupes du prince Eugène, privant ainsi Napoléon de 80 000 hommes, au moment où les coalisés approchaient de Paris...

Lorsqu'il apprendra la trahison du roi de Naples, l'Empereur ne s'y trompera pas. Il s'écriera :

— Murat !... Ce n'est pas possible !... Non. C'est sa femme qui est la cause de sa défection... Oui ! c'est Caroline !... Elle a tous les pouvoirs sur lui !... Il en est tellement amoureux !...

Une fois de plus, l'amour...

9

*Une lettre tendre de Napoléon à Marie-Louise
provoque la chute de l'Empire*

N'écrivez jamais !

Marcel Proust

Le 22 janvier 1814 au soir, Napoléon reçut des nouvelles fort alarmantes. Les coalisés avaient dépassé Toul et marchaient sur Bar-le-Duc. Il alla prendre un bain très chaud pour réfléchir. Une demi-heure plus tard, rouge comme une écrevisse dans sa robe de chambre, il se fit apporter des cartes, hocha la tête et se rendit chez l'Impératrice.

— Papa François n'est pas gentil, dit-il. Il avance avec ses armées en direction de Paris. Hein ! que dites-vous de cela ?

Marie-Louise baissa la tête. Sa gêne émut l'Empereur qui la prit dans ses bras, la porta sur le lit et lui montra séance tenante et avec sa fougue habituelle que la trahison de François Ier n'avait point affaibli les bons sentiments qu'il avait pour elle.

La nuit fut consacrée à la plus savoureuse des alliances franco-autrichiennes...

Le lendemain matin, un courrier apprit à l'Empereur que les Autrichiens et les Russes approchaient de Saint-Dizier. Les choses prenant une tournure dramatique, Napoléon jugea bon de faire un peu de théâtre. A dix heures, il convoqua ses maréchaux et les officiers de la garde nationale dans un salon des Tuileries. Puis il entra avec Marie-Louise et le roi de Rome et s'écria, sur un ton qui n'eût pas été déplacé à l'Ambigu :

— Messieurs ! une partie du territoire de la France est envahie ; je vais me placer à la tête de mon armée : avec l'aide de Dieu et grâce à la valeur de mes troupes, j'espère repousser l'ennemi au-delà des frontières.

Prenant alors l'Impératrice d'une main et son fils de l'autre, il ajouta :

— Je vous confie ce que j'ai de plus cher sur la terre. Il peut se faire que, pendant les mouvements de troupes auxquels je pense, l'ennemi approche des murs de Paris. S'il en est ainsi, souvenez-vous que ce ne sera que pour un jour ou deux, et que j'arriverai en toute hâte à la rescousse. Ayez confiance et ne vous laissez pas troubler par des rumeurs.

Profondément émus, les officiers jurèrent d'être fidèles à l'Empereur jusqu'à la mort. Puis ils vinrent, un à un, lui donner l'accolade.

Le soir, une estafette venait apprendre à Napoléon que des bandes de Cosaques approchaient de Montereau. La nouvelle lui déplut et il conserva un air chagrin jusqu'à l'heure du coucher.

Le 24, comprenant que, décidément, les choses tournaient mal, Napoléon décida d'aller prendre la direction de ses armées. Auparavant, il s'enferma dans son cabinet et brûla prudemment tous ses papiers secrets. Pendant une heure, des lettres compromettantes, des listes d'espions, des projets de traités tombèrent dans les flammes...

Lorsqu'il eut terminé, il fit appeler son frère Joseph, récemment chassé d'Espagne et nommé, depuis le matin, lieutenant général de l'Empire.

— Il est possible, lui dit-il, que je ne revienne jamais. Je te charge de veiller sur l'Impératrice et sur mon fils.

Il jeta encore quelques brouillons de discours dans le feu et dit :

— Si je gagne cette fois-ci, je ne ferai plus jamais la guerre. C'est une chose horrible... Je ne m'occuperai que du bonheur de mon peuple.

La pensée était louable, mais un peu tardive...

Après quoi, il se rendit dans l'appartement de l'Impératrice.

— Ma bonne Louise, je m'en vais tout à l'heure à Vitry-le-François pour arrêter l'ennemi. C'est en France, cette fois, que nous allons nous battre.

Marie-Louise se jeta dans ses bras. Les yeux remplis de larmes, elle murmura :

— Et le retour ?

Napoléon resta un instant silencieux, puis il répondit d'une voix grave :

— Cela est, ma chère amie, le secret de Dieu !

Il embrassa alors le roi de Rome, serra une dernière fois l'Impératrice contre lui et sortit rapidement.

Il ne devait plus jamais les revoir...

Quelques instants après, Napoléon quittait les Tuileries. Le soir, il était à Châlons. Le 27, il livrait un combat à Saint-Dizier ; le 29, il manquait d'être tué par une patrouille de Cosaques ; le 30, il était obligé de défendre Brienne, la petite ville où il avait dirigé, jadis, des batailles de boules de neige dans la cour de l'école militaire...

Malgré un adversaire dont les forces étaient dix fois supérieures aux siennes, l'Empereur réussit, en février, à remporter les victoires de Montmirail, Champaubert, Château-Thierry et Vauchamp. Le 20, il livra la bataille de Montereau. Ce fut là qu'il apprit la trahison de Murat...

Au mois de mars, avec une armée qui rétrécissait comme une peau de chagrin, il se battit à Laon, à Reims, à Arcis-sur-Aube.

C'est alors qu'il comprit que, s'il continuait à marcher vers le Sud, les coalisés allaient le contourner et marcher sur Paris.

Il imagina une manœuvre : remonter vers le Nord pour entraîner l'ennemi à ses trousses et l'éloigner de la capitale. Tout heureux à l'idée du bon tour qu'il allait jouer aux coalisés, il tint à en faire part à sa chère Marie-Louise.

Il lui écrivit cette lettre qui allait changer son destin :

Mon amie, j'ai été tous ces jours-ci à cheval. Le 20, j'ai pris Arcis-sur-Aube. L'ennemi m'y a attaqué à six heures du soir ; le même jour, je l'ai battu et lui ai fait 4 000 morts. Je lui ai pris deux pièces de canon. Il m'en a pris deux, cela fait quitte. Le 21, l'armée ennemie s'est mise en bataille pour protéger la marche de ses convois sur Brienne et sur Bar-sur-Aube. J'ai pris le parti de me porter sur la Marne et sur ses communications afin de la pousser plus loin de Paris et me rapprocher de mes places. Je serai ce soir à Saint-Dizier. *Adieu, mon amie, un baisé à mon fils.*

NAP.

Et sans prendre le soin de faire chiffrer sa lettre, Napoléon la confia à une estafette...

Imprudence incroyable qui ne peut être expliquée que par l'amour.

« Ce jour-là, écrit Jules Bertrand, Napoléon agit comme un époux amoureux qui veut se confier à la femme qu'il aime. Au moment d'entreprendre une action capitale, il éprouva le besoin de poser sa tête sur la poitrine de Marie-Louise et de lui dire ses projets. Cet abandon devait le perdre [34]. »

Or, quelques jours plus tard, dans son salon des Tuileries, l'Impératrice fit venir le duc de Rovigo :

— Avez-vous des nouvelles de l'Empereur ?

— Aucune, Majesté.

— Eh bien ! moi, je puis vous en donner. J'en ai reçu ce matin.

Le ministre de la Police eut l'air surpris :

— Mais il n'est arrivé aucun courrier !

— C'est vrai, dit Marie-Louise, il n'est pas arrivé de courrier, et je vous étonnerai encore davantage en vous disant que le maréchal Blücher m'a envoyé une lettre de l'Empereur, laquelle, à ce qu'il me dit, a été trouvée parmi plusieurs autres dont un courrier était porteur au moment où il a été pris par les ennemis. A vous dire vrai, je suis dans des inquiétudes très vives depuis que j'ai réfléchi aux conséquences qui peuvent résulter de cet accident. L'Empereur m'a toujours écrit en chiffres, depuis son départ, toutes les lettres ainsi chiffrées sont arrivées à bon port ; celle-ci, qui ne l'est point, est la seule dans laquelle il me parle de son projet, et il faut qu'elle tombe entre les mains des ennemis. Il y a là une fatalité qui m'attriste.

Marie-Louise avait raison d'être inquiète. La lettre de Napoléon avait été interceptée par l'ennemi, traduite et lue par Blücher.

Connaissant les intentions secrètes de l'Empereur, les coalisés n'avaient plus qu'à changer de direction et à marcher sur Paris, qui, maintenant, était à leur merci...

Une lettre tendre allait provoquer la chute de l'Empire...

34. JULES BERTRAND, *Napoléon et la campagne de France.*

Pendant les derniers jours du mois de mars 1814, alors que les armées des coalisés approchaient de Paris, Napoléon, les traits tirés, le masque douloureux, allait parfois s'adosser à un arbre. Là, il se prenait la tête entre les mains et demeurait ainsi pendant quelques minutes, en proie, semblait-il, au plus profond chagrin.

Les grognards le considéraient avec peine, le croyant accablé par l'avance de l'ennemi. Le soir, ils en parlaient au bivouac, et s'émerveillaient de voir un souverain partager à ce point la douleur de son peuple.

Ils se trompaient, naturellement. Car ce n'était pas tant la situation qui faisait souffrir alors l'Empereur et l'obligeait à interrompre sa marche qu'une maladie vénérienne qu'il avait malencontreusement attrapée avant de quitter Paris [35].

Malgré ce mal qui le tourmentait, Napoléon, ignorant que son plan avait été découvert, s'efforçait d'attirer à lui les troupes alliées. Il courait de Doulevant à Saint-Dizier, de Saint-Dizier à Vitry, de Vitry à Marolles...

En vain, bien entendu.

Pendant ce temps, aux Tuileries, régnait le plus complet affolement. On faisait les malles, on brûlait les papiers, on empaquetait les bijoux du sacre. Le tsar, il est vrai, était à Bondy, et nos troupes se battaient à Romainville, à Saint-Denis et à la barrière de Clichy.

Le 28 mars au soir, un conseil se réunit sous la présidence de Marie-Louise pour décider si la régente et le roi de Rome devaient quitter Paris.

Le premier, Clark, ministre de la Guerre, prit la parole. Très affecté par les événements, il se déclara pour le départ immédiat sur la Loire.

Ses propos firent bondir la plupart des autres membres du conseil, et Talleyrand résuma leur pensée en affirmant que le départ de Marie-Louise livrerait Paris aux royalistes et donnerait le champ libre à la coalition pour opérer un changement de dynastie.

Le prince de Bénévent avait raison. En restant dans la capitale, et en accueillant elle-même son père, l'Impératrice eût rendu très difficile le rétablissement des Bourbons. Ses fonctions de régente de l'Empire eussent obligé les coalisés à traiter avec elle comme avec un gouvernement légal. Hors de Paris, elle n'était plus qu'une souveraine en fuite...

En outre, son départ risquait de décevoir profondément les Parisiens, dont la garde nationale avait juré à l'Empereur de la protéger.

Boulay de la Meurthe, ministre d'État, se leva :

— Madame, prenez le roi de Rome dans vos bras et allez le montrer au peuple. Parcourez les rues, les boulevards, les faubourgs, rendez-vous à l'Hôtel de Ville et donnez le signal des résolutions héroïques. Tout Paris alors s'armera contre l'ennemi...

35. WALTBURG-TRUCHSESS, *Journal*.

Marie-Louise, les larmes aux yeux, se déclara prête à rester.

Un vote eut lieu. Le conseil se prononça presque à l'unanimité contre le départ de l'Impératrice et du roi de Rome.

A ce moment, Joseph, qui tremblait de peur à l'idée de se trouver nez à nez avec les Cosaques, se leva et lut cette lettre que Napoléon lui avait envoyée le 8 février :

Si, par des circonstances que je ne puis prévoir, je me portais sur la Loire, je ne laisserais pas l'Impératrice et mon fils loin de moi, parce que, dans tous les cas, il arriverait que l'un et l'autre seraient enlevés et conduits à Vienne. Cela arriverait bien davantage si je n'existais plus. S'il arrivait bataille perdue et nouvelle de ma mort, vous en seriez instruit avant mes ministres. Faites partir l'Impératrice et le roi de Rome pour Rambouillet ; ordonnez au Sénat, au Conseil et à toutes les troupes de se réunir sur la Loire ; laissez à Paris ou le préfet ou un commissaire impérial ou un maire... Mais ne laissez jamais tomber l'Impératrice et le roi de Rome entre les mains de l'ennemi. Soyez certain que, dès ce moment, l'Autriche serait désintéressée et qu'elle emmènerait l'Impératrice avec un bel apanage, et, sous prétexte de la voir heureuse, on ferait adopter aux Français tout ce que le régent d'Angleterre et la Russie pourraient leur suggérer... L'intérêt même de Paris est que l'Impératrice et le roi de Rome n'y restent pas, parce que l'intérêt ne peut pas être séparé de leurs personnes, et que, depuis que le monde est monde, je n'ai jamais vu qu'un souverain se laissât prendre dans les villes ouvertes. Or, si je vis, on doit m'obéir, et je ne doute pas qu'on s'y conforme ; si je meurs, mon fils régnant et l'Impératrice régente doivent, pour l'honneur des Français, ne pas se laisser prendre et se retirer au dernier village avec leurs derniers soldats... Que dirait-on, en effet, de l'Impératrice ? Qu'elle a abandonné le trône de son fils et le nôtre ; et les Alliés aimeraient mieux tout finir en les conduisant prisonniers à Vienne. Je suis surpris que vous ne conceviez pas cela. Je crois que la peur fait tourner les têtes à Paris... Quant à mon opinion, je préférerais qu'on égorge mon fils plutôt que de le voir élevé à Vienne comme prince autrichien ; et j'ai assez bonne opinion de l'Impératrice pour être aussi persuadé qu'elle est de cet avis, autant qu'une mère et une femme peuvent l'être... Je n'ai jamais vu représenter Andromaque *que je n'aie plaint le sort d'Astyanax survivant à sa maison et que je n'aie regardé comme un bonheur pour lui de ne pas survivre à son père.*

Cette lettre causa une profonde émotion.

Fallait-il obéir à des ordres vieux de sept semaines ? Une partie du conseil supplia l'Impératrice de passer outre et de rester au milieu des Parisiens.

Joseph réclama alors le silence et lut une seconde lettre de Napoléon, datée du 16 mars.

L'Empereur y disait, entre autres choses :

... Si l'ennemi avançait sur Paris avec des forces telles que toute

résistance devînt impossible, faites partir dans la direction de la Loire la régente et mon fils... Rappelez-vous que je préférerais la savoir dans la Seine que dans les mains des ennemis de la France...

Cette fois, il fallait s'incliner.

A minuit, tandis que l'Impératrice, en larmes, commençait à fermer ses malles, Talleyrand déclarait à ses amis sur un ton amusé :

— Voici donc la fin de tout ceci !

Puis il remonta en voiture et rentra chez lui attendre le moment où il pourrait aller s'agenouiller devant Louis XVIII...

Durant toute la nuit, le palais fut en effervescence. Le trésor, les costumes du sacre et les effets les plus précieux furent chargés dans les fourgons qui devaient suivre la berline de l'Impératrice.

A huit heures du matin, les voitures s'étant rangées devant le Pavillon de Flore, le bruit se répandit dans Paris que Marie-Louise allait s'éloigner.

Des badauds accoururent place du Carrousel.

Mais l'Impératrice, qui espérait encore l'arrivée de Napoléon, retardait le départ. A dix heures, enfin, il fallut se résoudre à monter en voiture : les Cosaques étaient à Clichy...

Marie-Louise alla chercher son fils.

Cet enfant de trois ans comprenait-il qu'il était en train de perdre un empire ? Il s'accrocha à son lit et se mit à crier :

— Je ne veux pas aller à Rambouillet, c'est un vilain château ! Restons ici ! Je ne veux pas quitter cette maison !...

L'écuyer de service, M. de Canisy, le prit dans ses bras. Cette fois, le roi de Rome s'agrippa aux chaises, aux portes, à la rampe d'escalier.

— Je ne veux pas m'en aller ! criait-il. Puisque papa n'est pas là, c'est moi le maître.

On le plaça enfin dans la berline de sa mère, et le cortège s'ébranla.

La foule eut alors la surprise de reconnaître, mal dissimulé sous des toiles, le carrosse du sacre qui s'en allait en bringuebalant sur les pavés...

L'Empire s'écroulait.

Tandis que Marie-Louise roulait vers Rambouillet, Joseph, pris de peur, s'enfuyait à son tour, après avoir autorisé les maréchaux à traiter avec l'ennemi. Le 31, la capitulation était signée. Pour la première fois depuis la guerre de Cent Ans, Paris allait être occupé...

Au moment où les Cosaques se préparaient à défiler sur les Champs-Élysées, Napoléon, ignorant tout de ces événements, galopait vers Paris.

A la Cour de France, près de Juvisy, il rencontra le général Belliard, qui conduisait la cavalerie à Fontainebleau. Ce déplacement de forces l'inquiéta. Il arrêta sa voiture.

— Eh bien ! Belliard, qu'est-ce que cela ? Comment êtes-vous ici avec votre cavalerie ? Où est l'ennemi ?

— Aux portes de Paris, Sire.

— Et l'armée ?

— Elle me suit.

— Et qui garde Paris ?

— Il est évacué. L'ennemi doit y entrer demain matin à neuf heures. La garde nationale fait le service aux portes...

— Et ma femme ? Et mon fils ? Que sont-ils devenus ?

— L'Impératrice, votre fils et toute la cour sont partis avant-hier pour Rambouillet. Je pense qu'elle aura continué sur Orléans [36].

Un moment, l'Empereur demeura silencieux. Puis il annonça qu'il allait se rendre à Paris. Belliard lui en démontra l'impossibilité. Tout était vraiment perdu. Alors il cria :

— Quand je ne suis pas là, on ne fait que des sottises... Joseph est un c..., Clark un jean-f... ou un traître !...

Finalement, il décida de repartir pour Fontainebleau.

Abandonné de tous, il allait s'enfermer dans ce château qu'il aimait et attendre Marie-Louise.

Mais c'est une autre femme qui allait venir...

10

L'extraordinaire correspondance amoureuse de deux souverains en fuite

> Ils s'aimaient et se le disaient
> dans le tumulte de la fin d'un empire...
>
> CHARLES BOIN

Avant de quitter la Cour de France, Napoléon griffonna ce petit mot pour l'Impératrice :

Mon amie. Je me suis rendu ici pour deffendre Paris mais il n'étoit plus temps. La ville avoit été rendue dans la soirée. Je réunis mon armé du côté de Fontainebleau. Ma senté est bonne. Je soufre de ce que tu dois souffrir.

NAP.

La Cour de France, le 31 mars à trois heures du matin [37].

Puis il monta en voiture et partit pour Fontainebleau, sans se douter qu'il venait de poser le premier jalon de la plus extraordinaire correspondance qui ait jamais été échangée entre deux souverains.

Pendant un mois, tous les jours — souvent plusieurs fois par jour — Napoléon et Marie-Louise devaient s'envoyer des mots tendres, inquiets, pleins de sollicitude, d'amour et d'abandon. Ce couple, qui, la veille

---

36. Général BELLIARD, *Mémoires*.
37. Tout au long de ce chapitre, je respecte l'orthographe des deux époux.

encore, était maître du plus formidable empire, allait s'entretenir de ses tourments sur un ton de petits-bourgeois, mêlant la politique aux affaires de famille, les pensées philosophiques aux soucis d'argent et les plaintes aux espoirs les plus insensés. Correspondance unique dans l'histoire, qui, à tout jamais, fixa le stupéfiant dialogue d'un Empereur déchu et d'une Impératrice en fuite.

Si Marie-Louise s'y révèle sentimentale, indécise, amoureuse, économe et souvent geignarde, Napoléon s'y montre étonnamment détaché du pouvoir, sans amertume, sans colère, un peu naïf, rêveur et touchant de gentillesse...

Le 1er avril, alors que l'Empereur s'installait à Fontainebleau, un gouvernement provisoire était constitué à Paris à l'instigation de Talleyrand.

Le 2, Napoléon apprit que le Sénat venait de voter sa déchéance. Il alla voir les carpes et leur jeta du pain en chantonnant. A minuit, Caulaincourt vint lui dire que l'abdication était le seul parti à prendre. Il le considéra avec bonté. A quatre heures du matin, un courrier lui apporta une lettre de Marie-Louise. Retrouvant alors son allant habituel, il bondit sur le pli, déchira le cachet et lut avidement :

Mon cher ami. Seulement deux mots aujourd'hui pour te remercier de ta bonne lettre du 31 que j'ai reçue ce matin à trois heures, ces lignes m'ont fait bien du bien, j'avois besoin de te savoir bien portant et près de nous. Je suis cependant encore bien inquiète, je suis fâchée de te voir là tout seul, accompagné de peu de monde, je crains qu'il ne t'arrive quelque chose. Cette idée me rend bien malheureuse. Donne-moi aussi souvent que possible de tes nouvelles, je suis malheureuse, j'ai besoin de savoir que tu m'aimes et que tu ne m'oublies pas.

Le roi[38] m'écrit que tu lui a mandé que je me rende à Orléans ou à Blois. J'irai donc à Blois, je crois que l'on y sera plus en sûreté. L'ennemi est déjà venu une fois bien près d'Orléans. Je vais coucher ce soir à Vendôme et demain à Blois, il n'y a que seize heures de trajet mais je voyage avec tes chevaux, et l'on ne peut pas faire plus dix lieues par jour.

Nous avons couché cette nuit dans un bien vilain endroit, dans une mauvaise auberge, heureusement que ton fils y a eu une bonne chambre, voilà tout ce qu'il me falloit. Il se porte à merveille, et pleure dans ce moment pour avoir des joujoux. Dieu sait quand je pourrai lui en donner.

Ma santé n'est pas très bonne, mais tu sais que j'ai du courage, ainsi ne te tourmente pas. Je trouve des forces pour faire tout ce qu'il faudra encore pour nous mettre en sûreté. Dieu veuille que tu puisses bientôt nous donner de tes nouvelles et, avec elles, celles de la paix.

38. Joseph Bonaparte, ex-roi d'Espagne.

Voilà le seul désir que je forme dans ce monde, en attendant crois-moi pour la vie,

Ta fidelle amie LOUISE.

Châteaudun, ce 1er avril 1814 à dix heures du matin.

Le soir, elle écrivit un nouveau billet pour se plaindre des dépenses occasionnées par la présence du roi et de la reine de Westphalie :

Les princes et princesses exigent qu'eux et leur maison soient nourris par ta bouche, cela te fait une dépense effroyable dans le moment qu'il te faudrait plutôt beaucoup d'économie...

A Blois, où elle s'était installée, Marie-Louise continuait de remplir ses fonctions de régente de l'Empire sans aucun pouvoir réel, mais dans le seul but « de faire plaisir à Napoléon »... Elle voulait tant le consoler...

Le 3, il reçoit ce mot :

Mon cher ami. J'ai reçu cette nuit ta seconde lettre du 31, elle m'a fait bien plaisir, ce sont les seules émotions de joie que je puis éprouver dans un moment où nous sommes si tourmentés... Je loge ici à la préfecture, j'y suis à merveille et ton fils aussi, nous avons une vue superbe sur la Loire. Je recevrai demain les autorités... J'aurai aussi demain le Conseil des ministres. Ces messieurs croient que tu devrois bien me permettre de t'envoyer quelqu'un qui, dans les circonstances présentes pourroit te demander beaucoup de choses que l'on ne pourroit pas écrire, comme de discuter sur l'endroit où je devrois me retirer... Si tu veux donc que nous t'envoyons quelqu'un, je te prierai de me désigner la personne.

Aussitôt l'Empereur rédigea ce billet où, pour la première fois, Marie-Louise sentit percer son espoir d'une protection autrichienne...

Mon amie. Tu peux : 1° rester à Blois ; 2° m'envoyer qui tu veu et prendre de la lattitude ; 3° faire des proclamations et assemblées, ce que fait le gouvernement provisoire de Paris ; 4° écrire une lettre très vive pour te recommander et ton fils à ton père. Envoye-y le duc de Cadore. Fait sentir à ton père que le moment est arrivé qu'il nous aide... Tout à toi.

NAP.

Le 4 avril, Napoléon, ayant envoyé un mot tendre à l'Impératrice, et soigné la mauvaise maladie qui continuait de le tracasser, rédigea un acte d'abdication réservant les droits de Napoléon II et de la régente.

Une lettre aimante de Marie-Louise vint adoucir heureusement cette terrible journée :

Mon cher ami. Je n'ai pas reçue de tes nouvelles depuis hier au soir. Les temps me paroit bien long. J'espère être assez heureuse pour en avoir cette nuit et te savoir toujours tranquille à Fontainebleau.

J'ai eu hier le Conseil des ministres dont je t'ai parlé... Les ministres ont fini par conclure que la paix étoit une chose indispensable dans l'état actuel et qu'il falloit la faire à tout prix. Ces messieurs se proposent de t'écrire là-dessus et de t'exposer leurs différents motifs ; je me borne à faire des vœux pour qu'elle soit possible, cela me rapprocheroit de toi.

J'ai eu la famille à dîner, je viens de rentrer pour fermer ma lettre... J'ai besoin d'avoir fréquemment de tes nouvelles pour soutenir mon courage qui veut m'abandonner par moments. Il est vrai que notre position n'est pas belle, et comme je suis la personne qui t'aime le plus, je me tourmente pour toi.

Blois, 3 avril à huit heures du soir.

Le 6 avril, à la demande de ses maréchaux, Napoléon signa un nouvel acte d'abdication par lequel il renonçait, pour lui et ses héritiers, aux couronnes de France et d'Italie.

Puis il écrivit à Marie-Louise sans rien lui révéler pour ne pas la peiner...

Le 8, il reçut ce mot qui le réconforta un peu :

Mon cher ami, je suis bien inquiète de ne pas avoir de tes nouvelles dans un moment où tu es malheureux... De grâce, fais-moi venir !

La garde murmuroit un peu ici de ce que l'on ne donnoit pas la solde arriérée ; j'ai dit avec le conseil du roi que l'on mette 500 000 à la disposition de M. Mollien pour acquitter ses dépenses.

Je crois que les princesses et rois songent sérieusement à aller dans d'autres endroits.

... Le roi Joseph m'a dit qu'ils étoient dans un dénuement absolu, il m'a dit qu'en partant tu lui avois dit que tu mettrois deux millions à sa disposition et qu'il me prieroit de donner cent mille écus à chacun, cela fait neuf cent mille francs. Tu devrois bien donner un ordre sur ce que l'on doit faire avec le trésor et où le mettre ; je crains qu'il n'attire les cosaques.

Chartre est pris, les Anglois ont déjà fait une apparition à Saintes, de sorte que Tours n'est pas fort sûr. Cette raison nous a déterminé aussi à rester à Blois. Où aller ? Notre situation est terrible ; mais la tienne l'est encore plus, elle me fend le cœur.

Ton fils t'embrasse, il se porte bien, il est si heureux, ce pauvre petit, il ne se doute de rien ; qu'il est heureux !

... Je t'embrasse et t'aime tendrement.

Ta fidelle amie LOUISE.

Blois, le 7 avril.

Le 8, Napoléon fut obligé de révéler à l'Impératrice qu'il allait être exilé. Il le fit en s'efforçant de présenter les choses sous leur aspect le moins désespérant.

On remarquera, en effet, qu'il ne parle pas d'exil dans sa lettre, mais de « souveraineté de l'île d'Elbe »...

Mon amie. J'ai reçu ta lettre du 7. J'ai vu avec plaisir que ta senté étoit meilleure que l'on devait le penser des inquiétudes que tu dois avoir. Une amenistice a été conclue et un aide-de-camp de l'empereur de Russie doit s'être rendu près de toi pour t'escorter jusqu'ici ; mais je t'ai fais dire de t'arrêter à Orléans, moi-même étant sur le point de partir. J'attend à cet effet que Colaincourt ait arrangé les affaires avec les Alliers. La Russie désiroit que j'eusse la souveraineté de l'île d'Elbe et que j'y demeurasse, et toi la Toscane pour ton fils asprès toi, ce qui t'auroit mis à même d'être avec moi tant que celà ne t'auroit pas annuié et de pouvoir existé dans un bon pays favorable à ta senté. Mais Schwarzenberg s'y opose au nom de ton père. Il paroit que ton père est notre ennemi le plus acharné. Je ne sais pas donc ce qui s'est réglé. Je suis fâché de n'avoir plus qu'à te faire partager ma mauvaise fortune. J'eusse quitté la vie si je ne pensoit que celà seroit encore doubler tes meaux et les acroître. Si Mme Montesquiou veut achever l'éducation du roi, elle en est maîtresse, mais ne doit pas s'imposer de trop grands sacrifices. Je suppose que Mme Mesgrigny s'en retourne à Paris. Je ne sais ce que voudra faire la duchesse, toutefois je pense qu'elle voudra d'abord t'accompagner. Il faut faire donner 1 000 000 au roi Joseph, autant au roi Louis, autant au roi Jérôme, autant à Madame, autant à la princesse Pauline et Elisa, ce qui fait l'emploi de 6 000 000. Prend un décret pour cela — et que les princesses se rendent à Marseille et à Nice, par Limoges, ce qui diminue tes ambarras. Tes conseillers d'État et ministres peuvent s'en retourner à Paris. Prend dans tes voitures 1 000 000 en or. Fais en prendre autant dans celles du roi. Fait moi un projet pour réduire ta maison à ce qui est de bonne volonté et t'es nécéssaire. Deux dames sufisent avec toi, celà diminuera l'ambarras de la route. Beauharnois et Aldobrandini te suivront. Fais payer les gages de tous le monde et de ce qui doit te suivre jusqu'au 1ᵉʳ juillet. Nous voyagerons avec les attelages de l'écurie et les chevaux de selles.

Adieu, ma bonne Louise. Je te plains. Écris à ton père pour lui demander la Toscane pour toi, car pour moi je ne veux plus que l'île d'Elbe.

Adieu mon amie. Donne un baisé à mon fils.

8 avril.

Le porteur de cette lettre, le colonel Galbois, était chargé d'apprendre à Marie-Louise que l'Empereur avait abdiqué. En recevant cette nouvelle, l'Impératrice s'évanouit...

Le 9 avril, Marie-Louise, qui se croyait encore libre, quitta Blois avec l'espoir de pouvoir parvenir à Fontainebleau, où elle voulait « partager les chagrins de l'Empereur ».

En chemin, son convoi fut attaqué par les Cosaques. Elle arriva morte de peur à Orléans, où l'aide de camp du tsar, le comte Schouvalow, l'informa qu'elle ne pourrait revoir Napoléon avant d'avoir rencontré son père. En réalité, le tsar avait décidé que les époux ne se reverraient jamais plus...

D'Orléans, oubliant ses frayeurs, Marie-Louise envoya ce mot tendre à l'Empereur :

Mon cher ami. J'ai reçu tes deux lettres. Je vois avec peine tous tes chagrins ; tout ce que je désire, c'est de pouvoir te consoler, et de te prouver combien je t'aime. Je suis persuadée que je pourrais beaucoup sur l'esprit de mon père ; je viens de lui écrire pour le prier de me permettre d'aller le voir, et je suis décidée de ne pas partir avec toi avant ce moment.

Je t'embrasse et t'aime de tout mon cœur.

Ta fidelle amie LOUISE.

Orléans, 10 avril au matin.

En apprenant que Marie-Louise allait voir son père, Napoléon trembla. N'allait-elle pas, malgré tout l'amour qu'elle lui manifestait, être reprise par sa famille ?

Atrocement malheureux à l'idée de perdre une femme — lui qui venait de perdre un empire — il s'efforça, par cette lettre étonnante, de faire entrevoir à Marie-Louise un avenir délicieux dans l'île d'Elbe :

Ma bone amie. J'ai reçu ta lettre. Tes peines sont toutes dans mon cœur, ce sont les seules que je ne puis suporter. Tâche donc de surmonter l'adversité. Ce soir je t'enverrai l'arrangement qui a été fait. On me donne l'île d'Elbe, et toi et ton fils : Parme, Plaisance et Guastella. C'est un objet de 400 000 âmes et 3 ou 4 millions de revenus. Tu auras au moins une belle maison et un beau pays lorsque le séjour de mon île de l'Elbe te fatiguera et que je deviendrai annuieu, ce qui doit être lorsque je serai plus vieux et toi encor jeune.

Meternich est à Paris. Je ne sais pas où est ton père. Il faudrait t'arranger pour le voir en route. Si tu ne peux avoir la Toscane et que ton sort soit réglé, demande-lui la principauté de Luques, de Massa, de Carrare et les enclaves, enfin que ta principauté soit en communication avec la mer.

J'envoye Fouler pour arranger tous les équipages. Je me rendrai aussitôt que tout sera fini à Briard, où tu viendras me réjoindre, et nous irons de là nous embarquer à la Spezzia...

Ma senté est bonne, mon courage au-dessus de tout, surtout si tu te contentes de mon mauvais sort et que tu pense t'y trouver encor heureuse. Adieu, mon amie, je pense à toi et tes peines sont grandes pour moi. Tout à toi.

NAP.

Fontainebleau, le 11 avril à neuf heures du matin.

Marie-Louise ne songeait nullement à quitter son cher mari.

Le 11, alors que Madame Mère et le cardinal Fesch venaient de la quitter pour aller s'abriter à Rome, elle lui écrivit cette lettre tendre :

Mon cher ami. Je suis bien tourmentée de ne pas avoir de tes nouvelles, j'en ai bien besoin dans un moment où tant d'intérêts m'occupent tant. J'aurois besoin de te savoir heureux, car ce n'est qu'alors que je pourrois avoir un peu de tranquillité et de repos. J'attends avec une bien vive impatience de tes nouvelles, et des nouvelles de mon père, qui, j'espère, me donnera la permission d'aller le voir. J'espère que ma vue fera beaucoup sur lui et qu'il m'écoutera pour les intérêts de ton fils et par conséquent, pour les tiens. J'espère obtenir quelque chose, et je tâcherai de le voir pour cela, dussé-je même souffrir beaucoup, car je suis toujours bien souffrante et bien fatiguée ; je t'assure que si je ne désirois pas rester dans cette vie pour te consoler, j'aimerois assez à mourir, mais j'ai envie de vivre pour tâcher de te consoler et de t'être utile.

Je me soigne, en attendant que mon père me fasse dire de venir le voir. Pense un peu à celle qui ne t'a jamais aussi tendrement aimé que dans ce moment.

Ta fidelle amie LOUISE.

Orléans, ce 11 avril 1814 au soir.

Cette lettre rasséréna un peu l'Empereur. Mais le 12 avril, à minuit, il reçut ce mot griffonné à la hâte :

Mon cher ami. M. de Sainte-Aulaire vient de m'apporter une lettre de M. Metternich, qui me dit que l'on m'assure un sort indépendant ainsi qu'à mon fils, et que je ferois toujours bien en attendant que cela soit arrangé, d'aller en Autriche pour attendre que tout soit réglé.

LOUISE.

Orléans, 12 avril.

En apprenant qu'on voulait emmener Marie-Louise en Autriche, Napoléon s'effondra. Lui qui avait supporté sa déchéance avec un courage stupéfiant ne put accepter de vivre séparé de la femme qu'il aimait.

A trois heures du matin, il se mit au lit, avala un poison qu'il portait toujours au cou dans un petit sachet et attendit la mort. Mais le poison était éventé et le malheureux ne parvint qu'à se provoquer d'atroces souffrances et de terribles vomissements.

A 11 heures, le 13, il confia à son médecin :

— Je suis condamné à vivre.

L'après-midi, il recevait cette lettre de Marie-Louise qui le rassura un peu :

Je t'écris un mot par un officier polonais qui vient de m'apporter à Angerville ta lettre, tu sauras déjà que l'on m'a fait partir d'Orléans et qu'il y avoit des ordres de m'empêcher d'aller te rejoindre, même à recourir à la force. Sois sur tes gardes, mon cher Ami, on nous joue, je suis dans des inquiétudes mortelles pour toi, mais j'aurai du caractère en voyant mon père, je lui dirai que je veux absolument te rejoindre et que je n'entends pas qu'on me fasse violence pour celà. Nous avons emporté ce que nous pouvions du trésor, je te le ferai passer par tous les moyens possibles, mais je suis sure plutôt que je te l'apporterai moi-même.

Ton fils dort dans ce moment, ma santé va mal. Je tiendrai ferme de ne pas aller plus loin que Rambouillet, fixe-toi à mon amour et à mon courage dans cette occasion. Je t'aime et t'embrasse tendrement.

Ton amie Louise.

Mi-chemin Orléans-Rambouillet, le 12-13 avril 1814.

Le lendemain, une lettre rendit la joie de vivre à Napoléon :

Mon cher ami. J'ai été bien touché en entendant parler de la manière courageuse dont tu suportes tous les malheurs. Ce courage n'est vraiment digne que de toi... Je crois que l'isle d'Elbe est le seul endroit qui puisse nous convenir, c'est là que je pourrois vivre heureuse dans ta société... Et ce que tu peux être sûr, c'est que pour rien au monde on ne me fera aller en Autriche, car ma place est près de toi et mon devoir et mon inclination m'y guident.

D'ailleurs, s'ils veulent me faire partir pour Vienne, je ferois la malade, car j'ai gagné un grand mal de gorge avec la fièvre... Ton fils se porte à merveille, je me suis promenée avec lui devant la maison, il m'a beaucoup parlé de toi, ce pauvre enfant, je t'assure que je redouble à présent de soins pour lui. Je le traite en grand garçon, je le fais déjeuner avec moi, ce qui l'enchante et ce qui ne fait pas de mal à la dépense qui est bien forte. J'ai mis M. de Beausset à la tête du service de la bouche pour prêcher un peu d'économie, car je crois que tu en as besoin.

Je te prierai de me dire ce qu'il faut faire avec le trésor, j'ai plus de deux millions ici : il m'embarasse, je voudrois pouvoir te le faire passer en lettres de change. En attendant, crois à tous les tendres sentiments de celle qui ne connoit d'autre bonheur que d'être réunie à toi.

Ta fidelle amie Louise.

Rambouillet, ce 14 avril 1814 au soir.

Le 15 avril, impatient, de nouveau torturé par les pressentiments, Napoléon envoya ce billet à Marie-Louise :

Ma bonne Louise. Tu dois avoir vu à cet heure ton père. L'on dit que tu vas pour cet effet à Trianon. Je désire que tu viennes demain à Fontainebleau, afin que nous puissions partir ensemble et chercher cette terre d'asile et de repos, où je serai heureux si tu peux te résoudre à l'être et oublier les grandeurs du monde. Donne un baiser à mon fils et crois à tout mon amour.

Nap.

Fontainebleau, le 15 avril.

Le 16, ne sachant comment occuper son temps pendant que Marie-

Louise rencontrait François Ier, Napoléon écrivit à Joséphine une lettre tendre et désabusée :

16 avril.

Je vous ai écrit le 8 de ce mois (c'était vendredi) et peut-être n'avez-vous pas reçu ma lettre. On se battait encore, il est possible qu'on l'ait interceptée. Maintenant, les communications doivent être rétablies. J'ai pris mon parti, je ne doute pas que ce billet ne vous parvienne.

Je ne vous répéterai jamais ce que je vous disais. Je me plaignais alors de ma situation, aujourd'hui je m'en félicite. J'ai la tête et l'esprit débarrassés d'un poids énorme. Ma chute est grande, mais elle est au moins utile, à ce qu'ils disent.

Je vais, dans ma retraite, substituer la plume à l'épée. L'histoire de mon règne sera curieuse. On ne m'a vu que de profil, je me montrerai tout entier. Que de choses n'ai-je pas à faire connaître ? Que d'hommes dont on a une fausse opinion... J'ai comblé de bienfaits des milliers de misérables. Qu'ont-ils fait dernièrement pour moi ?

Ils m'ont trahi, oui, tous. J'excepte de ce nombre ce bon Eugène, si digne de vous et de moi. Puisse-t-il être heureux sous un roi fait pour apprécier les sentiments de la nature et de l'honneur.

Adieu, ma chère Joséphine, résignez-vous ainsi que moi, et ne perdez jamais le souvenir de celui qui ne vous a jamais oubliée et ne vous oubliera jamais.

J'attends de vos nouvelles à l'île d'Elbe.

Je ne me porte pas bien.

NAP.

Le pauvre ignorait que, le 9 avril, la Créole, l'abandonnant, elle aussi, avait écrit au prince Eugène :

Tout est fini. Il abdique.
Pour toi, tu es libre et délié de tout serment de fidélité.
Tout ce que tu ferais de plus pour sa cause serait inutile.
Agis pour ta famille !

Et le 17 enfin, Napoléon reçut le coup terrible qu'il redoutait depuis une semaine. Marie-Louise lui apprenait la décision prise par son père :

Mon cher ami. Mon père vient d'arriver il y a deux heures, je l'ai vu sur-le-champ, il a été très tendre et bon pour moi, mais celà a été anéanti par le coup le plus affreux qu'il ait pu me porter, il m'empêche de te rejoindre, de te voir, il ne veut pas me permettre de faire le voyage avec toi. J'ai eu beau lui représenter que c'était mon devoir de te suivre ; il m'a dit qu'il ne le vouloit pas, et qu'il vouloit que je passasse deux mois en Autriche et qu'après je m'en aille à Parme, d'où j'irois te voir. Ce dernier coup me tuera, tout ce que je désire c'est que tu puisses être heureux sans moi, car pour moi, il m'est impossible d'être heureuse sans toi.

C'est M. de Flahault qui t'apportera cette lettre, je te prie donne-

moi de tes nouvelles aussi souvent que possible, je t'écrirai tous les jours et je penserai toujours à toi. Ai bon courage, au mois de juillet, j'espère pouvoir aller te voir, je ne l'ai pas dit à ces messieurs mais j'y tiens beaucoup.

Ma santé va de plus en plus mal. Je suis si triste que je ne sais que te dire, je te prie encore une fois de ne pas m'oublier et de croire que je t'aimerai toujours et que je suis bien malheureuse. Je t'embrasse et t'aime de tout mon cœur.

Ta fidelle amie LOUISE.

Rambouillet, ce 16 avril 1814.

Terrassé, Napoléon n'eut même pas la force de répondre.
Tout, cette fois, était bien fini !...

Le lendemain, il reçut ce mot qu'il lut, paraît-il, avec une tristesse infinie :

Mon cher ami. J'ai passé une nuit bien triste aujourd'hui, le coup qui me sépare de toi m'est si douloureux que je ne puis pas encore m'y faire et que je ne m'y résignerai jamais...

On dit que l'empereur Alexandre viendra me voir après-demain, quelle triste chose encore que celle de le recevoir, à quelles humiliations sommes-nous encore exposés ?

Crois au moins que je t'aime bien tendrement et que je suis pour la vie,

Ta fidelle amie LOUISE.

Rambouillet, 17 avril.

Ainsi, la déchéance n'était donc pas complète. Il fallait encore que Marie-Louise fût l'objet de l'ironique curiosité du vainqueur. Il fallait que le tsar vînt observer lui-même « la trace des larmes sur la joue d'une impératrice française »...

Napoléon s'enferma dans sa chambre et pleura.

A huit heures et demie du soir, une voiture s'arrêta dans la cour du château de Fontainebleau. Une femme frêle et élégante en sortit vivement et grimpa l'escalier.

Le garde qui était de faction devant la porte parut stupéfait en la voyant paraître. Elle lui sourit, entra et alla s'asseoir dans une galerie où elle attendit qu'un familier de l'Empereur parût.

C'était Marie Walewska qui, devinant le désarroi de Napoléon, venait de Paris tout spécialement pour le réconforter...

Au bout d'un moment, Caulaincourt passa et l'aperçut. Il vint la saluer.

— Savez-vous, monsieur le Duc, lui dit-elle, où est l'Empereur ?

— Non, madame.

— Vous ne le verrez pas ?

— Si, mais pas avant dix heures. Il est neuf heures à peine.

— Voudrez-vous lui demander de me recevoir un instant. J'ai tout mon temps[39].

Caulaincourt promit et disparut.

Marie attendit patiemment dans son coin d'ombre, sachant que Napoléon avait l'habitude de veiller très tard. A une heure du matin, elle s'endormit. Le froid la réveilla à quatre heures.

Affolée à l'idée qu'on pouvait la voir sortir du château alors que l'Impératrice se trouvait à Rambouillet, elle regagna sa voiture sur la pointe des pieds et repartit sans avoir rencontré personne.

A cinq heures, Napoléon qui toute la nuit avait préparé son départ, envoya Caulaincourt la chercher. En apprenant que Marie n'était plus là, les larmes lui vinrent aux yeux.

— La pauvre femme ! murmura-t-il. Elle se sera crue oubliée...

Le 19, le général autrichien Koller, le général russe Schouvalow, le général prussien Waldburg-Truchsess et le colonel anglais Sir Neil Campbell, commissaires que les puissances alliées avaient chargés de conduire Napoléon à l'île d'Elbe, arrivèrent à Fontainebleau.

Par eux, l'ex-Empereur apprit tous les détails de l'entrée à Paris de Monsieur, frère du roi (futur Charles X), venu préparer, avec le gouvernement provisoire, les détails de l'installation de Louis XVIII aux Tuileries...

A onze heures du soir, tous ses bagages étant faits, Napoléon écrivit une dernière lettre à Marie-Louise :

Ma bonne Louise. Je pars demains à 9 heures du matin pour aller coucher à Briard, où j'espère recevoir de tes nouvelles dans la nuit. Je passerai par Nevers, Moulins, Lyon, Avignon. Je suis fâché de penser que je serai quelque jour sans recevoir de tes nouvelles. J'espère que tu te portes bien, que tu auras du courage et que tu soutiendras l'honneur de ton rang et de ma destinée sans faire attention aux rigueurs du sort dans ces derniers temps. Donne un baisé à mon fils. Soigne-le. Adieu, ma douce amie. Tout à toi pour la vie.

Fontainebleau, le 19 avril, onze heures du soir.

Le lendemain, l'ex-souverain fit ses adieux aux soldats de sa vieille garde rassemblés en carré dans la cour du Cheval-Blanc. Devant douze cents hommes qui sanglotaient, il baisa le drapeau, puis, « comme dans un rêve, sans regarder ni à droite, ni à gauche », il alla se jeter au fond de la « dormeuse à six chevaux » qui devait l'emporter vers l'exil.

Le soir, il couchait à Briare.

Jusqu'à Orange, où il arriva le 25, tout se passa bien. Mais à Avignon, la foule massée de chaque côté de la route l'accueillit aux cris de « Vive le roi ! Vivent les alliés ! A bas Nicolas[40] ! A bas le tyran ! ».

39. Ce dialogue nous est rapporté par Marie Walewska elle-même.
40. Surnom méprisant que l'on donnait à Napoléon.

A Orgon, le peuple avait élevé une potence à laquelle était suspendu un mannequin couvert de sang avec cette inscription : « Tôt ou tard, tel sera le sort du tyran. »

Napoléon, caché dans le fond de sa voiture, fut sauvé par la carrure du comte Schouvalow.

Mais l'alerte avait été si chaude qu'à un quart de lieu de là, l'ex-Empereur crut bon de se déguiser. Il mit une vieille redingote bleue, un chapeau rond orné d'une cocarde blanche et monta sur un cheval de poste pour galoper devant sa voiture.

Non loin de Saint-Canat, il s'arrêta dans une auberge. L'hôtesse vint à lui :

— Eh bien ! lui dit-elle, avez-vous rencontré Bonaparte ?

— Non !

— Je suis curieuse de voir s'il pourra se sauver. Je crois que le peuple va le massacrer. Aussi faut-il convenir qu'il l'a bien mérité, ce coquin-là ! Dites-moi donc, on va l'embarquer pour son île ?

— Mais oui !

— On le noiera, j'espère.

— Je l'espère bien, dit Napoléon.

Ce dialogue peu rassurant l'engagea à changer encore de costume.

Écoutons le général Waldburg-Truchsess :

« Il contraignit, par ses instances, l'aide de camp du général Schouvalow à se vêtir de la redingote bleue et du chapeau rond avec lesquels il était arrivé dans l'auberge afin, sans doute, qu'en cas de nécessité l'aide de camp fût insulté ou même assassiné à sa place.

» Buonaparte, qui alors voulut se faire passer pour un colonel autrichien, mit l'uniforme (autrichien) du général Koller, se décora de l'ordre de Sainte-Thérèse que portait le général, mit ma casquette (prussienne) de voyage sur sa tête, et se couvrit du manteau (russe) du général Schouvalow.

» Après que les commissaires des puissances l'eurent ainsi équipé, les voitures avancèrent. Mais avant de descendre, nous fîmes une répétition dans notre chambre, de l'ordre dans lequel nous devions marcher.

» Le général Drouot ouvrait le cortège. Venait ensuite le soi-disant empereur (l'aide de camp du général Schouvalow), ensuite le général Koller, Napoléon, le général Schouvalow et moi, qui avais l'honneur de faire partie de l'arrière-garde à laquelle se joignit la suite de Napoléon.

» Nous traversâmes ainsi la foule ébahie, qui se donnait une peine extrême pour tâcher de découvrir parmi nous celui qu'elle appelait son "tyran".

» L'aide de camp de Schouvalow (major Oleview) prit la place de Napoléon dans sa voiture, et Napoléon partit avec le général Koller dans sa calèche.

» Quelques gendarmes dépêchés à Aix par ordre du maire dissipèrent le peuple qui cherchait à nous entourer, et notre voyage se continua fort paisiblement.

» Une circonstance que je voudrais omettre, mais que ma qualité d'historien ne me permet pas de passer sous silence, c'est que notre intimité avec Napoléon, auprès duquel nous étions sans cesse dans la même chambre, nous fit découvrir qu'il était attaqué d'une maladie galante. Il s'en cachait si peu qu'il employait en notre présence les remèdes nécessaires. Et nous apprîmes de son médecin qu'il en avait été attaqué à son dernier voyage à Paris.

» Partout nous trouvâmes des rassemblements qui nous recevaient aux cris les plus vifs de "Vive le roi". On vociférait aussi des injures contre Napoléon. Mais il n'y eut aucune tentative inquiétante.

» Toutefois, Napoléon ne se rassurait pas. Il restait toujours dans la calèche du général autrichien, et il commanda au cocher de fumer, afin que cette familiarité pût dissimuler sa présence. Il pria même le général Koller de chanter, et comme celui-ci lui répondit qu'il ne savait pas chanter, Buonaparte lui dit de siffler.

» C'est ainsi qu'il poursuivit sa route, caché dans un des coins de la calèche, faisant semblant de dormir, bercé par l'agréable musique du général et encensé par la fumée du cocher. »

Le 26, Napoléon arriva au château du Bouillidou, près du Luc, où sa sœur Pauline était l'invitée d'un membre du corps législatif, M. Charles.

Il se passa là une scène gênante que nous rapporte Marchand :

« En apercevant son frère bien-aimé, Pauline oublia tout ce qu'elle souffrait et, lui tendant les bras, elle fondit en larmes, en lui donnant les noms les plus tendres. Tout à coup, elle s'arrête, examine son frère, reconnaît l'uniforme autrichien. A l'instant même, elle devint pâle et tremblante.

» — Quel est cet habit ? demande-t-elle. Quel est cet uniforme ?...

» — Paulette, répondit Napoléon, voudrais-tu que je fusse mort ?

» La princesse le regardait avec indignation.

» — Je ne puis vous embrasser avec cet habit ! Oh ! Napoléon, qu'avez-vous fait ?

» L'Empereur n'insista pas. Il s'éloigna aussitôt, fut dans la chambre qui lui avait été préparée pour changer de vêtements. Il jeta l'habit autrichien, s'habilla avec celui des guides de la Vieille Garde, puis rentra dans la chambre de sa sœur qui accourut, lui ouvrit les bras et l'embrassa avec une tendresse qui provoqua les larmes de ceux qui étaient présents. Napoléon lui-même était fort ému [41]. »

Trois jours plus tard, le 28, il embarquait sur la frégate anglaise *Undaunted* et quittait Fréjus à destination de Porto-Ferrajo, où il arrivait le 3 mai, coiffé d'un chapeau de marin.

L'ex-maître de l'Europe devenait le souverain d'opérette d'une île de deux mille habitants...

41. MARCHAND, *Souvenirs*.

11

Talleyrand pousse Marie-Louise vers l'adultère

M. de Talleyrand avait le goût de la farce.

ALBERT VIVIEN

Tandis que Napoléon s'installait sur l'île d'Elbe et que Louis XVIII entrait à Paris sous les acclamations d'une foule qui avait allègrement guillotiné son frère, M. de Talleyrand s'employait à une tâche fort peu reluisante.

Pour mener à bien sa politique européenne, il était alors gêné, comme il l'a dit lui-même, par un « pion imprévu ». Ce pion embarrassant n'était ni l'Angleterre, ni la Prusse, ni la Russie. C'était l'amour passionné que portait Marie-Louise à Napoléon. Amour qui avait subitement grandi durant les dernières semaines et dont les Alliés pouvaient tout craindre.

M. de Talleyrand n'était pas difficile sur le choix des armes. Il donna des ordres pour que fussent révélées à l'Impératrice, avec le plus grand luxe de détails, les infidélités de l'Empereur...

Une femme, surtout, devait collaborer à cette œuvre dégradante, Mme de Brignole.

Écoutez Frédéric Masson :

« Cet amour, M. de Talleyrand s'arrange pour le tuer. Il a près de Marie-Louise une femme qui lui appartient et qui est entre les plus remuantes et les plus politiques de son temps. Elle ignore les scrupules et ne sait ce que c'est que la reconnaissance. Galante en sa jeunesse à la façon des Italiennes, elle préfère encore l'intrigue pour l'intrigue, et, chaque fois qu'elle a pu s'introduire en quelque aventure diplomatique, elle s'y est sentie dans son élément. Dame du palais, elle n'est point de celles qui quittent la place et se retirent chez elles. Elle a mieux à faire : demeurée presque seule près de Marie-Louise, elle ouvre ses batteries. Soufflée par Talleyrand, elle insinue d'abord, elle affirme ensuite que Napoléon ne l'a jamais aimée, qu'il l'a trompée constamment. L'Impératrice s'obstine-t-elle ? Mme de Brignole mande les deux valets de chambre qui viennent d'abandonner à Fontainebleau leur maître et leur bienfaiteur et elle leur fait dire ce qu'elle veut, les mensonges dont ils sont convenus, avec M. de Talleyrand.

» Personne pour inspirer du courage, souffler de l'énergie à cette grande fille mollasse, incapable de résolution, en qui le tempérament joue le premier rôle et qui est plus blessée de ces infidélités qu'on lui raconte qu'elle n'est atterrée par la chute de son trône. De même qu'elle a été livrée en holocauste, moderne Iphigénie, et qu'elle s'est laissé livrer, elle se laisse délivrer à présent, où la politique défait, comme dit Schwartzenberg, ce que la politique avait fait. Ce n'est point le travail d'un jour : elle luttera encore près d'une année contre l'Europe entière acharnée contre elle et mettant en jeu tous les ressorts pour avoir raison de ce cœur de petite fille. L'orgueil, la vanité, la jalousie, l'envie, on emploiera tout, et l'on ne parviendra à triompher que lorsqu'on l'aura, en quelque façon, contrainte à remplacer l'amour par l'amour, que le pudique empereur d'Autriche aura obligé sa fille à un concubinage public. Alors, toute l'Europe monarchique applaudira et une souveraineté sera la récompense de l'adultère [42]. »

Cet adultère, Talleyrand, connaissant le tempérament ardent de l'Impératrice, y travaillait avec un machiavélisme achevé.

A Rambouillet, à Grosbois, où elle s'arrêta le 25 avril pour prendre congé de son père, à Troyes, à Châtillon-sur-Seine, où elle fit halte le 27, il la fit entourer d'officiers d'une grande beauté. A la porte de sa chambre, le plus grand, le plus blond de ces jeunes gens se trouvait de garde en permanence.

Mais Marie-Louise, si elle était tourmentée par le besoin de calmer ses ardeurs, aimait encore Napoléon et repoussait courageusement l'idée de lui être infidèle.

A Dijon, où elle arriva le 28, les agents de Talleyrand réussirent pourtant... Ils organisèrent une orgie non loin de la maison où était descendue l'Impératrice, afin que les bruits lui en parvinssent par les fenêtres ouvertes.

Trois jeunes Dijonnaises avaient été engagées pour sacrifier le peu de vertu qui leur restait aux ambitions politiques du prince de Bénévent.

« Ces trois donzelles, nous dit la *Chronique scandaleuse sous la Restauration,* s'étaient acoquinées pour l'occasion avec deux cochers et un garçon boulanger qui avait la réputation de satisfaire les dames six à sept fois de suite sans présenter le moindre signe de fatigue.

» Ils s'installèrent tous dans une salle d'auberge et commencèrent à faire fricon-friquette de toute la belle force de leurs jeunes années.

» Obéissant aux ordres qu'on leur avait donnés, ils ne se contentaient pas de se trémousser joliment ; mais encore ils commentaient chacun de leurs gestes à voix haute et en termes vigoureux...

» Des mots qui bravent l'honnêteté jaillissaient ainsi dans la nuit, sortaient par la fenêtre, traversaient la rue et allaient atteindre les oreilles attentives de Marie-Louise...

» La pauvre fut bientôt dans un état d'énervement tel que ses ongles grattaient les draps à la façon des chattes au temps de l'amour et que son corps s'agitait convulsivement comme si elle était déjà soumise au plus savoureux des belutages...

» Vers minuit, les scènes, dans la salle d'auberge, devinrent plus compliquées. Les commentaires continrent alors des mots, des expressions et des images d'une telle audace que Marie-Louise ne put résister plus longtemps. Sortant de son lit en chemise de nuit, elle alla entrouvrir la porte de sa chambre, appela le beau garde qui était de faction dans le couloir et le fit entrer prestement... »

42. Frédéric MASSON, *Joséphine répudiée.*

Trois jours plus tard, l'Impératrice, un peu calmée, traversait le Rhin...

Or, au moment où, poussée par Talleyrand, Marie-Louise trompait — aux dires de la *Chronique scandaleuse* — Napoléon pour la première fois, Joséphine, touchée brusquement par l'infortune de l'Empereur, lui écrivait cette lettre tendre...

Sire, c'est seulement aujourd'hui que je puis calculer toute l'étendue du malheur d'avoir vu mon union avec vous cassée par la loi ; et que je gémis de n'être pour vous qu'une amie, qui ne peut que gémir sur un malheur aussi grand qu'il est inattendu.

Ce n'est pas de la perte d'un trône que je vous plains ; je sais par moi-même que l'on peut s'en consoler... Vous avez eu à pleurer sur l'ingratitude et l'abandon d'amis sur lesquels vous croyiez pouvoir compter ! Ah ! Sire, que ne puis-je voler près de vous pour vous donner l'assurance que l'exil ne peut effrayer que les âmes vulgaires et que, loin de diminuer un attachement sincère, le malheur lui prête une nouvelle force.

J'ai été, au moment de quitter la France, sur le point de suivre vos traces, de vous consacrer le reste d'une existence que vous avez embellie si longtemps. Un seul motif m'a retenue, et vous le devinez. Si j'apprends que, contre toute apparence, je suis la seule qui veuille remplir son devoir, rien ne me retiendra et j'irai au seul lieu où puisse être désormais pour moi le bonheur, puisque je pourrai vous consoler lorsque vous êtes isolé et malheureux.

Dites un mot et je pars...

Mais Napoléon n'envoya pas ce mot. Il était trop amoureux de Marie-Louise, dont il attendait, contre toute raison, l'arrivée sur l'île d'Elbe et pour qui, avec une joie enfantine, il faisait préparer un appartement somptueux, des plaques de lanternes magiques et un feu d'artifice...

12

Joséphine meurt parce que le tsar est amoureux de sa fille

> Il y a tout à craindre de l'amour des grands.
>
> sagesse des nations

Dès son arrivée à Paris, le tsar Alexandre, fortement alléché par les descriptions enthousiastes de Frédéric-Louis de Mecklembourg-Schwerin, ancien amant de Joséphine, demanda à être reçu à la Malmaison.

Il ne lui aurait pas déplu, en effet, d'ajouter à la victoire des Coalisés sur la France une petite victoire personnelle sur l'ex-femme de Napoléon.

La Créole, qui savait que toutes les Parisiennes étaient amoureuses de l'empereur de Russie, accepta l'entrevue sans hésiter.

Deux jours plus tard, il se faisait annoncer. Elle accourut, vit ce beau cavalier blond aux yeux bleus et, nous dit-on, « se sentit des ardeurs aux endroits du sentiment... ». Oubliant alors qu'elle avait affaire au vainqueur de Napoléon, elle mit en œuvre tous les moyens de séduction dont elle disposait.

Au bout d'une demi-heure, Alexandre, sous le charme, était prêt à chasser les Bourbons de France pour rendre son trône à Joséphine...

Tous les deux, côte à côte, se promenèrent dans le parc, comme de tendres amis. A un détour d'allées, ils rencontrèrent Hortense, qui venait d'arriver avec ses enfants.

— Voilà ma fille et mes petits-fils, dit Joséphine au tsar. Je vous les recommande.

Alexandre jeta un coup d'œil sur l'ex-reine de Hollande qui s'efforçait de rester calme devant un si bel homme, et sentit son désir changer d'objet...

— Dès ce jour, dit-il avec feu, ils sont sous ma protection. Puis, se penchant vers Hortense, il ajouta :

— Que puis-je faire pour vous ?

Joséphine, qui, en vieille coquette, avait une âme d'entremetteuse, s'écarta et laissa sa fille et le tsar en tête à tête. Quand elle revint, Alexandre promettait un duché à Hortense...

Attiré à la fois par la mère et par la fille, l'empereur de Russie revint souvent à la Malmaison. Pendant des heures, il se promenait bras dessus, bras dessous avec l'une ou l'autre. Pourtant, sa préférence se fixa bientôt sur Hortense, qui, de son côté, ne restait pas insensible à son charme. Une véritable amitié amoureuse naquit entre eux, et les mauvaises langues prétendirent, bien entendu, que leur flirt se poursuivait certains soirs dans une chambre discrète. On ne possède aucune preuve de cette liaison. Mais les lettres malicieuses et badines que la jeune femme envoyait au tsar pourraient bien donner raison aux mauvaises langues...

Quoi qu'il en soit, l'Empereur, complètement envoûté par Hortense, usa de son influence auprès des Alliés et de Louis XVIII pour que les Beauharnais obtinssent un traitement de faveur. Le résultat stupéfia les royalistes. Non seulement Joséphine conservait la Malmaison et Navarre, avec un million de revenus, mais Hortense voyait son domaine de Saint-Leu érigé en duché avec une pension annuelle de 400 000 francs.

Pour fêter cette extraordinaire réussite, la nouvelle duchesse invita sa mère, son frère et le tsar à Saint-Leu, le 14 mai.

Or, ce jour-là, Louis XVIII faisait célébrer un service religieux à la mémoire de Louis XVI, et tous les princes alliés y étaient conviés.

Alexandre, au grand scandale de la cour, se fit excuser, monta dans sa calèche et alla retrouver Hortense...

Après le déjeuner, la jeune femme proposa une promenade en voiture. Le temps étant humide et froid, Joséphine, qui était fatiguée, eût préféré rester auprès du feu. La coquetterie lui fit commettre une imprudence. Pour minauder auprès d'Alexandre, elle accepta de sortir...

La promenade dura deux heures et Hortense, qui avait mit ses pieds sur les genoux du tsar, ne sembla pas s'apercevoir que sa mère frissonnait sous ses voiles de gaze.

En rentrant, Joséphine, fiévreuse et mal à l'aise, dut s'aliter sans dîner. Elle ne revint que le lendemain à la Malmaison.

Pendant quelques jours, elle fut lasse et dut faire effort pour supporter ses visiteurs. Depuis la chute de l'Empire, en effet, de nombreux royalistes qu'elle avait jadis protégés venaient lui témoigner leur reconnaissance. Mme de Staël, apprenant que l'ex-Impératrice avait ainsi maison ouverte, arriva un jour au grand galop. Jacassante, indiscrète, prétentieuse, caustique, elle fatigua durant deux heures la pauvre Joséphine qui tenait à peine debout. Lorsque l'insupportable bas-bleu eut regagné sa calèche, la Créole s'effondra sur un canapé.

— Je sors d'un bien pénible entretien, confia-t-elle à une de ses intimes. Croiriez-vous qu'entre autres questions qu'il a plu à Mme de Staël de m'adresser, elle m'a demandé si j'aimais encore l'Empereur ? Moi qui n'ai jamais cessé de l'aimer à travers son bonheur, serait-ce aujourd'hui que je me refroidirais pour lui ?

Le 24 mai, elle se coucha. Le docteur Horeau, médecin attitré de l'ex-Impératrice, appelé d'urgence, diagnostiqua un début d'angine. Le 26, la malade éprouva des difficultés à respirer. Le 27, elle était si faible que le tsar n'osa pas entrer dans sa chambre, et, le 29, jour de la Pentecôte, après avoir reçu les derniers sacrements, la Créole, dont les pupilles étaient devenues d'une fixité inhumaine, prononça le nom de Napoléon, celui du roi de Rome, et expira doucement...

Aussitôt, Frédéric-Louis de Mecklembourg-Schwerin se précipita à la Malmaison. La vue du corps embaumé lui arracha des cris. On dut le ramener à Paris. Le 2 juin, il revint pour assister à l'enterrement. Et Mlle Cochelet, femme de chambre d'Hortense, nous dit que, dans la chapelle ardente « il versait des larmes, priait auprès du catafalque et portait à ses lèvres les bords du drap mortuaire »...

A midi, le convoi quitta le château pour l'église où Joséphine allait être inhumée. Le deuil était conduit par les deux petit-fils de la défunte, deux bambins, dont l'un devait régner sous le nom de Napoléon III.

Joséphine avait succombé à une angine infectieuse. Or, le bruit courut, quelques années plus tard, qu'elle avait été empoisonnée. On prétendit que l'ex-Impératrice était tombée malade après avoir reçu un bouquet « vénéneux » de Talleyrand...

Pourquoi le prince de Bénévent aurait-il commis ce crime ?

Les gens bien informés se chuchotèrent des histoires mystérieuses de bouche à oreille, jusqu'au jour où M. Labrélie de Fontaine, bibliothécaire de la duchesse d'Orléans, publia un petit livre intitulé : *Révélation sur l'existence de Louis XVII...*

L'auteur prétendait que Joséphine avait révélé au tsar que Louis XVII n'était pas mort au Temple et que, caché en Vendée, il attendait de pouvoir monter sur le trône. Profondément troublé, Alexandre se serait alors rendu chez Talleyrand pour lui demander de rétablir un souverain plus légitime que Louis XVIII. Aussitôt le prince de Bénévent aurait envoyé le fameux bouquet à Joséphine[43].

L'accusation prit naturellement de l'ampleur, et un jour de 1897, le journal *La Légitimité* publia le texte suivant :

« C'est moi, dit l'impératrice Joséphine, qui, de concert avec Barras, ai fait sortir le Dauphin du Temple, grâce à mon petit domestique, originaire de la Martinique et nommé par mon influence gardien au Temple en remplacement de Simon. Barras substitua au Dauphin un enfant muet, malingre et scrofuleux, afin d'éviter toute difficulté avec les comités révolutionnaires. Le Dauphin partit pour la Vendée, fit ensuite un bref séjour en Bretagne, puis revint sur le sol vendéen et s'y cacha. Lorsque le Dauphin fut enfermé pendant quatre ans dans le donjon de Vincennes, c'est moi, encore, qui le fit évader pour me venger du mariage de Napoléon avec l'archiduchesse Marie-Louise. » Là-dessus Alexandre s'écria : « J'enverrai demain Talleyrand pour lui dire que le trône de France appartient au fils de Louis XVI et non au comte de Provence. » En effet, Alexandre eut une entrevue, le lendemain, à ce sujet, avec Talleyrand. Ce fut à la suite de cette conversation que Joséphine reçut le bouquet empoisonné qui causa sa mort trois jours après. L'empereur Alexandre, en apprenant cette mort si rapide, dit tout haut : « Voilà un coup de Talleyrand[44]. »

Ce texte, à quelques détails près, se retrouve dans les *Mémoires*, encore inédits, de Françoise de Pellapra. Et c'est peut-être là que le rédacteur de *La Légitimité* l'a trouvé.

L'ancienne maîtresse de Napoléon ajoute par ailleurs :

« Mme Joubert, née en 1767 et demeurant à Montrouge, 34, route d'Orléans, m'a confirmé qu'à l'époque où la mort du Dauphin a été proclamée à Paris, elle a eu connaissance du contraire par sa sœur aînée, qui avait l'avantage d'être reçue chez Mme de Beauharnais, qu'elle avait soignée lorsqu'elle s'était purgée avec de l'huile de "Palma Christi", laquelle, se trouvant rance ou falsifiée, lui avait occasionné de violents malaises suivis de quelques jours de fièvre[45]. »

Alors ?

Joséphine a-t-elle été empoisonnée sur l'ordre de Talleyrand ?

— Non ! dit Frédéric Masson.

— Oui ! affirme le docteur Cabanès.

43. Cf. *Révélation sur l'existence de Louis XVII,* duc de Normandie, par LABRÉLIE DE FONTAINE, bibliothécaire de S.A.S. Mme la Duchesse douairière d'Orléans, 1831.
44. *La Légitimité,* 1er décembre 1897.
45. Mme DE PELLAPRA, *Mémoires* (inédits).

En fait, cela semble peu probable. Et si une fleur l'a empoisonnée, ce ne peut être qu'une fleur de lys...

C'est par un journal qu'un valet de chambre lui fit parvenir de Gênes que Napoléon apprit la mort de Joséphine.

Il en fut profondément affligé et sa candeur se manifesta une fois de plus.

— Ah ! celle-là m'aimait, murmura-t-il.

Puis il s'enferma dans sa chambre et pleura pendant deux jours...

Quand il eut épuisé sa peine, il appela Marchand et lui demanda de faire préparer des voitures et des victuailles.

— Nous allons déjeuner sur une plage, dit-il gaiement. Pour vivre, il faut savoir oublier. J'ai besoin de me baigner. La mer sera mon Léthé...

Napoléon adorait ces sortes de pique-niques. Pendant des heures, les paysans de l'île, stupéfaits, le voyaient gambader sur les rochers, jouer à cache-cache dans les buissons ou faire des parties de palet sur la grève...

Son goût pour la farce le poussait alors à commettre d'incroyables facéties. « Un beau jour, nous dit M. Paul Bartel, après un excellent repas sur le rivage, il se conduit comme un gamin devant sa cour et Sir Neil Campbell qui n'en croit pas ses yeux. Après s'être livré ''à des divertissements semblables à ceux du commun des hommes'', il aperçoit soudain un amoncellement de petits poissons que les filets ont laissés sur le sable. Il se baisse et prend une poignée de menu fretin. Puis, s'approchant de Bertrand à son insu, il introduit habilement les poissons dans la poche du Grand Maréchal. Alors, faisant semblant d'avoir perdu son mouchoir, il demande à Bertrand de lui prêter le sien. Celui-ci met aussitôt sa main dans sa poche, mais la retire avec précipitation. Le contact des poissons tout gluants et frétillants lui a laissé une impression de profond dégoût, et leurs nageoires lui ont piqué les doigts. Enchanté de la bonne farce qu'il vient de faire aux dépens du Grand Maréchal, éternelle victime de ses plaisanteries, Napoléon rit aux éclats, cependant que Bertrand, maugréant, vide sa poche et essuie son uniforme mouillé d'eau de mer [46]. »

Farce innocente, mais qui montre bien à quel point Napoléon était resté gamin...

Au cours de ces déjeuners champêtres, le nouveau roi de l'île d'Elbe aimait à être entouré de quelques jolies femmes qui constituaient, depuis son exil, le petit harem dans lequel il puisait discrètement lorsque « les ardeurs du printemps lui donnaient de la démangeaison en la nature »...

Marchand fit donc préparer tout le matériel nécessaire à un déjeuner de plein air et convia les demoiselles qui, à tour de rôle, sur un sofa

46. Paul Bartel, *Napoléon à l'île d'Elbe.*

ou un canapé, se faisaient « tâter le barbillon » comme disaient alors
tout bonnement les jeunes gens que n'avait point encore contaminés le
Romantisme...

Deux heures plus tard, les calèches où avaient pris place Napoléon
et sa cour se dirigeaient en cahotant par de mauvais chemins vers une
grève abritée du vent.

Dans la deuxième voiture, très entourée et très jalousée, se trouvait
la favorite du moment, la sculpturale Adèle Bolly, épouse de Yannis
Théologos, diplomate ottoman d'origine grecque qui était venu sur
l'île d'Elbe à seule fin d'être cocu par les soins de l'homme qu'il
admirait le plus au monde...

Napoléon en profitait allègrement.

A onze heures, toute la petite cour fut sur la plage. Aussitôt, l'ex-
Empereur courut dans les rochers pour se déshabiller. Entouré de vingt
gardes en grand uniforme qui le suivaient toujours dans ses ébats
marins et pénétraient dans l'eau, stoïquement, jusqu'à la ceinture, il
alla ensuite se baigner tout nu...

Le repas fut très gai. Après le dessert, Napoléon organisa une grande
partie de colin-maillard, puis un jeu de cache-cache, ce qui lui permit
d'aller lutiner la belle Grecque dans un buisson où les chercheurs se
gardèrent respectueusement de pénétrer...

Cette fois, Joséphine était bien oubliée.

Le soir, il se passa une scène amusante qui nous est rapportée par
l'auteur anonyme de la *Chronique secrète de l'île d'Elbe*.

De retour à sa maison de Porto-Ferrajo, Napoléon, que les bagatelles
du buisson avaient mis de bonne humeur, voulut montrer sa verve à la
belle Adèle. Il allait la convier sur-le-champ, lorsque le général Drouot
lui apporta un rapport, qui le fit hésiter. On lui signalait en effet
l'arrivée dans l'île d'un espion autrichien. Or l'ex-Empereur, dont
l'amour pour Marie-Louise n'avait pas changé, craignait que le bruit
de ses frasques ne parvînt à Vienne...

« L'esprit stimulé par le désir, nous dit le chroniqueur inconnu,
Napoléon eut vite fait de trouver une solution. Il appela Marchand et
lui donna l'ordre d'aller chez la belle Grecque avec un costume
d'homme dans un sac.

» — Tu feras mettre cet habit à Mme Théologos, dit-il, et tu la
ramèneras ici aussitôt.

» Marchand obéit et revint une heure plus tard avec un sémillant
jeune homme coiffé d'un bonnet de pêcheur, cette coiffure ayant été
jugée nécessaire pour dissimuler les longs cheveux bouclés d'Adèle. »

Ravi de son stratagème, Napoléon renvoya Marchand, bondit sur la
Grecque, la dévêtit prestement et la porta sur un lit où « dans un
grand désordre de linges épars », il œuvra avec sa fougue habituelle.

Vers huit heures, l'ex-Empereur demanda à Marchand de raccompa-
gner Mme Théologos chez elle. Malheureusement le destin, dans sa
malice, voulut qu'un essieu de la voiture qui ramenait la jeune femme

vers son mari se rompît sur la grande place de la ville. Aussitôt les badauds accoururent, et certains estimèrent que « le compagnon du valet de Napoléon avait une croupe arrondie qui démentait son sexe »...

Des réflexions fusèrent, et la pauvre Adèle, épouvantée, « pensa que sa seule chance de salut était dans la fuite. A toutes jambes, elle se précipita dans une ruelle. Mais les braves gens, pensant que ce mystérieux personnage était peut-être venu à Porto-Ferrajo pour attenter à la vie de Napoléon, se mirent à ses trousses ».

Au cours de la poursuite, Adèle perdit son bonnet.

— C'est une femme ! C'est une femme ! cria la foule fort excitée.

Finalement deux hommes réussirent à rattraper la belle Grecque. Croyant maintenant avoir affaire à une espionne, ils dégrafèrent sa tunique pour voir si des papiers ou des armes n'y étaient pas cachés.

Deux jolis seins jaillirent sous le ciel méditerranéen.

Les femmes éclatèrent de rire. Quant aux hommes, extrêmement troublés, ils considéraient cette apparition inattendue avec des yeux brillants comme des tisons. Soudain, tous ensemble, ils se précipitèrent sur Mme Théologos et palpèrent de leurs mains rudes ce qui, peu de temps auparavant, faisait encore les délices de Napoléon...

La pauvre dut, finalement, recevoir, dans un coin de grange où on l'avait traînée, l'hommage rustique d'une vingtaine d'Elbois...

Quand Marchand parvint à la retrouver, elle gisait sur un tas de paille. A la vue du valet de chambre, elle tenta vainement de cacher son air heureux et comblé sous un torrent de larmes...

Le lendemain, bien entendu, tout Porto-Ferrajo connaissait l'identité du faux jeune homme [47]...

Un instant troublée par cette aventure, la vie des exilés reprit bientôt son cours tranquille. En juillet, Madame Mère vint s'installer auprès de son fils, qui en fut profondément touché. Déjà Pauline annonçait son arrivée. Le clan des Bonaparte allait-il se reconstituer là, semblable à ce qu'il avait été à Ajaccio ? Certains le pensaient. Mais, à la fin du mois d'août, Marie Walewska, qui se trouvait à Naples, sollicita la faveur d'être reçue à Porto-Ferrajo.

Très ému, Napoléon accepta.

A défaut de Marie-Louise, pour laquelle il avait fait aménager un « nid d'amour », il allait donc recevoir son « épouse polonaise »...

Et cette rencontre devait décider de son destin...

---

47. Cf. *Chronique secrète de l'île d'Elbe.*

13

La mission secrète de Marie Walewska à l'île d'Elbe

Celle-là l'aimait.

ARTHUR-LÉVY

Le 1er septembre, vers cinq heures de l'après-midi, Napoléon, qui, depuis le matin, s'était installé sur une petite colline pour explorer la mer au moyen d'une longue-vue, poussa un cri :

— Le voilà !

A l'horizon, un point grossissait. Les compagnons de l'Empereur aperçurent bientôt les voiles d'un brick qui se dirigeait vers l'île d'Elbe.

Napoléon, l'œil rivé à son télescope, cherchait à distinguer une silhouette féminine. Marie Walewska était-elle seule ? Avait-elle amené le petit Alexandre, âgé maintenant de quatre ans ?

L'Empereur regardait passionnément. Soudain, il se tourna vers le capitaine Bernotti :

— Allez immédiatement à Porto-Ferrajo. Prenez une voiture à quatre chevaux, trois chevaux de selle et deux mulets, et rendez-vous à San Giovanni, où le débarquement aura lieu à la nuit tombée...

L'officier partit immédiatement.

Napoléon craignait que Marie-Louise n'apprît la visite de Marie Walewska. D'accord avec le frère de la jeune comtesse, il avait décidé que le brick jetterait l'ancre devant San Giovanni et que le débarquement se ferait sur une plage déserte, à l'abri des curieux...

Le soir, à neuf heures, Bernotti et le grand maréchal Bertrand, tapis dans un champ d'oliviers, à trente mètres de la grève, attendaient les ordres de l'Empereur.

Or Napoléon, caché à l'ermitage de la Madona del Monte, sur le Monte Gione (où il s'était installé pour accueillir clandestinement Marie), venait de recevoir une information qui risquait de retarder le débarquement : les Elbois, voyant un bateau mystérieux arrêté au large de San Giovanni, en avaient conclu qu'il s'agissait de l'Impératrice qui venait enfin rejoindre son époux, et ils s'étaient rendus en foule sur la plage...

— Qu'on les chasse ! tonna l'Empereur.

A neuf heures et demie, des gardes vinrent annoncer que les curieux étaient rentrés chez eux.

Napoléon soupira.

— Bien, dit-il. Faites le signal. J'y vais !

Aussitôt une barque se détacha du brick et se dirigea silencieusement vers le rivage, où elle aborda sans encombre. Marie en descendit, voilée, suivie de sa sœur Émilie (voilée également) et de son frère Téodor qui tenait dans ses bras le petit Alexandre.

Bertrand se précipita pour accueillir les voyageurs et les fit monter dans la voiture qui partit immédiatement, escortée de palefreniers porteurs de torches...

A un détour de chemin, une lanterne brilla, révélant la silhouette d'un cavalier. C'était l'Empereur, qui n'avait pu attendre l'arrivée de Marie. Mettant pied à terre, il s'approcha de la voiture.

Écoutons Mme Walewska nous conter elle-même cette rencontre au clair de lune.

« Il rendit militairement le salut que lui fit Téodor, écrit-elle, me baisa la main, découvrit galamment le gant de ma sœur et lui demanda la permission de poser ses lèvres sur son poignet. Il la remercia de m'avoir accompagnée et la complimenta sur sa ressemblance avec "sa jolie sœur". Il s'empara d'Alexandre, le plaça sur le devant de sa selle et suivit notre voiture ou nos chevaux, quand le terrain nous obligeait à faire de l'équitation. Émilie, qui ne le connaissait pas, me dit alors qu'en dépit de son uniforme il lui avait fait l'effet d'un gros propriétaire. Mais elle changea d'avis à l'ermitage. Le respect que chacun lui témoignait, la stricte étiquette observée, lui firent voir ce qu'il était : un véritable monarque. »

Après le dîner qui fut servi dehors, sous les châtaigniers, Marie, sa sœur et l'enfant allèrent se coucher dans les chambres de l'ermitage avec les dames de sa suite, Téodor au village et l'Empereur sous une tente dressée dans le jardin.

Mais à deux heures du matin, Napoléon sortit sur la pointe des pieds, enjamba le mameluck qui faisait semblant de dormir dans l'herbe et se glissa sans bruit jusqu'à la maison. Là, il grimpa l'escalier, poussa une porte, se dévêtit en silence et pénétra dans le lit de Marie qui l'attendait « avec du feu aux bons endroits ».

Leurs retrouvailles furent extraordinaires. L'auteur anonyme de la *Chronique de l'île d'Elbe* nous dit que « Marie Walewska, dont la liaison toute platonique avec d'Ornano n'avait fait qu'accroître les ardeurs, se jeta sur Napoléon qui sut se montrer homme de bonne compagnie... Soulevée, retournée, écrasée, écartelée, pliée en deux, la petite comtesse finit par demander grâce. L'Empereur alors se rhabilla. Il était cinq heures. Silencieusement, comme il était venu, il rejoignit la tente où Ali, le mameluck, feignait toujours de dormir... »[48].

A neuf heures du matin, Napoléon emmena Marie faire une promenade dans la montagne.

Main dans la main, les deux amants suivirent des sentiers de chèvres, s'arrêtèrent pour boire à une source, et « contemplèrent longuement les amours compliquées de deux punaises des bois ».

A onze heures ils rentrèrent à l'ermitage, où Napoléon joua avec son fils. Le docteur Foureau de Beauregard était là.

— Eh bien ! docteur, lui dit l'Empereur, comment le trouvez-vous ?

48. *Chronique secrète de l'île d'Elbe.*

— Sire, répondit le médecin, je trouve le roi de Rome bien grandi...

Très ému soudain, Napoléon caressa les boucles blondes d'Alexandre. La ressemblance entre les deux enfants était si grande, en effet, que la méprise de Foureau n'avait rien d'étonnant.

Après le déjeuner, l'Empereur organisa un bal champêtre, et Émilie chanta une vieille chanson polonaise. Puis, dans la soirée, le baron de La Peyrusse, ancien trésorier de la Grande Armée, devenu chargé des travaux de l'île d'Elbe, vint s'entretenir avec Napoléon.

Marie tendit l'oreille et nota dans ses carnets :

« En l'entendant discuter avec M. de La Peyrusse, qui lui montrait des papiers couverts de chiffres, tandis que ces messieurs (les officiers polonais) me faisaient part, les uns après les autres, de leurs projets d'installation dans l'île, je me disais : "Décidément, je me suis trompée. L'Empereur accepte son destin. Il va faire d'Elbe une forteresse et, comme les anciens seigneurs féodaux, vivre là du produit de ses terres, défendu contre les incursions. Peut-être s'emparera-t-il de tout l'archipel... Il faudra bien qu'il occupe ses gens d'armes et ses serfs." »

Le soir, après dîner, Marie rencontra M. de La Peyrusse.

— Sa Majesté se repose enfin, dit-elle en riant. Je suis bien heureuse de le voir vivre dans un pays enchanteur et plein de ressources.

Le baron eut l'air si embarrassé que Marie lui dit :

— Me serais-je trompée ?

Il baissa la tête. Alors, la jeune comtesse, intriguée, lui prit le bras :

— Il faudrait tout de même que je sache. On m'a tout l'air ici de jouer la comédie. L'Empereur accepte-t-il ou non son sort ? Est-il heureux ou malheureux ? Riche ou pauvre ?

— Il ne m'appartient pas de répondre à vos questions, dit La Peyrusse. Sauf cependant à la dernière. Elle ne laisse pas d'ailleurs de me surprendre. Ne seriez-vous pas au courant ? Sa Majesté n'a jamais reçu, malgré mes réclamations répétées, la moindre somme sur les deux millions annuels que lui alloue le traité passé avec la France et les Alliés.

— J'ignorais ce détail.

— Ce n'en est pas un, madame.

— L'Empereur a de l'argent ?

— Il en a eu. Qu'il avait économisé sur sa liste civile. Tout est parti. Donné à l'armée pendant la dernière campagne... Je dois faire des prodiges pour subvenir aux frais considérables occasionnés par le maintien d'une suite, par l'augmentation de la police, par la maison de Sa Majesté. Nous pourrions tenir jusqu'au jour où nous récolterions le fruit des améliorations de l'île. Mais l'Empereur est trop généreux...

Marie rentra dans sa chambre, fort triste. Napoléon vint la retrouver, fit du lit un champ de bataille et disparut tel un ouragan.

Au matin, elle se rendit sous sa tente.

— J'ai apporté ceci, dit-elle en déposant un paquet sur une table. Ceux qui le peuvent doivent aider pécuniairement nos comités. La caisse centrale est ici, je pense ?

— Vous avez là des fonds ? demanda Napoléon.

— De quoi en faire, et ce n'est pas un sacrifice. Des bijoux que je ne mets jamais.

Elle ouvrit le paquet et en tira le merveilleux collier de perles que Napoléon lui avait donné pour la naissance d'Alexandre.

— Je comprends, murmura l'Empereur. Peyrusse aura de mes nouvelles...

Puis, il prit les mains de la petite comtesse.

— Votre offre pourrait m'offenser, Marie... Ne protestez pas. Gardez vos bijoux. Je n'en suis pas réduit à la misère. Si j'avais de grands besoins, j'aurais recours à Madame Mère, ou encore à mes débiteurs. J'en ai un certain nombre... C'est, au contraire, moi qui vous ferai verser le remboursement de vos dépenses de voyage, et qui fournirai les garanties pour que vous soient réglés les arrérages du majorat d'Alexandre. Vous repartirez munie des pièces nécessaires ce soir, si toutefois vous ne vous sentez pas fatiguée.

Marie Walewska nous avoue qu'à ce moment elle se sentit défaillir. Tous ses projets de vie commune et quasi conjugale avec Napoléon s'écroulaient d'un coup.

« Je me sentis près de mourir », écrit-elle.

Dit-elle la vérité ?

Son voyage à l'île d'Elbe ne lui fut-il dicté que par l'amour ?

Certains mémorialistes le contestent et lui prêtent des desseins politiques.

La chose vaut la peine d'être étudiée...

« Marie Walewska, écrit André Sabouret, vint à l'île d'Elbe avec tout un courrier rempli d'informations précises et détaillées sur l'état d'esprit en France, le mécontentement du peuple, l'impopularité croissante des Bourbons, la nostalgie du régime impérial et sur les quelques banquiers décidés à financer le rétablissement de Napoléon. Lorsqu'elle quitta l'ermitage, l'Empereur la chargea d'une importante mission auprès de Murat, qu'elle allait voir à Naples pour faire lever le séquestre des dotations d'Alexandre. En outre, elle rendit visite à des banquiers génois, qui, quelques semaines plus tard, vinrent apporter à Napoléon douze millions qui furent débarqués de nuit et servirent à financer une partie de l'expédition vers Golfe-Juan...

» Marie Walewska peut donc être considérée comme un agent secret de Napoléon. Agent secret un peu spécial, puisque son seul mobile était l'amour — mais dont le rôle politique ne peut être discuté [49]. »

Pour le comte d'Ornano, Marie et son frère Téodor formaient un couple d'espions bonapartistes :

« Peu après le départ de l'Empereur, écrit-il, Téodor Laczinski s'était chargé d'opérer la liaison entre les organisations bonapartistes de la Pologne et celles de différents pays : la Bavière, où se trouvait Eugène

---

49. André SABOURET, *Les Agents secrets de Napoléon Ier*.

de Beauharnais, la Suisse, certaines parties de l'Italie, Naples entre autres, où le roi Murat feignait d'ignorer qu'il en existât, afin que sa police fît de même. Ces missions l'avaient conduit bientôt à l'île d'Elbe. La correspondance de Napoléon témoigne qu'il y fut bien reçu, qu'il en repartit porteur de messages ; Marie ne tarda pas à lui donner son aide quand elle eut atteint l'Italie. »

Le comte d'Ornano ajoute :

« Cependant l'Empereur ne l'employa pas [50]. »

Ce n'est pas l'avis de Paul Bartel, qui, dans son ouvrage si bien documenté sur la vie de l'Empereur à l'île d'Elbe, mentionne l'activité occulte de Marie Walewska. Il écrit :

« Au cours de ces missions qui le conduisirent plusieurs fois à Porto-Ferrajo, Téodor Laczinski remet à l'Empereur des lettres de sa sœur et repart aussitôt en Italie, porteur de messages pour elle. »

Plus loin, il ajoute, décrivant le départ de la comtesse, au soir du 3 septembre :

« Napoléon a tenu à accompagner Marie et ses compagnons pendant une partie du trajet. Arrivé à mi-chemin de Marciana-Alta, il s'arrête, descend de cheval et parle longuement à Marie. Que se disent-ils ? Impossible de le savoir. Cependant, il est probable qu'il lui confia une mission pour Murat, ainsi qu'une autre pour ses amis en France. Le contraire eût étonné. *Depuis des mois, la comtesse et son frère ont été en rapport constant avec l'Empereur.* Ils l'ont tenu continuellement au courant de ce qui se passe sur le continent. Marie continuera donc à le servir, même s'il est vrai que cette visite l'a cruellement déçue. Désintéressée, fidèle au-delà de toute épreuve, il était impossible qu'elle agît autrement. Elle sentira que le rêve de puissance de Napoléon l'a ressaisi entièrement, elle courbera la tête et acceptera sa destinée [51]. »

Enfin, un homme qui espionnait l'Empereur pour le compte des Alliés écrit :

« La comtesse Walewska fut l'ambassadrice de plans secrets. Elle communiqua à Napoléon la liste des personnages officiels sur lesquels il pouvait compter après son débarquement en France. » Il ajoute : « Venue dans l'île comme une simple amoureuse en quête de tendresse, elle était sûre que les papiers, les lettres, les plans qu'elle portait ne seraient point interceptés. Son véritable rôle ne fut deviné que bien des mois plus tard [52]. »

Marie Walewska fut-elle l'un des plus ravissants agents secrets de Napoléon ? Apporta-t-elle, avec son amour, sa tendresse et l'espoir insensé de vivre définitivement près de l'Empereur, tous les éléments qui permirent le retour de l'île d'Elbe ?

En l'absence de documents précis, il est impossible de l'affirmer. Toutefois, il semble probable, étant donné l'activité secrète de son frère, qu'elle ait été mêlée étroitement à cette extraordinaire aventure...

50. Comte d'Ornano, *Marie Walewska. L'épouse polonaise de Napoléon.*
51. Paul Bartel *op. cit.*
52. La mission secrète de Marie Walewska. Article de la *Revue des Lettres,* avril 1924, de Pierre Berthelot, repris en partie par le magazine italien *Oggi* en 1957.

Un jour, peut-être découvrira-t-on dans quelque grenier de province des lettres de Napoléon à Marie qui établiront de façon certaine le rôle occulte joué par la jolie comtesse polonaise.

Jusque-là, on ne peut qu'échafauder des hypothèses et, tout au plus, accorder à l'amour le bénéfice du doute...

Sachant qu'elle devait quitter l'île d'Elbe le soir même, Marie Walewska s'ingénia à donner aux dernières heures qu'elle passait près de son amant un climat de bonheur conjugal. Elle amena le petit Alexandre pour que Napoléon pût jouer avec lui. L'enfant, qui semblait partager l'adoration de sa mère pour l'Empereur, se montra plus caressant encore que la veille. Ému, Napoléon le prit sur ses genoux et le fit parler :

— Aimes-tu jouer avec tes camarades ? lui demanda-t-il. Aimes-tu travailler ? Apprendre à lire et à écrire ? Aimes-tu apprendre à monter à cheval ?

Puis il ajouta malicieusement :

— Mon petit doigt m'a dit que tu ne prononces jamais mon nom dans tes prières.

— C'est la vérité, répondit Alexandre. Je ne dis pas Napoléon, je dis : *Papa-Empereur.*

Cette réplique plut énormément à Napoléon. Il se tourna vers la comtesse et dit :

— Celui-là aura du succès dans le monde. Il a beaucoup d'esprit.

Au déjeuner, l'Empereur voulut que l'enfant prît son repas près de lui. Alexandre fut d'abord sage ; mais cela ne dura pas, et, comme sa mère lui adressait des reproches, l'Empereur dit :

— Tu ne crains donc pas le fouet ? Eh bien ! je t'engage à le craindre ; je ne l'ai reçu qu'une fois et je me le suis toujours rappelé.

Il raconta comment la chose lui était arrivée :

— Ma grand-mère était fort âgée et courbée. Elle me faisait, ainsi qu'à Pauline, l'effet d'une vieille fée. Elle marchait avec une canne, et sa tendresse pour nous la portait toujours à nous apporter des bonbons. Ce qui n'empêchait pas Pauline et moi de la suivre par-derrière en la contrefaisant. Par malheur, elle s'en aperçut et s'en plaignit à Madame, lui disant qu'elle nous élevait sans respect pour les grands-parents. Madame, bien qu'elle nous aimât beaucoup, ne plaisantait pas, et je vis à ses yeux que mon affaire n'était pas bonne. Pauline ne tarda pas à recevoir la fessée parce que des jupons sont plus faciles à relever qu'une culotte à déboutonner. Le soir, Madame essaya de m'attraper, mais en vain. Je crus en être quitte. Le lendemain matin, elle me repoussa lorsque je fus pour l'embrasser. Enfin, je n'y pensais plus lorsque, dans la journée, elle me dit : « Napoléon, tu es invité à dîner chez le gouverneur, va t'habiller. » Je monte, bien satisfait d'aller dîner avec les officiers, et je ne fus pas long à me déshabiller. Mais Madame était le chat guettant la souris. Elle entre subitement, ferme la porte, sûre d'elle ; je m'aperçus du piège où j'étais tombé, mais il était trop tard pour y remédier, il me fallut subir la fessée...

Tous les convives éclatèrent de rire et Napoléon se tourna vers Alexandre :

— Eh bien ! que dis-tu de cela ?

— Mais je ne me moque pas de maman, dit l'enfant avec un petit air tout contrit.

L'Empereur l'embrassa et dit :

— C'est bien répondu.

Le soir, Marie, Émilie et Alexandre montèrent en voiture et partirent pour Marciana-Marina, où ils devaient embarquer.

Napoléon les accompagna jusqu'à un petit tertre d'où l'on voyait la mer. Là, il remit une enveloppe à Marie, un écrin à Émilie, des boîtes de jouets à Alexandre, et leur dit adieu.

Tandis qu'il rentrait chez lui, une tempête s'éleva. Inquiet à la pensée que sa maîtresse et son fils risquaient de courir un danger, il chargea un garde de les rattraper et de les ramener à l'ermitage. Mais Marie, voyant la mer démontée, avait décidé d'embarquer à Ponto-Longone, à quinze lieues de Marciana. Le garde ne les retrouva pas, et Napoléon passa une affreuse nuit à les attendre.

Pendant ce temps, Marie, sous un orage épouvantable, faisait le tour de l'île, en ruminant des pensées amères qu'elle nota plus tard sur le bateau.

« J'ai longtemps hésité. Imposer une telle fatigue à deux femmes et un enfant m'a paru une mauvaise action. Moi, je ne la craignais pas. Mais, si j'avais revu l'Empereur, j'aurais été au supplice, il m'avait trop humiliée. Toutes ces précautions : son déménagement dès qu'il sut que j'allais venir, cette attente qu'il m'imposa dans le bateau jusqu'à la nuit, ce débarquement clandestin auquel il m'obligea. Cela pourquoi ? Pour que l'Impératrice n'apprît pas ma venue.

» Elle s'en moque bien, aurais-je été tentée de lui dire. C'est une mauvaise épouse et une mauvaise mère. Si elle n'était pas l'une et l'autre, elle serait ici. Je le pense comme je l'écris. »

Amertume qui n'empêcha pas Marie, dès son arrivée à Naples, d'accomplir pieusement la mission que lui avait confiée son amant...

14

Marie-Louise trompe Napoléon avec le général de Neipperg

> Elle avait un aigle, elle eut un borgne...
>
> ANDRÉ SABOURET

Après le départ de Marie Walewska, Napoléon quitta l'ermitage et redescendit s'installer dans sa maison de Porto-Ferrajo. Les ouvriers terminaient l'aménagement des appartements destinés à Marie-Louise. Habitué à s'occuper de tout, il entreprit d'en diriger la décoration et imagina, pour le plafond du salon, un motif allégorique d'un romantisme suave : il s'agissait de deux pigeons attachés par un lien dont le nœud se resserrait à mesure qu'ils s'éloignaient...

Or, par une de ces malices dont le destin est prodigue, au moment même où les peintres elbois terminaient leur ravissant ouvrage, Marie-Louise, couchée dans le lit d'une auberge suisse, se donnait à un bel officier pour qui sa « motelette frétillait à l'environ »...

Présentée ainsi *ex abrupto*, cette situation risque d'étonner. Il me faut donc, pour l'intelligence du récit, revenir, comme on dit, un peu en arrière.

Le 21 mai 1814, Marie-Louise était arrivée à Schönbrunn, saluée par une immense acclamation. Les Autrichiens avaient l'impression que leur archiduchesse revenait en son palais après quatre ans d'un douloureux exil.

— Vive Marie-Louise ! Vive l'Autriche ! A bas le Corse ! criait la foule.

En constatant que son retour prenait l'allure d'une ultime victoire des Alliés sur Napoléon, l'ex-Impératrice fort triste gagna ses appartements. Dans sa chambre, à bout de forces, elle éclata en sanglots, prostrée sur son lit.

Le lendemain, retrouvant quelque courage, elle prit une plume et écrivit une longue et tendre lettre à Napoléon :

... Ne m'accuse pas d'oubli, cela serait la chose qui me ferait encore le plus cuisant des chagrins que j'ai éprouvés jusqu'à présent... Je passe tristement mon temps loin de toi ; je veux te broder un meuble pour ta chambre ; je veux qu'elle ne soit ornée que de ma main...

Mais Marie-Louise était frivole et faible. Malgré sa tendresse pour Napoléon, elle ne tarda pas à se rendre coupable de nombreux reniements. D'abord, elle accepta de remplacer les armoiries impériales qui ornaient les panneaux de son carrosse par son chiffre personnel, puis elle se contenta d'être appelée « duchesse de Parme ». Enfin, sollicitée par de beaux courtisans, elle sortit de sa retraite, participa aux fêtes, dansa et parut oublier le malheureux époux qui l'attendait dans une île.

Cette attitude désinvolte scandalisa non seulement les Français qui se trouvaient à Vienne, mais quelques Autrichiens. Un jour, la vieille reine Marie-Caroline, sœur de Marie-Antoinette, qui, pourtant, n'aimait guère Napoléon, dit à Marie-Louise :

— Ma petite fille, quand on est marié, c'est pour la vie. Si j'étais à votre place, j'attacherais les draps de mon lit à une fenêtre et je m'échapperais...

Ces reproches donnèrent quelques remords à Marie-Louise. Un instant, elle envisagea une fuite. Mais à la pensée de ces draps noués à un balcon poussiéreux et traînant peut-être dans la boue, son âme de bonne ménagère se cabra. De telles aventures étaient réservées à des femmes sans soin. Réconfortée par cette idée, elle alla finalement écrire à l'Empereur une lettre bêtifiante à souhait...

Je suis bien contente de voir que tu te trouves bien et que tu songes à te faire bâtir une jolie maison de campagne. Je te demande de m'y réserver un petit logement, car tu sais que je compte toujours bien venir te voir le plutôt (sic) *que je pourrai, et je fais des vœux pour que cela soit bientôt. Si tu fais un joli jardin, j'espère que tu me feras la commissionnaire à cause des plantes et des fleurs ; on m'a dit qu'on avait eu l'injustice de ne pas permettre que tu en fasses venir de pareilles de Paris ; on ne se conduit pas noblement pour toi, cela me révolte, c'est bien vilain, il est vrai qu'il n'y a pas de quoi s'étonner, car nous vivons dans un monde où il y a bien peu d'âmes élevées.*

Au mois de juin, Marie-Louise décida d'aller prendre les eaux à Aix, en Savoie. Malgré l'hostilité de la cour autrichienne qui craignait de mécontenter les Bourbons, elle quitta Schönbrunn le 29. Elle avait pris pour ce voyage le nom de comtesse de Colorno.

Le 11 juillet, elle était à Chamouny (Chamonix), où elle demeura six jours, visitant la mer de Glace et courant dans les prairies.

Le 17, ravie de son séjour chez ces Chamouniards, qui habitaient, disait-elle, « le village le plus reculé du monde », elle repartit pour Aix.

A Carrouge, un officier envoyé par l'empereur d'Autriche vint la saluer à la portière de sa voiture. Cet officier s'appelait Adam-Alberg de Neipperg.

Écoutons Méneval nous faire son portrait :

« C'était alors, écrit-il, un homme d'un peu plus de quarante ans, d'une taille moyenne mais d'une tournure distinguée. L'uniforme de hussard, qu'il portait habituellement, et une chevelure blonde et bouclée lui donnaient un air jeune. Un large bandeau noir couvrait la cicatrice d'une blessure qui lui avait fait perdre un œil. Son regard était vif, perçant, scrutateur. Des manières élégantes et polies, un langage insinuant, des talents agréables prévenaient en sa faveur. »

Ce don Juan (on ne comptait plus ses conquêtes féminines) était né en 1775, à Vienne, des relations adultérines et furtives de la comtesse de Neipperg avec un officier français dont la haute stature épouvantait les ennemis et attirait les dames.

Écoutons encore Méneval :

« Je ne puis omettre une particularité curieuse de la commune destinée qui réunit l'ancienne Impératrice des Français et le général de Neipperg. Ce dernier était né d'un Français. Pendant le temps que son père, le comte de Neipperg, remplissait à Paris une mission diplomatique, il fit la connaissance d'un officier français appartenant à une famille distinguée et le reçut familièrement chez lui. La comtesse de Neipperg ne fut pas insensible au mérite du comte de..., qui lui rendait des soins assidus. Le comte de Neipperg s'occupait fort peu de sa femme et la laissait maîtresse de ses actions pourvu qu'il pût se livrer aux plaisirs de la table et du jeu. Il se forma entre la comtesse et le jeune officier une liaison intime dont le général de Neipperg fut le fruit. La preuve de ce fait résulte d'une lettre de la mère de ce général qui fut trouvée dans les papiers du comte de... après sa mort. Cet enchaînement de circonstances fournira un sujet grave de réflexions à ceux qui admettent que la fatalité entre toujours pour quelque chose dans les événements humains [53]. »

Le général de Neipperg avait rempli auprès de Marie-Louise à Prague, en 1812, les fonctions de chambellan. Elle ne montra aucun plaisir en le reconnaissant.

Elle eut même, nous dit-on, « une impression désagréable qu'elle ne chercha pas à dissimuler ».

Avec ses manières enveloppantes, son gros œil noir qui la fixait et sa gentillesse affectée, le personnage lui parut suspect. Elle ne se trompait pas. Neipperg était chargé par l'empereur d'Autriche de l'espionner et de l'empêcher par tous les moyens d'aller rejoindre Napoléon.

Les instructions secrètes dont on l'avait muni étaient formelles :

... La correspondance et les communications de Mme la duchesse de Colorno avec l'île d'Elbe exigent la plus étroite surveillance. Aussi est-il nécessaire de découvrir les différents canaux qui pourraient être utilisés.

Le comte de Neipperg tâchera de détourner la duchesse de Colorno, avec tout le tact nécessaire, de toute idée d'un voyage à l'île d'Elbe, voyage qui remplirait de chagrin le cœur paternel de Sa Majesté, qui formule les souhaits les plus tendres pour le bien-être d'une fille bien-aimée... Au pis aller, si toutes les représentations étaient vaines, il suivra la duchesse de Colorno à l'île d'Elbe.

Marie-Louise s'installa à Aix-les-Bains dans la maison qu'avait habitée un moment la reine Hortense. Neipperg réussit bientôt à être de son intimité. Charmeur, spirituel, galant, il faisait avec habileté une cour qui était chaque jour acceptée avec plus de complaisance.

Son désir de devenir l'amant de Marie-Louise ne l'empêchait pas de faire son métier d'espion. Au contraire...

Le 11 août, il envoya ce petit rapport à Vienne :

Aujourd'hui, un domestique du roi Joseph, chargé d'une mission secrète pour l'île d'Elbe, a passé par ici. J'ai appris par une source sûre que l'impératrice Marie-Louise lui avait remis en toute hâte quelques lignes et une boucle de ses cheveux pour le jour de fête de l'empereur Napoléon. Ce domestique prend la route par Naples, où toutes les correspondances paraissent être dirigées.

53. Baron DE MÉNEVAL, *Napoléon et Marie-Louise, souvenirs historiques.*

L'espionnage constant dont elle était l'objet n'échappait point à Marie-Louise. Le 18 août, le colonel Laczinski, frère de Marie Walewska, réussit à lui remettre une lettre de Napoléon sans attirer l'attention de Neipperg. Aussitôt, elle écrivit la réponse suivante qui partit pour l'île d'Elbe par le même intermédiaire :

Que je serais contente de pouvoir te rejoindre tout de suite, dès que j'aurai mon fils ; j'avais donné l'ordre de le faire venir quand j'ai reçu une lettre de mon père qui me prie de revenir à Vienne pour le Congrès, où l'on doit traiter des intérêts de mon fils ; il paraît que les Bourbons se remuent beaucoup pour m'ôter Parme. Je suis environnée ici d'une police et d'une contre-police autrichienne, russe et française, et M. de Fitz-James a l'ordre de m'arrêter si je voulais aller du côté de l'isle d'Elbe. Malgré cela, fie-toi à mon désir d'y aller ; il me fera affronter tous les obstacles, et certainement, à moins que l'on emploie la force, je serai bientôt avec toi, mais je ne sais encore à quoi l'on se portera.

Je tâcherai de partir le plus tôt possible, en attendant je ne laisse pas reposer un moment ton officier. Si on le savait ici, on serait capable de l'arrêter, et je suis sûre qu'on le fouillera ; tu n'as pas l'idée à quel point les ordres (sont) rigoureux ; les Autrichiens même s'en scandalisent ; le général Neuperg (sic) m'a dit avoir dans sa poche l'ordre d'intercepter toutes les lettres que je pourrais t'écrire...

Le général de Neipperg possédait, en effet, cet ordre dans sa poche ; mais, pour empêcher Marie-Louise d'aller à l'île d'Elbe, il avait aussi un autre moyen, beaucoup plus coquin...

Au moment de quitter Milan (où il commandait une division) pour se rendre en Savoie prendre son poste de surveillant auprès de Marie-Louise, Neipperg avait déclaré en bombant le torse :

— Avant six mois je serai son amant et bientôt son mari [54].

Ce galant général était sûr de son charme. Il en usait savamment et obtenait des résultats stupéfiants auprès des dames. « Avec son œil crevé, son bandeau noir et ses trente-neuf ans, écrit Max Billard, Neipperg avait du sang de jeune homme dans les veines : il était à même encore de donner des leçons de séduction à don Juan et de rendre des points à tous les Lovelace de la terre aux carambolages des cœurs [55]. »

Un jour, à Mantoue, rapporte la *Chronique scandaleuse sous la Restauration*, il avait réussi à violer la fille d'un aubergiste grâce à un stratagème digne des contes de Boccace.

S'étant rendu dans l'auberge de sieur Franconi, dont il convoitait la fille, une jeune personne de dix-huit ans, nous dit l'auteur, le comte

54. Frédéric Masson, *L'Impératrice Marie-Louise*.
55. Max Billard, *Les Maris de Marie-Louise*.

de Neipperg demanda une chambre et un bon dîner. Quand la jeune fille vint le servir, il la retint par la main, lui demanda de tirer la langue, prit son pouls, hocha la tête et déclara qu'il était médecin.

— Vous êtes atteinte, lui dit-il, d'une maladie qu'il faut soigner immédiatement. Allez vous coucher. Je terminerai mon repas après vous avoir examinée.

Franconi alerté demanda si sa fille ne pouvait pas attendre d'avoir servi tous les clients.

— Non, dit Neipperg avec autorité, car elle peut propager son mal.

Lisa monta dans sa chambre, suivie de Neipperg, tandis que Franconi, fort soucieux, s'occupait des dîneurs. Quand elle fut au lit, complètement nue, le général la palpa longuement.

— Sentez-vous une douleur ici ? dit-il en lui tenant les seins.

— Non, dit la jeune fille.

— Et là ?

De l'extrémité de l'index, il lui caressa doucement le bout du sein gauche, à la façon d'un homme qui voudrait effacer une tache.

Troublée, Lisa eut un frémissement.

Le général fronça les sourcils.

— Forte sensibilité du mamelon gauche, dit-il. Je ne me suis pas trompé. Voyons l'autre.

Ayant humecté son doigt, il toucha l'extrémité du sein droit avec le geste d'un homme qui voudrait écarter une coccinelle. Lisa, pour qui ces entreprises étaient nouvelles, émit un râle.

— Le mal est déjà très avancé, dit Neipperg. Nous sommes au bord de la crise. Mais je vais vous soigner.

Il redescendit dans la salle et prit l'aubergiste à part :

— Il s'agit d'une mauvaise fièvre, extrêmement contagieuse, dit-il. J'interdis formellement d'entrer dans la chambre de votre fille. Moi-même, je ne monterai la voir qu'en utilisant l'escalier extérieur, afin de ne rencontrer personne. Pendant deux jours, je m'occuperai de sa nourriture et de ses soins. J'ai sur moi tous les remèdes dont elle a besoin. Ne craignez rien...

Le sieur Franconi remercia Neipperg, qui remonta aussitôt dans la chambre où Lisa, encore émue par les attouchements divers dont elle avait été l'objet, sentait monter en elle une chaleur dont elle attribuait candidement l'origine à un début de fièvre quarte.

Le faux médecin tira de sa poche un pot de pommade, y plongea le doigt et recommença le massage des deux pointes de sein.

Au bout d'un très court moment, Lisa se mit à se contorsionner en gémissant.

— Vous souffrez d'une maladie qui atteint souvent les jeunes filles que l'on tarde à marier, dit Neipperg. A votre âge, vous devriez avoir un époux.

— C'est vrai, murmura Lisa qui se sentait agitée par des désirs imprécis.

— Mon devoir de médecin m'oblige à vous proposer le seul remède capable de vous guérir, dit le général d'un ton grave. Est-ce que vous ne sentez pas comme des picotements à cet endroit ?

D'un geste chaste, il désigna, nous dit l'auteur de la chronique, « l'objet que les anciens nommaient le cœur fendu »...

— Oh oui, répondit la jeune fille dont l'énervement allait croissant.

— Dans ce cas, répondit Neipperg, toute hésitation serait criminelle. Il faut que j'agisse comme si j'étais votre mari. Nous n'en parlerons pas. Cela restera un secret entre nous. Il y va de votre santé...

Le corps tendu comme une corde de violon, Lisa accepta dans un souffle.

Le brave général posa alors sa redingote sur une chaise, retira ses souliers, grimpa sur le lit et, avec un art consommé, lui administra son remède...

Pendant deux jours, et tandis que le sieur Franconi allait mettre des cierges pour la guérison de sa fille, Neipperg savoura ainsi, en toute quiétude, la ravissante Lisa, qui semblait prendre un goût très vif pour ce traitement original. Après quoi, il disparut, laissant à la jeune fille émerveillée le souvenir d'un médecin particulièrement dévoué...

Auprès d'un tel séducteur, la pauvre Marie-Louise courait naturellement un grand danger. De son œil unique, mais singulièrement exercé, Neipperg la déshabillait avec gourmandise. Sûr de sa victoire, il pensait avec orgueil au moment où il serait l'amant de la fille de l'empereur d'Autriche.

En outre, l'idée de cocufier Napoléon l'amusait, car il était resté très jeune de caractère...

Tout en s'efforçant de gagner les bonnes grâces de l'ex-Impératrice, le général continuait de jouer son rôle d'espion. Il notait ce qu'elle disait, le nom de ses visiteurs et jusqu'à ses jeux de physionomie lorsque le nom de Napoléon était prononcé dans la conversation.

Le 20 août, il envoyage ce rapport à l'empereur d'Autriche :

Il est très rarement fait mention de l'île d'Elbe et de son habitant, et pour le moment il n'existe pas le moindre désir d'y faire une visite. Le désir le plus ardent est, par contre, de revoir son prince...

Votre Majesté daignera être entièrement tranquillisée ; il n'existe pas, de la part de l'illustrissime archiduchesse, le moindre contact ou quelque autre échange secret de lettres.

En réalité, Marie-Louise, au prix de ruses extraordinaires , dupait Neipperg. Elle recevait régulièrement des lettres de Napoléon, y répondait, s'entretenait en cachette avec des agents secrets et préparait ardemment son départ pour l'île d'Elbe.

Afin d'agir en toute sécurité, elle alla même jusqu'à écrire à son « cher papa » une lettre annonçant son retour prochain à Vienne. Hélas, le lendemain, le passage du comte Laczinski était signalé à Neipperg. Aussitôt celui-ci écrivit à Vienne :

Il y a trois jours, un officier polonais (du nom de Germanowski, à ce que je crois), venant de l'île d'Elbe, s'est arrêté dans une maison de poste entre Genève et ici (Frangy ou Annecy) et a envoyé par un messager un écrit de l'Empereur à l'impératrice Marie-Louise. Je découvris bien la trace de cet homme, mais je ne pus apprendre l'objet de sa mission, et je croyais qu'il venait d'Allaman de la part du roi Joseph.

Sa Majesté, qui m'honore maintenant de sa gracieuse confiance, me communiqua, sans y être invitée, l'objet de la mission de l'officier polonais mentionné plus haut. L'empereur Napoléon demandait à Sa Majesté, avec beaucoup d'intérêt, des nouvelles de sa santé et l'invitait avec insistance à se rendre auprès d'Elle...

En fait, Marie-Louise, ayant su que Neipperg était au courant du passage de Laczinski, avait jugé habile de prendre les devants et de lui montrer la lettre de Napoléon.

Mais, quelques jours plus tard, Neipperg expédiait le rapport suivant à Vienne :

L'empereur Napoléon a envoyé dans l'espace de dix jours, trois personnes pour conjurer l'Impératrice de se rendre auprès de lui sans demander l'autorisation et pour lui annoncer que son brick l'attendait à Gênes, où il avait jeté l'ancre. L'Impératrice, fermement décidée à décliner tout ce qui pourrait froisser le cœur paternel de Votre Majesté, ne voulut absolument pas écouter ces propositions, et les émissaires, parmi lesquels se trouvait un officier polonais, le comte Lonczinski (sic), qui avait récemment le nom de Germanowski, partirent sans avoir obtenu de réponse. Le capitaine Hurault, mari de la lectrice du même nom, qui a pris son congé à l'île d'Elbe, vint également ici auprès de sa femme et était aussi porteur d'une lettre de l'Empereur. J'ai toute raison de supposer que celle-ci était conçue dans des termes assez violents et reprochait à l'Impératrice d'abandonner l'Empereur dans son malheur et de s'être séparée de son prince. Cet écrit fit la plus profonde impression sur l'Impératrice et affecta immédiatement sa santé. Cette nouvelle preuve d'une conduite sans les moindres égards confirme à elle seule l'augustissime princesse dans son aversion contre un voyage auprès de son mari. Ce voyage ne se fera jamais sans l'autorisation de Votre Majesté, car il semble lui inspirer bien plus la peur que le désir d'être réunie à son mari. L'Impératrice n'a conséquemment pas fait retourner le capitaine en retraite Hurault à l'île d'Elbe et se propose, par contre, de l'emmener avec sa suite à Vienne, où, sans doute, on pourra le faire observer.

Cette fois, Neipperg ne se trompait pas en affirmant que Marie-Louise ne voulait pas partir pour l'île d'Elbe.

Que s'était-il donc passé ?

Une lettre de Napoléon avait troublé l'âme bourgeoise de Marie-Louise.

Énervé par le désir, l'Empereur demandait à sa femme de venir le rejoindre dans le plus bref délai, la menaçant d'un « enlèvement de vive force pour le cas d'un refus prolongé [56] ».

Cette menace, exploitée avec une suave hypocrisie par le général de Neipperg, avait effrayé l'ex-Impératrice.

A la pensée d'être enlevée comme une danseuse de l'Opéra de Vienne, cachée dans un cabriolet et déguisée peut-être en homme pour échapper à la police des Alliés, elle s'était affolée. Son mari avait pris l'aspect d'un de ces suborneurs dont on la menaçait quand elle était jeune fille.

Brusquement placée devant l'aventure que représentait un tel départ pour l'île d'Elbe et la vie quiète et sans histoire que lui proposaient à la fois Neipperg et son père, Marie-Louise n'hésita pas. Elle opta sans réserves, sans restrictions et, semble-t-il, sans regrets pour la tranquillité.

Après quarante-huit heures de réflexion, son choix étant fait, elle écrivit très calmement à l'empereur d'Autriche :

... J'ai reçu, il y a trois jours, un officier de l'Empereur avec une lettre dans laquelle il me dit de venir sans attendre, toute seule, à l'île d'Elbe, où il m'attend en se consumant d'amour... Soyez assuré, très cher papa, que maintenant j'ai moins que jamais envie d'entreprendre ce voyage et je vous donne ma parole d'honneur de ne vouloir jamais l'entreprendre sans vous en demander la permission. Je vous prie aussi de me dire ce que vous voulez que je réponde à l'Empereur...

Neipperg pouvait lancer des bulletins de victoire. Non seulement il était sûr maintenant de ramener Marie-Louise à Vienne, mais il avait la quasi-certitude d'en faire sa maîtresse...

Quelques jours plus tard, pressée par le galant général qui voulait profiter « des occasions que procurent les voyages », elle quittait Aix et rentrait en Autriche par petites étapes.

Un soir, excitée sans doute par Neipperg, elle écrivit, de Suisse, à Mme de Montebello, une lettre étrange et sotte où elle accusait Napoléon de la compromettre auprès de sa famille :

Figurez-vous que dans les derniers jours de mon séjour à Aix, l'Empereur m'a envoyé message sur message pour m'engager à venir le rejoindre, à faire une escapade sans personne, avec M. Hurault tout seul, et m'a fait dire de laisser mon fils à Vienne, qu'il y était bien et que lui n'en avait pas besoin ; j'ai trouvé cela un peu fort et je lui ai répondu franchement que je ne pouvais pas venir à présent. Je crains que tous ces messages n'influent sur la cour de Vienne et fassent qu'elle me retienne plus longtemps (loin de Parme) ; *je leur donnerai cependant* (aux ministres) *ma parole d'honneur la plus sacrée que je*

56. Cf. Lettre de Neipperg à François Ier d'Autriche.

n'irai pas pour le moment dans l'île d'Elbe et que je n'irai jamais *(car vous savez mieux que personne que je n'en ai pas envie), mais l'*Empereur est vraiment d'une inconséquence, d'une légèreté...

Mme de Montebello n'aimait pas Neipperg. Elle devina qu'il était à l'origine du soudain revirement de Marie-Louise. Choquée, elle se permit d'envoyer à son ex-souveraine une lettre inquiète et pleine d'allusions à peine voilées sur les dangers qu'une jeune femme pouvait courir auprès d'un trop entreprenant militaire. Habituée à dissimuler ses sentiments, Marie-Louise répondit par cette lettre, où elle cherchait peut-être elle-même à rassurer sa conscience :

Continuez, je vous en prie, vos sermons ; vous savez comme j'aime les entendre et ne craignez rien pour les promenades du soir ; vous savez que j'ai abjuré le petit brin de coquetterie que vous me reprochez, et mon cœur, qui est de roche pour un sentiment que je n'ai pas encore connu, restera toujours calme [57]...

... Je m'empresse seulement de vous tranquilliser sur l'état de ce pauvre cœur qui est aussi calme que quand vous l'avez quitté et fera perdre tous les paris que l'on a voulu faire en cette occasion, mais convenez aussi que l'objet n'est pas séduisant et qu'il n'y a pas de mérite à résister...

Cet objet peu séduisant allait être son amant trois semaines plus tard.

Le 24 septembre, la petite caravane arriva au bord du lac des Quatre-Cantons et visita la chapelle de Guillaume Tell. Soudain, un orage épouvantable obligea les voyageurs à chercher refuge à l'auberge du Soleil d'Or, chalet rustique situé sur les pentes du mont Righi.

Neipperg tenait l'occasion qu'il attendait depuis Aix.

Écoutons le petit-fils de Méneval : « A l'auberge du Righi, une infraction à un usage jusqu'alors scrupuleusement observé avait été commise : le valet de pied de service devait toujours coucher en travers de la porte de l'Impératrice ; or, les logements composant l'auberge consistaient en cellules sans communications entre elles, séparées de deux côtés par un corridor. Cette disposition des lieux pouvait rendre, à la vérité, incommode à l'Impératrice la présence d'un homme qui aurait dû coucher dans le corridor et devant sa porte, seule issue pour entrer ou sortir de sa chambre. Quoi qu'il en soit, le valet de pied reçut l'ordre, paraît-il, de coucher au rez-de-chaussée. »

Grâce à cette dérogation le général de Neipperg put pénétrer facilement dans la chambre de Marie-Louise. Profitant de l'effroi que le tonnerre et les éclairs causaient à la jeune femme, il se glissa dans les draps, la prit contre lui, la caressa et finit par faire éclater sa

---

57. On notera cette phrase : « ... un sentiment que je n'ai pas encore connu... ». Qu'était donc alors le sentiment qu'elle montrait dans ses lettres à Napoléon ? Une simple tendresse conjugale ?...

foudre personnelle en un endroit que Napoléon, toujours pressé, n'avait visité que furtivement.

Éblouie, l'ex-Impératrice oublia l'orage [58].

Quelques jours plus tard, un agent secret apprenait à l'empereur d'Autriche de quelle façon le général de Neipperg retenait maintenant Marie-Louise sur le continent. Sans la moindre pudeur, François Ier s'exclama :

— Dieu merci ! j'ai été heureux dans le choix du cavalier.

Après un voyage où chaque étape était prétexte, pour Neipperg, à des prouesses amoureuses dont les aubergistes percevaient les échos avec une admirative stupeur, Marie-Louise arriva à Schönbrunn le 4 octobre, à sept heures du matin, dans un état de complet épuisement.

Malgré sa fatigue, elle alla embrasser l'Aiglon, puis elle gagna sa chambre et se coucha avec délices.

L'ex-Impératrice avait raison de reprendre des forces, car depuis que tous les diplomates d'Europe étaient réunis à Vienne en Congrès pour tenter de reconstituer ce que Napoléon avait détruit en quinze ans, ce n'était, dans la capitale, qu'une suite ininterrompue de bals, de redoutes, de parades, de galas de cour et de concerts [59].

Cinq jours après son retour, Marie-Louise assista à une fête donnée dans la salle même où, quatre ans plus tôt, elle avait été « mariée » par procuration à l'Empereur des Français.

Du fond d'une loge, elle vit danser Metternich, Castlereagh et tous les triomphateurs de son mari, sans montrer la moindre émotion.

De temps en temps, elle se tournait vers Neipperg et lui adressait un sourire complice. En guise de réponse, nous dit Léonide Tournier dans son style particulier : « l'autre lui lançait un clin de son œil unique... » [60].

Les liens qui unissaient Marie-Louise à Napoléon s'effilochaient chaque jour un peu plus.

Divers événements allaient précipiter la rupture.

Un soir, en plein salon, Bausset, ancien chambellan des Tuileries, se mit à parler des infidélités de l'Empereur.

— Il avait toutes les dames de la cour de l'Impératrice pour un schall, dit-il en riant... Il n'y a que la duchesse de Montebello à qui il en a fallu trois...

Marie-Louise pâlit :

— Oubliez-vous devant qui vous êtes ? dit-elle.

Et, la colère l'empêchant d'en dire plus, elle se tourna vers Neipperg.

---

58. Le fils de Neipperg confirme le récit du petit-fils de Méneval :
« En été 1814, écrit-il, S.M. l'Impératrice Marie-Louise entreprit un voyage aux eaux d'Aix, en Savoie. Je ne me rappelle si c'est à l'aller ou au retour que le trajet fut pris par la Suisse. Tout ce que je sais est que l'amour qui germait dans leurs cœurs devint une grande passion, et — pendant une nuit d'orage annonçant un sinistre — ils sacrifièrent pour la première fois à l'amour. » (*Mémoires* rédigés en 1831.)
59. Le Congrès de Vienne avait commencé ses travaux le 26 septembre.
60. LÉONIDE TOURNIER, *Marie-Louise et Neipperg*, 1892.

Celui-ci intervint aussitôt. La cour vit alors, avec une rare délectation, l'amant de l'ex-Impératrice défendre chaleureusement l'homme qu'il cocufiait...

La publicité donnée à son infortune conjugale avait réveillé chez Marie-Louise quantité de griefs anciens. Une habile manœuvre de Metternich allait achever de séparer la jeune femme du souverain d'Elbe.

Un matin, on apporta à Marie-Louise un étrange document émanant de la nonciature. Avec l'effarement qu'on imagine, elle y lut que le mariage de Joséphine et de Napoléon n'ayant pas été cassé dans les règles, son union avec l'ex-Empereur était nulle et qu'elle vivait, par conséquent, en « situation irrégulière » depuis 1810...

Généreuse, l'Église ajoutait que, Mme de Beauharnais étant décédée, rien ne s'opposait plus à la célébration du vrai mariage entre les concubins impériaux. Le document contenait, en effet, cette conclusion : « La postérité rendra justice au plus honnête et généreux des souverains (François Ier) d'avoir fait le sacrifice de sa fille à son peuple, mais si nous avons été trompés dans notre bonne foi par le monstre (Napoléon), elle demandera pourquoi on a fait durer le scandale en faisant reconnaître l'innocente victime pour femme de celui que, catholiquement parlant, elle ne pouvait épouser qu'à présent. C'est-à-dire maintenant que le monstre est vraiment veuf et libre de contracter un nouveau nœud... »

Marie-Louise fut horrifiée. Ainsi, Napoléon avait fait d'elle une femme adultère, et de son fils, un bâtard !...

Sa vieille haine pour l'« ogre de France » reparut sur-le-champ. Catholique pratiquante, l'ex-Impératrice ne pouvait pardonner au « Corsicain » de l'avoir fait vivre, pendant quatre ans, en état de péché mortel...

Et, sans même songer au côté paradoxal de sa situation, elle alla confier ses tourments religieux à son amant...

Neipperg savait admirablement profiter des circonstances. Il commença par pousser le verrou, puis il porta Marie-Louise sur un lit, lui fit mille caresses réconfortantes et finit, avec un brio étourdissant, par effacer de sa mémoire, pour quelques instants, toute espèce de mauvais souvenirs...

Malgré l'hostilité que commençait à montrer l'ex-Impératrice à l'égard de Napoléon, le bruit courut, à la fin de septembre, parmi les membres du Congrès, qu'elle correspondait toujours avec l'exilé et qu'elle se préparait secrètement à partir pour l'île d'Elbe.

Immédiatement, certains diplomates en profitèrent pour discuter son accession au rang de duchesse de Parme.

Affolée, la jeune femme alla trouver son père. Celui-ci lui expliqua le plus calmement du monde que pour convaincre le Congrès qu'elle avait rompu toute relation avec Napoléon, le meilleur moyen était d'étaler publiquement sa liaison avec Neipperg.

Deux heures plus tard, la cour annonçait que le général était nommé grand écuyer, chargé d'affaires officiel et chambellan de la maison de Marie-Louise. Fonctions qui permettaient à l'amant de monter en voiture auprès de sa maîtresse...

Dès lors, on vit le couple se promener dans Vienne, assister à des concerts et même faire des escapades à la campagne.

Écoutons Max Billard :

« Il n'en coûtait guère à Marie-Louise d'effacer tout ce qui reflétait sur le présent la douce lumière des souvenirs et rappelait l'Empereur. Elle aimait Neipperg et ne prenait même plus le soin de cacher son goût bizarre pour cet homme, qui était devenu "autant maître de son esprit que de sa personne" [61]. Avec son chambellan, elle faisait des promenades à cheval ou en calèche ; il arrivait parfois qu'on s'arrêtât à une ferme ; ou bien on s'asseyait sous un bosquet d'arbres pour jouir de la beauté du paysage ; on prenait du lait et du pain de ménage. Le charme de la rêverie, l'amour sur l'herbe, dans un petit coin, l'amour qui s'attache à un couvert champêtre... c'était charmant et poétique : un tableau qui n'eût point défrisé une idylle de Gessner ou une pastorale de Florian. Et ce qui prouve bien que Marie-Louise était heureuse, c'est qu'elle avait de la gaieté et de l'esprit [62]... »

Ce goût de l'amour sur l'herbe poussa même un jour les amants à s'ébattre avec une telle désinvolture que des paysans cachés derrière une haie y prirent, nous dit encore Léonide Tournier, « une leçon de volupté »...

Dans certains villages des environs de Vienne, quelques bergers purent même se vanter de connaître la couleur exacte du « hérisson de S.A.I. l'archiduchesse »...

Un tel abandon finit par édifier les membres du Congrès, et le duché de Parme fut accordé — non pas à l'ex-Impératrice des Français — mais à l'épouse adultère de Napoléon Ier.

15

Napoléon veut s'évader de l'île d'Elbe grâce à la belle Bartoli, maîtresse du colonel Campbell

Aimer une femme, quelle évasion !...

VICTOR HUGO

Tandis qu'à Vienne les membres du Congrès s'injuriaient avec des mots choisis comme il convient quand on est diplomate, à l'île d'Elbe, Napoléon continuait de mener une vie calme et tranquille.

61. Lettre secrète de Méneval à Lavalette.
62. MAX BILLARD, *Les Maris de Marie-Louise*.

Chaque matin, levé avant l'aube, il absorbait un léger repas et s'en allait bêcher son jardin pendant une heure. Après quoi, il prenait un bain très chaud, puis demeurait un long moment assis sur une chaise, entièrement nu. Là, à deux mains, consciencieusement, il se grattait les cuisses. Cette occupation singulière durait une bonne demi-heure. Napoléon ne s'arrêtait qu'au moment où les boutons qui l'agaçaient commençaient à saigner. Alors, il appelait Marchand, son valet de chambre :

— Voilà qui me met en train pour la journée, disait-il joyeusement. Cela vaut mieux que tous les vésicatoires.

Dix minutes plus tard, les cuisses impériales étaient dans leur fourreau de drap blanc, et Napoléon, soulagé, allait se promener dans les sentiers de montagne jusqu'au déjeuner.

L'après-midi, le souverain repartait dans la campagne, un bâton de berger à la main. Il explorait son île, allait bavarder avec des pêcheurs, surveillait l'exploitation des mines de fer et rentrait vers six heures. Après dîner, il jouait aux cartes avec Madame Mère, Berthier, Drouot et le colonel Campbell, qui représentait l'Angleterre dans l'île. Les parties se terminaient le plus souvent mal, car Napoléon trichait outrageusement. Enfin, à neuf heures, il se levait, se mettait devant le piano et, d'un doigt, tapait sur les notes suivantes :

Do do sol sol la la sol fa fa mi mi ré ré do.

Cet air de *Ah vous dirai-je Maman* était le signal du départ. Chacun s'allait coucher. Et l'ex-Empereur, devenu semblable au roi d'Yvetot que Béranger lui avait donné naguère pour modèle, montait retrouver sa « Jeanneton ». Depuis quelque temps, il s'agissait de la pulpeuse Lise Le Bel, qui était venue (en compagnie de sa maman) afin de permettre au malheureux exilé de « goûter les délices de son abricot »...

Au début de novembre, Pauline vint s'installer dans l'île, et la vie de la petite cour se transforma. Des fêtes, des bals, des concerts furent organisés presque quotidiennement. Napoléon, émerveillé par la beauté de sa sœur, participait à toutes ces sauteries avec un entrain gamin. On le vit travesti en clown, en Pierrot, en Arlequin. Un soir, il alla même jusqu'à se mettre, à la grande joie de l'assistance, des cornets de papier dans les oreilles [63]...

Pauline, qui avait bon cœur, s'entoura bientôt des plus jolies femmes de l'île, afin de pouvoir en truffer le lit de son frère, le cas échéant. Elle s'attacha d'abord Lise Le Bel, naturellement, puis Mme Bellini-Stupiesky, fougueuse Espagnole épouse d'un officier polonais, Mme Colombani, une certaine Mlle Vantini, et quelques autres dont les noms ne nous sont point parvenus, mais qui possédaient toutes les qualités requises pour mettre Napoléon de belle humeur.

Pendant des semaines, le souverain de l'île d'Elbe vécut ainsi comme

63. Paul BARTEL, *op. cit.*

un pacha, dorloté par sa mère, sa sœur, sa petite cour, béni par son peuple, comblé par son harem. « Les journées de l'Empereur, écrit Peyrusse, s'écoulaient dans les plus douces occupations. Aucun de nous ne pouvait assigner le moment où il sortirait de l'île. Tout le monde s'y plaisait. Nos rapports avec la France, avec nos familles, n'avaient jamais été interrompus. L'autorité du souverain se faisait à peine sentir. Les contributions foncières, qui montaient à 24 000 francs, rentraient lentement. Napoléon m'avait fait connaître son intention de n'user de contrainte avec aucun contribuable. Tous les autres revenus publics étaient à jour. Notre petite souveraineté était paternellement administrée. Nous vivions sous un climat doux et tempéré, heureux, satisfaits de lier notre existence à celle de Napoléon [64]. »

Bercé par cette existence idyllique, l'ex-Empereur préparait son évasion avec quelque nonchalance. Et sans doute aurait-il continué pendant de longs mois encore à dicter ses Mémoires, à cultiver son jardin et à explorer son île, si, un jour de février 1815, une Anglaise qui l'admirait, Lady Holland, ne lui avait fait parvenir d'Italie, avec quelques menus cadeaux, un paquet de journaux britanniques. Ravi, Napoléon se jeta sur les nouvelles et pâlit. Dans un coin de page, un petit écho annonçait que le Congrès de Vienne, estimant que « l'ogre » était encore trop près de l'Europe, envisageait de le déporter à Sainte-Hélène.

Cette information allait précipiter les événements. Immédiatement, Napoléon décida de s'évader avant la fin du mois et de tenter un coup de force en France.

Ainsi, une fois de plus, c'était une femme — et une femme passionnée — qui, en cet hiver 1814, se trouvait être l'instrument du destin [65]...

Napoléon savait que les Français étaient déçus par les Bourbons qui accumulaient les maladresses. Il pouvait donc compter sur une partie de la population. Sans perdre une minute, il commença secrètement les préparatifs de son départ avant que les membres du Congrès ne pussent agir [66].

64. Peyrusse, *Mémoires*.
65. Lady Holland était l'épouse du troisième Lord Holland, neveu du grand Fox. Tous deux avaient été présentés au Premier Consul en 1802. Ils étaient revenus enthousiasmés de cette entrevue, et Lady Holland avait quelque peu scandalisé la société londonienne par son bonapartisme. Au point que certains l'accusaient d'être amoureuse de Napoléon. A la chute de l'Empire, Lord Holland protesta à la Chambre Haute contre toutes les décisions gouvernementales relatives à la détention de l'ex-Empereur. Il est hors de doute qu'en agissant ainsi, le futur chancelier du duché de Lancaster subissait l'influence de son épouse, dont il était passionnément épris. Un seul exemple suffira à le prouver : au cours d'un voyage en Suisse, la jeune femme, l'ayant quitté pendant trois jours pour faire une excursion, le retrouva couché comme elle l'avait laissé. Il n'avait « pu prendre sur lui de se lever et de s'habiller »...
66. On a pu écrire qu'au moment du Congrès, « la ville entière n'était plus qu'un vaste rendez-vous galant ». Bien entendu, la politique était étroitement liée aux intrigues amoureuses. Talleyrand avait amené sa nièce, la ravissante Dorothée de Courlande, comtesse de Périgord (future duchesse de Dino), dont les sœurs vivaient à Vienne. Or,

Le 16 février, son geôlier anglais, le colonel Campbell, partit pour Florence retrouver sa maîtresse, la belle Bartoli. Chance inespérée que Napoléon mit à profit. Le soir même, il faisait réarmer l'*Inconstant* et deux gros bateaux de transport.

Les jours suivants, pour donner le change, il établit des plans d'aménagement pour sa résidence d'été et fit commencer les travaux...

Le 23, il y eut une alerte. « A dix heures du matin, écrit Paul Bartel, la corvette anglaise *The Partridge*, qui conduit Campbell à Livourne et qui doit le ramener à l'île d'Elbe, apparaît à l'horizon. A pleines voiles, elle vient jeter ses ancres dans la rade de Porto-Ferrajo. Napoléon ne veut rien laisser au hasard. Il donne immédiatement l'ordre de suspendre toute activité anormale dans le port. Il est angoissé, déconcerté. La présence de Campbell à bord de *The Partridge* est le pire des contretemps. C'est l'ajournement indéterminé de l'évasion. »

Bientôt Napoléon respira. Campbell n'était pas à bord.

Malgré les rapports de ses agents, il avait préféré rester à Florence pour y savourer sa maîtresse.

Cette Florentine jolie, sensuelle, aux traits délicats, au corps frais et satiné, ainsi qu'on nous la décrit, allait donc, en retenant le colonel dans son lit, permettre l'évasion de Napoléon...

Le 26 au soir, l'Empereur embrassa sa mère et sa sœur en larmes et embarqua.

Le 1er mars, il posait le pied sur la terre de France...

La réussite extraordinaire de la marche de Napoléon sur Paris peut être résumée par sept titres parus dans le même journal entre le 28 février et le 20 mars 1815. Ils constituent certainement le plus beau retournement d'opinion qu'on ait jamais enregistré dans la presse. Les voici :

« *L'Aventurier a quitté l'île d'Elbe.* » — « *Le Tyran approche des côtes.* » — « *L'Usurpateur est à Antibes.* » — « *Le Corse est à Grasse.* » — « *Bonaparte est à Lyon.* » — « *Napoléon arrive à Paris.* » — « *S.M. l'Empereur est aux Tuileries.* »...

Parti le 2 à l'aube de Golfe-Juan, où il avait bivouaqué au milieu d'une population hostile, il s'était dirigé vers Grasse par des sentiers de montagne. A Saint-Vallier-de-Thiey, les paysans commencèrent à le

ces sœurs pouvaient être de précieuses alliées pour le diplomate français ; la première, duchesse de Sagan, parce qu'elle était la maîtresse de Metternich ; la seconde, princesse de Hohenzollern, parce qu'elle avait pour amant le comte de Walmonden, et la troisième, duchesse d'Acerenza, parce qu'elle faisait entrer dans son lit le secrétaire général du Congrès, Frédéric Gentz...

Merveilleusement manœuvrées par Talleyrand, ces trois dames (et Dorothée, qui devint assez rapidement la maîtresse du comte Clam, aide de camp du maréchal Schwarzenberg) apportèrent un appui considérable à la France. Et l'on peut dire que, en bien des occasions, le chef de la délégation française ne put faire entendre la voix de notre pays que par leur gracieux intermédiaire. Jamais la politique de l'oreiller ne fut plus efficace qu'au cours de ce Congrès.

saluer ; à Digne, on l'acclama. A Laffrey, il se trouva soudain face au 5e bataillon de ligne, envoyé par le gouvernement de Louis XVIII. A une portée de pistolet, il descendit de cheval, s'avança seul et entrouvrit sa redingote :

— Soldats du 5e de ligne, reconnaissez-moi. S'il en est un parmi vous qui veuille tuer son général, son Empereur, il le peut, me voilà.

Une clameur lui répondit :

— Vive l'Empereur !

Le 8, il entra à Grenoble, reçut les corps constitués et passa les troupes en revue. Assuré désormais d'avoir une partie de la France pour lui, il s'enferma dans une chambre et écrivit une longue lettre à Marie-Louise. Depuis qu'il avait posé le pied sur la terre de France, il ne pensait qu'au moment où il aurait le droit — ayant remporté sa première victoire — de lui demander de venir le rejoindre...

La lettre fut placée dans une noix et confiée à un agent secret qui partit aussitôt pour Vienne...

Et comme Mme de Pellapra, dont il avait goûté naguère le corps tendre et suave, se trouvait à Lyon, il la fit chercher par son valet de chambre. Écoutons Méneval nous en informer sur le ton hypocrite qui convient quand on veut dire les choses tout en restant discret :

« Mme P..., écrit-il, était à Lyon, dans sa famille, quand l'Empereur y arriva. Elle partageait de cœur et d'âme l'exaltation de la population lyonnaise. L'Empereur m'envoya chez elle ; comme elle était à Lyon depuis peu de jours, il pouvait beaucoup apprendre d'un entretien avec elle. L'embarras était de lui donner une heure au milieu de l'agitation qui était autour de lui. Il ne put lui donner audience qu'à une heure avancée de la soirée [67]... »

Ravi de retrouver sa belle amie, Napoléon lui montra sur un grand lit que l'exil ne lui avait rien retiré de son ardeur au déduit. Leur entrevue fut de qualité. Et le matin, tandis que la jeune femme, exténuée, mais heureuse, regagnait sa maison, l'Empereur, frétillant comme un gardon, écrivit une lettre enthousiaste et tendre à Marie-Louise :

Ma bonne Louise, je t'ai écrit de Grenoble que je serai à Lyon et bientôt à Paris. Mon avant-garde est à Chalon-sur-Saône. Je pars cette nuit la rejoindre. Les peuples courent en foule au-devant de moi ; des régiments entiers quittent tout pour venir me rejoindre. De tous les points, je reçois des députations. Je serai, quand tu recevras cette lettre, à Paris. Le comte d'Artois et d'Orléans (sic) étaient arrivés à Lyon. Ils ont harangué la garde nationale et six régiments d'infanterie, deux de cavalerie qu'ils avaient réunis. Mais « Vive l'Empereur » l'a obligé (sic) à fuir sans aucune escorte. Une heure après, je suis arrivé dans la ville qui m'a montré un enthousiasme inconcevable. Les habitants viennent en foule de toutes les parties de Lyon et sur la

67. Baron DE MÉNEVAL, *Napoléon et Marie-Louise. Souvenirs historiques.*

route. Adieu, ma bonne amie, sois gaie, viens me rejoindre avec mon fils. J'espère t'embrasser avant la fin de mars.

NAP.

Le 13, à l'heure où le Congrès de Vienne le déclarait « hors la loi », il quitta Lyon ; le 14, il était à Chalon, le 15 à Autun, le 16 à Avallon, le 17 à Auxerre, où il reçut à bras ouverts le maréchal Ney venu pour l'arrêter ; le 19, il couchait à Pont-sur-Yonne, et le 20, il entrait en triomphateur aux Tuileries, que Louis XVIII, vert de peur, avait quittées précipitamment quatre heures plus tôt...

Dès qu'il eut remis en place tout le dispositif de son règne, il envoya une nouvelle lettre à Marie-Louise :

Ma bonne Louise, je suis maître de toute la France. Tout le peuple et toute l'armée sont dans le plus grand enthousiasme. Le soi-disant roi est passé en Angleterre et peut-être au-delà. Les commandants de toutes les places où flotte mon pavillon, toute ma Vieille Garde sont autour de moi. Je passe toute ma journée des revues de vingt-cinq mille hommes. La France ne craint personne. Je t'attends pour le mois d'avril. Sois à Strasbourg avec mon fils le 15 ou le 20 avril. Adieu mon amie.

Tout à toi,

NAP.

Pendant des jours, il attendit une réponse. Finalement, des agents secrets l'informèrent que ses lettres ne parvenaient pas à Marie-Louise. Interceptées par François Ier, elles étaient communiquées immédiatement aux membres du Congrès.

Furieux, Napoléon décida d'envoyer un billet à sa femme par des voies secrètes. Il chargea le comte de Montrond de partir pour l'Autriche. L'ancien amant de Mme Hamelin arriva à Schönbrunn le 15 avril. Pour dépister les espions, il se présenta comme un grand amateur de jardins. Un soir, à la serre botanique, il rencontra Méneval et lui remit la lettre destinée à Marie-Louise. Souriant, il précisa :

— J'ai carte blanche pour enlever l'Impératrice en la faisant déguiser au besoin sous des habits d'homme, et sans m'inquiéter de ses mièvreries...

Méneval, qui savait, pour en être le témoin quotidien, quelle ampleur prenait la liaison de Marie-Louise et de Neipperg, pensa qu'il était préférable de brûler le billet de l'Empereur.

Quelques jours plus tard, n'osant révéler lui-même la vérité à Napoléon, il adressa à Lavalette une lettre anonyme contenant tous les détails de l'infidélité de l'ex-Impératrice.

L'Empereur eut connaissance de cette lettre par le Cabinet Noir. Avec sa naïveté habituelle, il n'en crut rien et s'imagina qu'il s'agissait d'une manœuvre des Alliés pour le détacher de sa femme.

— S'il le faut, dit-il alors, j'irai la chercher moi-même avec mon armée !

Puis, comme il était dans son tempérament de mener plusieurs combats à la fois, il alla retrouver Marie Walewska, avec laquelle, dès son retour, il avait renoué de savoureuses relations [68]...

A la fin d'avril, les Alliés se préparèrent à entrer en guerre contre le « hors-la-loi » et Méneval décida de rentrer en France. Avant de quitter Vienne, il fit une visite au roi de Rome qu'il trouva affaibli. Puis il alla prendre congé de Marie-Louise. En lui disant adieu, la jeune femme fondit en larmes.

— Je sens que tout rapport va cesser entre moi et la France ; mais je conserverai toujours le souvenir de cette terre d'adoption. Assurez l'Empereur de tout le bien que je lui souhaite. J'espère qu'il comprendra le malheur de ma position. Je ne prêterai jamais la main à un divorce ; je me flatte qu'il consentira à une séparation amiable et qu'il n'en concevra aucun ressentiment. Cette séparation est devenue indispensable. Elle n'altérera pas mes sentiments.

Elle offrit à Méneval une tabatière ornée de diamants et s'enfuit dans sa chambre.

En apprenant que sa femme était prête à une séparation, Napoléon se cabra. Et, frappant à coups de poing sur son bureau, il répéta :

— J'écraserai, s'il le faut, toutes les armées des Coalisés mais j'irai la chercher moi-même à Vienne et je la ramènerai aux Tuileries !

Le 12 juin, comme les Alliés étaient en marche vers la France, il alla rejoindre ses troupes à Laon. Son but était de livrer un combat en Belgique, de vaincre et de courir à Schönbrunn...

On sait, hélas, que dans la morne plaine de Waterloo, les choses se passèrent différemment.

Battu, Napoléon revint à Paris, sachant qu'il ne reverrait jamais ni son fils ni sa femme...

Il s'installa à l'Élysée. C'est là que, le 21, la tendre Walewska vint lui rendre visite avec le petit Alexandre. Écoutons-la :

« Le spectacle était bien différent de celui de Fontainebleau à l'époque de l'abdication. Une foule énorme entourait le palais. D'elle s'échappaient des hurlements.

» — Résistez ! Ne partez pas ! Donnez-nous des armes !

» C'étaient, par moments, des acclamations :

» — Vive l'Empereur !

» Ou des imprécations :

» — Les Bourbons à la lanterne ! Mort aux traîtres !

» Cadencés, avec des claquements de main, retentissaient ces mots :

» — Jusqu'au bout ! Jusqu'au bout ! Jusqu'au bout !

» Et puis encore, poussé par mille voix :

» — Vive l'Empereur !

» A l'intérieur passaient, s'accostaient, entraient et sortaient des

68. Au début de mars 1815, Marie Waleska, fatiguée d'attendre Napoléon, se préparait à épouser le comte d'Ornano. Le retour de l'Empereur retarda le mariage...

généraux, des sénateurs et beaucoup de femmes. Je n'osais prendre mon fils dans mes bras. Bousculé, étouffé, le pauvre petit pleurait :

» — Allons-nous-en, maman. Il y a trop de monde. Vous *lui* écrirez...

» Il comprenait, le cher ange... Je me réfugiai dans le jardin, plein aussi, mais où il y avait, du moins, de l'air. Un officier, qui m'appela par mon nom, se chargea de prévenir l'Empereur que j'étais là. Il revint dix minutes au plus après m'avoir parlé. J'avais pu restreindre mon émotion ; j'entrai calme chez Sa Majesté. »

Napoléon était seul. Très ému, il prit Marie dans ses bras :

— Merci d'être venue, ma douce amie.

Puis il se tourna vers Alexandre :

— Tu me reconnais, camarade ? Tu te rappelles comme nous nous sommes amusés, le jour où tu es venu me voir en bateau ?

— Bien sûr ! dit l'enfant.

Napoléon éclata de rire :

— Pardieu ; on n'oublie pas des parties pareilles. Ni ceux qu'on aime.

— Assure Sa Majesté que tu l'aimes bien, murmura Marie.

— Puisqu'il vient de le dire, maman, c'est pas la peine.

L'Empereur applaudit :

— Voilà qui est répondu. Pas de paroles inutiles. Ces choses-là, d'ailleurs, on ne les exprime pas, on les prouve.

Puis il se baissa pour avoir le visage d'Alexandre à la hauteur du sien :

— C'est ce que tu vas faire. Je pars, j'ai besoin de toi. Consens-tu à quitter ta maman ? Tu sais, tu resteras longtemps loin d'elle...

L'enfant hésita :

— Où allez-vous ?

— A la guerre. Parce que les méchantes gens qui ont pris le pays de ta mère veulent maintenant s'emparer du mien. Alors, je te mettrai devant moi, sur mon cheval, comme l'année dernière. Tu surveilleras, et si tu vois un ennemi s'approcher...

— Pan ! cria Alexandre en abattant son poing sur le crâne impérial.

Napoléon retrouva vite ses esprits.

— Parfait ! dit-il.

Et il ajouta pour Marie :

— Comme *l'autre*... Brave, robuste, décidé. Je crois que je vais l'emmener...

Un instant, Marie fut prise de vertige. Elle imagina Napoléon retournant à l'île d'Elbe, la faisant venir, la nommant dame d'honneur de Pauline pour la garder près de lui et l'épousant peut-être un jour... Elle le regarda, pleine d'un espoir insensé et vit qu'il ne pensait qu'à l'enfant.

— Me le refuseriez-vous ?... dit-il. Attention, je le prends de force.

— Non, vous ne le prendrez pas !

— Soit ! Mais vous agissez contre ses intérêts.

Il se pencha vers son fils :

— Tu viendras la prochaine fois. Aujourd'hui, maman ne veut pas. Il ne faut jamais contrarier sa maman [69]...

Puis il les reconduisit à la porte et ses yeux s'emplirent de larmes...

Il venait de perdre son deuxième fils...

16

La Belina veut suivre Napoléon en exil

> Le plus difficile n'est pas de conquérir
> une femme. C'est de la quitter.
>
> ALFRED CAPUS

Le 22 juin 1815, Napoléon connut deux grosses contrariétés.

A quatre heures de l'après-midi, considéré comme le seul obstacle à la paix, il fut contraint d'abdiquer sous la pression des Chambres, et à six heures, des individus, profitant du désordre qui régnait alors à l'Élysée, lui volèrent sa tabatière.

Profondément affecté par ces deux événements, il sombra dans un abattement dont ni Benjamin Constant, venu lui rendre visite, ni le sourire d'Hortense, ni les cris de la foule qui criait « Vive l'Empereur » ne purent le faire sortir.

Le 25, il quitta l'Élysée et alla s'installer à la Malmaison.

Avant de quitter la France à tout jamais, il allait instinctivement se réfugier dans le seul lieu où il avait été vraiment heureux. Là, il avait joué aux barres avec les jeunes femmes de sa cour, là flottait le fantôme léger de Joséphine...

Le soir, triste, mélancolique, il fit un tour dans le parc au bras d'Hortense. Derrière les grilles, des gens venus de Paris s'étaient amassés. En l'apercevant, ils crièrent :

— Vive l'Empereur ! Aux armes ! Ne partez pas ! A bas les Bourbons !

Soudain, un homme lança :

— Vive le Père La Violette !

— Pourquoi m'appelle-t-il ainsi ? demanda l'Empereur.

— Pendant que vous étiez à l'île d'Elbe, expliqua Hortense, les grognards disaient entre eux : « Il reviendra au temps des violettes. » Le nom vous est resté.

Napoléon sourit.

— Voilà donc pourquoi toutes les femmes me jetaient des bouquets de violettes de Grenoble à Paris...

Puis il sembla rêver.

— Quel merveilleux pays que la France... Comme j'aimerais me consacrer à son bonheur... Si j'avais gagné cette dernière bataille, et si

---

69. Tout le dialogue de cette scène est rapporté par Marie Walewska elle-même.

j'avais pu ramener l'Impératrice et mon fils à Paris, je n'aurais plus jamais fait la guerre... J'aurais administré l'État et je me serais occupé d'un jardin. J'ai toujours aimé jardiner... A Porto-Ferrajo, je bêchais, je ratissais, je semais... Un État heureux et un beau jardin ! Le peuple aurait pu alors m'appeler le Père La Violette...

Et sur ces pensées pacifiques, mais un peu tardives — il faut le reconnaître —, il alla se coucher avec une lectrice de la reine de Hollande « qui aimait, nous dit-on, se faire caresser le manchon »...

Le lendemain matin, Napoléon envoya Beker demander à la Commission du gouvernement, que dirigeait Fouché, l'autorisation de se rendre à Rochefort où il voulait s'embarquer pour l'Amérique.

En attendant la réponse, il alla s'asseoir sur un banc avec Hortense, et une fois encore, il rêva du passé.

— Pauvre Joséphine, dit-il. Je ne puis m'accoutumer à habiter ce lieu sans elle. Il me semble toujours la voir sortir d'une allée et cueillir une de ces roses qu'elle aimait tant.

Hortense pleura. Il lui prit la main et continua :

— Au reste, elle serait bien malheureuse à présent. Nous n'avons jamais eu qu'un sujet de querelle, c'était pour ses dettes, et je l'ai assez grondée. Elle était femme dans toute la force du terme, mobile, vive, et le cœur le meilleur... Faites-moi faire un autre portrait d'elle. Je voudrais qu'il fût en médaillon...

Le soir, Beker revint. Le gouvernement autorisait Napoléon à se rendre à Rochefort, mais lui interdisait de s'embarquer avant l'arrivée de son passeport. Fouché trouvait dans cette mesure le double avantage d'éloigner l'ex-Empereur de Paris et de le retenir prisonnier à Rochefort.

Napoléon éventa le piège.

— Dans ce cas, je ne pars pas, dit-il.

Et il alla recevoir Mme Duchatel, qui, en larmes, venait lui donner un dernier gage de fidélité. Touché, il l'entraîna dans une pièce retirée où il put lui exprimer vigoureusement sa reconnaissance...

Le 27, alors que les armées anglaises et prussiennes approchaient de Paris, Napoléon reçut la visite du baron de Méneval, qui lui amenait le petit Léon, le fils que lui avait donné en 1806 Éléonore Denuelle de La Plaigne.

Écoutons Hortense nous conter la scène :

« A midi l'Empereur m'envoya chercher. Il était dans son petit jardin avec un homme que je ne connaissais pas et un jeune enfant qui paraissait avoir de neuf à dix ans. Me prenant à l'écart, l'Empereur me dit :

» — Hortense, regardez cet enfant ; à qui ressemble-t-il ?

» — C'est votre fils, Sire, c'est le portrait du roi de Rome.

» — Vous le trouvez. Il faut donc que ce soit. Moi qui ne croyais pas avoir le cœur tendre, cette vue m'a ému. Vous paraissez instruite de sa naissance. D'où le connaissez-vous ?

» — Sire, le public en a beaucoup parlé, et cette ressemblance me prouve qu'il ne s'est pas trompé.

» — J'avoue que j'ai longtemps douté qu'il fût mon fils. Cependant, je le faisais élever dans une pension de Paris ; l'homme qui s'en était chargé m'a écrit pour connaître mes intentions sur son sort ; j'ai désiré le voir et, comme vous, sa ressemblance avec mon fils m'a frappé.

» — Qu'allez-vous en faire ? Sire, je m'en chargerais avec plaisir, mais ne pensez-vous pas que ce serait peut-être donner sujet à la méchanceté de s'exercer contre moi [70] ?

» — Oui, vous avez raison. Il m'eût été agréable de le savoir auprès de vous, mais on ne manquerait pas de dire qu'il est votre fils. Lorsque je serai établi en Amérique, je le ferai venir.

» Il rejoignit alors le monsieur qui attendait plus loin. Je m'approchai de cet enfant beau comme un ange. Je lui demandai s'il était content dans sa pension et à quoi il s'amusait ; il me répondit que, depuis quelque temps, lui et ses camarades jouaient à se battre, et qu'ils faisaient deux partis : l'un appelé les Bonapartistes et l'autre les Bourbonistes. Je voulus savoir de quel parti il était.

» — De celui du roi, me dit-il.

» Et quand je lui en demandai le motif, il me répondit :

» — Parce que j'aime le roi et que je n'aime pas l'Empereur.

» Je jugeai combien il était loin de soupçonner sa naissance et de connaître celui qu'il venait voir. Je trouvai sa position si bizarre que je le questionnai sur la raison qui lui faisait ne pas aimer l'Empereur.

» — Je n'ai aucune raison, me répétait-il, si ce n'est que je suis du parti du roi.

» L'Empereur nous rejoignit, congédia la personne qui en était chargée et alla déjeuner. Je le suivis et il répéta souvent :

» — Cette vue m'a ému ; il ressemble à mon fils. Je ne me croyais pas susceptible de l'impression qu'il m'a fait éprouver. Sa ressemblance avec mon fils et avec moi vous a donc bien frappée ?

» Et tout son déjeuner se passa dans de semblables discours [71]. »

L'après-midi, Marchand rencontra à Rueil Mme de Pellapra qui n'osait pas se présenter à la Malmaison sans y être conviée. Elle avait appris que Fouché traitait avec le baron de Vitrolles, agent de Louis XVIII, et voulait en aviser l'ex-Empereur.

Quelques semaines avant Waterloo, Mlle George avait, de son côté, fait remettre à Napoléon des papiers qui compromettaient le ministre de la Police et prouvaient sa trahison. Ainsi, au moment où Marie-Louise batifolait avec Neipperg, quelques femmes s'efforçaient de venir en aide à l'homme qu'elles avaient aimé. « Se faisant, par dévouement, écrit Frédéric Masson, même celles qui étaient le moins faites pour la politique, ses espionnes et ses avertisseuses, elles ont avec leur instinct,

70. Les mauvaises langues prétendaient alors que Napoléon avait été l'amant de la reine Hortense, sa belle-fille.
71. Reine HORTENSE, *Mémoires*.

plus qu'avec leur raison, fourni des conseils qui eussent mérité d'être suivis... [72] »

Napoléon fit venir Mme de Pellapra à la Malmaison, prit bonne note de ses informations concernant Fouché et lui dit en riant :

— Racontez-moi donc ce que vous avez fait après mon départ de Lyon... Je me suis laissé dire que vous aviez servi ma cause d'une très amusante façon...

Rougissante, la jeune femme conta comment, habillée en paysanne, elle avait couru les routes pour distribuer des cocardes tricolores aux armées de Ney.

— Montée sur un âne, dit-elle, je faisais semblant d'aller vendre des œufs, et personne n'avait l'idée de m'arrêter. Je riais, je passais. Je n'avais pas le mot de passe, mais j'avais le mot pour rire. Quand j'arrivai devant les soldats et que je leur donnai les cocardes bleu, blanc, rouge, ils jetèrent la blanche en criant : « Hé ! vive la poule qui a pondu ces œufs-là [73] ! »

Napoléon éclata de rire. Et, pour la récompenser de cet acte courageux, il emmena Mme de Pellapra dans son appartement et lui fit exactement ce qu'il avait fait la veille à Mme Duchatel...

Le 28, vers dix heures du matin, l'ex-Empereur, entouré d'officiers, cherchait sur une carte l'emplacement des avant-gardes prussiennes qui étaient signalées au nord du département de la Seine, lorsqu'une voiture s'arrêta dans la cour de la Malmaison. Marie Walewska en descendit, accompagnée du petit Alexandre. Napoléon courut au-devant d'elle et la serra dans ses bras avec émotion :

— Marie ! Comme vous avez l'air bouleversée !

Il la fit entrer dans sa bibliothèque. Là, elle parla avec la foi qui l'animait jadis lorsqu'il s'agissait de sauver la Pologne. Pendant un quart d'heure, elle le supplia de prendre le commandement des armées, de défendre Paris, d'arrêter les Coalisés et de reconquérir son trône...

Il l'écouta avec patience et finit par dire doucement :

— J'ai pris ma décision, Marie. Vos arguments sont inutiles. Ni mon frère Lucien, avec toute sa dialectique, ni mon frère Jérôme, dont le courage et la popularité m'eussent été précieux, n'ont pu la faire changer.

— Paris n'était pas alors menacé, dit-elle.

— Si, comme aujourd'hui.

— Pas attaqué, assiégé, perdu !

Il haussa les épaules. Elle s'approcha et murmura :

— Pensez à Paris... à la France... *Napoléon !* A votre trône... Aux aigles... à *ton fils !*...

Mais ni ce prénom qu'elle évitait habituellement d'employer, ni ce tutoiement réservé à leur intimité ne parvinrent à entamer la résolution de Napoléon.

72. Frédéric Masson, *Napoléon et les femmes.*
73. Princesse Bibesco, Introduction aux *Mémoires* d'Émilie de Pellapra.

— Ma décision est prise, répéta-t-il. Je demanderai à un pays lointain l'asile dû au proscrit. J'y vivrai, respectueux de ses lois, uniquement préoccupé d'élever le roi de Rome et de le préparer pour le jour où les Français le rappelleront...

Désespérée, Marie éclata en sanglots.

— J'aurais tant voulu vous sauver ! gémit-elle.

Puis elle s'en alla, après lui avoir fait embrasser Alexandre qui commençait à trouver bien curieux ce papa à qui l'on faisait sans arrêt des adieux déchirants...

Les paroles de la jeune femme avaient tout de même ranimé en Napoléon une flamme qu'il croyait éteinte ; car, le lendemain, lorsqu'on vint lui apprendre que deux frégates étaient mises à sa disposition et qu'il devait partir sans délai, il demanda au gouvernement un commandement dans l'armée pour repousser les Prussiens. Mais Fouché le lui refusa.

Alors, silencieusement, il serra la main de ses amis, embrassa Hortense et Madame Mère, monta se recueillir dans la chambre où Joséphine était morte, mit des vêtements civils, se coiffa d'un chapeau rond, monta en calèche avec Bertrand, regarda une dernière fois la Malmaison et partit pour ne jamais revenir...

Dès que la voiture de l'Empereur eut disparu, le général baron Gourgaud, qui s'apprêtait à monter dans la sienne, vit venir vers lui deux hommes fort agités.

Le premier était M. Anton Bellini-Stupiesky, ce Polonais dont la femme avait fait les belles nuits de Napoléon à l'île d'Elbe. Le second, coiffé d'un chapeau à larges bords, avait le visage à demi caché dans une épaisse cravate. Stupiesky indiqua par gestes à Gourgaud qu'il désirait avoir un entretien confidentiel. Le général, intrigué, le fit monter dans sa voiture. Là, le Polonais parla d'un ton suppliant :

— Il faut absolument que vous preniez ma femme avec vous. Elle veut suivre l'Empereur et se déclare prête à partager avec lui les rigueurs de l'exil. Quel que soit le lieu qu'il ait choisi pour vivre désormais, elle doit être à ses côtés. Elle seule peut lui apporter un réconfort. Elle l'aime et il aura besoin des exceptionnelles qualités de son sexe...

Comme Gourgaud avait l'air d'hésiter, le mari insista :

— Vous ne savez pas ce que ma femme représente pour l'Empereur. A Porto-Ferrajo, elle fut sa fraîcheur, sa douceur, sa volupté. Prenez-la avec vous !

— Où est-elle ? demanda Gourgaud.

— Là, dit Stupiesky, en désignant son compagnon. Elle s'est habillée en homme pour n'être pas reconnue et pouvoir partir plus facilement.

Le Polonais se mit à genoux dans la voiture.

— Je vous en prie, emmenez ma femme !

Le temps pressait. Gourgaud fit signe à la Belina de monter dans la calèche.

— Je vous emmène tous les deux, dit-il [74].

Puis il donna l'ordre au cocher de partir pour Rambouillet, où Napoléon pouvait avoir besoin de la jolie Mme Stupiesky pour agrémenter son étape...

Le voyage dura cinq heures. Et, pendant tout ce temps, Stupiesky se plut à décrire avec un enthousiasme enfantin la joie qu'allait éprouver l'Empereur en apprenant que sa bien-aimée venait le retrouver. Le brave Gourgaud, qui n'était point accoutumé aux manières un peu désinvoltes des gens de la bonne société, considérait cet étrange mari avec ahurissement.

A vingt-deux heures, quand le trio arriva à Rambouillet, Napoléon, fatigué par sa journée, était en train de se coucher.

Le Polonais fut navré.

— Allez dire à l'Empereur que ma femme est là, dit-il. Le pauvre doit avoir besoin de se changer les idées.

Mais on le repoussa et il dut aller dormir avec son épouse dans une auberge de la ville.

Le lendemain, à huit heures, Gourgaud fut reçu par Napoléon. Écoutons-le :

« Je racontai mon voyage avec Stupiesky et l'inconvenance de mener avec moi une femme, d'autant plus qu'elle était habillée en homme. L'Empereur, consulté à ce sujet, décida qu'il ne fallait pas qu'elle et son mari suivissent plus loin. Bertrand me chargea de leur annoncer cette mauvaise nouvelle, ce à quoi je me refusai. Alors il me remit un billet pour ce Polonais, en me disant de lui verser un ou deux napoléons. »

Gourgaud alla remettre le billet à Stupiesky, qui devint furieux.

— C'est une trahison ! L'Empereur ne peut pas repousser ma femme. Cet ordre ne vient pas de lui. Il l'aime trop... Vous êtes à la solde des Anglais. Traître ! Vous ne savez pas comment il la prenait à Porto-Ferrajo... Comment il demeurait avec elle des nuits entières, comme un garçon de vingt ans...

Et, l'esprit égaré par la colère, le Polonais décrivit sans pudeur à Gourgaud et aux officiers qui se trouvaient là toutes les choses agréables que Napoléon et sa femme avaient pu faire à l'île d'Elbe.

Finalement, il se mit à genoux avec la Belina. Mais le général baron les pria de déguerpir et leur offrit une indemnité pour rentrer à Paris. Stupiesky refusa. Alors, nous dit Gourgaud dans son langage militaire : « Je l'envoyai faire f... »

Il n'en avait pourtant pas terminé avec ces époux turbulents. Quelques instants plus tard, au moment où sa voiture allait s'engager sur la

74. Cf. GOURGAUD : « Avant mon départ, un nommé Stupiesky vint me tourmenter pour que je prenne sa femme dans ma voiture. Je m'y refusai, quoiqu'elle fût très jolie, mais je ne trouvais pas cela convenable dans la situation où nous nous trouvions... C'était au moment où les voitures s'ébranlaient. Il me fallut céder. » *(Journal de Sainte-Hélène.)*

route de Chartres, il les vit surgir d'un bosquet et courir derrière lui en gesticulant.

— Emmenez ma femme ! Je vous en supplie. Emmenez ma femme ! criait le Polonais.

— Non ! hurla le général excédé.

Stupiesky parvint à saisir en marche la poignée de la portière.

— Alors, donnez-moi un secours, murmura-t-il.

Écœuré, Gourgaud lui glissa cent francs dans la main.

Cette fois, le couple disparut.

Après avoir traversé en trombe Chartres, Châteaudun, Vendôme, Tours et Poitiers, Napoléon arriva à Niort le 1er juillet au soir. Dans cette ville, l'ex-souverain fut le complice involontaire d'une curieuse aventure.

Depuis longtemps un Niortais courtisait en vain la veuve d'un boulanger. En manière d'échappatoire, celle-ci avait pris l'habitude de lui répondre qu'elle deviendrait sa maîtresse le jour où Napoléon s'arrêterait devant la boulangerie. Aussi notre amoureux fut-il saisi d'un espoir insensé en apprenant que l'Empereur allait passer par Niort.

Il se renseigna sur le chemin que devait prendre l'ex-souverain pour se rendre à l'hôtel de la Boule d'Or et sut rapidement que ce chemin passait par la rue où se trouvait la boutique de la belle boulangère.

Mais il y avait bien peu de chances pour que la calèche impériale s'arrêtât précisément à cet endroit. Il fallait donc aider le hasard, et notre homme s'y employa. Quelques heures avant le passage de Napoléon, il alla jusqu'à un étang voisin et captura une dizaine de grenouilles qu'il plaça dans un sac. Après quoi, il se rendit dans la rue que devait emprunter l'Empereur. Arrivé devant la boulangerie de sa belle, il se mêla à la foule qui était massée et attendit. Soudain, une rumeur sourde, puis des cris de plus en plus rapprochés se firent entendre :

— Vive l'Empereur ! Vive l'Empereur !

Lentement, la calèche de Napoléon avançait entre les deux haies de Niortais enthousiastes. Quand elle ne fut plus qu'à quelques mètres de la boulangerie, le soupirant ouvrit son sac et libéra les grenouilles qui bondirent prestement sur la chaussée.

En voyant ces bestioles sauter en tous sens devant lui, le cheval effrayé s'arrêta net et se cabra.

Napoléon passa la tête. Sans doute redoutait-il un attentat, car il était blême.

— Que se passe-t-il ?

— Rien, Sire, dit le cocher. Ce sont des grenouilles !

La chose ne sembla pas étonner l'Empereur, car il dit simplement :

— Alors, continuez !...

Tandis que la voiture repartait, la boulangère, qui était encore frappée de stupeur par l'événement, vit son soupirant s'approcher d'elle.

— Maintenant, tu n'as plus rien à me refuser, lui dit-il.

Affolée, la jeune femme essaya de fuir, mais des voisins qui l'avaient souvent entendue lancer, en ricanant, sa fameuse promesse, l'arrêtèrent et la poussèrent dans une grange.

— Tu dois payer ta dette, lui dirent-ils.

Et ils la sommèrent de se déshabiller.

Quelques instants plus tard, sur un tas de paille, le jeune pêcheur de grenouilles enfournait allègrement la boulangère.

Comme dit la chanson enfantine [75]...

Le surlendemain, Napoléon arrivait à Rochefort où deux frégates, *Saâle* et *Méduse*, étaient à sa disposition. Aprés avoir perdu un temps précieux à tergiverser, il embarqua le 8 avec l'espoir de pouvoir gagner l'Amérique. Mais la flotte anglaise, avertie par Fouché, vint interdire toute tentative de fuite. Le 15, l'ex-souverain, ayant demandé asile à l'Angleterre, fut autorisé à monter à bord du *Bellérophon*, qui le conduisit en rade de Plymouth. Alors qu'il s'attendait à débarquer pour être dirigé sur Londres, Napoléon apprit que le gouvernement anglais avait décidé de le tenir prisonnier à Sainte-Hélène.

Cette nouvelle consterna tous les Français. Et Mme Bertrand, épouse du grand maréchal et future maîtresse de l'Empereur qui, la veille encore, voulait violer M. de Montholon, sombra dans le désespoir. Elle tenta de se jeter à la mer. On la rattrapa par un pied...

— Il fallait la laisser tomber ! dit Napoléon, agacé.

Sans doute pressentait-il les prodigieux ennuis que cette dame à la cuisse légère allait lui faire à Sainte-Hélène [76]...

17

A Sainte-Hélène, Napoléon flirte avec Betzy Balcombe

L'ancien maître du monde jouait à la marelle...

O. PRADELS

Le 7 août, Napoléon fut conduit à bord du *Northumberland,* vaisseau qui devait le mener à Sainte-Hélène...

Le voyage, qui dura deux mois et neuf jours, eût été monotone si Mme Bertrand et Mme de Montholon n'y avaient mis, par leurs extravagances érotiques, un peu de piment.

Toutes deux s'étaient, au départ, promis de coucher avec l'ensemble des hommes qui se trouvaient à bord.

75. JEAN-RENÉ SAVRARD, *En suivant Napoléon.*
76. Mme Bertrand était ardente. Dans son *Journal*, Gourgaud raconte, en effet, qu'en rade de Plymouth elle voulut violer M. de Montholon...

Il en résultait des heurts.

Deux ou trois fois par semaine, elles se trouvaient en concurrence à propos d'un même officier ou d'un même matelot. Tout le bateau goguenard assistait alors à des scènes fort divertissantes. L'œil étincelant, la bouche tordue, les deux charmantes dames se poursuivaient sur le pont en se traitant mutuellement de putain...

Avec le passage de poissons volants, la pêche au marsouin et quelques beaux orages, ces querelles de nymphomanes constituèrent les seules distractions de l'Empereur durant la traversée.

Enfin, le 15 octobre, le *Northumberland* mouilla devant Jamestown, principal port de Sainte-Hélène. Et le 16, à dix-neuf heures, Napoléon débarqua sur la petite île...

La demeure qui lui était destinée à Longwood n'étant pas encore prête, il s'installa d'abord près du port. Mais le lendemain, au cours d'une promenade dans les environs, il découvrit une ravissante maison, « Les Briars » (Les Églantiers), qui appartenait à William Balcombe, agent financier de la Compagnie des Indes. Il s'y arrêta et fut reçu chaleureusement par le propriétaire qui lui présenta sa femme et ses deux filles.

Napoléon regarda à peine l'aînée, Jane, âgée de seize ans, mais fut immédiatement séduit par la cadette, Lucia-Elisabeth, surnommée Betzy, qui avait quinze ans, des cheveux blonds, des yeux bleus « à regard de chat » et le plus ravissant minois du monde...

— J'aimerais vivre ici, dit l'ex-Empereur.

Ravis d'avoir sous leur toit cet homme célèbre, les Balcombe lui aménagèrent un appartement. Napoléon s'y installa le jour même et tout aussitôt commença le plus extraordinaire des flirts avec Betzy...

Écoutons-la nous parler de lui. Elle nous fait découvrir un Napoléon inconnu :

« Je le regardais comme un camarade de mon âge, et non plus comme ce grand conquérant dont le seul nom faisait tressaillir les nations.

» Il avait l'humeur enjouée.

» Parfois même il allait jusqu'à l'enfantillage, et il avait des échappées de malice.

» Peu de temps après son arrivée aux Églantiers, une petite fille, nommée miss Legg, vint nous y voir.

» La pauvre enfant avait entendu faire toutes sortes de contes épouvantables sur Bonaparte.

» Aussi, lorsque je lui annonçai que ce Bonaparte descendait sur la pelouse et qu'il allait paraître, elle accourut tout effrayée se jeter entre mes bras.

» Oubliant que, récemment encore, j'avais éprouvé les mêmes terreurs, je fus cruelle, impitoyable. Je peignis à l'Empereur l'effroi qu'il inspirait à ma jeune camarade et je l'amenai près d'elle.

» Voilà qu'il passe sa main dans ses cheveux pour les rejeter en arrière.

» Il s'avance droit sur miss Legg, secoue la tête d'un air menaçant en fixant les yeux sur elle, lui fait une grimace horrible et pousse un hurlement sauvage. On peut juger de l'épouvante de miss Legg.

» Elle se mit à jeter des cris aigus, et sa mère, craignant qu'elle n'eût une attaque de convulsions, l'emporta hors de la vue de l'Empereur.

» Celui-ci riait de bon cœur de la frayeur qu'il avait inspirée.

» Il ne voulait pas croire que j'avais eu peur de lui plus que miss Legg elle-même.

» Pour me punir de cet aveu, il entreprit de m'effrayer comme il venait d'effrayer cette enfant. Il hérissa ses cheveux, il fit toutes sortes de contorsions, mais en vain, je ne faisais que rire de ses efforts.

» Pour finir, il poussa son fameux hurlement, qui ne réussit pas mieux.

» Napoléon paraissait un peu vexé de s'être donné tant de mal pour rien.

» Il m'assura que ce hurlement était une imitation de celui des Cosaques, et je le crus sans peine.

» Ce cri avait, en effet, quelque chose de sauvage [77]. »

Assez rapidement, Napoléon crut deviner que la jeune Betzy devenait amoureuse de lui. Pour éprouver les sentiments de la jeune fille, il feignit de croire qu'un flirt existait entre elle et le jeune Las Cases. La scène extraordinaire qui se passa un soir lui apporta la confirmation qu'il attendait :

Écoutons encore Betzy :

« Il voulut que le jeune Las Cases me prît un baiser et il se chargea de me tenir les mains.

» Je me débattis de toutes mes forces, mais inutilement.

» Dès que je fus remise en liberté, j'appliquai au complice de Napoléon une paire de gifles.

» Ce n'était pas assez pour moi, je comptais me venger de Napoléon lui-même, et je saisis l'occasion aussitôt qu'elle se présenta.

» Un soir, nous descendions tous ensemble pour jouer au whist.

» Il n'y avait pas de communication intérieure entre la partie de la maison que l'Empereur occupait et le reste. Il fallait passer par la pelouse. Le sentier était assez étroit, à peine assez large pour une seule personne.

» Napoléon marchait le premier, puis venait le comte de Las Cases, suivi de son fils, enfin ma sœur Jane. Je les laissai s'engager tous sur le sentier et je demeurai en arrière d'une dizaine de pas.

» Enfin, je pris mon élan et me jetai de toutes mes forces contre ma sœur.

» Celle-ci tomba, en étendant les bras, sur le petit page qui alla heurter son père. Le grand chambellan, cédant à l'impulsion qu'il avait

---

77. Betzy BALCOMBE, *Souvenirs*.

reçue, fut poussé malgré lui sur l'Empereur, et, bien que le choc se fût successivement amorti, il était encore assez fort pour que Napoléon en fût ébranlé et eût quelque peine à garder l'équilibre.

» En voyant le désordre, la confusion que j'avais causée, je fus enchantée.

» J'avais pris ma revanche du baiser imposé par la force, mais bientôt il me fallut changer de ton.

» Le jeune Las Cases fut extrêmement choqué de l'insulte faite à l'Empereur. Mes éclats de rire, que je ne pouvais retenir, mirent le comble à sa fureur : il me saisit par les épaules et me poussa avec violence contre un siège en pierre.

» A mon tour, je fus saisie de colère. Je fondis en larmes et je me tournai vers Napoléon.

» — Oh ! monsieur, lui dis-je, il m'a frappée.

» — Ce n'est rien, répondit l'Empereur, ne pleure pas. Je vais le tenir tandis que tu le battras pour le punir.

» La punition fut sévère. Je battis le petit page jusqu'à ce qu'il demandât merci, mais je ne voulus point lui faire de quartier et je continuai.

» A la fin, Napoléon le laissa échapper et lui dit que, s'il ne courait pas plus vite que moi, il mériterait d'être de nouveau battu.

» Le page s'enfuit donc au plus vite et je m'élançai à sa poursuite, tandis que l'Empereur battait des mains en riant.

» A partir de ce moment, le page ne put me souffrir. »

On comprend cela !

Betzy Balcombe fut sans doute le seul être au monde qui se permit toutes les familiarités avec Napoléon. Son audace stupéfiait l'entourage de l'exilé. Un jour, elle tint celui-ci en respect, une épée à la main.

Écoutons-la :

« Je dis à l'Empereur que sa main ne me paraissait pas assez large ni assez forte pour manier une épée. Ce propos amena la conversation sur les sabres et les épées.

» Un des officiers français tira la sienne du fourreau et, nous montrant quelques taches couleur de rouille, dit qu'elles provenaient de sang anglais.

» Aussitôt, l'Empereur ordonna à cet officier de rengainer son arme, en ajoutant qu'il était inconvenant de se vanter ainsi, surtout devant des dames.

» Napoléon tira alors, d'un étui richement doré, la plus belle épée que j'eusse jamais vue. Le fourreau en était composé d'écaille en un seul morceau admirablement travaillé et semé d'abeilles d'or. La poignée formait une fleur de lis et était d'or massif.

» Je priai Napoléon de me laisser examiner de plus près cette arme magnifique.

» Une taquinerie qu'il m'avait faite le matin m'était revenue à l'esprit et je comptais bien avoir mon tour.

» Je tirai donc tranquillement l'épée du fourreau, puis j'en portai la pointe à la figure de l'Empereur en faisant divers mouvements, comme pour l'en menacer.

» Il battit en retraite. Je l'acculai dans un angle de la chambre où je le tins en respect.

» De temps en temps, je l'avertissais de dire ses prières parce que j'allais le tuer.

» Tout le bruit que je faisais attira ma sœur.

» Elle me gronda sévèrement et me dit qu'elle raconterait tout à mon père, mais je me moquai de ses menaces.

» Je restai ferme à mon poste, sans laisser s'évader mon prisonnier.

» A la fin, l'arme, trop lourde, tomba de mon bras, et mon ennemi en fut quitte pour la peur, si tant est qu'il eût eu peur.

» Pendant cette petite scène, il fallait voir l'air et la figure du grand chambellan.

» Son visage, qui avait naturellement la couleur du parchemin, était devenu plus jaune encore si c'était possible.

» Il exprimait un mélange de crainte pour l'Empereur et d'indignation contre moi.

» Si ses regards furieux avaient pu me réduire en poudre, j'étais perdue ; mais je bravai sa colère.

» Lorsque je remis en place l'épée, qui était vraiment trop lourde pour ma main, Napoléon me saisit l'oreille et me la pinça. »

Le manque de respect que montrait la jeune fille à l'égard de l'homme qui avait fait trembler le monde était parfois stupéfiant. Écoutons-la en donner un exemple :

« Napoléon et sa suite passaient beaucoup de temps à jouer au billard. Il m'avait fait l'honneur de m'initier aux secrets de ce jeu ; mais, lorsque j'étais fatiguée de ma leçon, je m'en distrayais en faisant sauter les billes sur ses doigts, et je n'étais jamais plus contente que si j'avais réussi à lui arracher un cri de douleur... »

On imagine l'effarement des chambellans, ministres et autres dignitaires de l'Empire s'ils avaient assisté à cette scène peu banale.

Les rapports entre Napoléon et Betzy furent assez rapidement ceux d'un couple d'amoureux. Ils se chicanaient, se disputaient avec fracas, se boudaient et se réconciliaient par une grimace...

Un soir, l'ex-Empereur manifesta le désir de voir la robe de bal que porterait le lendemain la jeune fille pour paraître dans une soirée organisée par Sir George Cockburn, gouverneur de l'île.

Betzy courut dans sa chambre et rapporta la toilette.

Napoléon palpa longuement le tissu.

— Vous serez très jolie, Betzy ! dit-il avec émotion.

On remarqua alors que ses mains tremblaient. Quelques personnes, témoins de la scène, en déduisirent que Napoléon était de plus en plus troublé par l'exquise adolescente.

Quoi qu'il en fût, Betzy plaça sa robe sur une chaise, et

l'ex-Empereur, qui avait besoin d'une activité pour se calmer le sang, décida de jouer au whist...

Dans l'état où il se trouvait, la partie ne pouvait être que mouvementée. Elle le fut. Écoutons Betzy :

« Napoléon avait ma sœur pour partenaire. Le comte de Las Cases était le mien.

» Jusque-là, nous n'avions joué que des dragées.

» Ce soir-là, Napoléon dit : "Mademoiselle Betzy, je jouerai contre vous un napoléon."

» Or, je n'avais pour toute fortune qu'une *pagode* [78] dont on m'avait fait cadeau. Je répondis à l'Empereur que je la risquerais contre son napoléon. Il y consentit et la partie commença.

» Il avait résolu, à ce qu'il paraît, de terminer cette journée d'espiègleries comme elle avait débuté. Il s'efforçait de détourner mon attention pour permettre à ma sœur de voir mes cartes les plus grosses. Je ne tardai pas à m'apercevoir de cette fraude et je l'avertis que, s'il gagnait en trichant, je ne le paierais pas. Pendant quelque temps il se contint, mais à la fin il fit une renonce et, pour qu'on ne découvrît point sa ruse, il voulut aussitôt brouiller les cartes. Je lui saisis aussitôt la main et je montrai qu'il avait dans son jeu de quoi servir à la couleur qui était jouée.

» Pris sur le fait, il éclata de rire. Il soutint que ce n'était pas lui qui avait triché, mais moi, et qu'il avait gagné ma pagode.

» Je lui soutins qu'il avait *renoncé* à tort.

» Il s'écria que j'étais une méchante et une tricheuse, et, s'emparant de ma robe de bal, il s'enfuit hors de la chambre.

» Je tremblais qu'il n'en abîmât les belles roses. Je le poursuivis, mais il fut plus agile que moi. Il entra dans la marquise et s'enferma dans sa chambre. Je le suppliai, je l'implorai avec toute l'éloquence dont j'étais capable, tant en français qu'en anglais, de me rendre ma robe. Il resta inexorable. J'eus même la mortification de l'entendre rire des appels que je lui adressais et que je croyais extrêmement pathétiques.

» Il me cria qu'il avait l'intention de garder ma robe, et que je m'en passerais pour aller au bal.

» Je ne dormis pas de la nuit. J'espérais que le lendemain matin Napoléon changerait d'idée et me renverrait ma toilette ; mais le matin arriva sans que j'entendisse parler de l'objet auquel je tenais tant.

» Pendant la journée, j'adressai plusieurs messages à l'Empereur, mais on me répondit qu'il reposait et qu'il avait défendu de le déranger.

» Et l'heure de partir pour le bal était arrivée. Les chevaux étaient attelés, les caisses étaient chargées sur la voiture.

» Hélas ! Ma robe n'y était pas emballée.

» Déjà, même, je me demandais si je ne ferais pas mieux d'aller au bal dans ma toilette de tous les jours que de rester à la maison lorsque,

78. Pièce de monnaie d'or de l'Inde.

à ma grande joie, je vis Napoléon traverser la pelouse en courant et se diriger vers le cottage, chargé de ma robe.

» — La voici, mademoiselle Betzy ! me dit-il. J'espère que maintenant vous vous conduirez en bonne petite fille et que vous vous amuserez au bal. Et n'oubliez pas de danser avec Gourgaud.

» Il s'en fallait de beaucoup que le général Gourgaud fût un beau cavalier. D'ailleurs, nous étions en froid. J'étais charmée de ravoir ma robe et de retrouver mes belles roses encore fraîches.

» L'Empereur me dit qu'il avait donné des ordres pour qu'on réparât le dommage que ma toilette avait pu éprouver pendant la nuit [79]... »

Ces jeux d'amoureux durèrent des semaines. Parfois Betzy entraînait l'ex-Empereur dans des parties de colin-maillard. On le vit s'amuser à atteler des rats aux brancards d'un chariot et même danser sur place en chantonnant une marche militaire...

Rajeuni par la présence de cette adorable adolescente, il montait aux arbres, grimpait sur les murs, courait après les chats, attrapait les mouches, imitait des instruments de musique avec son nez et s'efforçait, dans les conversations les plus sérieuses, de reconstituer, en parlant, le bruit de la machine de Marly...

Cette gaminerie retrouvée se manifestait à chaque instant.

« Un jour, écrit Betzy, nous descendions avec lui l'avenue des Grenadiers qui conduisait au jardin, quand, tout à coup, nous entendîmes des voix étrangères. Il courut de toute sa vitesse jusqu'à la porte du jardin, mais il la trouva fermée en dedans. Les pas se rapprochaient toujours et Napoléon n'eut d'autre expédient que de grimper par-dessus la barrière. Par malheur, celle-ci était protégée par des poiriers épineux, sortes d'arbustes hérissés d'aiguillons. Lorsqu'il eut atteint le sommet, il se vit arrêté net par l'enchevêtrement des broussailles.

» Il ne put s'en dégager qu'à grand-peine, les habits déchirés et les jambes couvertes d'égratignures.

» Encore lui fallut-il redescendre du côté où il était monté, c'est-à-dire dans le jardin, pour n'être pas surpris par la société qui arrivait.

» Les blessures qu'il s'était faites dans cette escalade étaient assez sérieuses, et il fallut quelque habileté au docteur O'Meara pour extraire les épines que les poiriers épineux avaient implantées dans son impériale personne. »

Hélas, un jour de décembre, Bertrand vint annoncer aux « Briars » que la maison de Longwood était prête. Cette nouvelle jeta la consternation. Les Balcombe se tordirent les bras comme les personnages d'une tragédie classique, et Napoléon frappa du talon avec un mécontentement évident.

— Il faudra venir me voir souvent, dit-il.

Puis, il distribua des cadeaux à ses hôtes.

79. Betzy BALCOMBE, *Souvenirs*.

« Pour ma part, écrit Betzy, j'eus une belle petite bonbonnière que j'avais souvent admirée, et il me dit :

» — Ce sera un *gage d'amour* à donner au petit Las Cases.

» Je fondis en larmes et sortis de la chambre en courant.

» Je me postai à une fenêtre d'où je pouvais assister à son départ, mais j'avais le cœur trop gros... Je me jetai sur mon lit et restai longtemps à pleurer à chaudes larmes... »

A Longwood, Napoléon reçut très souvent la visite de Betzy. Tremblant comme un collégien, il la regardait arriver à la lorgnette, la retenait à déjeuner et lui faisait des cadeaux fabuleux.

Ce qui faisait jaser.

« Lorsque les habitants de l'île apprirent, nous dit la *Chronique intime de Sainte-Hélène,* que Napoléon avait offert à la jeune fille une bague ornée de diamants formant la lettre N, il y eut des commentaires malveillants. On prétendit que c'était là le prix d'une virginité. Les journaux de Londres rapportèrent d'ailleurs ces bruits. »

Une autre fois, Napoléon offrit à la jeune fille le plus beau et le plus doux de ses chevaux. De nouveau, l'on jasa. Betzy elle-même avoue, dans ses *Souvenirs* : « Cet acte de bonté, si simple et si spontané, de Napoléon, donna lieu à maints propos dans l'île. »

Mais l'ex-Empereur allait perdre sa chère petite amie. Un jour, Betzy, accompagnée de son père et de sa sœur, vint en pleurant lui apprendre que l'état de santé de Mrs. Balcombe obligeait toute la famille à quitter Sainte-Hélène et à regagner l'Angleterre. Le départ était imminent.

« Il parut fort chagrin d'apprendre que nous allions quitter l'île, écrit-elle, et dit que la cause de notre départ l'affligeait beaucoup.

» Après être restés quelque temps assis, nous allâmes avec lui dans le jardin.

» Il sourit tristement en nous montrant l'océan qui s'étendait à perte de vue, et nous disant :

» — Ainsi, vous allez vous embarquer pour l'Angleterre en me laissant mourir sur cet affreux rocher ! Regardez ces terribles montagnes : ce sont les murs de ma prison. Vous ne tarderez guère à apprendre que l'empereur Napoléon est mort.

» Je fondis en larmes. J'éclatai en sanglots. Il me semblait que mon cœur allait se briser. J'avais laissé mon mouchoir dans la poche de ma selle. Napoléon, voyant les larmes ruisseler sur mon visage, tira le sien, m'en essuya la figure, et me pria de le garder en souvenir de ce triste moment.

» Nous revînmes peu après et nous dînâmes avec lui.

» Mon cœur était trop gros pour que j'eusse le moindre appétit.

» Enfin arriva l'heure des adieux.

» Il me demanda ce que je désirais emporter comme souvenir de lui. Je lui répondis que, pour moi, une mèche de ses cheveux vaudrait plus qu'aucun présent.

» Il envoya chercher M. Marchand, se fit apporter une paire de ciseaux et coupa quatre mèches pour mon père et ma mère, pour ma sœur et pour moi.

» Je possède encore cette boucle de cheveux. C'est tout ce qui me reste des nombreux cadeaux que m'a faits le grand Empereur [80]. »

Les habitants de l'île devaient avoir bientôt un nouveau sujet de conversation. Au cours d'une de ses promenades l'ex-Empereur fit la connaissance d'une autre jeune fille, miss Mary-Ann Robinson, qu'il surnomma *la Nymphe*. Voici comment Las Cases nous conte cette découverte :

« Nous avions adopté depuis quelques jours une station régulière dans le milieu de la vallée. Là, entourée de roches sauvages, s'était montrée une fleur inattendue : sous un humble toit nous était apparu un visage charmant de quinze à seize ans. Nous l'avions surprise le premier jour dans son costume journalier. Il n'annonçait rien moins que l'aisance ; le lendemain, nous retrouvâmes la jeune personne avec une toilette fort soignée ; mais alors notre jolie fleur des champs ne nous parut plus qu'une fleur de parterre assez commune. Toutefois, nous nous y arrêtions désormais chaque jour quelques minutes ; elle s'avançait alors de quelques pas pour entendre les deux ou trois phrases que l'Empereur lui adressait ou lui faisait traduire en passant, et nous continuions notre route tout en devisant sur ses attraits [81]. »

Dès lors, les Anglais vivant à Sainte-Hélène considérèrent Napoléon comme une sorte de satrape émoustillé par les petites filles...

— Quelle honte ! disaient-ils.

Mlle Lenormand, la célèbre voyante, eût sans doute pu leur expliquer que ce goût était — après tout — normal chez un homme qui avait si souvent fréquenté le fameux pavillon du Butard. Et, devant leur étonnement bien compréhensible, elle leur eût donné, grâce à son don de double vue, de savoureux éclaircissements [82]...

La vie intime de Napoléon passionnait tellement les habitants de Sainte-Hélène que l'ex-Empereur ne pouvait saluer une dame sans qu'aussitôt une langue délurée en bâtît un roman.

C'est ainsi que, le 7 janvier 1816 au matin, les braves gens de Jamestown s'abordaient avec un air malicieux. Clignant de l'œil, ils murmuraient :

80. Betzy Balcombe épousa, en 1832, M. Abell et s'installa à Londres où elle rencontra parfois le futur Napoléon III. A la proclamation du Second Empire, elle tenta en vain d'être nommée dame d'honneur de l'impératrice Eugénie. Pour le consoler, Napoléon III lui octroya une importante concession de terrain près de Constantine. Elle mourut en 1871.

81. Les visites que lui faisait Napoléon portèrent bonheur à miss Robinson. « La petite célébrité qu'elle avait acquise, nous dit Las Cases, a attiré la curiosité des voyageurs ; ses attraits ont fait le reste : elle est devenue la femme d'un très riche négociant ou capitaine de la Compagnie des Indes. » *(Mémorial de Sainte-Hélène.)*

82. On se souvient que, vers les années 1960, le pavillon du Butard, propriété d'État, fut le théâtre de scandaleux « Ballets Roses » organisés par une comtesse et un ancien ministre manchot...

— Jamais deux sans trois !...

Après quoi, ils se racontaient avec force détails comment l'ex-Empereur avait fait la connaissance de miss Knippe, un délicieux tendron que tout le monde surnommait « Bouton de Rose », et comment il l'avait, sur-le-champ, invitée à venir déjeuner à Longwood...

A ceux qui le lui demandaient, M. Porteous, aubergiste de l'entrée du port de Jamestown, précisait que, d'après certains Français, Napoléon semblait extrêmement alléché...

— Il paraît qu'il la compare à Mme Walewska, cette Polonaise qu'il a aimée autrefois. Et l'on m'a assuré qu'il l'attendait en contemplant des gravures libertines.

— Oh ! le monstre, s'écriaient toutes les dames avec un frétillement de croupe qui en disait long sur leurs pensées intimes...

— Enfin, je verrai par moi-même, concluait M. Porteous, puisque je suis chargé de conduire miss Knippe au général Bonaparte.

A midi, en effet, l'aubergiste arriva à Longwood, accompagné de « Bouton de Rose » et de sa mère. Napoléon se précipita à leur rencontre et fit mille grâces à l'adolescente, qu'il traita « à la façon d'une favorite qui a déjà des droits »...

Naturellement, l'entourage de l'exilé fut aux petits soins pour la jeune fille. Écoutons Gourgaud :

« Mme de Montholon, qui croit que "Bouton de Rose" va devenir la maîtresse de Sa Majesté, la cajole beaucoup et la prend sous le bras [83]. »

Mais les courtisans ont les sentiments aussi stables qu'une girouette.

« L'Empereur, poursuit Gourgaud, sort dans le jardin, parle botanique avec M. Porteous et affirme que Mme Walewska est beaucoup plus jolie que "Bouton de Rose". Il m'ordonne de faire atteler la calèche pour ces dames, que j'accompagne. A leur retour, Sa Majesté les salue, et nous remarquons que Mme de Montholon n'est plus la même pour "Bouton de Rose" depuis qu'elle entrevoit que Sa Majesté ne la trouve plus si jolie... »

La générale aux yeux bleus se trompait. Car miss Knippe vint très souvent à Longwood, où Napoléon la recevait en particulier. Certains historiens, sur la foi de racontars anglais, affirment que « l'abeille impériale » butina le « Bouton de Rose »...

Je n'aurai pas leur poétique audace.

Tandis que Napoléon se contentait de faire une cour plus ou moins platonique à des jeunes filles en fleur, les Français qui partageaient son exil prenaient un plaisir beaucoup plus substantiel avec les belles esclaves de Jamestown.

Gourgaud et Marchand faisaient régulièrement venir du port

83. Général baron GOURGAUD, *Journal*.

quelques-unes de ces femmes qui consacraient le meilleur d'elles-mêmes au délassement des marins anglais[84].

Les négresses sur qui tombait le choix des compagnons de l'Empereur en tiraient une vanité démesurée. Certaines affectaient de ne parler que le français ; d'autres n'étaient pas loin de se croire affranchies par le contact d'un épiderme appartenant à l'entourage du grand Napoléon. Toutes devenaient hautaines et méprisantes. Ce qui alertait la jalousie des autres dames.

Il en résultait de délectables « décrépages » de chignons...

William Campbell dans ses *Confessions d'un homme heureux,* parues à Londres, en 1830, nous conte à ce sujet une scène fort curieuse qui lui a été rapportée par un habitant de l'île.

« Un soir, dans une auberge du port, écrit-il, un marin du *Phaéton,* voulant être galant avec une négresse nommée Sarah dont il venait de savourer les charmes, lui déclara en public qu'elle avait le plus beau c... de l'île.

» La demoiselle en éprouva une grande et légitime satisfaction. Quelle commerçante ne serait pas ravie d'être complimentée sur son fonds ?

» Mais, poursuit William Campbell, il y avait là une autre négresse assez belle, nommée Fortunée, qui avait été conviée plusieurs fois à Longwood pour calmer les désirs du jeune général Gourgaud, aide de camp de Napoléon. Ricanante, elle déclara que la chose qui venait d'être dite l'étonnait beaucoup, attendu que les Français, qui étaient les plus grands spécialistes en la matière, n'avaient jamais fait appel à Sarah. »

— Tandis que moi, ajouta-t-elle, je suis la « femme » habituelle du général Gourgaud.

Il y eut un silence où Fortunée, toute à son rêve, crut percevoir les marques d'une stupeur admirative.

En réalité, sa confidence n'avait pas été appréciée par les marins britanniques. La pensée que cette ravissante personne donnait aux Français une chose qui appartenait de droit à l'Angleterre leur déplut. Ils se levèrent avec l'intention manifeste de lui faire oublier par une correction exemplaire jusqu'au souvenir des étreintes sacrilèges.

A ce moment, un officier, voulant éviter une de ces rixes de marins qui sont toujours pénibles à contempler, intervint en ces termes inattendus :

— Halte, messieurs ! Fortunée vient de faire subir un cuisant échec à Napoléon et vous voulez la punir ?... C'est parfaitement insensé.

Et, comme les hommes n'avaient pas l'air de comprendre, il s'expliqua :

— Souvenez-vous que l'ex-Empereur avait décrété le Blocus pour ruiner l'Angleterre en l'empêchant d'exporter ses produits. Or, que

84. Cf. GOURGAUD : « Je fais venir une femme de la ville. Je couche avec elle, lui donne 6 pounds. » 25 juin 1816, *Journal*.

vient de faire cette délicieuse Fortunée ? En vendant ses charmes à un Français, elle a tout simplement forcé le Blocus !

Les hommes, amusés par cet aspect inattendu du problème, commencèrent à applaudir. Mais l'officier poursuivit :

— Et de quelle manière, messieurs ? En fournissant un produit britannique à un aide de camp de Napoléon !...

Alors ce fut du délire. Tous les marins, debout, acclamèrent la petite négresse, qui ne savait où donner de la croupe...

Lorsque les hommes se furent calmés, l'officier reprit sur un ton grave :

— Mais notre commerce, messieurs, n'est pas seulement une de nos gloires, c'est un des éléments de notre orgueil national. Ce que couvre notre drapeau ne peut être que parfait. Aussi devons-nous être sûrs de la qualité des articles que Fortunée a vendus à cet illustre étranger. Je demande donc une exposition et — pour qu'aucun doute ne demeure dans les esprits — une comparaison avec ce que Sarah aurait pu, dans la même occasion, offrir au général Gourgaud...

Toute l'auberge hurla de joie.

Bonne fille, Fortunée retroussa sa longue jupe jusqu'au-dessus de la ceinture, et chacun put constater que l'Angleterre n'avait aucune raison de se sentir humiliée...

Les marins l'applaudirent, puis appelèrent Sarah. Celle-ci vint alors se placer à côté de Fortunée, et les deux demoiselles, avec un sourire engageant, présentèrent leur petit étalage.

Il y eut un moment de silence.

Devant les deux objets exposés, l'assistance, perplexe, s'efforçait de faire un choix.

Finalement, un homme cria : « Hurrah pour Fortunée ! », juste au moment où un autre clamait : « Hurrah pour Sarah ! »

Ce double cri annonçait une division de l'opinion. Division qui fût sans doute restée amicale si les deux femmes n'avaient eu l'idée malheureuse de manifester leur fureur en se flanquant, en même temps, la plus magistrale des gifles.

Alors ce fut l'émeute.

Tandis que les négrillonnes roulaient par terre, les marins, séparés en deux camps, s'entre-tuaient consciencieusement à coups de bouteilles, de chopes et de tabourets.

Il y eut trois morts, vingt et un blessés et des dégâts pour une fortune.

Quant à Fortunée et à Sarah, dans leur colère aveugle, elles s'étaient attaquées mutuellement à leurs charmes.

A la fin de la bataille, on les retrouva en très piteux état. La première avait la pointe du sein gauche coupée d'un coup de dent ; la seconde, une fourchette plantée dans la fesse droite...

A cause du général Gourgaud, l'Angleterre venait de perdre deux beaux articles d'exportation [85].

Un matin d'octobre 1816, Esther Vesey, femme de chambre de Montholon, révéla à ses maîtres qu'elle était enceinte.

Cette nouvelle, bientôt connue, provoqua un gros émoi dans le groupe des exilés, car la petite mulâtresse, qui avait la cuisse légère, était entrée dans bien des lits. On la donnait comme la maîtresse habituelle de Marchand ; mais il n'était pas impossible qu'elle eût pris quelques ébats avec Napoléon. C'était, du moins, l'opinion des Anglais qui allaient même jusqu'à prétendre que Mme de Montholon n'avait engagé Esther que pour la placer à proximité de l'ex-Empereur, tandis que Marchand jouait le rôle de paravent.

La grossesse de la petite femme de chambre énerva donc tous les habitants de l'île :

— Bonaparte va avoir un bâtard de plus, murmurait-on dans les chaumières saint-hélénoises.

Ces bruits parvinrent à Napoléon qui entra dans une violente colère.

— Que cette fille quitte Longwood immédiatement ! tonna-t-il.

On lui fit respectueusement observer que ce renvoi allait faire le plus mauvais effet auprès de la population, et que les Anglais ne manqueraient pas de publier dans leurs journaux que l'ex-maître de l'Europe jetait les servantes à la rue après leur avoir fait un enfant.

Alors Marchand proposa d'épouser Esther.

Le Corse sursauta :

— Vous êtes fou ! C'est la bâtarde d'un mulâtre, une Marie-couche-toi-là ! Vous vous en dégoûterez !

Et, comme l'autre insistait, il ajouta :

— Et puis on ne manquerait pas de dire dans les gazettes que c'est moi qui ai engrossé Esther et que je l'ai ensuite fait épouser à mon valet de chambre, suivant l'usage des grands seigneurs. Ce serait l'occasion de faire des contes à l'Impératrice... Qu'Esther sorte tout de suite de la maison [86] !

Le soir même, la petite servante s'en alla à Jamestown, où, au printemps suivant, elle mit au monde un gracieux négrillon qui fut baptisé Jimmy.

Un gracieux négrillon qui était peut-être le demi-frère du roi de Rome [87].

85. Cf. William CAMPBELL, *Confessions d'un homme heureux.*
86. Général BERTRAND, *Cahiers de Sainte-Hélène.*
87. Jean SAVANT, qui étudie ce problème dans son ouvrage *Les Amours de Napoléon,* semble croire à la paternité de l'ex-Empereur. Parmi les faits qui lui permettent de mettre en doute la thèse officielle, il indique que Napoléon, dans son testament, a écrit cette curieuse phrase sur Marchand : « Les services qu'il m'a rendus sont ceux d'un ami. » « Quel genre de services Marchand lui a-t-il rendus qui ont mérité ce *satisfecit* ? », continue Jean Savant, « le service qu'il remplissait comme domestique ne se distinguait guère de celui de Saint-Denis, par exemple. Et ce n'est pas une fonction de cette nature qui mérite d'être comparée à des "services d'amis...". Le mystère reste entier. » Mais l'historien de Napoléon ajoute : « Bien qu'on ne parlât plus d'elle, Esther revint à

Pendant quelque temps, Napoléon fut extrêmement inquiet à la pensée que les bruits qui couraient dans l'île pussent parvenir à Parme où Marie-Louise régnait depuis le mois d'avril 1816.

Hélas ! l'ex-Impératrice en savait bien d'autres !...

Presque chaque jour, en effet, M. de Neipperg lui apportait une brassée de pamphlets imprimés à Paris où les chansonniers, qui avaient été muselés pendant quinze ans, s'en donnaient à cœur joie.

Ces pamphlets concernaient tous, naturellement, la vie amoureuse de Napoléon. Et M. de Neipperg, qui avait une assez jolie voix, prenait plaisir à interpréter lui-même les chansons les plus audacieuses, afin de détacher complètement Marie-Louise de son époux.

Un soir, dans le salon ducal, il chanta ce couplet extrait d'un pot-pourri intitulé *La Vie de Nicolas* [88] :

> *La mère Lajoie* [89], *à vingt ans,*
> *Avait un mari, dix amants ;*
> *Elle accoucha de Nicolas ;*
> > *Qui fut son père ?*
> > *C'est un mystère*
> > *Qu'on ne dit pas* [90].

Un autre jour, il interpréta, avec toute la malice qu'on imagine, cette chanson qu'un auteur parisien avait composée sur l'air de *Compère Guilleri* :

> *Il était un p'tit homme*
> *(Je dis son nom tout bas :*
> *Nicolas !)*
> *De Paris jusqu'à Rome*
> *Parcourant ses États,*
> > *A grands pas,*
> > *Il tâtait par-ci,*
> > *Il tâtait par-là,*

Longwood clandestinement et point pour Marchand !... »

D'autre part, Hector Fleischmann, parlant de Jimmy dans son ouvrage *Napoléon adultère*, écrit : « Ce fils, dont le *Journal des Débats* annonçait la mort, à la date du 25 mai 1886, était, au dire du *World* de San Francisco, né d'une liaison de l'exilé avec une lingère anglaise. C'était, assure-t-on, "une femme d'âge moyen, encore très attrayante et possédant la plus belle chevelure qu'on puisse imaginer". En 1821, cette femme quitta l'île avec son fils et épousa à Londres un horloger nommé Gordon. Le fils, plus tard, établi dans le Connecticut, à New London, s'occupa de politique et de journalisme. » C'était le portrait vivant de son père naturel, et les personnes qui ne connaissaient pas le secret de sa naissance, ou le voyaient pour la première fois, étaient frappées par sa ressemblance étrange avec Napoléon. Lui, d'ailleurs, se montrait, à cet égard, fort réservé. Il ne se montrait affirmatif que « sous l'influence de la boisson ».

88. Nom que l'on donnait à Napoléon dans les pamphlets de la Restauration.

89. Nom que les pamphlétaires donnaient à Laetitia.

90. On sait que Laetitia fut accusée d'avoir eu, dans sa jeunesse, des mœurs légères. Certains historiens soutiennent encore qu'elle serait devenue, en 1768, la maîtresse de M. de Marbuf, alors gouverneur de la Corse, et que Napoléon aurait été le fruit de leurs amours coupables.

Des femmes les appas,
Ah ! Nicolas (bis)
Quel tâteur c'était là !

Quand il était à table
Au château d'Malmaison,
Sans façon,
Faisait des tours pendables :
Soulevant les jupons,
Le fripon,
Il tâtait par-ci,
Il tâtait par-là,
Des dames les appas.
Ah ! Nicolas (bis)
Quel tâteur c'était là !

Il tâtait les artistes
Du Théâtre Français,
A l'excès !
D'après les publicistes,
Chez George ou chez Bourgoin,
Le coquin,
Il tâtait par-ci,
Il tâtait par-là,
De merveilleux appas.
Ah ! Nicolas (bis)
Quel tâteur c'était là !

Nicolas fut bon frère,
Il caressait ses sœurs,
Quel bon cœur !
Mais afin de mieux faire,
Il les mettait au lit,
Le bandit !
Il tâtait par-ci,
Il tâtait par-là,
Leurs familiaux appas.
Ah ! Nicolas (bis)
Quel tâteur c'était là !

Malgré l'archiduchesse,
Qu'un jour il épousa,
Nicolas,
Mettait la main aux fesses
Des dames du palais,
Sans arrêt,
Il tâtait par-ci,
Il tâtait par-là,

> *Il tâtait mêm' le chat !*
> *Ah ! Nicolas* (bis)
> *Quel tâteur c'était là*[91] *!*

Cette chanson ne fit pas plaisir à Marie-Louise.

Son ressentiment contre Napoléon s'accentua. Car, depuis son arrivée à Parme, elle avait retrouvé toute la haine que sa grand-mère avait mise jadis dans son cœur d'enfant. Et rien ne l'avait plus blessée que la manifestation de ces anciens officiers de Napoléon, retirés à Bologne, qui, la voyant passer un jour en calèche, avaient réclamé :

— Le mari ! Le mari !...

Napoléon était pour elle un homme qu'elle rejetait de sa vie. Elle ne voulait plus connaître qu'un être au monde, M. de Neipperg, qui chantait si bien, qui parlait si doucement et qui se montrait si ardent sur la couche ducale.

Leurs chambres n'étaient séparées que par le bureau d'une secrétaire. Le soir, cette demoiselle s'en allait et le général n'avait qu'à ouvrir les verrous et à traverser la pièce... « C'était là, nous dit Max Billard, un moyen commode d'assurer la sécurité paisible des épanchements intimes de la souveraine et de son favori[92]. »

Moyen si commode, en effet, que le 1er mai 1817, Marie-Louise donna le jour à une fille qu'on appela Albertine[93]...

Ravissante fillette qui naquit presque le même jour que le petit Jimmy, dont elle était peut-être l'impertinente réplique...

18

Les ultras utilisent Mme du Cayla pour diriger Louis XVIII

> Sa main douce et ferme menait la barre.
>
> LUCAS-DUBRETON

Le 8 juillet 1815, Louis XVIII rentra à Paris, où le peuple en délire l'accueillit par un calembour :

— Vive notre père de Gand[94] !

Il sourit, salua de la main, versa une larme et arriva aux Tuileries où il retrouva son fauteuil à roulettes. Lorsqu'il y fut installé confortablement, il poussa un gros soupir. Puis, l'œil pétillant, il appela Fouché :

— Alors, racontez-moi un peu ce qu'*il* a fait ici pendant ces trois mois ?

---

91. *Les Amours de Nicolas,* 1816.
92. Dr Max BILLARD, *Les Maris de Marie-Louise,* 1908.
93. Cette petite princesse bâtarde reçut par la suite le nom de comtesse de Montenuovo, ce qui était une traduction approximative de Neipperg...
94. Pendant les Cent Jours, le roi Louis XVIII s'était réfugié à Gand, et les royalistes chantaient : « Rendez-vous notre père de Gand » sur l'air de « Rendez-moi mon écuelle de bois ».

Le duc d'Otrante connaissait Louis XVIII. Il savait que le souverain ne lui demandait pas des renseignements sur l'activité politique de Napoléon. D'un ton suave, il se mit donc à conter par le menu les aventures galantes vécues par l'Empereur pendant les Cent Jours. Le gros roi écoutait en jouant avec ses doigts sur sa lèvre inférieure. Il se délectait. A plusieurs reprises, il réclama avec gourmandise un détail sur la position qu'aimait prendre Mme de Pellapra au cours de ses ébats et sur la façon qu'avait Napoléon de trousser Marie Walewska avant de lui rendre un hommage rapide sur un coin de table...

— Redites-moi encore comment il la viola en Pologne...

Et l'ancien ministre de la Police, qui savait tout, conta la scène, en ayant soin d'employer un vocabulaire ordurier, sachant que le souverain serait sensible à cette attention.

Cette scène devait se renouveler tous les jours.

Presque impotent, les jambes percluses de goutte, Louis XVIII, empêché d'œuvrer par lui-même, devait, en effet, se contenter d'un libertinage intellectuel et verbal. Il connaissait un nombre incroyable d'anecdotes graveleuses qu'il racontait à ses amis en y prenant un plaisir profond...

« Depuis longtemps, écrit une mémorialiste, l'amour, chez Sa Majesté, ne consistait plus que dans le souvenir ; comte de Provence et comte de Lille, régent, roi de France, la nature ne lui avait permis que d'innocentes familiarités avec le sexe : petites tapes sur les joues, œillades furtives sous une gaze entrouverte, chute molle sur un tapis pour avoir le plaisir d'être relevé par une main blanche impuissante à soutenir longtemps le fardeau de celui qui, dans la balance des destinées, avait pesé plus que Napoléon, telles étaient ses plus grandes privautés ; puis venaient de grossiers ou d'élégants badinages, quelques propos tant soi peu lestes, en somme un peu de bonhomie et beaucoup d'esprit, tout cela pour varier la conversation et faire passer le temps. Bien différent de nos autres rois qui bâillent en demandant qu'on les amuse, Louis XVIII nous amusait pour se désennuyer [95]. »

— Avec de l'esprit, on se tire de tout, avait coutume de répéter le souverain.

Il essaya même de détruire par ce moyen la réputation désobligeante que les dames de la cour de Louis XVI lui avaient faite. On prétendait, en effet, que sa virilité laissait un peu à désirer et que, pour honorer Marie-Louise de Savoie, son épouse, il avait dû recourir à des « confortatifs ».

Toutes les petites gazettes de l'époque s'étaient fait l'écho de ces médisances [96].

95. *Mémoires sur Louis XVIII, sa cour et son règne*, par une dame de qualité, 1829.

96. Voici ce qu'on pouvait lire dans les *Mémoires secrets de Bachaumont*, à la date du 27 juillet 1779 :

« Il passe pour constant que jusqu'ici Monsieur n'avait pu faire goûter à Madame les plaisirs de l'amour, pour une cause encore plus fâcheuse que celle qui a retardé l'acte de la virilité conjugale chez le roi. Enfin, la nature a parlé chez Son Altesse Royale, c'est ce qui avait fait courir le bruit que Madame était grosse. Il est faux ; mais son auguste époux s'est trouvé tellement enflammé que sa conversation s'en ressent aujourd'hui et est

Soucieux d'en détruire le mauvais effet et de paraître le digne descendant du Vert-Galant, le souverain contait avec complaisance des histoires fort lestes où il se donnait le beau rôle. A l'entendre, il aurait eu dans son lit toutes les jeunes femmes qui entouraient Marie-Antoinette à Versailles. Avec une verve qui amusait ses intimes, il décrivait minutieusement la « petite pelouse » de chacune de ces dames. Naturellement, personne n'était dupe, mais tout le monde feignait de croire à ces récits imaginaires.

Un soir, pourtant, le public se laissa aller à montrer son incrédulité.

Louis XVIII parlait ce jour-là de ce malheureux qui s'était épris de la reine Marie-Antoinette jusqu'à en perdre la raison.

— Nous nous promenions, dit le souverain, la comtesse de Provence et moi, dans la grande avenue de Versailles ; les femmes de la comtesse nous accompagnaient. Tout à coup, *l'amoureux de la reine* s'élance de l'un des bosquets et se précipite sur nous ; la comtesse de Provence, effrayée, tombe évanouie dans mes bras : on s'empresse autour d'elle et l'on parvient, non sans peine, à la ranimer. Je fus d'autant plus troublé et inquiet des suites de cette aventure que *j'avais de bonnes raisons de croire que la comtesse était dans une situation qui exigeait beaucoup de ménagements.*

La conclusion fort inattendue de ce récit fut accueillie par un immense éclat de rire dont le signal fut donné par le comte d'Artois et la duchesse d'Angoulême. Mais chacun redevint bientôt sérieux et craintif lorsqu'on vit le roi froncer le sourcil et lancer sur le cercle qui l'entourait un regard terrible. Ses yeux cherchaient une victime. Finalement, il s'adressa à Mme la duchesse d'Angoulême :

— Voulez-vous bien, ma nièce, m'expliquer ce que vous trouvez de si plaisant dans mon histoire ? J'ai parlé de la reine votre mère, et je ne pensais pas que son souvenir dût exciter vos rires.

La duchesse d'Angoulême éclata en sanglots [97].

Le lendemain, tout était oublié. Et le roi, plus frétillant que jamais, reprit le récit des fredaines dont il enrichissait son passé...

Pour donner du crédit à ces galantes anecdotes, Louis XVIII pensa bientôt qu'il lui fallait une favorite — même honoraire...

Il convia d'abord Mme de Balbi, son ex-maîtresse, mais la trouva vieillie, amère et sans attraits. Généreux, il lui octroya une pension en souvenir de ses charmes anciens et la congédia.

Peu après, il fit venir au « château » (c'était ainsi que l'on appelait les Tuileries) Mlle Bourgoin, tragédienne au Théâtre-Français, dont Napoléon avait déjà remarqué « la voix chaude et l'arrondi de la fesse ». Il lui adressa mille compliments, la fit asseoir à ses côtés et, d'une main leste, lui souleva les jupes.

très vive, très chaude, très énergique sur les matières érotiques. Il surprend tous ses courtisans. »
97. Cf. Docteur VÉRON, *Mémoires d'un bourgeois de Paris.*

L'actrice était bien élevée. Elle ne broncha pas, laissant la main royale se livrer aux plus téméraires investigations.

Au bout de quelques instants, le malheureux souverain, tout congestionné, soupira :

— Je n'ai jamais tant regretté qu'aujourd'hui d'avoir soixante ans !

Puis, il glissa un doigt dans le corsage de Mlle Bourgoin, fit jaillir un sein, le contempla longuement d'un air triste, et le remit en place.

— Allons, murmura-t-il, il n'est si bonne compagnie qui ne se quitte, comme disait Dagobert à ses chiens !...

La tragédienne, un peu déçue, se retira. Mais, le lendemain, pour la remercier de s'être si gentiment laissé palper, Louis XVIII lui envoya une jolie voiture attelée de deux beaux chevaux gris pommelé et un magnifique nécessaire en vermeil contenant la somme de trente mille francs...

Par la suite, le roi convia aux Tuileries de nombreuses jeunes femmes — entre autres Mme Princeteau, sœur de son ministre M. Decazes, et Mme de Mirbel.

Lorsque cette dame était dans son bureau, il commençait par lui conter des histoires d'une effarante gauloiserie. Puis il lui lisait les vers libertins qu'il avait composés pour elle. Enfin, il devenait caressant...

Le plus souvent, il se contentait de furtifs attouchements, de badinages d'homme du monde et de câlineries distinguées.

Mais il lui arrivait parfois de désirer davantage. Ce jour-là, il faisait déshabiller sa victime et s'amusait à lui jeter entre les seins des billets de mille francs roulés en boule.

C'était l'orgie !...

Ces femmes, qui venaient aux Tuileries se faire tâter les avantages pour un bijou, un cheval ou quelques louis d'or, procuraient sans doute au souverain des sensations fort agréables, mais elles ne lui apportaient pas ce qui lui manquait le plus : l'affection.

Ce gros homme égrillard et gourmand possédait, en effet, un cœur de midinette.

Il eût voulu pouvoir aimer une maîtresse, une épouse, une famille. Hélas ! sa femme était morte, il n'avait pas d'enfants ; son frère, le comte d'Artois, qui le trouvait trop libéral, le haïssait ; sa nièce, la duchesse d'Angoulême, qui avait pris ouvertement le parti des ultras, ne lui adressait plus la parole ; quant aux femmes qu'il recevait dans son cabinet, il les savait trop vénales pour s'y attacher.

Alors il se tourna vers les hommes et déversa le trop-plein de sa tendresse sur des « favoris ».

Il eut d'abord le comte d'Averay, qu'il couvrit de cadeaux ; puis le duc de Blacas, qu'il nomma ministre et pair de France.

Ces hommes, je me hâte de le dire, n'étaient pas des « mignons ». Louis XVIII ne donnait pas « dans le travers », comme on disait alors, et n'eut jamais le désir d'entrer dans le vif de ses sujets...

Il se contentait de caresser la joue de ses favoris, de les appeler

« mon enfant » et de leur baiser chastement le front au jour de l'An [98]...

M. de Blacas était de ces émigrés dont on devait dire un jour qu'ils n'avaient rien oublié et rien appris. S'imaginant que la France était toujours celle de Louis XV, il voulait que fût rétablie une monarchie absolue.

Il eut bientôt contre lui tous les conseillers du roi. Le plus virulent, Guizot, demanda son renvoi immédiat. Louis XVIII hocha la tête tristement :

— On pardonne ses maîtresses à un souverain, dit-il, on ne lui pardonne pas ses favoris.

Après bien des hésitations, il finit par nommer Blacas ambassadeur à Naples. Mais, pendant quinze jours, on le vit sangloter dans son fauteuil à roulettes.

— Il est parti, gémissait-il, en essuyant ses yeux dans un vaste mouchoir. Comme je l'aimais... Mon petit, mon enfant... Ah ! les gredins, ils m'ont retiré ma vie...

Le seizième jour, le roi descendit de ses appartements la mine épanouie et avala un cent d'huîtres pour commencer son repas. La cour, soulagée, comprit que M. de Blacas était oublié.

Quelques semaines plus tard, Louis XVIII avait un nouveau favori. L'élu s'appelait Elie Decazes. Ancien fonctionnaire de l'Empire, il avait été secrétaire des commandements de Madame Mère et venait de remplacer Fouché au ministère de la Police.

Ses fonctions lui permettaient de connaître tous les dessous de la vie parisienne. Chaque jour, il venait aux Tuileries avec une serviette bourrée de lettres décachetées au Cabinet noir, de notes de police, de ragots et d'anecdotes grivoises. Avec esprit, il dévoilait toutes les coucheries de la cour et de la ville au roi qui se trémoussait d'aise et poussait de petits cris de joie.

Bientôt, Louis XVIII ne put vivre sans Decazes.

« Ce fut proprement une idylle, écrit M. Lucas-Dubreton. Le roi en arriva à vivre pour et par Decazes. Le matin, il travaillait en sa compagnie, et, au Conseil des ministres, ne pouvant lui parler seul à seul, il lui faisait tenir des billets affectueux. Quand son ami était absent, il lui écrivait encore, lui demandait de l'occupation : le plan de son prochain discours, par exemple, pour mettre les idées en ordre

98. Essayant d'expliquer cet étrange goût pour les favoris qu'avait Louis XVIII, CHATEAUBRIAND écrit : « Se fait-il dans le cœur des monarques isolés, un vide qu'ils remplissent avec le premier objet qu'ils trouvent ? Est-ce sympathie, affinité d'une nature analogue à la leur ? Est-ce une amitié qui leur tombe du ciel pour consoler leur grandeur ? Est-ce un penchant pour un esclave qui se donne corps et âme, devant lequel on ne se cache de rien, esclave qui devient un vêtement, un jouet, une idée fixe, liée à tous les sentiments, à tous les goûts, à tous les caprices de celui qu'elle a soumis et qu'elle tient sous l'empire d'une fascination invincible ? Plus le favori est bas et intime, moins on le peut renvoyer, parce qu'il est en possession de secrets qui feraient rougir, s'ils étaient divulgués. Ce préféré puise une double force dans sa turpitude et dans la faiblesse de son maître. » *(Mémoires d'outre-tombe).*

si c'était nécessaire : prendre de la peine par amour de lui était une volupté. Le soir, la famille royale partie, il bavardait intarissablement avec son ministre... Quels bons moments ! Decazes, avant de se retirer, laissait sur la table la cassette contenant le courrier du jour annoté de sa main ; le lendemain, son maître la lui renvoyait avec ses observations et un tendre billet. C'était un échange quotidien de petits soins, d'adulations, de gentillesses un peu fades qui éclairaient l'existence du vieil homme et que le favori agrémentait par les démonstrations d'un attachement romanesque[99]. »

Louis XVIII l'appelait « mon fils, mon cher fils », disait de lui : « N'est-ce pas qu'il a de beaux yeux ? », le tutoyait, lui caressait les cheveux et lui pinçait le menton.

Ce favori, farouchement libéral, eut bientôt contre lui les ultras et les membres de la Congrégation.

Pendant des semaines, ces gens, qui étaient plus royalistes que le roi, cherchèrent un moyen d'éliminer Decazes. Un jour, le vicomte Sosthène de La Rochefoucauld, congréganiste zélé, eut une idée :

— Il faut remplacer Decazes par une femme. Une femme supérieure qui prendrait un ascendant absolu sur le roi.

Tous les ultras opinèrent.

— Cette femme, je l'ai, ajouta-t-il, c'est Mme du Cayla.

Les membres de la Congrégation furent un peu surpris. Mme du Cayla était en effet la maîtresse du vicomte.

— Je la sacrifie à nos idées, dit-il avec un geste noble.

Tout le monde le félicita.

Le soir même, il prit à part Mme du Cayla qui ignorait tout du rôle qu'on voulait lui faire jouer, et, brusquement, lui dit d'un ton pathétique :

— Nous marchons aux abîmes, madame ! Aucune main ne peut arracher au roi le bandeau qui l'aveugle, excepté une main de femme assez douce pour ne point offusquer son amour-propre en lui dessillant les yeux. Ce prince a besoin d'aimer ceux auxquels il permet de le conseiller. Son cœur est pour moitié dans sa politique. Les femmes illustres par leur crédit utile ou funeste sur l'esprit des souverains ont, tour à tour, perdu ou sauvé le royaume en France et en Espagne. C'est d'une femme seule, aujourd'hui, que peut venir le salut de la religion et de la monarchie. La nature, la naissance, l'éducation, le malheur même semblent vous avoir désignée pour ce rôle. Demandez au roi une audience, sous prétexte d'implorer sa protection pour vous et vos enfants, montrez-lui ces trésors de grâce, de bon sens, d'esprit que la nature vous a donnés, non pour l'ombre de la retraite, mais pour le grand jour des palais. Charmez-le par une première conversation, quittez-le en lui laissant le regret de vous perdre et le désir de vous revoir ; insinuez-vous par l'affection dans son cœur et par la

---

99. Lucas-Dubreton : *Louis XVIII.*

haute raison dans son esprit ; rendez-vous nécessaire au délassement de cette âme souffrante, accablée des soucis du trône, et prévenez par le conseil les prochaines catastrophes dont la France est menacée.

Mme du Cayla fut abasourdie. La pensée d'aller s'offrir — même pour sauver le trône et l'autel — au vieillard obèse et podagre qui régnait aux Tuileries lui fut extrêmement désagréable. Elle prit un air digne :

— Quoi, dit-elle, c'est vous qui cherchez à m'éblouir par des perspectives d'empire et de domination à la cour ? Vous ai-je donc jamais donné le droit de me confondre, moi humble, retirée dans mon ombre et dans mon malheur, avec ces femmes hardies, ambitieuses, qui se servent de leurs vices ou même de leur vertu pour séduire et gouverner le cœur des rois ? Si vous voulez que nous restions amis, ne m'en reparlez jamais, j'oublierai même que vous m'avez assez peu comprise pour m'en avoir parlé un jour [100].

Et, pour bien lui montrer qu'elle ne voulait pas en entendre davantage sur ce sujet, elle l'entraîna dans sa chambre.

Qui était donc cette Mme du Cayla dont les ultras comptaient faire une nouvelle Esther ?

Une jeune femme de trente-cinq ans, extrêmement séduisante, qui, malgré un air digne, avait montré en maintes occasions la légèreté de sa cuisse. Brune, les yeux chauds, la bouche sensuelle, la fesse alerte, elle avançait dans la vie grâce à un sein ferme et à une grande habileté. Sosthène de La Rochefoucauld nous a laissé d'elle le portrait suivant :

« Spirituelle, enjouée, sachant donner à sa voix un je ne sais quoi de très doux hérité des Talon dans l'exercice de la magistrature, son esprit est dans ses yeux caressants et tendres au repos, parfois malicieux, rarement durs. Au demeurant, énigmatique, car chez elle tout est superficiel et d'épiderme, l'esprit, la raison, les goûts. C'est un papillon, incapable en apparence de s'arrêter à rien, et qui, cependant, se peut fixer si on ne l'y contraint pas. Son cœur est sa boussole et sa raison un gouvernail. »

Née Zoé Talon, Mme du Cayla était la fille du marquis Omer Talon, personnage étrange, qui avait été successivement avocat du roi en 1777, conseiller des Enquêtes en 1779, lieutenant civil au Châtelet [101], député aux États généraux en 1789 et agent secret, avant d'être mêlé à l'une des plus mystérieuses affaires de la Révolution, l'affaire Favras.

A la fin de 1789, le marquis de Favras avait reçu la visite de Cromot Du Bourg, trésorier du comte de Provence, qui avait mis à sa disposition une somme de deux millions, déposée chez des banquiers hollandais, pour organiser l'enlèvement de Louis XVI et son transfert à Péronne.

---

100. Ce dialogue est rapporté par Sosthène de La Rochefoucauld, lui-même, dans ses *Mémoires*.

101. Charge correspondant approximativement à celle de président du tribunal civil de la Seine.

— Dès que le roi sera dans cette ville, avait expliqué Cromot Du Bourg, les groupes que nous finançons pour agiter les faubourgs massacreront les chefs populaires, exigeront l'abdication du roi, et Monsieur sera proclamé lieutenant général du royaume.

Favras était un aventurier qui végétait. Attiré par l'argent, il avait accepté et s'était aussitôt mis à l'œuvre. Achetant des armes et des chevaux, recrutant des hommes, fréquentant des agitateurs. Hélas ! il avait commis l'imprudence de se confier à un certain Morel, qui, épouvanté par l'entreprise, était allé le dénoncer à Massu de Neuville, lieutenant de La Fayette. Le « brave général » avait fait arrêter Favras.

Au procès, le comte de Provence, que tout Paris accusait d'être l'instigateur du complot, était venu se disculper avec une extrême habileté, et Favras avait été condamné à mort.

Le malheureux, qui s'était tu obstinément pendant l'instruction, avait été profondément écœuré. Comprenant que Monsieur ne tenterait rien pour le sauver, il avait rédigé un long mémoire sur ses relations avec le frère du roi et l'avait remis au président du tribunal.

Ce président était Omer Talon.

Après avoir lu le texte de Favras, le magistrat avait couru à la prison pour supplier le condamné de ne pas parler.

— Si vous dénoncez Monsieur, le scandale rejaillira sur le roi, sur la reine, sur la cour tout entière. Votre accusation, en discréditant la famille royale, peut entraîner la chute de la monarchie.

Ces paroles n'ayant pas touché le prisonnier, Omer Talon avait ajouté :

— Vous êtes pieux, acceptez la palme du martyre, les cieux vous seront ouverts. Monsieur devra la vie à votre silence et si, dans d'autres temps, il hésite à remplir ses devoirs envers votre famille, j'ai son honneur entre les mains.

L'idée d'entrer au paradis sans difficultés avait séduit Favras. Il s'était tu. Et, quarante-huit heures plus tard, le 19 février 1790, on l'avait pendu en place de Grève.

Après l'exécution, la foule avait vu un prêtre monter rapidement dans un carrosse. Il s'agissait de l'abbé Le Duc, fils naturel de Louis XV, qui avait assisté le condamné dans ses derniers moments. Appartenant au groupe des conjurés, il courait rassurer Monsieur et lui affirmer que « tout s'était bien passé »...

Mais Omer Talon avait conservé à tout hasard le mémoire de Favras.

Et ce mémoire, le vicomte Sosthène de La Rochefoucauld, les ultras et les congréganistes le savaient, était en la possession de Mme du Cayla...

Sous l'Empire, Omer Talon, suspect de sentiments royalistes, fut emprisonné par Fouché. La jeune Zoé (qui s'était mariée en 1802 avec le comte du Cayla) fit de vaines démarches pour obtenir l'autorisation de le voir dans son cachot. Lorsque le ministère de la Police fut donné à Savary, duc de Rovigo, elle se souvint que l'épouse du nouveau ministre était une de ses anciennes condisciples. Elle demanda une audience et fut reçue.

Après avoir évoqué rapidement les douces heures qu'elle avait passées chez Mme Campan avec la duchesse de Rovigo, elle exposa sa requête :

— Je voudrais voir mon père, dit-elle.

Puis elle éclata en sanglots.

Savary, fortement émoustillé par cette jolie fille, s'approcha avec un air hypocrite et promit d'accorder la faveur qui lui était demandée. Il y mit seulement quelques conditions... Et un mémorialiste nous dit que, « malgré sa répugnance, Mlle Talon se vit forcée de se prêter à bien des choses pour pénétrer dans l'antre de l'infortune... »[102].

Par la suite, à chaque fois qu'elle voulait voir son père, Zoé dut venir s'allonger sur le sofa que Rovigo, en homme bien organisé, avait fait installer dans son cabinet. Ce fut d'abord une simple formalité. Puis les deux partenaires finirent par sympathiser. D'un commun accord, ils décidèrent de se rencontrer ailleurs.

Un jour qu'ils se trouvaient ensemble dans la chambre de Rovigo, complètement nus sur un lit que leur fougue avait transformé en champ de bataille, la duchesse, qui, depuis longtemps, soupçonnait son mari de la tromper, entra avec un grand pot d'eau à la main.

— Ne bougez pas ! cria-t-elle.

Et, courant jusqu'au lit, elle arrosa copieusement les deux amoureux[103].

« Extraits de leur paradis par cette douche glacée, nous dit le baron de Blays, Zoé et Rovigo se mirent à éternuer de façon bouffonne. Puis le ministre alla cacher dans un pan de rideau une nudité qui devenait d'instant en instant plus insignifiante... »[104]

Cette scène ne désunit pas les deux amants. Au contraire. Ils retournèrent sur le sofa du ministère et continuèrent pendant des mois à prendre un plaisir dont Omer Talon n'avait plus le seul bénéfice...

Leurs ébats devaient être fructueux, Mme du Cayla donna bientôt à son mari un gros garçon qui était tout le portrait du ministre de la Police.

Au début de 1814, voyant que l'Empire commençait à craquer de toutes parts, elle entra dans l'opposition et fut chargée par un comité royaliste d'une mission à Hartwell, où se trouvait alors Louis XVIII. Avec l'assentiment — et peut-être la complicité — du duc de Rovigo, elle se rendit — sans encombre — en Angleterre et fut reçue par le

---

102. *Biographie des dames de la Cour par un valet de chambre congédié*, 1826.

103. Le chancelier Pasquier, qui conte cette histoire, ajoute : « Je ne puis avoir aucun doute sur la véracité de l'anecdote. Elle me fut contée une demi-heure après par un homme qui était dans la pièce attenante et qui avait tout entendu. » *Mémoires*.

104. Baron de Blays, *Mémoires*.

prétendant au trône qui apprit avec un peu d'inquiétude que cette jolie jeune femme était la fille du président Omer Talon...

Zoé ne fit naturellement aucune allusion aux papiers qu'elle possédait.

Louis XVIII lui en sut gré et lui promit sa protection.

Rentrée à Paris, elle se rendit chez M. de Talleyrand.

— J'arrive à l'instant de Hartwell, dit-elle. J'ai vu le roi, et il m'envoie vous dire...

Le ministre sursauta :

— Êtes-vous folle, madame ? Vous osez avouer un pareil crime ?

Puis il s'assura que personne n'écoutait derrière la porte, revint vers Zoé et dit à voix basse :

— Ainsi, vous l'avez vu ?... Mais vous savez que je suis son humble et plus dévoué serviteur ? [105]...

Telle était cette Mme du Cayla que M. de La Rochefoucauld voulait mettre sur les genoux de Louis XVIII...

19

Mme du Cayla était surnommée par la cour « la tabatière du Roi »

> Il la prisait fort...
>
> TALLEYRAND

A plusieurs reprises le vicomte Sosthène de La Rochefoucauld, prenant Mme du Cayla sur ses genoux, essaya de lui faire comprendre qu'il était indispensable pour le salut de la monarchie, le bonheur des Français et la gloire de l'Église qu'elle allât coucher avec le roi de France.

Pour toute réponse, Zoé se mettait à chanter une romance à la mode. Un jour, pourtant, comme il insistait, elle se leva, à bout de patience :

— Écoutez-moi bien, Sosthène, si vous me faites encore une fois cette proposition bouffonne, je m'en irai pour ne plus revenir.

Informés de ce refus catégorique, les ultras allaient abandonner leur projet, lorsque le hasard vint fort opportunément les aider.

A la fin de 1817, M. du Cayla — dont Zoé était séparée depuis 1804 — entama brusquement des poursuites contre sa femme qu'il déclarait publiquement adultère et indigne de se charger de l'éducation de leurs deux enfants, Valentine et Ugolin.

En apprenant que son mari voulait lui prendre ses chers petits, Mme du Cayla fut bouleversée. Elle courut se jeter, en larmes, dans les bras de son amant.

— Que puis-je faire ? dit-elle.

Le vicomte vit là une occasion inespérée. Il prit un ton doucereux, et dit :

105. Reine HORTENSE, *Mémoires*.

— Il faut aller demander la protection du roi.

Le soir même, Zoé sollicita une audience de Louis XVIII, par l'intermédiaire du prince de Condé chez qui elle vivait, et, deux jours plus tard, elle était reçue aux Tuileries.

En la voyant entrer dans son cabinet, le roi sourit :

— Vous êtes encore plus belle qu'à Hartwell.

Puis il lui fit des compliments fort galants sur sa coiffure, sur sa robe et sur le rebondi de son décolleté, tandis que ses gros doigts boudinés tripotaient nerveusement les bras du fauteuil à roulettes...

Mais Mme du Cayla n'était pas venue là pour badiner. Très gracieusement — elle était bonne comédienne — elle éclata en sanglots et expliqua à Louis XVIII que son mari voulait lui prendre ses enfants.

Ces paroles eurent un effet inattendu : le roi fondit en larmes. Puis il bredouilla :

— Je comprends votre peine, madame, car, à moi aussi, *ils* veulent m'enlever mon enfant...

Stupéfaite, Mme du Cayla se demanda de quel prince il pouvait bien s'agir et si le roi avait un bâtard ignoré du peuple. Au bout d'un instant, elle finit par comprendre que ce « cher enfant » était le ministre Decazes, celui-là même qu'elle devait remplacer dans le cœur du souverain...

D'un hochement de tête, elle montra qu'elle compatissait à la douleur royale. Louis XVIII, touché, sanglota de plus belle. Zoé, qui avait du tact, l'imita, et, pendant cinq minutes, ils pleurèrent tous deux à chaudes larmes.

Enfin, le roi se calma et promit d'intervenir personnellement pour que M. du Cayla laissât son épouse en paix.

— Maintenant, venez vous asseoir près de moi, dit-il ; on ne peut se contenter de regarder une rose, il faut encore en respirer le parfum...

Très troublée, Zoé se leva et heurta maladroitement un guéridon sur lequel étaient déposés des papiers qui volèrent sur le tapis.

Rouge jusqu'au bout des oreilles, Mme du Cayla les ramassa et voulut les classer dans l'ordre, nous dit Hyde de Neuville, « en lisant quelques lignes au bas et en tête des feuilles, afin de les raccorder. Le roi, silencieux, la considérait avec intérêt. Décontenancée par ce silence du royal spectateur, elle s'embrouilla dans son action, incapable de rétablir la suite des pages dispersées.

» — Continuez à lire, lui dit alors le roi avec bienveillance. Votre voix m'a charmé. Je voudrais avoir souvent près de moi une lectrice aussi intelligente. J'aurais le plaisir de l'entendre, et celui, plus grand encore, de l'admirer.

» Sentant qu'elle paraîtrait ridicule en protestant et en ne satisfaisant point aux désirs du vieillard, elle poursuivit sa lecture sans rien comprendre au rapport ministériel contenu dans ces feuillets, rétablis, enfin, en leur ordre naturel » [106].

Ce petit incident avait achevé de séduire le roi. Lorsque Mme du Cayla eut replacé les papiers, il lui caressa longuement les cheveux, en récitant un poème de Boufflers, et se permit une pichenette sur le bout du sein gauche pour montrer qu'il était d'humeur gamine.

Après quoi, il congédia la jeune femme en lui demandant de revenir bientôt. « C'est ainsi, nous dit le vicomte de Beaumont-Vassy dans son style particulier, que le plan de séduction conçu par la politique fut, dès le premier regard, accompli par la nature [107]. »

Mme du Cayla revint la semaine suivante. Elle fut accueillie avec joie par le gros roi, qui avait écrit pour elle un madrigal joliment libertin.

— J'ai chargé M. Decazes de vos affaires, lui dit-il ensuite. Il faut que vous veniez me voir souvent pour me donner la joie de vous apprendre l'heureuse évolution de votre procès.

Elle vint d'abord tous les lundis, puis trois fois par semaine. « Alors, nous dit Gilbert Stenger, la porte du cabinet du roi était interdite à tout le monde, même aux ministres, avertis qu'ils ne devaient rompre la consigne que s'il y avait urgence... [108] »

Au cours de ces tête-à-tête qui duraient plusieurs heures, Louis XVIII faisait asseoir Mme du Cayla à ses pieds et lui caressait la nuque en tenant des propos égrillards.

La jeune femme, qui avait fini par accepter l'idée d'être un jour une nouvelle Pompadour, écoutait les plus énormes gauloiseries avec un sourire candide.

Mais bientôt le roi ne se contenta pas de réciter des madrigaux et de glisser deux doigts dans l'échancrure d'un corsage. Poussé par la passion, il désira davantage. Ce qui lui valut une amusante mésaventure.

« Un jour, raconte le maréchal de Castellane, Louis XVIII, mû par je ne sais quel désir ou quelle volonté, a fait un mouvement qui l'a conduit à terre. Mme du Cayla a voulu le relever ; le corps de Sa Majesté est retombé sur le bras de Mme du Cayla qui a poussé des cris horribles. Sa Majesté hurlait de son côté. Aucun des huissiers, fidèles à leur défense, n'est entré.

» — Pas si bête, se disaient-ils entre eux, c'est une malice du roi pour nous éprouver ; mais nous prouverons à Sa Majesté que nous savons exécuter ses ordres à la lettre.

» Enfin, à force d'efforts, Mme du Cayla est parvenue, de concert avec le roi, à retirer son bras ; elle a sonné, les huissiers sont entrés et ont reçu un déluge d'injures du roi qui était encore à terre et qu'ils ont remis dans son fauteuil [109]. »

Cette piteuse chute, qui fit rire aux larmes tout le palais, n'éteignit pas la flamme du roi. Au contraire. Amoureux comme à vingt ans,

106. HYDE DE NEUVILLE, *Mémoires*.
107. Vicomte DE BEAUMONT-VASSY, *Mémoires secrets du XIXᵉ siècle*.
108. GILBERT STENGER, *Grandes dames du XIXᵉ siècle. Chronique de la Restauration*.
109. Maréchal DE CASTELLANE, *Journal*.

Louis XVIII écrivait deux fois par jour à Zoé, passait en voiture devant sa maison et faisait rouler son fauteuil jusqu'à la fenêtre quand elle le quittait, pour la voir monter en carrosse...

Bientôt Mme du Cayla, que les courtisans appelaient entre eux familièrement « Mme Duc... », commença à prendre des airs de favorite. Le roi, il est vrai, faisait tout pour qu'elle fût grisée. Les jours où elle venait le voir, il donnait comme mot de passe à sa garde *Zoé* ou *Victoire* (second prénom de la jeune femme). Ce qui devait paraître assez savoureux aux officiers lorsque le général Talon, frère de Mme du Cayla, était de service...

Enfin, Louis XVIII la comblait de cadeaux. Après chaque visite, elle s'en allait avec trente mille francs dans son petit sac vert, et, un soir qu'elle allait au bal, sous le prétexte d'admirer sa coiffure, il lui passa la main dans les cheveux et y laissa une merveilleuse boucle de brillants...

L'intimité presque officielle du souverain et de Mme du Cayla fut à l'origine d'une méprise amusante.

Un mercredi matin, le chancelier Dambray ayant frappé à la porte du roi, celui-ci cria :

— Entrez, Zoé !...

En voyant apparaître son conseiller, Louis XVIII se contenta de sourire, mais, dès cet instant, le chancelier Dambray ne fut plus appelé par ses amis que « Robinson ».

... Parce qu'il avait été *cru Zoé* !...

Quelles étaient les relations exactes du roi et de la favorite ?

Il semble qu'elles n'aient pas dépassé les limites de ce qu'André Gide appelait « des simulacres anodins ».

« Depuis longtemps, en effet, nous dit M. de Vauxbelle avec sa préciosité habituelle, Louis XVIII n'était plus à même de se montrer franc chevalier dans le doux combat aimé des dames [110]. »

Le procès-verbal d'autopsie qui sera fait en 1824 confirmera d'ailleurs cette opinion. Mais, si les facultés royales étaient à peu près nulles, en revanche, des idées libertines occupaient sans cesse l'esprit du souverain. Les yeux mi-clos, rêvant à des nudités offertes, le pauvre passait de longs moments à tripoter l'espace.

Son imagination, exercée par un usage constant et nourrie de lectures égrillardes, lui permit bientôt de transformer en source de volupté les plus insignifiants attouchements. Il lui suffisait de prendre en main les seins fermes et bien dessinés de Mme du Cayla pour connaître un extraordinaire frisson. Et, nous dit encore M. de Vauxbelle, « il est heureux qu'à ces moments le roi n'ait point été ceint de la couronne, car l'ébranlement qu'il ressentait était si vif que le symbole de la royauté, secoué comme par un cyclone, eût risqué de choir sur le parquet... ».

110. M. DE VAUXBELLE, *Louis XVIII et les femmes.*

Parmi les petites habitudes de Louis XVIII, il en est une qui lui procurait — de façon assez incompréhensible, d'ailleurs — d'intenses satisfactions. Il prenait dans sa tabatière une pincée de tabac qu'il déposait entre les seins de la favorite, « comme il l'aurait fait dans le cœur d'une rose », précise M. de Vitrolles.

Et, nichant son gros nez bourbonien en cet endroit délicieux, il reniflait sa prise et s'en trouvait fort émoustillé...

Parfois, poussé, comme tous les libertins, par le goût de l'insolite, il compliquait un peu les choses et demandait à Mme du Cayla de s'installer sur ses genoux dans la position d'un enfant à qui l'on va donner la fessée. Puis il lui retroussait les jupes.

C'était alors sur la croupe rebondie de Zoé que le souverain plaçait son tabac et le prisait...

Ces petites scènes pittoresques avaient naturellement lieu dans la plus stricte intimité. Mais les trous de serrure ayant toujours été la source d'information favorite des domestiques, tous les valets des Tuileries surent bientôt où et comment Louis XVIII humait son tabac.

Certains en bavardèrent, et l'histoire courut les salons du faubourg Saint-Germain où, un soir, un bel esprit eut le mot de la fin en déclarant que Mme du Cayla était décidément une femme très prisée à la cour [111].

La docilité dont faisait preuve Zoé, au cours de ses entretiens avec le roi, était, bien entendu, largement récompensée.

Après chaque rencontre, Louis XVIII s'ingéniait à trouver un moyen aimable de faire un cadeau à la jeune femme. La valeur du présent variait, d'ailleurs, avec l'intensité du plaisir qu'avait éprouvé le souverain. Et lorsque Mme du Cayla quittait le palais avec une nouvelle broche de diamants sur l'épaule, les courtisans étaient heureux de penser que le roi de France avait « vibré comme une harpe »...

Un soir que la satisfaction de Louis XVIII avait dépassé de loin les bornes habituelles, le gros roi, encore tout essoufflé, prit Zoé sur les genoux, et lui demanda :

— Mon enfant, lisez-vous la Bible ?

Mme du Cayla, craignant d'être allée un peu loin dans ses entreprises, prit un air penaud et, toute disposée à se purifier par de saintes lectures, répondit qu'elle n'avait pas ce livre dans sa bibliothèque.

— Vous l'aurez bientôt, lui dit le roi.

Quelques jours plus tard, en effet, elle reçut une superbe édition de la Bible, merveilleusement reliée et portant ses armes frappées en or. Elle l'ouvrit avec respect, et ses yeux brillèrent soudain d'un éclat qui ne devait rien — hélas ! — à l'illumination de la foi.

---

111. Par la suite, tout comme Mme de Pompadour avait été surnommée irrévérencieusement « le fourreau du roi », Mme du Cayla fut appelée « la tabatière du roi ». Et, M. de Castellane raconte qu'un jour où la favorite traversait la salle des gardes, ceux-ci affectèrent d'éternuer bruyamment sur son passage. Offense dont elle se plaignit à Louis XVIII...

Chaque gravure, au lieu d'être protégée par un papier de soie, était, en effet, recouverte d'un billet de banque neuf, de mille francs.

Or, il y avait cinquante gravures...

Les entretiens de Louis XVIII et de Mme du Cayla n'étaient pas entièrement consacrés à la bagatelle. La favorite, dûment chapitrée par son amant, le vicomte de La Rochefoucauld, s'efforçait avec habileté de combattre chez le roi ses tendances libérales et de lui faire partager les vues politiques des ultras. Grâce à un sourire enjôleur, une dialectique adroite et une main bien placée dans la conversation, elle était déjà parvenue à de notables résultats.

Pourtant, elle n'était pas encore favorite à part entière. Le ministre Elie Decazes conservait toute son influence sur le roi qui continuait de l'appeler son « cher petit » et de lui envoyer des mots affectueux.

Mme du Cayla, qui ne pouvait manœuvrer Louis XVIII comme elle l'entendait, chercha un moyen de se débarrasser du jeune ministre et imagina de le compromettre dans un scandale.

Le destin allait lui fournir mieux encore : un assassinat...

Le soir du 13 février 1820, le duc de Berry, deuxième fils du comte d'Artois, qui avait épousé en 1816 la princesse Marie-Caroline des Deux-Siciles, était à l'Opéra avec sa femme.

Tous deux étaient un peu nerveux. Elle parce qu'elle était enceinte, lui parce qu'il avait rendez-vous, après le spectacle, avec sa maîtresse, la danseuse Virginie Oreille.

A l'entracte, Marie-Caroline se heurta le sein contre une poignée de porte. Aussitôt, le duc vit là une occasion inespérée de se débarrasser de la duchesse.

— Rentrez à l'Élysée, lui dit-il, je crains que, dans votre état, il ne soit pas prudent, après un tel coup, de demeurer au théâtre. J'assisterai seul à la fin du spectacle.

Marie-Caroline accepta, et l'on fit avancer sa voiture. Dès qu'elle y fut installée, le duc bondit vers l'escalier de l'Opéra. Il allait l'escalader quatre à quatre et courir à sa loge pour y guetter le signe que Virginie devait lui faire en dansant, lorsqu'un individu sortit de l'ombre et lui enfonça un poignard dans la poitrine...

-- Je suis assassiné ! dit simplement le duc.

Puis il tomba sur le trottoir.

Quelques heures plus tard — pour avoir voulu passer la soirée avec une danseuse — le neveu du roi de France mourait dans une loge de l'Opéra...

L'assassin, qui avait été arrêté, s'appelait Louvel. Il déclara qu'il avait agi seul.

Mais, dès le lendemain, dans Paris bouleversé par ce meurtre étrange, un bruit courait. On murmurait que Decazes, qui détestait le duc de Berry, avait armé la main de Louvel...

Cette accusation, qui était naturellement partie du boudoir de Mme du Cayla, allait atteindre son but. Épouvanté par l'ampleur du scandale, le roi dut se résigner à se séparer de Decazes. Il le nomma ambassadeur à Londres.

Cette fois, Mme du Cayla avait les pleins pouvoirs...

Le 21 février 1820, de longs gémissements sortaient du cabinet de Louis XVIII.

Agenouillés dans le couloir, les valets regardaient à tour de rôle par le trou de la serrure, ravis de surprendre un spectacle peu commun : un roi de France pleurant à chaudes larmes, la tête sur son bureau.

De temps en temps, un sanglot faisait sauter son gros ventre comme une outre flasque, et la domesticité riait silencieusement.

Louis XVIII ne se consolait pas d'avoir été contraint d'exiler son cher Premier ministre, Elie Decazes. La veille, il lui avait écrit ce mot tendre et désolé :

« *Viens voir le prince ingrat qui n'a pas su te défendre. Viens mêler tes larmes à celles de ton malheureux père...* »

Et, le matin même, le favori, qui fermait ses malles, avait reçu un dernier billet :

« *Adieu ! C'est le cœur brisé que je te bénis. Je t'embrasse mille fois.* »

Lettres extraordinaires, on en conviendra. Extraordinaires et uniques dans l'Histoire, car on imagine mal, de nos jours, le chef de l'État écrivant sur ce ton à un Premier ministre limogé...

Pendant quelques jours, Louis XVIII, accoudé sur son bureau, face à un portrait du « cher disparu », poussa des plaintes lugubres. Puis il parut se calmer, redevint souriant et ne parla plus jamais de M. Decazes. Mme du Cayla, qui était d'une grande habileté, avait réussi, par des caresses étourdissantes, des parfums suaves et une présence aphrodisiaque, à chasser de l'esprit royal jusqu'au souvenir de l'ex-favori...

Son règne commençait...

On le vit bien lorsque le duc de Richelieu, chargé de remplacer Decazes, forma son ministère. Des hommes épousant les idées des ultras furent placés, par les soins de la jolie comtesse, aux postes clés. Ce qui permit au comte d'Artois et à ses amis de faire voter deux lois d'exception : une sur la suppression des libertés individuelles, l'autre sur la presse, qui fut de nouveau soumise à l'autorisation préalable et à la censure.

Ainsi Mme du Cayla ramenait doucement la monarchie à ce qu'elle était avant 1789...

20

Napoléon meurt en prononçant le nom de Joséphine

> Né dans une île, mort dans une île par les
> habitants d'une île, la seule femme qu'il
> aima se trouva être une insulaire...
>
> Denis Giraud

Tandis qu'aux Tuileries Louis XVIII batifolait péniblement avec Mme du Cayla, à Sainte-Hélène, Napoléon, toujours aussi ardent, occupait ses loisirs à cocufier son compagnon de captivité, le brave général de Montholon.

Celui-ci n'en souffrait pas. Depuis longtemps, en effet, il avait pris le parti de fermer les yeux sur les frasques de son épouse. La belle Albine de Vassal était, il est vrai, animée par un tel tempérament que, selon le mot du comte de Berg, « la jalousie d'un homme n'eût pas suffi à en apprécier tous les écarts ».

Avant de se faire épouser par Montholon, elle avait été mariée deux fois et deux fois répudiée pour adultère. Depuis, elle se donnait à qui voulait la prendre.

A Sainte-Hélène, Napoléon, qui la savait intrigante, s'était d'abord méfié d'elle. Mais, après le départ de Las Cases, elle avait réussi à prendre la place du secrétaire et, battant d'une courte tête Mme Bertrand, elle s'était installée, plume à la main, dans la chambre de l'ex-empereur...

Là, bien entendu, les choses avaient pris rapidement un tour assez badin. Entre deux chapitres de ses *Mémoires,* Napoléon s'était un soir précipité sur Albine et l'avait honorée sur le tapis.

Par la suite, ces intermèdes galants étaient devenus une habitude, et Mme de Montholon, très fière, avait tout fait pour que les Français de l'île fussent au courant de ses relations avec l'ex-empereur. D'un air avantageux, elle répétait constamment qu'une cartomancienne lui avait prédit un jour qu'elle serait « reine sans l'être »...

Ce qui avait le don de rendre Mme Bertrand enragée.

On a parfois contesté la liaison de Napoléon et d'Albine. Elle est aujourd'hui certaine, ainsi que nous le dit l'un des plus éminents historiens de l'Empereur, le docteur Paul Ganière, dans son ouvrage *Napoléon à Sainte-Hélène* :

« Bien des historiens, écrit-il, ont longtemps mis en doute la nature charnelle des relations existant entre Napoléon et Mme de Montholon. Pour eux, malgré de troublants détails, telle cette surprenante familiarité consistant à la recevoir dans sa salle de bains, alors que son mari était courtoisement prié de sortir, l'Empereur, pendant son séjour à Sainte-

Hélène, se serait trouvé fort détaché de tout souci de ce genre, et les témoignages tendant à accréditer une autre version ne pouvaient être le fait que d'une indiscutable malveillance. Plus prudent, Frédéric Masson laissa la place à diverses interprétations en écrivant que Mme de Montholon savait donner au captif "ces sortes de consolations que seule la femme peut apporter à l'homme". Quelles consolations ? Il se garde de préciser.

» Sur leur nature, pourtant, on ne peut nourrir le moindre doute, et la récente parution des cahiers du général Bertrand vient lever les dernières hésitations. Les propos tenus par l'honnête grand-maréchal ne laissent en effet planer aucune ombre. Sans discussion possible. Napoléon semble s'être laissé prendre au jeu habile d'une femme habituée depuis longtemps à séduire et qui, non sans adresse, savait admirablement tirer parti de ses charmes pourtant un peu fanés. L'Empereur a-t-il éprouvé pour elle de tendres sentiments ? C'est peu probable. Au plus, des "habitudes" qui, dans l'isolement où il se trouve, n'en acquièrent que plus de vigueur. Mais ces faiblesses de la chair ne lui font pas oublier que, dans son lointain exil, se brosse de lui, pour les générations futures, un portrait dont dépend sans doute le sort de sa dynastie. Peut-être même lui en veut-il un peu de s'être laissé prendre au jeu. D'où ce besoin de sauver la face, de prévenir les médisances en affichant parfois, au risque de paraître grossier, une rudesse de langage destinée à faire taire les rivalités et à détourner les soupçons [112]. »

Le 26 janvier 1818, Mme de Montholon accoucha d'une fille. Aussitôt, tout le monde murmura que l'Aiglon venait d'avoir une petite sœur.

Albine ne fit rien, il faut bien le reconnaître, pour arrêter ces bruits.

Au contraire, lorsqu'on venait admirer son bébé, elle n'omettait jamais de dire en souriant :

— N'est-ce pas qu'elle ressemble à Sa Majesté ? C'est exactement son menton et sa main...

En juillet 1819, Mme de Montholon, souffrante, dut quitter Sainte-Hélène et rentrer en France. Napoléon la vit partir avec infiniment de peine. Pourtant, il chercha bien vite à la remplacer, et son regard se fixa avec insistance sur Mme Bertrand.

La grande Fanny [113], qui avait tant souffert de se voir préférer Mme de Montholon, décida de se venger et refusa nettement de se plier aux désirs du maître.

Napoléon entra dans une colère terrible et chargea Antommarchi, le médecin qu'on venait de lui envoyer d'Europe, de faire entrer Mme Bertrand dans son lit.

112. Dr PAUL GANIÈRE, *Napoléon à Sainte-Hélène*.
113. Mme Bertrand était née Fanny Dillon. Son père était un riche aristocrate anglais. Sa mère était une langoureuse créole dont elle avait hérité le charme et le caractère capricieux.

Écoutons ce que le grand-maréchal Bertrand écrit lui-même à ce sujet dans ses *Cahiers* :

« Napoléon a dit autrefois à Antommarchi que le grand-maréchal aurait dû prostituer sa femme, qu'il lui devait de la décider, si cette mauvaise tête ne le voulait pas. Il voulait qu'Antommarchi lui servît de Mercure et qu'il déterminât Mme Bertrand à être sa maîtresse : "Mais comment puis-je faire cela ? Quelle opinion aura de moi le grand-maréchal ?"

» Le docteur était arrivé plein d'estime et de respect pour le grand-maréchal et sa femme. Dès le lendemain, on lui a dit que le grand-maréchal était un bêta, qu'il ne servait à rien à l'Empereur ; que sa femme était, il est vrai, d'une assez jolie tournure et aimable, mais que c'était une femme perdue qui couchait avec tous les officiers anglais passant près de sa maison et allait dans les fossés ; que c'était la dernière des femmes.

» Antommarchi était stupéfait de tout ce qu'il entendait ; il ne pouvait avoir une grande idée de la moralité de l'Empereur [114]. »

Antommarchi, qui n'avait pas la complaisance de Constant, refusa de servir d'entremetteur. Furieux, Napoléon l'accusa d'être l'amant de Fanny, et le grand-maréchal Bertrand nous rapporte avec une candeur effarante les propos que le captif tint alors sur son épouse :

« Antommarchi va à sept heures et demie chez l'Empereur qui se met en grande colère contre lui.

» — Il devait être chez lui à six heures du matin : il passe tout son temps chez Mme Bertrand.

» L'Empereur fait appeler le grand-maréchal, qui arrive à sept heures trois quarts. Il répète ce qu'il a dit. Il ajoute que le docteur n'est occupé que de ses catins.

» — Eh bien ! qu'il passe tout son temps avec ses catins ; qu'il les f... par-devant, par-derrière, par la bouche et les oreilles. Mais débarrassez-moi de cet homme-là, qui est bête, ignorant, fat, sans honneur. Je désire que vous fassiez appeler Arnott pour me soigner à l'avenir. Concertez-vous avec Montholon. Je ne veux plus d'Antommarchi. »

Mme Bertrand, à qui ces propos avaient été rapportés, refusa pendant des semaines de rencontrer Napoléon.

Au printemps de 1821, le mal dont souffrait l'ex-souverain depuis son arrivée à Sainte-Hélène — mal mystérieux qui continue de diviser les historiens — empira brusquement [115]. Les Français, bouleversés et impuissants, virent leur maître se traîner de fauteuil en fauteuil, les

114. Général BERTRAND, grand-maréchal du Palais, *Cahiers de Sainte-Hélène, déchiffrés et annotés par Paul Fleuriot de Langle.*

115. Était-ce un cancer, ou, comme certains le soutiennent aujourd'hui, une lésion des parois stomacales, comme il semble qu'on l'ait cru alors, ou un empoisonnement à l'arsenic, comme l'affirme le Dr Sten Forshufvud, dans son ouvrage : *Napoléon a-t-il été empoisonné ?*

traits tirés par la douleur, Parfois, ses mains et ses jambes devenaient glacées et il tombait en syncope. Le 17 mars, alors qu'il s'apprêtait à monter en voiture, un frisson lui traversa tout le corps. On le ramena dans sa chambre. Il se coucha pour ne plus se relever.

A la fin d'avril, sachant qu'il souffrait horriblement et que la mort était proche, Mme Bertrand demanda à le voir. Napoléon fut touché, mais refusa de la recevoir. Sa rancune était tenace. Il s'en expliqua à Montholon :

« — Je ne l'ai pas vue ; j'ai craint une émotion. Je lui en veux de n'avoir pas été ma maîtresse. Je veux aussi lui donner une leçon.

» Si vous aviez été son amant, je vous aurais traité en corsaire, au lieu de vous combler de mes bienfaits, comme je le fais. Mais je n'ai jamais pensé à cela.

» Quant à Antommarchi, je ne lui pardonnerai jamais d'avoir soigné une femme qui n'a pas voulu être ma maîtresse et de l'avoir encouragée à cela. »

Il réfléchit un instant et ajouta :

« — Pauvre Fanny... Je la verrai pourtant, soit que je me rétablisse, soit que je meure. »

Or Napoléon n'avait plus que huit jours à vivre...

Le 26 avril, Napoléon était assis au bord de son lit, la main gauche sous la fesse, le sexe découvert. Attitude un peu désinvolte, mais que l'état du captif justifiait en partie. Il venait de terminer la rédaction de son testament et se sentait épuisé. Après avoir sucé une orange, il appela Antommarchi et lui dit :

— Je souhaite encore que vous preniez mon cœur, que vous le mettiez dans l'esprit-de-vin et que vous le portiez à Parme à ma chère Marie-Louise. Vous lui direz que je l'ai tendrement aimée, que je n'ai jamais cessé de l'aimer ; vous lui raconterez tout ce que vous avez vu, tout ce qui se rapporte à ma situation et à ma mort.

Peu de temps après, il dit au général Bertrand :

— J'aimerais que Marie-Louise ne se remariât pas... Hélas ! je sais qu'on lui fera épouser un petit archiduc de ses cousins... Enfin, qu'elle veille à l'éducation de son fils et à sa sûreté...

Il eut un faible sourire et, comme pour répondre aux critiques que chacun formulait secrètement, il ajouta :

— Soyez bien persuadé que si l'Impératrice ne fait aucun effort pour alléger nos maux, c'est qu'on la tient environnée d'espions qui l'empêchent de rien savoir de tout ce que l'on me fait souffrir, car Marie-Louise est la vertu même...

Le pauvre ignorait, bien entendu, qu'au moment où il cherchait ainsi à trouver des excuses à son épouse, celle-ci était enceinte, pour la seconde fois, des bons offices de M. de Neipperg...

Pendant les jours qui suivirent, Napoléon, qui s'alimentait avec peine, continua de s'affaiblir. Il était secoué de hoquets, vomissait, ne pouvait plus s'asseoir dans son lit. Bientôt, il devint presque sourd et se mit à parler très fort. Ce qui donnait à la moindre de ses confidences l'allure d'un discours. Et l'on imagine l'air navré de son entourage lorsque, Marchand lui ayant appris que le docteur O'Meara avait l'intention d'écrire un journal, il répondit en hurlant littéralement :

— S'il donne la longueur de ma verge, ce sera intéressant !...

A plusieurs reprises, Mme Bertrand, devinant que la fin était proche, avait demandé à être reçue.

D'un geste las, montrant les vomissures qui tachaient ses draps, Napoléon s'était contenté de répondre :

— Ce n'est pas le moment !

Enfin, le 1er mai, il consentit à la laisser entrer. En voyant s'approcher de son lit cette femme dont il ne pouvait plus devenir l'amant, ses yeux eurent une étrange flamme.

Écoutons Marchand nous conter la scène :

« Le 1er mai, à 11 heures, la comtesse Bertrand a été introduite auprès du lit de l'Empereur. Après l'avoir fait asseoir et lui avoir demandé de ses nouvelles, il lui dit :

» — Eh bien ! madame, vous avez été malade aussi. Vous voilà bien, votre maladie était connue, la mienne ne l'est pas et je succombe. Comment vont vos enfants ? Il fallait m'amener Hortense.

» — Sire, répondit la comtesse, ils se portent tous bien. Votre Majesté les a accoutumés à tant de bontés qu'ils éprouvent une grande privation de ne pas vous voir, et, chaque jour, ils sont venus avec moi s'informer de la santé de Votre Majesté.

» — Je le sais. Marchand me l'a dit. Merci !

» L'Empereur l'entretint quelques minutes encore et lui dit de revenir le voir. La comtesse se retira pour ne pas davantage fatiguer l'Empereur ; son émotion se fit jour alors, ses yeux se remplirent de larmes ; je l'accompagnai jusqu'au jardin, et là, en sanglotant, elle me dit :

» — Quel changement s'est opéré chez l'Empereur depuis que je ne l'ai vu. Ces traits amaigris, cette longue barbe, m'ont impressionnée bien douloureusement ; l'Empereur a été bien cruel pour moi en se refusant à me recevoir. Je suis bien heureuse de ce retour d'amitié, mais je le serais davantage s'il avait voulu de mes soins [116]. »

Tous les jours suivants, Mme Bertrand revint au chevet de Napoléon. Ces deux êtres qui auraient pu devenir amants — et qui l'avaient espéré chacun son tour — se rapprochaient, à l'ultime moment, avec une émotion infinie. Le 4 mai, sortant d'un malaise, le moribond vit Fanny, en larmes, penchée sur lui. Il sembla d'abord ne pas la reconnaître, puis il sourit faiblement et murmura :

— Madame Bertrand... oh !...

Après quoi, il entra dans les avenues de la mort.

---

116. MARCHAND, *Mémoires*.

Le général Bertrand a noté minute par minute l'agonie de Napoléon. Extraordinaire document dont voici un extrait :

« 5 mai. — De minuit à une heure, toujours le hoquet, mais plus fort.

» De une heure à trois heures, a bu plus souvent. Il a d'abord soulevé sa main, a tourné ensuite la tête pour ne plus boire.

» A trois heures, hoquet assez fort. Gémissement qui paraît sortir de loin.

» De trois heures à quatre heures et demie, quelques hoquets, plaintes sourdes, après des gémissements. Il bâille. A l'apparence de beaucoup souffrir. A dit quelques mots qu'on n'a pu entendre, et : "qui recule", ou, certainement : "A la tête de l'armée".

» De quatre heures et demie à cinq heures, grande faiblesse, plaintes. Le docteur le fait un peu élever sur son oreiller. Napoléon n'ouvre plus les yeux. Il paraît plus faible que la veille. Ce n'est plus qu'un cadavre. Son gilet est couvert de crachats rougeâtres qui n'ont pas la force d'aller plus loin.

» On ouvre les rideaux, les fenêtres du billard.

» Toute la nuit, moins de hoquets que de gémissements plus ou moins profonds, quelquefois assez forts pour réveiller ceux qui sommeillent dans la chambre : le général Montholon, le grand-maréchal, Vignali, Ali.

» De cinq heures du matin à six heures, la respiration a été plus facile, ce qu'on a attribué à la position plus élevée du corps.

» A six heures, le docteur (Antommarchi), avec son doigt, a frappé le ventre de Napoléon, qui a résonné comme un tambour : il paraissait enflé et déjà sans vie.

» Le docteur a averti que le dernier moment approchait. On a appelé le grand-maréchal et Mme Bertrand.

» De six heures à six heures un quart, hoquets, des gémissements pénibles. De six heures à six heures et demie, grande tranquillité, respiration facile. Dans cette demi-heure, la tête un peu tournée du côté gauche, les yeux ouverts fixés sur le gilet du comte Bertrand, mais du fait de la position plutôt que par intérêt.

» Napoléon ne paraît rien voir. Un voile sur les yeux.

» A six heures et demie, il a placé sa tête droit, fixant le pied du lit, les yeux ouverts, fixes et voilés.

» Jusqu'à huit heures, un peu de sommeil tranquille, quelquefois des soupirs de quart d'heure en quart d'heure.

» A huit heures, quelques gémissements, ou plutôt quelques sons sourds, qui paraissent se former dans le bas-ventre et siffler en traversant le gosier. Ils semblent appartenir plutôt à un instrument qu'être un gémissement. Une larme est sortie de l'œil gauche, au coin, du côté de l'oreille. Bertrand l'a essuyée. Arnott s'est étonné que Napoléon retînt la vie si longtemps.

» Jusqu'à dix heures et demie-onze heures, généralement calme.

Respiration douce. Parfaite immobilité de tout le corps. Quelques mouvements seulement dans la prunelle. Mais rares. De demi-heure en demi-heure, quelques soupirs ou sons. Une deuxième larme à la même place. La main droite sur la couverture du lit, la main gauche sous la fesse.

» Depuis six heures du matin, très calme, immobile.

» Seize personnes présentes, dont douze Français, Mme Bertrand avec deux femmes, Ali, Noverraz, Napoléon Bertrand, à sept heures.

» A sept heures et demie, il s'est trouvé mal.

» De onze heures à midi, Arnott a placé deux sinapismes aux pieds, et Antommarchi deux vésicatoires, un sur la poitrine, le second au mollet. Napoléon a poussé quelques soupirs. Plusieurs fois, le docteur (Antommarchi) est allé chercher le pouls au col.

» A deux heures et demie, le docteur Arnott a fait placer une bouteille remplie d'eau bouillante sur l'estomac.

» A cinq heures quarante-neuf minutes, Napoléon a rendu son dernier soupir [117]. »

Avant de mourir, il avait murmuré le nom de la seule femme qu'il ait aimée :

— Joséphine...

Le lendemain, les médecins procédèrent à l'autopsie [118]. Le cœur de Napoléon fut placé dans un bocal pour être envoyé à Marie-Louise [119]. Après quoi, la nuit étant venue, les médecins allèrent se coucher. Or la légende veut que le lendemain matin ils n'aient plus retrouvé le cœur de l'Empereur, un rat l'ayant mangé. Fort ennuyés, ils auraient alors remplacé rapidement ce noble viscère par celui « d'un doux animal bêlant »...

Deux jours plus tard, Napoléon était enterré dans la vallée du Géranium, en attendant d'être ramené à Paris et inhumé aux Invalides avec — peut-être — un cœur de mouton dans la poitrine [120]...

117. Général BERTRAND, *Cahiers de Sainte-Hélène, déchiffrés et annotés par Paul Fleuriot de Langle.*

118. Le docteur Henry, qui participa à cette opération, signale dans un rapport qui figure aujourd'hui dans les *Lowe Papers,* au British Museum, que les parties viriles de l'Empereur étaient d'une « exiguitatis insignis sicut pueri... ». On a peine à croire qu'avec une nature aussi peu développée Napoléon ait pu honorer tant de dames. A moins que le peuple ait raison en affirmant que « ça s'use »...

119. On sait que Hudson Low s'opposa finalement à ce transfert.

120. Le docteur Cabanès, qui rapporte cette légende dans son ouvrage *Au chevet de l'Empereur,* ajoute ces propos d'un commentateur : « Et voilà comment il se fait que, depuis 1840, un cœur de mouton repose sous le dôme des Invalides, dans la poitrine du vainqueur d'Austerlitz. »

21

Marie-Louise épouse secrètement Neipperg

> Il est des actes qu'il vaut mieux cacher...
>
> M. Desbordes-Valmore

Le 19 juillet 1821, vers 10 heures du matin, Marie-Louise, enfermée dans sa chambre, se regardait dans un miroir avec un air désolé. La veille au soir, des moustiques l'avaient atrocement piquée et son visage ressemblait à une fraise géante.

Elle se mit quelques compresses et décida de ne pas sortir de la journée. A 11 heures, désœuvrée, elle se fit apporter la *Gazette du Piémont* et lut les nouvelles. L'une d'elles la fit blêmir. Au bas d'une page, en effet, un entrefilet annonçait la mort du général Bonaparte.

Des morsures de cousins et le décès d'un époux, cela faisait beaucoup d'ennuis dans une même journée.

La pauvre Marie-Louise eut envie de se confier. Elle écrivit alors à son amie, Mme de Crenneville, la plus extraordinaire des lettres de faire-part :

Je suis à présent dans une grande incertitude : la « Gazette du Piémont » a annoncé d'une manière si positive la mort de l'Empereur Napoléon qu'il n'est presque plus possible d'en douter. J'avoue que j'en ai été extrêmement frappée. Quoique je n'aie jamais eu de sentiment vif d'aucun genre pour lui, je ne puis oublier qu'il est le père de mon fils, et que, loin de me maltraiter comme le monde le croit, il m'a toujours témoigné tous les égards, seule chose que l'on puisse désirer dans un mariage politique. J'en ai donc été très affligée, et, quoi qu'on doit être heureux qu'il ait fini son existence malheureuse d'une manière chrétienne, je lui aurais cependant désiré encore bien des années de bonheur et de vie — pourvu que ce fût loin de moi.

Arrivé à cet endroit de la lettre, Marie-Louise pensa tout à coup que le deuil qui la frappait venait fort à propos puisqu'il allait lui permettre de cacher son visage boursouflé ; et, avec un cynisme tranquille, elle l'avoua à son amie :

Il y a beaucoup de moustiques ici. J'en ai été tellement piquée que j'ai l'air d'un monstre et que je suis contente de ne pas devoir me montrer...

Car Marie-Louise avait un heureux caractère qui, en toutes occasions, lui permettait de voir le bon côté des choses...

Le lendemain, la duchesse de Parme reçut la nouvelle officielle de la mort de Napoléon par une lettre du baron Vincent, ambassadeur d'Autriche à Paris. Elle décida aussitôt que la cour ducale prendrait le deuil pour trois mois et commença à rédiger, en compagnie de Neipperg, une note nécrologique destinée à la presse. Dès les premières lignes, un problème surgit : comment nommer le défunt ? Napoléon ? C'était reconnaître qu'il avait été souverain. Bonaparte ? Cela rappelait trop les armées de la Révolution. L'Empereur ? Il n'en était pas question. L'ex-empereur ? C'était admettre qu'il l'avait été. Alors ?

Ce fut Neipperg qui trouva la formule. Avec une délectation particulière, il écrivit : « Par suite de la mort du *Sérénissime époux de notre auguste souveraine...* »

« Sérénissime époux », c'est-à-dire « prince consort »...

Celui qui avait fait trembler les rois dut se retourner dans sa tombe.

Le 30 juillet, Marie-Louise assista à un service religieux sous un immense voile noir qui était surtout destiné à dissimuler sa grossesse. Après quoi, elle commanda mille messes à Parme et autant à Vienne, avec l'ordre formel de ne point prononcer le nom du défunt dans les prières...

Lorsque toutes ces formalités furent remplies, elle se fit faire une série de robes de grand deuil et pensa gaiement à l'avenir.

« Enfin, écrit M. de Thou, elle allait pouvoir s'attacher, par les liens sacrés du mariage, les énormes particularités physiques de M. de Neipperg. Depuis six ans, en effet, la pauvre tremblait à la pensée que cet homme si bien armé pour le plaisir pouvait, sur un coup de tête, aller porter ses talents ailleurs. Elle décida de l'épouser sans même attendre la fin du deuil officiel [121]. »

C'est ainsi que, le 8 août, les deux concubins se marièrent secrètement dans la chapelle du palais.

Certains historiens ont nié cette union. Elle est aujourd'hui indiscutable. Le fils de Neipperg lui-même en fait mention dans un mémoire rédigé en 1831.

Écoutons-le :

« Le 5 mai 1821, l'Empereur Napoléon mourait sur le rocher de Sainte-Hélène. Quelques mois plus tard, le 8 août de la même année, l'union fut légalisée par un prêtre. L'abbé Neuschel, confesseur de S.M. l'archiduchesse, aujourd'hui évêque de Guastalla, bénit le couple. Les témoins étaient, à moins que je ne me trompe, le docteur Rossi et le futur intendant du palais, le baron Amelin de Sainte-Marie. Le mariage eut lieu en la chapelle privée de Sa Majesté dans le palais ducal de Parme. La différence de rang exigea un mariage de la main gauche *(sic)* et d'autres égards faciles à comprendre nécessitèrent de garder le secret le plus absolu sur cette union [122]. »

Mariée le 8, Marie-Louise accoucha le 9 d'un gros garçon que l'on baptisa Guillaume, et les nouveaux époux continuèrent de vivre « en

---

121. M. DE THOU, *Marie-Louise.*
122. Alfred DE NEIPPERG, *Mémoires,* 1831.

restreignant publiquement leurs élans » — ce qui ne trompait personne.

Écoutons encore Alfred de Neipperg :

« Bien que l'attitude de feu mon père devant les yeux du monde fût en toute occasion et à tout moment celle d'un serviteur fidèlement dévoué à son auguste souveraine et qu'il ne fît jamais, directement ou indirectement, allusion à d'autres relations plus intimes, il est certain que, depuis longtemps, sa véritable situation à la cour n'était plus un mystère et qu'on en connaissait partout les détails les plus cachés. »

Ce charmant jeune homme nous donne d'ailleurs quelques lignes plus loin un aperçu de la vie de « M. et Mme de Neipperg » :

« On ne peut se figurer, écrit-il, une union plus heureuse, un amour plus tendre pour les enfants, un ménage plus heureux. Mon père écrivait chaque jour, à son réveil, de son lit, quelques lignes à Sa Majesté ; la réponse ne se faisait pas attendre longtemps ; la lettre de Sa Majesté arrivait souvent la première, et, certains jours, plusieurs billets furent ainsi échangés. »

Cette existence idyllique fut un moment troublée, en octobre 1821, lorsque le docteur Antommarchi, venant de Sainte-Hélène, se présenta au palais ducal.

Il venait apporter à Marie-Louise les dernières paroles de Napoléon mourant.

Agacée, la duchesse le fit recevoir par son mari. Celui-ci fut aimable, mais distant.

— Je vous écoute, monsieur. Sa Majesté est souffrante, mais je peux lui transmettre ce que vous voudrez bien me confier.

Antommarchi s'attendait à un autre accueil. Un peu gêné, il parla du cœur de Napoléon qu'il aurait dû apporter à Marie-Louise, mais que Hudson Lowe avait gardé à Sainte-Hélène.

— C'est un sacrilège, dit-il. Il faut que Sa Majesté intervienne. Elle seule peut faire respecter les dernières volontés de l'Empereur.

Puis, voyant que Neipperg ne répondait pas, il posa un paquet sur la table.

— C'est son masque mortuaire, murmura-t-il. Voulez-vous le remettre à l'Impératrice ?

Le général acquiesça avec un sourire glacé, et le pauvre Antommarchi, n'ayant plus rien à dire, se retira, comprenant que sa démarche avait été inutile.

Il avait raison.

Quelques jours plus tard, Marie-Louise informait Metternich qu'elle refusait le cœur de Napoléon...

Et la vie du couple Neipperg reprit son cours. Rien dans le palais ducal ne rappela bientôt plus que la duchesse avait été l'épouse du grand homme de son temps. Non rien, en effet. Car, au mois de décembre, le docteur Hermann Rollet surprit les enfants de l'intendant de Marie-Louise « en train de jouer avec un objet de plâtre qu'ils avaient attaché au bout d'une ficelle et qu'ils traînaient sur le parquet en guise de voiture »[123].

Il se pencha et reconnut avec stupeur le masque mortuaire de l'Empereur...

Marie-Louise ne versa donc pas une larme en apprenant la mort de Napoléon.

Et les autres ?

Toutes celles qu'il avait aimées, caressées, toutes celles qu'il avait comblées de cadeaux et pourvues de titres, toutes celles qu'il avait à tout jamais sorties de l'ombre en les faisant entrer dans son lit ? Avaient-elles pleuré en lisant dans les gazettes que l'Empereur était mort sur le rocher de Sainte-Hélène ?

Mlle George, par exemple ?

Le 11 juillet, jour où la nouvelle fut connue en France, la douce Georgina se préparait à faire sa rentrée sur la scène de l'Odéon, après six ans d'exil. Elle avait été chassée, en effet, du Théâtre-Français, au lendemain de Waterloo, par le duc de Durans, surintendant du théâtre, pour s'être montrée en public avec un bouquet de violettes au corsage. Avant de quitter la France, elle avait sollicité l'honneur d'accompagner l'Empereur à Sainte-Hélène. Les Anglais ayant refusé, elle était allée jouer en Belgique où elle avait fait la connaissance d'un polémiste, Charles-Henri Harel, qui était devenu son amant. Au bout de 1821, ils avaient regagné Paris et s'étaient installés dans trois petites pièces au 25 de la rue Madame.

Tous deux se trouvaient dans cet appartement lorsque Jules Janin, qui habitait dans une mansarde du même immeuble, descendit leur apprendre la mort de Napoléon.

Mlle George devint livide et s'écroula sur le plancher.

S'il faut en croire Armand Platel, il se passa alors un incident extrêmement burlesque :

« Harel, écrit-il, élevait chez lui, en liberté, un cochon qu'il avait baptisé Piaff-Piaff. Alerté par le bruit de la chute, l'animal vint en trottinant dans le salon et s'enquit, l'œil soupçonneux, de ce qui se passait. En voyant sa maîtresse allongée par terre, il crut sans doute qu'elle voulait jouer et se précipita sur elle. Janin et Harel, épouvantés, l'attrapèrent par les oreilles et tentèrent de l'empêcher d'aller rouler sur la tragédienne. Mais Piaff-Piaff était d'une force peu commune. Malgré la douleur qui le faisait hurler, il entraîna les deux hommes qui glissèrent sur le parquet en renversant des meubles. Finalement, un fauteuil tomba sur le cochon, qui réussit à se libérer et fila vers sa niche en poussant des cris à ameuter tout le quartier.

» A ce moment, Mlle George sortit de son évanouissement. Elle promena un regard ahuri sur la pièce où — au milieu d'un désordre indescriptible — Janin et Harel gisaient à moitié assommés.

123. Dr HERMANN ROLLET, *Neue Beitrage zur Chronik der Stadt Baden bei Wien.*

» Croyant être responsable de ce désastre, elle murmura :

» — Comment ai-je pu faire tout cela ?

» Puis, se souvenant des raisons de son évanouissement, elle éclata en sanglots.

» Janin et Harel, encore tout endoloris, vinrent l'aider à se relever et la conduisirent dans sa chambre... [124] »

Elle y resta trois jours enfermée, à relire les lettres de Napoléon, à contempler les portraits qu'il lui avait donnés, à caresser les objets qu'elle tenait de lui, sans prêter attention aux galopades effrénées que faisaient, dans les pièces voisines, Harel, Jules Janin et le cochon [125]...

Lorsqu'elle ressortit de sa chambre, Mlle George avait au fond des yeux une lueur triste qui ne devait plus la quitter. Un long deuil pour elle commençait. Et, tout au long des quarante-six années qu'elle vécut encore [126], la douce Georgina ne put jamais prononcer le nom de l'Empereur sans pleurer [127].

Pauline Fourès, qui avait été le grand amour de Bonaparte en Égypte, éprouva-t-elle le même chagrin que Mlle George ?

Elle s'en est violemment défendue. Pourtant, il y a dans la vie de Bellilote un mystère qu'aucun historien n'a réussi, jusqu'à ce jour, à élucider.

En 1821, la pétulante Pauline exerçait le métier, insolite pour une femme, de marchande de bois précieux. A ce titre, elle se rendait de temps en temps au Brésil pour y acheter du palissandre ou de l'acajou. Ce commerce n'était-il pas un paravent ? Certains se le sont demandé. Et la duchesse d'Abrantès, dans ses *Mémoires,* affirme que Pauline allait en Amérique du Sud pour y organiser l'évasion de Napoléon.

Le bruit s'en étant bientôt répandu dans les salons du faubourg Saint-Germain, la pauvre Bellilote faillit avoir de graves ennuis avec la police de Louis XVIII qui la soupçonna de comploter contre le régime.

Affolée, l'ex-« Notre-Dame de l'Orient » rédigea aussitôt une lettre publique pour affirmer que Napoléon, l'ayant lâchement abandonnée après le 18 Brumaire, il était impensable qu'elle eût jamais songé à le faire évader de Sainte-Hélène...

Qui disait la vérité ? On ne le saura sans doute jamais.

124. ARMAND PLATEL, *Jules Janin et Alexandre Dumas.*

125. Harel adorait son cochon. Alexandre Dumas, dans ses *Mémoires,* raconte qu'un jour le polémiste (qui était très sale) lui dit :

« — Vous savez, mon cher, que j'aime tant mon cochon que je couche avec.

» — Eh bien ! lui répondit Dumas, je viens de rencontrer votre cochon qui m'a dit exactement la même chose...

» Je crois, ajoute Dumas, que c'est le seul mot auquel Harel n'a rien trouvé à répondre. »

126. Mlle George mourut à 78 ans, le 11 janvier 1867.

127. Cf. FRÉDÉRIC MASSON, qui écrit : « Même en ses derniers jours, très vieille, n'ayant plus rien, ni dans la tête, ni dans la tournure, de la triomphatrice d'antan, lorsqu'elle parlait de Napoléon, c'était avec un tremblement de la voix, une émotion qu'elle ne jouait pas et qui, aux jeunes gens qui l'écoutaient, se communiquait si profonde qu'elle en est demeurée inoubliable. » *(Napoléon et les femmes.)*

Mais si la duchesse d'Abrantès a raison et si Pauline complotait réellement contre Louis XVIII, on admettra qu'elle ait jugé prudent de ne pas pleurer en public le 11 juillet 1821...

Et Désirée Clary, la première fiancée de Bonaparte, celle qui permit la réussite du 18 Brumaire et connut le plus fabuleux des destins ?

En 1818, son mari, Bernadotte, ayant remplacé Charles XIII, elle était devenue reine de Suède. Mais elle avait continué de vivre à Paris, et les mauvaises langues jasaient. On prétendait qu'elle était tombée amoureuse du duc de Richelieu, ministre de Louis XVIII.

Écoutons la duchesse d'Abrantès, commère de l'époque :

« Cette reine se prit d'une vive admiration pour le duc de Richelieu. On dit qu'elle avait eu plusieurs fois affaire à lui au sujet des Bonaparte, et qu'elle lui avait fait des visites particulières lorsqu'il était président du Conseil en 1816. Depuis ce temps, elle cherchait toutes les occasions de le rencontrer. Comme elle était fort timide, et qu'elle savait qu'il ne se souciait nullement de rentrer en relations avec elle, jamais elle n'osait lui adresser la parole. Ses yeux noirs se braquaient sur le duc avec une fixité si étrange qu'il en était obsédé et s'en allait. Elle cessait toute conversation et restait dans une sorte d'extase tant qu'il demeurait dans le salon. Ensuite, elle reprenait l'entretien, et il n'y paraissait plus rien.

» M. de Richelieu était fort ennuyé de ce culte bizarre. La reine de Suède le suivait jusque dans ses voyages, dans ses excursions, cherchant toujours une raison de se remettre en rapport avec lui. Par exemple, elle alla aux eaux de Spa en même temps que lui et fit mettre dans son salon, tous les matins, une corbeille de fleurs. Une autre fois, sachant qu'il était chez M. Molé, à Champlâtreux, elle s'y rendit en poste, logea à l'auberge d'un village des environs et se promena dans le parc en vue du château. Cela faisait rire tout le monde, excepté le pauvre duc, qui prenait même la chose avec humeur et impatience[128]. »

Vers 1820, Désirée s'attacha aux pas de M. de Richelieu avec une telle insistance que le pauvre l'appelait « sa folle reine ».

Était-elle vraiment amoureuse ?

Certains l'ont contesté, donnant à son assiduité auprès du duc une explication bien différente.

Écoutons la comtesse d'Armaillé :

« En cherchant à se rapprocher du duc de Richelieu, lié par une étroite reconnaissance à l'empereur Alexandre, souverain resté publiquement sympathique à l'empereur Napoléon, Désirée songeait-elle seulement à travailler aux intérêts de son mari, à ceux de sa sœur Julie dont l'exil, peu rigoureux du reste, devait bientôt s'adoucir. Subissait-elle l'effet d'une fascination personnelle pour un homme jeune encore, d'un extérieur agréable et distingué, comme la malignité railleuse d'un monde, assez mal disposé pour elle, se plaisait à le

---

128. Duchesse d'Abrantès, *Mémoires*.

croire ? Non ; elle obéissait à un bien autre mobile. *C'était l'espérance d'arriver à rendre la situation du captif de Sainte-Hélène moins cruelle, moins affreuse,* qui dirigeait ses démarches et remplissait son cœur, surtout depuis que, devenue reine, elle se croyait revêtue d'une qualité européenne auprès d'un homme d'Etat de l'ordre de M. de Richelieu [129]. »

Dans ces conditions, il est facile d'imaginer le chagrin que dut éprouver Désirée au soir du 11 juillet [130].

22

Mme du Cayla règne sur la France

Elle fut reine sans couronne.

ALFRED VALLETTE

L'assassinat du duc de Berry privait les Bourbons d'un héritier direct. Or, ni Louis XVIII ni son frère le comte d'Artois n'avaient plus les moyens de prolonger leur dynastie [131]. Tous les regards se portaient donc sur le petit ventre de la duchesse de Berry que son époux avait laissée « dans l'attente d'un heureux événement ».

Alors que les légitimistes faisaient des prières pour que naquît un garçon, les orléanistes, les républicains et les bonapartistes souhaitaient naturellement une fille :

— Mais prenons garde, disaient-ils, on peut très bien nous tromper par une substitution d'enfants à la naissance. Exigeons des témoins.

Cette formalité fut acceptée par le roi. Elle allait provoquer une scène incroyable. Le 28 septembre, à deux heures du matin, en effet, la duchesse, dont on n'attendait pas la délivrance avant plusieurs jours, accoucha brusquement. Il s'ensuivit un extraordinaire affolement. On appela d'abord le docteur Deneux, qui arriva tout ahuri de sommeil, la perruque de travers.

— C'est un garçon, lui cria Marie-Caroline, mais ne faites rien ; je veux qu'on voie mon fils tenant à moi. Laissez-le sur le drap et amenez vite des témoins.

Mme de Gontaut, dame de compagnie, poussa un domestique dans la chambre.

— En voilà un !

La duchesse secoua la tête.

---

129. Comtesse D'ARMAILLÉ, *Une fiancée de Napoléon. Désirée Clary, reine de Suède.*

130. Il en est une qui, sans doute, eût pleuré Napoléon plus que toutes les autres, c'est Marie Walewska. Mais la petite Polonaise, qui avait épousé en 1816 le comte d'Ornano, était morte le 30 novembre 1817, après avoir donné le jour à un gros garçon...

131. Il y avait bien le duc d'Angoulême, fils aîné du comte d'Artois, qui avait épousé en 1799 sa cousine, Marie-Thérèse-Charlotte, dite Madame Royale, fille de Louis XVI et de Marie-Antoinette ; mais le pauvre n'était pas apte à procréer. André Castelot écrit joliment « qu'il témoignait aux femmes une indifférence congénitale »...

— Ce laquais ne peut servir, dit-elle, puisqu'il est de la maison.
Courez ! Qu'on amène d'autres personnes.

Les dames d'honneur s'élancèrent dans les escaliers et revinrent
bientôt avec un épicier nommé Laîné, qui montait la garde, un sous-
lieutenant et un sergent de grenadiers. Les trois hommes, effarés par
le spectacle tout à fait insolite qu'offraient la jeune accouchée et son
bambin, n'osaient franchir le pas de la porte.

Marie-Caroline les interpella :

— Entrez, approchez-vous, messieurs. Vous êtes témoins que c'est
un prince et qu'il n'est pas encore détaché.

Rouges jusqu'au bout des oreilles, ils s'inclinèrent en bredouillant.

— Il me faut maintenant un témoin officiel, déclara la duchesse.
Allez chercher le maréchal Suchet.

Le vieux lieutenant de Napoléon arriva à deux heures et demie, mit
un genou en terre et déclara que l'enfant appartenait bien à la duchesse
de Berry et qu'il était de sexe masculin.

Alors seulement le docteur Deneux fut autorisé à couper le cordon
ombilical.

La naissance du duc de Bordeaux, que l'on appela « l'enfant du
miracle », transporta de joie Mme du Cayla et ses amis.

Assurée maintenant de l'avenir de la dynastie, la favorite entreprit
de consolider sa situation auprès du roi. Les moyens les moins louables
ne lui répugnaient pas. C'est ainsi qu'elle flattait le goût maladif de
Louis XVIII pour les histoires graveleuses en venant chaque jour avec
une provision d'anecdotes épicées dont le gros souverain se régalait.

Au mois de mai 1821, l'aventure assez leste qui arriva à Mme de
S..., épouse d'un avocat en renom, lui permit de monter un peu plus
dans l'estime du monarque.

Cette aventure, la voici :

« Mme de S..., nous dit M. de Justine, avait été dotée par la nature
d'une complexion amoureuse qui faisait d'elle un de ces démons
d'alcôve que les hommes les plus vigoureux ne peuvent rassasier. Son
mari, écrasé par la tâche, appelait de tous ses vœux un rival qui lui
eût apporté une aide précieuse. Mais la belle était fidèle, et le pauvre
avocat, obligé de livrer chaque nuit des combats inégaux, se desséchait,
dormait sur ses dossiers, perdait ses clients. »

Or, le printemps de 1821 eut sur les « humeurs vibrantes » de
Mme de S... un effet tout particulier. Complètement déchaînée, elle
courait parfois, au milieu du jour, jusqu'au cabinet de son mari, faisait
sortir les clients qui s'y trouvaient, tirait le verrou, s'étendait sur un
canapé et suppliait M. de S... de lui « câliner la mouflette », selon
l'expression du temps.

Le brave, qui, l'instant d'avant, discutait sur un point de procédure,
était alors obligé de se pencher sur un article que Napoléon n'avait
point prévu dans son code. Il le faisait sans récriminer, car il aimait sa

femme, mais il lui arrivait, tout en œuvrant, de jeter un coup d'œil inquiet à la pendule.

Assez rapidement, le pauvre avocat fut contraint de chercher un moyen d'échapper à cette tyrannie amoureuse. Il le trouva par hasard, un jour qu'il recevait des amis. Écoutons M. de Justine :

« Au cours du repas, M. de S... s'aperçut que ses invités lorgnaient son épouse avec un air concupiscent. Il échafauda immédiatement un plan assez compliqué, mais fort ingénieux pour contenter tout le monde et retrouver sa santé. »

Le soir, il entraîna son épouse dans sa chambre et lui dit en baissant la tête :

— Chère amie, votre discrétion vous a, jusqu'à maintenant, empêchée de vous plaindre, mais je sais que vous n'avez pas toujours trouvé chez moi cette belle vitalité qui fait renaître presque indéfiniment le phénix de ses cendres. Il en résulte que l'amour que vous portez à ce bel oiseau, privé d'exutoire, finit par vous étouffer. Croyez bien que j'en souffre autant que vous. Aussi, sans vous en informer, ai-je, depuis longtemps, cherché un moyen de donner au sentiment que je vous porte la matérialisation durable que vous souhaitez. Ce soir, ce moyen, je l'ai. Un médecin de mes amis vient de m'indiquer un breuvage capable de retendre à volonté ce ressort que vous avez, hélas ! si souvent vu brisé.

Très émoustillée, Mme de S... se dévêtit rapidement et se jeta sur le lit tandis que l'avocat fermait soigneusement les volets et tirait les rideaux.

Après la première joute, alors que la jeune femme, à demi pâmée, réclamait la suite, l'avocat se leva et dit à voix basse :

— Je vais prendre ma potion.

Puis, dans l'obscurité, il quitta la pièce. Deux minutes plus tard, Mme de S... l'entendait revenir. A tâtons, elle constata avec émerveillement que le breuvage avait déjà fait son effet et que le phénix redressait fièrement la tête.

Une deuxième joute eut lieu. Après quoi, Mme de S... entendit son partenaire s'éloigner de nouveau. Quand il revint, l'instant d'après, sa belle forme était déjà ressuscitée. Aussitôt, la jeune femme eut droit à un troisième hommage, ce qui acheva de la mettre en train. Ne doutant plus des vertus miraculeuses de la potion, elle demanda à être outragée une quatrième fois. Ses espérances furent dépassées.

« Elle fut gratifiée dans sa soirée, nous dit M. de Justine, de onze divertissements plus vigoureux les uns que les autres. »

Finalement, exténuée, gémissante, mais comblée, Mme de S... s'endormit. Le lendemain matin, encore endolorie, elle courut à la chambre de son époux. Celui-ci, frais comme un gardon, se rasait. Elle le félicita.

— Nous recommencerons ce soir, dit l'avocat, sur un ton de superbe simplicité.

En effet, le soir même, Mme de S... avait droit à ces onze hommages.

Les nuits suivantes lui apportèrent la même volupté, et sans doute eût-elle demandé grâce si un incident n'était venu brusquement interrompre ces gigantesques ébats.

Un soir, Mme de S... entendit son partenaire prononcer, dans le feu de l'action, quelques mots tendres. Elle fut horrifiée. La voix n'était pas celle de son mari. « Prise de soupçon, ajoute notre chroniqueur, elle se déroba au plaisir, courut vers la pièce voisine et découvrit avec épouvante des hommes en chemise qui attendaient leur tour, assis sur un canapé. La pauvre comprit alors que le breuvage n'existait pas, que son mari était l'auteur de cette organisation diabolique et qu'elle avait, chaque nuit, reçu l'hommage de onze messieurs différents [132]. »

Cette histoire, on s'en doute, amusa follement Louis XVIII qui ne sut comment remercier Mme du Cayla de l'avoir recueillie à son intention. C'est alors qu'il eut l'idée de lui offrir le château de Saint-Ouen.

Ce qui, reconnaissons-le, était payer royalement les potins de cette jolie commère...

Lorsque Louis XVIII annonça à Zoé son intention de lui offrir le château de Saint-Ouen, la favorite, fidèle à son système, commença par refuser.

Le roi parut déçu.

— Faites-moi l'immense joie d'accepter, mon enfant, dit-il. L'un des plus beaux souvenirs de ma vie s'attache à ce château. C'est là que, le 2 mai 1814, j'ai fait la Déclaration de ma Charte... Et puis, Saint-Ouen n'est pas très éloigné de Saint-Denis où se trouve la sépulture des rois de France. Vous pourrez ainsi continuer aisément à me rendre visite lorsque j'y reposerai pour l'éternité...

Mme du Cayla, qui savait vivre, éclata en sanglots. Le roi l'imita, et tous deux pleurèrent pendant quelques minutes.

Quand leurs larmes furent séchées, Louis XVIII renouvela timidement son offre. La favorite prit alors un air hypocrite et dit :

— Sire, Votre volonté s'étend sur tous vos sujets et je dois m'y soumettre comme les autres, et même plus que les autres... Pourtant, il me serait agréable de vous voir renoncer à ce projet. Et je me permets très humblement de demander à Votre Majesté la grâce de ne plus m'en parler...

Après qu'elle fut partie, le roi, perplexe, se demanda pour quelle raison Mme du Cayla ne voulait pas de Saint-Ouen. Ayant considéré plusieurs hypothèses, il finit par se persuader que la favorite refusait ce château parce qu'il avait appartenu à Mme de Pompadour et que sa délicatesse lui interdisait de succéder à une femme de mœurs aussi légères.

Louis XVIII détestait les demi-mesures. Il décida de faire raser

132. M. DE JUSTINE, *Chronique scandaleuse sous la Restauration.*

l'édifice existant et de commander un nouveau château entièrement conçu, construit et meublé pour Zoé.

Les travaux furent aussitôt entrepris. Mais craignant une réprimande, le souverain n'en souffla mot à la favorite, qui, pendant trois mois, alors que les gazettes, la cour et la ville ne parlaient que de la destruction du château de Saint-Ouen, feignit de tout ignorer.

Le 8 juillet, elle accepta tout de même d'accompagner Louis XVIII qui devait poser la première pierre du futur château. Ils furent accueillis par l'architecte, M. Hittorf, qui, devant l'assistance effarée, lut le texte suivant que le roi avait lui-même rédigé :

Sa Majesté Louis XVIII, en rentrant dans ses États, annonça par une déclaration solennelle signée dans le château de Saint-Ouen, le 2 mai 1814, la publication prochaine de la Charte qu'il avait l'intention de donner à ses sujets. Quelques années après, Saint-Ouen fut abattu et le roi, confiant à l'amitié le soin de perpétuer le souvenir de sa sollicitude pour ses peuples, voulut que ces ruines, devenues célèbres fussent arrachées à l'oubli de l'avenir. Cette pierre, sur laquelle un nouveau bâtiment va s'élever par ses ordres, a été scellée des mains mêmes du Roi, et l'inscription qu'elle contient est l'ouvrage du Prince. Renfermée dans une boîte de plomb, elle a été placée sur la base de cet édifice, en présence de Mme Zoé-Victoire Talon, comtesse du Cayla. Par ses qualités, son esprit et l'élévation de ses sentiments, elle devint l'amie de ce roi qui, à l'estime qu'elle lui inspira par ses chagrins, sa tendresse et son courage pour ses enfants, avait, sitôt qu'il l'eut connue, deviné les consolations que son amitié lui faisait éprouver.

Ce texte tarabiscoté fut vivement applaudi par la cour. Après quoi, le parchemin fut placé dans un coffret scellé à l'intérieur d'une pierre, et Louis XVIII, rougissant comme un collégien, fit quelques gestes symboliques avec une truelle. Dès lors, tout le royaume sut que Zoé était la favorite officielle du podagre souverain...

Désormais sûre d'elle-même, Mme du Cayla put promettre aux ultras de faire triompher leur politique. Elle commença par demander le renvoi du duc de Richelieu, que le comte d'Artois trouvait encore trop tiède à son gré.

Louis XVIII hésita un moment à chasser du pouvoir un homme qui ne lui avait donné que des satisfactions. Mais Zoé insista, et le souverain lui promit que la démission du duc lui serait remise avant l'heure de son coucher. A minuit, un secrétaire la lui apportait...

Le lendemain, Louis XVIII, un peu honteux, tout de même, d'avoir renvoyé un bon et loyal serviteur, fit cette effarante confidence à un de ses intimes :

— Enfin, j'ai du moins la paix du ménage...

Devenue véritablement « reine de France », Mme du Cayla poussa le roi à faire appel au comte de Villèle. Celui-ci forma un ministère d'extrême droite avec, aux Affaires étrangères, Mathieu de Montmorency (beau-père de Sosthène de La Rochefoucauld, dont Zoé était la maîtresse) ; à la direction des Postes, le duc de Doudeauville (père de Sosthène), et à la Justice M. Péronnet, jeune avocat plein de flamme que Mme du Cayla désirait depuis quelque temps faire entrer dans son lit.

Cette combinaison érotico-politique permit à une autre femme de tirer quelques ficelles : Mme Récamier, amie de Montmorency, fit nommer son cher Chateaubriand ambassadeur de France à Londres...

La puissance de Mme du Cayla fut si grande que politiciens, militaires, écrivains, gazetiers, magistrats, ecclésiastiques vinrent lui faire la cour. Tandis que le roi, dans son fauteuil à roulettes, dormait la tête sur l'estomac, elle recevait. « Les solliciteurs affluaient, écrit Édouard Perret ; un cahier, sur lequel sa dame de compagnie notait, résumées, les réponses qu'il fallait faire à d'innombrables requêtes, est conservé parmi les manuscrits de la Bibliothèque nationale. Tous s'adressent à elle : poètes, gens en quête d'un emploi, flatteurs de tout rang, son amie d'enfance, la duchesse d'Abrantès, le duc d'Avaray, qui lui rappelle des services et qui voudrait obtenir le commandement de la dix-neuvième division [133]. »

Aucun ministre ne résistait à sa volonté et, pendant deux ans, aux côtés d'un roi qui déclinait tous les jours, elle gouverna la France. Son règne eût été sans histoire si une autre femme — car les coulisses politiques de la Restauration, quoi qu'on en ait dit, furent peuplées de jolies femmes — n'avait été indirectement à l'origine d'une guerre.

En 1822, les souverains d'Europe apprirent avec l'agacement qu'on imagine que le roi d'Espagne, Ferdinand VII, victime d'une petite révolution, était prisonnier dans son palais. Le malheureux ayant fait appel à la Sainte-Alliance, un congrès fut organisé à Vérone pour étudier dans quelles conditions les coalisés pourraient lui venir en aide. Mathieu de Montmorency, qui était résolument hostile à une intervention armée, fut chargé d'aller y représenter la France. Mais Chateaubriand, qui souffrait beaucoup de l'obscurité dans laquelle il se trouvait alors, pensa que ce congrès pouvait être, pour lui, l'occasion de montrer aux nations réunies ses talents de dialecticien, d'orateur, de philosophe et de diplomate de charme. Il alerta sa maîtresse, la belle Mme de Duras, qui dépêcha son mari auprès du roi et obtint que le vicomte fût nommé membre de la délégation française...

Chateaubriand partit pour Vérone, où il ne tarda pas à éclipser Montmorency, qui revint à Paris. Devenu porte-parole officiel de la France, l'auteur des *Martyrs,* qui voulait avoir « sa guerre », dirigea dès lors les débats, se montra partisan farouche d'une intervention armée et réclama — puisqu'il s'agissait de sauver un Bourbon — le droit, pour la France, d'organiser *seule* cette expédition.

133. ÉDOUARD PERRET, *La dernière favorite des rois de France, la comtesse du Cayla.*

Les autres nations, trop heureuses d'échapper à une guerre, acceptèrent avec empressement. Et, le 7 avril 1823, l'armée française, dirigée par le duc d'Angoulême, franchissait la frontière espagnole et entrait à Irun...

Une fois de plus, quelques dames à la cuisse légère venaient de jouer un rôle déterminant dans l'histoire de notre pays...

Pendant tout le mois d'avril, Louis XVIII reçut chaque matin un communiqué qu'il lisait, toutes affaires cessantes. Ce document ne contenait pas, comme on pourrait le croire, les dernières informations sur les opérations militaires en Espagne. Il s'agissait d'une note rédigée par M. Hittorf, l'architecte chargé des travaux de Saint-Ouen. Le roi désirait, en effet, que tout fût terminé pour le 2 mai, jour anniversaire de la Déclaration de la Charte.

A la fin d'avril, il alla lui-même, incognito, surveiller les derniers parachèvements et fut très satisfait. Hittorf avait édifié un château de deux étages, dans le goût italien, agrandi le parc jusqu'à la Seine, construit des écuries, des étables, une laiterie, et planté cent vingt mille pieds d'arbres. Les jardins, les serres s'ornaient des plantes les plus rares, et l'ameublement était d'un goût exquis. « Tout, nous dit un historien, y proclamait l'amour du donateur pour la châtelaine, depuis l'évier des cuisines qui était en marbre poli, jusqu'à l'escalier du grenier dont la rampe était sculptée dans l'acajou [134]. »

Après avoir visité ce véritable « temple de l'Amour », Louis XVIII rentra aux Tuileries et convia Mme du Cayla :

— Chère Zoé, dit-il, je viens de visiter l'écrin de la perle des perles. Je viens de Saint-Ouen...

La favorite, qui feignait toujours de croire que le château ne lui était pas destiné, prit un air poli et intéressé, mais ne dit rien.

— Le château que je vous avais offert, continua le roi, et que votre délicatesse vous avait empêchée d'accepter n'est plus. Il a fait place à un pavillon entièrement neuf, dont chaque pierre, chaque arbre, chaque meuble a été choisi avec amour...

Zoé demeurait silencieuse. Très embarrassé, le souverain poursuivit :

— Je l'ai fait bâtir pour la plus belle, la plus aimable, la plus spirituelle, la plus charmante et la plus dévouée de mes sujettes. Je pense que vous m'avez compris.

Mme du Cayla continuait de se taire.

« Après avoir tant refusé, nous dit Mme de Castaing, elle ne savait plus très bien comment prendre ce palais sans rien perdre de sa dignité [135]. »

Fort heureusement, le souverain, qui interprétait ce silence comme un nouveau refus, tira la favorite d'embarras.

— Mon enfant, dit-il, ne me faites pas de peine. Et, puisque vous avez l'air d'hésiter encore, je me vois obligé de dompter votre volonté.

---

134. A. HALLAYS, *En flânant à travers Paris.*
135. M. DE CASTAING, *Madame du Cayla, favorite de Louis XVIII.*

Alors que je ne vous ai jamais rien ordonné, aujourd'hui, parlant pour la première fois en souverain, je vous donne très tendrement l'ordre d'accepter cette maison...

Mme du Cayla n'attendait que cela. Elle tomba à genoux et éclata en sanglots :

— Hélas ! hélas ! gémit-elle, je ne peux pas désobéir à mon roi.

Ravi, le roi lui donna, pour la remercier, dix millions sur sa cassette personnelle.

Le brave homme !...

Le 2 mai 1823, au cours d'une fête réglée par Isabey, qui réunit le Tout-Paris de l'époque, eut lieu l'inauguration du château de Saint-Ouen [136]. Le roi n'y parut pas ; mais son image fut présente, car, aux cris — mélodieux — des chœurs de l'Opéra, on fit tomber le voile qui cachait un portrait de Louis par Gérard...

La fête fut splendide. Hélas ! les lendemains donnèrent quelques sujets de souci à la nouvelle châtelaine. D'abord, Béranger fit paraître une chanson dans laquelle la favorite était nommée Octavie :

> *Belle Octavie, à tes fêtes splendides,*
> *Dis-nous, la joie a-t-elle jamais lui ?*
> *Ton char, traîné par six coursiers rapides,*
> *Laisse trop loin les amours après lui.*
> *Tendre Octavie, ici rien n'effarouche.*
> *Le dieu qui cède à qui mieux le ressent*
> *Ne livre plus les roses de ta bouche*
> *Aux baisers morts d'un fantôme impuissant...*

Après cette allusion fort désobligeante au vieux roi, le chansonnier conseillait à la jeune femme de choisir un partenaire plus viril.

> *Venez,* disait-il,
> *Parmi nous qui brillons de jeunesse,*
> *Prendre un amant, mais couronné de fleurs...*

D'autres auteurs furent moins allusifs. L'un d'eux composa ces *Petits conseils à une dame pour avoir un château,* qui eurent un immense succès dans les milieux libéraux : « Prenez un vieillard riche et libertin dont les désirs dépassent de beaucoup les possibilités. Flattez ses vices, soyez prête à vous montrer sous toutes les postures et à satisfaire les demandes les plus éloignées des règles de la bienséance dans lesquelles Madame votre mère et Monsieur votre confesseur vous ont élevée. Lorsque vous aurez eu la certitude que ce personnage est couvert de pustules et que ses jambes sont à demi pourries, laissez-vous caresser et pliez-vous à toutes les fantaisies, tous les égarements, toutes les débauches séniles de ce Lovelace grelottant. Acceptez d'être transformée en tabatière, en salière, en poivrière ou en lèchefrite. Feignez l'amour, la volupté, l'extase, lorsque vous

---

136. La grille du château se trouvait à l'emplacement de la mairie de Saint-Ouen.

embrasserez une bouche édentée. Bref, ne refusez aucun déshonneur, laissez-vous aller à toutes les corruptions, à toutes les lâchetés, à toutes les complaisances, à toutes les prostitutions, et vous aurez un beau château... » Ce qui n'était pas gentil...

Mme du Cayla fut un peu irritée par ce pamphlet. Pour montrer sa puissance aux libéraux, elle résolut de frapper les imaginations par un acte politique imprévisible et stupéfiant. Cet acte fut la réconciliation de Louis XVIII avec le comte d'Artois.

La favorite régla elle-même tous les détails de leur rencontre :

« 1. Monsieur entrera dans le cabinet du roi. — 2. Pas un mot sur le passé. — 3. Le roi demandera à Monsieur une prise de tabac, que Monsieur lui offrira, sa tabatière ouverte. — 4. On parlera de la pluie et du beau temps. — 5. Le roi tendra la main à Monsieur, qui la serrera respectueusement. » Tout se passa comme Zoé l'avait prévu et les deux frères réconciliés purent, le 2 décembre 1823, assister ensemble, du balcon des Tuileries, au retour triomphal du duc d'Angoulême, dont les armées avaient replacé Ferdinand VII sur son trône.

Mme du Cayla était, à ce moment, à l'apogée de sa gloire. La cour et Tout-Paris la considéraient comme la reine de France. On le vit bien lorsque, à la fin de l'année, elle faillit périr dans un accident de la rue. Pour suivre la mode lancée par le comte d'Orsay au cours de cet hiver, qui fut extrêmement froid, la favorite ne circulait qu'en traîneau. Or, un soir, les chevaux arabes qui la tiraient à une vitesse folle la firent verser au coin de la rue Duphot et de la rue Saint-Honoré. Projetée sur le verglas, la jeune femme fut relevée en piteux état, et les gazettes contèrent l'aventure en des termes qui eussent pu faire croire qu'il s'agissait du roi lui-même...

Il est vrai que des esprits moins « inconditionnels » en profitèrent pour dire son fait à la victime. Et la chanson suivante courut Paris dès le lendemain — air *Roi d'Yvetot* :

> *Une dame très comme il faut*
> *— Zoé pour les intimes —*
> *A l'angle de la rue Duphot,*
> *Hier soir, fut victime*
> *D'un accident qui la blessa*
> *Car son traîneau sur le verglas*
> *Versa.*

Refrain.

> *Glissez ! glissez ! n'appuyez pas,*
> *Car vous pourriez faire un faux pas,*
> *Faut pas !*

> *Chère Zoé, cet accident*
> *Sur la place publique*
> *Contient plus d'un enseignement*
> *Pour votre politique :*

Vous qui nommez à tour de bras
Ministres, curés, magistrats,
        Holà !

Refrain.

Glissez ! glissez ! n'appuyez pas,
Car vous pourriez faire un faux pas,
        Faut pas !

Chère Zoé, quand, par hasard,
D'une main caressante,
Vous donnez à notre vieillard
Quelques joies agaçantes,
Souvenez-vous de ce dicton
Qui fut énoncé par Platon,
        Dit-on :

Refrain.

Glissez ! glissez ! n'appuyez pas,
Vous pourriez le mettre au trépas,
        Faut pas !...

Ces conseils de prudence firent sourire Mme du Cayla, qui, sûre de son impunité, se savait intouchable. En avril 1824, elle s'amusa même, pour étonner ses ennemis, à dépasser les limites de l'audace en devenant la maîtresse de M. de Péronnet, ce jeune ministre de la Justice qui lui plaisait tant...

Ce ne fut qu'une passade. Zoé, à ce moment, était trop occupée par la santé du roi pour se consacrer entièrement à la bagatelle.

Le pauvre Louis XVIII, il est vrai, déclinait rapidement.

« Lorsqu'on le portait dans son fauteuil, nous dit un mémorialiste, son corps se courbait en cercle et sa tête touchait presque les genoux. »

Spectacle navrant, on l'avouera.

Le 11 septembre, complètement prostré, il parut une dernière fois en public. Lucide par intermittence, il laissa échapper une parole désobligeante pour la duchesse d'Angoulême et s'en aperçut quelques instants après. Il sortit alors de sa torpeur, et prononça le meilleur mot de son existence :

— Je vous demande pardon, ma nièce. Quand on meurt, on ne sait pas bien ce qu'on fait...

Le 16 septembre, après avoir reçu les sacrements à l'instigation de Mme du Cayla, il rendit le dernier soupir...

Le lendemain, les médecins de la cour pratiquèrent une autopsie. Ils constatèrent, nous dit le maréchal Marmont, que le roi avait les organes galants un peu atrophiés...

Mme du Cayla pleura comme elle le savait faire ; puis elle se consola en se livrant à l'élevage des moutons [137].

On apprit alors que la maîtresse du vieux souverain podagre et impuissant avait, depuis 1821, pour calmer ses ardeurs, un amant jeune et vigoureux. Or, le nom de cet amant prouvait à quel point le destin est malicieux.

Il s'appelait Le Roy...

23

Pauline Bonaparte était nymphomane

> Il existe de charmantes étiquettes.
>
> Mme BOUCICAUT

Le début du règne de Charles X fut salué par une épigramme un peu leste dont les Parisiens se régalèrent :

> Hier d'un libertin sans c...
> Le sceptre était en quenouille ;
> Aujourd'hui, pauvre c...llon,
> Charles en fait un goupillon.

Ce quatrain était sans doute un peu vif dans le ton et ne témoignait pas d'un respect excessif pour la royauté, mais il donnait des deux souverains un croquis assez exact...

Charles X, en effet, n'avait plus rien du petit maître paillard et lubrique qui poursuivait Marie-Antoinette dans les bosquets de Trianon, troussait les dames de la cour et organisait des dîners galants où il était de bon ton, après le dessert, de « laisser parler la nature »...

Austère, prude, confit en dévotion, il ne jetait plus que des regards timides et vite effarouchés aux demoiselles qui hantaient les Tuileries.

Cette extraordinaire transformation était due à Mme de Polastron, dont le comte d'Artois avait été longtemps l'amant. Avant de mourir phtisique, la jeune femme, dans un accès de repentir, lui avait fait jurer de ne plus se livrer au péché et de se consacrer à Dieu « jusqu'au bout de ses jours ».

137. « Retirée à quarante-deux ans d'une cour dont elle fut l'ornement, fraîche encore, belle femme, forte, brune, ayant de l'esprit et de l'embonpoint, des moutons et des livres, un bon château et un joli coffre-fort, Mme du Cayla s'occupe, dans ses possessions de Saint-Ouen, de l'éducation des bêtes à cornes et du croisement des races. Là, tandis que le printemps rajeunit la nature et que les troupeaux bondissants broutent dans de gras pâturages le thym modeste et le serpolet odoriférant, notre moderne Amaryllis, assise au pied d'un hêtre, grave sur son écorce le souvenir de ses amours et jette un regard dédaigneux sur ce Paris, ville de boue et de fumée, où s'écoulèrent si tristement les belles années de sa jeunesse. Puissent nos hommes d'État, qui vont voir quelquefois Mme du Cayla, suivre son exemple et, cessant enfin de jouer des rôles de loups, redevenir bergers, et retourner à leurs moutons. » *Biographie des Dames de la Cour par un valet de chambre congédié*, 1826.

Aussi, l'auteur de l'épigramme avait-il raison. Pour la première fois dans son histoire, la France voyait monter sur le trône un homme qui avait fait vœu de ne pas s'intéresser aux femmes.

Je ne voudrais pas tirer de ce fait des conclusions hâtives ; mais, pour qui a observé l'admirable ardeur au déduit des quarante souverains qui ont fait notre pays en mille ans, il est tout de même amusant de constater que le dernier roi de France soit précisément le premier qui ait fait vœu de chasteté...

Le règne de Charles fut donc d'une fadeur exceptionnelle dans notre histoire.

Privés des anecdotes croustillantes qui, depuis Hugues Capet, s'échappaient presque quotidiennement du palais royal, les braves gens en étaient réduits à s'intéresser aux amours vulgaires de comédiens, de chanteurs ou de chanteuses d'opéra. On imagine leur détresse...

En juin 1825, un événement inattendu vint mettre un peu d'éclat dans cette grisaille : Pauline Bonaparte, âgée de quarante-cinq ans, mourut à Florence.

Immédiatement, des pamphlets, des libelles, des chansons, des brochures, des placards révélèrent au petit peuple émerveillé les extraordinaires débordements de cette insatiable amoureuse.

Bien entendu, la plupart de ces textes étant dus à des gazetiers royalistes heureux de discréditer la famille de Napoléon, il en résultait quelques médisances. C'est ainsi que certains biographes assuraient, le plus sérieusement du monde, que Pauline avait commencé sa carrière galante à huit ans. D'autres la faisaient déniaiser par ses frères ; d'autres encore la montraient se baignant nue, à seize ans, dans le port de Marseille. Enfin, des auteurs qui étaient allés se renseigner dans l'ouvrage de Lewis Goldsmith, paru à Londres en 1815, prétendaient que Laetitia avait organisé une maison de prostitution avec ses filles pour pensionnaires, alors qu'elles étaient âgées de quatorze à dix-sept ans, et citaient comme preuve ce passage de l'auteur anglais :

« Mme Bonaparte tint à Marseille *maison ouverte* pour ses propres filles. Sa conduite scandaleuse la fit chasser de cette ville par ordre de la police.

» Dans le temps que son fils poursuivait sa carrière victorieuse en Italie, elle alla le rejoindre avec ses filles. Elle passa par Marseille, où elle s'arrêta quelques jours. Un soir qu'elle était au théâtre avec ses filles, elle fut reconnue par le même commissaire de police qui l'avait fait chasser de cette ville. Le commissaire, ignorant que cette femme fût la mère du vainqueur de l'Italie, alla dans la loge où elle était et l'accosta comme les officiers de police ont coutume de le faire avec les femmes de cette espèce. Il lui ordonna de vider la loge ; elle ne le fit pas répéter ; les éclaircissements eurent lieu dans le foyer [138]. »

Cette accusation, bien faite pour frapper les imaginations, fut reprise

---

138. Cf. Lewis Goldsmith, *Histoire secrète du Cabinet de Napoléon Bonaparte*, 1815.

avec quelques variantes par de nombreux pamphlétaires. On la retrouve même dans un dialogue paysan que diffusaient les colporteurs jusque dans les campagnes les plus reculées. En voici un extrait :

« — Tu sauras que la Pauline, la Caroline [139] et l'Elisa, sœurs de Bonaparte, vivaient à Marseille comme nous ne voudrions pas que nos filles ni nos amies vécussent ; que, pendant le séjour que je fis autrefois dans cette ville, je les ai vues se promener le soir comme se promènent certaines demoiselles dans la rue Saint-Honoré et le Palais-Royal. »

A quoi une commère, aussi bien renseignée, répliquait :

« — Dame ! c'est un fait, cela ; comment ne pas être hors de soi quand on est honnête femme et qu'on a vu ces gueuses devenir reines ou princesses, et en jouer le rôle avec l'insolence la plus révoltante ? Faudrait être sans âme ou n'être que de boue pour ne pas être suffoquée. Des coureuses de rue, des gourgandines changées en reines. Encore si, arrivées à cette haute dignité, elles s'étaient bien conduites ; mais, loin de cela, elles ont été, reines, ce qu'elles étaient à Marseille, avec la seule différence qu'alors elles se faisaient payer, et que, devenues majestés, elles payaient. Les belles majestés que celles-là !... [140] »

On imagine la stupéfaction du public en apprenant que la princesse Borghèse, sœur de l'ex-empereur, avait débuté dans la vie en vendant ses charmes d'adolescente aux marins marseillais.

Mais le respect de « la chose imprimée » était déjà si grand dans le peuple que la calomnie lancée par Lewis Goldsmith fut généralement acceptée et fit son chemin. Aujourd'hui encore, il se trouve des auteurs pour affirmer sans sourciller que la petite Pauline s'occupait sur les trottoirs de Marseille à des jeux très différents de la marelle et de cache-tampon...

Il s'en trouve même, car les légendes ont la vie dure, pour présenter la ravissante Paolina comme la personnification du vice et de la plus complète dépravation.

Sans doute ne fut-elle pas une sainte, sans doute le nombre de ses amants dépassa-t-il de beaucoup les limites permises par le code de la bonne société, sans doute fut-elle l'une des plus grandes amoureuses de tous les temps, mais elle ne se livra jamais à la prostitution. Elle ne fut qu'une belle pécheresse et qui avait, peut-être, des circonstances atténuantes...

Avant de nous pencher sur son étourdissante existence, il me faut citer un document peu connu qui éclaire le personnage et explique son comportement. Il s'agit d'une lettre envoyée par Jean-Noël Hallé, membre de l'Institut et premier médecin ordinaire de Napoléon, au docteur Peyre, médecin de Pauline Borghèse, le 20 avril 1807.

---

139. Est-il besoin de rappeler qu'à cette époque Caroline n'avait pas encore atteint sa dixième année ?

140. *Les Soirées de Normandie ou la femme qui a raison, conversation*. Paris, Imprimerie royale, chez tous les marchands de vérités.

Mon cher confrère,

J'ai continué de réfléchir sur l'état dans lequel j'ai trouvé Son Altesse, et dans lequel nous l'avons vue hier.

Cet état est celui d'une affection hystérique.

La matrice était moins sensible, mais l'était encore ; les ligaments conservaient encore l'impression de cette douleur d'irritation pour laquelle nous l'avions fait mettre dans le bain jeudi dernier.

Les spasmes que j'ai vus dans les bras étaient des spasmes hystériques, la douleur de la tête était hystérique. L'aspect général est celui de l'abattement et de l'épuisement.

Ce n'est point là une inflammation ordinaire, l'état inflammatoire que nous avons vu n'était que passager. L'état habituel et constant est un état d'excitation de l'organe utérin, et cet état soutenu et connu peut devenir bien fâcheux.

Voilà le mal ! J'ai touché les causes en parlant à demi-mot à la princesse, jeudi dernier.

J'ai accusé les douches internes, et j'ai parlé d'une manière générale de tout ce qui portait de l'irritation sur la matrice, de quelque nature qu'il fût ! Je crois avoir été entendu, mais j'ai peur de ne l'avoir pas été assez. Je ne sais rien, mais il faut bien que je devine par les moyens qui nous sont donnés de deviner, et ce que j'ai dit de la nature des symptômes que vous et moi avons vus, et que vous avez vus plus souvent que moi, est plus que suffisant pour avoir le mot de l'énigme.

On ne peut pas toujours accuser la douche et son tuyau, il faut bien supposer dans une femme jeune, jolie, sensible, solitaire, et qui s'épuise visiblement, une cause subsistante de cet épuisement.

Quelle que soit cette cause, il est temps et plus que temps de l'écarter.

J'ai vu des femmes victimes de pareilles faiblesses ; elles ont toutes commencé comme cela. Il est évident que si elle ne se hâte, il ne serait bientôt plus temps.

Je ne puis rien dire de plus que ce que j'ai dit, car je ne sais rien, mais il faut cependant bien que nous arrachions cette jeune et intéressante femme à sa perte, et s'il était quelqu'un qui favorisât ses faiblesses et qui en fût complice, cette personne, quelle qu'elle fût, ne s'accuserait pas, et on nous accuserait de n'avoir rien vu ou d'avoir tout souffert. Je ne suis d'humeur ni à me laisser traiter de sot, ni à me laisser accuser d'une lâche et perfide complaisance, mais, plus que tout cela, il faut sauver cette excellente et malheureuse femme dont le sort m'afflige ; heureusement je ne peux pas dire qu'il me désespère.

Dépêchez-vous donc, mon cher confrère, car il n'y a pas de temps à perdre. Faites de ma lettre l'usage que vous voudrez, ou mettez-moi à même de parler ouvertement et vivement. Si nous ne pouvons parler en maîtres, il faut nous retirer.

Adieu, mon cher confrère ; recevez l'assurance d'une parfaite estime et d'un sincère attachement.

HALLÉ [141].

141. Cette lettre fut citée pour la première fois par Arthur LÉVY dans son

Oui, Pauline était malade. Atteinte de nymphomanie, cette « exagération morbide du besoin sexuel chez la femme », il lui fallait chercher à tous moments un calmant à ses ardeurs.

Et ce calmant ne figurait pas alors au *Codex,* il se trouvait plutôt à l'endroit où les étudiants, les carabins, et les joyaux drilles ont coutume de placer, par plaisanterie, la main de leur sœur...

24

Junot faillit être l'homme le plus trompé de notre histoire

> Je plains les hommes qui n'accomplissent pas leur destin.
>
> PAUL VALÉRY

Depuis cent soixante ans, la vie de Pauline Bonaparte est un sujet de choix pour les historiens légers.

Ils la déshabillent, la décrivent dans les postures les plus audacieuses et ne font grâce à leurs lecteurs d'aucun détail croustillant.

Cette façon de conter l'existence des personnages illustres témoigne d'une déplorable mentalité.

Mon propos — on s'en doute — est très différent. Les liaisons de Pauline eurent souvent de grandes conséquences politiques, diplomatiques et militaires. Ce sont ces conséquences seulement que je veux étudier. Bien entendu, il peut arriver que, pour mieux montrer la responsabilité de la jeune femme, je sois amené à pénétrer dans son alcôve et à la présenter dans le plus agréable des passe-temps en compagnie d'un monsieur.

Le lecteur voudra bien m'en excuser...

Pauline — qui s'appela d'abord Paola-Maria — naquit à Ajaccio le 20 octobre 1780, sous le signe de la Balance.

Ce qui ne l'empêchera pas de présenter plus tard les marques du plus complet déséquilibre.

« Le destin, nous dit Jules Perrault dans son style imagé, qui avait prévu pour elle l'une des carrières amoureuses les plus riches de tous les temps, s'entendit avec Dame Nature pour que la gracieuse fillette ne perdît pas de précieuses années à jouer à la poupée. A douze ans, Pauline était formée et apte au déduit [142]. »

En 1793, fuyant la Corse où Lucien s'était opposé à Paoli, Laetitia et ses enfants vinrent se réfugier à Marseille, dans une ruelle sordide du Vieux-Port. Là, pour gagner sa vie, la future Madame Mère se fit blanchisseuse. Nunziata — qui ne s'appelait pas encore Caroline — l'aidait au lavoir, tandis que les aînées, Elisa et Pauline, portaient le linge à domicile.

Napoléon intime.
142. JULES PERRAULT, *Les Bonaparte à Marseille.*

Toutes deux étaient d'une éclatante beauté et les jeunes Marseillais les considéraient d'un œil gourmand. Certains, à la faveur d'un coin de rue, s'efforçaient de leur tâter les seins. Ayant réussi, ils rentraient chez eux avec cet air extatique que l'on voit aux bienheureux sur les vitraux de la cathédrale de Beauvais...

Les petites Bonaparte, surtout Pauline, n'étaient pas hostiles à ce genre d'attouchements qu'elles considéraient comme un hommage, et bien des fois leurs voisins les entendirent rire alors qu'elles eussent dû — pour respecter les règles du jeu — pousser des cris de pintades bien élevées.

Ce manque d'hypocrisie leur valut bientôt la plus mauvaise réputation.

Je me hâte de préciser que les bruits malveillants qui coururent alors sur leur compte, et dont allaient se repaître tous les pamphlétaires de la Restauration, étaient absolument dénués de fondement. Je n'en veux pour preuve que ce témoignage du général Ricard, qui connut Pauline et Élisa à Marseille [143] :

« La conduite des sœurs de Napoléon, si elle fut irréprochable dans la réalité, ne l'a pas été dans les apparences. Je me souviens de certaines particularités et privautés auxquelles je n'attachais aucune importance, avec de jeunes Marseillais attirés par le charme de ces demoiselles (Pauline était d'une beauté merveilleuse : elle tenait de l'idéal). Mais il est possible que, parmi ces jeunes gens, il se soit trouvé quelque fat qui se vantât des faveurs qu'il n'avait pu obtenir, ou même se vengeât de refus très positifs par des calomnies qui sont restées attachées à la mémoire des filles de Laetitia. Encore une fois, je ne puis me prononcer. Mais je dois dire que l'opinion, à Marseille, ne leur était pas favorable et qu'elle leur a attribué des aventures galantes et même scandaleuses [144]. »

« Niaisement puérile et superlativement sensuelle », comme l'écrit Henri d'Alméras, Pauline eut peut-être alors, par un soir particulièrement énervant du printemps 1794, ce premier amant que lui attribue la légende, le caporal Cervoni, jeune Corse qui devint plus tard général d'Empire.

Quoi qu'il en soit, l'adolescente quitta bientôt Marseille pour suivre sa famille au château Salé, que Bonaparte avait réquisitionné au-dessus d'Antibes. Là, Pauline devait émouvoir les jeunes officiers qui entouraient son frère. Presque tous y mirent la patte. Presque tous eurent du bâton.

Du bâton de maréchal, bien entendu, car Napoléon, devenu empereur, n'oublia pas les premiers soupirants de sa sœur préférée.

Or, parmi ces jeunes militaires frétillants, il se trouvait un gros garçon timide qui, loin d'imiter ses camarades, n'osait pas faire la cour à Pauline. Alors que les autres mettaient allègrement la main à la

---

143. Le général Ricard était le neveu de l'aîné des Clary.
144. Général RICARD, ancien aide de camp du roi Jérôme, *Autour des Bonaparte, fragments de Mémoires*, 1891.

fesse de la jeune Corse, lui se consumait d'amour. Ce niais s'appelait Junot.

Un soir, après avoir vu Pauline se baigner près du Fort-Carré, « il sentit monter en lui le désir de devenir l'unique possesseur des rondeurs délicieuses qui faisaient la joie des officiers d'Antibes »[145]. Fort troublé, il décida, en bon soldat, de se confier à son général. Leur entrevue nous est contée par la duchesse d'Abrantès :

« Un soir, Napoléon et Junot s'enfoncèrent sous des ombrages où ils trouvèrent un air chargé de parfums... Les deux amis marchaient lentement, en silence, se tenant par le bras, se le serrant par intervalles comme pour interroger le cœur et lui répondre. En ce moment, il n'y avait plus d'épaulettes pour s'interposer entre le général et l'aide de camp. Les deux hommes, les deux amis étaient bien plus rapprochés, bien plus l'un à l'autre dans cette belle soirée, nageant dans une atmosphère douce, brillante et parfumée, entourés de touffes, de guirlandes, des plus odorantes fleurs, se parlant l'un à l'autre de cœur à cœur, ils étaient là bien plus l'un à l'autre qu'ils ne l'ont été depuis dans un cabinet doré de dix pieds carrés...

» Junot avait le cœur rempli de ces choses qui ont besoin d'être contées à un ami ; mais, depuis longtemps, l'oreille de Bonaparte en avait reçu la confidence : Junot était amoureux comme un fou de Paulette Bonaparte ; son âme toute jeune et toute brûlante n'avait pu résister à la vue d'une créature enchanteresse comme l'était Paulette. Il l'aimait avec passion, il l'aimait avec délire ; son secret n'en fut pas un huit jours pour son général. Son honneur lui ordonnait de parler, si sa raison n'avait pu l'empêcher de devenir amoureux.

» Bonaparte n'avait ni accueilli ni rejeté sa demande. Il le consolait et, ce qui y contribuait plus que toutes ces paroles, c'était la presque certitude que Paulette dirait *oui* avec plaisir le jour où Junot pourrait lui offrir un établissement, non pas riche, disait Bonaparte, mais enfin suffisant pour ne pas avoir la douleur de mettre au jour des enfants qui soient malheureux.

» Ce même soir, dont je viens de parler, Junot, entraîné, enhardi par ce que Bonaparte lui-même venait de lui dire, fut plus pressant qu'il ne l'avait encore été. Il avait reçu la veille une lettre de son père qu'il avait montrée à Bonaparte. M. Junot disait à son fils qu'à la vérité il n'avait rien à lui donner dans ce moment, mais que sa part serait un jour de vingt mille francs.

» — Je serai donc riche, disait Junot à Bonaparte, puisque, avec mon état, j'aurai douze cents livres de rente. Mon général, je vous en conjure...

» Bonaparte écoutait Junot attentivement. Son état était toujours affectueux. Il donnait des avis :

» Je ne puis écrire à ma mère pour lui faire cette demande, disait-il

145. JULES PERRAULT, *op. cit.*

à Junot, car enfin tu auras douze cents livres de rente, c'est bien, mais tu ne les as pas. Ton père se porte, parbleu, bien, et te les fera attendre longtemps. Enfin, tu n'as rien, si ce n'est ton épaulette de lieutenant. Quant à Paulette, elle n'en a même pas autant. Ainsi, donc, résumons : tu n'as rien, elle n'a rien, quel est le total ? Rien ! Vous ne pouvez donc pas vous marier à présent. Attendons. Nous aurons peut-être de meilleurs jours, mon ami... [146] »

Junot, ce soir-là, rentra chez lui le cœur gros. Il ne se doutait pas qu'il venait de l'échapper belle et que l'extrême modestie de ses revenus allait lui éviter le désagrément d'être un jour le plus grand cocu de notre histoire...

25

La légèreté de Pauline Bonaparte entraîne le désastre de Saint-Domingue

> Elle eût été sérieuse, son mari n'eût jamais été nommé à Saint-Domingue.
>
> H. FLEISCHMANN

Après le 9 thermidor, Laetitia et ses enfants, privés de la protection de Napoléon, qui venait de perdre son commandement, quittèrent Antibes et retournèrent à Marseille vivre dans la crasse d'une petite chambre d'hôtel.

Pauline retrouva les adolescents du Vieux-Port, leurs yeux chauds et leurs mains indiscrètes. Et peu à peu elle oublia les beaux officiers qui lui faisaient la cour au château Salé...

Après Vendémiaire, tout changea de nouveau. Bonaparte, qui venait d'être nommé général en chef de l'armée de l'Intérieur pour avoir fait massacrer des Parisiens, envoya de l'argent à sa famille, et Pauline put échanger ses robes en lambeaux et ses bas troués contre des vêtements un peu plus élégants.

C'est alors que le citoyen Stanislas Fréron, qui, deux ans auparavant, avait fait régner la terreur sur la Canebière, arriva à Marseille avec le titre de commissaire du Directoire.

Cet individu [147], dont les révolutionnaires eux-mêmes disaient qu'il avait « atteint l'immortalité du crime », était la plus épouvantable des fripouilles. Ce qui ne l'empêchait pas de jouer les muscadins et de courir le jupon avec un air de bellâtre avantageux.

Fréron retrouva la famille de Bonaparte, qu'il avait connue en 1793, réussit facilement à éblouir Pauline et devint son amant. Les ressources

---

146. Duchesse d'ABRANTÈS, *Mémoires*.
147. Stanislas était le fils de ce Fréron sur qui Voltaire avait écrit le célèbre quatrain :
> *Un jour dans un charmant vallon,*
> *Un serpent mordit Jean Fréron.*
> *Que pensez-vous qu'il arriva ?*
> *Ce fut le serpent qui creva.*

extraordinaires du tempérament de la jeune fille l'émerveillèrent. Il décida de l'épouser.

Folle de joie, Pauline étala dès lors sa liaison avec une absence de discrétion qui choqua les plus blasés. C'est ainsi que Barras écrit : « Elle vivait maritalement avec Fréron. Ils se montraient ensemble en public et au spectacle, dans une familiarité peu convenable, même selon nos mœurs [148]. »

Mais Napoléon avait d'autres ambitions pour sa sœur. Il repoussa Fréron comme il avait repoussé Junot.

En apprenant cette décision, Pauline eut une crise de nerfs. Puis elle désira dire à son cher Stanislas que rien, jamais, ne pourrait les séparer. Comme elle ne savait ni lire ni écrire, ce projet posait un problème. Elle le résolut en allant demander à son frère Lucien d'écrire la lettre sous sa dictée.

Cette lettre, la voici :

Non, il n'est pas possible à Paulette de vivre loin de son tendre ami Stanislas. Écris-moi souvent et épanche ton cœur dans celui de la tendre et constante amante... Ah ! mon cher trésor, ma lumière. Quelle souffrance d'être séparés aussi longtemps. Mon cher espoir, mon idole, je crois qu'à la fin le sort se lassera de nous persécuter. Toutes mes actions n'ont que toi pour objet. Je t'aime toujours et passionnément. Pour toujours, je t'aime, je t'aime, ma belle idole : tu es mon cœur, tendre ami. Je t'aime, je t'aime, je t'aime, amant si tendrement aimé.

Fréron montra ce cri d'amour à Napoléon. Mais le Corse fut inflexible, et Pauline dut renoncer à devenir la femme de son tendre Stanislas...

Selon le mot amusant d'Henri d'Alméras : « Elle en souffrit quelques mois. Elle s'en consola toute la vie... »

Pour faire oublier son chagrin à Pauline, Napoléon l'invita à venir le rejoindre à Milan où il tenait sa première cour avec Joséphine. La jeune fille arriva en Lombardie au début de 1797 et se grisa de bals, de fêtes et de musique en compagnie d'officiers dont la galanterie s'exprimait par des gestes à la vérité plus précis qu'honnêtes.

« Un soir, nous dit l'auteur de la *Chronique scandaleuse*, au cours d'une réception au palais Serbelloni, un valet, intrigué par le mouvement d'un rideau et croyant que le vent en était cause, voulut fermer la fenêtre... Il eut la surprise de découvrir, dans l'embrasure, Pauline tenant sa robe troussée et recevant, debout contre le mur, l'hommage rapide d'un beau lieutenant... »

L'incident provoqua un petit scandale et rendit Bonaparte furieux.

C'est alors que l'impétuosité de Pauline commença à l'inquiéter et qu'il décida de la marier rapidement.

Un événement allait précipiter les choses.

148. BARRAS, *Mémoires*.

A Milan, Pauline avait retrouvé Victoire-Emmanuel Leclerc, jeune officier d'état-major auquel elle avait accordé quelques privautés naguère à Antibes.

Immédiatement, elle était devenue sa maîtresse. Fort éprise de ce garçon qui ressemblait à Napoléon, elle l'entraînait à tous moments dans des cabinets retirés, sous des escaliers, derrière des haies, dans des placards, des remises à outils ou des buissons, pour y faire la « chosette »...

Or, un soir, Bonaparte, qui les avait conviés dans son cabinet de travail, bavardait gaiement avec eux quand un secrétaire apporta un volumineux dossier.

— Excusez-moi, dit le futur empereur, c'est très urgent.

Et il se plongea dans ses papiers.

Les deux amants attendirent un moment sans parler. Puis Pauline, qui avait toujours une démangeaison au bon endroit, invita par geste Leclerc à la suivre derrière le paravent qui se trouvait dans un coin de la pièce. Le jeune officier accepta et tous deux disparurent sur la pointe des pieds.

Bonaparte, trop absorbé par son travail, n'avait rien remarqué. Soudain, il dressa la tête. Un bruit étrange lui parvenait du fond de la pièce. Il y courut, tira le paravent et trouva sa sœur et son lieutenant couchés sur le tapis et « s'exprimant leur amour avec une égale ardeur » [149].

Cette fois, Napoléon ne se fâcha pas.

Leclerc, il est vrai, était un beau parti pour Pauline. Fils d'un riche propriétaire de moulins à Pontoise, il avait fait de brillantes études, et ses talents militaires étaient, depuis longtemps, connus de Bonaparte.

— Puisque vous vous aimez, vous allez vous marier, dit le Corse.

Les deux amants se relevèrent un peu confus et s'en allèrent préparer leur mariage...

Les fiançailles n'apportèrent aucun changement dans l'attitude de Pauline. La jeune fille demeura aussi aguicheuse qu'auparavant, et les amis de son futur mari en profitèrent pour parfaire son éducation amoureuse.

Coquette, espiègle, primesautière, ravissante, tous les hommes l'adoraient. Elle, poussée par une véritable fringale de plaisir, se fût volontiers fait caresser par tous...

Le poète Antoine-Vincent Arnault, qui devait, un jour, appartenir à l'Académie française, nous a laissé un portrait savoureux de Pauline à cette époque. Écoutons-le :

« A dîner, je fus placé à côté de Paulette qui, se souvenant de m'avoir vu à Marseille, et d'ailleurs me sachant dans ses confidences, puisque j'étais dans celles de son futur époux, me traita en vieille connaissance. Singulier composé de ce qu'il y avait de plus complet en

149. Cf. comte d'Hérisson, *Le Cabinet noir*. (D'après les papiers de Mounier, fils du conventionnel et ancien secrétaire de Napoléon.)

perfection physique et de ce qu'il y avait de plus bizarre en qualités morales. Si c'était la plus jolie personne qu'on pût voir, c'était aussi la plus déraisonnable. Pas plus de tenue qu'une pensionnaire, parlant sans suite, riant à propos de rien et à propos de tout, contrefaisant les personnages les plus graves, tirant la langue à sa belle-sœur quand elle ne la regardait pas, me heurtant le genou quand je ne prêtais pas assez d'attention à ses espiègleries, et s'attirant de temps en temps de ces coups d'œil terribles avec lesquels son frère rappelait à l'ordre les hommes les plus intraitables. Mais cela ne lui en imposait guère ; le moment d'après, c'était à recommencer, et l'autorité du général de l'armée d'Italie se brisait ainsi contre l'étourderie d'une petite fille [150]. »

D'une petite fille au sourire frais, qui allait faire de sa vie la plus échevelée des bacchanales...

Le mariage fut célébré le 14 juin 1797 en la chapelle de Montebello.

Pauline, qui était fort amoureuse de son époux, montrait après la cérémonie un sourire heureux qui fit prédire par les braves gens une union sans nuages.

Comme toujours, les braves gens se trompaient. Car, dès qu'elle fut installée à Paris, rue de la Ville-l'Évêque, la nouvelle Mme Leclerc, ravie de connaître enfin la capitale, commença à regarder les jeunes muscadins avec des yeux chauds qui en disaient long sur son appétit.

« Elle les considérait de sa fenêtre, cherchant à évaluer leurs possibilités amoureuses, les imaginant dans tout le développement d'un beau désir, et les voyait partir avec le regard malheureux d'un chat tenu en laisse qui voit s'échapper une souris... [151] »

Leclerc, qui venait d'être nommé général, mais qui gardait un certain bon sens, ne tarda pas à s'apercevoir que sa jeune épouse était tourmentée par des pensées lascives. Aussi, lorsque le Directoire l'envoya à Rennes comme chef d'état-major, prit-il quelques précautions. Sous prétexte que Pauline — alors âgée de dix-sept ans — avait besoin d'apprendre l'orthographe, il l'envoya à l'école chez Mme Campan.

Mais cette occupation n'était pas suffisante pour détourner la petite Corse de son idée fixe.

D'ailleurs, la cour d'admirateurs qu'elle traînait de salon en salon n'était pas faite pour lui donner envie de connaître les joies simples de l'instruction primaire... Ses succès mondains avaient un parfum beaucoup plus grisant. Personne, il est vrai, ne se souvenait d'avoir vu une femme aussi belle ; et cette mauvaise langue de Mme d'Abrantès elle-même est obligée d'avouer dans ses *Mémoires* : « Beaucoup de personnes ont parlé de sa beauté. On connaît cette beauté par ses portraits, ses statues même ; toutefois, il est impossible de se faire une idée de ce qu'était cette femme extraordinaire comme perfection du beau. »

150. A.-V. ARNAULT, *Souvenirs d'un sexagénaire*, 1833.
151. PIERRE AUDIN, *Pauline Bonaparte*.

Cette beauté suscitait, bien entendu, quelque jalousie. La première femme qui la lui témoigna avec méchanceté fut Joséphine.

Pour se venger, Pauline ne nomma plus sa belle-sœur que « vieille peau » et dénonça régulièrement ses infidélités à Napoléon.

Mais il ne s'agissait là que de petites frictions familiales. Une autre femme devait montrer publiquement, et de façon autrement grave, sa hargne. Elle s'appelait Mme de Contades.

Un soir, au cours d'une réception chez Mme de Permon, mère de la future Mme d'Abrantès, elle vint se planter devant Pauline que toute la société entourait dévotement, et s'écria :

— Ah ! mon Dieu, quel malheur ! Une si jolie femme. Mais comment cette difformité ne s'est-elle jamais laissé apercevoir ? Mon Dieu, que c'est malheureux !

— Que voyez-vous donc ? demanda quelqu'un.

— Comment ! Ce que je vois ! Et vous-même, comment ne voyez-vous pas les deux énormes oreilles qui sont plantées aux deux côtés de cette tête ? Si j'en avais de pareilles, je me les ferais ôter. Il faut que je lui conseille de le faire. On peut proposer à une femme de lui couper les oreilles sans que cela tire à conséquence...

« Mme de Contades, raconte la duchesse d'Abrantès, n'avait pas achevé que tous les yeux s'étaient portés sur la tête de Mme Leclerc, non plus cette fois pour l'admirer, mais pour inspecter ses oreilles.

» La vérité est que, en effet, jamais plus drôles d'oreilles n'avaient été appliquées par la nature à droite et à gauche d'un visage par ailleurs charmant : c'était un morceau de cartilage blanc, mince, tout uni, et sans être aucunement *ourlé*. Ce cartilage n'était point énorme, comme le disait Mme de Contades, mais c'était fort laid...

» Le résultat de cette petite scène fut de faire pleurer Mme Leclerc ; elle se trouva mal, et finit par aller se coucher avant minuit [152]. »

Après cet affront, Pauline, qui n'avait pas assez d'esprit pour se venger par un trait cinglant, pensa qu'il fallait faire périr ses ennemies « dans leurs humeurs mauvaises » en montrant publiquement la toute-puissance de sa beauté sur les hommes. Pour commencer — ayant caché ses oreilles dans une coiffure artistique —, elle prit trois amants d'un coup...

« Ce qui, nous dit Bernard Nabonne, indiquait en même temps le tempérament de cette jeune mère [153] de dix-huit ans et son indifférence sentimentale. »

Ces trois amants étaient des généraux amis de son mari : Beurnonville, Moreau et Macdonald.

Elle s'en amusa quelque temps. « Le jeu, dit encore Bernard

152. Duchesse d'ABRANTÈS, *op. cit.*
153. Pauline avait donné un fils à son mari le 20 avril 1798. Cet enfant, dont Napoléon était le parrain, avait été baptisé Dermit...

Nabonne, consistait à obtenir qu'aucun des trois ne sût qu'il avait un rival, ce qui était fort difficile, car ces hommes étaient intimement liés. Elle s'ingénia donc à les brouiller ensemble en prêtant à chacun d'eux des actes infâmes contre leur amitié. Le procédé n'eut pas de succès. Les amis s'étant expliqués comprirent tout et décidèrent de rompre simultanément avec leur maîtresse commune, en compagnie de laquelle Moreau venait de passer deux jours à la campagne.

» Les trois lettres de rupture devaient être portées par Beurnonville, qui, au dernier moment, préféra charger un porteur des lettres de ses deux camarades, et aller rompre en personne pour son propre compte [154]. »

Mais l'entrevue ne se passa pas du tout comme il l'avait prévu. Avant même qu'il n'ait eu le temps d'ouvrir la bouche pour exposer ses griefs, la belle l'avait traîné sur un lit, déshabillé et mis — en un tournemain — dans les plus heureuses dispositions... Couvert de baisers, transformé en ourson bien propret, le général, qui avait le sens du devoir, fut obligé de se montrer galant homme.

La rupture fut donc remise à quelques jours.

Prudent, la seconde fois Beurnonville envoya une lettre [155]...

Le coup d'état du 18 brumaire — et l'élévation subite de Bonaparte — retira à Pauline le peu de réserve qui lui restait encore.

On la vit s'afficher avec de sémillants gaillards aux yeux chauds qui se flattaient d'être ses cavaliers. « Expression fort appropriée, nous dit la *Chronique indiscrète*, attendu que Mme Leclerc leur servait justement de cavale... »

Pendant ce temps, le général Leclerc guerroyait au Portugal et, pour subvenir aux besoins grandissants de sa charmante épouse, pillait consciencieusement toutes les villes et tous les villages qu'il traversait.

Au début de 1801, Pauline montra tout à coup un intérêt passionné pour la tragédie. Tous les soirs, elle était au Théâtre de la République (nom que portait alors la Comédie-Française). Après avoir applaudi le spectacle, elle courait dans les coulisses et félicitait le premier rôle, Pierre Rapenouille, dit Lafon, en des termes nettement excessifs, mais que celui-ci acceptait sans broncher.

Un soir, elle lui prit le bras :

— Vous êtes magnifique dans ce costume.

Puis, plus bas, elle ajouta :

— Comme vous devez être beau tout nu !

Le comédien n'était pas très intelligent, mais il comprit tout de même où la sœur du Premier Consul voulait en venir. Bien élevé, il

---

154. BERNARD NABONNE, *Pauline Bonaparte.*

155. Dans son excellent ouvrage, BERNARD NABONNE ajoute cette intéressante précision au sujet de Beurnonville, Moreau et Macdonald : « Il est remarquable que ces trois généraux fussent ceux-là mêmes qui se rallièrent à un coup d'État de Bonaparte après avoir semblé s'y opposer. Inconsciemment, Paulette servait, avec les seules armes qu'elle possédait, la politique de son frère. » *(Op. cit.)*

crut bon d'exprimer par une petite mine sa surprise et son ravissement. La mimique étant ambiguë, Pauline s'imagina un instant qu'il « donnait dans le travers », comme la plupart des acteurs de son époque. Mais il n'en était rien. Lafon aimait les dames, et, le soir-même, il le lui prouva avec cette belle ardeur qu'il mettait à massacrer les vers de Racine...

Dès le lendemain, Pauline et Lafon se montrèrent sans pudeur dans tout Paris.

Cette liaison allait avoir des conséquences inattendues et fort désastreuses pour la France.

En octobre 1801, Leclerc rentra du Portugal. Il bondit immédiatement chez lui pour étreindre Pauline dont il était toujours aussi amoureux. La jeune femme le revit avec un immense plaisir, car elle aimait bien avoir sous la main un homme disponible en cas de besoin urgent...

Mais elle ne cessa pas pour autant de voir son cher Lafon et de lui manifester en public toutes les marques d'une passion démesurée.

C'est alors que Napoléon, fort ennuyé par cette situation scandaleuse qui faisait jaser ses ennemis politiques et risquait de lui nuire au moment où il prêchait la vertu au peuple français, prit la décision d'éloigner sa sœur de Paris.

Comment ?

En l'envoyant à l'autre bout du monde. Justement Saint-Domingue était ravagée, depuis la révolution, par de violents troubles. Poussés par les Anglais, les Noirs de l'île — qui avaient réussi à faire supprimer l'esclavage en 1791 — réclamaient leur indépendance. Et pour y parvenir, bien entendu, ils massacraient les Blancs...

Écoutons un témoin :

« Cent mille Noirs se sont révoltés dans la partie nord ; plus de deux cents sucreries sont incendiées ; les maîtres sont massacrés ; et, si quelques femmes sont épargnées, leur captivité est un état pire que la mort même. Déjà les nègres ont gagné les montagnes ; le fer et le feu y montent avec eux. Un nombre immense de caféières est aussi la proie des flammes ; celles qui restent touchent au moment de leur destruction. De toutes parts, femmes, enfants, vieillards, échappés au carnage, abandonnent leurs retraites et cherchent sur les vaisseaux le seul asile qui leur soit assuré... [156] »

La rébellion était dirigée par un ancien esclave, Toussaint Louverture, qui rêvait de devenir le dictateur de l'île.

Pour asseoir son autorité sur les hommes de sa race, il se disait fils du Tonnerre. En réalité, il n'était que le descendant du chef congolais Gaou-Guinou [157].

---

156. *Pétition adressée par les colons français de Saint-Domingue à la Convention pour réclamer le secours de la métropole.*

157. Toussaint, qui s'appelait Breda, devait son sobriquet au commissaire français Polverel, qui s'était écrié, en voyant les succès militaires du chef rebelle : « Mais cet homme fait ouverture partout ! »

En 1794, le Directoire, pensant le calmer, lui avait donné le grade de général. Rusé, Toussaint Louverture s'était confondu en remerciements et avait aussitôt demandé pour ses soldats des armes que le gouvernement français, avec une grande naïveté, lui avait fournies. Toussaint, levant alors le masque, avait tourné ses canons contre les colons, s'était fabriqué tant bien que mal une constitution et avait proclamé l'indépendance...

Depuis, une gabegie incroyable régnait dans l'île...

Pour ramener l'ordre et reprendre Saint-Domingue qui constituait alors l'une de nos plus riches colonies, Bonaparte avait décidé d'intervenir. Une expédition devait partir à la fin de l'année 1801. Il ne restait plus qu'à en nommer le commandant en chef.

Le Premier Consul hésitait entre plusieurs généraux malicieux et rusés qui eussent constitué de redoutables adversaires pour Toussaint Louverture.

L'attitude de Pauline avec Lafon lui fit commettre une des plus belles erreurs de sa vie. Voulant éloigner sa sœur, il envoya le timide et crédule Leclerc à Saint-Domingue...

... Il fallait un diplomate, ce fut un cocu qui l'obtint...

En apprenant qu'elle devait suivre son mari aux Antilles, Pauline eut une crise de nerfs.

— Je ne veux pas aller chez les anthropophages, gémissait-elle en se tordant les bras.

Mais Bonaparte lui intima l'ordre de faire ses bagages, et elle dut s'incliner.

Bien entendu, tout Paris commentait ce départ :

« On s'étonnait, dit Salgues, de cette rigueur du Premier Consul pour une sœur qu'il semblait aimer tendrement ; mais on assurait, pour la justifier, que la princesse était éprise d'un jeune et brillant comédien, et que Bonaparte ne voyait pas de remède plus sûr que de mettre une distance de quinze cents lieues entre cette beauté et son amant [158]. »

Il y avait, on le voit, des gens bien informés...

A la fin de novembre, Leclerc se rendit à Brest, où devait avoir lieu l'embarquement. Pauline, prétextant des affaires à régler, demeura à Paris pendant quelques jours et se « gava de Lafon », selon l'expression fort imagée de Jacques Durocher. Puis elle le quitta en pleurant et prit la route de l'exil.

Mais elle trouva encore un moyen pour retarder son départ.

Écoutons un membre de l'expédition :

« Depuis quinze jours, l'escadre était prête à mettre à la voile ; l'ordre du départ avait été donné, les vents étaient favorables, et pourtant on restait au port. Qui donc arrêtait le mouvement ?

» C'était une femme ! Mme Leclerc !

158. SALGUES, *Mémoires pour servir à l'histoire de France sous le gouvernement de Napoléon Bonaparte*.

» Elle arrivait, disait-on, portée en litière à bras d'hommes !... Si le roi de Prusse, le grand Frédéric, eût existé alors, il eût pesté, comme de son temps, contre le cotillon. En effet, le cotillon eut parfois une fâcheuse influence dans les affaires, et l'on peut, cette fois encore, lui attribuer la série de malheurs qui vinrent fondre par la suite sur notre armée [159]. »

La légèreté de Pauline allait être en effet responsable du désastre subi par nos troupes à Saint-Domingue...

26

A Saint-Domingue, Pauline prend ses amants parmi les indigènes

> Elle aimait l'exotisme.
>
> Dr CABANÈS

Le 14 décembre 1801, le vaisseau amiral *Océan*, sur lequel les Leclerc étaient confortablement installés, mit toutes voiles dehors et quitta le port de Brest.

Sur le quai d'embarquement, un homme regardait tristement s'éloigner le trois-mâts qui conduisait le jeune général et sa femme vers les Antilles.

Cet homme, c'était Fréron, le premier amant officiel de Pauline. Bonaparte, qui voulait s'en débarrasser aussi, l'avait nommé sous-préfet de Cayes, petite ville de Saint-Domingue.

— Ils vont tous se retrouver à bord du même bateau, s'était dit le Premier Consul avec malice, et leur voyage ne manquera pas d'un certain piquant.

Mais Fréron aimait toujours Pauline. Il n'avait pas eu le courage de s'embarquer sur l'*Océan*. Il s'était caché dans une auberge de Brest et avait manqué volontairement le départ. Quelques jours plus tard, il montait à bord du *Zélé*, navire moins confortable que l'*Océan*, mais, nous dit Alphonse Nisard, « où il pouvait penser à ses amours sans avoir sous les yeux le spectacle douloureux pour lui d'un homme mettant la main là où il ne pouvait plus mettre que son rêve... ».

Le pauvre avait tort de se tourmenter le cœur et l'esprit avec des images lascives. Pauline, sur son bateau, ne pensait guère à la bagatelle. L'estomac tordu par un violent mal de mer, elle passait ses journées étendue sur un canapé, entourée de cuvettes. Parfois, les poètes Esménard et Norvins, qui étaient du voyage, venaient lui lire leurs œuvres et la comparer à la « Galatée des Grecs, la Vénus maritime » :

---

159. LEMONNIER-DELAFOSSE (ancien officier de l'armée de Saint-Domingue). *Seconde campagne de Saint-Domingue, précédée de souvenirs historiques et succincts de la première campagne*, 1846.

mais leur poésie grandiloquente ne faisait qu'aggraver l'état de la jeune femme.

La traversée dura cinquante-deux jours. Ce ne fut que le 5 février 1802, en effet, que l'*Océan* accosta à Port-Margo.

Aussitôt, le général Leclerc s'élança avec une petite troupe de hussards vers le Cap-de-la-République (alors capitale de Saint-Domingue), qui était aux mains des rebelles.

En quelques heures, la ville fut prise. Mais, avant de la quitter, les Noirs l'avaient incendiée, et Leclerc eut bien du mal à trouver une maison indemne. Finalement, il réquisitionna une grande propriété située sur une colline proche, et Pauline vint s'y installer.

Dolente, mal remise de son voyage, elle se mit immédiatement au lit et écrivit une longue lettre à Bonaparte pour lui dire qu'elle était très malheureuse.

Le Premier Consul lui répondit le 16 mars :

J'ai reçu votre lettre, ma bonne petite Paulette. Songez que les fatigues, les peines ne sont rien quand on les partage avec son mari et que l'on est utile à sa patrie. Faites-vous aimer par votre prévenance, votre affabilité et une conduite sévère et jamais inconséquente. L'on fait faire des caisses de modes pour vous, que le capitaine de la Syrène *vous apportera. Je vous aime beaucoup. Faites que tout le monde soit content autour de vous et soyez digne de votre position.*

BONAPARTE.

De cette lettre tendrement fraternelle, Pauline devait oublier bien vite les conseils de sagesse pour ne se souvenir que de deux phrases : « Faites-vous aimer » et « Faites que tout le monde soit content autour de vous... »

C'est pourquoi, dès que ses forces le lui permirent, elle fit vraiment tout pour que, dans son entourage, les officiers, les sous-officiers, et même certains hommes de troupe, se sentissent heureux de vivre. Dès qu'elle apercevait un Français un peu triste, elle l'entraînait vers son boudoir, le déshabillait, se dévêtait et s'efforçait de lui faire retrouver le sourire...

Pendant ce temps, Leclerc remportait quelques victoires faciles. Le 5 mars, il battit Toussaint Louverture à la Crête-à-Pierrot et délivra 3 000 Blanches et mulâtresses que les Noirs avaient enlevées pour leur délassement de guerriers...

Le général rebelle, usant d'une ruse classique, feignit alors de se soumettre.

Ravi, le général Leclerc rentra triomphalement au Cap-de-la-République.

Écoutons un témoin :

« On nous y reçut comme des vainqueurs qui ont gagné vingt batailles. Mme Leclerc s'était portée à notre rencontre. Elle appelait son mari : "Mon joli gamin". C'était, il est vrai, un poupon de jolie figure, aux moustaches naissantes, blond et de petite taille [160]. »

Le « joli gamin », confiant en la parole de Toussaint Louverture, crut la campagne terminée. Et, dans un bel élan d'humanité, il amnistia tous les rebelles. Le succès dépassait les espérances du chef noir. Toutefois, pour mieux endormir la méfiance des Français, il se montra pendant quelque temps d'une exquise loyauté, célébra la réconciliation et loua la grandeur de Bonaparte...

Pauline, enchantée de voir la tournure que prenaient les événements, continuait de distribuer du « contentement » autour d'elle en faisant preuve d'un tempérament qui stupéfiait les plus blasés. Le chancelier Pasquier écrit, en effet, dans ses *Mémoires* : « Le soleil des tropiques s'étonna de son ardeur pour les plaisirs !... »

Bientôt, cette insatiable jeune femme eut d'autres désirs. Troublée par les histoires que les dames de sa suite lui contaient « touchant le gigantisme localisé de certains Noirs », Pauline voulut, selon le mot de Barras, « établir des comparaisons ». La chose lui était facile : les Noirs attirés par sa beauté entouraient sa maison du matin au soir.

Elle commença par commander une fête avec danses érotiques. Spectacle qui choqua beaucoup le bon et candide Norvins : « Nous fûmes réellement très embarrassés, écrit-il, d'abord pour notre ravissante générale. Cependant, pour ne pas avoir l'air de mépriser les pauvres nègres dans leurs plaisirs, Mme Leclerc alla prendre place sur un grand sofa de feuilles de bananier, favorisé de pavillons, que nos marins avaient élégamment placé sous une voûte de frangipaniers et de lauriers-roses odorants. Enfin, nous regagnâmes le quartier général asphyxiés, pour ainsi dire, par un dégoût dont l'horreur me poursuit encore, tandis que les Noirs, infatigables corybantes, prolongèrent jusqu'au jour cette orgie abominable... »

Pauline ne partageait pas le dégoût de Norvins. Fort alléchée par ce qu'elle avait vu, elle était impatiente de savourer elle-même un de ces grands gaillards à peau foncée qu'elle venait d'admirer en pleine action...

La plupart des auteurs modernes assurent avec une amusante gravité que Pauline, bien que fort excitée par le climat aphrodisiaque de Saint-Domingue, ne fit jamais entrer de Noirs dans son lit. « Elle se contenta, nous dit l'un d'eux, d'admirer leur nudité, comme on regarde une œuvre d'art. »

Cette attitude d'esthète me paraît, il faut bien le dire, assez étonnante de la part d'une femme qui, selon le mot imagé d'un mémorialiste, ne pensait qu'à « se faire mignoter l'as de trèfle »...

En outre, cela ne correspond guère à ce que nous disent les auteurs contemporains.

160. Général Bro, *Mémoires*.

Barras est formel quand il parle des « excès de libertinage qu'elle avait commis, non pas seulement en Europe et à Saint-Domingue avec tous les Blancs composant l'armée, mais avec les nègres, dont elle avait voulu faire la comparaison »[161].

De son côté, Fouché déclare, avec plus d'hypocrisie : « En proie aux vives ardeurs du climat des tropiques, elle se plongea *dans tous les genres de sensualité*[162]. » Enfin, la *Chronique scandaleuse de l'Empire* ajoute : « Pauline Bonaparte eut à Saint-Domingue de nombreux amants. Elle ne se contenta pas de donner un dérivatif aux Français éloignés de leur terre natale, elle goûta — et avec gourmandise — aux nègres de l'île. Certains se vantèrent de leur bonne fortune, et c'est ainsi que les excès de la générale Leclerc furent connus[163]. »

Il semble donc bien prouvé que Pauline ait pris à Saint-Domingue les plaisirs colorés que les auteurs modernes nient avec une étrange pudeur.

Leclerc ne tarda pas à être informé des débordements de sa femme. Très affligé, il chercha un moyen qui lui permît de sévir sans provoquer de scandale. L'imprudence de quelques Françaises allait lui donner une idée. Un jour, ses soldats découvrirent dans les bagages de Toussaint Louverture une caisse remplie de lettres fort érotiques écrites au chef rebelle par des femmes blanches...

Aussitôt, Leclerc rédigea un avis qui fut affiché sur tout le territoire de l'île : « Les femmes blanches qui se sont prostituées aux nègres, *quel que soit leur rang*, seront renvoyées en France. »

Ainsi, Pauline était prévenue indirectement du danger qu'elle courait. Contrainte par la loi de prendre désormais des plaisirs plus orthodoxes, elle se donna alors au général Humbert qui, nous dit-on, « avait une belle moustache et savait s'en servir »...

Leclerc n'eut pas le loisir de savourer le plaisir amer d'être une fois encore un général cocu.

Au mois de mai, brusquement, les Noirs, poussés par les Anglais, reprirent leur guérilla contre les Français. Des hommes furent assassinés, des femmes enlevées, des officiers sodomisés sur la place publique.

Le mari de Pauline, qui croyait le pays pacifié, fut atterré. A la hâte, il prit des mesures destinées à rétablir l'ordre. Il était malheureusement trop tard, l'insurrection gagnait toute l'île. Or, à ce moment, pour comble de malchance, une épidémie de fièvre jaune d'une virulence exceptionnelle s'abattit sur Saint-Domingue.

L'une des premières victimes de ce mal fut Stanislas Fréron qui mourut au mois de juillet. Bientôt, l'armée fut atteinte. En quelques

---

161. BARRAS, *op. cit.*
162. FOUCHÉ, *Mémoires.*
163. Dans l'*Histoire du cabinet secret de Napoléon Bonaparte*, l'Anglais GOLDSMITH va plus loin encore. Il déclare que Pauline « avait une forte dose d'amour pour Pétion et Christophe (deux chefs noirs), qu'elle a souvent fatigués sur un lit de roses ». Mais il semble qu'il se soit laissé emporter par son désir d'embellir les faits...

semaines, nous dit Bernard Nabonne, l'« épidémie allait tuer 1 500 officiers, 25 000 soldats, 8 000 marins, 2 000 fonctionnaires civils, 750 médecins militaires ».

Épouvanté, Leclerc écrivit :

Ravages terribles dans mes troupes. Tous mes généraux sont malades. J'ai dû me servir des généraux noirs... Il m'est impossible de faire marcher des troupes européennes ; elles crèvent en route...

Pendant ce temps, Pauline, absolument inconsciente du danger qui menaçait son mari, continuait d'organiser des fêtes. Et, le bon goût n'étant pas la chose au monde la mieux partagée, elle donnait à ses bals le nom de « Rendez-vous dans la chambre mortuaire » [164].

Ce qui faisait rire...

Hélas ! le 22 octobre, Leclerc fut atteint, à son tour, de la fièvre jaune. Le 2 novembre, il expirait, laissant Pauline hébétée...

Le corps du général fut ramené en France à bord du *Swiftsure.* Pendant tout le voyage, Pauline demeura prostrée dans une cabine, pleurant son mari, sa jeunesse et sa santé. Elle rapportait en effet de ses contacts trop intimes avec les partisans de Toussaint Louverture une très mauvaise maladie...

Le 1er juin 1803, elle débarqua à Toulon où elle fut mise en observation médicale aux Nozarettes. Pour égayer un peu sa quarantaine, des amies lui écrivaient les derniers potins parisiens. C'est ainsi qu'elle apprit l'aventure savoureuse survenue à un jeune adolescent que l'on appelait *le jeune sauvage de l'Aveyron.*

Écoutons l'auteur de la *Chronique du Consulat* :

« Ce jeune sauvage — sans doute un enfant abandonné par ses parents — avait vécu plusieurs années dans les bois de l'Aveyron de fruits qu'il cueillait sur les arbres et des bêtes qu'il atteignait à la course. Les bûcherons réussirent à s'emparer de lui avec un filet. Il ne put jamais apprendre à parler. Il n'émettait que des sons gutturaux. A cause de son âge et de sa vigueur développée par son genre d'existence, les femmes le regardaient avec sympathie, s'étonnaient de ne pas fixer davantage son attention et se demandaient entre elles :

» — Comment un homme peut-il être sauvage ?

» On le conduisit un jour à Clichy-la-Garenne, chez Mme Récamier. Il resta pendant quelques minutes tranquille, puis il donna quelques signes d'agitation, et, profitant de ce que son précepteur avait le dos tourné, s'échappa. On ne s'aperçut de sa disparition que lorsqu'il était déjà loin. On se mit à sa poursuite dans le parc qui avait une assez vaste étendue. On finit par le découvrir perché sur un arbre et en chemise.

164. Cette incroyable légèreté n'excluait pas chez la générale Leclerc un certain courage. Elle le montra le 13 septembre lorsqu'elle refusa de quitter son mari, qui s'efforçait, avec une poignée d'hommes valides, de défendre le Cap contre l'assaut des légions rebelles.

» Son précepteur, un peu humilié de sa fugue, employa tour à tour, pour le faire descendre, les prières et les menaces.

» En guise de réponse, le jeune homme se borna à ôter sa chemise et à montrer, comme l'eût fait un singe, toute l'ampleur de sa virilité. Il y eut des cris. Jamais les dames qui assistaient à la chasse ne l'avaient trouvé si intéressant, tout en feignant, cela va sans dire, de paraître très scandalisées.

» De guerre lasse, on lui montra une assiette chargée de fruits, et il dégringola aussitôt de son perchoir.

» Le jeune sauvage de l'Aveyron, depuis cette époque, ne parut plus dans le monde. Il y devenait un peu trop compromettant... [165] »

Pauline — qui conservait un délicieux souvenir des instants passés avec les Noirs de Saint-Domingue — regretta profondément de ne pouvoir goûter à cet amusant sauvage.

Elle devait se consoler en épousant le prince Borghèse...

27

Pauline pose nue devant Canova

> La princesse avait le désir profond d'aider les artistes.
>
> PAUL D'ARISTE

En arrivant à Paris, Pauline s'aperçut que ses frères et sœurs avaient — en un an — décuplé leur fortune grâce à l'ascension de Bonaparte, et qu'ils vivaient tous dans de somptueuses demeures. Piquée, elle alla demander de l'argent au Premier Consul et acheta l'hôtel Charost, faubourg Saint-Honoré [166].

Là, elle aménagea tout de suite une chambre douillette pourvue d'un lit propice aux ébats les plus compliqués, et se prépara à y faire entrer tous les messieurs qui lui plairaient.

Tout d'abord, elle renoua avec le comédien Lafon dont elle n'avait pas oublié la vigueur. Cette liaison donna lieu à une scène assez savoureuse. Un soir, Pauline éclata en sanglots :

— Quand je te vois avec moi dans ce lit, dit-elle à son amant, j'ai l'impression que mon mari vit encore...

Le comédien, désolé, dut faire des prodiges pour consoler la trop sensible veuve.

Puis Pauline donna successivement son « bijou de famille » — comme disaient les poètes légers du temps — à l'amiral Decrès, ministre de la Marine et des Colonies, et à une foule de petits-maîtres dont, nous assure un mémorialiste, « elle ne connaissait pas toujours le nom »...

165. *Chronique du Consulat.*
166. Actuelle ambassade d'Angleterre.

Bonaparte, une fois de plus, s'inquiéta. Pensant qu'un époux calmerait cette frénésie sensuelle, il décida de remarier sa sœur sans tarder.

Justement, la jeune femme venait de prendre pour amant un homme riche, pouvu de titre et point mal fait de sa personne.

— Ce garçon fera l'affaire, déclara le Premier Consul à son frère Joseph. En outre, il peut nous concilier les royalistes. Je te charge des premiers pourparlers.

Il s'agissait du prince Camille Borghèse, arrière-petit-neveu du pape Paul V.

Joseph convoqua le cardinal Caprara, légat du pape, et lui déclara sans rire que sa sœur avait été compromise par le prince.

— Seul un mariage pourrait sauver la situation, ajouta-t-il.

Le prélat courut chez le prince qui fut épouvanté. Ce jeune homme voulait bien batifoler agréablement sur une courtepointe en compagnie de la veuve du général Leclerc, mais l'idée de l'épouser et d'être un illustre cocu ne lui était jamais venue.

Le cardinal Caprara lui fit comprendre qu'il courait un grand danger en s'opposant au désir de Bonaparte. Finalement, Borghèse, la mort dans l'âme, accepta.

Le mariage fut célébré à Mortefontaine, et le prince, inquiet, lut attentivement le contrat. On le vit alors soupirer et adresser un sourire radieux et reconnaissant aux Bonaparte présents.

Tous crurent que leur nouveau beau-frère les remerciait de lui donner pour compagne la plus jolie femme du monde. Ils ignoraient qu'en Italie il était d'usage de faire figurer dans les contrats de mariage le nom de l'amant de la fiancée parmi son apport dotal, et que le prince avait craint de trouver dans la corbeille une liste démesurée de noms inconnus...

Le jeune couple partit bientôt pour Rome où il s'installa, en décembre 1803, au palais Borghèse. Pauline, qui n'avait aucune connaissance artistique, ne goûta que modérément les merveilles qui se trouvaient réunies dans sa nouvelle demeure. En revanche, elle s'amusa follement des farces et attrapes que, suivant la mode du temps, les architectes avaient multipliées pour égayer les invités. « Le promeneur s'apprêtait-il à franchir un ruisseau, le pont rustique s'écartait. Des bancs se soulevaient quand il voulait s'y asseoir. Un peu plus loin, il posait le pied sur une pierre apparemment très innocente et il recevait un jet d'eau dans la figure... [167] »

Mais ces innocentes plaisanteries finirent par lasser Pauline qui n'aimait qu'une seule distraction au monde...

Or, justement, le prince Borghèse ne se montrait pas le brillant jouteur qu'elle avait espéré.

Elle sombra donc bientôt dans un ennui profond. Fort heureusement,

---

167. HENRI D'ALMÉRAS, *Une amoureuse : Pauline Bonaparte.*

Bonaparte eut la bonne idée de se faire sacrer empereur, ce qui permit à Pauline de courir à Paris.

Elle y eut de nombreuses aventures. Celle-ci, entre autres, qui est relatée par plusieurs chroniqueurs :

Un jour — ou plutôt une nuit —, c'était en 1805, on donnait une fête au jardin du Luxembourg. Une femme d'une très jolie tournure semblait regarder avec la plus vive attention les préparatifs d'un feu d'artifice. Elle était habillée modestement, mais avec beaucoup de goût. On la devinait, nous dit-on, « bien supérieure à sa toilette ».

« Quoiqu'elle eût le visage couvert d'un voile qui dissimulait ses traits, écrit Doris, un jeune homme la remarqua, et, après l'avoir quelque temps observée, vint se placer à côté d'elle. Bientôt, la conversation s'engagea. La femme — une petite-bourgeoise, sans doute mariée à un ennuyeux barbon — hésitait à répondre et semblait très intimidée. Évidemment, elle était vertueuse et elle n'avait pas l'usage du monde. Cependant, elle s'humanisait peu à peu, et son voile ne l'empêchait ni d'être détaillée par son compagnon de hasard, ni de le détailler elle-même. Elle remarqua qu'il était bien planté, solide, agréablement tourné. Le feu d'artifice tiré, il offrit une glace, qu'elle accepta. Encouragé et convaincu maintenant qu'il avait affaire à quelque grisette en instance d'amant, il demanda à la jeune femme de la reconduire chez elle. Elle refusa avec un air pudique, mais elle voulut savoir le nom de celui avec qui elle venait de passer une si agréable soirée.

» Le lendemain, le jeune homme recevait de l'inconnue une lettre qui lui donnait rendez-vous le jour suivant, à sept heures, près du grand bassin. Ils furent exacts l'un et l'autre, également intéressés par l'aventure. Ils causèrent un peu plus intimement que l'avant-veille. La dame apprit à ce jeune homme qu'elle se nommait Amélie, mais, comme il commençait à devenir pressant, elle s'échappa, légère et un peu ironique, en promettant de donner bientôt de ses nouvelles.

» Trois jours après, un nouveau billet fixait cette fois le rendez-vous chez Mlle D... lingère, rue du Bac, n° 188, à huit heures du soir. L'amoureux — car il l'était déjà, et sérieusement — va chez la lingère, demande une clef qu'on lui donne, et pénètre dans une chambre meublée avec beaucoup de goût. Presque aussitôt arrive, très émue et d'autant plus jolie, la charmante Amélie... Ils ne se quittèrent que très satisfaits l'un de l'autre. Ils s'étaient montré, si j'ose m'exprimer ainsi, le fond de leur cœur.

» Plusieurs rendez-vous suivirent, puis, brusquement, les petits billets qui annonçaient l'heure tant attendue cessèrent. Le jeune homme, désolé, courut chez la lingère. On ne connaissait pas Amélie. Elle n'était qu'une cliente d'occasion. Son nom, son adresse, on les ignorait.

» Deux ans après, notre jeune homme assistait par hasard à un spectacle de la cour. Tout à coup passe devant lui une femme couverte de diamants et conduite par un des grands dignitaires de l'Empereur. Il la regarde, très étonné. Et il reconnaît l'inconnue du Luxembourg.

A un de ses voisins, il demande d'un air détaché comment elle s'appelle et on lui répond :

» — C'est la princesse Borghèse, la sœur de l'Empereur.

» Quelques minutes plus tard, il avait réussi à s'approcher d'elle et à attirer son attention. Elle le reconnaît à son tour et une rougeur fugitive monte à ses joues, puis elle détourne la vue.

» Le lendemain, le jeune homme recevait l'ordre de se rendre chez le comte de Montalivet, ministre de l'Intérieur. Là, on lui apprit qu'il était nommé à une place importante dans le département du Nord, mais qu'il fallait partir dans les quarante-huit heures. Il accepta avec reconnaissance, et, vingt-quatre heures plus tard, il était rendu à son poste [168]. »

Ainsi, les débordements de la princesse Borghèse pouvaient avoir des conséquences inattendues dans l'édifice sacro-saint de l'Administration impériale...

Au printemps de 1805, Pauline imagina de faire exécuter sa statue par Canova.

Le célèbre sculpteur vint à Paris, considéra longuement la sœur de l'Empereur et décida de la représenter en « Vénus victorieuse », allongée, à demi vêtue, sur un canapé. Ravie, la princesse Borghèse se déshabilla complètement et montra à Canova une poitrine en tout point parfaite.

— Cette partie est si belle, dit l'artiste en connaisseur, que je ne puis espérer faire mieux que la nature. je me contenterai donc de mouler vos seins.

Pauline accepta avec joie. Pourtant, lorsqu'on en arriva à l'opération du moule, Canova sembla hésiter à mettre la main sur « les objets parfaits ».

— Mais allez donc ! lui dit la princesse. De quoi avez-vous peur ?

— De devenir amoureux de ma statue.

— Allez toujours, Canova ! Vous êtes un flatteur !

Lorsque la statue fut terminée, elle provoqua un scandale, et la sœur de Napoléon fut accusée d'impudeur.

— Comment avez-vous pu poser ainsi toute nue ? lui demanda une dame de la cour.

— Oh ! dit simplement Pauline, il y avait du feu dans l'atelier !...

La sœur de l'Empereur, dont les ardeurs intimes semblaient croître avec l'âge, eut bientôt, nous dit un mémorialiste, « la désagréable impression d'être assise en permanence sur un tison ».

Aussi la voyait-on demander à tous les messieurs qui l'entouraient de vouloir bien éteindre ce feu avec les moyens que la nature avait mis à leur disposition.

168. DORIS, *Les Amours de Napoléon et des princes et des princesses de sa famille*, 1842.

Son trouble était si grand qu'il lui arriva de ne plus savoir très bien distinguer entre les sexes et de s'adresser parfois à des dames...

Le prince Borghèse l'apprit et en fut mécontent.

Que sa femme le trompât avec quelque bel officier de l'armée impériale était, somme toute, un des risques de l'époque, mais qu'elle lui fît des infidélités avec des femmes lui sembla proprement insupportable.

Un instant, il eut envie de faire une scène terrible à Pauline. Puis il pensa que la situation pouvait être utilement exploitée. Il alla trouver son épouse et lui fit comprendre qu'en échange de sa mansuétude il lui serait agréable d'avoir le grand cordon de la Légion d'honneur, le titre de citoyen français, la Toison d'or et un poste dans l'armée.

Pauline promit d'intervenir auprès de Napoléon, et, bientôt, le prince Borghèse, ravi, se voyait décerner toutes les dignités sollicitées avec le grade de « chef d'escadron à la suite des grenadiers à cheval ».

Comme il allait remercier Pauline, celle-ci l'arrêta :

— Ce n'est pas tout.

Et, l'œil brillant de malice, elle lui annonça qu'elle avait obtenu également qu'il fût envoyé immédiatement au camp de Boulogne...

Quelques jours plus tard, Borghèse allait retrouver son escadron, et Pauline, débarrassée de ce mari tatillon, jaloux et impuissant, se lança à corps perdu — jamais l'expression n'a été plus juste — dans l'adultère mondain.

Entre deux joutes amoureuses, elle recevait. Ces réceptions permettaient d'ailleurs à la jeune femme de recruter de nouveaux amants. Comme elle ne pouvait, malgré son extraordinaire tempérament, les faire entrer tous à la fois dans son lit, elle en mettait de côté et nommait joliment cette petite réserve sa « pépinière »...

Pour allécher les hommes qui venaient à ses soirées, Pauline utilisait les moyens les plus stupéfiants. C'est ainsi que, sur son ordre, le nègre Paul, qui la servait, traversait le salon en portant ostensiblement un magnifique bidet en porcelaine dorée dont elle était très fière...

Elle allait parfois plus loin encore, n'hésitant pas à se livrer sur quelques-unes de ses amies à des attouchements fort émouvants.

Écoutons la duchesse d'Escars :

« Elle me fait dire qu'elle désirait me voir... Malgré toute la prévention que j'éprouvais pour la sœur du tyran qui me persécutait, je ne pus m'empêcher de la trouver très jolie. Elle était mise avec une extrême élégance. Elle avait pour dame d'honneur Mme de C... (de Chambeaudoin). Je prie mes lecteurs de croire à la vérité de ce que je vais écrire :

» Cette Mme de C... était couchée par terre, étendue sous les pieds de la princesse, qui les avait l'un et l'autre sur la gorge très nue de cette femme. Je ne puis exprimer quelle fut mon indignation. Quant à Mme de C..., elle était si visiblement née pour cette infâme place qu'elle n'en paraissait nullement confuse.

» Le préfet ne put s'empêcher de lui dire : « Mais, madame, cette attitude est bien fatigante.

» — Oh ! non, monsieur, répondit-elle, j'y suis accoutumée.

» Pour moi, assise à côté de Mme Borghèse, je ne pouvais détourner mes yeux d'un tel spectacle et j'avais beaucoup de peine à m'empêcher de rire tout haut en voyant cette gorge qu'un pied promenait.

» Mme Borghèse me demanda si j'aimais le spectacle et quel était celui que je préférais.

» — La tragédie, lui répondis-je.

» — Et moi aussi, reprit Mme de C... J'aime la tragédie parce qu'elle élève l'âme.

» Sa voix, altérée par le pied de Mme Borghèse, rendait encore la phrase plus plaisante. J'étouffai l'envie de rire, j'abrégeai ma visite... J'y retournai plusieurs fois. J'y vis d'autres femmes sous ses pieds [169]. »

En voyage, le comportement de Pauline était plus impudique encore. Maxime de Villemarest écrit en effet : « Quand la princesse avait trop grand froid aux pieds, il fallait qu'elle (Mme de Chambeaudoin) eût de temps à autre des complaisances peu décentes pour que Pauline trouvât à mettre ses pieds dans un endroit assez chaud [170]. »

Cette désinvolture se manifestait d'ailleurs en toute occasion. Lors d'un de ses voyages à Plombières, la princesse s'arrêta à Bar-le-Duc où son ancien beau-frère, Louis Leclerc, qui était préfet de la Meuse, l'accueillit avec pompe. Dès qu'elle fut descendue de calèche, elle demanda un bain.

— Il est prêt, lui dit le préfet.

— Tant mieux, je vous remercie. Mais, après, j'aurai besoin d'une douche.

Louis Leclerc se mordit les lèvres.

— Impossible, je n'ai pas d'appareil !

Pauline éclata de rire :

— Rien n'est plus simple ! Il suffira de percer un trou dans le plafond au-dessus de la baignoire et de faire couler l'eau par ce trou. Vite ! vite ! envoyez chercher des ouvriers !

La mort dans l'âme, le préfet s'exécuta. Et comme Pauline avait tenu à se baigner dans le salon d'honneur, on perça le plafond qui fut complètement détérioré.

Alors la princesse se dévêtit et appela Paul, son nègre, qui, suivant un rite qu'elle avait institué, la prit, nue, dans ses bras et la plongea dans la baignoire remplie de lait.

Lorsqu'elle eut terminé ses ablutions lactées, elle fit signe, par

169. Marquise de NADAILLAC, duchesse d'ESCARS, *Mémoires*. Pauline avait contracté cette curieuse habitude aux Antilles. L'auteur des *Souvenirs d'un oisif ou l'esprit des autres* écrits en effet : « La princesse Borghèse avait conservé du voyage qu'elle avait fait à Saint-Domingue beaucoup trop d'habitudes de la vie des colonies. Des négresses obéissantes de cette île s'étaient facilement prêtées à la fantaisie qu'elle avait d'appuyer sur leurs poitrines ses pieds pour les réchauffer. »

170. VILLEMAREST, *Souvenirs d'un inconnu*.

l'ouverture du plafond, aux ouvriers qui se trouvaient à l'étage supérieur.

— Je suis prête pour la douche !

Les braves Meusiens, fortement émoustillés par le spectacle qui leur était offert, n'osaient bouger. Les yeux écarquillés, ils se donnaient des bourrades dans le dos en murmurant des jurons en patois.

Enfin Pauline les rappela à leur devoir, et c'est avec le plus grand respect qu'ils lui versèrent un seau d'eau sur la tête.

A Plombières, Pauline rencontra le comte de Forbin, en tomba amoureuse et devint sa maîtresse. A son retour à Paris, pour justifier la présence de ce monsieur dans sa chambre, elle le nomma chambellan, et les mauvaises langues s'empressèrent de raconter que « si le titre de valet de lit existait, elle le lui eût certainement donné ».

En avril 1807, épuisée par ses excès, Pauline partit, sur l'ordre de son médecin, se reposer à Gréoux, dans les Basses-Alpes. Malheureusement, Forbin vint l'y rejoindre, et la princesse continua de se fatiguer.

« Certains après-midi, raconte Roland Bachelard avec sa verve méridionale, le bruit du plaisir que menait S.A.I. avec le comte était si grand que les cigales se taisaient, comme frappées de stupeur... »

En septembre, Pauline se rendit à Marseille en compagnie d'hommes dont elle put vérifier le dévouement à l'occasion d'une halte. Écoutons Barras :

« Elle s'arrêta au haut d'une prairie, près d'une campagne possédée par M. César Roubaud où elle devait coucher. Des courtisans se déshabillèrent respectueusement pour étendre sur la pelouse leurs habits, afin que la princesse pût s'asseoir sans péril de l'humidité de la terre. M. Desbains, sous-préfet de Grasse, frisé à l'oiseau royal, offrait son dos pour appuyer celui de la princesse ; le général Guyot, couché en travers, plaçait les deux pieds de la princesse sur son ventre. Ce groupe grotesque amusa fort les passants et les curieux [171]. »

Mais Pauline allait bientôt se livrer à des excentricités plus grandes encore...

28

Pauline fait entrer l'Europe dans son lit

Elle avait des vues larges.

ALFRED VIVIEN

Un matin d'octobre 1807, dans le parc d'une villa d'Aix-en-Provence, une jeune femme et un jeune homme se promenaient, tendrement enlacés, s'embrassaient à chaque pas et se caressaient audacieusement

171. BARRAS, *Mémoires*.

en montrant tous les signes d'un violent désir. Derrière eux, deux hommes, d'allure grave, marchaient en parlant de la politique.

Ce quatuor n'aurait rien eu de singulier si deux des promeneurs — et les moins discernables pour un passant non averti — n'avaient été unis par le mariage.

Pauline et le comte Forbin formaient en effet le couple passionné, tandis que le prince Borghèse marchait derrière en compagnie du général Cervoni.

Celui-ci était un joyeux drille. A certain moment, voyant Forbin glisser sa main dans le corsage de la princesse, il se tourna vers Borghèse :

— J'ai l'impression, dit-il en riant, que ce coquin est en train de toucher des fruits qui appartiennent à Votre Altesse...

Le prince fut atrocement vexé. Au point qu'oubliant toute dignité il répliqua :

— Ma femme peut se féliciter d'être la sœur de l'Empereur. Sinon, il y a longtemps que je lui aurais donné une correction !...

Après quoi, l'envie de se promener lui étant passée, il donna le signal du retour à la villa.

Quatre jours plus tard, Napoléon, informé par le prince des frasques de sa sœur, envoyait M. de Forbin sur la frontière d'Espagne...

Pauline fut désespérée par le départ de son amant. Pour oublier, elle alla s'installer à Nice, dans un merveilleux palais dont le jardin bordait la mer. Mais, au bout de quelques jours, nous dit l'auteur des *Chroniques secrètes,* « elle eut envie de se faire gonfler la mouflette ». Elle chercha dans la liste des hommes qu'elle gardait en réserve, se souvint d'un compositeur italien rencontré à Paris et l'invita à venir passer quelques jours avec elle.

Ce musicien, qui se nommait Félix Blangini, était amoureux fou de Pauline. Au reçu de sa lettre, il poussa un cri de joie, ferma son piano, car il était soigneux, fit un paquet de ses dernières romances et grimpa dans une voiture.

Tandis qu'il roulait vers Nice, la princesse Borghèse trompait son impatience avec des valets de chambre savoyards qu'elle avait choisis non en fonction de leur connaissance de l'étiquette, mais parce qu'ils étaient « généreusement pourvus par la nature ».

Lorsque des amies se permettaient un mot d'affectueuse réprobation pour ces aventures indignes d'une sœur d'empereur, Pauline haussait les épaules :

— Dans la famille Bonaparte, disait-elle, nous avons le sang chaud !

Ce qui était — il faut bien le reconnaître — la plus stricte vérité. Henri d'Alméras nous le confirme :

« On peut refuser aux sœurs de Napoléon bien des choses, douceur de caractère, délicatesse d'esprit, modération dans l'exercice du pouvoir et la recherche des titres, mais il n'est que juste de reconnaître qu'elles avaient un fort tempérament. A cet égard, elles se montraient tout à fait supérieures, et c'était peut-être leur manière d'avoir du génie.

» Dans la merveilleuse destinée de leur frère, elles semblaient n'avoir vu qu'une occasion de satisfaire plus facilement leurs exigences amoureuses. Elles y parvenaient à peine, quoiqu'elles eussent à leur disposition tant de soldats et d'officiers. C'est encore Thiébault qui le constate — il les avait vues de près — dans cette phrase très nette où il s'exprime avec la liberté d'un soldat qui sait mal farder la vérité : "On peut avancer que toute la garde impériale n'aurait pas suffi, je ne dis pas pour les contenter, mais pour les contenir. Et la garde impériale était un corps d'élite." »

Pauline était naturellement la plus douée de toutes :

« Des amants de la jolie Pauline, il y en eut évidemment un très grand nombre qui ne furent que momentanés et occasionnels, des soldats, des pages, des laquais. Ils profitèrent d'une minute d'énervement, d'une température orageuse, d'une journée printanière, d'une lecture excitante. Ils s'acquittèrent le mieux possible, rien ne nous interdit de le supposer, de leurs fonctions passagères et d'ailleurs fort agréables, mais ils ne tirèrent pas à conséquence. Ils ne furent que des collaborateurs fortuits qu'on paya avec de menus avancements ou avec des gratifications. Nous ignorons leurs noms et, à vrai dire, ce n'est pas à cause de leur nom que Pauline s'était adressée à eux. Humbles ouvriers d'une tâche méritoire à laquelle d'autres, plus illustres, se sont consacrés avec plus de gloire, ils ont passé inaperçus. Ils sont rentrés dans le silence et dans l'oubli sans se douter que, pendant quelques instants, grâce au regard bienveillant que jeta sur eux une sœur d'empereur, ils furent de l'histoire [172]. »

Enfin Blangini, exténué mais rayonnant, arriva à Nice. Il fut reçu de façon charmante. Pauline le conduisit dans une salle de bains, le lava, l'essuya, lui fit prendre une collation et l'entraîna sur un lit...

Pendant deux mois, il mena une vie paradisiaque. Entre deux duos amoureux, il se mettait au piano et composait une romance passionnée pour sa maîtresse. Un jour, Pauline, qui n'avait pourtant aucune idée de la prosodie, écrivit un petit poème fort médiocre, que le compositeur, toujours exalté, déclara digne de Virgile et mit en musique...

Folle de joie, la princesse convia des amis et entreprit de chanter son œuvre. Ce fut un désastre. Comme elle chantait aussi faux que Napoléon, les invités montraient un air navré. « Finalement, nous dit Alfred Vivien, la princesse poussa un cri étrange et embrassa avec fougue M. Blangini... On comprit alors que la romance était terminée. Il y eut un soupir général, puis des bravos. »

Au mois d'avril 1808, le prince Borghèse arriva à Nice avec une nouvelle qui atterra Pauline. Il venait d'être nommé « gouverneur général des neuf départements au-delà des Alpes ».

172. HENRI D'ALMÉRAS, *Une amoureuse : Pauline Bonaparte*.

« Étincelante de colère », selon le mot de Blangini, elle dut suivre son mari à Turin, mais se montra insupportable tout au long du voyage.

Écoutons M. de Villemarest :

« A peine elle était dans sa voiture qu'elle voulait qu'on la portât et, quelques minutes après, il fallait remonter en voiture. L'ennui et l'impatience, à grand-peine contenus, que l'on voyait sur la figure du prince étaient à faire pitié ; aussi, tant qu'il le put, fit-il la route à pied. Sa femme le tourmentait sur tous les points possibles : elle lui disait qu'elle voulait prendre le pas sur lui, arguant d'un sénatus-consulte récent ; elle y avait vu que le prince avait pas immédiatement après les princes français, d'où elle concluait que les princesses françaises se trouvaient dans le même cas et que, par conséquent, ce serait à elle à répondre aux harangues des autorités. Vainement, le prince objectait que c'était lui qui était le gouverneur général et qu'elle n'était point, elle, la gouvernante générale ; elle n'en voulait point démordre et lui disait alors d'une façon peu aimable qu'il n'était gouverneur général que parce qu'il était son mari, et qu'il ne serait rien s'il n'eût pas épousé la sœur de l'Empereur, ce qui, au fond, ne manquait pas de quelque vérité. Alors le prince l'appelait : "Paulette ! Paulette !..." du ton le plus doux possible ; mais je t'en souhaite, Paulette avait de la tête et son état capricieux demeurait en permanence [173]. »

A la première halte en pays piémontais, un incident vaudevillesque eut lieu : au moment où le prince allait prendre la parole pour répondre au maire qui venait de prononcer un petit discours de bienvenue, Pauline intervint :

— Taisez-vous ! C'est à moi de parler !

Borghèse se redressa :

— Non, madame, c'est à moi... Je suis gouverneur !

Pauline se planta devant lui :

— Peut-être ! Mais c'est à moi de répondre aux discours officiels. Je suis la sœur de l'Empereur...

— Je suis votre mari ! criait le prince.

— Cela ne vous donne aucun droit de préséance ! Taisez-vous !...

Pendant cet extravagant dialogue, la municipalité et les habitants du village, éberlués, n'osaient faire un geste. Finalement, le maire s'approcha :

— Altesses ! Altesses ! gémit-il...

Mais les altesses se disputaient avec une telle violence qu'aucune prière ne pouvait les atteindre. Lorsqu'elles furent à bout de souffle et d'arguments, elles remontèrent dans leur voiture en claquant les portières, et le cocher fouetta les chevaux...

Cette scène pénible et bouffonne tout à la fois fit très mauvaise impression.

Trois jours plus tard, Pauline arrivait à Turin et s'installait dans

173. VILLEMAREST, *Souvenirs d'un inconnu*.

son palais avec Borghèse, Blangini et deux grands Savoyards qu'elle emmenait partout en « en-cas »...

Inconsciente du tort qu'elle pouvait faire à l'Empereur, elle continuait sa vie galante...

La situation de Blangini à Turin était extrêmement inconfortable. Pauline le traînait sur tous les lits, l'embrassait publiquement et poussait l'impudeur jusqu'à le faire descendre de calèche pendant une excursion. Alors, nous dit la *Chronique indiscrète,* elle l'emmenait dans un buisson, et là, sans se soucier des cochers, des dames de la suite et des invités qui attendaient, elle se faisait « picorer la pelouse ».

Or, Napoléon avait envoyé à Blangini l'ordre formel de quitter l'Italie.

Le pauvre musicien passait donc son temps à trembler de peur. Ce qui l'empêchait parfois de se montrer le brillant partenaire qu'eût désiré Pauline. Un de ses biographes, Valentin Tellier, nous dit, en effet : « Blangini vivait dans la crainte constante d'être arrêté et jeté en prison pour avoir désobéi à l'Empereur. Lorsqu'il se mettait au lit avec Pauline, il avait soin de placer différents meubles devant la porte. Il raconta plus tard, lorsqu'il fut maître de chapelle du roi de Westphalie, qu'un après-midi, alors qu'il exécutait un savoureux duo avec la princesse Borghèse, un bruit de pas retentit dans le couloir.

» Pauline, qui ne voulait pas perdre une seconde de plaisir, lui demanda de continuer d'exécuter sa partie. Grelottant de peur, le malheureux s'efforça d'obéir ; mais, hélas, la nature refusa de le suivre dans son entreprise. Il s'arrêta, honteux. La princesse, furieuse, commença par l'insulter avec grossièreté, puis elle lui ordonna d'aller chercher un de ses valets de chambre savoyards. Le musicien courut à l'office, ramena le plus grand, l'enferma avec Pauline, et s'empressa de rejoindre ses appartements. »

Après cette défaite, Blangini, mort de peur et de honte, monta dans une voiture et quitta Turin pour n'y jamais revenir.

Privée de son beau musicien, Pauline n'eut plus qu'un désir : retourner en France pour y goûter les messieurs qui constituaient sa petite réserve. Le prince Borghèse s'opposant à son départ, elle se mit au lit, refusa toute nourriture et déclara qu'elle allait mourir. Finalement, elle obtint d'un médecin ami l'ordre d'aller de toute urgence prendre les eaux d'Aix, en Savoie. Le 6 juin, elle s'installait au bord du lac du Bourget. Le 7, elle commençait sa cure. Le 8, elle prenait un amant. Le 12 juillet, complètement guérie, elle partait pour Paris.

Lorsque, à son retour d'Erfurt, Napoléon trouva sa sœur installée faubourg Saint-Honoré, il entra dans une violente colère :

— Je veux qu'elle reparte immédiatement retrouver son mari à Turin ! Le scandale a suffisamment duré !

Informée de la décision de son frère, Pauline ne perdit pas une seconde. Elle mit une robe moulante, dont le décolleté s'arrêtait à la pointe des seins, et courut aux Tuileries.

En la voyant entrer dans son cabinet, l'Empereur oublia sa colère.

— Princesse Pauline, dit-il, vous êtes vraiment la plus jolie femme du monde.

— J'hésite à le croire, sire, puisque vous voulez m'éloigner de votre capitale...

Napoléon sourit :

— Restez ici autant qu'il vous plaira. Vous êtes, en effet, le plus bel ornement de ma cour !...

Et, pour lui montrer que sa générosité n'avait point de borne, il lui offrit le château de Neuilly.

Pauline savait remercier. Quelque temps après, elle faisait entrer dans le lit de son frère une dame de sa suite, la belle Christine de Mathis, dont la fesse avait attiré l'œil impérial...

A Neuilly, dans ce palais où tout était conçu pour le plaisir, Pauline, livrée à elle-même, vécut de la façon la plus impudique qui soit. Elle se promenait nue dans les salons, recevait ses amis dans son bain, et se donnait les soins les plus intimes devant ses domestiques.

Écoutons Constant :

« Les dames de service près d'elle étaient admises dans son appartement pendant sa toilette qu'elle prolongeait à dessein de se faire admirer. Souvent un intervalle assez long séparait le moment où on lui offrait sa chemise de celui où on la lui passait ; pendant ce temps, elle se promenait dans sa chambre avec autant d'aisance que si elle eût été totalement vêtue. Il y a sur cette toilette des détails qui paraissent incroyables, mais dont je n'aime pas à rappeler le souvenir, même dans le secret de ma pensée [174]. »

Naturellement, les amants occupaient la majeure partie du temps de Pauline. Il y avait celui du matin, celui du déjeuner, celui de l'après-midi et celui qu'elle gardait, si j'ose dire, pour la bonne bouche et qui avait le privilège de passer la nuit entière avec elle.

Ces messieurs étaient, bien entendu, choisis dans l'armée et plus spécialement dans l'état-major de Berthier. Le maréchal avait, en effet, l'habitude de s'entourer de très beaux officiers que la bagatelle attirait plus que le massacre...

Or, parmi ces jeunes gens, que l'on appelait « les dadais de Berthier », Pauline remarqua un jour le beau Jules de Canouville, chef d'escadron de hussards, dont le nez en bec d'aigle lui fit battre le cœur.

Elle l'attira à Neuilly pour une nuit, et en tomba amoureuse. Aussitôt, elle l'installa dans une aile du château et, rompant pour quelque temps avec les membres de son haras habituel, elle mena, à ses côtés, une vie presque conjugale.

174. Constant, *Mémoires*.

L'anecdote que nous rapporte Turquan nous montre que Canouville jouait parfaitement son rôle d'époux. Écoutons-le :

« Le dentiste Bousquet, qui était le dentiste à la mode, avait été appelé auprès de la princesse Pauline pour visiter la bouche et nettoyer les dents de Son Altesse Impériale. Il se rendit avec empressement à cet appel. On l'introduisit dans une chambre où était la princesse Pauline, vêtue d'un charmant déshabillé du matin. Sur une chaise longue, un joli jeune homme, paresseusement étendu, contemplait la princesse d'un œil langoureux. Le dentiste avait écouté avec respect les recommandations de Son Altesse, et celle-ci se disposait à ouvrir la bouche, quand le jeune homme, qui suivait de l'œil la scène, laissa tomber ces mots :

» — Monsieur, prenez bien garde, je vous prie, à ce que vous allez faire. Je tiens extrêmement aux dents de ma Paulette et je vous rends responsable de tout accident.

» — Soyez tranquille, mon prince, répondit le dentiste, je puis assurer à Votre Altesse Impériale qu'il n'y a aucun danger.

» Et l'homme se mit au travail. Tandis qu'il raclait avec un soin quasi religieux les dents de la princesse, le jeune homme continuait ses recommandations sur le ton de la plus tendre sollicitude. Enfin le dentiste se retira. En traversant le salon d'attente, les dames et les chambellans de service lui demandèrent des nouvelles de Son Altesse. Le dentiste rassura toutes les inquiétudes.

» — Son Altesse Impériale est très bien, dit-il ; elle doit être fort heureuse de l'attachement que lui porte son auguste époux et qu'il vient de témoigner devant moi d'une façon touchante. En vérité, cela réconforte le cœur de voir un ménage si uni...

» Personne ne se permit de détromper le sensible dentiste et de lui dire que le beau jeune homme qui l'avait tant édifié par sa sollicitude ''conjugale'' était le capitaine de Canouville. Mais, le praticien parti, chambellans et dames du palais ne purent retenir un fou rire qui retentit longtemps dans l'antichambre princière[175]. »

Hélas ! cette agréable existence devait se terminer par un éclat.

Le tsar Alexandre avait offert à Napoléon trois pelisses de zibeline d'un prix inestimable. Toujours généreux, l'Empereur donna la première fourrure à Pauline, la seconde à Désirée Clary, en souvenir de leur amour d'adolescence, et garda la troisième pour lui.

Or, un soir que Canouville s'était montré particulièrement fougueux, la princesse Borghèse, ne sachant comment le récompenser, lui fit cadeau de quelques diamants et de sa pelisse de zibeline. Ravi, le capitaine déclara qu'il porterait désormais cette merveilleuse parure avec son uniforme de cérémonie.

Quelques jours plus tard, Napoléon passait une grande revue dans la cour des Tuileries. Soudain, pour une raison inconnue, le cheval de M. de Canouville se mit à reculer malgré les efforts de son cavalier et vint donner du derrière dans le flanc de la monture de l'Empereur.

175. Turquan, *Les Sœurs de Napoléon.*

Furieux, Napoléon se retourna, vit Canouville et avisa la pelisse de zibeline.

— Quel est cet officier ? cria-t-il.

A ce moment, il reconnut également les boutons de diamants qu'il avait donnés à sa sœur en Italie.

Sa colère fut terrible :

— Berthier, hurla-t-il. Que font ici tous ces c... que vous avez autour de vous ? Pourquoi ne sont-ils pas à l'école de guerre ? Que signifie cette inaction quand le canon gronde quelque part ? Berthier !... Il faut tout vous dire et vous ne voyez rien !...

Penaud, Berthier, suivant sa déplorable habitude, se rongeait les ongles sans répondre.

— Eh bien ! dit l'Empereur, que M. de Canouville parte ce soir pour le Portugal. Il doit y avoir des dépêches à porter au prince d'Essling. C'est lui qui les portera...

Cet incident causa un énorme scandale à la cour.

Le soir même, le trop élégant capitaine roulait vers les Pyrénées, tandis que Pauline, rendue à sa solitude, cherchait déjà un nouvel amant...

Tandis que la princesse Borghèse « consommait à l'écart », comme disent les théologiens lorsqu'ils se penchent sur le problème de l'adultère, Canouville arrivait à Salamanque et se présentait chez la duchesse d'Abrantès que les événements militaires du Portugal avaient contrainte à se réfugier en Espagne.

Retenu à souper, il raconta ses amours avec Pauline, l'incident de la pelisse et la colère impériale. La duchesse, le voyant « tout gonflé de son chagrin », comprit qu'elle avait là une merveilleuse attraction à offrir à ses invités. Habilement, elle questionna Canouville sur les charmes et les qualités cachés de la princesse Borghèse.

Mis sur cette voie, le brave capitaine ne sut plus s'arrêter. Devant une assistance passionnée, il décrivit en pleurant les nuits d'amour passées avec Pauline, les postures qu'elle aimait prendre, les caresses qu'elle désirait et celles dont elle était prodigue.

Le plaisir qu'il semblait trouver au récit de ces moments prodigieux autorisait toutes les indiscrétions. Aussi les invités de la duchesse lui posèrent-ils bientôt, et sans cesser de garder un ton d'exquise compagnie, les questions les plus inouïes.

Certain s'enquérait de la couleur exacte du pelage de Pauline ; d'autres des mots qu'elle prononçait à l'ultime moment du plaisir ; d'autres, encore, du « durcissement de son tétin »...

Et Canouville, secoué par de gros sanglots à la pensée du paradis perdu, répondait à tout sans faire grâce du plus petit détail.

Jamais la duchesse d'Abrantès n'eut un dîner plus réussi.

A minuit, le capitaine, dont les joues luisaient encore de larmes, quitta la maison de Junot en compagnie du général Thiébault.

Écoutons celui-ci nous conter la fin de cette extraordinaire soirée.

« Je crus qu'il allait également prendre congé de moi et s'acheminer vers son gîte, mais il s'arrêta, et là, au milieu de la rue, reprenant son ton lamentable :

» — Mon général, me dit-il, auriez-vous le courage d'abandonner un malheureux jeune homme ?

» — Certes, non, lui répondis-je, et quand vous ne dînerez ou ne déjeunerez pas chez la duchesse, j'espère bien que vous regarderez ma table comme la vôtre.

» — Et pour cette nuit ?

» — Pour cette nuit ? Mais vous allez regagner votre lit et dormir.

» — Et quel lit ?

» — Parbleu, celui qu'on a préparé dans votre logement.

» — Je n'ai pas de logement.

» — Comment ? Vous ne vous êtes pas fait loger en arrivant ?

» — Non, mon général, et si vous m'abandonnez, je ne sais que devenir.

» Et, tout en éclatant de rire, je l'emmenai chez moi.

» Là, ce fut une autre parade. En effet, comme j'ordonnais à mon valet de chambre de lui faire dresser un lit dans mon salon, il reprit :

» — Mon général, vous êtes si bon.

» — Eh bien ?

» — Eh bien ! je suis trop malheureux pour coucher seul.

» — Ah ça ! Vous ne voulez pas coucher avec moi ?

» — Non, mon général ; mais de grâce, faites-moi faire un lit dans votre chambre.

» Et je le fis. Au lieu de me coucher, il me fallut entendre le récit de son bonheur et de ses infortunes ; là vinrent les moindres circonstances de sa brillante aventure, le panégyrique des qualités, des charmes de sa princesse, l'aveu de sa passion pour elle, passion partagée, puis les détails de tout ce qu'il imaginait pour amuser son idole, pour l'encenser ; tout, jusqu'aux vers peignant les situations les plus intimes où il s'était trouvé avec elle et que, pour qu'il pût mieux les dire, Talma lui avait appris à déclamer ; enfin, une investigation tellement minutieuse, tellement précise, de cette sculpturale personne que, si j'avais été statuaire, j'aurais pu faire la statue.

» Fournier prétendait que cette Paulette était le ''grand cheval de bataille de Canouville''. Le fait est que, toujours en selle, il aurait fallu le tuer pour le désarçonner [176]. »

Canouville ne demeura pas longtemps en Espagne. Dès qu'il eut remis les dépêches destinées au prince d'Essling, il grimpa sur un cheval et reprit, à bride abattue, le chemin de Paris, « les yeux fixés », nous

176. Général Thiébault, *Mémoires*.

dit Albert Fournier dans son style particulier, « sur l'horizon où se profilait le lit généreux d'une amante adorée »...

Huit jours plus tard, il arrivait à Neuilly et se précipitait dans l'appartement de Pauline. Le spectacle qu'il y découvrit le stupéfia. Dans un fauteuil, la princesse, « fort retroussée », était en train de se faire « reluire le bijou » par le capitaine de dragons Achille Tourteau de Septeuil, autre dadais de Berthier.

Canouville demeurant figé sur le pas de la porte, Pauline, sans abandonner son occupation, l'interpella gentiment :

— Eh bien ! entrez capitaine !

Mais l'officier secoua la tête. Plus tard, il avouera :

« Voir Septeuil effectuer grossièrement et sans talent une besogne que je faisais, moi, avec tant de tact et de délicatesse m'écœura. »

Il repartit immédiatement vers l'Espagne avec son gros chagrin.

Quelques semaines plus tard, Septeuil étant devenu l'amant de Mme de Barral, ex-maîtresse de l'Empereur (car tout le monde finissait par être un peu cousin de la main gauche dans cette délicieuse cour impériale), Pauline, furieuse, le fit envoyer en Espagne où il retrouva Canouville.

Pendant des mois, les deux hommes, pipe au bec, passèrent des soirées charmantes à se raconter leurs souvenirs respectifs sur la princesse lointaine...

Un jour, celle-ci apprit que Septeuil avait eu une jambe emportée au cours du combat de Fuentes. Elle poussa un cri :

— Oh ! c'est atroce !

Et, comme déjà on s'émouvait devant son chagrin, elle ajouta :

— Oui, c'est atroce !... Cela fait un bon danseur de moins...

Au début de 1810, un jeune officier allemand, Conrad Friedrich, se présenta au château de Neuilly pour demander une recommandation à Pauline.

Comme il était fort beau, la princesse se sentit animée par cet esprit de conquête qui caractérisait Napoléon et rêva d'étendre son empire sur ce territoire étranger...

— Revenez demain, lui dit-elle.

Discipliné, le jeune Allemand se présenta à l'heure convenue. Mais, cette fois, au lieu de le conduire dans le salon, le valet le fit entrer dans la salle de bains où Pauline, complètement nue sous une robe de mousseline transparente, finissait sa toilette.

Écoutons le jeune Conrad :

« Je reconnus aussitôt, nous dit-il, la jolie sœur de Napoléon, dont les formes opulentes et d'une si parfaite plasticité apparaissaient sous des draperies à chacun de ses mouvements. Elle me pria de m'asseoir auprès d'elle sur un moelleux lit de repos... »

Ayant fait là ce qu'ils avaient de mieux à y faire, la princesse et l'Allemand se sentirent l'estomac creux.

« Elle fit servir dans une pièce voisine, ajouta Conrad, un repas exquis, qui nous réconforta. Je dus promettre en me retirant de revenir bientôt ; et je passai ainsi plus d'un après-midi auprès d'elle. »

Naturellement, Pauline se lassa vite de ce beau Germain.

Mais pour le récompenser du plaisir qu'il lui avait donné, elle le fit nommer par Murat lieutenant de chevau-léger de l'armée napolitaine.

La répudiation de Joséphine causa une immense joie à la princesse Borghèse qui détestait sa belle-sœur. Le mariage de Napoléon avec Marie-Louise allait lui procurer des jouissances d'un autre ordre.

La cérémonie ayant amené à Paris un nombre considérable d'étrangers de qualité, Bernard Nabonne nous dit que la « princesse avait l'occasion, qu'elle ne voulait pas laisser échapper, de faire des comparaisons sur les mérites respectifs de chacune des races européennes » [177]. Successivement, elle mit en effet dans son lit un Autrichien, le prince Metternich ; un Polonais, le prince Joseph Poniatowski ; et un Russe, le colonel Czernicheff. Petit choix qui, venant après l'Italien Blangini et l'Allemand Friedrich, donna une idée de la façon dont Pauline concevait l'utilisation du Marché commun...

29

Pauline vend ses bijoux pour tenter de sauver l'empire

> Elle fut la sœur la plus fidèle et la plus aimante.
>
> ARTHUR LÉVY

La princesse Borghèse avait conservé, des années où elle courait en haillons sur les trottoirs de Marseille, ce goût populaire de la moquerie qui devait être un jour l'une des plus savoureuses caractéristiques de nos midinettes.

L'Empereur en eut la révélation au cours d'une cérémonie officielle. Pauline suivait l'Impératrice. Soudain, elle leva la main au-dessus des yeux, ferma tous ses doigts, sauf l'index et l'auriculaire, et, nous dit Bernard Auger, « simula de la sorte les proéminences osseuses que la nature a soudées au front des bovidés ».

« Geste, ajoute Fouché, que le peuple n'applique, dans ses grossières dérisions, qu'aux époux crédules et trompés [178]. »

Malheureusement, Napoléon, dont l'œil perçant n'était jamais en défaut, aperçut dans une glace le geste irrévérencieux de sa sœur. Il se leva, prêt à administrer une paire de gifles à cette altesse demeurée trop attachée aux manières désinvoltes du ruisseau marseillais. Mais Pauline, qui avait conservé également les réflexes de son enfance, détala à travers le salon et parvint à se soustraire à la colère impériale.

A la suite de cette gaminerie, qui avait beaucoup étonné les

177. BERNARD NABONNE, *Pauline Bonaparte*.
178. FOUCHÉ, *op. cit.*

diplomates étrangers de passage aux Tuileries, la jeune princesse fut priée de ne plus reparaître à la cour. Elle en fut navrée pendant quelques jours. Puis elle s'aperçut que cette interdiction lui permettait de se consacrer plus complètement au « joli jeu de la jointure », comme on disait alors dans la bonne société parisienne, et remercia son auguste frère.

Au cours de l'été de 1811, Pauline, sachant par expérience que les villes d'eaux étaient singulièrement propices aux « frictions d'épiderme », partit pour Aix-la-Chapelle [179].

A peine arrivée, elle prit deux amants, le comte de Montrond, bellâtre prétentieux qui s'était fait une réputation d'homme d'esprit en répétant les bons mots de M. de Talleyrand, et le colonel russe Ivanovitch Kabloukoff, colosse aux yeux clairs, dont la voix de basse faisait retentir l'alcôve princière d'interminables jurons caucasiens.

Les sens calmés par ces deux exceptionnels tâcherons, Pauline montrait à toute la ville un sourire angélique. Hélas ! la politique allait lui retirer une partie de sa joie de vivre. Au début de septembre, M. de Montrond, accusé par Fouché d'entretenir des relations coupables avec l'Angleterre, fut arrêté et incarcéré au château de Ham.

En apprenant cette nouvelle, la princesse Borghèse eut d'abord une crise de nerfs. Puis elle fit venir son beau colonel russe, lui demanda d'exécuter à lui tout seul le travail qu'il partageait naguère avec son collègue, constata que le tempérament slave, malgré son exubérance légendaire, avait les limites dont la nature s'est plu à borner les ardeurs humaines, s'en plaignit amèrement, se rhabilla à la hâte, fit ses malles et se rendit sur-le-champ à Spa pour s'y consoler avec d'autres messieurs...

Au bout d'une semaine, la jeune femme, agacée par la surveillance constante dont elle était l'objet de la part des services policiers de Fouché, quitta la Belgique et rentra à Neuilly.

Là, elle retrouva Canouville qui avait réussi à revenir d'Espagne et se cachait à Paris.

Napoléon ne tarda pas à être informé de ces « retrouvailles », et, pour la troisième fois, la foudre s'abattit sur le malheureux. A trois heures du matin, tandis que Pauline et le chef d'escadron se trouvaient dans l'attitude dite du « rosier grimpant », Berthier reçut le message suivant écrit de la main même de l'Empereur :

179. Les villes d'eaux, il faut bien le dire, ont eu de tout temps cette alléchante réputation. Chez les Romains, la station thermale de Baïes, par exemple — que Sénèque appelait la retraite du vice —, attirait plus d'oisifs à la recherche de plaisirs voluptueux que de malades authentiques. Au Moyen Âge, Bade, grâce à ses sources, était devenue l'un des grands lupanars d'Europe. Un vrai malade qui s'aventurait parmi les curistes était considéré comme un trouble-fête et l'on s'ingéniait à le faire mourir pour s'en débarrasser. Au XVIᵉ siècle, Plombières, où hommes et femmes se baignaient nus dans la même piscine, sous le prétexte de combattre une colique néphrétique, fut le théâtre d'incroyables orgies.

La morale stricte des temps modernes a, fort heureusement, mis fin à ces navrants désordres.

« Donnez ordre au chef d'escadron Canouville de partir aujourd'hui, à neuf heures du matin, pour se rendre à Dantzig, où il sera employé dans le 21e Régiment de Chasseurs comme chef d'escadron. Vous lui enverrez à Wesel son brevet, que vous prendrez chez le ministre de la Guerre. J'ai signé le décret qui le nomme. En conséquence, il cesse d'être votre aide de camp. Vous lui recommanderez de ne pas revenir à Paris, *même avec un ordre du ministre*, sans un ordre de vous. »

Cinq heures plus tard, Canouville, laissant Pauline en larmes, prenait, tête basse, le chemin de Dantzig...

Selon son habitude, la princesse Borghèse se consola bien vite. Quelques jours plus tard, elle faisait entrer dans son lit le lieutenant de Brack, jeune homme charmant et distingué, qu'une tournure légèrement efféminée avait fait surnommer par ses camarades *Mademoiselle de Brack*, et se chargeait d'en faire un homme...

Mais le rôle de professeur n'amusa pas longtemps Pauline. Lorsque le petit lieutenant eut appris le rudiment, elle le renvoya à sa caserne.

Après quoi, voulant éprouver des plaisirs un peu plus épicés, elle attira alors chez elle l'homme qui faisait battre le cœur de toutes les femmes, le plus grand tragédien du siècle, le seul acteur à qui Napoléon trouvait du génie, Talma lui-même...

Tout de suite, celui que les critiques de l'époque appelaient « le prince de l'attitude » tomba éperdument amoureux de Pauline. Malheureusement, il ne pouvait se défaire d'une certaine grandiloquence.

Au lit, par exemple, il exprimait son bonheur en hurlant des alexandrins de Racine, de Voltaire ou de Corneille. Ce qui ne laissait pas d'étonner les domestiques à l'affût derrière la porte.

Au mois de juin 1812, un peu fatiguée par les tirades ampoulées dont Talma truffait la moindre conversation, la princesse Borghèse désira revenir à des plaisirs moins scéniques. Elle se rendit alors à Aix-les-Bains et commença immédiatement sa chasse à l'homme. Hélas ! le tragédien amoureux vint bientôt la rejoindre, poussa des rugissements poétiques, pleura sur ses pas, déchira des mouchoirs et se mordit le poing.

Pauline, qui était, entre-temps, devenue la maîtresse d'un chef d'escadron d'artillerie, Auguste Duchand, fut prodigieusement agacée et fit tout pour éloigner ce trop bruyant soupirant.

Comme le pauvre ne comprenait pas et continuait à se frapper le cœur en criant : « *Ah ! voyez mes transports, Madame, j'ai mal là !...* », elle entreprit de le ridiculiser.

Un soir, dans son salon, alors qu'il était assis à ses pieds sur un coussin, elle annonça :

— Talma, maintenant, va nous faire rire ! N'est-ce pas, Talma, que vous voulez bien nous amuser avec des scènes de farce ?

C'était demander à un évêque de faire un numéro de main à main.

Talma blêmit. Mais Pauline lui caressa la tête et il finit par accepter.

Pendant une demi-heure, devant un auditoire moqueur, il s'efforça d'interpréter des scènes de comédie. Son ridicule fut sublime.

A quelques jours de là, Pauline organisa une promenade en barque sur le lac du Bourget. Talma, naturellement, était de la partie. Or, vers le soir, un orage éclata, obligeant tout le monde à se réfugier sous une tente édifiée à l'arrière du bateau. Soudain, la voix de Pauline retentit :

— Talma, sortez et dites-nous la *Tempête*.

— Mais il pleut à verse, bredouilla le malheureux.

— Justement, ce sera magnifique ! Allez sur le pont et criez la *Tempête* !

Docile, le tragédien sortit de la tente, s'élança sous la pluie, s'agrippa au mât et là, ruisselant, déclama Shakespeare.

« Il secouait la tête, conte la duchesse d'Abrantès, pour faire tomber de ses cheveux l'eau que l'écume des vagues lui jetait. »

— Bravo ! Bravo ! criait Pauline, c'est merveilleux !

Et pour mieux jouir de cette scène romantique, elle se pelotonnait contre Duchand, qui, sans aucune pudeur, se gaussait ouvertement de son prédécesseur.

Le soir, Talma se mit au lit avec une bonne bronchite en cherchant — vainement — à quel personnage de tragédie il pouvait bien ressembler.

Lui dire qu'il évoquait plutôt George Dandin n'eût servi qu'à faire monter sa température...

A la fin de septembre 1812, le tragédien reçut une lettre qui le troubla profondément. L'organisateur de tournées, avec lequel il avait signé un contrat, le priait de se rendre à Genève où un spectacle était prévu pour la semaine suivante.

Croyant que Pauline était toujours amoureuse de lui, il se demanda avec angoisse comment il devait lui annoncer la nouvelle.

Finalement, il alla s'agenouiller à ses pieds. Là, le regard fixé au plafond et le bras droit tendu comme pour réciter une tirade de *Britannicus*, il lui déclama ce discours plein de réminiscences qu'il avait écrit et appris par cœur :

— Ô Madame ! Ô ma reine ! Les dieux sont contre nous. Les liens que nous avions si patiemment tissés seront, hélas ! demain, victimes d'un destin aveugle et implacable. Ô douleur ! Ô mon grand désespoir ! Entendez, entendez, Madame, mes soupirs !...

Pauline, un peu surprise, essayait de comprendre ce qui arrivait à son amant :

— Êtes-vous souffrant ? dit-elle.

Talma gémit :

— Non, non, ma bien-aimée. Mais il faut que, demain, pour Genève je parte. Là-bas, tout un public par l'acteur alléché m'attend le cœur gonflé d'une joie sans pareille...

— Il faut que vous partiez pour Genève ? dit simplement Pauline. Mais allez, allez, mon ami...

Talma, heureux de voir que la jeune femme prenait bien la chose, voulut se montrer galant. Parodiant Polyeucte, il ajouta :

— Je veux, pour satisfaire un juste et saint amour, pouvoir un peu remettre et différer d'un jour...

Mais la princesse Borghèse était trop contente d'être enfin débarrassée de cet amoureux grandiloquent.

— Non, non, dit-elle vivement, vous vous devez à votre art. Il faut que vous partiez.

Le tragédien s'imagina que Pauline se sacrifiait pour lui. Il éclata en sanglots et embrassa les genoux de la jeune femme. Puis, comme s'il se fût agi d'un péplum, il déchira d'un coup sec le bas de sa redingote. Après quoi, le coude gauche levé sur les yeux, il sortit à grandes enjambées et regagna son appartement.

En voyant son amant partir ainsi, Pauline, qui aimait le théâtre, fut profondément émue. Elle envoya sa cámeriste rappeler Talma et passa avec lui une nuit savoureuse et agitée, où, nous dit Alain Perreau, « la poésie fut mêlée aux plus délicieux désordres ».

Au matin, le tragédien monta dans une voiture et quitta en pleurant la maison de la princesse Borghèse, sans se douter que sa belle amie était déjà dans les bras d'Auguste Duchand...

Le surlendemain, Talma, de Genève, envoya à Pauline ce mot passionné :

Mon amie, je t'ai donc quittée. Me voilà donc séparé de toi et séparé pour longtemps. Tu l'as voulu, mon éloignement était nécessaire, mais quel horrible sacrifice m'as-tu imposé. Ta bonté, les larmes que je t'ai vu répandre, les consolations que tu as versées dans mon cœur abîmé de souffrances, n'ont pu adoucir l'amertume de mes regrets, mais, du moins, elles y ont versé une lueur d'espoir.

Avant-hier, je suis parti au point du jour et j'ai pu encore regarder tes fenêtres pour la dernière fois. Pour une dernière fois, les yeux fixés sur ta chambre, je t'ai dit adieu dans ma pensée, le visage baigné de larmes...

La princesse lut cette lettre avec un ennui profond. Quelques jours plus tard, elle envoya une réponse polie à Talma, qui eut, en la lisant, l'impression désagréable de tomber, par erreur, dans une trappe, au troisième acte d'*Athalie*... Le sourcil bas, la bouche tordue par un rictus savant, il alla se coucher en poussant des gémissements préromantiques...

Dès qu'il fut remis, il prit sa plume et envoya à Pauline — en sanglotant — une longue missive dont voici un extrait :

Ah ! dis-moi, te rappelles-tu ces moments d'ivresse et de délire où tu m'as plongé ?... Te rappelles-tu les caresses qui me furent inspirées par toi seule (que toi seule as reçues de moi), tu les provoquais et je les prodiguais en mouillant mon visage de tes larmes ?...

Mais cette prose exaltée arriva à Aix au moment où la princesse Borghèse apprenait la mort, à la bataille de la Moskowa, de son cher Canouville. Elle jeta la lettre de Talma au panier.

Ne recevant pas de réponse, le tragédien traça un long cri de douleur sur quatre grands feuillets et l'envoya à Paris, où il était rentré :

Vous ne connaissez pas encore, Pauline, ce cœur qui s'est consacré à vous ; vous ignorez encore quelles atteintes profondes vous lui avez portées, avec quelle idolâtrie il vous chérit et vous révère, Pauline. Pauline, mon cœur est déchiré. Je n'ai rencontré ici que des personnes qui ont pu te voir... Ils me parlent de toi ; et moi, forcé de dévorer mon trouble et ma douleur devant eux, il faut que je compose mon visage et que j'affecte un langage indifférent pour leur dérober mon émotion et les angoisses d'un cœur que ton nom seul fait battre avec une affreuse violence... Ah ! Pauline, ma désolation est à son dernier terme.

Cette fois, encore, Pauline ne répondit pas. Alors Talma — qui aimait à se torturer — alla rôder vers le château de Neuilly, se délecta de souvenirs douloureux et envoya ce dernier mot à Pauline :

Oh ! mon amie, de quel trouble je me suis senti agité. Toutes les circonstances de notre liaison se sont présentées à la fois à mon souvenir ; tous mes membres étaient chancelants, je t'ai appelée par ton nom, comme si tu avais été là, et mes larmes ont coulé pour toi ; ô mon amie, à quelles peines m'as-tu condamné ?

Mais la princesse avait complètement oublié son grand homme. Elle jeta la lettre sans même la lire.

Elle préparait alors son départ d'Aix pour se rendre à Hyères où son médecin lui avait recommandé de passer l'hiver, et les pleurs de Talma l'importunaient.

Elle arriva au bord de la Méditerranée le 3 décembre, en compagnie de son cher Duchand dont la vertigineuse dépravation lui était un sujet constant d'émerveillement.

Hélas ! à la mi-janvier 1813, le fougueux militaire reçut l'ordre de rejoindre son régiment en Allemagne. Quand il fut parti, Pauline quitta Hyères où, nous dit Alain Perreau, « les pêcheurs avaient une odeur si forte qu'elle ne put se résoudre à en faire figurer un dans sa collection d'amants », et alla s'installer à Nice. Là, l'hygiène étant un peu plus respectée, la princesse ne tarda pas à se faire « farcir le rigondin » par des messieurs pleins d'allant...

A la fin du mois de juin, la vie calme de Pauline fut soudain troublée par d'alarmantes nouvelles.

Au cours du printemps, l'Europe entière s'était levée contre la

France. Les armées prussiennes, autrichiennes et russes se groupaient en Allemagne pour en finir avec « l'usurpateur ». Alors, Pauline oublia ses amants, ses jeux frivoles, ses bals et ses colifichets, pour ne penser qu'à son frère.

Sachant qu'il avait besoin d'argent pour équiper des hommes, elle vendit à la hâte ses plus beaux bijoux et réunit trois cent mille francs qu'elle mit à la disposition de l'Empereur.

Très ému par cette offre qui lui parvint juste après le désastre de Leipzig, Napoléon lui répondit :

J'accepte le don que vous venez de me faire ; mais la bonne volonté et les ressources de mes peuples sont telles que je crois mes moyens assurés pour faire face aux énormes dépenses qu'exigeront les campagnes de 1814 et de 1815... Si cette coalition de l'Europe contre la France se prolongeait au-delà et que je n'eusse pas obtenu le succès que je suis en droit d'espérer de la bravoure et du patriotisme des Français, alors je ferais usage de votre don et de tous ceux que mes sujets voudront me faire.

Au moment où son trône chancelait, une seule main se tendait vers l'Empereur.

Et c'était une main de femme...

30

Pauline meurt devant son miroir

> Elle fut coquette jusqu'à l'ultime instant.
>
> CLAUDE VILLET

La sagesse des nations nous enseigne qu'un malheur n'arrive jamais seul.

Cet axiome se vérifia singulièrement pendant l'hiver 1813-1814. Alors que les armées impériales abandonnaient les territoires où l'Empereur avait audacieusement mis le pied, Pauline, usée par les excès érotiques, perdait les belles formes où tant d'hommes avaient délicieusement mis la main.

Ainsi, tandis que notre pays revenait à l'hexagone, la sœur de l'Empereur devenait exiguë. Les Français, qui aiment à la fois la fesse et le panache, n'allaient se consoler ni de l'une ni de l'autre de ces catastrophes nationales...

Sur le moment, les amoureux de Pauline furent les plus accablés. Et, dans la crainte d'altérer encore la santé de leur belle princesse, ils lui cachèrent soigneusement les échos de l'autre désastre.

Lorsqu'elle demandait :

— Où est l'Empereur ?

On lui répondait :

— Il est devant l'ennemi.

Omettant de lui préciser que, si l'Empereur était ainsi devant l'ennemi, la chose ne pouvait s'expliquer que parce que l'ennemi se trouvait alors à ses trousses...

Ces bons soins n'empêchèrent pas la pauvre Pauline de s'affaiblir de jour en jour.

Son état est désolant, écrivait sa dame d'honneur, Mme de Cavour. Nous serons bien heureux si, en quatre mois, elle trouve assez de forces pour quitter d'ici. Elle est maigre à faire pitié ; tout la chagrine et l'irrite. Il faut lui épargner, autant qu'on peut, les mauvaises nouvelles.

Le 15 avril, elle se fit conduire au Luc, où un ex-député, M. Charles, avait mis à sa disposition le château de Bouillidou. C'est là qu'elle apprit l'abdication de l'Empereur.

Cette nouvelle l'anéantit.

Heureusement, quelques jours plus tard, on l'informa que Napoléon, en route vers l'exil, devait s'embarquer du côté de Saint-Raphaël. La pensée de revoir son frère lui rendit quelques forces. Elle écrivit à Bacciochi, le mari d'Élisa :

L'Empereur devant passer par ici, je veux le voir, lui offrir mes consolations et, s'il accepte que je le suive, je ne le quitterai plus. S'il me refuse, j'irai à Naples, près du roi (Murat)... Je n'ai pas aimé l'Empereur comme souverain ; je l'ai aimé comme mon frère, et je lui resterai fidèle jusqu'à la mort.

Le 25 avril, le cardinal Pacca, camerlingue du pape, qui rentrait à Rome après trois ans et demi de détention dans les prisons de Napoléon, fit étape au Luc.

Pauline le pria de venir la voir.

Le prélat se rendit au Bouillidou et fut effrayé :

Je trouvai, écrit-il dans ses Mémoires, la princesse abattue, décharnée, d'une pâleur mortelle. Si une des dames de sa cour ne me l'eût indiqué, je n'aurais pu croire que j'étais en présence de cette Pauline Bonaparte dont les journaux français avaient tant vanté les grâces et les charmes. Elle me fit un accueil gracieux et me parla de la chute de son frère avec douleur, mais avec beaucoup de jugement.

Le lendemain, enfin, Napoléon arriva, escorté des commissaires alliés chargés de le surveiller. Malheureusement, je l'ai déjà dit, il portait, pour se soustraire à la fureur du peuple, un uniforme autrichien. En le voyant ainsi, Pauline crut mourir. Alors l'Empereur, honteux, alla rapidement changer de costume, et la soirée fut délicieuse.

— J'aimerais que tu viennes vivre auprès de moi à l'île d'Elbe.

— Je te le promets.

Napoléon lui prit la main :

— Merci. Tu es la seule à qui je puisse demander cela. Car je sais que tu es la seule qui viendra avec plaisir.

Très émue, Pauline embrassa son frère.

Le 27, à l'aube, l'Empereur prenait la route de Fréjus, où il s'embarquait pour son royaume lilliputien.

Pauline ne se rendit pas tout de suite à l'île d'Elbe. Son entrevue avec Napoléon l'avait à ce point ragaillardie qu'elle sentit bientôt renaître une cuisante ardeur au plus secret de son intimité.

Elle écrivit à Duchand, qui, après la déroute des armées impériales, était libre, et le pria de venir la rejoindre d'urgence. Le jeune officier (il avait été fait colonel et baron sur le champ de bataille de Leipzig) arriva en courant et passa quinze jours exténuants au Luc.

Alors, un peu calmée, Pauline s'embarqua sur la frégate *Laetizia,* que Murat lui avait fait envoyer. Après une courte escale à Porto-Ferrajo où elle reçut des consignes précises de Napoléon, elle se rendit à Naples, chargée d'une mission secrète auprès de Murat.

Le rôle politique joué par Pauline au cours de ce voyage a été contesté par certains historiens. Pourtant, Jules Anglès, ex-chef de la police impériale passé au service des Bourbons, devait écrire à Louis XVIII :

Malgré la réserve que la peur inspire à Murat et peut-être à Bonaparte pendant le congrès (de Vienne), *on les croit tous deux d'accord : la princesse Borghèse, qui est allée de Naples à Porto-Ferrajo, aurait été la négociatrice de ce rapprochement... Puisque la princesse Borghèse passe de l'un à l'autre, c'est que Bonaparte et Murat s'entendent tous les deux.*

La reine de Naples confirme ces propos :

Napoléon, écrit-elle, *avait chargé la princesse Pauline d'aller à Naples apporter à Murat, avec son pardon, le conseil d'être prudent et de se tenir prêt pour des événements imprévus* [180].

Sa mission accomplie, Pauline alla s'installer à Porto-Ferrajo.

Son arrivée, nous dit un mémorialiste, *fut comme l'apparition d'un rayon de soleil sur cette petite cour sinistre.*

Pauline avait, en effet, un besoins maladif de s'amuser. Elle eût, dit-on, donné des fêtes sur le radeau de la *Méduse.* Elle en donna à l'île d'Elbe.

Écoutons Henri d'Alméras :

A peine arrivée, elle inaugura par un bal masqué le petit théâtre municipal de Porto-Ferrajo, construit par ordre de l'Empereur sur l'emplacement de l'église del Carmine. Déguisée en Maltaise, elle ouvrit le bal avec Cambronne. L'ancien volontaire de 1790 n'avait rien d'un

---

180. Dès que Napoléon aura quitté l'île d'Elbe, Murat prendra les armes contre les coalisés. Fait prisonnier, il sera jugé par une cour martiale et fusillé par les Autrichiens au Pizzo, le 13 octobre 1815.

freluquet de cour. Il se serait fort bien passé de l'honneur que lui faisait la princesse. Peut-être au moment où elle s'approcha, souriante, pour prendre son bras, le mot de Waterloo vint-il, par anticipation, aux lèvres du vaillant guerrier, mais il ne le prononça pas. Il fit bonne contenance. Seulement, en reconduisant Pauline, il ne put s'empêcher de lui dire :

— Princesse, je vous ai obéi ; j'ai dansé, mais j'aurais mieux aimé aller au feu [181].

Entre deux bals, Pauline, qui ne pouvait vivre sans amour, s'efforça de séduire Drouot, dont Napoléon avait fait le gouverneur de sa petite capitale.

Mais le brave général était chaste. De plus, il avait peur, en se lançant dans une aventure avec la princesse Borghèse, de faire de la peine à sa maman. Il repoussa donc avec fermeté toutes les avances de la jeune femme qui dut se consoler avec des Elbois moins farouches.

Après le départ de Napoléon, Pauline s'enfuit en Italie, où le colonel autrichien Joseph Werkleins la fit mettre en résidence surveillée.

Au début de juin, sa santé s'étant de nouveau altérée, elle fut autorisée à aller prendre les eaux de Lucques. C'est dans cette ville qu'elle apprit le désastre de Waterloo.

La nouvelle la foudroya. Cette fois, l'extraordinaire existence qu'elle menait grâce à son frère depuis quinze ans était bien finie...

Pendant que Napoléon partait pour Sainte-Hélène, Pauline alla se réfugier à Rome où le pape l'avait autorisée à revenir.

Là, elle apprit que Borghèse vivait maritalement, à Florence, avec sa cousine. Furieuse, elle lui demanda de reprendre la vie commune. Le prince répondit qu'il n'y tenait pas.

Pauline s'intégra vite à la société romaine. Toutefois, ce qu'elle appelait « le martyre de l'Empereur » l'empêchait de paraître dans les bals et les fêtes qu'elle avait naguère tant aimés.

A plusieurs reprises, elle demanda aux Anglais l'autorisation de se rendre à Sainte-Hélène pour y soigner son frère. Le 11 juillet 1821 elle écrivait encore à Lord Liverpool, Premier ministre britannique, une longue lettre, dont voici un extrait :

Je vous prie, Mylord, d'avoir la bonté de solliciter sans délai l'autorisation auprès de votre gouvernement, afin que je puisse partir le plus tôt possible.

La pauvre ignorait qu'à ce moment Napoléon était mort depuis plus de deux mois déjà.

Elle n'apprit la nouvelle que le 16 juillet et tomba évanouie...

Dès lors, son état s'aggrava. Elle eut encore une dernière liaison

---

181. Henri d'Alméras, *Une amoureuse : Pauline Bonaparte.*

avec un jeune compositeur, Giovanni Pacini, puis elle s'affaiblit lentement.

En 1824, elle se réconcilia avec le prince Borghèse, qui vint vivre avec elle.

— Je n'ai jamais aimé que toi, lui disait-elle.

Ce qui était, il faut l'avouer, une déclaration pour le moins inattendue.

Enfin, le 9 juin 1825, elle se sentit soudain très lasse. Elle fit venir auprès de son lit Borghèse et Jérôme.

— Donnez-moi un miroir, dit-elle.

Alors elle se regarda longuement, profondément. Puis elle murmura :

— Après ma mort, mettez-moi un voile sur le visage, et, je vous en prie, épargnez-moi l'autopsie...

Borghèse le lui ayant promis, elle reprit son miroir et se contempla de nouveau avidement.

Les deux témoins de cet extraordinaire spectacle n'osaient faire un geste. Soudain, le miroir tomba...

Notre-Dame des Colifichets venait de mourir à quarante-cinq ans, pensant qu'elle était toujours belle...

Au moment où Pauline disparaissait, l'Empire, déjà, semblait bien loin. Les Bourbons, représentants de la légitimité, étaient revenus au pouvoir et tout le monde pensait que la monarchie allait de nouveau présider aux destinées de la France pour mille ans.

Bientôt, tout devait être remis en question. Et, après une royauté bourgeoise suivie d'une république délirante, une femme allait — par amour — aider un Bonaparte à remonter sur le trône impérial...

Une femme, mais pas n'importe quelle femme.

Le destin, avec son habituelle malice et son sens du vaudeville, choisira, pour cela, une Anglaise...

Livre IX

LA RESTAURATION GALANTE

Pour moi, il faut que j'aie le cœur plein.
NAPOLÉON III.

1

M. Thiers est poussé vers le pouvoir par Mme Dosne

> Qu'une vie est heureuse qui commence
> par l'amour et finit par l'ambition.
>
> STENDHAL

Le 12 septembre 1822, à 8 heures du matin, dans une prairie de Montmartre, deux hommes accompagnés de leurs témoins respectifs se tenaient face à face, un pistolet à la main.

Le premier, grand, fort, rougeaud, avait cinquante ans. C'était un ancien soldat de l'Empire. Il s'appelait M. Bonnafoux.

Le second, petit, étriqué, portant de grosses lunettes qui lui cachaient la moitié du visage, avait vingt-cinq ans. Il se nommait Adolphe Thiers...

A l'origine de leur différend se trouvait naturellement une femme. A Aix, où il avait fait ses études de droit, Adolphe Thiers était tombé amoureux de Mlle Bonnafoux et lui avait promis le mariage. Puis il était venu à Paris pour y conquérir la fortune, avait connu des jeunes femmes dont les situations pouvaient servir son ambition et s'était empressé d'oublier la petite provinciale. Alors, M. Bonnafoux avait pris la diligence et était venu demander au jeune Rastignac de remplir ses engagements.

Adolphe lui ayant répondu que son métier de rédacteur au *Constitutionnel* l'empêchait pour le moment de prendre femme, l'ancien grognard l'avait provoqué en duel.

Voilà pourquoi ces deux hommes qui avaient failli être gendre et beau-père se trouvaient ce matin-là sur le pré.

Au signal donné par l'un des témoins, M. Bonnafoux tira, mais manqua son adversaire. Thiers, beau joueur, tira en l'air. Le duel était terminé.

Les deux hommes se quittèrent sans se réconcilier, regagnèrent leurs voitures et redescendirent vers Paris par des chemins cahotants.

Assis au milieu de ses témoins, Adolphe Thiers était songeur et un peu triste. Il pensait que, sur le coup de feu qui venait de claquer dans le ciel de Montmartre, s'achevait irrévocablement sa vie de jeune Provençal.

Ses yeux de chat brillèrent derrière les lunettes ovales :

— Maintenant, mes amis, dit-il, il faut conquérir Paris...

Pour arriver à ses fins, le petit Marseillais — qui était d'origine grecque[1] — était bien décidé à employer tous les moyens, y compris ceux qui sont donnés par les dames[2].

Pourtant, une certaine timidité l'arrêtait. Son expérience amoureuse n'étant pas encore très grande, il craignait de paraître par trop novice avec les belles aristocrates dont il espérait obtenir la protection. Méticuleux dans ce domaine, comme il l'avait été dans ses études et comme il le sera plus tard en politique, il décida de prendre des leçons auprès de femmes expérimentées.

On le vit dès lors presque tous les soirs en compagnie de demoiselles de petite vertu.

D'une main habile, ces braves filles fourbissaient sans le savoir les armes qu'allait bientôt utiliser le petit journaliste pour conquérir les salons parisiens.

Bûcheur et intelligent, Adolphe Thiers ne tarda pas à égaler ses professeurs. Il inventait des problèmes hardis et les résolvait avec une maîtrise et une souplesse qui eussent émerveillé les auteurs du Kama-Soutra eux-mêmes.

Alors seulement, il osa courtiser une femme du monde.

Pressé d'arriver, il visa tout de suite très haut et s'attaqua à Dorothée de Courlande, duchesse de Dino, qui était la nièce et la maîtresse intermittente de M. de Talleyrand.

« Elle avait, nous dit André Germain, quelques années de plus que lui ; pour un débutant dans les lettres et la politique, une liaison avec une telle femme, c'était une sorte de brillant volontariat[3]. »

Naturellement, l'expérience qu'Adolphe avait acquise dans le lit des dames du Palais-Royal émerveilla la jolie duchesse. Un matin, après une nuit particulièrement bien remplie, elle alla trouver son oncle et lui vanta l'intelligence du petit Provençal, son érudition, la sûreté de son jugement et la profondeur de ses vues politiques.

Le vieux renard devina tout de suite, bien entendu, par quelles qualités cachées l'enthousiasme de Dorothée était provoqué. Mais, flairant, en ce journaliste ambitieux et sans grands scrupules, un instrument de choix pour reconquérir le pouvoir, il fit taire sa jalousie.

A ce moment — on était en 1826 — Talleyrand travaillait secrètement au renversement de Charles X. Inspirant des articles dans la presse d'opposition, suscitant des haines contre le pouvoir, grossissant des amertumes, il espérait bien faire chasser, une fois de plus, les Bourbons de France.

Le petit Thiers, qui avait une tribune au *Constitutionnel,* pouvait être un auxiliaire précieux.

1. Sa grand-mère Amic, de nationalité grecque et de famille cypriote, avait été épousée à Constantinople par Pierre-Louis-Marie Thiers.
2. « Pour Thiers [...] les femmes idéales — qu'il recherche — sont de préférence celles qui peuvent le présenter à des personnalités qu'il ne connaît pas, le documenter, lui apporter un renseignement, celles qui, en connaisseurs, apprécient son talent, sa verve endiablée. » CHARLES COMARET, *Un vrai chef d'État, Monsieur Thiers.*
3. ANDRÉ GERMAIN, *Les grandes favorites,* 1815-1940.

Il le rencontra, le séduisit facilement et lui dit en souriant :

— Un jour, monsieur Thiers, vous serez ministre... Mais pour cela, il faut que le Palais-Royal se rende aux Tuileries...

Au Palais-Royal se trouvait Louis-Philippe d'Orléans, fils de Philippe Égalité, qui vivait très bourgeoisement avec sa femme Marie-Amélie et ses enfants. La phrase de l'ancien évêque d'Autun était donc claire. Pour que les ambitions d'Adolphe Thiers pussent se réaliser, il fallait que Charles X cessât de régner et que le duc d'Orléans montât sur le trône...

Le jeune journaliste comprit parfaitement ce qu'il devait faire et ce qu'on attendait de lui. Dès ce moment, il attaqua avec verve, âpreté et, il faut le reconnaître, beaucoup d'intelligence, les décisions prises par les premiers ministres successifs de Charles X. Le public commença à le connaître, les salons s'ouvrirent devant lui, il devint un polémiste à la mode.

En 1829, devinant que, sous le règne du monarque dont il préparait l'avènement, la bourgeoisie occuperait une place prépondérante et se substituerait peu à peu à l'aristocratie, Adolphe Thiers pensa qu'il était prudent de s'assurer, sans attendre, des appuis dans cette classe méfiante.

Il devint alors l'amant de Mme Dosne, épouse d'un important agent de change qui s'était enrichi en spéculant sur les terrains.

Ainsi protégé à droite et au centre par deux ravissantes dames, le petit Thiers n'avait nul besoin de se chercher une moitié...

Mme Dosne avait fait la fortune de son mari en s'allongeant sur des canapés avec tous les financiers de l'époque.

C'était ce qu'on appelle une femme de tête.

Elle notait en bourgeoise méticuleuse et ordonnée le nom de ses amants sur un carnet et faisait chaque mois le compte de ce qu'elle avait pu en obtenir. Ceux qui ne s'étaient pas montrés suffisamment utiles ou efficaces n'avaient plus droit, suivant le mot des intimes, au « berlingot de Sophie »...

Depuis longtemps, la jeune femme rêvait d'avoir un salon politique et de recevoir chez elle des hommes d'État, des diplomates, des journalistes. Le petit Thiers, pensait-elle, pouvait lui apporter tout cela.

Ce minuscule personnage qui l'avait, dès leur première rencontre, prodigieusement agacée par ses gilets aux tons criards, sa faconde, son accent et son insupportable aplomb, irait loin, elle le pressentait. Malgré le peu de sympathie qu'il lui inspirait, elle l'avait donc fait entrer dans son lit avec l'espoir d'être ainsi liée à un destin exceptionnel.

Charles Pomaret, qui s'est penché avec un œil d'entomologiste sur ce couple ambitieux et arriviste, écrit :

« Sophie est mariée depuis quelque quatorze ou quinze ans quand Thiers lui est présenté. Quelle aubaine ! Cette femme mal née et qui n'envie pas la noblesse a du bon sens et de l'ambition politique. Elle est libérale et s'entend vite avec ce jeune Méridional qui fréquente les ventes des carbonari. Son génie, sa chance ? C'est simplement de pressentir l'avenir du petit journaliste, de deviner chez cet être sautillant, un homme exceptionnel, ambitieux. Elle l'aidera à "aller". Elle s'accroche à lui. Elle est sa confidente, son témoin, son disque enregistrant. »

Sophie ignorait, bien entendu, que, de son côté, le petit Marseillais entendait profiter de sa liaison avec elle pour gravir quelques échelons. Pendant plusieurs semaines, leurs ébats furent donc strictement utilitaires.

Puis Thiers se laissa prendre par le plaisir et fit tant et si bien que Mme Dosne émerveillée, subjuguée, ronronnante, tomba réellement amoureuse de lui.

— Je ferai de toi le plus grand homme d'État français, lui disait-elle, lorsqu'il avait bien œuvré.

Et le futur libérateur du territoire la remerciait d'un geste bien placé...

Le 1er janvier 1830, Thiers devint, avec ses amis Mignet et Armand Carrel, codirecteur d'un nouveau journal d'opposition, *Le National,* financé par Talleyrand.

Ce quotidien, qui était favorable au duc d'Orléans, publia tout de suite des articles extrêmement violents contre le régime. « Dès son premier numéro, écrit Sainte-Beuve, il mit la révolution en état de siège. »

Bien entendu, Mme Dosne exultait :

— Ce journal va te faire connaître de toute la France ! Continue... Attaque ce roi qui règne mais ne gouverne pas. Et attaque Polignac dont le ministère est une insulte au pays [4].

La politique maladroite de Charles X allait aider brusquement Sophie à pousser son amant vers le pouvoir.

Le 26 juillet 1830, *Le Moniteur* publia les fameuses ordonnances royales suspendant la liberté de la presse. Aussitôt, les journaux de l'opposition se groupèrent pour protester. En apprenant cette nouvelle Sophie exulta.

— C'est le moment d'agir, Adolphe. Cours à ton journal et dirige le combat, parle, crie, fais en sorte qu'on ne voie que toi... Et la partie est gagnée.

Thiers bondit au *National,* rue Saint-Marc, se fraya un chemin dans la foule de ses confrères qui tenaient déjà une réunion, donna de la tête, donna du pied, cria plus fort que tout le monde, gesticula, monta

4. Polignac, dont la mère avait été l'amie de Marie-Antoinette, était adoré du roi qui l'appelait familièrement Jules. Il est vrai que Charles X, alors qu'il était comte d'Artois, avait été l'amant de Guichette, la ravissante duchesse de Guiche, sœur de son ministre.

sur la table, fit un discours et finalement fut chargé de rédiger lui-même le texte de protestation.

On lui donna une grande feuille de papier. D'une écriture nerveuse, il y traça tout ce qu'il disait à sa maîtresse au cours de ses interminables bavardages politiques d'après l'amour, et signa le premier.

« A ce moment, dit Maurice Reclus, il entrait dans l'Histoire. Il ne devait en sortir que quarante-sept ans plus tard, par la grande porte... »

Le 27 juillet, toujours fort excité par Mme Dosne, Thiers réunit un grand nombre d'électeurs dans les salons du *National* et les entraîna chez Casimir Perier « pour tenter de susciter une action parlementaire ». Après quoi, il regagna son journal, rédigea un violent appel aux armes et rentra se coucher tandis qu'au Palais Royal et place des Victoires les premiers coups de feu claquaient.

A l'aube du 28, les principales rues de la capitale étaient obstruées par des barricades ornées de drapeaux tricolores. Paris, en ce beau matin d'été, attendait les soldats de la garde. Lorsqu'ils parurent, une grêle de projectiles de tout ordre, pavés, briques, meubles, bouteilles, s'abattit sur eux. Puis la fusillade commença. Une demi-heure plus tard, on se battait furieusement rue Saint-Antoine, place de la Bastille, à la Madeleine, devant l'Hôtel de Ville et autour de la porte Saint-Denis.

« Coups de fusil, cris des blessés, hurlements des femmes, roulements de tambour, clameurs — écrit Michelet — constituaient la musique sublime de cet hymne improvisé par le peuple sur des paroles que personne n'avait eu à lui souffler et qui étaient : Vive la Charte ! A bas les ordonnances ! A bas les Bourbons !... »

Adolphe écouta cette rumeur alarmante derrière ses volets, se frotta les mains et courut se calfeutrer dans le fond de son cabinet. Il y resta toute la journée, pendant que Parisiens et militaires s'entre-tuaient.

Le soir, le canon fit soudain trembler le petit Thiers. Effaré derrière ses grosses lunettes, la tête enfoncée dans son immense cravate, il écoutait l'écho de cette révolution qu'il avait aidé à déclencher ; et cet écho lui faisait peur.

A dix heures, Royer-Collard vint l'informer que la capitale devenait un endroit dangereux. Épouvanté, le farouche tribun prépara rapidement une valise, s'enfonça un chapeau sur les yeux, courut jusqu'à un fiacre et se fit conduire à bride abattue en direction de Pontoise.

A Bessancourt, il s'arrêta pour dormir un peu dans une auberge.

A peine était-il au lit qu'un grand fracas retentit dans l'escalier. Le drap tiré jusqu'au menton, le pauvre Adolphe grelottait de peur lorsqu'il entendit une voix familière à travers la porte.

— Monsieur Thiers ! Levez-vous !...

C'était son domestique qui, dépêché à sa suite par des amis, venait l'informer que le succès de la Révolution était certain et qu'il n'y avait plus rien à craindre.

Immédiatement, Thiers se transforma. Fronçant les sourcils, il prit un air terrible :

— Retournons à Paris, nous aussi, et allons aider ces braves !

Le 29 à l'aube, il arrivait dans la capitale et tombait en pleine victoire populaire : les Tuileries étaient prises, la garde royale s'était rendue, le drapeau tricolore flottait sur l'Hôtel de Ville.

Le petit homme se fit conduire chez Mme Dosne qui le gronda pour s'être enfui de Paris au moment où le pouvoir était à la portée de sa main.

— Maintenant, va chez Laffitte, c'est là que va se jouer la partie.

Thiers se rendit chez le banquier où les chefs de l'opposition étaient, en effet, en train de conférer. Certains proposaient d'organiser une entrevue avec Charles X, installé dans sa résidence d'été de Saint-Cloud.

Adolphe s'y opposa avec vigueur.

— Plus de Bourbons ! cria-t-il.

Puis il prit son ami Mignet par un bras, courut jusqu'à l'imprimerie du *National* et rédigea une proclamation en faveur du duc d'Orléans :

« Charles X ne peut plus rentrer dans Paris ; il a fait couler le sang du peuple. La République nous exposerait à d'affreuses divisions ; elle nous brouillerait avec l'Europe. Le duc d'Orléans était à Jemmapes. Le duc d'Orléans a porté au feu les couleurs tricolores ; lui seul peut les porter encore ; nous n'en voulons pas d'autre. Le duc d'Orléans s'est prononcé ; il accepte la Charte comme nous l'avons toujours voulue. C'est du peuple français qu'il tiendra la couronne. »

Au moment de mettre ce texte sous presse, Mignet eut un scrupule :

— Tout cela est très bien, mais le duc d'Orléans n'est pas prévenu !

Alors Thiers modifia la dernière phrase et fit imprimer : « Le duc d'Orléans ne se prononce pas ; il attend notre vœu ! »

Le lendemain, 30 juillet, cette affiche était collée sur tous les murs de Paris. Pendant que les badauds la lisaient avec un peu d'étonnement, M. Thiers, monté sur un poney, avec ses bas blancs, ses escarpins et son grand chapeau, arrivait, après mille incidents, au château de Neuilly, résidence d'été du duc d'Orléans.

Il fut reçu par la duchesse Marie-Amélie et Madame Adélaïde, sœur de Louis-Philippe.

— Son Altesse Royale n'est pas ici.

Le Marseillais expliqua avec force gestes qu'il devait voir le duc le plus rapidement possible. Madame Adélaïde parut embarrassée. Il lui était difficile d'expliquer que son frère, dès les premiers coups de feu, était allé se cacher au Raincy, chez un de ses gardes forestiers.

— De quoi s'agit-il ? dit-elle seulement.

Thiers savait quelle influence Madame Adélaïde avait sur le prince.

— La Chambre, dit-il, a décidé que le duc d'Orléans serait lieutenant général du royaume. Il est urgent que Son Altesse Royale se montre à Paris.

Les deux femmes, fort surprises, ne pensèrent pas à demander à

M. Thiers par qui il était accrédité auprès de la branche cadette et qui l'envoyait à Neuilly. Heureuse omission, car il eût été fort difficile au petit journaliste d'avouer que seule Mme Dosne était à l'origine de sa démarche...

Le soir même, le duc d'Orléans rentrait au Palais Royal.

Le 9 août, il était roi des Français [5]...

Alors, Mme Dosne, ravie, embrassa son petit Adolphe.

Elle allait avoir le plus beau salon politique de Paris...

Trois semaines après les Trois Glorieuses, les Parisiens, qui avaient chassé le dernier représentant des Bourbons et ramené le drapeau tricolore, se désintéressaient déjà de la politique [6].

Alors que le petit Thiers, pourvu d'un secrétariat général au ministère des Finances, se démenait pour devenir ministre et faisait nommer M. Dosne, le mari de sa maîtresse, trésorier général du Ministère, toute la capitale dansait, mangeait des glaces et se montrait avide de potins.

Une aventure assez savoureuse allait lui permettre de se régaler.

Le 25 août, jour de la Saint-Louis, la femme d'un avocat, Me Baudez, organisa une petite réception en l'honneur de son mari dont c'était la fête. « Jusque-là, nous dit Mme de Vassy, qui conte l'anecdote, on ne peut que louer les bons sentiments qui animaient cette dame. Hélas ! elle était espiègle et l'idée de convier son amant, jeune agent de change, à la fête de son mari l'amusa. Cette idée devait provoquer le plus épouvantable des scandales [7]. »

Au cours de la soirée, Me Baudez proposa à ses invités de visiter sa collection d'automates. Tout le monde poussa des cris de joie.

— Certaines de ces machines, dit-il avec orgueil, ressemblent à s'y méprendre à la nature.

Mme Baudez déclara qu'elle demeurerait au salon pour préparer de nouveaux rafraîchissements.

— Je reste avec vous, déclara galamment l'agent de change.

« Et voilà tous les invités partis à la suite de l'avocat. Pendant près d'une heure, Me Baudez fit fonctionner, devant un public émerveillé, des canards mangeant du grain, des oiseaux chanteurs, des poupées dansant la pavane, des chiens galopant et des joueurs d'échecs. »

— Mais j'ai mieux encore, dit l'avocat en se rengorgeant. Suivez-moi. Je vais vous montrer mon plus bel automate, celui dont le mouvement est le plus perfectionné.

5. Le 2 août, Charles X avait abdiqué en faveur de son petit-fils, le duc de Bordeaux. Son fils, le duc d'Angoulême, qui ne pouvait avoir de postérité, avait dû, au même instant, renoncer au trône. Le fils de la duchesse de Berry, dernier descendant de la branche aînée, était donc devenu roi — à dix ans — sous le nom de Henri V...

6. Charles X s'était embarqué le 16 août à Cherbourg, à destination de l'Angleterre. Il devait mourir en Italie, à Goritz, en 1836.

7. Mme DE VASSY, Les dessous de la monarchie de Juillet.

Il entraîna alors ses amis vers un petit boudoir, ouvrit la porte et dit simplement :

— Regardez.

Il y eut un silence pesant.

Le spectacle qui s'offrait aux yeux des invités n'était pas du tout celui qu'avait prévu l'avocat. Sur un canapé, un couple était bien animé de « mouvements naturels », mais il s'agissait de Mme Baudez et de l'agent de change qui se prouvaient leurs bons sentiments.

Finalement, Me Baudez poussa un juron qui ramena les délinquants à la réalité. Ce fut alors un concert de cris, un déluge de larmes, une course effrénée après les vêtements épars, et la soirée fut gâchée...

Cette histoire vint aux oreilles du roi qui s'en régala. Louis-Philippe, en effet, adorait les potins d'alcôve et, tous les matins, son ministre de l'Intérieur, grâce au Cabinet Noir, lui livrait la petite gazette secrète de Paris.

C'est ainsi qu'il connut bientôt les détails les plus intimes de la liaison de M. Thiers et de Mme Dosne.

Il savait, par exemple — et la chose le ravissait —, que M. Thiers adorait se promener tout nu devant sa maîtresse et improviser, dans cette tenue paradisiaque, des discours politiques du plus grand sérieux.

Le contraste amusait beaucoup Mme Dosne.

Quand il avait imité le style oratoire de Laffitte, du baron Louis, de M. de Broglie, de Dupont de l'Eure, de Molé et de Casimir Perier, le fougueux Adolphe, les sens revigorés par cette petite exhibition, regrimpait dans le lit et faisait subir de délectables outrages à la belle Sophie...

Après quoi, mous comme chiffes, tous les deux s'entretenaient de l'avenir de la monarchie.

— Elle en fera un ministre, dit un jour Louis-Philippe à Guizot.

— Ce petit bonhomme vulgaire ? Jamais !

— Vous verrez !... Le peuple aime les polichinelles libertins...

Et le roi des Français éclata de rire.

Un scandale allait l'éloigner pendant quelque temps des potins d'alcôve.

2

Le prince de Condé fut victime de ses curieuses distractions d'érotomane

> La recherche de la volupté
> donne souvent bien des tracas...
>
> Jean Chouquet

Le 27 août 1830, aux premières heures de la matinée, le château de

Saint-Leu, demeure de Son Altesse le duc de Bourbon, dernier prince de Condé, était silencieux.

Le maître de maison n'avait pas encore informé la domesticité de son auguste réveil. La baronne de Feuchères, sa maîtresse, dormait, et le sous-officier de gendarmerie dont cette dame se régalait en secret avait regagné le village après une nuit que le petit personnel, au courant de toutes les intrigues du château, espérait bien remplie...

Vers huit heures, Lecomte, le valet de chambre, vint frapper à la porte de son maître. Dépourvu d'ambition, il désirait simplement pénétrer dans la pièce.

En réalité, c'est dans l'Histoire qu'il allait entrer...

Lecomte, n'ayant obtenu aucune réponse, pensa que Mme de Feuchères fatiguait décidément Son Altesse, âgée de soixante-treize ans, et se retira.

A neuf heures, il revint et frappa de nouveau. Sans plus de résultat. Intrigué, il tourna le bouton de porte avec précaution. En vain. A l'intérieur, le verrou était tiré.

Cette fois, Lecomte fut alarmé. Jamais, en effet, le duc de Bourbon ne s'enfermait dans sa chambre. Le valet se tourna vers le docteur Bonnie qui venait, comme chaque matin, pour donner ses soins au vieillard :

— Qu'en pensez-vous ?

Le médecin ne cacha pas son inquiétude :

— Je crains le pire, dit-il. Il faut aller prévenir Mme de Feuchères.

En courant, les deux hommes descendirent au rez-de-chaussée jusqu'à l'appartement de la baronne. Celle-ci était couchée. A travers la porte, ils lui firent part de leur anxiété :

— Je vais monter, leur cria-t-elle. Quand il entendra ma voix, il répondra !

Elle sortit à demi vêtue, les pieds nus dans ses pantoufles, et monta l'escalier en ajoutant :

— Si le prince ne répond pas, il faudra enfoncer la porte. Il a peut-être une attaque... Une saignée lui fera du bien !...

Devant la porte de son amant, elle cria :

— Monseigneur !... Ouvrez, Monseigneur !... Ouvrez !... C'est moi, Monseigneur !...

Comme personne ne répondait, elle dit à Lecomte :

— Vite, vite ! il faut enfoncer la porte. Allez chercher Manoby et dites-lui d'apporter un instrument qui puisse faire office de bélier...

L'instant d'après, l'officier de maison faisait sauter un des vantaux avec une masse de fer...

La baronne et les trois hommes pénétrèrent dans la chambre. A la lueur d'une chandelle qui finissait de se consumer auprès du lit vide, ils aperçurent, près de la fenêtre, le duc appuyé contre les volets intérieurs, immobile et dans la position de quelqu'un qui écoute. Le docteur Bonnie se précipita et poussa un cri : le duc de Bourbon, père du duc d'Enghien, dernier des Condé, était pendu à l'espagnolette au moyen de deux mouchoirs...

Crime ou suicide ?

Tout concourait naturellement à faire croire au suicide : la porte de la chambre fermée de l'intérieur, l'ordre qui régnait dans la pièce, le corps vierge de toute trace de violence. Toutefois, pour le docteur Bonnie, bien des raisons rendaient ce suicide impossible. « Pour se pendre, dit un proverbe, il est nécessaire de se passer la corde au cou. » Or, ce geste, le duc ne pouvait l'exécuter. Une fracture de la clavicule l'empêchait en effet de lever le bras gauche ; de plus, depuis la bataille de Beristein, en 1795, où il avait perdu trois doigts, il se servait difficilement de la main droite. Dans ces conditions, comment aurait-il pu faire le nœud savant qui attachait les mouchoirs ?

Enfin, le duc de Bourbon considérait le suicide non seulement comme un péché, mais aussi comme un crime. Douze jours avant sa mort, il avait dit à son dentiste, M. Hostein :

— Il n'y a qu'un lâche qui puisse se donner la mort !...

Alors ?

Tandis que le docteur Bonnie réfléchissait, Mme de Feuchères était tombée dans un fauteuil. Avec un sens aigu des convenances, elle se tordait fort joliment les bras en poussant des cris lugubres. Soudain, elle émit une plainte plus déchirante que les autres et dit :

— Oh ! il est bien heureux que le prince soit mort de cette manière. S'il était mort dans son lit, on n'aurait pas manqué de dire que je l'avais empoisonné !...

Le docteur fut profondément choqué. Il ne dit rien cependant et continua d'examiner le corps de Son Altesse qui pendait toujours. Un détail singulier le frappa : les pieds du défunt n'avaient pas entièrement quitté le sol ; leur extrémité touchait le tapis...

Curieux pendu !

Vers onze heures du matin, le roi fut informé de la découverte du docteur Bonnie et de Lecomte. Très ému, il envoya à Saint-Leu le baron Pasquier, président de la Chambre des pairs.

L'après-midi, celui-ci, ayant fait son enquête, adressa à Louis-Philippe un billet confidentiel où il était dit notamment :

Les circonstances de la mort sont trop extraordinaires pour qu'elles ne motivent pas une instruction très approfondie et je pense qu'il pourrait être utile que le roi fît partir sur-le-champ deux médecins comme les docteurs Marc et Marjolin qui ont l'habitude des vérifications que ce fatal événement commande.

Quant au colonel de Rumigny, chef de la police particulière du roi, qui avait rejoint le baron Pasquier, il écrivit à Louis-Philippe :

Les soupçons ne se portent encore sur personne ; mais Dieu sait ce qu'on apprendra, car je dois dire que la mort n'a pas l'air d'avoir été un suicide ! Il est important qu'on ne puisse accuser personne et que le testament ne vienne pas faire accueillir des soupçons...

Malgré tout — et en dépit des protestations du docteur Bonnie qui ne cessa de rappeler les infirmités du défunt —, le 7 septembre la chambre du conseil du tribunal de Pontoise rendait une ordonnance ainsi conçue :

Attendu qu'il résulte de l'information, d'une manière évidente, que la mort du prince de Condé a été volontaire, et le résultat d'un suicide ; que la vindicte publique n'a, dans cette circonstance, aucun renseignement nouveau à rechercher, ni aucun coupable à poursuivre, et que la procédure est complète ; déclare qu'il n'y a pas lieu à suivre...

Les conclusions de la justice stupéfièrent tous les braves gens qui ne tardèrent pas à chuchoter que « l'on voulait protéger quelqu'un »... Personne n'était nommé, mais il était facile de deviner que tout le monde pensait à Mme de Feuchères.

Tout à coup, le 15 septembre, parut une brochure anonyme portant ce titre agressif : *Appel à l'opinion publique sur la mort de Louis-Henri-Joseph de Bourbon, prince de Condé*[8]. La baronne y était formellement accusée du meurtre de son amant ; de plus, certaines phrases laissaient entendre que le roi la protégeait...

Cette brochure causa une immense émotion et le peuple chercha à savoir qui était Mme de Feuchères...

On allait découvrir un bien étrange personnage.

Cette femme élégante, qui avait trente-deux ans de moins que son amant, était une Anglaise riche de souvenirs. Son passé, en effet, n'était pas celui d'une petite couventine.

Fille d'un pêcheur de l'île de Wight, elle se nommait Sophie Dawes. A quinze ans, elle s'était rendue à Londres avec l'ambition de devenir comédienne. Après quelques essais malheureux sur la scène du Covent Garden, elle avait décidé de se lancer dans la galanterie.

Le duc de Bourbon l'avait rencontrée à Londres en 1811, alors qu'elle faisait, nous dit-on, « un usage excessif des charmes dont la Providence l'avait dotée... ».

Il faut dire que Son Altesse ne fréquentait pas que les salons de l'aristocratie londonienne. « On voyait le duc chaque soir, écrit le docteur Lebeaupin, après avoir dîné dans une modeste *Chop House*, entrer au théâtre à l'heure du ''demi-prix'' et ressortir à la fin du spectacle avec une ou deux mauvaises filles qu'il menait souper dans quelque tabagie, alliant ainsi des désordres grossiers avec ses goûts parcimonieux[9]. »

C'était dans une maison de rendez-vous de Piccadilly que Son Altesse avait fait la connaissance de Sophie Dawes. Séduit par « ses yeux bleus au regard effronté, son ardeur, son audace et son goût du détail », Louis de Bourbon l'avait installée dans son hôtel londonien.

8. Son auteur était Lafon d'Aussonne.
9. *Le Plessis-Villette et la mort du Duc de Bourbon,* par le docteur LEBEAUPIN. « Chronique médicale, 1er juin 1919. »

Bientôt, la jeune femme s'était transformée en « organisatrice des plaisirs du prince de Condé ». Avec la collaboration active de quelques-unes de ses anciennes camarades de sérail, elle avait conçu des divertissements d'un érotisme assez poussé. Chacune de ces « parties » portait un nom. Il y avait *le Chien affectueux,* où le prince de Condé, complètement nu, devait imiter devant six jeunes femmes dévêtues « toutes les manifestations de joie d'un chien qui retrouve sa maîtresse », *les Éteigneuses de cierges,* où Sophie et ses amies faisaient mine d'étouffer la flamme de la chandelle princière en utilisant un moyen des plus galants, *la Charité, s'il vous plaît !* où le prince devait mettre son obole dans les « aumônières » ouvertes et bien présentées de chacune de ces jeunes invitées. Enfin je citerai *les Abeilles butineuses,* où le prince, nu sur un grand lit, tenait joliment le rôle d'un bouton de rose tandis que six ravissantes hétaïres, riches d'expérience et douées d'un beau tempérament, personnifiaient les butineuses abeilles. Au rythme d'un menuet joué par une boîte à musique, elles se dévêtaient en dansant autour de la couche où les attendait le prince de Condé. A la dernière note, elles se précipitaient sur leur proie et, nous dit-on, « lui faisaient subir mille délices »...

Sophie, qui connaissait non seulement les mauvais lieux de Londres, mais aussi certaines librairies spécialisées, avait fourni à Son Altesse toute une collection de livres et de gravures d'une assez rare obscénité [10]. Les soirées étaient alors devenues plus amusantes encore...

A la Restauration, croyant rompre facilement avec Sophie, le prince de Condé avait quitté subrepticement Londres et était revenu en France. Quinze jours plus tard, la jeune femme arrivait à Paris où le prince, fort ennuyé, avait été obligé de la recevoir. Après quelques paroles tendres, il s'était retranché, nous dit-on, « derrière l'hypocrisie du faubourg Saint-Germain ».

— J'aimerais vous garder près de moi. Mais votre présence ici risque de provoquer un scandale...

L'Anglaise avait souri :

— Et si vous me faisiez passer pour votre fille naturelle ?

Le prince de Condé, depuis son départ de Londres, avait la nostalgie du corps merveilleux de Sophie. Il était devenu écarlate à la pensée que les folles nuits pouvaient recommencer :

— C'est une excellente idée ! Mais, pour que personne ne jase, il faut que je vous marie.

10. Le prince de Condé avait toujours ces ouvrages galants à Saint-Leu, ainsi qu'en témoigne le chancelier Pasquier, qui découvrit, au cours de sa perquisition, « deux ou trois petits volumes dont il vaut mieux ne pas dire les titres ». Crétineau-Joly, dans son « Histoire des trois derniers princes de la Maison de Condé », est moins discret : « Que de livres ignominieux, que de gravures obscènes, que de tableaux dégoûtants d'impureté auraient été trouvés dans les meubles particuliers du prince défunt ! » écrit-il... — Ces livres obscènes, ces gravures immondes n'auraient pas été réservés seulement pour les joies secrètes du prince. Mme de Feuchères était forcément appelée à prendre sa part, et la meilleure sans doute, de cette triste fête des yeux et des cœurs blasés. »

Aussitôt, Son Altesse s'était mise en quête d'un époux complaisant pour Sophie et avait trouvé Adrien de Feuchères, chef de bataillon dans la garde royale, que Louis XVIII, serviable, s'était empressé de faire baron.

Le mariage avait eu lieu le 6 août 1818, à Londres, et les nouveaux époux s'étaient installés au Palais-Bourbon, propriété du prince de Condé.

Quelques semaines plus tard, celui-ci avait eu une délicate attention : il avait nommé Feuchères gentilhomme de sa chambre.

— Voilà qui va lui permettre de ne point vivre trop éloigné de sa femme, s'étaient écriés les braves gens en clignant de l'œil.

Un soir, une bonne âme avait instruit Feuchères de son infortune. Furieux d'avoir été berné et mystifié, le malheureux était allé se plaindre au prince. Son Altesse avait haussé les épaules :

— N'en croyez rien, mon cher Feuchères. Il s'agit là de médisances... C'est la rançon de la fortune. Vous êtes envié parce que vous êtes mon ami !...

Feuchères, sceptique, avait préféré quitter son épouse. Aussitôt, la baronne était allée vivre avec le prince qui, à soixante-cinq ans, avait encore une belle ardeur. Des joutes amoureuses dont se régalaient les domestiques pantois d'admiration s'étaient alors déroulées quotidiennement. Reconnaissant, Louis de Bourbon avait, en 1824, fait un testament par lequel il léguait à Sophie les riches domaines de Saint-Leu et de Boissy...

Dès lors, prétendaient les mauvaises langues, Mme de Feuchères avait vécu « dans l'ignominieuse attente de la mort de Son Altesse ». Celle-ci ne venant pas assez vite à son gré, ajoutait-on, elle avait, dans la nuit du 26 au 27 août, précipité les événements en attachant le prince à l'espagnolette de sa chambre.

Le crime aurait donc été dû à un simple geste d'impatience.

Ce fut la première hypothèse.

On allait apprendre bientôt que l'affaire n'était pas aussi simple et que Louis-Philippe était mêlé à ce crime sordide.

Comment l'ex-fille publique de Londres avait-elle pu entrer en relation avec le roi des Français et en faire son complice ?

C'est ce que les gens bien informés se murmuraient de bouche à oreille, en attendant que le grand public en ait, un jour, la révélation avec la stupeur que l'on imagine.

Histoire digne de Balzac que l'on peut résumer ainsi :

En 1827, la baronne de Feuchères, craignant que le testament fait en sa faveur ne soit un jour attaqué par les héritiers légitimes du prince de Condé, chercha un complice puissant et fixa son choix sur le duc d'Orléans dont elle connaissait l'amour pour l'argent.

Son plan était simple, mais témoignait d'un sens rare de l'intrigue politique : elle imagina de pousser le prince de Condé — qui possédait l'une des plus grandes fortunes de France — à léguer tous ses biens au duc d'Aumale, fils du duc d'Orléans, afin que celui-ci, en reconnaissance, acceptât de valider le legs dont elle était la bénéficiaire.

Sa part d'héritage devenait, en quelque sorte, une commission sur la merveilleuse affaire qu'elle permettait aux d'Orléans de réaliser.

Elle exposa ses projets à Talleyrand. L'ex-ministre des Affaires extérieures fut séduit, on s'en doute, par le plan machiavélique de la baronne. Il promit son aide.

— Venez chez moi vendredi, dit-il. Vous rencontrerez le duc d'Orléans. Je puis vous affirmer que vous serez bientôt de ses amis.

Talleyrand ne se trompait pas. Fou de joie à l'idée que la colossale fortune du prince de Condé pouvait échoir à son fils, le futur Louis-Philippe se montra d'une extrême galanterie à l'égard de Mme de Feuchères et l'invita au Palais-Royal.

L'ex-fille de joie londonienne ne tarda pas à devenir l'intime des d'Orléans.

On la cajolait, on lui offrait des bonbons, on la complimentait pour ses toilettes, et Marie-Amélie lui envoyait des lettres dont cet extrait donnera le ton :

« Je suis bien sensible, chère amie, à ce que vous me dites de votre sollicitude... Je vous assure que je ne l'oublierai jamais... Vous trouverez en nous, dans tous les temps et dans toutes les circonstances, pour vous et tous les vôtres, cet appui que vous voulez bien me demander et dont la reconnaissance d'une mère doit vous être un sûr garant. »

Lorsque la baronne était souffrante, l'affolement régnait au Palais-Royal et le futur roi des Français, le favori pendant, se hâtait jusqu'au Palais-Bourbon. Un jour, cette sollicitude lui valut une bien curieuse aventure. Écoutons le comte de Villeneuve :

« Au moment de l'arrivée du duc d'Orléans, Mme de Feuchères prenait un demi-bain dans un de ces fauteuils-baignoires, ingénieux meubles mécaniques du fameux Lesage. La baronne en était sortie précipitamment, en négligeant, dans son empressement pour se jeter dans son lit, de rabattre la tablette cachant la baignoire et servant de pliant pour le fauteuil. Ce meuble, fort à la mode alors, était placé près du lit de la baronne. Louis-Philippe, heureux d'être admis chez Sophie Dawes, se jeta sur le fauteuil disposé comme pour le recevoir et, au même instant, se trouva englouti dans la baignoire, à sa grande surprise, comme on peut en juger !...

» Il se consuma en vains efforts pour se retirer de ce traquenard nautique, sans pouvoir y réussir.

» A la vue d'un spectacle si grotesque, Mme de Feuchères, sans respect pour Son Altesse Royale, éclata d'un rire inextinguible... Elle finit toutefois par prendre en pitié la pénible situation de son visiteur et par lui offrir de faire venir un de ses gens pour le dégager, cherchant à lui faire comprendre qu'il ne pourrait jamais sortir seul de la baignoire, vu la partie inférieure de son corps un peu forte.

» Louis-Philippe la conjura de n'en rien faire, redoutant que le valet de pied appelé pour le dégager n'ébruitât au Palais-Bourbon sa mésaventure parmi ses camarades qui, à leur tour, la raconteraient en ville où elle exciterait mille brocards sur son compte.

» Il recommença, mais toujours aussi inutilement, de nouvelles tentatives pour le recouvrement de sa liberté ; ses efforts dérangeaient singulièrement la symétrie de sa coiffure et cela redoublait la gaieté de la malade. Enfin, celle-ci lui proposa de sonner sa cameriste, fille, disait-elle, d'une extrême discrétion.

» Louis-Philippe accepta. Mlle Rose vint l'aider avec infiniment d'adresse à lever le siège qui, sans son secours, se serait indéfiniment prolongé, et sans être assurément aussi glorieux pour lui que ne le fut pour son aïeul Louis-Philippe d'Orléans, le Régent, celui de Lérida en 1707. »

Tandis qu'au Palais-Royal on vivait dans les transes, Mme de Feuchères s'efforçait d'amener son amant à rédiger un testament en faveur du duc d'Aumale. Mais le prince de Condé, qui détestait les descendants de Philippe Égalité, refusait obstinément. Bientôt, la baronne changea d'attitude. Elle s'était montrée tendre, prévenante, chatte ; elle devint violente, menaçante et rendit intenable la vie du malheureux vieillard. Lorsqu'il voulait entrer dans sa chambre, lui montrer quelque ardeur ou simplement l'embrasser, elle lui répondait :

— Signez d'abord !...

Parfois, elle le battait. Certain soir, le valet Lebon entendit son maître sangloter dans sa chambre en répétant :

— Canaille, ingrate !

Un jour, le baron de Surval vint à l'improviste. Le prince avait le visage tuméfié, saignant.

— Voyez dans quel état elle m'a mis ! dit-il.

Le baron lui conseilla de refuser formellement de signer le testament. Le prince baissa la tête :

— Elle menace de partir !...

— Eh bien, laissez-la partir !

Cette fois, le dernier des Condé eut les larmes aux yeux :

— Je ne le peux pas, murmura-t-il. Vous ne connaissez pas la force d'une longue habitude et d'un attachement que je ne puis vaincre...

Les scènes entre la baronne et son amant durèrent des semaines. Finalement, le prince de Condé céda. Le duc d'Aumale fut institué légataire universel, exception faite d'un legs de douze millions à Sophie...

Ce soir-là, on festoya au Palais Royal.

Quelques mois plus tard, le duc d'Orléans montait sur le trône. Aussitôt, le prince de Condé prépara secrètement son départ pour la Suisse afin de rejoindre Charles X en exil. Déjà il avait demandé son passeport et s'était fait remettre par son intendant un million en billets de banque.

Sophie eut vent de ces préparatifs. Affolée, elle courut aux Tuileries. En apprenant que le prince se disposait à quitter la France, Louis-Philippe blêmit :

— Je sais, dit-il, qu'il a reçu de Charles X un message le suppliant de changer son testament en faveur du petit duc de Bordeaux. S'il s'en va, il échappera à votre influence, et mon fils sera déshérité. Il faut l'empêcher de partir *à tout prix !...*

Cette conversation eut lieu le 25 août 1830.

Le 27, le prince de Condé était trouvé pendu à son espagnolette. Et quelques jours plus tard, M. de la Hupoye, juge d'instruction, ayant conclu au crime, était mis à la retraite d'office...

On murmura alors que le prince de Condé avait été assassiné par Mme de Feuchères, *à la demande du roi Louis-Philippe.*

Ce fut la deuxième hypothèse.

Une troisième explication, fort gaillarde celle-là, allait être finalement donnée de la mort mystérieuse du dernier des Condé...

Un jour, le bruit courut dans Paris que certains domestiques de Saint-Leu avaient fait d'extraordinaires révélations sur le drame du 27 août.

On vit alors des dames du faubourg Saint-Germain raconter à voix basse, et en rougissant, des choses qui faisaient glousser leurs amies.

Qu'avaient donc révélé les valets du prince de Condé ?

Des détails en vérité fort surprenants. D'après eux, en effet, le prince serait mort victime de sa lubricité. Voici leur récit :

« Notre maître, depuis quelques mois déjà, ne parvenait plus à montrer son ardeur à Mme de Feuchères qui devait avoir recours à des stratagèmes connus des demoiselles de petite vertu.

» Hélas, les effets de ces caresses émoustillantes finirent par s'émousser avec le temps et la baronne dut chercher un autre moyen de mettre Son Altesse Royale en d'heureuses dispositions.

» Mme de Feuchères se souvint que dans son pays, où la pendaison était le mode officiel d'exécution, des histoires fort lestes couraient sur les derniers moments des condamnés. Certains clients des sérails où elle travaillait lui avaient conté que la strangulation provoquait des réactions physiologiques qui permettaient aux pendus de montrer leur vaillance et de connaître une douce ''consolation'' avant de rendre l'âme...

» Elle décida donc d'utiliser ce moyen pour réveiller les sens assoupis de son amant.

» Chaque nuit, elle se rendait dans sa chambre et là, gentiment, le pendait durant quelques instants. Lorsque les effets de ce petit supplice s'étaient manifestés, elle détachait rapidement le prince et lui administrait avec une énergique douceur de savoureux soins... »

Hélas ! dans la nuit du 27 août, Mme de Feuchères avait dépendu le prince avec quelques secondes de retard...

Affolée, elle était allée dans sa chambre chercher son jeune amant, l'officier de gendarmerie, et tous deux avaient procédé à une mise en scène destinée à faire croire au suicide.

Après quoi, elle avait demandé à Louis-Philippe de donner des ordres « pour que la justice ne fût point trop sagace ». Le souverain, qui devait tant à la baronne, avait obéi...

Ces révélations, qui stupéfièrent les braves gens, devaient être confirmées dix-huit ans plus tard, après les journées de février 1848, dans une brochure intitulée *Profils révolutionnaires*. L'auteur, Victor Bouton, écrivait en effet :

« Le duc de Bourbon a été pendu : ses goûts de vieillard ont facilité ce crime ; Mme de Feuchères a eu peu de chose à faire pour l'exécuter. Le duc avait l'habitude d'une de ces jouissances bizarres, dépravées aux yeux de la morale, mais naturelles *(sic)* aux gens qui gagnent la soixantaine. Le raffinement que la baronne mettait à lui faire éprouver cet acte de lubricité est la cause de leur vieille et longue liaison. Je voudrais, par une métaphore, vous expliquer la chose, mais la langue s'y refuse ; je dois cependant vous éclairer. Je dis que le duc avait l'habitude de simuler une pendaison à quelques lignes d'un tabouret où touchait la pointe de ses pieds. Quand il était dans cette position, Mme de Feuchères lui faisait éprouver une volupté.

» Un jour, la baronne retira tant soit peu le tabouret, et le duc fut pendu pour tout de bon. Cela vous explique pourquoi tout s'est passé sans bruit, sans domestiques, etc. »

Plus tard, dans un ouvrage intitulé *l'Espagnolette de Saint-Leu,* le même Victor Bouton donna les précisions suivantes :

« Je tiens de M. Gisquet, ancien préfet de police, l'explication, sous le manteau de la cheminée, de cette mort violente... et douce ; je crois de mon devoir de consigner ici ces détails pour reprendre à l'histoire tous ses droits.

» D'ailleurs, l'ingratitude du roi Louis-Philippe à l'égard de M. Gisquet m'autorise à ne pas laisser étouffer cette affaire sous le silence, ni mettre la lumière sous le boisseau.

» Oui, le prince de Condé a été pendu, étranglé d'une manière spéciale, assassiné en un mot, par la baronne de Feuchères.

» Une passion de vieillard, des goûts lubriques ont donné l'occasion de ce crime, l'ont facilité sans que la baronne eût l'air même de l'avoir prémédité et accompli. Elle a eu peu de chose à faire, en effet, pour l'exécuter.

» On sait qu'aucune considération de famille n'avait pu faire séparer le prince de cette femme qui fut longtemps sa maîtresse avérée reconnue, abandonnée de son mari, et qui, depuis que l'âge avait privé le prince de la jouissance sexuelle, savait lui en faire éprouver une que les femmes de joie connaissent et que les physiologistes expliquent très bien. Elle le... Le raffinement que mettait la baronne à lui faire éprouver cet acte de lubricité est la cause de leur longue et vieille liaison.

» La baronne de Feuchères s'introduisait le matin, à des jours et des heures indiqués, dans la chambre à coucher du prince, en tirant par un fil un petit loquet.

» Après quelques attouchements, le prince se levait et devait se placer au milieu d'une croisée, debout sur un petit tabouret où il se tenait par la plante des pieds ; un foulard attaché à l'espagnolette et passé autour du cou le retenait légèrement. Dans cette posture allongée et quelque peu tendue la baronne le... jusqu'à ce que le pauvre vieillard fût ravi au septième ciel.

» C'est ce qui arrive ordinairement aux pendus : dans cette position, ils ont une dernière jouissance [12]...

» Or la baronne de Feuchères, voulant se débarrasser du prince, n'eut qu'à choisir son jour. Un beau matin, quand le duc fut dans la posture accoutumée et au moment où il éprouvait sa volupté, la baronne, comme par hasard, donnant un petit coup de pied au tabouret, le retira tant soit peu, et le duc fut pendu pour tout de bon. Dans son spasme, il n'eut ni la volonté ni la force de se débattre : il mourut tranquillement, comme un bienheureux.

» Quand le juge de paix arriva et constata la mort du duc, il rédigea un procès-verbal dans lequel, positivement, il relata la circonstance qu'aux pieds du mort il y avait encore les traces de la volupté princière. Ce procès-verbal a été, pour ainsi dire, passé sous silence aux débats du procès, et cependant il a été imprimé.

» Quand la baronne de Feuchères eut donné son léger coup de pied au tabouret, elle se retira tranquillement [13]. »

L'auteur nous explique ensuite comment Mme de Feuchères parvint à fermer intérieurement la porte de la chambre du prince : *elle plia en deux, en forme de ganse, un fil qu'elle passa au bouton du verrou, puis elle ferma la porte et tira sur le fil dont elle avait les deux*

---

12. Manoury, l'un des valets de chambre du prince, et qui avait décroché le cadavre, avait constaté : *Guttam quoque sanguinis in extrema membri virilis parte...* Bonnie, son chirurgien, avait déposé : *Princeps enim, ut diximus, erecto membro, sperma ejaculatus, inventus est.* P. 148-149 de la procédure criminelle relative à la mort du prince de Condé (manuscrit V. Bouton).

13. Sur son lit d'agonie, le valet Lecomte a raconté ceci qui prouve bien que la baronne fit appel à son amant l'officier de gendarmerie pour organiser la mise en scène destinée à faire croire au suicide : « Dans la nuit du 26 au 27 août 1830, vers 2 heures du matin, Dupré, le valet de chambre de Mme de Feuchères, vint m'éveiller ; sa femme et lui entendaient chez le duc de Bourbon des allées et venues insolites.

« A cette heure-là, Mme de Feuchères n'avait pas l'habitude d'aller retrouver le prince dans son appartement : que se passait-il donc ?

« Je me levai en toute hâte.

« A peine avais-je ouvert la porte de l'antichambre du prince que j'aperçus, à la lueur de mon bougeoir, deux personnes se dirigeant précipitamment vers l'escalier dérobé. Je m'élançai et les atteignis.

« Avec stupeur, je reconnus Mme de Feuchères et le sous-officier de gendarmerie X...

« X... gagna l'escalier et, malencontreusement, il en referma sur lui la porte vitrée ; la baronne restait seule en face de moi.

« Après un instant de trouble et d'hésitation, elle m'intima très impérieusement l'ordre de regagner ma chambre ; et je n'osai pas lui désobéir, bien que j'eusse l'idée confuse d'un grand malheur survenu. »

extrémités en main ; ce qui fit manœuvrer le loquet. Après quoi, il ne lui resta plus qu'à ramener le fil vers elle...

« Quand la baronne s'était retirée, poursuit Victor Bouton, il n'y avait eu aucun bruit, encore moins de fracture, et nul témoignage de domestique ne pouvait et ne put éclaircir cette question : le prince s'est-il pendu ? Le petit tabouret était pourtant resté à côté des pieds du cadavre dont la sérénité ne s'expliquait pas.

» Ce secret d'alcôve ne fut pas divulgué ; *mais je l'ai trouvé dans les archives de la préfecture de police.* »

Aujourd'hui, cette explication du drame satisfait tous les historiens.

Une question demeure toutefois sans réponse :

Mme de Feuchères donna-t-elle volontairement un coup de pied dans le tabouret ?

On ne le saura jamais [14].

Plus tard, le château de Saint-Leu fut rasé sur l'ordre de la baronne qui en avait hérité. Mais la municipalité fit ériger une colonne de marbre à l'endroit où le prince de Condé avait été pendu.

Érection que des esprits malicieux — il s'en trouve à toutes les époques — jugèrent, somme toute, assez symbolique...

3

L'équipée politico-amoureuse de la duchesse de Berry

> Condottiere en jupon, elle
> aima l'aventure et les aventures...
>
> JEAN-ROGER BLANC

A la fin du mois d'août 1830, Thiers entra au Conseil d'État.

— Maintenant, lui dit Mme Dosne, il faut que tu sois député !

Justement, au mois d'octobre, un siège des Bouches-du-Rhône se trouva vacant du fait de la démission de son titulaire, M. de Bausset. Adolphe résolut de sauter sur l'occasion. « Mais, nous dit Maurice Reclus, on était alors sous le régime censitaire de la loi électorale de 1819 et Thiers, que ni ses gains de journaliste, ni son traitement de conseiller d'État, ni même l'heureux succès de son *Histoire de la Révolution* n'avaient enrichi, n'était pas un contribuable assez fortuné pour payer le "quantum" d'impôts représentant le cens électoral. Comment faire ? Comment se transformer, du jour au lendemain, en capitaliste ou en gros propriétaire [15] ? »

Adolphe eut, tout de suite, une idée. Il courut chez Sophie et lui expliqua son problème.

---

14. Quoi qu'il en soit, la baronne trouva en Louis-Philippe un protecteur compréhensif qui fit rapidement étouffer l'affaire...

15. MAURICE RECLUS, *Monsieur Thiers.*

A la deuxième phrase, elle l'interrompit tendrement :

— M. Dosne y pourvoira, dit-elle.

En effet, le 18 octobre, la « Société civile et particulière des terrains Ruggieri et Saint-Georges », dont le mari de Sophie avait le contrôle, cédait à Adolphe un immeuble récemment construit, qui portait le n° 3 de la rue Neuve-Saint-Georges. Le prix de vente était de cent mille francs.

M. Thiers n'avait pas cette somme. Il signa une traite que M. Dosne, chevaleresque avec les amis de sa femme, omit toujours de lui présenter...

Devenu propriétaire, le jeune conseiller d'État courut à Aix poser sa candidature et fut élu le 21 octobre.

Le 2 novembre, il était sous-secrétaire d'État...

Mme Dosne, folle de joie, lui prépara elle-même, avec amour, une succulente blanquette de veau...

Le 23 novembre 1830, Adolphe Thiers, qui pérorait si bien dans les salons et devant la glace de la chambre à coucher de Mme Dosne, aborda pour la première fois la tribune.

Sa jactance choqua considérablement l'Assemblée.

Maurice Reclus rapporte l'opinion de trois représentants :

« Il ressemble, disait l'un, à un de ces petits perruquiers du Midi qui vont de porte en porte offrir leurs savonnettes...

» — Vous le voyez donc ? interrogeait un autre. Le marbre de la tribune lui cache le corps presque jusqu'aux épaules et ses immenses lunettes dissimulent le reste. Ce pauvre Laffitte, sans doute pour se sacrer grand homme par comparaison, s'est flanqué d'un sous-ministre invisible à l'œil nu...

» — C'est vrai qu'on ne le voit guère, renchérissait un troisième ; mais, en revanche, on l'entend. Quel accent ! Le petit Adolphe parle finances comme une poissonnière de sa ville natale... »

Ces critiques révoltèrent Mme Dosne. Elle prit le petit Adolphe sur ses genoux et s'efforça de le consoler de son échec :

— Je vais, dès aujourd'hui, lui dit-elle, constituer, grâce aux appuis de mon mari, une véritable petite cour. Je ferai tout pour que ces gens m'adorent, m'obéissent et me suivent aveuglément. Pour me faire plaisir, ils t'aideront. Quand je dirai : « Il a très bien parlé », tous t'applaudiront. Quand je dirai : « Il est très intelligent », tous crieront au génie. Bref, ils seront tes courtisans en voulant m'adorer...

Réconforté, le petit Thiers sécha ses larmes et, comme il avait bon cœur, il entraîna sa maîtresse sur un canapé et lui prouva sa reconnaissance...

En juillet 1831, Thiers remonta à la tribune. Cette fois, les amis de Mme Dosne ayant préparé l'Assemblée, il obtint un très beau succès. Sophie, en accordant par-ci par-là quelques sourires ambigus, quelques promesses et aussi quelques privautés, avait fini par imposer son petit bonhomme.

Thiers, ayant conquis la tribune, ne la quitta pratiquement plus. A chaque assemblée, il grimpait, tel un farfadet, prenait la parole, citait Virgile, Tacite, Rousseau, Voltaire, se grisait de ses propres phrases et finissait par étourdir, grâce à son extraordinaire faconde de Marseillais, les représentants les plus hostiles.

A la fin de juillet 1832, pour le récompenser, Mme Dosne décida de l'emmener, avec son mari et ses filles, passer un mois à Thun, près de Meulan.

Quelques semaines plus tard, ils étaient tous dans le Vexin et offraient à leurs voisins le spectacle réconfortant d'une belle famille unie.

Thiers ne fut jamais plus heureux qu'au cours de ces vacances merveilleuses. Chaque jour était consacré à une grande promenade. Tous les plaisirs se trouvaient alors, pour Adolphe, intimement mêlés. D'une main, il caressait Sophie et, de l'autre, si j'ose dire, il parlait politique à M. Dosne.

Cette existence idyllique devait être brusquement interrompue par un messager du roi. Louis-Philippe, qui avait besoin d'un homme sans grands scrupules pour lutter efficacement contre le ministre Dupin, dont l'importance devenait gênante, convoquait Thiers. Celui-ci, voyant enfin la chance lui sourire, embrassa Mme Dosne, bondit dans une voiture et arriva tout essoufflé aux Tuileries.

— Vous seul pouvez m'aider à former un gouvernement, lui dit Louis-Philippe.

Thiers regretta que Sophie ne fût pas là pour entendre une aussi jolie phrase et demanda en quoi il pouvait être utile à la monarchie.

— Sauvez-moi de Dupin qui veut la présidence. Décidez Soult, rassemblez des hommes et vous aurez un portefeuille.

Une semaine plus tard, le cabinet était constitué et Thiers devenait ministre de l'Intérieur...

Dès qu'il fut installé dans son fauteuil ministériel, l'amant de Mme Dosne eut à s'occuper d'une affaire extrêmement délicate, puisqu'il s'agissait d'arrêter l'une des femmes les plus populaires de France. Cette arrestation spectaculaire pouvait, pensait-il, lui attirer, d'une façon définitive, les bonnes grâces et la faveur du roi. La femme contre laquelle il allait lancer toutes les polices du royaume était, en effet, la duchesse de Berry, mère du duc de Bordeaux, devenu Henri V depuis l'abdication de Charles X...

Il faut dire que l'exquise duchesse donnait, depuis quelque temps, de gros soucis à Louis-Philippe. Après la Révolution de Juillet, elle avait suivi la famille royale en Angleterre et s'était immédiatement mise en relation avec de courageux légitimistes dans le dessein de renverser la monarchie de Juillet et de faire monter son fils sur le trône.

Le 21 janvier 1831, Charles X, informé de ses projets, l'avait solennellement autorisée à prendre le titre de régente du royaume « dès son arrivée en France ».

Elle partit d'Angleterre le 17 juin, gagna Rotterdam, traversa l'Allemagne, le Tyrol, la Lombardie, le Piémont et arriva à Gênes, sous le nom de comtesse de Sagana, le 8 juillet.

Le roi de Sardaigne, Charles-Albert, ayant refusé — à la prière de Louis-Philippe — de lui donner asile, la gracieuse conspiratrice alla s'installer à l'auberge de Massa. Elle y passa l'hiver, recevant des Vendéens, des légitimistes, des anciens officiers de Charles X prêts à participer au complot contre l'usurpateur, et des centaines d'agents secrets. A tous, elle communiquait sa confiance en l'avenir :

— Nous réussirons, disait-elle, parce que notre but est le plus beau et le plus noble qui fût jamais !... Qui donc, en France, aurait le courage de repousser une mère qui vient réclamer l'héritage de son fils au nom de soixante rois et de huit siècles de gloire ?... Or, pour rendre son trône à Henri V, il suffit, comme le dit M. de Chateaubriand, « de renverser le pot-au-feu d'une monarchie domestique »...

Mais cette jeune femme de trente-quatre ans avait le sang bouillant des Napolitaines. Tout en discourant sur la politique, au milieu de sa petite cour de Massa, elle remarqua un jeune avocat nantais fort séduisant, nommé Guibourg, dont elle fit bientôt son amant ordinaire.

Ce qui eut l'avantage de lui calmer les nerfs à la veille du départ pour la grande aventure...

Le 24 avril 1832, enfin, elle s'embarqua pour la France avec une poignée de fidèles. Le 30, à trois heures du matin, son bateau la laissa sur une plage déserte, près de Marseille. Quelques légitimistes l'attendaient, cachés dans une pinède. Ils coururent vers elle.

— Nous allons renverser le pot-au-feu ! leur dit-elle simplement.

Puis elle alla passer la fin de la nuit dans un mas isolé, laissant les Marseillais — qui n'avaient pas lu Chateaubriand — extrêmement perplexes, et un peu inquiets...

Le lendemain matin, le duc d'Escars, qui portait déjà le titre pompeux de « gouverneur général du Midi », vint apporter à la duchesse une bien fâcheuse nouvelle : les légitimistes de Marseille avaient échoué dans leur tentative de soulèvement.

— La police de Louis-Philippe sait maintenant que Votre Altesse est en France, ajouta-t-il ; nous allons donc être traqués avant même d'avoir commencé à agir.

Puis, révélant le fond de sa pensée, il soupira :

— En outre, le bateau qui nous a amenés est reparti.

Marie-Caroline le regarda dans les yeux :

— Mais, monsieur, il ne peut être question de retourner en Italie... Le Midi ne nous a pas suivis ? C'est bien. Nous allons en Vendée...

Et, se coiffant d'un large chapeau de paille, elle partit à pied en direction de Nantes...

Son voyage à travers le Languedoc fut extravagant. Couchant tantôt au pied d'un arbre, enroulée dans une couverture, tantôt dans un château ami, elle alla de Marseille à Plassac en utilisant tous les moyens de locomotion. On la vit à cheval, en calèche, en bateau, en carrosse et même à califourchon sur un âne. Il fallut vraiment que la maréchaussée mît en œuvre toutes les ressources d'une niaiserie exceptionnelle pour ne rien remarquer d'insolite dans l'équipage de cette voyageuse qui se promenait avec deux pistolets et un poignard passés dans la ceinture...

Quelques précautions, pourtant, avaient été prises. A Aix, le marquis de Villeneuve s'était fait faire un passeport pour la Normandie, alléguant qu'il devait se rendre, avec sa femme, au chevet d'un parent malade. La duchesse jouait donc le rôle de Mme de Villeneuve. Elle le jouait très bien. Si bien que les gens non informés s'y laissaient prendre. Il est vrai que, depuis le départ d'Aix, elle était la maîtresse du marquis...

Ce qui l'aidait énormément.

Marie-Caroline, en effet, ne dédaignait pas de mêler l'utile à l'agréable, la politique à l'amour et l'aventure aux aventures... « Grande princesse, elle considérait, nous dit Arthur Bruys, que son rang l'autorisait à des libertés qui eussent été coupables chez une femme du commun et qui n'étaient chez elle qu'une marque de belle santé et de bonne race [16]... »

Pendant tout le voyage, la duchesse se montra donc une fougueuse marquise.

Le 7 mai, enfin, après avoir échappé à mille dangers et côtoyé sans cesse la catastrophe, elle arriva à dix heures du soir au château de Plassac où le marquis de Dampierre l'attendait respectueusement.

Son premier but était atteint : elle était en Vendée.

Aussitôt, elle tint un conseil :

— Nous allons retrouver, dit-elle, l'armée de Charette, celle de Cathelineau, celle d'Autichamp, celle de Cadoudal et celle de Mme de La Rochejaquelein. Tous ensemble, nous irons chasser le duc d'Orléans qui occupe indûment le trône de France, et nous ferons sacrer notre roi, mon fils...

Les légitimistes qui l'entouraient hochèrent la tête. Les renseignements qu'ils avaient recueillis sur les opérations de police organisées dans toute la Vendée par le gouvernement et sur l'arrivée de plusieurs régiments royaux les rendaient pessimistes. Certains tentèrent d'ouvrir les yeux à Marie-Caroline. Elle les fit taire :

— Le 24 mai, nous prendrons les armes.

Quelques jours plus tard, s'étant baptisée elle-même Petit-Pierre, elle quittait le château de Plassac, déguisée en berger vendéen, gagnait Fontenay-le-Comte, Bourbon-Vendée, Montaigu et allait, malgré la présence de dix régiments chargés de l'arrêter, de ferme en ferme,

16. Victor Bruys, *La duchesse de Berry.*

pour tenter de soulever les paysans. Cette expédition fut une suite ininterrompue d'incidents cocasses.

Écoutons Marc-André Fabre.

« Un matin, après une longue et pénible course de nuit, elle arrive, accablée de fatigue, dans une ferme où un lit a été préparé pour elle. Elle commence à peine à dormir qu'un bruit de voix étrangères lui parvient de la chambre voisine. Un officier déclare qu'une somme de cinq cent mille francs récompensera celui qui livrera la duchesse morte ou vive. Tout à coup, la porte s'ouvre : Marie-Caroline se croit trahie.

» — Allons, paresseux, s'écrie à haute voix le fermier. Il est sept heures et tes vaches sont encore à l'étable. Habille-toi, ou tu auras affaire à moi.

» Et l'homme jette sur le lit de la princesse les vêtements en guenilles d'un berger [17]. »

Ailleurs, « Petit-Pierre », passant au milieu des soldats, fut interpellé.

— Hé, petit brigand, tu as une drôle de tournure. Viens boire un verre avec nous.

Sans sourciller, la mère de Henri V alla vider une bolée de cidre avec les défenseurs de la monarchie de Juillet...

Une autre nuit, la chaumière où elle avait trouvé refuge fut cernée par les soldats. Elle n'eut que le temps de se jeter dans un marais rempli d'eau glacée où elle resta jusqu'au matin.

Enfin, le 21 mai, Marie-Caroline parvint auprès des chefs vendéens qui s'étaient réunis aux Mesliers. Une grande déception l'attendait.

— Convoquez vos quinze mille hommes pour le 24, dit-elle.

Les Chouans prirent un air gêné.

— Nous n'avons pu réunir qu'une centaine de paysans. La Vendée est fatiguée de la guerre civile. Nous ne sommes plus en 93. Chacun, aujourd'hui, ne pense plus qu'à vivre en paix...

Marie-Caroline ne s'avoua pas vaincue.

— Bien, dit-elle simplement. J'irai chercher des troupes en Bretagne.

Et, pour se prouver à elle-même son bon moral et sa confiance dans l'avenir, elle alla passer une nuit étourdissante avec M. de Villeneuve...

Tandis que la duchesse de Berry continuait de vivre dans un rêve, à Paris, le Comité légitimiste, dirigé par Chateaubriand, Fitz-James et Hyde de Neuville, était absolument consterné. La folle équipée de Marie-Caroline risquait, en effet, de ridiculiser à jamais les Bourbons.

Il fallait que Marie-Caroline abandonnât son projet de soulèvement et retournât au plus vite en Angleterre. Berryer fut chargé d'aller lui apprendre la décision du Comité.

Le célèbre avocat arriva aux Mesliers le 21 mai. Très ému, il tendit à la duchesse une lettre de Chateaubriand.

Un peu inquiète, elle fit sauter le cachet et lut :

La guerre civile, toujours funeste et déplorable, est en ce moment

17. MARC-ANDRÉ FABRE, *La duchesse de Berry, la Marie Stuart vendéenne.*

impossible. Elle ferait couler inutilement le sang français et éloignerait de la cause royale tous ceux qui seraient disposés à s'en rapprocher.

— Lui aussi ! soupira Marie-Caroline.

— Écoutez la voix de la raison, madame, dit Berryer, je vous en supplie. Voici un passeport qui vous permettra de passer en Angleterre !

— Non, monsieur ! Il n'est plus temps de reculer. Que penserait-on de moi ?

Pendant six heures, Berryer insista avec toute l'éloquence dont il était capable. A trois heures du matin, il se retira enfin, croyant avoir gagné la partie.

Mais dès qu'il eut repris la route de Paris, Marie-Caroline lançait un appel à la révolte et fixait, irrévocablement, la date du soulèvement à la nuit du 3 au 4 juin.

Cette fois, plusieurs milliers de Vendéens, subjugués par la pétulante princesse, se préparèrent au combat. Et quand le tocsin sonna à Clisson, à Loroux, à Valet, à Aigrefeuille, des bandes de paysans chantant des refrains royalistes, brandissant des faux et des fusils, coururent au-devant des troupes de l'usurpateur. Ils étaient trois mille d'un côté, cinquante mille de l'autre.

Tout de suite, la plus épouvantable des tueries commença. Une tuerie qui devait durer six jours...

La folle équipée se terminait par un échec total.

Le 9 juin, épouvantée, la duchesse de Berry, empruntant des vêtements de paysanne, prit la route de Nantes en compagnie d'une amie, Mlle de Kersabiec, qui lui offrait un refuge.

Le soir même, elle était cachée dans une mansarde, au 3 de la rue Haute-du-Château.

Le calme lui revint vite. Au point que, dès le lendemain, elle recevait M. Guibourg, ce jeune avocat nantais dont elle avait été la maîtresse à Massa, et oubliait, dans ses bras vigoureux, les aléas de la politique...

La maison qui abritait la duchesse de Berry se trouvait dans un quartier assez calme, situé loin du centre. Bien vite, Marie-Caroline y eut des habitudes. Installée derrière une petite table de bois blanc, entre un lit de camp et une cheminée, elle tint ses « audiences ».

Bien entendu, pour arriver jusqu'à la mansarde où se trouvait la « régente du royaume », il fallait montrer patte blanche. Et tout était prévu pour échapper à une éventuelle perquisition. Derrière la cheminée se trouvait un réduit auquel il était possible d'accéder par la plaque de fonte qui était fixée par des gonds comme une petite porte. Marie-Caroline avait essayé cette ultime retraite. Elle y pouvait tenir à l'aise avec trois compagnons.

Chaque jour, des « envoyés » quittaient la rue Haute-du-Château pour l'Angleterre, l'Italie, la Russie, l'Espagne, le Portugal, la Hollande, porteurs de messages chiffrés dictés par Marie-Caroline. Du fond de sa mansarde, la petite princesse, en effet, s'efforçait d'intéresser l'Europe à son cas et d'obtenir des appuis financiers pour renverser Louis-Philippe.

L'un de ses émissaires s'appelait Simon Deutz. Marie-Caroline l'avait connu à Massa. Juif, originaire de Cologne, il s'était converti au catholicisme et avait su s'attirer les bonnes grâces du Vatican. Au mois de juillet, la duchesse l'envoya demander un prêt de quarante millions à Don Miguel de Portugal. Il revint avec des promesses assez réconfortantes et pensa que la duchesse, dont il était amoureux, accepterait, en reconnaissance, de lui donner, sur un coin du lit de camp, ce qu'elle offrait naguère, par caprice, dans les buissons du Languedoc.

Il se permit de lui en toucher — respectueusement — un mot. La duchesse lui jeta un regard froid :

— Contentez-vous du rôle que vous jouez dans mes affaires, dit-elle.

Puis elle le chargea d'une nouvelle mission.

Deutz, chez qui « venait de naître une belle haine [18] », s'inclina et partit, laissant Marie-Caroline persuadée de pouvoir hisser bientôt son fils sur le trône de France grâce aux quarante millions du Portugal.

Naïve et superbe confiance qui lui permettait, nous dit un auteur anonyme de l'époque, « de se faire fricoter la mignardise par le sieur Guibourg, son amant, sans avoir l'esprit troublé par des préoccupations extérieures qui restreignent toujours le plaisir de la nature [19] ».

Tandis que la duchesse de Berry conspirait dans sa mansarde nantaise, à Paris, Louis-Philippe commençait à être inquiet :

— Tant qu'*Elle* ne sera pas arrêtée et chassée de France, disait-il, aucun ministère ne sera solide.

Le 11 octobre, le maréchal Soult formait un nouveau cabinet et donnait, sur l'ordre du roi, le portefeuille de l'Intérieur à M. Thiers.

Le petit Adolphe s'occupa aussitôt de Marie-Caroline. Il envoya à Nantes Maurice Duval, un préfet énergique à qui il ordonna de faire fouiller systématiquement toute la Bretagne.

Ce plan de campagne devait être superflu.

Un matin, M. Thiers reçut, en effet, une lettre étrange d'un inconnu qui lui donnait un rendez-vous à neuf heures du soir aux Champs-Élysées « pour lui faire une communication de la plus haute importance ».

Perplexe, il montra le billet au préfet de police qui fut formel :

— N'y allez pas. C'est un guet-apens.

Adolphe Thiers hocha la tête et, dès que le préfet eut quitté son bureau, il prépara deux pistolets. Le soir, à l'heure dite, il arrivait, en voiture, au lieu du rendez-vous. Un homme attendait sous les arbres. Le ministre, les deux mains dans ses poches, s'approcha de lui :

— Vous avez à me parler, monsieur ? Me voici. Mais montez donc dans ma voiture, nous serons mieux...

18. Alphonse Launas, *Deutz et la Duchesse de Berry*.
19. *Les amours de Marie-Caroline à Nantes*. Pamphlet anonyme, 1848.

L'individu recula comme s'il voulait s'enfuir.

— Inutile de vous sauver, dit Thiers. Si vous ne montez pas dans ma voiture, je vous fais enlever par mes gens.

— Restons ici, dit l'inconnu.

— Non. Venez au ministère et ne m'obligez pas à employer la violence.

L'inconnu finit par monter dans la voiture.

Au ministère, il se présenta.

C'était Simon Deutz qui venait se venger de l'affront reçu quinze jours plus tôt à Nantes...

Il expliqua à Thiers qu'il était un des agents secrets de Marie-Caroline et qu'il connaissait sa cachette.

— Je dois remettre dans quelques jours, à la duchesse, d'importants documents. Je serai donc admis à pénétrer auprès d'elle. Voulez-vous que je vous la livre ?

— Combien ? dit le ministre.

— Cinq cent mille francs.

— Vous les aurez !

Le 24 octobre, Deutz arrivait à Nantes, accompagné du commissaire de police Joly. Aussitôt, il se rendit rue Haute-du-Château pour s'assurer que la duchesse s'y trouvait toujours.

Une scène alors se déroula qui prouve, une fois de plus, que le destin est un merveilleux auteur dramatique.

Deutz remit deux lettres à Marie-Caroline. L'une de Berryer, l'autre du banquier Jauge.

La duchesse les prit, vit qu'elles étaient écrites à l'encre sympathique, les passa au réactif et les lut. Après avoir terminé la seconde, elle dit calmement :

— Le banquier me demande de me tenir sur mes gardes parce qu'un homme que je crois sûr m'a vendue à M. Thiers pour un million...

Elle ajouta en souriant :

— C'est peut-être vous !

Deutz, assez gêné, protesta mollement.

Dix minutes après, il prenait congé. En redescendant de la mansarde, il passa près de la salle à manger et vit une table mise avec sept couverts. Sachant que les propriétaires de la maison, les demoiselles Guiny, vivaient seules, il en conclut que la duchesse devait dîner là avec des intimes.

Il courut rejoindre Joly :

— Vous pouvez agir. Mais dépêchez-vous. Elle sait qu'elle est trahie !

Aussitôt, l'ordre fut donné aux douze cents soldats que commandait le général Dermoncourt de cerner le quartier où se trouvait Marie-Caroline.

Pendant que le dénonciateur était à tout hasard gardé à vue, l'opération commença.

Écoutons le général Dermoncourt nous en conter lui-même le début :
« Il était environ six heures du soir, la nuit était belle. A travers les
fenêtres de l'appartement où elle se trouvait, la duchesse voyait sur un
ciel calme se lever la lune et sur sa lumière se découper, comme
une silhouette brune, les tours massives du vieux château, lorsque
M. Guibourg, en s'approchant de la fenêtre, vit reluire les baïonnettes
et avancer vers la maison la colonne conduite par le colonel Simon
Lorrière. A l'instant même, il se rejette en arrière en criant :
» — Sauvez-vous, madame, sauvez-vous !
» Madame courut aussitôt dans l'escalier [20]. »

Arrivée dans la mansarde, la duchesse se précipita vers la cheminée
avec trois intimes — Mesnard, la jeune Stylite de Kersabiec, et
naturellement le cher Guibourg — poussa la plaque et pénétra à quatre
pattes, suivie de ses amis, dans le réduit secret.

Écoutons Guibourg nous conter la suite de cette aventure burlesque :
« A peine la plaque était-elle poussée que les soldats entrèrent dans
la maison ; le commissaire qui les conduisait monta droit à la mansarde,
qu'il reconnut aussitôt, à la description du traître.

» — C'est la salle d'audience, s'écrie-t-il.

» Des sentinelles sont postées dans tous les appartements ; les issues
dans les rues environnantes sont fermées, les meubles ouverts, les
planchers et les murs sondés à grand bruit ; on allume le feu dans
toutes les cheminées, sans en excepter celle de la cachette. Les hôtesses
de la duchesse gardent leur présence d'esprit ; elles se mettent à table
calmement ; la cuisinière refuse de fournir aux policiers la moindre
indication. Après six ou sept heures de recherches inutiles, le préfet
donna l'ordre de retraite, laissant sur place quelques hommes pour
occuper toutes les chambres [21]. »

Deux gendarmes s'installèrent dans la mansarde. Deux gais lurons
qui, pour tuer le temps, se contèrent des histoires lestes, à la grande
joie de Marie-Caroline :

— Jamais je ne me souviendrai de tout cela ! murmura-t-elle en
riant.

Elle allait avoir des préoccupations plus sérieuses. La nuit était
humide, et, dans leur réduit, les quatre emmurés grelottèrent bientôt
de froid. Serrés les uns contre les autres, ils mangèrent des morceaux
de sucre que Mesnard avait eu la bonne idée de mettre dans sa poche.

Vers dix heures, les gendarmes, transis eux aussi, décidèrent d'allumer
du feu dans la cheminée.

En entendant les préparatifs, Marie-Caroline se réjouit :

— Nous allons avoir chaud !...

Hélas ! la cachette ne tarda pas à être envahie par une épaisse fumée
et une chaleur insoutenable. Étouffant, suffoquant, Marie-Caroline et
ses amis changeaient de position et tournaient sur eux-mêmes « avec
une peine incroyable », nous dit Guibourg.

20. Général DERMONCOURT, *La Vendée et Madame la Duchesse de Berry*.
21. GUIBOURG, *Relation de l'arrestation de Madame la Duchesse de Berry*.

La plaque, devenue rouge, mit tout à coup le feu aux vêtements de la duchesse. On s'affola :

— Laissez-moi faire, dit Marie-Caroline.

Et, tranquillement, elle éteignit les flammes en faisant pipi sur sa robe.

Vers onze heures, les gendarmes s'endormirent, laissant mourir le feu, et la situation des emmurés redevint supportable. La nuit passa.

— Peut-être vont-ils s'en aller à l'aube, dit Marie-Caroline.

Mais quand le jour parut, les gendarmes s'éveillèrent et rallumèrent le feu. Aussitôt, une fumée plus épaisse encore que la veille pénétra dans le réduit.

Cette fois, nous dit Guibourg, « l'espoir devenait impossible et la duchesse se résigna ».

Poussant la plaque de cheminée qui s'ouvrit, elle cria :

— Ôtez le feu, nous nous rendons !

Et, le visage noir de fumée, les yeux rouges, la robe à demi brûlée, elle sortit à quatre pattes à travers les cendres chaudes. Quand elle fut dans la pièce, elle se releva et dit aux deux gendarmes éberlués :

— Je suis la duchesse de Berry ; vous êtes Français et militaires ; je me fie à votre honneur !...

Quelques jours plus tard, Deutz alla réclamer au ministère de l'Intérieur les cinq cent mille francs qui lui étaient dus.

Thiers lui remit les billets un à un.

Avec des pincettes...

4

La duchesse de Berry accouche dans sa prison

> En toutes circonstances elle faisait l'enfant...
>
> Henry d'Alméras

Quelques jours après son arrestation, Marie-Caroline fut conduite, par bateau, jusqu'à la citadelle de Blaye où on l'interna.

Au début de novembre, le colonel de Chousserie, qui avait la responsabilité de l'illustre prisonnière, signala au maréchal Soult que la duchesse était « fort souffrante et très impressionnable ».

Un médecin, le docteur Gintrac, vint à la citadelle et ausculta Marie-Caroline. Après quoi, il se contenta de prescrire des boissons calmantes accompagnées de bains de pieds.

Le lendemain, le colonel de Chousserie, un peu rassuré, écrivit au ministère de la Guerre que la princesse souffrait seulement d'une légère indisposition. Il ajoutait toutefois :

> *Son ventre paraît avoir acquis un certain volume qui, cependant, n'a pas été remarqué par le médecin, malgré qu'il le soit par beaucoup de personnes.*

En effet, le même jour, le lieutenant Ferdinand Petit-Pierre, officier d'ordonnance du colonel Chousserie, notait dans son journal :

« Madame a la démarche et le ventre d'une femme enceinte de cinq à six mois. Cependant, je ne crois pas m'apercevoir que sa corpulence ait augmenté depuis son arrivée. Il est vrai que je la vois tous les jours. Serait-elle enceinte ? »

Cette question, tout le monde allait bientôt se la poser. Tout le monde, sauf le docteur Gintrac, qui persistait à attribuer les étouffements de Marie-Caroline à l'air humide et froid qu'elle respirait dans la citadelle.

Chousserie l'engagea alors à ausculter entièrement la duchesse pour dissiper les doutes. Petitpierre nous conte la scène :

« Le docteur allait attaquer franchement la question ; mais elle ne lui en laissa pas le temps. A peine eut-il prononcé les premiers mots qu'elle s'écria :

» — Je vois où vous voulez en venir ! Je suis grosse, n'est-ce pas ? Eh bien, c'est pour la quatrième fois.

» Là-dessus, elle se leva de sa chaise :

» — Tenez, monsieur Gintrac, assurez-vous-en vous-même, dit-elle en ouvrant ses vêtements. Tâtez-moi le ventre !

» Et, après que M. Gintrac se fut livré, par-dessus ses vêtements intimes, à quelques investigations sommaires, elle se prit elle-même le ventre à deux mains et le pressa fortement.

» — Voilà, dit-elle amèrement, comme je suis grosse ! Vous me rendriez bien plutôt service si vous me débarrassiez de cette infirmité. »

Trompé une fois de plus par le toupet de Marie-Caroline, le docteur Gintrac revint vers le colonel Chousserie et lui déclara gravement :

— Je ne crois pas que la duchesse soit enceinte. Si son ventre est gros, c'est par suite d'un gonflement de la rate.

Il ordonna des bains suivis de frictions et rentra chez lui.

Le colonel, de plus en plus perplexe, décida alors de demander au ministre de la Guerre l'envoi de médecins parisiens. Soult désigna le docteur Orfila, doyen de la faculté de médecine, et le docteur Auvity, qui avait soigné jadis Marie-Caroline. Les deux hommes arrivèrent à Blaye le 24 janvier. En les voyant entrer dans sa chambre, la duchesse parut épouvantée. Puis elle se ressaisit et déclara qu'elle était prête à se laisser ausculter.

Orfila et Auvity retirèrent leur redingote, palpèrent soigneusement l'abdomen princier, hochèrent la tête, remirent leur redingote et rentrèrent à Paris.

— Alors ? leur dit Soult.

La réponse fut moins catégorique que ne l'espérait le maréchal :

— L'abdomen nous a paru un peu développé relativement à son état ordinaire.

— Mais est-elle enceinte ?

Orfila fit un geste vague :

— Elle semble en présenter les symptômes.

— Fort bien, dit Soult, il faut donc la surveiller étroitement. Je vais nommer à Blaye un homme énergique et perspicace...

Une semaine plus tard, le 31 janvier, le colonel Chousserie était remplacé par le maréchal Bugeaud.

Dès son arrivée à Blaye, celui-ci alla jeter un coup d'œil militaire sur la jeune femme et envoya un rapport à Soult pour l'informer de ses soupçons :

« Il serait difficile, en effet, écrivait-il gravement, d'expliquer la coïncidence d'une bonne santé avec une proéminence qui viendrait de l'hydropisie ou de l'engorgement d'un viscère. »

A cette époque la duchesse était enceinte de cinq mois...

Un autre problème tracassa bientôt Bugeaud. Malgré un arrondi de plus en plus révélateur, Marie-Caroline ne semblait pas s'inquiéter du scandale qui allait forcément éclater.

Le 11 février, le maréchal écrivit à Soult :

« Madame la duchesse est extrêmement gaie et joue avec ses perruches et son petit chien Bévis. C'est ce que nous ne pouvons concilier avec un état qui semble être celui d'une grossesse avancée. Si ce que l'on suppose est vrai, elle doit avoir par-devers elle un moyen de mettre son honneur à couvert. Ce ne peut être qu'un mariage réel ou supposé. »

Le brave militaire voyait juste. Marie-Caroline n'était nullement tourmentée par son état. « Ce n'était pas, écrit la comtesse de Boigne, sa première grossesse clandestine. Elle croyait les princesses en dehors du droit commun à cet égard et ne pensait nullement que cet incident dût influer sur son existence politique d'une façon sérieuse. » En outre, depuis quelques jours, des amis sûrs lui avaient trouvé un « mari » capable d'endosser la plus extravagante des paternités...

Le 22 février, Bugeaud, qui avait peur de subir le même sort que Chousserie, supplia Marie-Caroline de lui dire la vérité.

— Le gouvernement vous saura gré de votre franchise, madame. Attendez-vous un enfant ?

La duchesse crut comprendre qu'un aveu lui vaudrait la liberté. Elle éclata alors en sanglots, se jeta dans les bras du maréchal et lui avoua qu'elle s'était mariée secrètement et qu'elle était enceinte de six mois.

Bugeaud poussa un gros soupir.

— Il me faut une déclaration écrite, dit-il.

Marie-Caroline prit un papier et écrivit :

Vu que je suis pressée par les circonstances et par les mesures ordonnées par le gouvernement, et quoique ayant les motifs les plus graves pour tenir mon mariage secret, je crois devoir à moi-même ainsi qu'à mes enfants de déclarer m'être mariée secrètement pendant mon séjour en Italie.

Marie-Caroline.

Ce billet fut immédiatement transmis à Soult, qui en fit insérer le texte dans *Le Moniteur* du 26 février.

En apprenant que la duchesse de Berry, « l'ange pur de la restauration des Bourbons », la « Marie Stuart vendéenne », attendait un enfant dans sa prison, les légitimistes furent atterrés. La plupart déclarèrent qu'il s'agissait là d'une ignoble fable inventée par le gouvernement pour discréditer la « régente ».

Les orléanistes, eux, se demandaient simplement qui était le père.

Était-ce Guibourg ? Rosambo, qui avait été l'intime compagnon durant l'exil et l'épopée vendéenne ? Charette ? Bourmont ? Ou même Deutz, comme le croyait Bugeaud ? Les noms les plus invraisemblables étaient avancés.

Enfin, le 10 mai, la duchesse mit au monde une petite fille que l'on nomma Anne-Marie-Rosalie. Aussitôt, le docteur Deneux prit la parole :

« Je viens d'accoucher Madame la duchesse de Berry, épouse en légitime mariage du comte Hector Lucchesi-Palli, prince de Campo-Franco, gentilhomme de la chambre du roi des Deux-Siciles, domicilié à Palerme. »

Lorsque le nom du père fut publié, toute la France orléaniste éclata de rire :

— Voilà donc le mari que la duchesse s'est trouvé ! disait-on. On ne peut imaginer une farce plus grossière ! Quand donc se seraient-ils mariés ? Et comment cet Italien aurait-il rencontré Marie-Caroline en août 1832, alors qu'elle était enfermée dans sa mansarde de Nantes ?

Les légitimistes, obligés d'admettre les faits, répliquaient :

— Soit, elle a accouché, mais son mari est connu et d'excellente famille. Les Campo-Franco descendent, en effet, de l'un des douze barons normands qui, avec Tancrède, conquirent la Sicile au retour de la Terre sainte. La duchesse a épousé secrètement le comte Hector à Rome, en 1831, et il est venu de Hollande la retrouver non moins secrètement à Nantes.

Tout cela semblait rocambolesque.

En fait, personne ne savait rien. Et la France entière se posait la même question : qui était le père de la petite Anne-Marie-Rosalie ?...

Pour les légitimistes, le père ne pouvait être, bien entendu, que Lucchesi-Palli. Pourtant le récit de Marie-Caroline les embarrassait un peu. Ils craignaient que les orléanistes n'apprissent, par les habitants de La Haye, que le comte n'avait pas quitté la Hollande un seul jour au mois d'août 1832...

Alors, ils donnèrent une seconde explication de la rencontre des deux « époux » :

— Encore troublée par les émotions dues à sa maternité, déclarèrent-ils, la princesse s'était embrouillée dans ses propos et nous avions cru comprendre que son mari était venu à Nantes. La réalité est autre. C'est elle qui, sous un déguisement de paysanne vendéenne, se rendit en Hollande au mois d'août. Naturellement, son voyage fut des plus secrets et personne à La Haye n'en fut informé. Elle demeura d'ailleurs peu de jours près du comte Lucchesi et revint discrètement dans sa mansarde.

Cette explication, disons-le tout de suite, est refusée aujourd'hui par tous les historiens. Écoutons Marc-André Fabre :

« Les légitimistes voulaient qu'Anne-Marie-Rosalie fût une enfant de la Hollande où Marie-Caroline, quittant pour quelques jours sa retraite, aurait été, déguisée en paysanne, retrouver le comte Lucchesi-Palli, pour revenir ensuite chez ses amies nantaises. Ils produisirent, plus tard, à l'appui de cette thèse audacieuse, deux lettres découvertes par le vicomte de Reiset "sous un monceau de vieux papiers", après la mort de la duchesse. L'une est du comte Lucchesi. Il déclare : *Votre course rapide, qui vous a exposée à tant de dangers, a été pour moi un tourment de plus, bien que je lui doive le bonheur de vous avoir revue.* L'autre est de la duchesse. Elle se termine ainsi : *Les conséquences de ma course rapide m'obligent à dévoiler sous peu notre union.*

» Mais ces lettres, qui sont datées de la captivité de Blaye, furent manifestement écrites pour les besoins de la cause, tout comme fut rédigé, vers la même époque, l'acte antidaté du mariage célébré par le P. Rosaven. Parmi les papiers saisis dans la mansarde de Nantes et déposés aux Archives nationales figure une nomenclature détaillée des lettre reçues et envoyées par la duchesse du 23 juin au 18 septembre. Presque tous les jours de cette période y figurent, à l'exception, çà et là, de deux ou trois. Durant ce laps de temps, Marie-Caroline n'a donc pas quitté son refuge nantais [22]. »

Pour expliquer la présence des papiers saisis, les légitimistes déclarèrent que la duchesse avait, « avant son départ pour la Hollande, laissé à ses fidèles des lettres antidatées, de manière que, si son asile était découvert, rien ne pût révéler son voyage qui pouvait donner lieu à des interprétations nuisibles aux intérêts de Henri V [23] ».

Comme le dit un des biographes de Marie-Caroline : « Les ennemis du pouvoir avaient réponse à tout, et des épisodes de roman, dignes de Xavier de Montépin, étaient inventés pour sauver l'honneur de la duchesse [24]... »

Les orléanistes, naturellement, ne croyaient pas un mot de l'explication donnée par les légitimistes. Ils firent effectuer une enquête par quelques personnes bien placées chez leurs adversaires politiques et parvinrent à réunir suffisamment d'éléments pour bâtir une thèse qui est, aujourd'hui, presque unanimement acceptée par les historiens. La voici, telle que nous la présente J. Lucas-Dubreton :

« Au début de 1833, il est de toute nécessité de trouver un mari. Les carlistes se mettent à l'œuvre ; en tête, Mme du Cayla, l'ancienne favorite de Louis XVIII, qui, avec des restes de beauté, possède un

22. Marc-André Fabre, *La duchesse de Berry, la Marie Stuart vendéenne.*
23. Baron de Mesnard, *Mémoires.*
24. Jean-Baptiste Thureau, *La duchesse de Berry.*

véritable génie d'intrigue. A La Haye, où elle habite, elle pressent d'abord M. de Ruffo, ambassadeur de Naples, qui se trouve là de passage ; mais quand celui-ci comprend de quoi il s'agit, il prend peur et s'enfuit.

» Alors, elle se retourne vers le comte Hector Lucchesi qui, à son tour, fait mine de ne point entendre. Rochechouart, légitimiste incorrigible, joint ses efforts à ceux de la dame, engage Lucchesi à "épouser la duchesse pour sauver son honneur" ; il ne répond pas à ses ouvertures. Cependant, le temps passe ; la prisonnière ne peut attendre indéfiniment qu'on lui découvre un mari. Alors, le financier Ouvrard paraît, avec des arguments sans réplique. Lucchesi reçut-il 100 000 écus ? un million ? On l'ignore ; mais il consent à endosser l'honneur de la paternité ; et sans tarder, on fait fabriquer, dans un petit village d'Italie, un certificat de mariage qu'on date de juillet 1831 [25]. »

La thèse des orléanistes devait être, plus tard, en partie confirmée par le docteur Menière qui, après le retour de Marie-Caroline à Palerme, écrivit, d'Italie, au ministre de l'Intérieur, cette lettre datée du 30 juillet 1833 :

Il n'a jamais existé aucune relation un peu intime entre le jeune Hector et Mme la duchesse de Berry. Le comte n'a pas plus de vingt-huit ans, est ambitieux, exalté, mais homme d'honneur et incapable de céder à des considérations d'argent. Dévoué au parti légitimiste, il n'a pas hésité à payer de sa personne dans cette grande occasion. Il avait eu plusieurs entrevues, à Massa, avec la duchesse qui l'envoya à Paris pour y porter des dépêches au chef du parti henriquinquiste, mais il n'est point allé en Vendée, pas plus que la princesse n'est allée à La Haye, quoique, depuis son retour de Hollande, le comte ait cherché plusieurs fois à répandre ce bruit.

On m'a prouvé la fausseté de ces deux histoires, trop évidemment inventées après coup. C'est en Hollande que le jeune comte a reçu avis des vues que l'on avait sur lui. Il a dû emprunter six mille francs pour faire le voyage ; et ce n'est qu'en Italie qu'il a trouvé ses instructions définitives... Le comte est resté ici incognito et les quelques rares personnes qui l'ont vu l'ont trouvé fort triste. Depuis qu'il est à Palerme, tout le monde a fait la même remarque. Le jeune comte n'a pas eu la force de jouer son rôle jusqu'au bout ; sa paternité lui pèse et la duchesse avait même résolu d'éloigner l'enfant. J'ai été appelé deux fois auprès de la princesse et je l'ai trouvée fort changée. Elle affiche une gaieté qui ne m'a pas paru naturelle. Si on ne croit pas au mariage, on croit bien moins encore à la paternité du comte Hector, mais on pense qu'en homme dévoué et romanesque, il a consenti à couvrir de son nom un accident qui arrivait si mal à propos. On pense aussi qu'en homme ambitieux et crédule, il n'est pas trop fâché, au fond, de se trouver attaché aussi intimement à la fortune d'une

25. J. Lucas-Dubreton, *La princesse captive : la duchesse de Berry.*

princesse qui, suivant ses idées, est destinée à voir une nouvelle Restauration.

Enfin, il existe un document capital qui ruine définitivement la thèse du mariage secret. C'est la copie, de la main de Mme du Cayla, d'une lettre de Marie-Caroline, adressée de Blaye à Olivier Bourmont, et parvenue à La Haye le 12 avril 1833, soit deux mois avant l'accouchement. Cette lettre, qui devait être chiffrée, est ainsi conçue :

Je serai reconnaissante toute ma vie, mon cher Olivier, de la manière dont vous avez interprété auprès de moi les sentiments du comte Hector ; je lui écris moi-même pour le remercier et lui exprimer combien je suis touchée de sa proposition que j'accepte avec la plus vive reconnaissance ; mon occupation sera de faire son bonheur.

Je pense qu'il est important qu'avec la plus grande prudence et le plus prompt empressement et secret il se rende à Naples pour enregistrer l'acte de mariage et qu'il y reste pour m'attendre. Je me réserve, bien entendu, d'assurer le sort d'Hector par contrat, lorsque je serai en Italie, et que j'aurai connaissance détaillée de mes propres affaires. Je profiterai de l'autorisation si délicate qu'il me donne de le désigner, s'il y a urgence. Je réponds qu'il n'y aura aucune réclamation quelconque. Ma lettre au comte L... fait foi de mon entier consentement à l'accepter pour époux. Je lui demande par vous, seulement, le secret le plus absolu, excepté pour son père, s'il le croit nécessaire. Il est bien entendu que, pour le roi de Naples, sa famille et la mienne, le mariage s'est conclu pendant mon séjour en Italie ; mais si faire se peut, ils ne doivent le savoir que lorsque je serai rendue à la liberté.

S'il est utile de convenir d'une course légère en Hollande, elle n'a pu avoir lieu que du 15 août au 15 septembre. Je n'ai pas besoin de vous assurer de ma sincère amitié, et combien je suis touchée de cette nouvelle preuve d'attachement [26].

Le comte de Lucchesi-Palli n'était donc qu'un homme de paille. Mais alors, qui était le père d'Anne-Marie-Rosalie ?

Les contemporains, eux-mêmes, renoncèrent bientôt à chercher.

— La duchesse, disaient-ils découragés, n'en est d'ailleurs pas à sa première faiblesse. Vous souvenez-vous de ses retraites subites autrefois, à Rosny, à Bath ? Cela donnait déjà à penser. Après l'enfant d'Angleterre, l'enfant de Vendée. En vérité, cette Napolitaine compte la chasteté pour rien [27].

Alors ?

La plupart des historiens actuels pensent que le père de « l'enfant de Blaye » était le jeune et séduisant avocat nantais Guibourg, qui passait de longues soirées en tête à tête avec Marie-Caroline dans la mansarde de la rue Haute-du-Château. Mais ce n'est là qu'une hypothèse qu'aucun document ne vient confirmer.

---

26. Cette lettre appartient au prince de Beauvau.
27. Cité par J. LUCAS-DUBRETON.

Aussi, par prudence, me rangerai-je à l'avis de la comtesse de Boigne, qui écrit dans ses *Mémoires* :

« Je ne sais si le nom du véritable père demeurera un mystère pour l'Histoire : quant à moi, je l'ignore. Faut-il en conclure, ainsi que Chateaubriand me répondait, un jour où je l'interrogeais à ce sujet :

» — Comment voulez-vous qu'on le dise, elle-même ne le sait pas [28]. »

5

M. Thiers épouse Élise Dosne, la fille de sa maîtresse

> Comment donc ne pas aimer
> Ce qui fut confectionné
> Par la femme que l'on aime ?
> *L'amour et la cuisine*
> (chanson du XVIIIᵉ siècle)

Après l'arrestation de la duchesse de Berry, Adolphe Thiers courut chez Mme Dosne pour lui annoncer sa victoire.

Dès les premiers mots qu'il prononça, l'épouse du receveur des Finances poussa un gros soupir et commença à se déshabiller. Elle était si émotive, en effet, qu'elle ne pouvait recevoir une bonne nouvelle « sans éprouver immédiatement une démangeaison vénérienne ».

D'un geste vif, elle entraîna Thiers sur son lit, le dévêtit avec une dextérité d'écosseuse de petits pois et, selon le mot charmant d'un chroniqueur du temps, « le convia à s'ébattre sur sa pelouse »...

Le petit Adolphe, que son triomphe mettait en verve, y grimpa aussitôt et s'y livra à mille gamineries qui eussent certainement amusé un public, si ce genre de chose ne s'effectuait pas en cachette, comme une mauvaise action.

Lorsque leurs ébats furent terminés, Mme Dosne et son petit « grand homme » eurent une longue et tendre conversation.

— Il ne faut pas perdre le bénéfice de ta victoire, dit Sophie. La chance t'a permis de commencer ta carrière de ministre par un coup d'éclat, profite de ce que les hommes du gouvernement t'applaudissent encore pour sortir par la grande porte.

Thiers, du fond de l'oreiller où il reprenait des forces, murmura :

— ... Après quoi, j'attends qu'ils m'offrent un portefeuille plus important ?

— Tu m'as parfaitement comprise. Mais fais attention. Il te faut le Commerce et les Travaux publics. De ce double portefeuille dépendent les Archives du royaume, les Beaux-Arts, les théâtres et l'Opéra. Tu auras donc en main toutes les ficelles qui ouvrent les portes de l'Académie française...

---

28. La comtesse de Boigne nous dit également que la petite Anne-Marie-Rosalie fut déposée « chez un agent d'affaires comme un paquet incommode et compromettant ». La pauvre enfant n'y demeura pas longtemps. Elle mourut pendant l'hiver de 1833...

Adolphe vit tout de suite de quelle façon tirer la chevillette pour que la bobinette chût. Il se leva et, complètement nu, marcha de long en large dans la chambre en faisant, à haute voix, des projets de grands travaux :

— Je vais faire achever l'Arc de Triomphe et restaurer les monuments de Paris qui sont vieux et sales : la Madeleine, le Panthéon, le Collège de France, la colonne Vendôme, les Beaux-Arts, le Muséum, le Palais-Bourbon...

Mme Dosne sourit :

— Et mon Adolphe sera académicien...

Cette perspective éblouit Adolphe Thiers. Sans rien dire, il regrimpa sur le lit et ne tarda pas à trouver un endroit où cacher son émotion...

Quelques mois plus tard, le petit Marseillais devait suivre, point par point, le programme de sa maîtresse.

Le 31 décembre 1832, il recevait les portefeuilles du Commerce et des Travaux publics, faisait immédiatement gratter tous les monuments de Paris, s'occupait de la mise en place de l'Obélisque et commandait une statue de Napoléon.

Cette dernière initiative lui valut quelques quolibets :

« Tâchez de ne pas rire, écrivait un chroniqueur, *Le Moniteur* nous l'annonce officiellement, on a coulé la statue de Bonaparte et M. Thiers présidait cette intéressante opération. Vous figurez-vous la statue de Napoléon fondue sous les auspices du nain officiel qu'il aurait caché dans une de ses bottes ? Pour la statue de M. Thiers, nous ne lui voyons pas d'autre place que la colonne Vendôme elle-même ; il pourra largement tenir entre les jambes de Napoléon... »

Mais le « nain officiel » laissait ricaner les journalistes et suivait son plan. Au printemps 1833, après avoir commandé à Étex, Rude et Cortot les groupes destinés à orner l'Arc de Triomphe, il posa sa candidature à l'Académie.

Malgré son jeune âge — il n'avait que trente-six ans — il fut élu par 17 voix contre 6 à Charles Nodier et 2 bulletins blancs...

Cette fois le petit Marseillais pensa qu'il était vraiment « quelqu'un »

Alors Mme Dosne le prit sur ses genoux et lui dit :

— Adolphe, tu peux avoir maintenant toutes les ambitions. Mais il faut changer ta vie. Un grand homme politique ne peut pas être célibataire. Il doit recevoir, donner des fêtes, des bals. Il lui faut une compagne. Il lui faut une maîtresse de maison. Il lui faut une femme...

Thiers prit la main de Sophie.

— Non, dit doucement Mme Dosne, moi, je ne peux pas quitter M. Dosne. Mais je vais te proposer une femme qui ne nous séparera pas. Veux-tu épouser Élise ?

Élise était la fille aînée de Mme Dosne. Elle n'avait que quinze ans et Adolphe la considérait encore comme une enfant. Mme de Dino (ex-maîtresse de Thiers) nous la décrit ainsi : « Elle a de belles couleurs, de beaux cheveux, de jolis membres bien attachés, de grands yeux qui ne disent rien encore, la bouche désagréable, le sourire sans grâce et le front saillant... Elle a l'air boudeur et n'a aucune prévenance... »

Voyant hésiter son amant, Sophie insista :

— Elle est douce, obéissante. Elle m'aime beaucoup. Elle sera fière d'être ta femme. Elle nous laissera nous aimer en paix. Tu n'as à craindre d'elle, ni les larmes ni les scènes. Pour nous rien ne sera changé...

Thiers finit par accepter et, le 6 novembre 1833, le *Constitutionnel* publiait cet entrefilet :

« Hier, Mlle Dosne, fille du Receveur général des Finances de Lille, a atteint sa quinzième année, et c'est hier qu'a eu lieu la cérémonie de ses fiançailles avec M. Thiers. Mlle Dosne est, dit-on, fort petite, fort jolie, et surtout fort riche : on parle de deux millions [29]. »

Cette nouvelle fit l'effet d'une bombe à Paris. Que le ministre-académicien osât épouser la fille de sa maîtresse stupéfiait les moins prudes [30]. Aux Tuileries, la reine Marie-Amélie fut horrifiée :

— C'est une tache sur notre règne, dit-elle.

Louis-Philippe tenta de la calmer :

— M. Thiers est un ambitieux à qui tous les moyens sont bons pour arriver. Laissons-le faire. Ses excès montreront ses limites.

Le mariage eut lieu discrètement, le 7 novembre, à minuit, à la mairie du 11e arrondissement. Après quoi, les nouveaux époux se rendirent à l'église Saint-Jean, faubourg Montmartre, où le curé les bénit [31].

A une heure du matin, Adolphe et Élise, accompagnés de Mme Dosne, qui les embrassa tendrement tous les deux, allèrent se coucher au ministère.

Galant, Thiers se conduisit avec la petite Dosne comme s'il se fût agi de sa belle-maman...

Le lendemain, en apprenant que le mariage avait été célébré à l'église, la reine fut rassérénée.

— Allons, dit-elle, ce M. Thiers a tout de même de la religion.

Elle ignorait que le ministre, connaissant les besoins du curé de Saint-Jean, avait troqué son billet de confession contre un calorifère...

---

29. En réalité, la dot d'Élise n'était que de 300 000 francs.

30. Dans *l'École des Journalistes*, Delphine Gay, devenue Mme de Girardin, désigne ainsi M. Dosne :

« *... Ce gros frisé*
Qui pour mieux resserrer les liens de la famille
À l'amant de sa femme a marié sa fille. »

31. Quatre ans plus tard, Balzac montrera, dans sa *Maison Nucingen,* Rastignac (pour lequel Thiers servit de modèle) épousant la fille de sa maîtresse.

6

Fanny Elssler fut-elle la maîtresse de l'Aiglon ?

C'était un corps plein de désirs qui dansait.

GRILLPARZER

Au mois de juin 1834, les Parisiens, qui étaient encore bouleversés par les atroces massacres de la rue Transnonain [32] oublièrent, un moment, l'agitation politique pour s'intéresser à une danseuse.

Cette danseuse était la célèbre Fanny Elssler, que le docteur Véron, directeur de l'Opéra, avait fait venir en France pour la présenter au public parisien.

Les petits journaux publiaient des descriptions enthousiastes de la jeune femme et tout Paris sut bientôt qu'elle possédait « les plus jolies jambes du monde, des genoux irréprochables, des bras ravissants, une poitrine de déesse et la grâce virginale de Diane elle-même ».

Cet ensemble de qualités eût été suffisant pour faire rêver tous les hommes, du maréchal Soult au dernier des calicots. Mais les Parisiens, déjà fort émus, allaient recevoir un choc dont certains de leurs descendants ne sont pas encore tout à fait remis.

Le 2 juin, un journaliste nommé Charles Maurice, qui dirigeait le *Courrier des Théâtres*, publia sur Fanny un article qui se terminait ainsi :

« Quand cette artiste était au théâtre de Vienne, on voulait savoir qu'elle intéressait un prince bien cher à la nation française, et moissonné à la fleur de l'âge pour le désespoir de notre époque. Fondé ou non, ce bruit est entièrement de nature à exciter la bienveillance, à piquer la curiosité en faveur de Mlle Elssler. Dût-on n'y trouver qu'un prétexte à de doux souvenirs, qu'une pensée liée à tant d'espérances si cruellement déçues, qu'une occasion (bien détournée sans doute) de témoigner les sentiments que gardent à d'illustres cendres des hommes sauvés du torrent de l'apostasie, on saisira l'occasion pour aller voir, applaudir et méditer. »

Immédiatement, dans les salons, les bureaux, les boutiques, les gens s'interrogèrent. Était-ce possible ? Cette jeune femme avait-elle été la maîtresse de l'Aiglon, mort deux ans plus tôt ? Pouvait-on imaginer que ses mains fines avaient caressé les boucles blondes du fils de l'Empereur ?

Quelques jours plus tard, un article de Jules Janin, paru dans le grave *Journal des Débats*, vint convaincre les plus sceptiques.

---

32. Le 14 avril 1834, le Comité des droits de l'homme de Paris décida de se soulever pour soutenir l'insurrection républicaine de Lyon. Des barricades s'élèvent dans le Marais. La répression fut terrible, principalement rue Transnonain, où tous les habitants de la maison portant le n° 12, d'où était parti un coup de fusil, furent massacrés par les soldats.

« Il y avait, à Vienne, il n'y a pas longtemps, écrivait-il, un parc entourant une demeure royale où il se glissait, le soir, une jeune femme que le duc de Reichstadt, penché à sa fenêtre, entendait venir de loin.

» Cette jeune femme a été le premier et le dernier sourire du fils de l'Empereur.

» Fanny Elssler a quitté l'Autriche. Elle n'avait plus rien à y faire. Elle ne pouvait plus y danser après que s'étaient fermés deux yeux si brillants et si vifs qui la regardaient avec amour. Maintenant que la loge du jeune prince est vide, Fanny n'a plus rien à faire à Vienne. A présent, elle appartient à son beau royaume de France et à ses loyaux et enthousiastes sujets de sa bonne ville de Paris. »

La danseuse devenait une souveraine que le brave peuple parisien, demeuré bonapartiste, était prêt à acclamer aux cris de « Vive l'Empereur ! » et de « A bas Louis-Philippe ! ».

Naturellement, lorsque Fanny débuta à l'Opéra, le 15 septembre dans *La Tempête,* elle remporta un triomphe. Et, pendant des mois, des milliers de spectateurs vinrent de toutes les provinces de France pour applaudir « celle qu'avait aimée le roi de Rome... ».

Malheureusement, en 1835, bonapartistes et admirateurs de Fanny reçurent, selon le mot amusant d'un mémorialiste « une douche glaciale sur leur pamoison ». Un rédacteur de la *Gazette des Théâtres* fit paraître l'article suivant, qui démentait formellement les affirmations de Charles Maurice et de Jules Janin :

« On a dit et on a répété qu'un jeune prince, né sur les marches du plus beau trône de l'Europe et qu'une maladie de consomption a ravi, il y a trois ans, à bien des sympathies, on a dit que ce prince, épris d'une passion violente pour Mlle Fanny Elssler, était mort en répétant le nom de la belle danseuse allemande. On a dit bien d'autres choses que je ne rappellerai pas. Mais la vérité demande ici une petite place contre les suppositions des historiens auxquels je réponds. Je tiens, d'un grand amateur de l'Opéra de Vienne, d'un fidèle et fervent admirateur des sœurs Elssler, que jamais le fils de Napoléon (puisqu'il faut le nommer) n'a vu, ni au théâtre ni ailleurs, l'artiste pour laquelle on lui a prêté de si tendres sentiments. Qu'on essaie de me réfuter, si l'on peut. J'ai mon Viennois sous la main, prêt à soutenir un démenti dont je ne suis que l'écho. »

Où était la vérité ?

C'est ce que nous allons essayer de découvrir.

D'abord, qui était Fanny Elssler ?

Une jeune Allemande de vingt-quatre ans dont le père, né en Silésie, avait été valet chez Haydn [33]. Après une éducation artistique particulièrement surveillée, elle avait débuté au Kærnther-Thor où le public s'était engoué pour sa grâce et sa beauté. Bientôt, un riche et

---

33. Le brave homme portait un véritable culte à son maître. Lorsque celui-ci était absent, Essler prenait un brûle-parfum et passait des heures à encenser le portrait du musicien.

puissant personnage, le chevalier de Gentz, de quarante-quatre ans son aîné, l'avait remarquée et était devenu son amant.

Par lui, Fanny avait connu Metternich et fréquenté le comte de Prokesch-Osten, ami intime et inséparable de l'Aiglon...

Après la mort de son protecteur, survenue en 1832, elle était devenue la maîtresse d'un danseur berlinois. Depuis qu'elle vivait à Paris, elle se montrait d'une sagesse exemplaire, n'ayant jamais plus de trois amants à la fois, ce qui, pour une danseuse, équivalait alors à la chasteté monastique.

L'Opéra avait, en effet, la réputation d'abriter un troupeau d'ardentes pécheresses, de gourgandines et de courtisanes éhontées.

L'une d'elles, Pauline Duvernay, ayant un jour refusé les cent mille francs que lui offrait un grand seigneur russe, tout le corps de ballet fut scandalisé.

— Tu ne seras jamais une grande danseuse ! lui disait-on.

Elle se réhabilita d'une curieuse façon. Quelque temps après, un jeune secrétaire d'ambassade étant venu lui offrir sa vie, elle se contenta de répondre doucement :

— Ce sont des mots, monsieur. Je suis sûre que si je vous priais de me donner une de vos dents, vous me la refuseriez.

Le jeune homme courut chez un dentiste, revint avec une dent, et pour prouver qu'il ne l'avait pas achetée d'occasion, montra sa mâchoire.

— Ah ! mon Dieu ! s'écria la ballerine, vous vous êtes trompé. C'est celle du dessous que je voulais.

Le malheureux eut une syncope.

Fanny Elssler n'était pas de cette race de danseuses. Elle n'était point vénale. En outre, elle se différenciait de ses camarades par un langage châtié, dont elle avait pris le goût au contact du chevalier de Gentz, et bien des journalistes étaient étonnés de ses connaissances.

Elle avait même de l'orthographe, ce qui était stupéfiant à une époque où une ballerine écrivait à son amant ce mot resté célèbre :

« Notre anfan ai maure. Vien de bonheur. Le mien ai de te voire. »

Non, certes, Fanny Elssler n'était pas une danseuse comme les autres.

Mais fut-elle la maîtresse de l'Aiglon ?...

Les historiens qui croient à cette liaison rappellent tout d'abord que le duc de Reichstadt était beaucoup plus libre à Schönbrunn qu'on ne le prétend généralement. Ils le montrent fréquentant les bals et citent ce texte du comte Prokesch-Osten, son ami intime :

« Il me raconta un jour que, la nuit précédente, lui et le comte Maurice Esterhazy, dont la société enjouée le distrayait, s'étaient rendus, masqués, au bal de la Redoute et que là, ils avaient suivi la comtesse X... [34] jusqu'à sa demeure où ils avaient trouvé une nombreuse société également en train de danser ; que les deux masques, connus

34. Comtesse Naudine Caroly, née princesse Kaunitz.

seulement de la maîtresse de maison, étaient demeurés pour tous les invités une énigme indéchiffrable. Le duc ne s'était pas dissimulé qu'il avait commis un acte d'étourderie ; mais il n'avait pu résister à l'attrait de faire quelque chose qu'à la Cour on le crût incapable d'oser et d'exécuter. Heureusement rien ne transpira de cette affaire, ainsi que j'ai pu m'en convaincre plus tard, bien qu'alors cela me parût impossible [35]. »

Cette liberté, qui permettait au jeune duc de s'échapper du palais et de courir le guilledou, peut paraître étrange. Certains historiens y voient l'un des éléments principaux d'un plan machiavélique formé par Metternich. D'après eux, le ministre autrichien, connaissant la santé délicate du prince, aurait poussé celui-ci à faire la fête pour hâter sa fin. Un témoignage de cette vie dissolue nous est donné par un contemporain :

« Il recherchait avec avidité les plaisirs bruyants du bal, se laissait entraîner pendant des nuits entières aux tourbillonnements d'une valse plus fatigante que voluptueuse, car, abandonnant les danses allemandes, c'était aux bonds sautillants de la galope anglaise, ou à la rapidité des figures françaises qu'il donnait la préférence ; et ce n'était pas sans surprise qu'on voyait ce jeune homme, autrefois si grave, si occupé de travaux paisibles et sérieux, rentrer le matin, pâle et harassé, après avoir passé une nuit de fatigue et d'épuisement au bal [36]. »

Metternich, constatant que les fêtes et les nuits blanches ne donnaient pas de résultats assez rapides, aurait alors poussé l'Aiglon à commettre les pires excès sensuels. Des hommes comme le comte Esterhazy et Gustave de Neipperg, propre fils du mari de Marie-Louise, se seraient faits entremetteurs, procurant au duc des jeunes femmes faciles, hardies au jeu de l'amour et d'un commerce exténuant.

Là encore, Metternich aurait réussi, s'il faut en croire l'auteur de l'*Histoire de Napoléon II* :

« Comme si le duc eût voulu s'adonner à la fois à tous les genres d'excès et tenir contre sa propre existence une gageure homicide, il ouvrit son cœur à des impressions qui auraient pu devenir pour lui la source de consolations douces et tendres, mais qui, n'étant que le résultat de passions fougueuses, sans discernement et sans but, hâtèrent la ruine totale de ce corps usé si jeune par des fatigues physiques et morales poussées au-delà des forces humaines. »

Quelle que soit la part de responsabilité de Metternich, il faut bien reconnaître que l'Aiglon eut, à Vienne, quelques aventures féminines. On connaît, outre la comtesse de Kaunitz, l'archiduchesse Frédérique-Sophie et même une cantatrice, Mlle Pêche.

Or, disent nos historiens, si l'Aiglon a pu devenir l'amant d'une chanteuse, pourquoi vouloir refuser qu'il le fût d'une ballerine ? Et, s'appuyant sur le fait que Fanny Elssler, par l'intermédiaire de son

35. Comte PROKESCH-OSTEN, *Mes relations avec le duc de Reichstadt. Mémoires posthumes, 1878.*

36. *Histoire populaire et complète de Napoléon II, duc de Reichstadt.*

amant, le baron de Gentz, fréquentait Metternich, et qu'en outre le meilleur ami du jeune duc, le comte de Prokesch-Osten, possédait une chambre chez la danseuse, ils concluent que Fanny, choisie par le gouvernement autrichien pour « aider à débarrasser l'Europe d'un héritier encombrant », aurait bien été la maîtresse de l'Aiglon...

Les adversaires de cette thèse — ou anti-fannystes — ne vont pas chercher leurs arguments dans des racontars de chambrières viennoises. Ils se contentent de fournir deux témoignages formels et indiscutables : le premier émane du comte de Prokesch-Osten. Napoléon III lui ayant demandé un jour la vérité sur l'affaire qui nous occupe, le jeune Viennois écrivit à un ami :

Je lui démontrerai la fausseté des prétendus rapports du duc avec Fanny Elssler.

Dans ses *Mémoires*, il devait ajouter :

« Ce qui avait donné naissance à ces commérages, c'est qu'on avait quelquefois vu le chasseur (du duc) entrer dans la maison où demeurait Fanny Elssler ; mais le chasseur y venait parce que M. de Gentz et moi nous avions chez la danseuse une chambre qui nous servait de cabinet de travail ou de lecture et que ce domestique, certain de m'y trouver le plus souvent, m'y apportait les courtes missives du duc, ou venait me prier de passer chez lui. »

Le second est de M. de Mirbel. Dans une lettre à une cousine il écrit :

Mlle Fanny Elssler est une célèbre danseuse et une fort bonne personne dont Mme de Mirbel vient de faire le portrait. Elle passe pour avoir charmé les dernières années du fils de Napoléon, mais elle assure qu'il n'en est rien. On doit l'en croire...

Une question, dès lors, se pose : pourquoi Fanny Elssler attendit-elle si longtemps pour nier ses relations avec l'Aiglon ? Il lui était facile, en juin 1834, d'envoyer un démenti à Charles Maurice et à Jules Janin — et d'en exiger la publication dans leurs journaux respectifs. Elle n'en fit rien. Bien mieux, elle demeura en excellents termes avec le premier de ces journalistes. Elle lui adressa même un billet fort amical, qui pourrait bien contenir la solution de toute cette affaire :

Veuillez, nous vous en prions, monsieur, nous protéger comme vous l'avez fait jusqu'à présent. Vous êtes si bon ! Vous rendez les artistes heureux par votre bienveillance. Vous trouverez toujours les deux sœurs toutes dévouées.

11 août 1835   Fanny et Thérèse Elssler.

Qu'avait donc fait Charles Maurice pour que les sœurs Elssler le considérassent comme un « protecteur bienveillant » ? Qu'avait-il écrit qui pût lui valoir tant d'amabilité et de reconnaissance de la part de ces deux artistes ? N'aurait-il pas tout simplement inventé le roman de Fanny et de l'Aiglon dans un dessein publicitaire, à la façon de notre grande presse à scandale ? La chose est fort possible et le fait que Jules Janin lui ait emboîté le pas n'infirme en aucune façon notre hypothèse. Nous voyons tous les jours des journaux, voulant paraître bien renseignés, surenchérir à une information inventée de toutes pièces par un confrère...

La liaison de Fanny et du fils de Napoléon serait donc une légende créée par un journaliste à l'imagination fertile.

Mais cette légende était trop belle pour disparaître à la suite d'un démenti. Le bon peuple qui a du goût pour les contes de fées continua de croire aux amours secrètes et passionnées de la plus exquise ballerine de l'époque avec le plus beau prince de tous les temps.

Une aventure assez curieuse devait en apporter la preuve à Fanny.

Un jour, un jeune Anglais vint lui proposer une fortune si elle acceptait d'être aimée de lui. La danseuse, je l'ai dit, n'était point vénale. Elle refusa. L'Anglais tripla son offre. A partir d'un certain chiffre, la chose est bien connue, les femmes n'ont plus l'impression de se vendre. La somme devient un hommage rendu à leur beauté. Fanny consentit donc à accorder ses faveurs. Elle se déshabilla, se glissa dans le lit et attendit.

L'Anglais, qui était resté vêtu, enleva alors, d'un geste brusque, les couvertures, ajusta son monocle et considéra longuement l'exquise nudité de la ballerine.

Après quoi, il ramena les couvertures, retira son monocle et dit :

— Merci ! A présent j'avais viou le tiombeau du diouc de Reich-stadt !...

Puis il sortit de chez Fanny après avoir laissé un portefeuille bien garni sur la cheminée...

7

A Parme, Marie-Louise menait une vie dissolue

> Sa vie force le biographe à s'abaisser
> dans les détails d'une chronique où les
> scandales vont jusqu'à la honte...
>
> *Le Portefeuille*
> (Revue diplomatique, 1848)

Un soir de 1821, une scène amusante se déroula à l'ambassade d'Angleterre. Un prélat se présentat, accompagné de deux jeunes officiers. L'huissier vint à sa rencontre :

— Qui dois-je annoncer, monseigneur ?

La réponse fut nette :

— Annoncez l'évêque d'Amiens et ses fils.

Voyant que les laquais, qui faisaient la haie dans le vestibule, ouvraient de grands yeux et que l'huissier devenait cramoisi, le prélat craignit d'être un objet de scandale. Il reprit en souriant :

— Annoncez alors l'évêque d'Amiens et les neveux de son frère.

Ce qui fut fait à la satisfaction générale des âmes simples.

Cet évêque plein de verve n'était pas, il faut le reconnaître, un ecclésiastique d'un modèle courant. Il avait été successivement officier de mousquetaires pendant la guerre de Sept Ans, capitaine de hussards, ambassadeur de France à Venise et aumônier de la duchesse de Berry. Mais son plus extraordinaire titre de gloire devait être un jour celui de « beau-père de l'ex-impératrice Marie-Louise »...

De quelle façon ?

C'est ce que nous allons voir.

Mgr de Bombelles, évêque d'Amiens, n'était entré dans les ordres qu'à l'âge de soixante-cinq ans, après la mort de sa femme, Angélique de Mackau.

Il avait trois fils. Le premier était ministre d'Autriche en Toscane, le second, gouverneur de l'empereur François-Joseph, et le troisième, lieutenant-colonel de l'armée autrichienne.

C'est ce dernier, prénommé Charles, qui devait un jour épouser secrètement l'ex-impératrice des Français.

Marie-Louise était veuve depuis 1829. Le général de Neipperg, son mari, n'avait pu, disaient les mauvaises langues, résister à l'ennui qui se dégageait de la conversation de la duchesse de Parme. D'autres soutenaient que le pauvre général était mort d'épuisement en essayant de satisfaire les désirs sans cesse renouvelés de sa trop exubérante épouse.

Les informations que j'ai pu recueillir dans les chroniques et les Mémoires du temps me permettent de penser que cette dernière explication est sans doute la bonne. Marie-Louise, en effet, était tourmentée, à cette époque, par une chaleur vénérienne qui la poussait à rechercher « dix à quinze fois par jour et dans les endroits les moins faits pour que la nature s'abandonne, cette fraîcheur que procurent les assauts fougueux d'un amant dans l'intimité d'une dame »[37].

Au cours de ses promenades dans la campagne, il arrivait à Marie-Louise de ressentir soudain « l'aiguillon de l'amour ». Elle quittait alors le groupe de ses familiers et partait à la recherche d'une aventure agreste.

L'auteur de la *Chronique scandaleuse de la Restauration* nous conte à ce propos une anecdote savoureuse : un jour que la petite cour parmesane traversait une forêt, la duchesse dont les narines palpitaient depuis quelques instants fit arrêter sa voiture et dit :

— Continuez, je vais faire quelques pas. Je vous retrouverai au carrefour.

37. Charles Verdier, *Marie-Louise amoureuse.*

Elle prit un sentier et déboucha sur une clairière où un jeune bûcheron coupait du bois.

Marie-Louise s'approcha de lui et, avec cette belle désinvolture des grands, lui demanda de l'accompagner derrière un buisson.

Le jeune homme, qui n'avait jamais imaginé qu'une aussi belle dame pût lui adresser la parole, demeura fiché près de son tas de bois sans comprendre ce que la duchesse désirait de lui.

— Allons, viens, lui dit Marie-Louise.

Et, prenant le bûcheron par la main, elle le mena sur un lit de mousse, s'étendit et, d'un geste brusque, retroussa ses jupes « jusqu'au-dessus de l'endroit qu'avait tant aimé Sa Majesté l'Empereur ».

Ce spectacle inattendu acheva de bouleverser le bûcheron. Il se mit à faire des signes de croix et à marmonner des prières, croyant être l'objet d'une apparition maligne.

Agacée, Marie-Louise le saisit par la jambe et le fit tomber à côté d'elle.

— Viens donc, imbécile !

Cette fois, le jeune garçon fut certain d'avoir affaire à une de ces fées malfaisantes et lubriques qui venaient, suivant la croyance populaire, hanter les forêts pour tenter de s'accoupler avec les hommes.

Libérant sa jambe d'un coup sec, il détala comme un fou, gagna un endroit où son père, aidé de cinq autres bûcherons, était en train d'abattre un gros chêne, et raconta en tremblant de peur le danger auquel il venait d'échapper.

Les six compagnons s'arrêtèrent de travailler, hochèrent la tête, posèrent leurs cognées et, s'étant fait indiquer l'endroit exact de l'apparition, ils s'y rendirent d'un pas vif.

En chemin, ils rencontrèrent Marie-Louise qui, les yeux hagards, cherchait à mettre la main sur un autre bûcheron. En voyant venir vers elle ces six hommes aux bras velus, elle poussa un petit cri de plaisir et se laissa tomber sur l'herbe.

Alors, les bûcherons, qui ne croyaient plus depuis longtemps aux fées lubriques, se placèrent en file à la façon de ces braves gens qui, pendant les périodes de disette, attendent leur tour chez l'épicier et, l'un après l'autre, vinrent apporter le meilleur d'eux-mêmes à l'ex-impératrice.

Pendant ce temps, le jeune homme, effrayé à la pensée du danger que courait son père, était parti en hurlant du côté du carrefour où attendait la suite de Marie-Louise.

M. de Marchal, commissaire impérial envoyé par Vienne après la révolte parmesane de 1831, descendit de sa voiture et appela l'adolescent.

— Que se passe-t-il ?

— Il y a une méchante fée qui a voulu m'entraîner dans le péché. Et maintenant, j'ai peur qu'elle fasse du mal à mon père et à ses amis qui sont allés courageusement la chasser de la forêt.

« Ce fut au tour de M. de Marchal de hocher la tête, nous dit l'auteur de la *Chronique*. Il demanda comment était vêtue la "fée" et, l'ayant appris, il pria le jeune homme de rentrer chez lui. »

Les membres de la cour qui connaissaient leur souveraine attendaient la fin de l'aventure en ricanant.

— Demeurez ici, leur dit sévèrement M. de Marchal. Je vais voir à quoi riment ces racontars et surtout si S.A. Mme la Duchesse n'est point en péril...

Quelques intants plus tard, il surgissait auprès de Marie-Louise qui était en train de consommer son dernier bûcheron.

Les autres, assis benoîtement sur des bûches, attendaient que leur camarade eût terminé.

En voyant apparaître M. de Marchal, ils furent pris de crainte et s'enfuirent, laissant le sixième « œuvrer sans se douter qu'il avait un témoin ». Lorsqu'il eut achevé sa besogne, le pauvre aperçut le commissaire impérial et, « tout mal reboutonné qu'il était, s'en fut en courant vers sa cabane ».

Alors, Marie-Louise ouvrit les yeux et vit M. de Marchal.

— Comment ? Vous aussi ? dit-elle avec un sourire aimable. Je ne l'espérais plus de votre part.

Mais le commissaire impérial, feignant de n'avoir rien vu ni rien compris, dit simplement :

— J'espère que Votre Altesse n'a pas pris froid en commettant l'imprudence de se reposer quelques instants dans l'herbe.

Marie-Louise se releva sans répondre et regagna sa voiture.

Quelques jours plus tard, M. de Marchal, dont la situation devenait intenable à la cour ducale, demandait son rappel à Vienne.

C'est alors que Metternich envoya à Parme le comte Charles de Bombelles.

Marie-Louise l'accueillit avec un sourire narquois.

Le comte de Bombelles que je craignais m'enchante autant que je puisse en juger en si peu de temps, écrit-elle à sa fidèle Victoire. *Il réunit tout ce qu'on peut désirer, fermeté et douceur dans les manières, en même temps c'est un homme si vertueux, c'est une vraie trouvaille.*

Marie-Louise résolut bientôt de faire entrer ce digne personnage dans son lit et de le convertir aux plaisirs de la courtepointe. Elle le reçut dès lors dans des déshabillés transparents « qui ne laissaient rien ignorer, nous dit M. de Grotz, du ventre qui avait porté le roi de Rome, de la gorge qui avait palpité à la chute de Paris et de la croupe dont rêvait Napoléon à Sainte-Hélène ».

La duchesse ayant réussi dans son entreprise, le nouveau grand maître de la cour de Parme vint régulièrement passer ses nuits auprès d'elle.

Le 17 février 1834, enfin, il l'épousait secrètement.

Le pauvre comte allait avoir, chaque nuit, une rude tâche à accomplir.

Sans doute le devinait-il, car M. de Grotz affirme que le nouvel époux aurait confié à un ami :

— Il me faut honorer chaque nuit la veuve de Napoléon, la veuve de Neipperg, la fille de l'Empereur, l'archiduchesse d'Autriche, l'ex-impératrice des Français, la duchesse de Parme et enfin ma femme.

Ce qui, on en conviendra, était beaucoup pour un seul homme.

Malgré les ressources d'un tempérament auquel l'Histoire devait, un jour, rendre hommage, M. de Bombelles ne tarda pas à sembler nettement insuffisant à Marie-Louise.

Dès le matin, nous dit-on, alors que ce pauvre comte, exténué par sa nuit, dormait encore d'un sommeil lourd de tâcheron, l'ex-impératrice, l'œil chaud et la lèvre humide, courait dans les couloirs à la recherche d'un bel officier...

Quand elle l'avait trouvé, elle l'entraînait dans une chambre écartée, et là, esclave des gènes impériaux d'Autriche, elle se faisait, suivant l'expression du temps, « reluire la péninsule ».

Naturellement, ces débordements ne tardèrent pas à être soupçonnés par M. de Bombelles qui chercha un moyen de calmer sa trop ardente épouse.

Un petit voyage à Ischl, en Autriche, lui parut salutaire.

— Vous irez prendre les eaux, dit-il à la duchesse. Je vous vois fatiguée, je crois que la cure vous fera grand bien.

Il lui conseilla, en outre, de boire en abondance du petit-lait de chèvre, ce breuvage passant alors pour un puissant sédatif propre à éteindre les démangeaisons amoureuses et les chaleurs déshonnêtes.

De plus, voulant être tout à fait tranquille, il prit prétexte « du danger que courait Marie-Louise au moment où les carbonari menaçaient de mettre l'Europe à feu et à sang », pour décider qu'une garde se tiendrait en permanence « pendant tout le voyage et durant le séjour à Ischl », devant la chambre de la duchesse de Parme.

Enfin, M. de Bombelles fit recommander aux hommes qui allaient veiller à tour de rôle sur la vertu de sa femme « de ne laisser pénétrer aucun homme dans la chambre de la duchesse sous peine de prison ».

Quelques jours plus tard, Marie-Louise, ayant posé un baiser chaste sur les lèvres de son mari, monta dans une berline et partit pour l'Autriche.

Le soir, elle fit halte dans une auberge et un garde, suivant les ordres reçus, vint s'installer devant sa porte.

Vers minuit, alors que ce brave garçon — un Tyrolien de vingt ans — somnolait, le nez sur son fusil, un léger bruit le fit sursauter. Il se retourna et vit avec stupéfaction, dans l'encadrement de la porte, Marie-Louise en chemise de nuit qui, un doigt sur la bouche, lui faisait signe d'entrer.

Peu attiré par cette quinquagénaire légèrement fanée, le jeune Tyrolien hésitait à obéir.

— Viens, tu ne le regretteras pas, murmura la duchesse.

Pensant qu'il ne fallait rien négliger qui pût aider à sa carrière, le garde entra dans la chambre et fit courageusement ce qu'on lui demandait.

Une demi-heure plus tard, il ressortit tout essoufflé et alla chercher celui de ses camarades qui devait lui succéder devant la porte de la duchesse.

« Naturellement, nous dit l'auteur de la *Chronique scandaleuse,* le second garde fut bientôt convié à continuer l'ouvrage commencé par son compagnon d'armes. Et le même manège se renouvela cinq fois jusqu'au matin, car il y avait cinq gardes... »

Le lendemain soir, les militaires, dont la rude virilité avait été fort appréciée, furent de nouveau — si j'ose dire — sur la brèche.

Dès le troisième soir, chacun avait ses habitudes, ses spécialités, et son surnom.

Aussi le séjour à Ischl fut-il un enchantement pour Marie-Louise. Comblée au-delà de toute espérance, elle ne cessait de bénir le ciel de lui avoir donné un mari aussi attentionné.

Sa journée était admirablement réglée. Après une nuit en cinq actes, elle allait, fraîche et dispose, entendre la messe, puis elle prenait les eaux. L'après-midi, elle se reposait un peu, faisait une promenade et écoutait de la musique. Le soir, enfin, elle allait, avant le dîner, boire un grand bol de lait de chèvre, sachant bien, par expérience, que ce breuvage n'avait sur elle aucun effet pernicieux...

Lorsqu'il vit rentrer Marie-Louise calme, détendue, virginale, M. de Bombelles pensa qu'il avait eu bien raison de l'envoyer prendre les eaux d'Ischl.

Et, rassuré, il partit pour Tabiano où il projetait de créer une station balnéaire.

Demeurée seule, la duchesse chercha aussitôt à occuper ses loisirs d'une façon coupable.

Il y avait justement à Parme un jeune ténor français dont les dames disaient grand bien. Il s'appelait Jules Lecomte. C'était un bohème sympathique de trente ans, qui avait été successivement lieutenant de vaisseau, journaliste et romancier. En 1837, un incident était venu interrompre sa carrière de littérateur mondain. Poursuivi par la justice pour avoir signé une traite d'un nom d'emprunt, il avait dû s'expatrier rapidement. Réfugié à Liège, sans un sou, il s'était mis à chanter pour gagner sa vie. Doué d'une assez jolie voix de ténor, il avait rapidement conquis une belle notoriété. Quittant Liège, il s'était alors rendu à Munich, à Vienne, à Venise et, finalement, à Parme où il avait enthousiasmé les jolies Parmesanes.

Marie-Louise, fort alléchée par la réputation galante de Jules Lecomte, alla l'entendre un soir et en ressentit un vif trouble. « Tout aussitôt, écrit Max Billard, l'archiduchesse marqua l'élégant chanteur sur le carnet de ses désirs...

» Elle le fit venir à la cour, ajoute-t-il, l'obligea à chanter pour elle seule. Doux et rude servage, car Marie-Louise avait du sang de Lucrèce Borgia. »

Et quelques semaines plus tard, M. Souverain, éditeur parisien qui publiait les œuvres de Jules Lecomte, reçut de son auteur en fuite l'admirable lettre suivante :

Oui, mon cher Souverain, votre nom fait bien dans cette affaire. — Je succède à Napoléon, vous ne vous en apercevez pas aux Tuileries, mais je m'en aperçois à Parme. J'ai chanté devant Marie-Louise ; elle m'a retenu à souper. Le souper dura toute la nuit. Quand je me suis réveillé le matin, j'ai pu me figurer que j'étais l'Empereur.

Ne soyez pas trop fier de votre romancier maritime. Si j'ai été à l'Abordage [38] *c'est comme ténor et non comme romancier. Cupidon dit : « Il faut avoir deux cordes à son arc... »*

Pendant toute l'absence de M. de Bombelles, Jules Lecomte passa ses journées et ses nuits au palais ducal. Les chambellans lui parlaient à la troisième personne, affectant de s'adresser à un personnage titré :

— Monsieur « le comte » veut-il déjeuner ? Monsieur « le comte » veut-il un cheval ?

Finalement le ténor rentra à Paris en 1847 et se fit réhabiliter.

Cette aventure, qui causa le scandale que l'on devine à la cour de Parme, fut la dernière qui compta dans la vie amoureuse de Marie-Louise.

L'ex-impératrice mourut le 18 décembre 1847 et si l'on ne grava pas sur sa tombe cette épitaphe proposée par Arsène Houssaye : « Ci-gît qui a commencé par un empereur et qui a fini par un ténor... », c'est que ce genre de chose ne s'écrit pas sur les plaques funéraires...

8

Paris tombe amoureux de la maîtresse de Fieschi

> Tout Paris pour Nina avait les yeux du traître...
>
> ALPHONSE KARR

Depuis son mariage, M. Thiers vivait — dans une intimité qui faisait jaser — avec sa femme et sa belle-mère. Ils habitaient tous trois — M. Dosne avait sagement regagné, à Lille, sa recette générale des Finances — l'hôtel de la place Saint-Georges dont le petit Marseillais était devenu propriétaire. Les braves gens du quartier ne se gênaient pas pour plaisanter gaillardement sur cet étrange trio.

Dans un petit pamphlet paru en 1848, un auteur qui signe Hilaire Lajoie se fait l'écho des propos qui étaient alors tenus sur le futur libérateur du territoire. Il fait parler deux habitantes de la rue Bréda. Écoutons-les :

38. Titre d'un roman de Jules Lecomte.

Les deux personnages sont sur le pas de leur porte :

— Regardez donc, madame Pattard, voilà le « petit » qui rentre chez lui. On ne l'aperçoit seulement pas dans sa voiture. Il a le nez à la hauteur de la vitre.

— On se demande, madame Fricoteaux, comment un homme pareil peut donner leur content à deux femmes en même temps.

— Écoutez donc, on m'a dit qu'il couche de neuf heures à minuit avec sa belle-mère et de minuit à six heures avec sa femme... V'là les mœurs d'aujourd'hui...

— Moi, on m'a dit qu'ils dormaient tous les trois dans le même lit, et que tout se mélangeait comme dans une basse-cour...

— C'est-t'y Dieu possible... Le pauvre petit, il doit lui arriver d'être étouffé sous ses deux femmes... C'est que, Mme Dosne, retirez-lui son corset, elle doit tenir de la place dans un lit...

— Heureusement que Mme Thiers a la corpulence d'une enfant...

— Tout de même. Obliger une fille de quinze ans à participer à des cochonneries pareilles. C'est t'honteux.

— A mon avis, c'est la mère la plus coupable. Lui, le « petit », c'est un homme, il en profite. Les hommes, c'est tous des cochons. Mais la mère...

— Oh ! comme disait l'autre jour M. Leplat, l'épicier, la mère, elle aurait bien donné sa deuxième fille au « petit » pour ne pas être abandonnée.

— Sa deuxième fille ? La petite Félicie qu'a pas dix ans ? c'est z'horrible. Mais qu'est-ce qu'il a donc, ce « petit »-là ?

A ce moment, le portier, qui les écoutait depuis un moment sans rien dire, intervient :

— Il paraît qu'il aurait...

Il murmure quelque chose à l'oreille des deux femmes qui se redressent, vivement intéressées.

— Oh !...

Le portier fait alors les gestes d'un homme qui voudrait indiquer la longueur et la grosseur d'un énorme rat. Les deux femmes sont éblouies.

Mme Pattard *(les yeux brillants).* — Eh bien, monsieur Dulard, vous nous en contez de belles...

Mme Fricoteaux *(la lèvre humide).* — Oh ! vous, alors, monsieur Dulard...

Elles rentrent précipitamment chez elles. Mais, dans l'après-midi, elles allèrent toutes deux — sans se concerter — à l'hôtel Saint-Georges, demander si M. Thiers n'avait pas besoin d'une femme de chambre [39].

Tout ce dialogue est, bien entendu, de l'auteur du pamphlet. Mais il résume certainement avec assez de fidélité l'opinion courante des braves gens de l'époque. Nous en trouvons d'ailleurs la confirmation dans ce

39. HILAIRE LAJOIE, *Les bruits de Paris, 1848.*

petit poème de Mme de Girardin qui circulait alors dans les salons du faubourg Saint-Germain :

> *Le père fut crédule et très honnêtement*
> *La mère a marié sa fille à son amant,*
> *Et l'enfant fut vendue sans trop de résistance.*
> *Tous trois mènent en paix une grande existence,*
> *Ils s'aiment à loisir et le monde enchanté*
> *Bénit de leur union l'heureuse Trinité...*

Mais les Parisiens allaient avoir bientôt des sujets de conversation beaucoup moins frivoles.

Le 28 juillet 1835, alors que, pour le cinquième anniversaire des Trois Glorieuses, il allait passer en revue la Garde nationale, Louis-Philippe faillit être tué, sur le boulevard du Temple, par la machine infernale de Fieschi. L'attentat, qui fit seize victimes, dont le vieux maréchal Mortier, bouleversa les braves gens. Des groupes allèrent pousser des cris de mort autour de la prison où était détenu le régicide. On exigeait un châtiment d'une cruauté exceptionnelle. Certains journalistes réclamaient l'écartèlement.

Vint le procès, et tout changea par le miracle d'une présence féminine.

Joseph Fieschi, après avoir vécu longtemps avec une certaine Laurence Petit, qui avait été mariée à un fonctionnaire des Douanes nommé Lassave, était devenu l'amant de la fille de sa maîtresse. Cette demoiselle, une appétissante brune de dix-huit ans, avait une croupe bien dessinée, un sourire ravissant et une poitrine turbulente qui faisaient oublier qu'elle était borgne.

Lorsqu'elle apparut à la barre des témoins, toute la salle fut troublée.

« Elle portait une robe de taffetas vert échancrée, sous un élégant carrick écossais, un chapeau cabriolet aux longues brides, une écharpe de soie. Les jeunes pairs se levèrent de leurs bancs pour la voir ; les plus âgés même se tournèrent vers la tribune où la jeune femme s'installait. Ce n'était plus la provinciale timide, épouvantée du drame dont elle se sentait un des acteurs involontaires, la malheureuse abandonnée, acculée au suicide, c'était une grande vedette de l'actualité. »

Nina s'assit, promena un regard souverain sur l'assistance et répondit par un signe d'amitié au baiser que lui envoya Fieschi...

Dès lors, le public sembla se désintéresser du principal acteur au profit de la jeune femme. Les journaux en firent une héroïne, un ange de pureté, l'incarnation même du devoir et de la vertu. On parla de son âme, « grande et belle », de sa peau blanche, de sa grâce gamine et de son élégance...

Bref, tout Paris pour Nina avait les yeux de Fieschi... On la chanta au coin des rues :

> *Il ne faut en des jours contraires*
> *Avec tes charmes, tes attraits,*

Que tes grâces simples, légères,
Du sort pour repousser les traits !

Nina courage,
Ris des méchants,
Après l'orage,
Vient le beau temps !

Finalement, Fieschi fut guillotiné avec ses complices, le 20 février 1836, et les braves gens pleurèrent en pensant au chagrin que devait éprouver Nina...

Quelques jours plus tard, le propriétaire du Café de la Renaissance, place de la Bourse, engagea la jeune femme comme caissière. Dès lors tout Paris défila dans l'établissement. Il fallut bientôt distribuer des tickets et organiser un service d'ordre tant la foule des admirateurs était grande. Finalement, le patron du café, en commerçant avisé, fit payer un franc le droit d'approcher l'idole des jeunes de 1836...

Et, les choses étant ce qu'elles sont, il fit fortune...

En février 1836, les Français apprirent un beau matin que le roi venait d'offrir la présidence du Conseil à Adolphe Thiers.

Le communiqué précisait que le nouveau chef du gouvernement, abandonnant son portefeuille de l'Intérieur, serait également ministre des Affaires étrangères.

La nouvelle stupéfia le faubourg Saint-Germain. On se demanda pourquoi le petit Marseillais, qui s'était surtout fait connaître par des discours verbeux, une activité de policier et un goût prononcé pour les jeux parlementaires, avait réclamé ce poste clé de la haute politique.

— Sans doute, disaient gravement ceux qui voulaient paraître renseignés, a-t-il de secrets projets d'alliance...

D'autres allaient jusqu'à affirmer que M. Thiers avait exigé le portefeuille des Affaires étrangères pour imposer à l'Europe une conception révolutionnaire de la « cohabitation »...

Naturellement, tout le monde se trompait.

Les raisons qui avaient poussé le nouveau président à réclamer ce ministère étaient d'ordre purement domestique. Depuis longtemps, Mme Dosne se plaignait de la vulgarité des personnages que M. Thiers était obligé d'inviter à dîner au titre de ministre de l'Intérieur : parlementaires mal dégrossis, préfets d'une distinction douteuse, policiers, etc.

— Je ne veux plus de ces gens mal élevés dans mon salon, disait-elle. Il faut que tu aies un ministère plus distingué. Je veux recevoir ici des ambassadeurs, des diplomates, des aristocrates, et non plus de ces rustres qui salissent mes tapis, renversent leur café à table et vous postillonnent à la figure.

Aussi, lorsque Louis-Philippe avait offert la présidence du Conseil à Adolphe, Mme Dosne était-elle intervenue :

— Accepte, à une condition : que tu puisses prendre les Affaires étrangères !

Et c'est ainsi que, pour donner à une petite bourgeoise ambitieuse la satisfaction de recevoir dans son salon des messieurs « ayant de belles manières », Adolphe Thiers occupa un fauteuil ministériel que les souverains étrangers considéraient comme l'un des plus importants d'Europe...

La joie de Mme Dosne, en apprenant que sa fille, M. Thiers et elle allaient pouvoir commander à des diplomates de la valeur de M. de Saint-Aulaire, notre ambassadeur à Vienne, fut immense, on le conçoit aisément.

Tout de suite, elle rêva de jouer un rôle capital.

Durant l'été de 1836, le destin sembla vouloir lui fournir l'occasion qu'elle cherchait.

Un soir, Thiers revint à l'hôtel Saint-Georges, porteur d'une grande nouvelle :

— Sophie ! cria-t-il, le roi veut marier le duc d'Orléans.

Mme Dosne commença par frémir d'aise à la pensée qu'elle était mise dans le secret des rois ; puis elle posa des questions. Le président du Conseil lui expliqua que Louis-Philippe, afin de se rapprocher des cours européennes qui demeuraient attachées aux Bourbons et le traitaient un peu en usurpateur, voulait au plus vite faire entrer son fils dans une famille de souverains « légitimes ».

Aussitôt, Mme Dosne rêva d'imiter Mme de Pompadour qui avait aidé jadis à un rapprochement franco-autrichien.

— Il faut, dit-elle, marier le duc d'Orléans avec une archiduchesse d'Autriche. Quelle gloire pour toi si tu réussis cette alliance. Les légitimistes te remercieront en pensant à Marie-Antoinette et les bonapartistes verront un hommage rendu à Marie-Louise...

Quelques jours plus tard, Thiers se mit en relation avec Metternich, crut comprendre que celui-ci était favorable à un mariage franco-autrichien et annonça au roi que le duc d'Orléans n'avait qu'à se rendre à Vienne pour y demander la main de l'archiduchesse Thérèse, fille de l'archiduc Charles.

Ravi, le jeune duc, accompagné du duc de Nemours, partit pour la capitale autrichienne et, croyant l'affaire conclue, fit présenter sa demande en mariage.

Le pauvre devait subir ce jour-là le plus grand affront de sa vie, car Metternich, ayant écouté poliment notre ambassadeur, se contenta de lui répondre sur un ton amusé, mais catégorique :

— Non !

Le lendemain, la France était la risée de toutes les cours d'Europe, à cause d'une ancienne marchande de draps qui voulait jouer les éminences roses...

Cet échec fut terrible pour Mme Dosne qui faillit avoir une crise de nerfs. Il fut plus terrible encore pour Thiers qui dut démissionner le 25 août après avoir eu le pouvoir pendant six mois...

Le roi fit alors appel à Molé qui constitua un ministère avec Guizot comme principal collaborateur.

Le règne de Mme Dosne était fini pour un moment. Celui de la princesse de Lieven, maîtresse de Guizot, commençait.

Vexé, Thiers s'enferma dans son hôtel, et, pour se consoler, devint l'amant de sa belle-sœur, Félicie Dosne, tout en continuant à honorer son épouse et sa belle-mère [40].

Situation assez compliquée qui inspira à un chansonnier de l'époque ces amusants couplets :

(Air : *Compère Guilleri*)

Il est un petit homme
Qui s'appell' Monsieur Thiers,
   Carabière.
Il est haut comm' trois pommes,
Mais c'est un fier amant,
   Cependant,
Puisque dans son lit
  Trois femm's avec lui
Couch'nt, dit-on, chaque nuit.
  Ah ! Monsieur Thiers (bis)
Quelle est donc votre moitié ?

La première est sa femme,
(Il pourrait êtr' son père,
   Carabère.)
La s'conde un' bien bell' dame,
Se trouve êtr' sauf erreur
   Sa bell'-sœur.
Tous trois sont ravis
Quand ils sont au lit.
Quell' bell' famille unie !
  Ah ! Monsieur Thiers (bis)
Quelle est donc votre moitié ?

Mais celle qu'il préfère
D'après ce que l'on dit,
   Carabi
C'est encor sa bell' mère
Quel gendre affectueux
   Et fougueux.
Brave petit cœur,
Il fait le bonheur
D'un' mèr' et de deux sœurs.

---

40. CHARLES POMARET nous révèle que Thiers ne disait pas « ma femme ». Il usait d'un pluriel. Quand il devait rentrer chez lui, par exemple, il disait : « Ces dames m'attendent... »

> *Ah ! Monsieur Thiers (bis)*
> *Quelle est donc votre moitié ?*
>
> *Mais, direz-vous : Et l'père ?*
> *Plaît-il à Monsieur Thiers*
>   *Carabière ?*
> *Le chien et le p'tit frère*
> *Ont-ils aussi l'honneur*
>   *Des faveurs*
> *De ce chaud lapin ?*
> *Personn' n'en sait rien.*
> *... Jusqu'à maint'nant du moins.*
>   *Ah ! Monsieur Thiers (bis)*
>   *Quelle est donc votre moitié ?*

Le savait-il lui-même [41] ?

9

Mme Dosne veut « sa » guerre

> Plus que les hommes, les femmes ont
> le goût de la propriété...
>
> BALZAC

Le 30 mai 1837, Mme Dosne, ayant formellement interdit à son gendre et à ses filles de se montrer dans Paris, s'alla coucher avec une grosse migraine.

Ce malaise n'était pas dû aux malignités d'un printemps trop tendre, ni à quelque frasque de M. Thiers, mais à un mariage. Ce jour-là, en effet, le duc d'Orléans épousait la princesse Hélène de Mecklembourg-Schwerin.

Tandis que les cloches de la capitale sonnaient à toute volée, l'édredon de Mme Dosne était agité par des sanglots convulsifs. Enfouie au fond de son oreiller, l'infortunée Sophie pleurait en pensant que tous ces carillons célébraient son échec.

---

41. CHARLES POMARET nous dit : « Il a donc trois femmes chez lui, cet enfant gâté, centre d'un monde où chacun a sa place. Sophie, Élise, Félicie, l'Administration, la Poupée, l'Admiration. Sophie Dosne, Mme Jordonne, dirige toute la maison. Elle gère le portefeuille de la famille. Sans doute Thiers, qui lui dit tout, lui glisse de temps à autre un bon "tuyau" qui fait prospérer le patrimoine. Elle s'occupe des grands et petits détails. Place Saint-Georges, elle est souveraine, sauf dans le cabinet de Thiers où personne n'a le droit de faire un rangement quelconque. Elle fixe les dates des dîners, des réceptions, même de la réception à l'Académie française. Elle distribue les places pour les séances de l'Académie. Elle fait porter à l'Assemblée, par le jeune Aude, le café froid que Thiers boit pendant ses discours ; il n'en boirait pas d'autre. Elle administre la gloire posthume de Thiers, de son vivant. Celui-ci y pense bien, certes, mais il n'a pas le temps d'écrire ses Mémoires. C'est Mme Dosne qui tient la plume. Pendant trente-sept ans, elle prend des notes chaque jour. »

Vers le soir, elle se fit servir une tasse de bouillon gras mêlé de vin rouge, s'en trouva ragaillardie et appela sa femme de chambre :

— Demandez à M. Thiers, à Mme Thiers et Mlle Félicie de venir me voir.

Lorsque toute la tribu fut réunie au pied de son lit, Mme Dosne parla :

— Il ne faut pas rester plus longtemps à Paris. Nos adversaires seraient trop heureux de nous donner le spectacle de leur victoire. Nous allons partir faire un grand voyage en Italie. Vous, Adolphe, qui vous intéressez aux arts, vous pourrez visiter des musées, et vous mes filles, vous vous instruirez...

Après quoi, elle congédia Mme Thiers et Félicie.

Lorsque les deux sœurs eurent disparu, Mme Dosne, à qui l'idée de voir Naples et le Vésuve avait donné un picotement à l'endroit de sa vertu, se mit à ronronner en prononçant le prénom de M. Thiers.

Sans dire un mot, le petit Marseillais se déshabilla rapidement et bondit dans le lit. Quelques instants plus tard, il y montrait cette agitation frénétique qui caractérisait tous ses actes...

La famille Thiers-Dosne vécut quatre mois fort agréables en Italie. Puis elle alla passer un mois à Valençay, chez M. de Talleyrand et trois semaines en Belgique, après avoir fait un détour par Lille pour y embrasser M. Dosne.

Il était juste que le brave homme eût, lui aussi, de temps en temps, le plaisir de tenir M. Thiers dans ses bras...

Enfin, au début de 1838, le quatuor, ayant réintégré l'hôtel de la place Saint-Georges, commença à mener une lutte sans merci contre le gouvernement.

Cette lutte était dirigée, naturellement, par Mme Dosne qui rêvait de régner de nouveau sur la France. Son action était si peu cachée que les journalistes la prenaient à partie au même titre qu'un personnage politique officiel. Balzac lui-même écrivait dans la *Revue Parisienne :* « La conspiration est menée à ciel ouvert, en plein jour, menée surtout par la "bonne" de M. Thiers. Comme je vous l'ai dit : *dux femina facti...* Vous ne sauriez croire jusqu'où a été poussée la ruse méridionale de ce dernier unie à la finesse de cette bourgeoise. »

Être appelée la « bonne » de M. Thiers ne fit point plaisir à Mme Dosne qui voua dès lors une haine féroce au romancier.

Elle fut encore plus furieuse lorsqu'elle apprit que la mère d'Adolphe — que les domestiques avaient l'ordre de ne pas laisser entrer à l'hôtel Saint-Georges — l'appelait « Madame la Coquine ». On colportait d'ailleurs de nombreux mots prononcés par la vieille Mme Thiers. Délaissée, presque sans ressources, la malheureuse vivait dans un petit entresol misérable, à deux pas de l'habitation somptueuse de son fils. Un jour que quelqu'un parlait devant elle de l'intégrité de Thiers, elle éclata de rire :

— De l'intégrité, Adolphe ?... Écoutez-moi bien : ceux qui le laisseraient monter derrière leur voiture, vous entendez, derrière, seraient sûrs de le voir bien vite prendre leur place à l'intérieur...

L'arrivisme forcené du petit Marseillais était, il faut bien le reconnaître, l'objet d'un mépris général. Un soir, Thiers, bombant le torse et se dressant sur ses minuscules bottines, dit à Armand Carrel :

— Je sais ce qui m'attend. Je mourrai d'un coup de couteau dans la rue ou sur l'échafaud.

— Vous, mon petit Thiers, vous ne mourrez jamais que d'un coup de pied dans le c...

Toutes ces histoires, complaisamment rapportées par la presse, exaspéraient Mme Dosne. Mais il en est une qui lui causa un début de jaunisse : un journal assura qu'au cours d'une orgie à Grandvaux, chez le comte Vigier, M. Thiers, ayant ouvert la fenêtre, s'était amusé à montrer aux passants son derrière entre deux bougies...

Adolphe eut beau protester de son innocence, Mme Dosne — qui connaissait le goût de son amant pour l'exhibitionnisme — conserva dans son cœur un doute atroce.

Mais Thiers et sa terrible égérie finirent par avoir raison de leurs adversaires. Après deux ans de lutte épique, le 1er mars 1840, Louis-Philippe rappela au pouvoir son « petit président »... Immédiatement, celui-ci entra en rapport avec les grands leaders des partis. Tous lui tournèrent le dos. Finalement, il s'adressa à des parlementaires de second ordre et forma ce que les journalistes baptisèrent « un ministère de gens de maison ». Alphonse Karr — car le destin, toujours ironique, avait choisi comme adversaire attitré de M. Thiers un polémiste nommé M. Karr — publia dans son journal les commentaires suivants :

« Le 1er mars 1840, une ordonnance du roi, insérée au *Moniteur*, apprit à la France qu'elle était gouvernée par un nouveau ministère dont voici la composition :

» Présidence du Conseil et ministère des Affaires étrangères : *M. Thiers.*

» Ministère de la Guerre : *M. Thiers*, sous le nom de M. Cubières.

» Ministère des Travaux publics : *M. Thiers*, sous le nom de M. Jaubert.

» Ministère des Finances : *M. Thiers,* sous le nom de M. Pelet de la Lozère.

» Ministère de la Marine : *M. Thiers*, sous le nom de M. Roussin.

» Ministère de l'Intérieur : *M. Thiers*, sous le nom de M. de Rémusat.

» Ministère de la Justice et des Cultes : *M. Thiers,* sous le nom de M. Vivien.

» Ministère du Commerce : *M. Thiers*, sous le pseudonyme ridicule de M. Gouin. »

Réinstallé dans son fauteuil présidentiel, Thiers se crut tout permis. Pour commencer, lui qui avait déjà trois femmes à satisfaire, il prit une maîtresse. Chaque semaine, à heure fixe, il allait passer un moment avec elle dans un petit appartement de la rue de Vaugirard.

Naturellement, le roi ne tarda pas à être mis au courant de cette liaison par sa police personnelle ; et, un jour que M. Thiers était attendu aux Tuileries, Louis-Philippe dit en riant à M. de Maleville :

— Il est rue de Vaugirard, tel numéro. Allez donc l'arracher de là-bas.

Maleville sauta dans une voiture et se fit conduire à l'adresse indiquée. Là, fort embarrassé, car il ne connaissait pas le nom de la dame chez qui se trouvait le président du Conseil, il se mit à crier :

— Adolphe ! Adolphe !

Au troisième étage, une fenêtre s'entrouvrit et Thiers, complètement nu, se pencha :

— Je descends, dit-il.

Une demi-heure plus tard, il se présentait aux Tuileries.

— Monsieur le président du Conseil, vous êtes en retard, lui dit le roi.

M. Thiers baissa la tête :

— Je fais mes excuses à Votre Majesté, mais je me préparais.

Louis-Philippe éclata de rire :

— Alors, je regrette de vous avoir dérangé dans vos préparatifs [42] !

Pendant des mois, l'expression « être dans ses préparatifs » désigna à Paris la plus savoureuse des occupations. Tout le monde en usa, sauf Mme Dosne qui était d'un naturel pincé...

L'incident de la rue de Vaugirard ne fut point commenté à l'hôtel Saint-Georges.

« Mme Dosne, nous dit Didier Saintyves, se contenta d'y faire une allusion habile afin que M. Thiers sût bien que l'on était instruit de son inconduite et que l'on fermait volontairement les yeux. »

La chose se passa au cours d'un dîner auquel assistait un ancien officier de l'Empire qui ne tarissait pas sur les mérites et les qualités de Napoléon. Mme Dosne en profita bientôt pour établir un parallèle entre le petit Corse et son petit Marseillais.

— Il avait l'éloquence naturelle des hommes du Midi, déclara l'ancien hussard.

— Comme M. Thiers, dit doucement Mme Dosne.

— Il avait un accent chantant !

Mme Dosne sourit :

— Comme M. Thiers !

— Il était d'une grande frugalité !

Mme Dosne fit un geste de la main :

— Comme M. Thiers !

— Il se faisait suivre partout d'un lit de sangles !

Mme Dosne cligna de l'œil :

— Comme M. Thiers.

— Il adorait les chevaux !

Mme Dosne soupira :

42. SCHEURER-KESTNER, *Souvenirs*.

— Comme M. Thiers !

Un peu agacé, le convive lança alors :

— Il avait une maîtresse ignorée, rue d'Hauteville !

Alors Mme Dosne dit simplement :

— Est-ce loin de la rue de Vaugirard ?

M. Thiers, rouge comme une pivoine, manqua de s'étrangler et, lui qui, l'instant d'avant, eût désiré que le dialogue entre sa maîtresse et son invité ne s'arrêtât jamais, s'empressa de changer de conversation...

Mme Dosne ne fit point d'autres remarques, sachant bien, en femme rusée, qu'elle venait, par une phrase, d'accroître sa puissance et son prestige.

Dès lors, subjuguant le petit Adolphe qui avait tant à se faire pardonner, Sophie tint complètement les rênes du gouvernement.

« Le pouvoir de cette femme est immense, écrit alors Balzac. En mainte occasion, Mme Dosne a fait revenir M. Thiers sur une décision. Aujourd'hui, quand après son dîner il reçoit un ambassadeur et qu'il s'endort, elle reste à trois pas, le surveille et répond pour lui... »

Tous les matins, le président du Conseil se rendait dans la chambre de Mme Dosne avec des projets de discours, des brouillons de rapports, des dossiers confidentiels, des dépêches diplomatiques, et soumettait le tout à sa maîtresse.

La fille du marchand de draps donnait alors son avis, faisait biffer un mot, suggérait une réponse à un ambassadeur, rayait un nom sur une liste de nominations, ou modifiait le sens d'un article.

Complètement soumis aux ordres de cette maîtresse femme, qui lui faisait refuser le soir ce qu'il avait promis le matin, Thiers ne tarda pas à mécontenter un nombre considérable de gens qui le tinrent pour une girouette ou un paltoquet.

Cette attitude légère faillit lui valoir un jour le coup de pied au derrière que lui avait annoncé Armand Carrel.

Écoutons le chevalier de Cussy [43] :

« Lorsque le roi chargea M. Thiers de former son ministère, cet homme d'État vint, le soir même, causer de cette circonstance avec le général Jacqueminot et lui demander des conseils. Le général, qui connaît beaucoup M. Thiers, et dont le langage, rude mais sincère, est une conséquence de son caractère énergique et ardent, le détourna d'accepter cette mission, ou du moins, de ne point prendre, dans le ministère, la situation de président du Conseil et de ministre des Affaires étrangères. Il lui donna, pour motiver ces conseils, trois raisons majeures qu'il lui exposa ainsi :

» — A tort, j'en suis convaincu, et c'est pour cela que je suis votre ami, l'opinion publique vous a accusé de n'être pas sorti les mains nettes de votre poste de secrétaire d'État aux Finances sous le ministère Laffitte. Voilà la première raison ; passons à la seconde...

43. Chevalier de Cussy, *Souvenirs*.

» A tort ou à raison — c'est ce que je ne cherche pas à approfondir — l'opinion publique vous accuse encore d'avoir été et d'être toujours l'amant de votre belle-mère... Ne trouvez-vous pas que ce sont là deux choses qui doivent nuire à votre dignité et qui vous empêchent d'être, auprès du corps diplomatique, l'homme pur qui doit être l'organe de la France envers les nations étrangères auxquelles, déjà, vos opinions politiques connues n'inspirent pas beaucoup de confiance ?

» Enfin, permettez-moi de vous le dire, au milieu de ces ambassadeurs, de ces envoyés de l'Europe, appartenant tous à l'aristocratie nobiliaire de leur pays, il faudrait tout au moins, vous "le Démocrate", avoir un extérieur digne, imposant, austère. Or, en vérité, l'exiguïté de votre taille s'y oppose. Vous pouvez être un excellent ministre de l'Intérieur, mais vous ne sauriez être, convenablement et dans l'intérêt de notre patrie, un président du Conseil des ministres, ni un ministre des Affaires étrangères.

» Après quelques minutes de silence, M. Thiers dit au général qu'il se rendait à ces raisons, et sans ajouter le moindre commentaire, il quitta le général vers 2 heures du matin, lui disant qu'il ne refuserait pas au roi son concours, qu'il remplirait la mission que Sa Majesté lui avait donnée de former un nouveau ministère, mais qu'il n'y entrerait pas, ou du moins qu'il n'y serait — c'était bien convenu — ni président ni ministre des Affaires étrangères... »

Le général Jacqueminot lui promit alors, sur sa demande, de se rendre chez lui vers 7 heures du matin pour travailler ensemble à la composition du ministère en formation.

« Fidèle à sa parole, le général Jacqueminot était, en effet, chez M. Thiers à 7 heures du matin. Il trouva Mme Dosne dans le cabinet de son gendre, et celui-ci lui déclara aussitôt, et à sa grande stupéfaction, que *son* ministère était composé et qu'il en ferait partie comme président du Conseil, chargé du portefeuille des Affaires étrangères.

» — Ce n'était pas la peine de me faire déranger aussi tôt, dit le général, après les promesses qu'il n'y a pas cinq heures vous m'avez faites et sur lesquelles vous m'avez quitté cette nuit, après quatre heures de conversation...

» Et là-dessus, le général Jacqueminot, fort en colère, prit son chapeau et sortit de l'appartement.

» Dans la Chambre des députés, à la séance de ce jour, M. Thiers et le général Jacqueminot faisaient partie du même bureau. En arrivant au comité, le général trouva, déjà établi, M. Thiers, lequel eut l'air de ne pas remarquer l'entrée de son collègue. Le général dissimula son mécontentement, mais à la fin de la séance, il dit :

» — Thiers, j'ai un mot à vous dire.

» Et, ensemble, ils quittèrent la Chambre se dirigeant vers la place de la Concorde... Le général rompit le premier le silence qui durait depuis la sortie du Palais-Bourbon :

» — Ce matin, monsieur, dit-il à M. Thiers, j'ai eu lieu d'être étonné de votre légèreté en me laissant arriver chez vous, après ce dont nous étions convenus quelques heures auparavant, uniquement pour m'apprendre que vous agissiez tout autrement que vous ne vous étiez engagé avec moi à le faire. Je vous ai montré mon mécontentement en abandonnant la place à Mme votre belle-mère dont, en cette circonstance, vous avez écouté les avis mieux que les miens ; mais ce juste mécontentement que j'ai laissé percer n'autorisait nullement de votre part l'impolitesse dont vous vous êtes rendu coupable envers moi en ne me saluant pas quand je suis entré dans le bureau et quand moi, monsieur, je vous faisais l'honneur de vous saluer. Eh bien ! monsieur, je veux bien, cette fois-ci, me borner à un avis dont je vous engage à profiter. Je n'ai jamais toléré aucune impertinence envers moi. Si le roi, si un prince de la famille royale, si mon père, oui monsieur, si mon père affectait de ne pas répondre à mon salut, je ne le reverrais de ma vie ; mais toute autre personne — fût-ce vous, monsieur — qui agirait ainsi, je lui donnerais publiquement de mon pied dans le derrière.

» M. Thiers, me dit enfin le général Jacqueminot, se rejeta sur sa mauvaise vue, sur un moment de préoccupation, de distraction, et me dit que je prenais bien au vif une chose fort insignifiante. Il affecta un ton d'abandon et d'enjouement avec moi, me quitta en me tendant une main que je ne pris pas et, depuis, il n'a plus omis de me saluer [44]. »

M. Thiers allait avoir bientôt des ennuis plus importants.

Depuis quelque temps, le pacha d'Égypte, Méhémet Ali, protégé par la France, était en lutte contre le sultan turc Mahmoud, soutenu par l'Angleterre.

Au printemps 1840, Londres et Vienne, craignant de voir la Russie profiter de ce conflit pour occuper Constantinople, proposèrent à la France une intervention collective en vue de régler le différend turco-égyptien. Louis-Philippe accepta.

Malheureusement l'entente se révéla difficile à établir. Suivre l'Angleterre, c'était se montrer hostile au pacha notre ami et ameuter l'opinion française contre le gouvernement ; et soutenir Méhémet, c'était soulever l'animosité de l'Angleterre et de l'Europe contre la France.

Fort embarrassés, M. Thiers et Mme Dosne palabraient des heures entières sans parvenir à prendre de décision.

C'est alors que Palmerston, brusquant les choses, provoqua, le 15 juillet, la signature d'un traité à quatre stipulant que l'Angleterre, la Prusse, l'Autriche et la Russie étaient unies pour soutenir le sultan contre le pacha.

---

44. Ce général Jacqueminot était un curieux personnage. Un jour qu'il visitait la prison de Pau, le geôlier lui montra un prisonnier accusé de parricide. Le général prit un ton bonhomme et dit :
— Eh bien ! mon brave homme, nous avons donc tué notre papa ?
La question était singulière. La réponse le fut plus encore :
— Que voulez-vous, dit le condamné avec un air timide, on ne peut pas être parfait...

Cette nouvelle provoqua en France une grande émotion. Le peuple, qui était resté bonapartiste, estima qu'il fallait profiter de cette « trahison » pour venger l'Empereur...

La bourgeoisie, animée du même esprit belliqueux, criait : « Ce traité est une insolence ! »

Mme Dosne huma ce vent de colère d'une narine frémissante et comprit qu'il y avait là une occasion inespérée de donner à son cher Adolphe une popularité nationale...

Elle appela M. Thiers, lui exposa son plan, lui tint le langage de l'ambition et l'incita à déclarer la guerre à l'Angleterre.

Le président du Conseil tenta de rétorquer que le roi était farouchement pour la paix ; Mme Dosne, qui voyait déjà son amant jouer les Napoléon, caracoler sur un cheval blanc et s'installer aux Tuileries au milieu d'une foule en délire, ne voulut rien entendre :

— Tu dois faire la guerre !

Cette fois, Thiers fronça les sourcils, prit un air terrible et partit en trottinant vers son cabinet présidentiel. Quelques heures plus tard, il ordonnait le rappel des quatre dernières classes, la création de régiments et la construction d'une chaîne de forts autour de Paris.

Pendant un mois le pays tout entier, excité par une presse aux ordres du gouvernement, ne rêva que plaies et bosses. Et Alphonse Karr, avec sa lucidité habituelle, écrivait : « M. Thiers joue le sort de la France à pile ou face, et la pièce est en l'air ! »

Cette pièce, Alphonse Karr ignorait que c'était Mme Dosne qui l'avait lancée...

Le 2 octobre Paris apprit avec stupeur que Méhémet Ali — que l'on croyait invincible — avait été écrasé par la flotte britannique.

Mme Dosne entra alors en transe :

— Il n'y a plus un moment à perdre, il faut décider le roi à la guerre.

M. Thiers, voulant mettre Louis-Philippe devant le fait accompli, commença par décider l'envoi dans la Méditerranée de la flotte de l'amiral Duperré, convoqua les Chambres et prépara un manifeste à l'Europe.

Le 4, le roi, agacé par la turbulence belliqueuse du petit Marseillais, prit la parole et s'opposa formellement à l'envoi du manifeste.

Pendant treize jours, Thiers, poussé par Mme Dosne, usa de toute son éloquence et de toute sa ruse de Phocéen-Levantin pour amener Louis-Philippe à déclarer la guerre.

Le roi fut inflexible.

Le 17, il dit à Thiers :

— Humilier la France, mon cher ministre, ce sont des paroles de journaux... Vous ne savez pas ce que c'est que ce pays ; il ne veut pas la guerre au fond, et si nous l'entreprenions, nous serions tous perdus : vous, moi, mes fils, ma famille, ma femme, votre femme, votre belle-mère...

A ces mots, Thiers baissa la tête, fort gêné. Onze jours plus tard, il était contraint d'abandonner le pouvoir pour trente ans !

La France, grâce à la sagesse de son roi, avait échappé à la guerre. Mais le bellicisme de Mme Dosne devait avoir un jour les plus funestes conséquences.

Les cliquetis d'armes qui avaient retenti en France pendant trois mois, et les discours hystériques de M. Thiers avaient fortement inquiété l'Allemagne. Au point que Henri Heine put écrire, un peu plus tard : « Le bruyant tambourinage de Thiers a réveillé de son sommeil léthargique notre bonne Allemagne... Il battait si fort la diane que nous ne pouvions plus nous rendormir et que, depuis, nous sommes restés sur pied !... »

C'est donc peut-être un peu à cause de Mme Dosne, maîtresse ambitieuse de M. Thiers, que nous avons eu la guerre de 1870, laquelle devait engendrer celles de 1914 et de 1939...

Ce qui est beaucoup pour une seule femme !...

10

La Chambre des pairs condamne Louis-Napoléon à la chasteté

> La chasteté est un trésor précieux que
> nous portons dans des vases d'argile...
>
> *l'Ecclésiaste*

A la fin de juillet 1840, dans un estaminet enfumé des docks de Londres, le capitaine du cargo *La Ville-d'Édimbourg* reçut la visite d'un élégant personnage qui lui tint ces étranges propos :

— Je suis chargé par quelques amis d'organiser un petit voyage sur les côtes d'Allemagne. A vrai dire, nous n'avons aucun but précis et, poussés par notre seule fantaisie, peut-être aurons-nous le désir d'aller jusqu'à Hambourg. Pourriez-vous nous prendre à votre bord ? Nous serions une soixantaine.

Le capitaine tira sur sa pipe et répondit que, son bateau étant destiné à transporter indifféremment des passagers ou des marchandises, la chose lui paraissait possible.

— Seulement, ajouta le dandy, mes amis et moi-même sommes des originaux. Lorsque nous voyageons, nous aimons nous entourer de mystère. Aussi devrez-vous consentir à ignorer d'où nous venons, où nous allons, et même jusqu'à notre identité... Notre goût de l'aventure peut également nous conduire à vous demander de changer de route pendant le voyage. Ce genre de caprice ne devra pas non plus vous étonner. J'ajoute que, bien entendu, votre prix sera le nôtre.

Le capitaine pensa que la terre était peuplée d'hurluberlus, accepta les curieuses conditions posées par son client et se déclara prêt à partir pour l'inconnu.

Le 5 août au soir, les mystérieux passagers montèrent à bord de *La Ville-d'Édimbourg*. Ils formaient une troupe étrange. Certains avaient fort belle allure, mais la majorité était constituée de personnages misérables, portant des vêtements râpés et des chaussures éculées. A leur suite, des bagages stupéfiants furent embarqués. Ces touristes, décidément fort originaux, emmenaient, en effet, avec eux des ballots de vivres, une calèche, un gros paquet de prospectus et, enfermé dans une cage, un aigle à moitié déplumé...

A huit heures, on leva l'ancre. Vers trois heures du matin l'homme qui avait loué le bateau alla trouver le capitaine :

— Un de nos amis a manqué le départ. Arrêtez-vous à l'embouchure de la Tamise. Il viendra nous rejoindre en canot.

Le capitaine fit arrêter son navire à l'endroit indiqué et attendit. Bientôt, un clapotis d'avirons se fit entendre. On descendit l'échelle et un homme monta à bord. Il semblait jouir d'un prestige considérable auprès des autres passagers. Petit, l'œil vague, portant un chapeau rond, il n'avait pourtant aucune des caractéristiques d'un chef.

Discret, le capitaine ne posa aucune question et mit le cap sur l'Allemagne.

Dans la matinée, le dandy vint le retrouver :

— Comme il fallait s'y attendre, dit-il d'un ton enjoué, nous venons de décider, avec mes amis, de changer de destination. Nous voulons mouiller devant Wimereux, près de Boulogne.

Sans rien dire, le capitaine changea de direction. Quelques heures plus tard, comme il traversait le pont, un spectacle inattendu vint troubler son flegme : les soixante passagers, à moitié nus, étaient en train de revêtir des uniformes.

Toujours discret, il regagna sa cabine sans demander d'explications, pensant que des gens aussi singuliers pouvaient parfaitement éprouver le besoin de se travestir en pleine mer.

Devant Wimereux, le petit personnage à l'œil vague, qui portait maintenant l'uniforme de colonel d'artillerie, fit mettre les canots à la mer.

— Nous allons faire un petit tour à terre, dit-il.

En quatre voyages, les soixante passagers, empêtrés de leur équipement et de leurs fusils, furent sur une plage. L'un d'eux portait, accroché à ses épaulettes, l'aigle solidement ficelé.

Alors l'homme à l'uniforme de colonel prit la parole :

— Mes amis ! Nous voici en France. Il nous reste à prendre Boulogne. Une fois ce point enlevé, notre succès est certain... Si je suis secondé comme on me l'a fait espérer, dans quelques jours nous serons à Paris. Et l'Histoire dira que c'est avec une poignée de braves tels que vous que j'ai accompli cette grande et glorieuse entreprise.

A quelques kilomètres de là, les habitants de Boulogne préparaient leur café matinal sans se douter que le prince Louis Bonaparte, fils de la reine Hortense et neveu de l'Empereur, venait de débarquer sur une plage en compagnie de soixante fidèles, animé par l'espoir insensé de prendre le pouvoir.

Après quelques pourparlers avec les douaniers, la petite troupe de conspirateurs se dirigea vers Boulogne et pénétra dans une caserne. Deux hommes de corvée qui nettoyaient la cour les saluèrent et continuèrent leurs bas travaux. Voulant s'en faire des alliés, Louis Bonaparte nomma le premier lieutenant et décora le second de la Légion d'honneur. Puis, laissant là les deux soldats complètement ébahis, il continua de visiter la caserne. Soudain, un officier parut, le capitaine Puygelier. Louis Bonaparte alla vers lui, aimable et souriant :

— Capitaine, je suis le prince Louis. Soyez des nôtres. Vous aurez tout ce que vous voudrez.

La réponse ne fut pas celle qu'il attendait :

— Prince Louis ou non, dit l'officier, je ne vous connais pas. Faites-moi le plaisir de déguerpir ! Les gibernes sont pleines. Méfiez-vous ! Vous serez mis en joue avant qu'il ne soit longtemps !

Puis il cria :

— Clairon ! Sonnez-moi le ralliement ! Aux armes !...

Le prince, très ennuyé, comprit que l'affaire s'engageait mal.

— Mon parti est pris ! dit-il d'un ton grave.

Et, coudes au corps, il quitta la caserne en courant, suivi de ses amis. Le hasard, dont on connaît la malice, conduisit le groupe de fuyards au pied de la colonne qui commémorait le départ de la Grande Armée vers les champs de victoire d'Austerlitz...

Là, le prince s'effondra :

— Je me ferai tuer ici, dit-il. Laissez-moi !

Mais ses fidèles l'entraînèrent vers la mer, tandis que le tocsin sonnait de tous les clochers de la ville et que le tambour battait le rappel à toutes les portes.

Ils arrivèrent sur la plage de Wimereux presque en même temps que les soldats du capitaine Puygelier.

— Les canots ont disparu, cria Louis Bonaparte, regagnons le bateau à la nage !

Il se jeta à l'eau, suivi de ses compagnons. Une salve qui fit un tué, quelques blessés et un trou dans l'uniforme du prince arrêta les nageurs.

Un lieutenant du roi n'eut plus, alors, qu'à cueillir les conspirateurs.

La plus burlesque des équipées était terminée.

Grelottant, désespéré, Louis-Napoléon fut conduit au château. Le 12, il était incarcéré à la Conciergerie dans la cellule occupée cinq ans plus tôt par Fieschi, et le 30 septembre la Chambre des pairs le condamnait à l'emprisonnement perpétuel au fort de Ham...

En apprenant cette condamnation, les amis du prince furent atterrés : « De Londres à Florence et de Constance à Rome, écrit Florent Boin, tous ceux qui connaissaient Louis-Napoléon déclarèrent que la décision de la Chambre des pairs équivalait pour lui à une condamnation à mort : jamais, disaient-ils, jamais, il ne pourra vivre sans femmes [45] ! »

Ce n'était pas, en effet, le manque de liberté qui risquait de faire souffrir le plus Louis-Napoléon (il pouvait rester des jours entiers enfermé dans un bureau à lire et à fumer des cigarettes), mais la chasteté qui lui était indirectement imposée.

Le futur empereur ne pouvait se passer de femmes. Il lui fallait toujours avoir la main sur un sein, une jolie jambe ou une agréable fesse... Ce goût des formes féminines le poussait d'ailleurs à commettre des gestes que d'aucuns trouvaient déplacés de la part d'un prince. Paul Verdier nous dit qu'« il ne pouvait voir un décolleté sans y plonger la main à la façon d'un homme qui veut retirer un poisson d'un aquarium. Hardiesse qui étonnait toujours les témoins... ».

Naturellement, Louis-Napoléon n'avait en amour aucun préjugé de classe : soubrettes, princesses, bourgeoises, commerçantes, paysannes, tout lui était bon. Et son adolescence fut si riche en aventures amoureuses de toute sorte que, pour comprendre l'effroyable pénitence que les Pairs venaient d'imposer au malheureux prince, il va nous falloir, comme disent les romanciers, remonter un peu en arrière...

11

Louis-Napoléon se déguise en femme
pour courtiser une noble Florentine

> Le goût des femmes le poussa à des
> extravagances peu courantes chez un prince.
>
> OLIVIER LERICHE

Comme tous les enfants de l'amour, Louis-Napoléon Bonaparte fut tourmenté, dès son plus jeune âge, par le désir « de savourer les dames » [46].

A douze ans, il tomba amoureux d'une petite voisine dont il traça le nom sur une plate-bande en semant des graines de cresson.

— Elle crut à un amour platonique, racontera-t-il plus tard, et j'en fus vexé, car j'aurais aimé coucher avec elle. La nature, chez moi, était, déjà, fort exigeante...

A treize ans, il ne put se contenir davantage. Il vivait alors en Suisse

---

45. Florent BOIN, *Napoléon III intime.*

46. On sait que Louis-Napoléon fut conçu à Cauterets, en juillet 1807, à un moment où la reine Hortense était éloignée de son mari. C'était donc un bâtard. Depuis cette date, les braves gens et les historiens se demandent qui fut le père de ce bambin aux yeux clairs. Trois noms sont généralement avancés : Ver Huell, un amiral hollandais, Elie Decazes (dont Louis XVIII devait faire un jour son favori) et Charles de Bylandt, écuyer hollandais de la reine. Tous trois furent les amants d'Hortense. Tous trois se trouvaient à Cauterets... Malheureusement, aucun n'a jamais parlé et l'énigme demeure. Napoléon III est donc né de père inconnu...

avec sa mère, au château d'Arenenberg. Un soir, il entraîna une petite bonne dans sa chambre, la troussa avec autorité et la viola.

Ce geste allait avoir les plus douces conséquences pour les jeunes femmes qui habitaient à cette époque près du lac de Constance.

Mis en goût par le plaisir qu'il avait connu avec la soubrette, Louis-Napoléon, en effet, consacra, dès cet instant, la plus grande partie de son temps à l'étude approfondie — et comparative — de ce que l'on nommait joliment « l'ouvroir des dames et des demoiselles »...

Il commença par les bergères, toujours contentes, comme chacun sait, d'être bousculées et violentées par un prince, puis il pénétra dans les familles de la bonne bourgeoisie helvète et consomma, dans le plus grand désordre et sans tenir compte de la hiérarchie naturelle, les jeunes filles, les mamans, les tantes, les cousines, les gouvernantes, etc. Enfin, l'âge lui venant, il visa plus haut et rencontra les jolies et aristocratiques étrangères qui villégiaturaient dans la région.

Cette extraordinaire activité amoureuse l'obligeait à quitter le château dès la fin du déjeuner pour ne reparaître qu'à l'heure du dîner.

De telles absences finirent par éveiller les soupçons de la reine Hortense. Un jour que Louis-Napoléon demandait la permission de quitter la table avant la fin du repas, elle lui dit en souriant :

— Quand on laisse son dessert, c'est qu'on court à un autre...

Le prince rougit, fort gêné. Alors, indulgente aux frasques de ce fils qui commençait à lui ressembler, elle ajouta simplement :

— Va...

Et Louis-Napoléon, posant sa serviette, courut retrouver une ravissante Anglaise du voisinage qui l'attendait, tous les jours un peu plus tôt, nue sur son lit...

Tous les ans, la reine Hortense emmenait son fils à Rome où avait lieu une réunion de la famille Bonaparte.

En 1830, ils s'arrêtèrent à Florence. Là, le prince, qui avait alors vingt-deux ans, fut, un soir, présenté à la comtesse Baraglini. Cette jeune femme, que l'on appelait « l'anticamera del paradiso » (l'antichambre du paradis) était d'une telle beauté que Louis-Napoléon en tomba immédiatement amoureux.

Le lendemain, il fit remettre à la comtesse un billet discret par lequel il demandait un rendez-vous.

Ne recevant pas de réponse, il chercha un moyen de s'introduire dans la maison de cette troublante Florentine. Après une nuit de réflexion, il finit par imaginer un stratagème qui lui parut ingénieux.

Écoutons le pamphlétaire Eugène de Mirecourt nous conter cette extraordinaire et bouffonne aventure :

« Il se revêtit d'un costume complet de femme, d'une robe, d'un châle, d'un chapeau, et, après s'être bien rasé, mis de la poudre de riz pour blanchir son teint et du rouge pour colorer ses joues, une perruque de femme, de fausses tresses et de fausses nattes afin de mieux se déguiser, il se munit de plusieurs beaux bouquets de fleurs et se dirigea, ainsi costumé en bouquetière, vers la demeure de la dame de ses pensées.

» Une femme de chambre vint lui ouvrir. Il baissa les yeux d'un air timide :

» — Je suis, dit-il, en adoucissant sa voix le plus possible, la fleuriste de la Signora, et je lui apporte les fleurs qu'elle m'a commandées.

» La domestique, trompée par ce stratagème, l'introduisit sans défiance auprès de sa maîtresse. A la vue de cette horrible fille dont les petits yeux cyniques s'écarquillaient sous son chapeau ridicule et dont le nez proéminent donnait à toute sa physionomie un aspect grotesque et risible — on aurait dit Bobèche habillé en femme — la belle Italienne ne put dissimuler un profond sentiment d'aversion. Mais Louis-Bonaparte, tout entier à sa passion, emporté par son amour, n'y prit même pas garde. Aussitôt que la femme de chambre se fut retirée en refermant la porte sur elle, et qu'il fut seul avec la dame, il s'avança brusquement vers elle, se précipita à ses genoux en lui faisant mille protestations d'amour, en la suppliant de céder à sa flamme :

» — Je ne puis plus vivre, lui disait-il, sans vous posséder. Plutôt mourir mille fois que d'endurer plus longtemps les tourments affreux qui me rongent le cœur et me torturent l'âme depuis que je vous ai vue. Mettez un terme à mon supplice, cédez à mon amour, soyez à moi, ou je m'abandonne au désespoir et je mets fin à mes jours.

» Et, tirant un poignard caché dans sa poitrine, il le brandit en disant :

» — Je suis décidé à me tuer à vos pieds si vous repoussez mes vœux et je vous léguerai ma mort comme un éternel remords.

» A cette vue, à ces gestes de désespoir, à ces menaces de se tuer, la belle Signora, en proie à la plus grande terreur, agita violemment une sonnette. Son mari et ses gens accoururent et trouvèrent le prince amoureux déguisé en fleuriste aux pieds de la dame, tenant son poignard d'une main et ses fleurs de l'autre.

» A ce spectacle étrange, les arrivants, stupéfaits, ne savent que penser. Le mari demande une explication à sa femme qui lui dit que la prétendue fleuriste n'est autre qu'un poursuivant insolent et ridicule qui l'accable depuis longtemps des importunités de son amour. A cette déclaration, l'époux, furieux, saisit sa canne et, d'un bras vigoureux dont la colère double la force, il donne au malencontreux soupirant une ample distribution de coups de bâton qui pleuvent sur son échine, dru comme grêle.

» N'écoutant que sa frayeur, notre amoureux abandonne ses bouquets et son poignard et détale au plus vite ; les valets le poursuivent et le renversent plusieurs fois dans les escaliers en l'accompagnant à grands coups de pied jusqu'au milieu de la rue, où il arrive tout décoiffé, son fameux chapeau de femme pendant derrière ses épaules, sa perruque, ses fausses nattes à moitié arrachées, son châle et sa robe déchirés... Les gamins, à qui les domestiques racontèrent l'aventure, le poursuivirent de leurs insultes et de leurs huées jusque chez lui, où il arriva dans ce piteux costume, transi de peur et roué de coups.

» Le lendemain, tout Florence connaissait l'aventure arrivée au futur empereur. Pour se soustraire au ridicule qui l'accablait, il envoya deux témoins au mari outragé pour lui proposer un cartel, pensant qu'il refuserait de se battre et que cette courageuse provocation rétablirait un peu son honneur et sa réputation. Mais hélas ! mal lui en prit encore, car l'époux courageux accepta le duel et se rendit au rendez-vous. Ce que voyant, Louis Bonaparte prit le parti de quitter Florence et s'enfuit honteusement au lieu d'aller se battre, ainsi qu'il l'avait lui-même proposé. Pour excuser cette lâcheté, il la mit sur le compte de sa mère qui ne lui avait pas permis, disait-il, d'aller au rendez-vous d'honneur qu'il avait donné et qu'elle le forçait à quitter Florence. Personne ne crut à ce prétexte grossier, et Louis Bonaparte quitta ainsi lâchement la ville [47]. »

Après cette aventure peu reluisante, la reine Hortense emmena son grand dadais de fils à Rome où il apprit que Louis-Philippe venait de remplacer Charles X. Pensant qu'il ne s'agissait là que d'un régime de transition avant le retour des aigles impériales, il se mêla au mouvement carbonaro.

Mais il fut bientôt poursuivi par la police pontificale et, au début de 1831, il devait fuir en compagnie de sa mère, sous un déguisement. Grâce à de faux passeports, tous deux parvinrent à pénétrer en France.

Le dessein de la reine Hortense était de prier Louis-Philippe d'accueillir son fils dans l'armée française.

Le 23 avril, ils arrivaient à Paris. Et, tandis que la nièce de l'Empereur entrait en relation avec M. d'Houdetot, aide de camp du roi, l'incorrigible prince courait au Palais Royal goûter une de ces Parisiennes dont on lui avait tant vanté le savoir-faire...

Louis-Philippe fut effaré en apprenant que les deux illustres exilés étaient à Paris. Il commença par refuser de recevoir Hortense. Puis il se ravisa et consentit à une entrevue secrète. La reine fut reçue au Palais Royal, dans la chambre du colonel d'Houdetot, en présence de la reine Marie-Amélie et de Madame Adélaïde, sœur et égérie du souverain.

Louis-Philippe se montra fort aimable, conta mille anecdotes, plaça les trois ou quatre bons mots qu'il connaissait et parla de la famille Bonaparte en termes chaleureux.

Hortense rentra à l'hôtel de Hollande pleine d'espoir.

Quelques jours plus tard, elle devait déchanter : le roi demandait aux deux « napoléonides » de quitter la France dans les plus brefs délais.

Après avoir assisté le 5 mai, de la fenêtre de leurs chambres, place Vendôme, à une petite manifestation bonapartiste, ils quittèrent Paris et gagnèrent Londres.

47. Eugène de Mirecourt, *Les femmes galantes des Napoléon.*

Là, le prince consacra la plus grande partie de son temps à courir le jupon. Tandis que sa mère rencontrait M. de Talleyrand, alors ambassadeur de France en Angleterre, ce petit écervelé, animé par une exaltation érotico-patriotique, allait, de lit en lit, venger Waterloo...

Au mois d'août, Hortense, pensant que la fraîcheur des glaciers suisses agirait heureusement sur le tempérament de son fils, ramena celui-ci à Arenenberg. Puis elle le fit entrer à l'école militaire de Thoune. Pendant cinq ans, Louis-Napoléon étudia l'artillerie et prouva aux jeunes filles de la ville que la réputation des artilleurs n'était point usurpée.

En 1836, la reine Hortense pensa qu'il était grand temps de marier son fils. Elle invita à Arenenberg la princesse Mathilde, fille du roi Jérôme, qui avait quinze ans et qui était ravissante. Louis-Napoléon en tomba amoureux.

Il emmena la jeune fille faire de longues promenades dans les bois, canoter sur le lac et rêver sous la lune.

— Tu es gracieuse comme la plus gracieuse des chattes, lui disait-il. Toi seule au monde peux me rendre heureux...

Il ajoutait, l'œil vague :

— La vie, l'âme, Mathilde, sont comme une lettre dont tout le monde voit le dehors, l'adresse et l'enveloppe, et qu'une seule personne lit parce que l'âme ne se fait comprendre qu'à une seule âme...

Elle écoutait, extasiée.

Après quoi, il la quittait sur un baiser chaste, soit pour aller coucher à Erlatingen, où il avait deux maîtresses, soit à Gottlieben, où habitait une Anglaise aux cheveux jaune paille qui prétendait être la fille naturelle de Hudson Lowe, le geôlier de Napoléon Ier...

Le lendemain, le futur empereur reprenait ses conversations romantiques avec Mathilde « tout comme s'il avait dormi, veillé par un ange ».

Tous deux allaient alors innocemment graver leurs initiales dans l'écorce des hêtres et jeter des pétales de marguerite dans une source favorable aux amoureux.

Mais de telles promenades aux côtés d'une cousine dont les seins fermes faisaient craquer le corsage finissaient par avoir sur le tempérament du prince des effets horriblement aphrodisiaques. Le malheureux était alors obligé d'avoir recours à des exutoires champêtres. « Il arriva à Louis-Napoléon, nous dit Simon Jolivet, de laisser, sous le prétexte d'une course à faire, la jeune princesse à sa cueillette de fleurs et de courir dans un fourré pour donner à une bergère le trop-plein de son sentiment... [48] »

Puis, calmé, il revenait vers Mathilde qui avait eu le temps de terminer son bouquet, et il continuait de philosopher sur l'éternité de l'amour humain et le trouble des âmes...

Comme tous les amoureux, Louis-Napoléon et Mathilde attachaient

48. Simon Jolivet, *La jeunesse de Napoléon III.*

beaucoup d'importance aux symboles. Jamais ils ne se seraient séparés pour passer de chaque côté d'un arbre. Jamais elle ne lui aurait offert d'œillets. Jamais il n'aurait, lui, violé une bergère sur une fougère où elle avait dormi...

Or, un soir qu'ils rentraient tous deux en courant vers le château, trempés par une violente pluie d'orage, la foudre tomba sur un arbre qui se brisa devant eux.

Louis-Napoléon saisit la main de sa fiancée :

— Notre mariage sera rompu par le sort ! dit-il.

Quelques jours plus tard, le roi Jérôme vint chercher sa fille. Il expliqua qu'elle devait aller à Stuttgart chercher la bénédiction de son grand-père, le roi de Wurtemberg :

— Aussitôt, après, nous annoncerons vos fiançailles.

Avant de quitter Arenenberg, Mathilde offrit à Louis-Napoléon une canne à pommeau d'or représentant une tête de chien. En échange de ce symbole de fidélité, le prince passa au doigt de sa fiancée une bague ornée de myosotis en turquoise...

— Nous les marierons en août, dit Hortense au roi Jérôme.

— Le 15, pour la Saint-Napoléon !

Mathilde en larmes monta dans la voiture de son père. Louis-Napoléon grimpa alors sur le marchepied, embrassa la jeune fille une dernière fois et, malgré un « très net pressentiment », lui murmura :

— A bientôt !

C'était le 25 mai 1836. Ils ne devaient se revoir que douze ans plus tard.

12

Pour réussir son coup d'État de Strasbourg, Louis-Napoléon comptait sur une cantatrice : Mme Gordon

> La République est une belle femme mamelue et fessue qui allaite en chantant.
>
> JULES FERRY

Dès que Mathilde eut quitté Arenenberg, Louis-Napoléon put se consacrer entièrement à une entreprise qu'un aventurier venu de Londres, le vicomte Fialin de Persigny [49], était venu lui proposer quelques mois plus tôt. Il s'agissait ni plus ni moins de tenter un coup d'État à Strasbourg avec l'appui de l'armée, de marcher sur Paris et de prendre le pouvoir.

Au début de l'été, un certain nombre d'officiers pressentis par des hommes de Persigny se déclarèrent prêts à soutenir le prince.

---

49. En réalité, il s'appelait simplement Fialin. Il s'était donné lui-même son titre sans parvenir à prendre les bonnes manières qui eussent dû lui correspondre. Aussi disait-on qu'il ressemblait à un homme de bonne compagnie, comme la chicorée ressemble au café.

Malheureusement, les deux plus importants, le colonel Vaudrey et le général Voirol, n'étaient pas encore acquis au complot.

— Il importe, dit Louis-Napoléon à Persigny, de gagner ces deux hommes à notre idée. Leur adhésion en entraînera d'autres et affermira celles que nous avons déjà obtenues. Vaudrey, qui commande les 3e et 4e régiments d'artillerie, plus un bataillon de pontonniers, est un allié indispensable. C'est au 4e d'artillerie que l'Empereur a fait ses premières armes lors du siège de Toulon. C'est encore le 4e qui l'accueillit à Grenoble, après son retour de l'île d'Elbe. Ces souvenirs sont suffisants pour me permettre de demander aux hommes de me suivre. Mais il faut d'abord que Vaudrey se rallie. Je sais qu'il a fait la plupart des guerres de l'Empire, qu'à Waterloo, il s'est montré héroïque. A lui seul, il dirigeait vingt-quatre bouches à feu. Je sais aussi qu'il est déçu par le gouvernement de Louis-Philippe qui ne lui donne aucun galon. Mais je n'ignore pas que cet ancien soldat de l'Empereur est un homme de devoir, soumis à la discipline et ennemi du désordre. Sans se soucier de ses idées personnelles, il lancera ses hommes contre nous...

— Peut-être a-t-il un point faible, suggéra Persigny.

— Renseignez-vous !

Quelques jours plus tard, un agent du vicomte revint à Arenenberg, l'air épanoui.

— Le colonel Vaudrey a une faiblesse, dit-il.

— Laquelle ? demanda le prince.

— Il aime les femmes...

Louis Bonaparte et Persigny se regardèrent en souriant. Ils savaient, dès lors, comment s'assurer l'appui du fringant colonel...

Une fois de plus, une femme allait sortir de l'ombre, pour écrire une page de notre histoire...

Cette femme, ce fut Persigny qui la trouva.

— Il faut qu'elle soit jolie, intelligente, rusée, bonapartiste, sensuelle, et de mœurs faciles, avait dit Louis-Napoléon.

Le vicomte s'était incliné :

— Toutes ces qualités se trouvent réunies chez une jeune femme dont j'ai fait la connaissance à Londres. Elle a vingt-huit ans, elle est née à Paris, son nom de jeune fille est Éléonore Brault. Après avoir fait des études aux conservatoires de Paris et de Milan, elle a chanté à Venise et à Londres. En 1831, elle épousa sir Gordon Archer, commissaire des guerres à la légion franco-espagnole. Elle chanta ensuite à Rome et à Florence, où son mari mourut du typhus. Fervente bonapartiste — son père était capitaine de la Garde impériale — elle revint alors en Angleterre où elle donna des concerts chez le roi Joseph. Ce fut là qu'un jour de 1835, je la rencontrai...

Un semblant de lueur apparut dans l'œil terne de Louis-Napoléon :

— Nue, comment est-elle ?

Persigny, dont l'enthousiasme faisait plaisir à voir, décrivit alors sa maîtresse en utilisant des adjectifs qui eussent convenu à la Chapelle Sixtine...

Le prince hocha la tête :

— Et au lit ?

Cette fois, Persigny évoqua complaisamment toute une série de souvenirs personnels et fit ressortir le caractère mutin et inventif de Mme Gordon dans le domaine amoureux. Le tableau fut si alléchant que Louis-Napoléon déclara qu'il désirait rencontrer au plus tôt cette femme exceptionnelle et juger par lui-même de ses possibilités.

— Où est-elle ?

— A Baden-Baden. Elle y donne un concert le 1er juillet. J'ai déjà pris des billets...

Louis-Napoléon, mis en verve par cette exaltante perspective, se fit conduire immédiatement à Gottlieben où il passa avec la fille supposée de Hudson Lowe une de ces nuits qui comptent dans la vie d'un homme...

Quelques jours plus tard, le prince et Persigny se trouvaient dans la grande salle du casino de Baden-Baden.

Soudain, le rideau se leva et une dame de vastes dimensions parut sur scène. Elle pouvait avoir 1,80 m. Ses cheveux étaient noir jais, ses yeux flamboyants, sa carrure digne d'un grenadier et sa poitrine gigantesque.

Louis-Napoléon, qui aimait les femmes bien en chair, se pencha vers Persigny :

— Avec ce décolleté, je crois qu'elle ferait la conquête d'un corps d'armée...

Mme Gordon chanta. Sa voix de contralto, qu'elle développait en faisant de l'escrime et du tir, fit trembler les lustres.

Le prince en augura bien de l'avenir.

— Je connais les officiers, dit-il, une telle femme doit pouvoir séduire un colonel... En outre, elle pourra lire les proclamations...

A la fin du concert, il fit porter à la chanteuse une gerbe tricolore. Lorsqu'elle sut qui lui avait envoyé ces fleurs, Mme Gordon manqua de s'évanouir.

— Comment puis-je remercier le prince ? demanda-t-elle à l'envoyé de Persigny.

— En le recevant ce soir chez vous.

A minuit, Louis-Napoléon et Persigny pénétraient dans le salon de Mme Gordon.

La maîtresse de maison, les larmes aux yeux, se jeta à genoux devant le prince.

Galamment, il la releva et s'aperçut avec amertume qu'il lui arrivait à la poitrine.

— Je ne suis pas musicien, mais j'aime votre façon de chanter, dit-il en posant sur elle ces yeux délavés et indéchiffrables qui plaisaient tant aux femmes.

La cantatrice lui répondit par un regard propre à faire fondre un igloo.

Fort heureusement, une jolie servante anglaise annonça le souper. « Louis offrit son bras, nous dit Alfred Neumann. La chanteuse s'en empara et aussitôt le pressa énergiquement contre elle. Louis eut chaud et se sentit rougir. Son bras était obligé de s'apercevoir qu'elle ne portait pas de corset. Elle ne le lâcha que pour s'asseoir à la petite table ronde, mais alors, elle établit de nouveau le contact avec les jambes. Louis s'efforçait en vain de retrouver son ironie. Il faisait peu honneur au dîner et gardait un visage glacial. Mme Gordon ne s'en apercevait pas, ou du moins n'en était que plus ardente. Elle mangeait, buvait et écrasait le genou de son voisin qui n'avait plus la place de reculer [50]. »

Après le dessert, Mme Gordon déclara qu'elle avait à s'entretenir en tête à tête avec le prince. Persigny se leva, salua et regagna son hôtel.

Dès qu'elle fut seule avec Louis-Napoléon, la belle Éléonore, animée par un bonapartisme utérin, se leva, prit son invité par la main et lui dit :

— Voulez-vous boire une tasse de café, Altesse ?

Puis, nous dit encore Neumann, « elle le conduisit dans un boudoir où il y avait un grand divan et une petite table chargée d'une cafetière, de tasses, de flacons de liqueur et de verres. Elle ferma la porte et poussa ostensiblement le verrou ».

Alors, il se passa quelque chose d'extraordinaire. Mme Gordon s'avança vers le prince, le prit dans ses bras puissants, le souleva comme un enfant, le coucha sur le divan et commença à le déshabiller dans le but évident de procéder à un viol...

Louis-Napoléon cria, se débattit. En vain. « La gigantesque chanteuse, écrit Simon Jolivet [51], bondit sur le divan et fit disparaître sous elle le futur Napoléon III. A moitié étouffé sous les jupons, les flots de dentelles et les seins monstrueux de la diva, le pauvre essayait de sortir son grand nez vers un air moins confiné. Finalement, le goût qu'il avait pour les femmes fut plus fort que la honte, et la nature le mit en état de répondre courtoisement à la fougue dont il était l'objet... »

Tout se termina donc à la satisfaction de chacun.

Après quoi, Mme Gordon, redevenant parfaite maîtresse de maison, servit le café... Lorsqu'il eut terminé sa tasse, le prince qui savait vivre, cligna de l'œil et ramena Éléonore, toute ronronnante, vers le divan où il dirigea, cette fois brillamment, les opérations.

Mais il n'avait pas eu besoin de cette seconde passe d'armes pour acquérir la certitude que la maîtresse de Persigny était exactement la femme qu'il fallait pour prendre en main le colonel Vaudrey...

Le lendemain, Louis-Napoléon fit part à Mme Gordon de ses projets

50. ALFRED NEUMANN, *Le roman d'un coup d'État.*
51. SIMON JOLIVET, *La jeunesse de Napoléon III.*

politiques. La cantatrice montra immédiatement un enthousiasme débordant.

— Altesse, cria-t-elle, je veux vous aider. Votre cause est, à mes yeux, la plus noble qui soit au monde. Je me battrai comme un homme et je mettrai Strasbourg à feu et à sang, s'il le faut. N'oubliez pas que j'ai chassé le tigre aux Indes et couru la savane avec mon pauvre mari...

Le prince s'efforça de tempérer cette belle fougue en expliquant qu'il s'agissait moins de détruire Strasbourg que de s'y faire des amis...

— Avec les 12 000 hommes de la garnison, les 100 canons et les armes qui se trouvent à l'arsenal, dit-il, il y a de quoi transformer en milice toute la population de l'Est. Après avoir pris Strasbourg, nous marcherons sur Paris. A Reims, notre armée comptera 100 000 hommes, et, en moins de cinq jours, nous nous installerons aux Tuileries, accueillis par une foule en délire...

Éléonore, dont les gros seins se soulevaient au rythme de son émotion, avait les yeux flamboyants.

— Jamais je n'aurais espéré collaborer à une telle entreprise ! dit-elle. Qu'attendez-vous de moi ?

Le prince parla des officiers qui commandaient la place de Strasbourg.

— Le général Voirol, dit-il, a reçu la visite d'un de nos amis. C'est un timoré qui doit son grade au gouvernement de Louis-Philippe. Je ne pense pas qu'on puisse compter sur lui. Reste le colonel Vaudrey. Le colonels ont parfois plus d'importance que les généraux. Leur action sur la troupe est plus directe. Qui persuade un colonel tient le régiment ; et un régiment pèse plus lourd dans la balance que toutes les grosses épaulettes... C'est pourquoi il faut décider Vaudrey... Par tous les moyens !

Louis-Napoléon regarda fixement Éléonore, et ajouta :

— Ce sera votre rôle !

Mme Gordon comprit tout de suite ce qu'on attendait d'elle. Elle se redressa fièrement et le prince sut qu'elle était prête à faire don de son corps...

Quelques semaines plus tard, suivant un plan établi par Persigny, un concert de bienfaisance fut organisé à Strasbourg avec le concours d'Éléonore.

Tous les officiers de la place vinrent écouter cette femme dont la poitrine avait été décrite avec lyrisme par les journalistes à la solde du prince.

Lorsqu'elle parut sur scène, il y eut une rumeur dans la salle. Mme Gordon, bien décidée à frapper un grand coup, était vêtue d'une robe moulante, dont l'échancrure s'arrêtait à la pointe des seins.

Puis, elle chanta, et les spectateurs s'aperçurent, avec une intense émotion, que chaque note un peu haute faisait jaillir hors du décolleté « les deux fraises de la cantatrice »...

A l'entracte, les officiers, cramoisis, s'entretinrent avec chaleur des qualités exceptionnelles de la diva. Naturellement, le colonel Vaudrey était parmi les plus enthousiastes. Tout frétillant, et le cœur rempli de projets, il se rendit dans la loge de Mme Gordon. Celle-ci éprouva une heureuse surprise en l'entendant se présenter. A cinquante-six ans, le colonel était encore très séduisant. Sa taille, sa moustache, ses larges épaules, son imposante poitrine (légèrement rembourrée de coton, il est vrai), attiraient le regard des dames. Éléonore pensa que le sacrifice ne lui serait pas trop pénible.

De son côté, Vaudrey paraissait déjà plus que séduit. Écoutons Alfred Neumann : « Le colonel s'arrêta sur le seuil de la loge, ouvrit de grands yeux, posa la main sur son cœur comme s'il souffrait à force d'admiration, puis s'avança enfin. »

Après quelques compliments, l'officier, habitué aux conquêtes rapides, saisit la main de la cantatrice et la caressa. Puis, il se pencha et « couvrit les bras d'Éléonore de baisers remontants. La jeune femme attendait patiemment qu'il eût atteint l'épaule. Finalement, elle lui dit qu'il la reverrait sans doute à la soirée que le général donnait après le concert ».

Deux heures plus tard, il la revit, en effet, et cette nouvelle rencontre donna lieu à une scène assez bouffonne, si l'on en croit Alfred Neumann : « Mme Gordon se montra pleine de réserve et ne retira même pas le châle de dentelle qui couvrait ses épaules, sa poitrine et ses bras. Le colonel ne la quitta pas une minute. Son chef, Voirol, que sa femme surveillait trop attentivement, pour qu'il eût même une pensée libertine, fut obligé de le prendre à part pour l'engager à mieux se tenir en public. Il lui conseilla, notamment, de renoncer à soulever devant tout le monde le châle de Mme Gordon.

» — Alors, je chanterai, mon général, dit Vaudrey.

» Il fit volte-face et se dirigea vers le piano. Là, il chanta une chanson à boire, allemande, pour déplaire à Voirol qui était germanophobe. Comme on l'applaudissait vigoureusement, Mme Gordon vint le féliciter en souriant. Il lui baisa la main avec ferveur, et elle ajouta :

» — Nous allons chanter ensemble !

» Ils chantèrent une complainte bretonne, qui eut un immense succès, puis la chanson de Béranger, sur l'Empereur : *Parlez-nous de lui, grand-mère.* Il y eut un instant de silence dans la salle, puis les officiers, les jeunes surtout, hurlèrent en chœur : ''Parlez-nous de lui !'' Le général était consterné ; il applaudit par politesse, mais bien après les autres. Mme Gordon pressa légèrement les bras du colonel, et lui dit à l'oreille :

» — C'est gentil de votre part [52]... »

Ainsi, dès la première soirée, Mme Gordon avait réussi à séduire Vaudrey, à dresser le colonel contre son général et à faire se manifester les sentiments bonapartistes des jeunes officiers...

« A minuit, la cantatrice regagna son hôtel. Vaudrey l'accompagna. Il sortit à son bras, d'un pas souple et triomphant. Elle habitait à

52. ALFRED NEUMANN, *Le Roman d'un coup d'État.*

l'hôtel de la Ville de Paris : le chemin n'était pas assez long pour une déclaration. La voiture y fut bientôt arrivée. Le colonel prit la chanteuse dans ses bras, et dit d'un ton suppliant qu'il connaissait tout près de là un petit hôtel. Elle se contenta de rire...

» — Mon Dieu ! quand partez-vous ? demanda-t-il désespéré.

» — Demain.

» — Et quand vous reverrai-je ? Quand, et où ?

» Elle haussa les épaules : il savait bien qu'elle vivait à Baden-Baden. Enfin, elle se laissa embrasser. Il gémit :

» — Je viendrai bientôt... Il faut que je vous revoie [53] ! »

... Le poisson était bien accroché.

La semaine suivante, le colonel Vaudrey se rendit à Baden-Baden. Mme Gordon le reçut avec une infinie gentillesse. Mais lorsqu'il essaya de la renverser sur le canapé, elle prit un air sévère :

— Colonel, je ne m'appartiens pas. Je suis dévouée corps et âme à une cause qui m'est plus chère que la vie. Je sais que vous m'aimez sincèrement... Vous m'êtes très sympathique, mais je ne peux pas me donner à un homme qui ne partage pas mes opinions politiques...

Vaudrey, dont le désir occupait tout l'entendement, prit Éléonore par les épaules et la pressa contre lui :

— La cause que vous défendez ne peut être que bonne. Je suis prêt à vous aider...

Et il chercha à lui glisser la main sous les jupes.

Mme Gordon recula :

— Vous me le jurez ?

— Je vous le jure !

Alors, elle bondit sur le colonel avec une sauvagerie calculée, et lui donna un baiser dont l'audace dépassait les limites du savoir-vivre.

Cette fois, Vaudrey crut qu'il arrivait à ses fins. Il essaya de s'emparer des seins de la cantatrice. Éléonore s'esquiva encore, et dit en rougissant :

— Un peu de patience, mon ami. Dans un instant, vous connaîtrez un bonheur que beaucoup d'hommes vous envieront...

Et elle sortit de la pièce après avoir envoyé au colonel un baiser mutin du bout des doigts.

Vaudrey alla s'asseoir dans un fauteuil et attendit plein d'espoir. Au bout de quelques minutes, un pas retentit dans le couloir. Le colonel se précipita vers la porte, prêt à saisir dans ses bras Mme Gordon, qu'il imaginait vêtue d'un déshabillé transparent.

Mais ce fut un homme qui entra. Un homme petit, malingre, doté d'un grand nez et d'un teint olivâtre.

Et Vaudrey, horrifié, reconnut le prince Louis-Napoléon.

C'était le bonheur qu'Éléonore lui avait promis...

53. Alfred Neumann, *op. cit.*

Louis-Napoléon tortilla sa moustache en considérant d'un œil torve le colosse qui se tenait devant lui au garde-à-vous.

— Colonel, dit-il enfin, Mme Gordon m'a beaucoup parlé de vous, de votre intelligence et de vos sentiments français. Je suis content de vous voir.

Vaudrey fut un peu surpris par le fort accent allemand de ce prince qui venait lui parler de la France. Mais il n'en laissa rien voir.

— Asseyez-vous, mon ami, dit Louis-Napoléon.

Quand Vaudrey se fut timidement posé sur le bord d'un canapé, le prince prit ses aises dans un fauteuil et dit :

— Colonel, je vous ai écrit, il y a quelques semaines. Vous n'avez pu donner de réponse immédiate à mon aide de camp. J'ai compris que vous aviez besoin de réflexion. Je ne pouvais pas croire que votre silence fût définitif. Je vois que j'avais raison. Je prépare de grandes choses, je veux que vous y soyez associé.

Avec un sourire entendu, le prince ajouta :

— D'ailleurs, Mme Gordon, que vous tenez visiblement sous votre charme, a beaucoup insisté auprès de moi pour que votre participation soit importante. Or pas plus que vous, colonel, je ne sais refuser à une jolie femme...

La ficelle était un peu grosse ; mais Vaudrey, aveuglé par l'amour, ne vit dans tout ce discours qu'un témoignage indiscutable de l'intérêt que lui portait la cantatrice...

Rouge jusqu'aux oreilles, il remercia, se déclara honoré, et l'œil fixé sur le lit entrouvert de la belle Éléonore, promit son appui, sans savoir ce qu'on attendait de lui.

Louis-Napoléon se leva, tendit une main molle que Vaudrey, enthousiasmé par ce petit discours, serra fébrilement, puis il disparut.

Presque aussitôt, Mme Gordon rentra dans la chambre et, sans un mot, vint se coller contre le colonel. Après un long baiser, elle lui indiqua par une mimique appropriée qu'elle était prête à lui donner le meilleur d'elle-même.

Dès lors, les événements se précipitèrent.

Si Vaudrey n'avait aucune expérience politique, en revanche, il savait trousser une dame, la renverser sur un lit et lui donner l'illusion, pendant quelques minutes, que le pays était occupé par des Cosaques. L'instant d'après, la belle Éléonore se trouva donc écrasée, tripotée, malmenée, écartelée, au point qu'à l'ultime moment, elle fut incapable de pousser cette fameuse note artistique qui faisait, d'habitude, l'admiration de ses partenaires...

Toute la nuit, elle dut subir les assauts délicieux du colonel, dont le désir semblait augmenter à chaque reprise.

Le lendemain matin, Vaudrey fut catégorique :

— Je suis obligé de rentrer à Strasbourg ; mais je t'emmène. Je t'installerai dans un appartement près de la caserne.

Mme Gordon sourit amoureusement. Un appartement près de la

caserne d'artillerie, c'était une position merveilleuse, inespérée, au cœur de Strasbourg. Elle accepta en gazouillant...

Avant de quitter Baden-Baden, Vaudrey rencontra une fois encore Louis-Napoléon qui le mit vaguement au courant de ses projets et l'informa qu'il avait décidé, pour correspondre avec lui en toute tranquillité, de créer un personnage et de prendre un nom d'emprunt.

— Je serai votre petite fiancée, ajouta-t-il simplement.

Et comme le colonel, absolument ahuri, le considérait avec des yeux ronds, il précisa :

— Je m'appellerai Louise Wernert... Vous prendrez le nom que vous voudrez...

Puis, très digne, il regagna ses appartements.

Deux jours plus tard, Vaudrey installait Mme Gordon à Strasbourg, au 4 de la rue des Orphelins, dans une maison située devant la caserne d'artillerie.

Dès lors, chaque matin, avant de rejoindre son bureau, il alla rendre une fougueuse visite à sa maîtresse. Après lui avoir montré ses bons sentiments, il faisait part à Éléonore de l'état d'esprit des officiers strasbourgeois. Tous, sauf le général Voirol qui était attaché à Louis-Philippe, semblaient favorables à l'avènement d'un Bonaparte. Les affaires du prince paraissaient donc en bonne voie.

« Vaudrey s'en réjouissait, nous dit Raymond Peneau, en voyant la joie éclairer les yeux de sa belle amie. » Pourtant, il hésitait encore à se lancer complètement dans l'aventure. Il avait promis son aide, il adorait Mme Gordon ; mais comme tous les militaires disciplinés, il se sentait un peu mal à l'aise au moment de trahir...

Devinant les scrupules qui tourmentaient son amant, Éléonore demanda au prince de lui écrire. Louis-Napoléon lui envoya alors la plus extravagante des lettres de conjuré. En voici le texte :

Monsieur, je ne vous ai pas écrit depuis que je vous ai quitté, parce qu'au commencement, j'attendais une lettre où vous m'auriez donné votre adresse. Cependant, aujourd'hui que vous vous occupez de mon mariage, je ne puis m'empêcher de vous adresser personnellement une phrase d'amitié. Vous devez assez me connaître pour savoir à quoi vous en tenir sur les sentiments que je vous porte, mais, pour moi, j'éprouve trop de plaisir à vous les exprimer, pour que je garde le silence plus longtemps. Monsieur, à vous seul tout ce qui peut faire vibrer mon cœur : passé, présent, avenir. Avant de vous connaître, j'errais sans guide certain ; semblable au hardi navigateur qui cherchait un nouveau monde, je n'avais, comme lui, que dans ma confiance et dans mon courage, la persuasion de la réussite ; j'avais beaucoup d'espoir et peu de certitude ; mais lorsque je vous ai vu, monsieur, l'horizon m'a paru s'éclairer et j'ai crié : Terre ! Terre !

Je crois de mon devoir, dans les circonstances actuelles, où mon mariage dépend de vous, de vous renouveler l'expression de mon amitié et de vous dire que, quelle que soit votre décision, cela ne peut influer en rien sur les sentiments que je vous porte. Je désire que vous agissiez entièrement d'après vos convictions et que vous soyez sûr que, tant que je vivrai, je me rappellerai avec attendrissement vos procédés à mon égard. Heureuse si je puis vous donner un jour des preuves de ma reconnaissance.

En attendant que je sache si je me marierai ou si je resterai vieille fille, je vous prie de compter toujours sur ma sincère affection.

Louise Wernert [54].

Cette lettre galvanisa Vaudrey. Il se jura de ne point laisser le prince Bonaparte vieille fille et courut se jeter aux pieds d'Éléonore.

— Le Prince m'a écrit, lui dit-il. Je suis sa Terre ! Il peut compter sur moi. Vous pouvez tous compter sur moi. Il se mariera !...

Mme Gordon ne connaissait pas le contenu de la lettre princière. Elle crut néanmoins comprendre, à travers ces propos insolites, que le colonel était prêt à entrer dans le complot...

Encore fallait-il le soustraire, jusqu'au coup d'État, à l'influence du général Voirol et de quelques officiers attachés au gouvernement, pendant que Persigny continuerait sa propagande bonapartiste à Strasbourg.

Un matin, elle se blottit dans ses bras :

— Si nous partions faire un petit voyage d'amoureux ? J'ai envie d'être seule avec toi.

Vaudrey possédait une maison de campagne près de Dijon. Fou de joie, il y emmena Éléonore. « Là, pendant quinze jours, nous dit Alphonse Beaumont, les deux amants se livrèrent à d'exténuants badinages. » Femme de tête, Mme Gordon n'en oubliait pas pour autant les desseins du prince. Entre deux effusions, elle préparait le colonel au rôle capital qu'il allait avoir à jouer au moment de l'insurrection [55].

Le 24 octobre, Vaudrey et Éléonore quittèrent la Bourgogne pour se rendre à Colmar où ils descendirent à l'hôtel de l'Ange, sous le nom de M. et Mme de Cessay. Ils y retrouvèrent Persigny qui leur donna les dernières instructions, et le 26, les deux amants étaient de retour à Strasbourg.

Une grande exaltation les animait. Le vicomte leur avait confié, en effet, que le coup d'État était fixé irrévocablement au 30 octobre, à l'aube...

Il neigeait sur Strasbourg, le 28 octobre 1836, à onze heures du soir, lorsque Louis-Napoléon, le nez dissimulé derrière le col de sa redingote, descendit de voiture devant une maison de la rue de la Fontaine.

54. Texte publié au moment du procès par la *Gazette des Tribunaux* du 3 novembre 1836.
55. L'acte d'accusation dira d'elle : « C'est la femme froide et réfléchie qui, usant de tous les moyens d'influence, spéculant sur l'affection qui lui est portée, entraîne à sa ruine l'homme qui l'aime. »

Le cocher l'aida à porter son bagage jusqu'à la petite chambre que Persigny avait préparée pour lui, et regagna la rue.

Le prince alla près de la fenêtre. Un long moment, il rêva en regardant tomber la neige. Puis il ouvrit sa malle, en tira l'uniforme qu'il devait porter le surlendemain et coiffa le chapeau de général arrangé, sur les conseils de Persigny, de façon à rappeler celui de l'Empereur. Devant une glace, il chercha la position à donner à cette coiffure qu'il n'avait jamais portée. Finalement, il la posa franchement en travers de la tête, comme le faisait Napoléon Ier.

Mais il se trouva ridicule et en fut contrarié.

Il se coucha de méchante humeur. Le lendemain, Vaudrey vint lui soumettre le plan des opérations. Rien n'avait été laissé au hasard : le 4e Régiment d'artillerie, encadré par les officiers liés au mouvement d'insurrection, devait soulever le 3e Régiment d'artillerie et le 46e Régiment d'infanterie tandis que les détachements avaient pour mission de s'emparer du général Voirol, d'arrêter le préfet et de faire imprimer des affiches.

Le soir, Louis-Napoléon alla s'installer discrètement dans la maison qu'occupait Mme Gordon, 4, rue des Orphelins, dîna d'une aile de poulet, étala son uniforme sur un canapé, rédigea quelques proclamations, écrivit une lettre à sa mère et se coucha, tandis que Vaudrey, dans une pièce voisine, allait passer une dernière nuit d'amour avec la belle Éléonore.

A six heures du matin, les opérations commencèrent. Le colonel Vaudrey rassembla ses troupes dans la cour de la caserne Austerlitz et, sans un mot, se plaça au centre.

Les braves artilleurs, stupéfaits, se demandaient déjà si le roi lui-même n'allait pas apparaître, lorsque Louis-Napoléon, précédé d'un chef d'escadron portant un drapeau surmonté d'un aigle, se présenta à la grille.

Le colonel se précipita, salua le prince de l'épée et cria :

— Soldats ! Une grande révolution s'accomplit en ce moment. Vous voyez ici, devant vous, le neveu de l'Empereur. Il vient se mettre à votre tête. Il arrive sur le sol français pour reconquérir les droits du peuple : le peuple et l'armée peuvent compter sur lui, il leur rendra la gloire et la liberté... Soldats, le neveu de l'Empereur peut-il compter sur vous ?

Un immense cri s'éleva :

— Vive l'Empereur !

Alors Louis-Napoléon prit la parole. Il parla de son oncle, d'Austerlitz, de Wagram, de la gloire passée, puis il marcha soudain vers un officier et, nous dit un témoin, « l'embrassa convulsivement ».

Ce geste inattendu provoqua un enthousiasme extraordinaire. Le prince, pensant que l'affaire s'engageait bien, prit le commandement et, musique en tête, le régiment quitta la caserne pour se diriger vers la demeure du général Voirol qu'il fallait « neutraliser » le plus rapidement possible.

Attirés par le bruit, les braves Strasbourgeois se mirent aux fenêtres sans comprendre ce qui se passait, mais prêts à crier n'importe quoi. Une anecdote le prouve : sur le pont Saint-Guillaumin, le prince alla serrer chaleureusement la main d'un passant :

— Nous comptons sur vous.

L'autre, ahuri, retira son bonnet et, croyant bien faire, hurla aussitôt :

— Vive le roi !

Vaudrey s'approcha vivement :

— Imbécile. Il faut crier « Vive l'Empereur ».

Le passant ne discuta pas. Il retira de nouveau son bonnet et cria :

— Vive l'Empereur !

Bientôt, la petite troupe arriva devant la maison de Voirol. Louis-Napoléon entra, suivi de Vaudrey. Le général était en caleçon et vert de peur.

— Que voulez-vous ?

Le prince, pour qui le succès du coup d'État ne faisait pas de doute, prit un ton paternel :

— Général, je viens vers vous en ami. Je serais désolé de relever notre vieux drapeau tricolore sans un brave militaire comme vous. La garnison est pour nous. Décidez-vous et suivez-moi...

Le petit général se redressa :

— Non, vous vous trompez. La garnison n'est pas pour vous. Et je ne vous suis pas.

Louis-Napoléon se trouva fort embarrassé par ce refus auquel il ne s'attendait pas du tout. Et, pour tenter d'entraîner Voirol, il voulut renouveler le geste qui avait eu tant de succès dans la cour de la caserne. Il ouvrit les bras et dit affectueusement :

— Venez, brave général, que je vous embrasse [56]...

Cette phrase ne produisit pas l'effet qu'il escomptait. Voirol, complètement affolé, courut se réfugier derrière une table. Alors Vaudrey, furieux, mit la main sur l'épaule du général en caleçon, et cria :

— Bien, monsieur Voirol. Au nom de l'Empereur, je vous casse de votre grade et je vous arrête. Si vous essayez de fuir ou de résister, les hommes feront usage de leurs armes. Suivez-moi.

Le général s'inclina :

— Je cède à la contrainte, dit-il. Mais je vous prie, monseigneur, d'attendre quelques minutes. Je vais m'habiller.

— Alors, je vous accompagne, dit Vaudrey.

— Malheureusement, Mme Voirol est encore en négligé...

Le prince, toujours galant, interdit à Vaudrey d'entrer dans les appartements du général et Voirol disparut sur une courbette.

Au bout de dix minutes, les deux hommes commencèrent à trouver

56. Cf. la déposition de Voirol au procès.

le temps long. Avec la permission du prince, le colonel poussa la porte. Dans la chambre, Mme Voirol, en papillotes, était seule. Le général avait fui par un deuxième escalier...

Le prince se précipita dans la rue :

— Vite, à la caserne Finkmatt !

Mais le général Voirol avait déjà eu le temps d'alerter les officiers du 46e d'infanterie et de leur donner l'ordre formel de résister. En arrivant dans la cour de la caserne Finkmatt, Louis-Napoléon et ses hommes furent donc littéralement pris dans une souricière, arrêtés et désarmés.

La galanterie du prince avait fait échouer le coup d'État.

Tandis que Persigny parvenait à quitter Strasbourg grâce à la complicité de Mme Gordon, Vaudrey et Louis-Napoléon furent conduits à la citadelle.

Quelques jours plus tard, le prince était transféré à Paris où le préfet de police, M. Delessert, le reçut avec beaucoup de respect. Pendant deux heures, dans la grande salle à manger de la préfecture, Louis-Napoléon conversa avec son aimable geôlier, sans se douter qu'au même instant le destin s'amusait à nouer des fils.

En effet, dans cette salle même, les enfants de M. Delessert, Cécile et Édouard, venaient presque chaque matin, sous la direction d'un sous-officier du bataillon des sapeurs-pompiers, prendre des leçons de gymnastique en compagnie de deux jeunes filles espagnoles dont l'une s'appelait Eugénie de Montijo...

13

En Amérique, Louis-Napoléon se lance dans la débauche

> La route impériale est une route galante qui passe par les buissons d'Arenenberg, les alcôves de Florence et les bas-fonds de New York...
>
> MARTIN ROUSSET

Louis-Napoléon n'était pas à Paris pour être jugé. Le roi, sachant qu'un procès ne pouvait être que profitable à la cause du prince, avait décidé d'étouffer l'affaire. Seuls, les comparses allaient comparaître devant le tribunal de Strasbourg. Le principal inculpé, traité comme un gamin turbulent, devait être conduit en Amérique...

Le 15 novembre, Louis-Napoléon arriva à Lorient où il embarqua sur la frégate à voiles l'« Andromède ».

Après un voyage mouvementé et une escale insolite à Rio de Janeiro, il débarqua à New York au début de janvier 1837 avec, pour toute fortune, quinze mille francs en or que Louis-Philippe lui avait fait paternellement remettre au moment de quitter la France.

Tandis que le futur empereur se promenait dans Broadway, découvrant un monde nouveau entièrement voué aux affaires, dans une salle du palais de justice de Strasbourg, ses complices passaient en cour d'assises.

Lorsque Mme Gordon parut dans le box des accusés aux côtés de Vaudrey et de cinq autres conjurés, il y eut un long murmure admiratif dans le public. La cantatrice, très élégante, arborait un chapeau de satin blanc, une robe de soie noire et un collet de dentelle à grandes broderies.

Dans ses réponses aux questions du président, elle montra une grande ferveur à l'égard du prince et révéla que, le matin de l'insurrection, elle avait rencontré le général Voirol au moment où celui-ci s'enfuyait de son domicile pour aller alerter la garnison contre les conjurés :

— J'avais sur moi deux pistolets, dit-elle très simplement. J'ai eu envie de vous brûler la cervelle. Puis j'ai pensé que vous étiez du complot et je vous ai laissé passer.

Le petit général eut un frisson rétrospectif.

Au bout de douze jours de débat, le jury acquitta tout le monde, à la grande joie du public strasbourgeois qui organisa un défilé dans la ville et un banquet pour fêter les complices du prince[57]... Après quoi, Mme Gordon se rendit à Paris, puis à Londres où elle retrouva Persigny qui eut la rude tâche de remplacer dans son lit à la fois Louis-Napoléon, le fougueux colonel Vaudrey et une douzaine d'officiers strasbourgeois à qui la cantatrice accordait régulièrement l'usufruit de son corps satiné...

A New York, Louis-Napoléon apprit l'acquittement de ses complices avec un grand soulagement. Sa joie, pourtant, était gâchée par une autre nouvelle. Sa mère l'informait qu'à la suite de l'affaire de Strasbourg, le roi Jérôme, furieux, lui refusait la main de la princesse Mathilde. « Je préférerais, avait-il écrit, donner ma fille à un paysan, plutôt qu'à un homme assez ambitieux et assez égoïste pour aller jouer la destinée d'une pauvre enfant qu'on allait lui confier... »

Cette décision accabla le prince qui, malgré ses frasques, était toujours amoureux de sa ravissante cousine. Il fut sombre pendant quelques jours. Puis, il décida de se changer les idées. Et, comme il lui fallait oublier à la fois son échec politique et cet amour impossible, il se lança dans une débauche dont on allait parler longtemps dans les chaumières américaines.

Tout d'abord, nous dit Arthur Pendary, « il fréquenta les lupanars et s'y comporta de telle façon que les pensionnaires étaient épouvantées en le voyant arriver ».

---

57. Cet acquittement qui stupéfia la cour et le ministre Molé prouve à quel point Louis-Napoléon s'était acquis la population de Strasbourg. Sans son acte de galanterie, il aurait très bien pu réussir son coup d'État, marcher sur Paris et prendre le pouvoir. Cette réussite eût peut-être fait faire à la France l'économie d'une révolution (celle de 1848)...

Après quoi, il alla chercher des filles sur les trottoirs et organisa dans l'appartement qu'il occupait à l'Old City hôtel des réunions assez lestes. Un soir, une jeune femme qu'il avait conviée à une de ces « parties » s'échappa, bondit dans l'escalier en hurlant et ameuta l'hôtel. Les voisins se précipitèrent. La pauvre raconta alors que le prince lui avait demandé, pour égayer les autres invités, d'utiliser un verre de lampe à des fins que n'avait point prévues son inventeur. Comme elle s'y était refusé, on lui avait cassé le verre sur la tête...

De telles aventures devaient, naturellement, donner naissance aux plus extravagants racontars. On alla jusqu'à prétendre que Louis-Napoléon avait vécu, à New York, des charmes de quelques filles faciles. En 1882, Eugène de Mirecourt, dans une brochure publiée à Genève, se fit l'écho de ces accusations. Écoutons-le :

« Comme il avait été chassé de l'hôtel de New York dans Reade Street, où il devait une misérable somme qu'il oubliait toujours de payer, il se réfugia chez une femme qui était ce que l'on appelle en chambre. Il vécut pendant plusieurs mois aux dépens de cette malheureuse ; il remplissait du reste auprès d'elle le même office qu'auprès des maîtresses de maisons publiques. Il était à la fois son protecteur, son pourvoyeur et son amant. Il y avait aussi souvent des disputes et des batailles chez la maîtresse de Louis Bonaparte quand venait le quart d'heure de Rabelais, ou la note à payer : le futur constable de Londres [58] employait souvent la violence pour faire exécuter les clients récalcitrants, ce qui lui valut de nouveaux démêlés avec la police. Mais un soir, la chose devint plus grave que d'habitude, et un malheureux jeune homme que Louis Bonaparte et sa maîtresse avaient roué de coups parce qu'il ne voulait pas subir leurs exigences — qu'il trouvait par trop exorbitantes — alla se plaindre d'avoir été battu et dévalisé. On emprisonna le neveu du grand Empereur qui fut écroué à la prison du parc, sous la prévention de vol, de coups et blessures. Dans sa détresse extrême, il s'adressa à un avocat, devenu depuis éditeur du *Brookly Daily Advertiser,* pour qu'il voulût bien se charger de sa défense devant les tribunaux. Ce fut à l'habileté de son défenseur qu'il dut d'échapper à la condamnation qui le menaçait, et d'être acquitté.

» Voici ce qu'écrivait plus tard cet honorable avocat quand l'ex-détenu de la prison de New York fut devenu empereur : ''Nous supposions peu, à cette époque (1837), que ce jeune homme débauché qui fut notre client et qui nous doit encore le prix de nos conseils, les frais et les déboursés de son affaire, deviendrait empereur des Français. Nous croyons, néanmoins, que la réalisation de ses espérances ambitieuses ne fera que hâter l'arrêt terrible évidemment suspendu sur sa tête.''

» Mais cette vie de gêne et de misère, malgré les moyens honteux qu'employait Louis Bonaparte pour alimenter ses basses passions, ne

---

58. Après le 2 décembre, les adversaires du régime impérial firent courir le bruit que, pendant l'un de ses séjours à Londres, Louis-Napoléon aurait été un moment « constable », c'est-à-dire officier de police...

pouvait longtemps satisfaire ses besoins de toute nature. Du reste, il était à bout de ressources et d'expédients ; il avait été chassé de trois lupanars qu'il fréquentait : ses exigences par trop crapuleuses auprès des prêtresses de ces lieux de débauche l'avaient fait mettre à la porte. Sa maîtresse qui, elle aussi, avait été arrêtée, moins heureuse que lui, avait été condamnée et était toujours en prison ; la police de New York avait l'œil sur lui et l'empêchait de se créer de nouvelles ressources par des moyens honteux [59]. »

Sans doute, Eugène de Mirecourt allait-il un peu loin en affirmant que Louis-Napoléon avait été souteneur à New-York : mais on doit reconnaître que cette partie de la vie du futur empereur des Français demeure, aujourd'hui encore, fort mal connue...

Et puis, comme le disait Octave Mirbeau, « quand on veut diriger une nation, il convient de connaître tous les métiers »...

En juin 1837, Louis-Napoléon reçut une lettre alarmante d'Arenenberg. La reine Hortense lui annonçait qu'elle allait être opérée, qu'elle se sentait perdue et qu'elle désirait le voir.

Le 27, il s'embarqua. Le 23 juillet, il était à Londres où, l'ambassade de France lui refusant un passeport, il usa de la protection du consul de Suisse pour passer en Hollande et, de là, en Allemagne. Le 4 août, il était au chevet de sa mère.

Deux mois plus tard, le 5 octobre, à l'aube, la douce reine Hortense, minée par un cancer, rendait le dernier soupir. Elle allait avoir cinquante-cinq ans.

Le lendemain, Mme Salvage de Faverolles, confidente d'Hortense, demanda un entretien particulier à Louis-Napoléon.

— J'ai une importante révélation à vous faire.

— Parlez.

— Vous avez un demi-frère...

Le prince blêmit, mais ne dit rien.

— Il s'appelle Auguste de Morny. Il a vingt-sept ans. Son père est le comte Charles de Flahaut, lui-même bâtard de M. de Talleyrand. Et l'on prétend qu'il descend de Louis XV par son aïeule maternelle, Adèle du Buisson de Longpré [60]...

— Où vit-il ?

— A Paris. Il a participé à la campagne d'Algérie et s'est couvert de gloire devant Constantine. Il mène, aujourd'hui, la vie d'un dandy, lance la mode, fréquente la cour, fait du journalisme et donne des fêtes.

— Un jour, peut-être, je le rencontrerai.

---

59. EUGÈNE DE MIRECOURT, *les femmes galantes des Napoléon. Secrets de Cour et de Palais, illustrés par des lettres et des conversations authentiques.* Genève, 1882.

60. En réalité, si Louis XV mit gaillardement dans son lit Adèle du Buisson de Longpré (on la signale au Parc-aux-Cerfs), il ne fut pas le père d'Adélaïde, future Mme de Flahaut. Celle-ci n'en était pas pour autant la fille de Jacques Filleul, mari de sa mère (son père putatif), mais celle d'un riche fermier général, Bouret, dont la pétulante Adèle du Buisson de Longpré était devenue la maîtresse...

Louis-Napoléon alla s'accouder à la fenêtre. Les yeux fixés sur le lac de Constance, il sembla se plonger dans une de ses habituelles rêveries. En réalité, il se demandait comment il allait pouvoir utiliser ce demi-frère — comme lui enfant de l'amour — qui lui tombait du ciel...

Le moment de renouveler la tentative de Strasbourg n'était pas venu. Au bout de quelques semaines, Louis-Napoléon quitta sagement la Suisse avant d'en être expulsé et alla s'installer à Londres.

En apprenant cette nouvelle, Louis-Philippe, tout joyeux, alla trouver la reine Amélie :

— Je crois, mon amie, que nous en avons fini avec ce lunatique ambitieux qui se prend pour son oncle, dit-il.

Après quoi, rassuré sur l'avenir de son règne, il alla écouter le préfet de police lui conter le dernier scandale parisien.

Pendant ce temps, Louis-Napoléon retrouvait Mme Gordon et Persigny, et commençait avec eux à préparer un nouveau coup d'État [61].

Dix-huit mois plus tard, pensant avoir tout organisé et tout prévu, il s'embarquait pour Boulogne. Expédition malheureuse qui devait le conduire — ainsi que je l'ai dit — au fort de Ham, la Chambre des pairs l'ayant condamné, cette fois, à être interné à perpétuité...

Dès qu'il fut enfermé dans la sinistre forteresse picarde, le prince, voulant utiliser ses loisirs forcés à cultiver son esprit, commanda des centaines de livres et se fit installer un laboratoire pour y procéder à des expériences de physique.

Mélomane, il se livrait aussi au plaisir du *bel canto* et, certains soirs, les gardiens, médusés, purent l'entendre exécuter, avec son compagnon de captivité, le général de Montholon, de savoureux duos d'opéra [62]...

« Hélas ! écrivait-il à une amie anglaise, tout cela remplit le temps, sans remplir le cœur... »

Les sens tendus, il adressa une lettre à M. Duchâtel, ministre de l'Intérieur, pour lui demander l'autorisation de recevoir des femmes. Le fonctionnaire refusa, disant « qu'il ne pouvait prêter l'oreille à une demande aussi immorale, mais qu'il fermerait les yeux sur la manière dont le prisonnier observerait les bonnes mœurs ».

Le prince n'allait pas tarder à mettre à profit cette hypocrite permission...

---

61. Ses préparatifs furent troublés par un étrange duel avec le comte Charles Léon, fils que Napoléon Ier avait eu de la ravissante Éléonore Denuelle de la Plaigne (v. Livre VII). Sur le terrain, les deux bâtards se disputèrent à propos du choix des armes. La police fit irruption et tout le monde fut conduit au poste.

62. Trois hommes partageaient la captivité de Louis-Napoléon : Montholon, condamné à vingt-cinq ans de détention, le docteur Conneau, frappé d'une peine de cinq ans d'emprisonnement, et le valet de chambre Thélin, qui, bien qu'ayant bénéficié d'un non-lieu, avait tenu à accompagner son maître.

En attendant qu'une femme pût pénétrer dans la citadelle de Ham et apporter quelques instants d'évasion à l'illustre prisonnier, celui-ci devait se contenter de regarder, à travers les barreaux de sa fenêtre, les jolies Picardes qui allaient laver leur linge à la rivière.

Matin et soir, il était à son poste d'observation et, l'œil allumé, déshabillait ces jouvencelles qui eussent été bien étonnées de savoir que le rebondi rustique de leur corsage faisait rêver un futur empereur.

Un jour, Thélin vint informer le prince que la comédienne Virginie Déjazet, de passage à Saint-Quentin, où elle donnait quelques représentations, s'était présentée au poste de garde.

— Elle a demandé l'autorisation de vous voir. Lorsque l'officier lui a dit que les visites étaient interdites, elle est partie fort mécontente.

— Comment est-elle ?

— C'est une jeune femme gracieuse, fort élégante, qui porte une robe blanche et une ombrelle.

Louis-Napoléon rêva un instant à tout ce qu'il aurait pu faire avec une comédienne et manifesta un évident regret.

— Peut-être viendra-t-elle rôder autour de la citadelle, dit Thélin.

Cette idée parut intéressante au prince qui alla, à tout hasard, se mettre à l'affût derrière ses barreaux.

Au bout d'une demi-heure, il eut un pincement au cœur. Sur la route, une jeune femme portant une ombrelle se promenait en regardant attentivement le fort. Il lui fit signe. Elle s'arrêta aussitôt, les yeux fixés sur la petite fenêtre d'où proéminait le nez princier.

A la pensée qu'elle était contemplée par le neveu de l'Empereur, Virginie Déjazet tremblait littéralement d'émotion [63].

Au bout de quelques minutes, sortant de son trouble, elle eut une idée ravissante. Pour laisser au prisonnier un joli souvenir de sa visite, elle se mit à chanter, en agitant légèrement son ombrelle, la *Lisette* de Béranger.

Quand elle eut fini, elle envoya un baiser à Louis-Napoléon, qui, nous dit un contemporain, « répondit par des saluts plusieurs fois répétés » [64].

Quelques jours plus tard, Louis-Napoléon parcourait le chemin de ronde, l'œil fixé, selon son habitude, sur les demoiselles qui se promenaient, lorsqu'une jeune fille passa sur la route. Par jeu, le prince lui fit un petit signe de la main. La demoiselle, qui connaissait naturellement l'identité du prisonnier de la citadelle, reçut un choc et tomba amoureuse. Louis-Napoléon devint pour elle, nous dit Hector Fleischmann, « le héros de ses rêves et le prince charmant de ses nuits solitaires ».

63. La comédienne était bonapartiste depuis qu'elle avait pour amant Arthur Bertrand (fils du général Bertrand, compagnon de l'Empereur à Sainte-Hélène).

64. Cf. note de M. Théophile Eck, conservateur du musée Latour, à Saint-Quentin, qui était contemporain de la captivité du prince Bonaparte à Ham.

Or, Thélin, qui avait le droit de se promener en ville, fréquentait justement chez les dames où la jeune fille — une petite Parisienne venue se reposer à Ham — était en pension. « Informé du sentiment profond que son maître avait fait naître dans ce cœur virginal, nous dit Julien Perseau, il imagina de faire entrer l'adolescente dans la citadelle. » Il y parvint, grâce à la complicité du portier dont il était devenu l'ami, et, un après-midi, la petite Hélène G... se trouva devant Louis-Napoléon. Elle se jeta aussitôt à genoux et lui embrassa frénétiquement les mains.

Le prince, troublé, l'aida à se relever, lui adressa quelques paroles polies, la porta sur un lit, et, sans autre préambule, la viola copieusement.

La demoiselle, qu'une maladie de poitrine portait à la bagatelle, serait bien restée toute la journée dans la chambre du captif ; Napoléon l'en dissuada prudemment. Car, si le ministre de l'Intérieur avait donné l'ordre aux geôliers de fermer les yeux sur les frasques du prince, il n'avait point parlé des oreilles. Or, l'incandescente jouvencelle poussait, « dans le plaisir », des cris propres à ameuter toute la garde du fort.

Louis-Napoléon, l'ayant remerciée de sa visite, lui suggéra avec habileté de rentrer chez elle.

La jeune poitrinaire obéit à regret.

Mais le lendemain, les yeux brillants, elle aborda Thélin dans un chemin de terre et lui demanda quand elle pourrait retourner voir le prisonnier.

— Je vais demander au prince, dit prudemment le valet de chambre.

Louis-Napoléon redouta que cette trop bruyante maîtresse ne lui fît interdire à jamais les visites de femmes plus discrètes. Il fit répondre que de nouvelles mesures disciplinaires, prises par le ministère de l'Intérieur, rendaient désormais toute rencontre impossible.

Alors, par un curieux phénomène de transfert, la jeune fille, privée de son prince charmant, reporta son amour sur Thélin.

Le valet de chambre, ravi, profita de l'aubaine. Il en profita tant que la malheureuse, hélas ! ne tarda pas à mourir d'épuisement...

Pendant ce temps, Louis-Napoléon était plein d'espoir. Mme Renard, la femme du portier-consigne de la citadelle, venait d'engager comme repasseuse une ravissante jeune fille de vingt ans dont la poitrine ferme, la fesse bien placée et l'œil bleu faisaient généralement l'admiration des amateurs.

Elle s'appelait Éléonore Vergeot [65]. Son père était tisseur. Elle était grande, saine, vigoureuse et fort intelligente.

L'ayant aperçue du haut de sa tour, le prince avait immédiatement compris que cette adorable jeune fille lui était envoyée par le ciel.

Un jour, celui-ci acheva son œuvre : Mme Renard chargea Éléonore

65. Cette jeune personne est parfois surnommée par certains historiens — on ne sait trop pourquoi — la « Belle Sabotière ».

d'aller porter son repas au prisonnier. En la voyant entrer dans sa chambre, Louis-Napoléon fut ébloui.

— Posez ce plateau sur la table, mon enfant, et dites-moi qui vous êtes.

La fille du tisseur se raconta gentiment, tandis que l'œil princier la déshabillait.

— Je crois que votre éducation a été un peu négligée, dit enfin le captif. J'aimerais à la parfaire. Accepteriez-vous de venir ici une heure ou deux par jour, afin que je vous apprenne l'histoire, la syntaxe, et un peu de science ?

Éléonore rougit de plaisir.

— Bien sûr, Monseigneur, si toutefois Mme Renard m'y autorise...

— Elle vous y autorisera.

Dès le lendemain, en effet, Éléonore venait prendre sa première leçon d'histoire.

Mais le prince, dont le programme d'éducation était des plus vastes, allait bientôt lui apprendre autre chose...

La jeune fille était d'un naturel affectueux. Aussi ne fit-elle aucune difficulté lorsque le prince, sous prétexte de lui enseigner la grammaire, l'attira sur ses genoux. Elle ne sourcilla point davantage quand, dans le but évident de rendre son cours moins austère, il l'embrassa dans le cou, lui mordilla l'oreille et lui mit la main dans le corsage. Enfin, elle n'attacha qu'une valeur éducative au geste de Louis-Napoléon quand celui-ci, entreprenant de lui expliquer pourquoi les Français, dans leur langue, doivent transformer « boulanger » en « boulangère », « neveu » en « nièce », « héros » en « héroïne », « abbé » en « abbesse » et « serviteur » en « servante », crut bon de lui glisser la main sous la jupe et de lui tâter l'endroit qui est à l'origine du genre féminin...

La récréation qui eut lieu sur le lit princier parut bien, à Éléonore, d'une gentillesse un peu poussée, mais elle n'osa pas en faire la remarque dans la crainte de déplaire à un professeur aussi savant et aussi empressé.

Il ne s'agissait pourtant que de ces « amusettes pour grandes personnes » dont parle Félicien Champsaur.

Louis-Napoléon, fort émoustillé par cette belle fille aux seins durs, désira des plaisirs plus vigoureux et rêva de ces corps à corps terribles qui assouplissent les lits.

— Viens ce soir, dit-il.

Éléonore, qui commençait, elle aussi, à éprouver un certain trouble, accepta.

Pendant quatre heures, le prince, tendu vers l'avenir, attendit sans pouvoir se livrer à la moindre occupation. De temps en temps, gêné par l'expansion intempestive de son sentiment, il était obligé de faire une petite promenade dans sa chambre. A neuf heures, enfin, Éléonore gratta à la porte. Il bondit, la prit dans ses bras, la couvrit de baisers, la déshabilla et la porta sur son lit. La suite, tous les historiens sont d'accord, fut exaltante.

« Quand elle vint la première nuit, sentant le linge fraîchement repassé, écrit Alfred Neumann, il fut heureux comme il ne l'avait jamais été avec une femme. La citadelle n'existait plus, la chambre nue devenait intime, et les barreaux eux-mêmes n'étaient là que pour protéger leur amour. Elle dormit près de lui, dans le grand lit nuptial, paisiblement. Il y avait de la gaieté jusque dans son sommeil. Louis ne dormait pas, il la regardait en souriant [66]. »

Au matin, Éléonore voulut quitter le lit comme une servante et regagner discrètement sa petite chambre. Louis-Napoléon la retint :

— Non, reste ! Je ne songe pas un instant à te cacher. Je t'aime bien.

Elle resta près de lui, ravie, mais un peu inquiète.

A huit heures, le commandant de la citadelle vint faire sa visite quotidienne. Le prince le reçut en robe de chambre, comme d'habitude, réclama les journaux, parla du temps, et soudain ouvrit la porte de sa chambre et dit en souriant :

— Commandant, jetez donc un coup d'œil avant de fermer les yeux une fois pour toutes.

Le gouverneur s'exécuta, découvrit Éléonore dans le lit de son prisonnier et blêmit :

— Prince, c'est impossible !

— Demarle, répliqua Louis-Napoléon très calme, c'est ma femme. C'est elle qui me permet de supporter cette existence. Si vous me l'enlevez, je m'évade. Si vous me reprenez, je m'évade encore, et si vous finissez par me mater, je me pends. Réfléchissez.

Le commandant s'en alla sans rien répondre. Se souvenant des directives du ministre de l'Intérieur et redoutant d'ennuyeuses complications, il préféra, dès lors, ignorer ce qui se passait chez le prince.

A partir de ce jour, Éléonore habita avec Louis-Napoléon. « Elle prenait soin de lui, et l'aimait, dit encore Alfred Neumann. Elle ne repassait plus, mais sentait toujours le linge frais. Elle chantait, riait, bavardait quand il le désirait, et devenait soudain muette et invisible quand il travaillait à son bureau ou tenait avec ses amis des conversations sérieuses et un peu difficiles à comprendre. Elle avait le don de sentir quand sa joie de vivre devait être bruyante et quand il fallait y mettre une sourdine. En un tournemain, elle transforma les deux pièces avec quelques morceaux d'étoffe : elles devinrent habitables. Les soldats qui n'avaient pas le droit de regarder le nouveau Napoléon ricanaient, en voyant sa femme, et l'appelaient l'impératrice. Ce titre ne déplaisait pas à Éléonore. En dehors des deux pièces, elle se montrait légèrement infatuée. Elle transportait à travers les couloirs et les rues une allègre dignité de souveraine. »

Tout le monde fut bientôt au courant de la liaison du prince et de la petite repasseuse.

66. ALFRED NEUMANN, *Le roman d'un coup d'État. La jeunesse de Napoléon III.*

On en parla à Ham, on en parla à Saint-Quentin, on en parla à Paris... Dans l'entourage du roi, de beaux esprits firent des mots et prétendirent que Louis-Napoléon, étant sobre, avait toujours aimé les « repas sages »... Les chansonniers s'en donnèrent à cœur joie et les caricaturistes montrèrent le prince en train de faire repasser une chemise de nuit ornée d'un aigle...

Tandis que les orléanistes ricanaient, Louis-Napoléon et Éléonore, derrière leurs barreaux, filaient le parfait amour. Aux petits soins pour son amant, qui rédigeait alors un ouvrage sur *l'Extinction du paupérisme,* la jeune fille rêvait du jour où peut-être elle monterait sur le trône impérial... Animée par cet espoir extravagant, elle apprenait avec passion l'histoire, la littérature, la géographie et la grammaire que le prince lui enseignait toujours régulièrement...

Un jour, elle eut le cœur inquiet. Le commandant Demarle vint annoncer à Louis-Napoléon qu'une dame, munie d'une permission spéciale du ministère de l'Intérieur, désirait le voir. Il s'agissait d'une autre Éléonore : Mme Gordon.

Louis-Napoléon la reçut. En la voyant entrer, massive et gauche, la petite repasseuse fut rassurée.

Mme Gordon venait offrir au prisonnier un moyen de s'évader.

— J'ai vu le ministre, M. Duchâtel, dit-elle, haletante. Il m'a dit que vous embarrassiez fort le gouvernement et qu'il ne serait pas mécontent si j'avais l'intention de vous aider à fuir. Certes, il ne peut pas commander au gouverneur d'ouvrir la porte en fermant les yeux, mais il croit qu'il ne serait pas bien difficile de vous faire sortir en vous donnant un uniforme de soldat. Une fois dehors, vous trouveriez un homme qui vous donnerait un passeport, un billet pour Mexico et une renonciation à signer...

Louis-Napoléon l'écoutait, les yeux vagues. Quand elle eut terminé, il se contenta de dire en souriant :

— Merci, chère amie. Merci. Mais je suis bien ici !

Mme Gordon se retira, éberluée. Comment eût-elle pu supposer que Louis-Napoléon Bonaparte, neveu du grand Empereur, préférait le corps voluptueux d'une petite Picarde à la liberté ?

14

Au fort de Ham, Louis-Napoléon devient père

> Il profita de sa captivité pour se livrer à mille petits travaux.
>
> MARIE-NOELLE BON

Un matin d'août 1842, Éléonore entra dans le cabinet de travail de Louis-Napoléon, se plaça devant le bureau où s'amoncelaient des dossiers et dit simplement :

— Je suis enceinte.

Le prince se leva. Fort embarrassé, il chercha une phrase gentille qui pût laisser croire que la nouvelle lui faisait plaisir. Tout à coup, il lui vint à l'esprit que le corps merveilleux d'Éléonore allait changer. Cette pensée l'assombrit.

En le voyant froncer les sourcils, la jeune fille crut qu'il craignait des complications avec le gouvernement.

— Dès que ce sera gênant, dit-elle, j'irai à Péronne où j'ai une tante.

Alors, il l'embrassa.

Éléonore quitta Ham au mois de décembre. Le 25 février 1843, elle accouchait à Paris d'un gros garçon qui reçut les prénoms princiers d'Eugène-Alexandre-Louis.

Puis, laissant l'enfant en nourrice chez sa tante, elle revint à la citadelle. Louis-Napoléon qui, pendant trois mois, avait dû se consoler avec la maîtresse de Montholon, une Irlandaise qui se disait comtesse de Lee, la retrouva avec joie.

S'intéressa-t-il à son fils ? Une lettre qu'il écrivit, quelques mois plus tard, à son amie d'enfance Hortense Cornu donnera une idée de ses sentiments paternels :

Votre ami va bien (il s'agit d'Eugène). *Sa plaie au bras est fermée. Vous êtes bien bonne de vous intéresser à lui. C'est un chagrin pour moi de ne pas le voir, car, lorsqu'on est, comme moi, isolé, on s'attache à tout...*

On s'attache à tout...

En février 1844, Louis-Napoléon commença à s'occuper de son fils, ainsi que nous le prouve cette lettre adressée également à Mme Cornu :

Ma chère Hortense,

Je ne viens pas aujourd'hui vous parler canons[67], *mais cependant faire un nouvel appel à votre amitié.*

J'ai une proposition à vous faire, mais je vous prie de me répondre franchement et de me dire si cela vous gêne.

Je veux parler de votre petit ami. Il va être sevré et je voudrais le placer sous une surveillance plus sûre. Je vous proposerai donc de le prendre chez vous avec une femme pour le soigner. De cette manière, je serai bien tranquille sur le sort de ce petit être auquel il m'est impossible de ne pas m'intéresser. Il est clair que nous nous entendrions sur la dépense que cela vous occasionnerait.

Et, puisque j'ai tant fait de vous demander ce service et d'entrer dans ces détails, la mère demande à son tour si, lorsqu'elle irait le voir, elle pourrait loger dans sa chambre.

---

67. Louis-Napoléon, qui avait déjà publié depuis le début de sa captivité *Fragments historiques* et *La question du sucre,* préparait alors un ouvrage sur l'artillerie, pour lequel Mme Cornu lui procurait avec amour une documentation...

Si cette proposition, comme il peut bien être, vous était désagréable ou impossible, répondez-moi sans gêne, cela ne diminuera en rien la sincère amitié que je vous porte.

N.B.

Mme Cornu ayant, bien entendu, accepté, le petit Eugène fut conduit à Paris et Louis-Napoléon, tranquille de ce côté, put se consacrer entièrement à ses travaux littéraires et à Éléonore. Les soins qu'il leur prodigua donnèrent des fruits, puisque les *Études sur le passé et l'avenir de l'artillerie* parurent en librairie et que la jeune repasseuse eut un second enfant.

Celui-ci naquit le 18 mars 1845, à Paris, rue Capron. On le prénomma Louis-Alexandre-Ernest et Mlle Vergeot, perdue dans ses rêves, pensa qu'elle venait de donner un second prince héritier à la couronne impériale...

L'avenir se chargea de la détromper. Or que devinrent ces deux bâtards ?

Eugène, après de brillantes études, se lança dans la Carrière et fut sous-secrétaire d'État en Russie où il causa un scandale retentissant en enlevant une actrice qui était la maîtresse de l'ambassadeur. Plus tard, il fut nommé vice-consul à Rosas, et en 1868 consul à Zanzibar. Mais l'empereur, qui conservait une tendresse particulière pour cet enfant de l'amour, devait faire plus encore. En 1869, il le créa comte d'Orx, du nom d'un domaine qu'il lui donna dans les Landes.

Eugène se maria avec une demoiselle Volpette et mourut en janvier 1910 dans son château de Castets à Saint-André-de-Seignaux, laissant trois enfants.

Son frère Louis Vergeot alla s'installer au Mexique où il se maria. Après avoir connu mille aventures, il décida de rentrer en France au début de 1870. Dès son retour, il écrivit à Napoléon III pour lui demander une entrevue et un peu d'argent pour s'acheter une maison. Sa lettre était affectueuse :

Cher père, je vous en supplie, rendez-moi à moi-même. Recevez-moi dans vos bras paternels, que j'aie au moins le bonheur de vous voir, de vivre à vos côtés, comme un homme honorable. Si vous m'aimez comme je vous aime, toute froideur sera rompue, je désire vous faire oublier le passé et qu'on dise : « Il fait l'honneur de son père et soutient dignement son nom. »

En toute simplicité, ce mot était signé : *Louis-Napoléon.*

L'empereur ne répondit pas. Mais Louis fut fait comte de Labenne et reçut le poste de receveur des Finances. En 1879, il se remaria avec la fille d'un banquier, Mlle Paradis. Il mourut à trente-huit ans, en 1882.

Quant à Éléonore, mariée en 1858 à Pierre-Jean-François Bure, frère de lait de Louis-Napoléon, elle s'installa à Paris au 21, Champs-Élysées dans un appartement dont les cinq fenêtres lui permettaient de voir les

Tuileries. Le soir, avec son mari, elle allait se promener autour du Palais où elle avait rêvé un moment d'avoir sa cour.

Les habitants de son quartier connaissaient, par les pamphlets publiés après 1848, sa liaison avec le souverain. Certaines femmes la considéraient avec envie. D'autres se moquaient de son allure paysanne.

— Mme Bure a peut-être été autrefois la Belle Sabotière, disaient-elles en ricanant, elle n'est plus belle, tout en restant bien sabotière.

Ces critiques laissaient Éléonore indifférente.

Elle vécut jusqu'en 1886 en conservant un souvenir extasié du temps où elle égayait, d'une cuisse alerte, la captivité d'un futur empereur...

Au début de mai 1846, une équipe de maçons vint effectuer des travaux au fort de Ham. Louis-Napoléon, qui commençait à se lasser d'Éléonore dont les deux maternités avaient, nous dit Jean Deruelle, « un peu alourdi les appas », pensa qu'il pourrait peut-être profiter du remue-ménage causé par les ouvriers pour tenter une évasion.

Dès que son plan fut élaboré, il feignit de tomber malade et demanda à Éléonore de quitter la forteresse pour quelques jours. La jeune femme insista pour demeurer à son chevet et le soigner.

— Non. Je suis un malade insupportable, lui dit-il doucement. Je préfère être seul...

Éléonore dut se résigner à partir.

Au moment des adieux, le prince la prit dans ses bras et lui dit à l'oreille :

— Ne va pas chez tes parents, ni chez ta tante de Péronne.

— Où dois-je aller ?

— Chez Mme Gordon, à Paris. Elle te recevra fort gentiment.

Éléonore regarda son amant avec inquiétude.

— Pourquoi dois-je aller à Paris ?

— Parce que nous ne devons pas rester si près l'un de l'autre...

Depuis six ans qu'elle vivait jour et nuit avec lui, Éléonore avait appris à lire sur le visage de Louis-Napoléon. Elle connaissait le petit pli du front qui annonçait les colères et la teinte de son œil quand il mentait. Elle vit tout de suite qu'il ne lui disait pas la vérité et devina le projet insensé qui nécessitait son départ. S'efforçant de sourire, elle dit simplement :

— C'est peut-être parce que l'on ne doit pas me trouver si l'on me cherche...

Alors, il la pressa contre lui, l'embrassa tendrement et lui dit adieu...

Dès qu'Éléonore eut pris le chemin de Paris, Louis-Napoléon demanda à Thélin, son valet de chambre, de lui rapporter de Saint-Quentin une chemise de grosse toile, un pantalon, deux blouses, un tablier, une cravate, un foulard, une casquette et une perruque.

— Ces habits qui vont vous permettre de prendre l'aspect d'un ouvrier, suffisent peut-être à vous faire traverser sans danger la cour de la forteresse et même à gagner la campagne, lui dit Thélin. Mais comment ferez-vous ensuite, Monseigneur, pour passer à l'étranger ?

Louis-Napoléon tortilla sa moustache. Thélin venait d'aborder là un problème qui le tourmentait depuis qu'il avait décidé de s'évader.

— Sans un passeport en poche, l'entreprise ne vaut même pas la peine d'être tentée, ajouta le valet de chambre.

— J'ai confiance en mon destin, dit simplement Louis-Napoléon. Le ciel y pourvoira !

Et le ciel y pourvut.

Quelques jours plus tard, alors que Thélin usait à la pierre ponce la casquette trop neuve qu'il avait achetée, le commandant Demarle, gouverneur du fort, vint annoncer une visite à Louis-Napoléon. Il s'agissait d'une ravissante Anglaise, lady Crawford, accompagnée de sa fille.

Le prince les reçut avec joie et, tout en parlant de Londres, cette ville qu'il aimait tant, une idée soudaine lui vint :

— Peut-être, dit-il, pourriez-vous me rendre un service.

Lady Crawford et sa fille poussèrent des cris de plaisir à la pensée de pouvoir être utiles à ce prince qu'elles admiraient passionnément.

— Voilà, expliqua Louis-Napoléon, mon valet de chambre doit se rendre en Belgique dans quelques jours, pour une affaire de famille et il n'a pas de passeport. Peut-être pourriez-vous lui prêter celui d'un de vos domestiques ?

Les deux femmes montrèrent un air navré qui glaça le prisonnier.

— Ma demande a l'air de vous gêner, dit-il.

Lady Crawford soupira :

— Non, Monseigneur, mais nous avions espéré un instant que c'est à vous-même que nous pourrions être de quelque utilité... Est-ce donc là tout ce que vous avez à nous demander ?

Louis-Napoléon s'efforça de garder un ton neutre et dit :

— Oui, c'est tout !... Mais avez-vous ce passeport ?

Les deux femmes sourirent :

— Bien sûr !

Et, fouillant dans une pochette, lady Crawford en tira un papier qu'elle tendit au prince.

Cette fois, l'aventure pouvait être tentée...

Le 25 mai, de bon matin, Louis-Napoléon revêtit les vêtements d'ouvrier maçon, salit la blouse avec du plâtre, rasa sa moustache, se frotta le visage avec du rouge, mit la perruque, et se coiffa de la casquette. Après quoi, il se chaussa de grands sabots rembourrés qui le grandissaient un peu et se glissa entre les dents une pipe en terre qu'il alluma.

Une planche de sa bibliothèque était prête. L'ayant placée sur son épaule, il se retourna vers Thélin et le docteur Conneau.

— Alors ?

Les deux hommes furent ébahis : le prince était méconnaissable.

— Il faut maintenant que le chemin soit libre, dit-il. Thélin, tu vas aller inviter les ouvriers qui travaillent dans l'escalier à prendre un verre à ma santé dans la salle à manger du rez-de-chaussée.

Le valet y courut. Naturellement, les maçons acceptèrent avec empressement l'invitation du prince, et, délaissant leur chantier, se rendirent en plaisantant vers la salle à manger.

Thélin revint alors vers son maître :

— Le chemin est libre, Monseigneur.

Louis-Napoléon ajusta sa planche de façon qu'elle lui dissimulât complètement la figure d'un côté et s'engagea dans l'escalier...

L'aventure commençait...

Lorsqu'il arriva à la porte, le prince avait les jambes un peu flageolantes. Il vit heureusement son valet de chambre, Thélin, qui parlait à un des gardiens et s'efforçait de lui faire tourner le dos à la porte.

Il tendit l'oreille.

— Le prince est souffrant, disait le valet de chambre. Je dois aller chez le pharmacien chercher une purgation.

Louis-Napoléon, caché par sa planche, passa sans encombre et s'engagea dans la cour remplie de soldats qui se chauffaient au soleil. C'est alors que, brusquement, l'entreprise lui parut insensée. Pris de tremblements, il laissa tomber sa pipe au moment précis où le lieutenant de service passait à sa hauteur.

Cet incident pouvait tout compromettre, car un véritable ouvrier n'aurait pas laissé les débris de sa bouffarde sur le pavé. Posément, malgré une peur qui lui tordait l'estomac, le prince se baissa donc sans lâcher sa planche, ramassa les morceaux et repartit vers la porte.

Là, il prit une voix rude et demanda à passer. Le factionnaire le regarda un instant, sembla hésiter, puis ouvrit la grille. Un tambour venait à ce moment. Intrigué par la mise du fugitif et peut-être par le rouge dont celui-ci avait cru bon de se colorer le visage, il se retourna plusieurs fois, mais ne dit rien.

Louis-Napoléon atteignit le pont-levis et le franchit pendant que le sous-officier planton était occupé à lire une lettre.

En vingt-cinq pas qu'il s'efforça de rendre calmes, le prince fut hors de cette citadelle où il avait passé six ans. C'est alors qu'il vit arriver vers lui deux ouvriers qui le regardèrent longuement. L'un d'eux, heureusement, crut reconnaître un camarade.

— Oh ! c'est Berthoud ! dit-il.

Ils passèrent et le prince continua son chemin vers la campagne. Après avoir marché pendant deux kilomètres, il s'assit avec sa planche sur le rebord d'un fossé, face au cimetière et attendit.

Thélin apparut bientôt dans une voiture de louage, le fit monter près de lui, et prit la direction de Saint-Quentin. Tout en roulant, le prince jeta une partie de son déguisement par la portière. Et l'on est en droit de se demander ce que pouvaient penser les paysans en voyant passer ce cabriolet d'où s'échappaient des sabots, une blouse, une casquette et même un pantalon...

Le prince ne pénétra pas dans Saint-Quentin. Tandis que Thélin allait changer de chevaux, il contourna la ville à pied et gagna la route de Valenciennes où, près d'un ruisseau, son valet de chambre devait le reprendre.

Il parvint le premier à l'endroit convenu et attendit. Au bout d'une demi-heure, fort inquiet, il se demanda si Thélin ne l'avait pas distancé. Et, comme une voiture passait devant lui, allant vers Saint-Quentin, il l'arrêta.

— N'auriez-vous pas croisé un cabriolet ? demanda le futur empereur.

— Non, mon brave, je n'ai rien vu sur la route et pourtant je roule depuis deux heures.

Louis-Napoléon, rassuré, remercia cet aimable voyageur sans se douter que, le destin étant farceur, il avait arrêté le procureur du roi...

Enfin, Thélin parut et ils filèrent tous les deux vers Valenciennnes. De temps en temps, Louis-Napoléon, angoissé à la pensée que sa disparition avait dû être signalée au fort, demandait au postillon d'aller plus vite.

Au bout d'un moment, celui-ci, agacé, se retourna et dit :

— Vous m'em..., à la fin !

Le prince se tut jusqu'à Valenciennes.

Là, les deux fugitifs se firent conduire à l'auberge du Plat d'Étain où lady Crawford, prévenue par un complice, les attendait depuis la veille.

En voyant entrer le prince rasé et coiffé d'une perruque, l'Anglaise fut prise d'un énorme fou rire.

— Monseigneur ! Monseigneur ! hoquetait-elle.

Profondément vexé, Louis-Napoléon voulut prendre un air digne et chercha la pointe de sa défunte moustache pour la tortiller. Geste qui ne fit qu'accroître l'hilarité de lady Crawford.

Enfin, la jeune femme se calma et, toute confuse, remit un passeport pour Thélin.

Aussitôt, les deux hommes se rendirent à la gare. Pendant plus de deux heures, il y attendirent le train de Bruxelles, mêlés à une foule d'où le prince craignait, à chaque instant, de voir surgir des gendarmes alertés par le commandant Demarle.

Cinq minutes avant l'arrivée du train, Louis-Napoléon sentit ses jambes devenir soudain exagérément molles. Un ancien garde du fort de Ham, devenu employé de chemin de fer, s'approchait d'eux. Voyant le danger, Thélin se précipita, la main tendue vers le cheminot, et engagea une longue conversation. Le prince en profita pour aller cacher son nez trop reconnaissable derrière un tas de valises.

L'arrivée du train mit fin à son angoisse. Il sauta dans un wagon, suivi de son valet de chambre, et les deux hommes, grâce aux passeports de lady Crawford, franchirent la frontière sans incident.

Quatre heures plus tard, ils étaient à Bruxelles, tandis que Louis-Philippe, informé par le télégraphe Chappe de cette extraordinaire évasion, entrait dans la plus belle colère de son existence.

Le lendemain, lady Crawford et sa fille vinrent rejoindre Louis-Napoléon.

— Nous voici libres de nous mettre entièrement à votre disposition, dit la charmante Anglaise.

Le prince, qui était chaste depuis le départ d'Éléonore Vergeot, considéra les deux femmes avec des yeux chauds.

Laquelle allait-il choisir ?

Le viol de la jeune fille lui sembla une entreprise hasardeuse, longue, compliquée et fatigante. Il opta pour la mère.

Le soir, après le café, il entraîna donc lady Crawford dans sa chambre, sous un prétexte futile, et lui mit galamment la main à la fesse. L'Anglaise se crut au paradis.

L'instant d'après, elle lui donnait, sur le lit, les preuves de son indéfectible attachement...

15

Le comte d'Orsay devient l'amant de lady Blessington, l'ami de lord Blessington et le mari de miss Blessington

> Il nouait des intrigues aussi bien que ses cravates.
>
> JOSÉ ARTHUR

Malgré les attraits savoureux de lady Crawford, Louis-Napoléon ne s'attarda pas à Bruxelles. Il passa rapidement en Angleterre et gagna Londres où des amis l'attendaient.

Là, pour oublier les six ans de pénitence qu'il avait vécus au fort de Ham, il se jeta avec fureur dans une vie de débauche dont les Anglais, à la fois stupéfaits et envieux, allaient conserver longtemps le souvenir.

Au cours de ses fredaines, le prince rencontra le dandy le plus fameux de l'époque : le comte d'Orsay. Ce personnage allait avoir dans la vie de Louis-Napoléon — et par conséquent dans le destin de la France — une importance capitale. Sans lui, en effet, il n'y aurait peut-être pas eu de second Empire. Aussi mérite-t-il ici un petit portrait.

Alfred d'Orsay était arrivé à Londres en 1821. Il avait alors vingt ans et Paris, qu'il venait de quitter, copiait depuis deux ans déjà ses coiffures, ses gilets, ses cravates, ses cannes, et jusqu'à sa façon de sourire. Son père désirait le voir entrer dans l'armée. Il préférait se composer des costumes dont chacun devenait, le lendemain, un uniforme...

Naturellement, les plus jolies femmes de Paris étaient amoureuses de lui. Son jeu consistait à ne pas les conquérir trop vite. Il les faisait languir et les malheureuses étaient exténuées, haletantes, lorsqu'elles pénétraient chez lui :

— Entrez, entrez, disait-il de sa voix ensorceleuse, vous êtes si belle que je vais vous croquer !

— Enfin ! pensait la dame qui, déjà, se pâmait à demi et regardait le divan comme une terre promise.

Alors, sans qu'elle comprît tout de suite ce qui allait se passer, il l'installait sur un coussin et longuement, cruellement, avec un sourire moqueur, il faisait d'elle un très élégant croquis...

Élève d'Isabey, il se servait de son art pour faire subir une dernière épreuve aux pauvres enflammées qui s'en allaient comme elles étaient venues, et devaient attendre en s'étiolant le moment choisi par le bel Alfred pour être croquées telles qu'elles le désiraient...

Cette réputation de « fashionable » et de séducteur avait, bien entendu, passé la Manche. Quand il arriva en Angleterre, toutes les dames de la gentry qui tenaient salon se le disputèrent. D'abord attiré chez lady Holland, il se lassa vite de cette femme autoritaire. Un soir qu'il dinaît chez elle, en compagnie de la fine fleur de l'aristocratie anglaise, la jeune femme fit tomber successivement sa serviette, son éventail, sa fourchette et sa cuiller. A chaque fois, Alfred d'Orsay, très courtois, se baissa pour ramasser l'objet. Finalement, la nerveuse lady jeta son verre par terre. Alors, n'y tenant plus, le comte se tourna vers le valet qui se trouvait derrière lui et dit :

— Voulez-vous mettre mon couvert sur le parquet ? Je finirai de dîner là. Ce sera plus commode pour Milady.

Lady Holland n'invita plus jamais Alfred d'Orsay...

Celui-ci s'en moqua d'ailleurs, car il n'était pas à Londres depuis un mois que, déjà, les portes de l'un des salons les plus extraordinaires de la ville s'ouvraient devant lui : celui de lord et lady Blessington.

Le jeune homme, avec sa chevelure bouclée, sa barbe en collier, sa stature d'athlète et son élégance exquise, fit une grosse impression sur les dames présentes. Mais la plus impressionnée fut sans doute lady Blessington elle-même. Agée de trente ans, elle était dans toute la splendeur de sa beauté et s'ennuyait auprès d'un mari que des excès de jeunesse avaient usé à quarante ans.

Elle-même aurait pu porter les marques d'un passé mouvementé. En effet, avant d'être l'épouse de lord Blessington, elle avait été la femme du capitaine Saint-Léger Darmer, un ivrogne auquel son père l'avait donnée en règlement d'une dette. Brutalisée par ce soudard, elle s'était enfuie avec un autre officier, lequel, au bout de quelques années, l'avait « cédée », pour une assez forte somme, à lord Blessington. Finalement, celui-ci l'avait épousée quand elle était devenue veuve.

Mais ce passé n'avait laissé aucune trace dans les yeux clairs et candides de la blonde Margaret.

En la voyant, Alfred d'Orsay tomba amoureux pour la première fois de sa vie.

Et, cependant qu'entre ces deux êtres qui n'avaient pas encore échangé vingt phrases banales, une tendre connivence s'établissait, la chose la plus extraordinaire, la plus insensée se produisait dans le même salon : le mari, lord Blessington, recevait, lui aussi, le coup de foudre en voyant le beau dandy.

Qu'on ne se méprenne pas. Il n'en était pas amoureux. Il était séduit au plus haut point et déclara incontinent que ce jeune homme serait désormais son ami...

Alfred ne savait plus où donner du cœur.

Pourtant il ne devint pas tout de suite l'amant de lady Blessington, car il craignait qu'un adultère mondain ne brisât sa carrière de fashionable. Il était venu, en effet, à Londres, dans un but précis : détrôner le roi du dandysme George Brummell. Cet homme, sur qui l'on contait mille anecdotes, fascinait le public par son insolence. Ne racontait-on pas que Brummel avait quitté l'armée parce qu'on devait s'y poudrer les cheveux *alors que ce n'était plus la mode* ? qu'il râpait ses vêtements neufs au papier de verre pour que le tissu ressemblât à une « nuée » ? qu'il portait des gants si fins et si étroits que ses mains étaient moulées comme dans une mousseline mouillée et que le contour de ses ongles était apparent ? qu'il chiffonnait quatorze cravates avant d'en nouer une ? qu'il collectionnait sept cents cannes et qu'il saluait les dames d'un simple coup de tête pour n'avoir pas à déranger. la savante inclinaison de son haut-de-forme ?

Tant d'impertinence et d'orgueil choquait la délicatesse du jeune Français qui brûlait de montrer aux Londoniens ce qu'était un véritable fashionable à Paris. Or comment devenir un authentique dandy avec une liaison ?...

Pendant quelques mois, tout en flirtant avec la divine lady, Alfred donna le ton à la jeunesse, comme il l'avait fait à Paris. Toutes ses fantaisies, même involontaires, créaient la mode. Un jour de pluie, il acheta pour rentrer chez lui un « paltok » à un marin : cette grossière capote fut immédiatement adoptée par tous les élégants et du même coup, le « patelot » inventé [68].

La belle lady devint aussitôt si pressante que le comte, la mort dans l'âme, dut espacer ses visites. Quand il revenait à Saint-James Square, Margaret avait les yeux pleins de larmes et lord Blessington le grondait :

— On ne vous voit plus ! Faudra-t-il donc que je vous installe un appartement ici ?

Poursuivi par la sympathie aveugle du mari, et traqué par l'amour de la femme qu'il adorait, Alfred d'Orsay était sur le point de succomber, lorsqu'une lettre de France vint l'avertir que son père lui avait fait obtenir un brevet d'officier pour un régiment de Valence.

---

68. La même aventure devait d'ailleurs arriver, cent plus tard, à Jean Cocteau, qui lança, par hasard, la mode des dufflecoats après la Libération.

Il fit ses adieux aux Blessington effondrés et partit rejoindre son poste. Mais trois mois plus tard, le couple, qui ne pouvait se passer de lui, venait le rejoindre en France et lui offrait un voyage en Italie.

Alfred d'Orsay, abandonnant l'armée pour un sourire (et une situation !), suivit ses amis. Et sous le ciel lumineux de Gênes, il devint, enfin, l'amant de la belle lady.

La satisfaction de la pauvre amoureuse, qui se consumait depuis plus d'un an, fit plaisir à voir. Le lendemain, Blessington la félicita sur sa bonne mine.

— Le grand air vous fait du bien, chère amie, vous n'avez jamais été si belle.

Elle rougit, cependant que, dans un coin, Alfred prenait un air humble...

A Gênes, le trio rencontra un autre célèbre dandy, lord Byron, qui, d'un coup d'œil, comprit ce qui se passait entre Margaret et le comte. Il surnomma celui-ci : « Cupidon déchaîné. »

— Que c'est drôle, dit lord Blessington, sans comprendre. Cela vous va parfaitement.

C'est Margaret, cette fois, qui baissa les yeux...

Après Gênes, le trio visita toute l'Italie pendant six ans.

La douceur du climat méditerranéen ayant eu des effets aphrodisiaques sur la divine lady, le comte d'Orsay ne tarda pas à s'étioler à son tour...

Un jour, Blessington l'appela et lui fit une proposition ahurissante :

— Vous savez que j'ai une fille, Harriett, d'un premier mariage. Je lui lègue la moitié de ma fortune si vous consentez à l'épouser...

Alfred, très gêné, demanda à réfléchir.

Le soir, dans la chambre de Margaret, il rapporta l'entretien.

L'infernale lady éclata de rire et expliqua que c'était elle qui avait eu cette idée :

— Accepte, je t'en supplie. Tu m'auras près de toi et tu auras du même coup la fortune de mon mari...

C'était plus qu'il n'en fallait pour convaincre le dandy. Son mariage avec Harriett, âgée de quinze ans, fut célébré à Naples le 1er décembre 1827.

Bien entendu, cette union ne changea en rien ses relations avec Margaret.

Et chaque soir, avec une fougue que le temps ne parvint pas à entamer, il allait faire à sa belle-mère ce que la morale eût exigé qu'il fît à son épouse...

En 1829, tout le monde arriva à Paris et s'installa dans un hôtel particulier de la rive gauche. Il y avait bientôt sept ans que la divine lady était la maîtresse du comte d'Orsay et le vieux lord continuait à ne rien voir.

Or, tout le monde était au courant de la liaison et bien des gens murmuraient ce que fait dire Sacha Guitry à l'un de ses personnages :

« Être aveugle à ce point, cela s'appelle fermer les yeux... » Ils avaient tort ! Lord Blessington ignorait vraiment son infortune. Et ce fut pour lui une cruelle surprise, lorsqu'un jaloux du comte d'Orsay vint lui apprendre ce qui se passait.

Il en eut d'ailleurs une attaque d'apoplexie qui l'emporta.

Alfred et Margaret eurent le chagrin que l'on pense. Mais, après l'enterrement, ils se réinstallèrent ensemble à Londres, toujours suivis d'Harriett, aussi aveugle que son père.

Pourtant, une nuit, la jeune comtesse eut une pénible révélation. Souffrant d'un malaise, elle se leva pour aller demander des soins à sa belle-mère et trouva les deux amants, dormant à demi nus sur leur lit.

Folle de rage, elle s'enfuit et emporta, outre ses robes et ses bijoux, les titres de propriété dont elle avait hérité...

Alfred d'Orsay était ruiné. Comme lady Blessington avait, de son côté, à peu près dilapidé sa fortune, tous deux furent contraints de travailler. Margaret écrivit des *Livres de Beauté* et un ouvrage intitulé *Conversations avec Byron* (qui remporta un beau succès) tandis que d'Orsay dessina, peignit et sculpta pour le plus grand plaisir de la gentry qui s'arracha immédiatement ses œuvres.

Malgré sept ans d'absence, en effet, le prestige du dandy n'avait point diminué. Les snobs continuaient de copier ses costumes, ses manières, ses habitudes et ses tics. Le moindre de ses gestes créait une mode. Un soir, il rencontra un négociant en toile à demi ruiné qui lui demanda son aide.

— Dans quinze jours, lui répondit d'Orsay, tout Londres portera des costumes faits dans votre toile.

Le négociant soupira :

— C'est impossible, monsieur, ma toile est grossière, personne n'en voudra pour se vêtir.

— Croyez-moi. Demain, mon tailleur viendra vous acheter de quoi me faire un costume. Ce costume, je ne le porterai qu'une fois dans Regent Street, entre midi moins le quart et midi. Cela suffira pour que tous les snobs, voulant m'imiter, me demandent d'où vient ce « merveilleux tissu » et se ruent chez vous...

Quinze jours plus tard, tous les Londoniens élégants étaient vêtus de toile à sac, et le négociant de drap fin...

Si le comte d'Orsay s'amusait de la bêtise de ses admirateurs, il savait aussi s'en servir. C'est ainsi qu'un jour, il utilisa l'engouement ridicule dont il était l'objet pour sortir d'un bien mauvais pas.

L'anecdote est savoureuse :

Au cours d'un dîner, où les vins avaient coulé un peu trop généreusement, le bel Alfred s'était montré agressif à l'égard d'un inconnu « dont la forme des oreilles l'indisposait ».

— De telles oreilles sont tout justes bonnes à recevoir un coup de pistolet, avait-il dit à haute voix.

L'inconnu s'était contenté de répondre :

— Vous aurez mes témoins demain matin.

Le lendemain, le comte d'Orsay se leva la bouche pâteuse et se souvint de son duel. Un peu ennuyé, il envoya un ami prendre des renseignements sur son adversaire et apprit bientôt, avec le désagrément que l'on imagine, qu'il avait provoqué l'un des meilleurs tireurs de Londres.

Il eut alors une idée et appela ses témoins :

— Allez trouver cet imbécile et dites-lui exactement ceci : « Le comte d'Orsay est toujours décidé à vous rencontrer les armes à la main, mais attention ! Vous vous exposez à une mort certaine. Car après ce duel, il va devenir élégant de se battre avec vous ; tout le monde va vous provoquer et finalement, malgré votre talent de tireur, vous resterez sur le pré... »

L'autre comprit à quel danger il s'exposait et renonça à se battre...

En 1840, Alfred d'Orsay rencontra Louis-Napoléon dont l'évasion du fort de Ham l'avait beaucoup amusé.

— Que puis-je faire pour vous, Monseigneur ?

Le prince lui expliqua très franchement sa situation : il avait peu d'argent, peu de relations, mais un désir profond de se distraire avant de préparer un nouveau coup d'État contre Louis-Philippe.

D'Orsay s'inclina et promit d'organiser d'aimables soirées avec des demoiselles ravissantes bien que de petite vertu.

Quelques jours plus tard, il tenait parole.

Louis-Napoléon fut convié dans l'appartement d'un certain lord Bradley où Alfred avait réuni des danseuses peu farouches et des comédiennes réputées pour leurs talents de société...

Au bout d'un moment, les demoiselles prétextant qu'elles avaient chaud, se dévêtirent complètement et allèrent s'asseoir sur les genoux de leurs voisins en se trémoussant de façon impudique [69].

Il s'ensuivit quelque désordre.

Pendant quelques mois, le comte d'Orsay procura ainsi des distractions originales à Louis-Napoléon, puis sa fortune s'amenuisant, il dut bientôt se consacrer entièrement aux travaux de peinture et de sculpture qui lui permettaient de vivre [70].

69. ERNEST AUFFRAY, *Louis-Napoléon à Londres.*
70. Finalement, les dettes du comte furent si considérables qu'on le menaça de prison. Un soir de 1849, un policier déguisé en pâtissier parvint à s'introduire chez lui. Alfred d'Orsay lui demanda la permission de s'habiller convenablement pour aller dans les cachots du roi. L'autre, flatté, accepta. Le comte fit alors une longue toilette, prit un bain, se parfuma, choisit minutieusement une cravate, mit une heure à la nouer et prit tant de soin à placer son chapeau que la demie de six heures sonna quand il terminait. Retirant alors brusquement coiffure et cravate, et remettant sa robe de chambre, Alfred dit au policier :
— Je suis au regret, mais le soleil étant couché, vous ne pouvez plus m'arrêter. Je vous prie de revenir demain ! Et il le fit reconduire par son domestique.
Le lendemain, il était en France où Margaret vint le rejoindre.
Mais, un an plus tard, la belle lady s'éteignait à l'âge de soixante ans. Alfred lui survécut deux ans. Le 4 août 1852, il disparaissait à son tour, n'ayant pu se consoler de la mort de cette femme à laquelle il avait été fidèle trente ans...
Y serait-il parvenu s'il l'avait épousée ?

Pourtant, entre deux dessins, il devait rendre un dernier et inestimables service au prince en lui présentant une ravissante aventurière qui s'appelait Miss Howard...

16

La vérité sur la rencontre de Louis-Napoléon et de Miss Howard

> Elle avait de l'argent, il n'en avait pas.
> Ce fut le coup de foudre.
>
> PIERRE BOULANGER

Les pamphlétaires antibonapartistes s'ingénièrent à présenter Miss Howard sous les traits d'une prostituée de bas étage. Ils voulaient ainsi, nous dit Adolphe Ibbels, « faire rejaillir la boue du ruisseau londonien sur la radieuse tunique du prince Bonaparte ». On le vit bien lorsqu'un journaliste crut résumer spirituellement la situation en deux phrases qui eurent un succès considérable : « Louis-Napoléon se considère comme le dauphin de l'Empereur. Hélas ! ce dauphin n'est qu'un maquereau ! »

La plupart des pamphlets publiés entre 1848 et 1875 font des amours de Miss Howard et de Louis-Napoléon un roman crapuleux et sordide.

Pour donner une idée de leur ton, il me suffira de citer quelques extraits d'un petit ouvrage publié à Genève, en 1862, et diffusé dans toute la France par les soins de zélés républicains. L'auteur prétend y relater le début des relations du prince et de la jeune Anglaise. Écoutons-le :

« En Angleterre comme en Amérique, Louis Bonaparte n'était pas riche. Aussi chercha-t-il tout d'abord des amours faciles qui, non seulement ne le ruineraient pas, mais encore pourraient, au besoin, lui être d'une grande utilité. Il avait, du reste, depuis longtemps, contracté l'habitude de vivre aux dépens des femmes, et cet honnête moyen d'existence lui avait trop bien réussi pour qu'il ne cherchât pas une occasion de l'employer de nouveau.

» Le hasard, ce protecteur des coquins, le servit encore cette fois à souhait. Un soir, qu'enveloppé dans une longue redingote boutonnée jusqu'au cou pour se protéger de l'humidité du brouillard, le futur empereur se promenait sur les trottoirs de Londres, il rencontra une jeune miss, assez jolie, qui, comme lui, hantait l'asphalte. A sa mise, comme à sa démarche, notre homme vit tout de suite à qui il avait affaire. Il suivit donc la belle qui rentra immédiatement à son logis, non sans s'être retournée plusieurs fois pour bien s'assurer qu'elle était suivie. Arrivé chez elle, moyennant trois shillings, le prince put goûter le bonheur le plus complet avec la belle qui s'abandonna à lui sans voile.

» Par une de ces affinités mystérieuses qui attirent entre elles certaines natures, Louis Bonaparte et sa récente conquête sentirent dès les premiers jours le plus vif attrait l'un pour l'autre. Aussi se rencontrèrent-ils dès lors tous les soirs. La belle Élise — c'est ainsi qu'elle se nommait — congédia son amant de cœur, un marin nommé Sampaïo, et lui donna l'altesse impériale pour successeur. Hélas ! malgré les nombreux clients à qui la tendre miss prodiguait ses charmes, l'escarcelle de nos deux tendres amants restait vide.

» Louis Bonaparte chercha donc un moyen d'utiliser d'une manière plus fructueuse les charmes de sa maîtresse ; voici comment il s'y prit. Il connaissait à Londres un nommé Jack-Young-Fritz-Roi qui tenait un brelan où il allait souvent jouer. Il lui proposa, pour attirer de nombreux chalands dans sa maison, de se servir de sa maîtresse dont il lui vanta les charmes et la séduction. L'honorable industriel voulut bien essayer et fut si content des débuts qu'il engagea l'adroite Élise et lui donna, ainsi qu'à son amant devenu son croupier, une large part dans les bénéfices.

» Chaque jour, Élise pipait de nouveaux étourneaux dont l'or et les livres sterling passaient rapidement dans la caisse de Jack-Young-Fritz-Roi qui, pour donner plus de cachet à sa maison, fit l'acquisition pour Élise — qui prit dès lors le nom de Miss Howard — d'un élégant coupé et de deux superbes poneys. Notre séduisante Miss, richement vêtue, se prélassait presque tous les jours à Hyde Park, nonchalamment étendue dans sa voiture. Elle put, dès lors, viser à des conquêtes plus élevées. Sa beauté, sa grâce, son adresse et sa coquetterie captivèrent de nombreux adorateurs qui venaient chaque soir, pour lui plaire, se faire plumer chez Jack. Ses charmes furent alors mis au plus haut prix. Ce n'étaient plus trois misérables shillings, mais mille livres sterling qu'il fallait pour la posséder. Lord Clebden paya généreusement ce prix, et la tendre Laïs lui prodigua les trésors de sa beauté. D'autres joueurs, piqués des préférences qu'elle accordait au noble lord, sollicitèrent les mêmes faveurs qu'ils obtinrent au même prix : aussi la misère de l'amant de Miss Howard fit place à l'opulence, le prince impérial put faire une figure digne de son rang et de la race auguste à laquelle il appartenait. Le constable de Londres devint un parfait gentleman, on le vit briller dans les théâtres et dans les courses, le cirque d'Eglington fut témoin de son triomphe [71]. »

Il était, on le pense bien, difficile de mentir davantage.

Mais alors, qui était Miss Howard ? Et d'où venait-elle lorsque Louis-Napoléon la rencontra ?

On ne devait le savoir qu'en 1958.

C'est en effet, grâce aux travaux de Mme Simone André-Maurois que l'on connaît enfin le vrai visage de la femme qui plaça le

71. EUGÈNE DE MIRECOURT, Les femmes galantes des Napoléon. Secrets de cour et de palais, illustrés par des lettres et des conversations authentiques. Genève, 1882.

conspirateur malheureux de Strasbourg et de Boulogne sur le trône de France et fit le second Empire.

Miss Howard n'était qu'un pseudonyme. Elle s'appelait en réalité Elizabeth Ann Haryett. Contrairement aux affirmations de certains historiens qui la font naître « sans papa ni maman, sur un trottoir de Douvres », elle avait vu le jour à Brighton en 1823. Son père, Joseph Gawen Haryett, exerçait l'élégante profession de bottier pour dames et sa mère, en bonne et pieuse protestante, tenait l'ouvroir de la paroisse.

A quinze ans, Élisabeth se sentit attirée par le théâtre et déclara à ses parents abasourdis qu'elle voulait devenir actrice.

Les Haryett s'y opposèrent fermement et la jeune fille sombra dans un désespoir shakespearien. A ce moment, on était en 1839, le fils d'un riche marchand de chevaux, Jem Mason, la remarqua. « A quinze ans, nous dit Mme Simone André-Maurois, elle avait acquis l'art subtil de troubler les hommes. Ils n'en souffraient pas tous, mais tous étaient charmés [72]. »

Jem Mason tomba amoureux. Lorsqu'il sut quels désirs animaient Elizabeth, il décida d'en tirer parti.

— J'ai mes entrées dans les coulisses de tous les théâtres, dit-il, je peux vous aider à débuter.

La jeune fille fut éblouie. Quelques jours plus tard, elle s'enfuyait avec Jem et devenait sa maîtresse.

A Londres, Elizabeth, se sachant définitivement brouillée avec les siens, prit le nom d'Howard, le prénom d'Harriet, la qualité d'orpheline, et vécut somptueusement avec son amant dans Oxford Street.

Grâce à ses relations, Jem Mason réussit à lui faire obtenir des engagements dans de petits théâtres. Elle s'y montra peu douée.

En 1842, à dix-sept ans, Miss Howard était une des élégantes à la mode. Ses attelages et ses bijoux faisaient l'admiration des snobs. Pourtant, elle n'était pas heureuse. « Jem Mason, qui l'avait séduite, refusait de l'épouser. C'était un libertin sans scrupules et un cynique sans illusions. D'une provinciale candide et confiante, il avait fait cette petite fille entretenue. »

Ce fut alors qu'elle rencontra Francis Mountjoy Martyn, major aux *Life Guards*. Celui-ci avait trente-deux ans. Il était affligé d'une épouse de santé fragile, pleureuse et languissante. Il tomba amoureux d'Harriet, lui offrit une merveilleuse maison à Saint John's Wood et une fortune placée sous l'administration de plusieurs *trustees*.

La jeune fille accepta.

Le 16 août 1842, en échange de toutes ses bontés, elle donna au major un gros garçon que l'on appela Martin-Constantin Haryett et que l'on présenta au pasteur du quartier comme le fils de Joseph Gawen Haryett...

Nantie de ce petit frère qui eût bien étonné le bottier de Brighton, Miss Howard continua de jouer un rôle de premier plan dans la vie mondaine de Londres. Or, un soir de 1846, dans le salon de lord et

72. Simone André-Maurois, *Miss Howard, la femme qui fit un empereur.*

lady Blessington, le comte d'Orsay, devenu son ami, la présenta à un petit homme à l'œil vague qu'il appelait *Monseigneur* et *Son Altesse Impériale*.

Harriett fléchit le genou.

Deux destins venaient de se rencontrer pour fonder un Empire...

Le double coup de foudre fut immédiat.

Tandis qu'un semblant de lueur teintait concupiscemment l'œil de Louis-Napoléon, une flamme d'admiration faisait briller la prunelle intelligente de Miss Howard.

Harriet avait alors tout juste vingt-trois ans. Elle était d'une éclatante beauté. Un de ses admirateurs nous la décrit ainsi : « Une tête de camée antique sur un corps superbe. » Louis-Napoléon, lui, était beaucoup moins séduisant. A trente-huit ans, il présentait déjà un visage marqué, usé, avachi, aux bajoues ballottantes, à l'œil cerné et à la moustache jaunie par la cigarette. Court sur jambes, il semblait toujours trottiner et n'avait quelque prestance qu'à cheval où son grand buste faisait illusion. Bref, cet exilé qui sortait de prison sans un sou vaillant n'avait rien qui pût séduire une jeune et ravissante courtisane habituée à se donner soit pour une fortune, soit pour éprouver du plaisir avec un joli et ardent garçon. Mais Louis-Napoléon avait pour Miss Howard d'autres attraits.

Comme tous les Anglais — comme toutes les Anglaises — Harriet vouait paradoxalement un véritable culte à Napoléon. Aussi l'air abruti et la misère de ce prince lui importaient peu. Il lui suffisait de penser que Louis-Napoléon s'était, dans son enfance, trémoussé en braillant sur les genoux de l'Empereur pour être saisie, nous dit Edgar Shirer, « d'une émotion qui l'atteignit jusque dans son intimité ».

Pendant toute la soirée, le prince et Miss Howard, unis par une connivence secrète et spontanée, établirent un dialogue public qui avait déjà toutes les qualités et toute la saveur d'un tête-à-tête.

C'est pour elle, en effet, qu'il évoqua ses souvenirs : c'est à elle qu'à travers un nuage de fumée de cigare, et sans se soucier des autres invités, il raconta les coups d'État manqués de Strasbourg et de Boulogne, sa vie au fort de Ham, son évasion ; c'est pour la faire sourire qu'il s'amusa à placer dans sa phrase quelques mots insolites ; c'est pour elle, enfin, qu'il raconta sa jeunesse à Arenenberg. Sans la quitter des yeux, il parla pendant deux heures. Sans fuir son regard, elle l'écouta dans un ravissement croissant.

Le lendemain ils se revirent. Le surlendemain ils étaient amants.

Tout de suite, Louis-Napoléon fut émerveillé. Il faut dire que Miss Howard, en courtisane accomplie, connaissait — si j'ose dire — son métier sur le bout du doigt. Consciencieuse et sachant que toute profession exige un tour de main, elle s'était documentée auprès d'hommes et de femmes expérimentés et n'avait pas craint de chercher des recettes compliquées ou anciennes dans des ouvrages techniques tels que les *Ragionamenti* de l'Arétin ou les *Contes* de Boccace. Elle y avait appris des postures originales, des fantaisies peu connues et de revigorantes caresses.

Le prince comprit qu'il n'était pas tombé sur une enfileuse de perles. Il décida de garder pour lui cette extraordinaire amoureuse et d'en user abondamment.

Comme il avait toutefois du savoir-vivre, il exprima son sentiment en termes voilés :

— Je vous aime, dit-il.

Miss Howard, fort troublée, éclata en sanglots :

— Vous ne connaissez rien de ma vie.

Et, tête basse, elle avoua que, depuis cinq ans, elle vivait avec un homme marié dont elle avait un fils.

Louis-Napoléon sourit :

— Eh bien ! moi, j'ai deux fils. Deux bâtards. Ils sont nés lorsque j'étais à Ham. Ce sont les fruits de la captivité... Nous aurons donc trois enfants.

Miss Howard, comme toutes les femmes de son espèce, pensait vite. Elle comprit que l'intérêt que lui portait ce prince pouvait la conduire aux plus hautes destinées. Elle savait que, malgré deux échecs, Louis-Napoléon conservait un immense prestige, que les plus grands noms d'Angleterre l'entouraient de leur sympathie respectueuse et que des hommes politiques aussi avertis que Disraeli voyaient en lui le futur empereur des Français.

Le lit où elle se trouvait nue sur les couvertures et les draps en désordre lui sembla la première marche vers le trône.

Aussi, après avoir donné au prince un nouvel aperçu de ses connaissances, elle se rhabilla à la hâte et courut annoncer au major Montjoy-Martyn qu'elle avait décidé de le quitter.

Le malheureux ouvrit de grands yeux :

— Pourquoi ?

Elle lui expliqua alors que l'amour venait de lui être révélé par une Altesse Impériale et que son caractère entier l'empêchait de se partager entre deux hommes.

Le major fut galant et généreux. Il accepta la rupture et laissa à Harriet sa fortune, ses propriétés, ses bijoux, ses attelages.

Quelques jours plus tard, Louis-Napoléon quittait l'hôtel modeste où il vivait et, avec cette superbe désinvolture des grands, allait s'installer dans la somptueuse demeure que la courtisane venait de louer à Berkeley Street.

Son existence changea immédiatement. Grâce à la fortune de sa maîtresse, il put donner des réceptions, chasser le renard, circuler dans Londres en voiture, monter des chevaux splendides, avoir sa loge à Covent Garden et s'habiller comme un dandy.

Ce genre de vie, on s'en doute, choqua quelques personnes à principes, notamment certains Français qui voyaient avec tristesse un prétendant au trône impérial entretenu par une demi-mondaine. L'un d'eux, Alexis de Valon, écrira un jour à sa mère, demeurée en France, cette lettre assez sévère pour le fils d'Hortense :

J'ai la joie de rencontrer ici, souvent, le prince Louis, un de ces noms que l'on invoque dans la disette générale, une de ces branches que l'on veut saisir au moment de se noyer... Il suffit de voir ce petit monsieur, commun et mal famé, pour sentir toute la vanité des espérances que l'on met en lui. Sa taille ne va guère au rôle qu'on veut lui faire. Figure-toi un petit bonhomme de quatre pieds et demi, laid et vulgaire, avec de grosses moustaches et des yeux de cochon. Voilà pour la figure. Au moral, il vit publiquement, au grand scandale de la pudeur anglaise, avec une actrice de quinzième ordre, fort belle, d'ailleurs, nommée Miss Howard. Cette conduite, qui lui a peu à peu fermé les portes de la haute société de Londres, le rejette et le pousse dans le monde des cabotins....

Mais les quolibets et les railleries ne troublaient pas Louis-Napoléon. Le destin avait placé Miss Howard sur sa route, elle était belle, intelligente, fortunée ; elle embellissait ses nuits, elle ornait ses jours et pouvait, en finançant un mouvement politique, l'aider à atteindre le but qu'il s'était fixé. Pourquoi se fût-il arrêté à des considérations de morale bourgeoise ?

Tandis que Louis-Napoléon menait cette existence paresseuse et confortable, Harriet, confiante en l'étoile de son prince, se préparait à tenir les délicates — mais enivrantes — fonctions d'égérie impériale. Pour combler les failles d'une instruction assez rudimentaire, elle engagea des professeurs, étudia les lettres, l'histoire, l'art, la philosophie.

Or, son professeur d'histoire, l'écrivain Alexander William Kinglake, à qui le célibat pesait, pensa que d'une aussi séduisante élève il pourrait faire une maîtresse. Connaissant le passé de Miss Howard, il se crut autorisé à mener les choses rondement. Un matin, sans même prononcer un mot aimable, il se pencha sur Harriet et lui mit la main à la fesse.

La jeune femme prit un air outragé qui eût fort étonné une bonne partie de la gentry. Kinglake, stupéfait, essaya alors de lui tâter un sein.

Il reçut une gifle magistrale.

La petite courtisane était morte. Une Pompadour naissait...

17

Le trône de Louis-Philippe éclaboussé par des scandales

> Un parapluie ne sert à rien
> quand on a les pieds dans la boue.
>
> proverbe canadien

Tandis que Louis-Napoléon et Miss Howard se savouraient mutuellement, en France, le trône de Louis-Philippe était éclaboussé par une série impressionnante de scandales : deux pairs de France, MM. Teste et Cubières, étaient condamnés pour corruption, le prince d'Eckmühl donnait un coup de couteau à sa maîtresse, « une vieille catin qui ne valait même pas un coup de pied » [73], le comte Mortier tentait de tuer sa femme, le prince de Bergues était convaincu d'avoir falsifié les jetons d'un cercle, le chef d'escadron Gudin, de la Maison Royale, était surpris trichant au jeu, le ministre de la Justice, Martin du Nord, mourait dans des circonstances mystérieuses, un général était accusé d'escroquerie, un magistrat était suspecté de vol, enfin, le bruit courait que la duchesse d'Orléans, veuve depuis 1842, avait une liaison coupable avec un pair de France...

L'armée, la magistrature, la noblesse, la famille royale même étaient touchées et, selon le mot du chancelier Pasquier : « Le haut de la société commençait à épouvanter le bas... »

D'autres scandales allaient achever de fissurer profondément l'édifice monarchique de la famille d'Orléans.

Le plus important éclata le 18 août 1847. Ce jour-là, vers dix heures du matin, les Parisiens apprirent avec stupeur que la duchesse de Choiseul-Praslin, fille du maréchal Sébastiani, ministre et ambassadeur de Louis-Philippe, avait été assassinée à l'aube dans son hôtel du faubourg Saint-Honoré.

La malheureuse avait été égorgée, déchiquetée, tailladée à coups de couteau, et assommée avec la crosse d'un pistolet. Les murs de sa chambre, les tapis, les meubles, la cheminée étaient couverts de sang.

Dans l'après-midi, le public, à l'affût des nouvelles, apprit que le préfet de police, devant cette boucherie, avait dit à ses collaborateurs :

— C'est du mauvais travail... Du travail d'amateur... C'est un homme du monde qui a fait cela.

Dès lors, avec effarement, la police et tout Paris commencèrent de soupçonner le duc Théobald de Choiseul-Praslin, pair de France, conseiller général, député, représentant d'une des plus nobles familles de France et ami du roi, d'avoir égorgé sa femme.

Le destin, aidé par une ravissante demoiselle et quelques dames

---

73. Cf. Victor Hugo, *Choses vues*.

attirées par les charmes de Lesbos, venait de donner le dernier coup au trône où somnolait bourgeoisement le gros roi Louis-Philippe...

Le duc était protégé par l'inviolabilité de la prairie. Il ne pouvait être arrêté — ni même accusé formellement — sans une décision du roi. Pourtant, le code criminel permettait d'appliquer le droit commun à un pair lorsque celui-ci « était poursuivi par la clameur publique ». Les représentants de l'opposition connaissaient parfaitement le texte de la loi. Aussi, dans la soirée, vit-on apparaître une foule grondante autour de l'hôtel de Choiseul-Praslin. De braves gens, venus du Roule, du faubourg Saint-Antoine, des Ternes et de Vaugirard, dûment chapitrés, hurlaient de toutes leurs forces :
— A mort ! A mort ! A la guillotine ! A la lanterne ! Assassin !...
Le préfet Allard, n'osant prendre la responsabilité d'arrêter un pair de France en l'absence de Louis-Philippe (celui-ci était à Eu), décida simplement que le duc serait surveillé nuit et jour par huit agents de police.
Jusqu'à trois heures du matin, la foule demeura faubourg Saint-Honoré. Assis au bord des trottoirs, les Parisiens, ravis de profiter de cette belle nuit d'été, se racontaient des anecdotes assez croustillantes sur le ménage Choiseul-Praslin. Certains prétendaient que, depuis quelques années, le duc, rassasié de sa femme dont dix accouchements avaient déformé les appas, était l'amant de Mlle Deluzy, la gracieuse gouvernante qu'il avait engagée pour ses enfants.
D'autres ajoutaient que cette demoiselle avait pris un tel ascendant sur le duc, qu'à Vaux-le-Vicomte, où les Choiseul-Praslin possédaient le château qu'avait fait édifier jadis le surintendant Fouquet, on eût pu croire qu'elle était la châtelaine... Situation difficile qui donnait lieu à d'épouvantables scènes de ménage.
De là à supposer que le duc avait tué sa femme pour vivre en toute quiétude avec sa maîtresse, il n'y avait qu'un pas. La foule le franchissait naturellement, avec cette simplicité des cœurs purs, et allait même jusqu'à accuser Mlle Deluzy d'avoir participé à l'assassinat.
— Elle était cachée dans un placard avec un couteau de cuisine, disait-on. C'est elle qui a donné le premier coup à la duchesse.
Aussitôt, une bordée d'injures montait de la foule et allait faire vibrer les vitres de l'hôtel où le duc, affalé dans un fauteuil, livide et tête basse, répondait aux questions des policiers.
La victime elle-même n'était pas épargnée. D'après ces braves gens, en effet, la duchesse aurait eu du goût pour ces petits ouvrages de dames qui firent autrefois la gloire de Mme Sapho...
— Peut-être le duc a-t-il découvert la duchesse avec une tendre amie, suggéraient certains.
— Qui sait, ajoutaient ceux qui avaient le goût de la perfection, s'il ne l'a pas trouvée avec Mlle Deluzy...
De temps en temps, un homme donnait à cette hargne et à ce dégoût un caractère politique :

— Ah ! elle est belle la monarchie de Juillet ! criait-il.

Un autre reprenait :

— Nous sommes gouvernés par de la pourriture !

Ainsi, peu à peu, la foule était-elle amenée à identifier le régime avec un duc lubrique et assassin, et à attribuer à la famille royale tous les débordements d'une certaine société faisandée...

Or, qu'y avait-il de vrai dans toutes ces histoires dont les Parisiens se délectaient en cette belle nuit d'été ?

En 1824, Théobald de Choiseul-Praslin avait épousé la jeune Fanny Sébastiani, fille unique du comte Horace Sébastiani, maréchal de France, et lui avait donné, en seize ans, dix beaux enfants.

En 1838, le duc engagea pour eux une institutrice, Mlle Després, dont il devint rapidement l'amant. En 1840, cette dame ayant été fécondée par la semence ducale, dut quitter la famille. Une certaine demoiselle Tchudy lui succéda auprès des enfants et dans le lit de Théobald.

Cette demoiselle ne resta en place que dix mois. Et le 1er mars 1842, le duc engagea, en se léchant les babines, la ravissante Henriette Deluzy dont l'œil pervers, le déhanchement et le sein dur lui faisaient augurer de beaux moments.

— Vous serez chargée, mademoiselle, de l'éducation de mes enfants. Vous en aurez l'entière responsabilité...

Il répéta d'un air grave :

— Je dis bien « l'entière responsabilité », car la duchesse ne doit en aucune façon s'en occuper... Pour des raisons que je ne puis vous dévoiler, j'ai dû rédiger un règlement dont je vous prierai de respecter scrupuleusement les termes.

Et le duc tendit à Henriette un peu effarée le texte suivant :

« La gouvernante mangera avec les enfants dans leur chambre à la campagne et à la salle à manger à Paris.

» La gouvernante sera chargée de toutes les dépenses concernant les enfants : toilette, instruction, femmes de chambre, bonnes, plaisirs.

» La gouvernante réglera en un mot ce qui concerne les enfants sous sa responsabilité. Les enfants ne sortiront qu'avec leur gouvernante. La gouvernante décidera quelles personnes les enfants recevront ou ne recevront pas.

» La gouvernante devra tout décider elle-même et ne pas consulter d'avance les parents qui se réservent seulement le droit d'observation.

» *Mme de Praslin ne montera jamais chez ses enfants. S'il y en a de malades, elle n'entrera que dans la chambre des malades, ne les fera jamais sortir sans sa gouvernante, ne les verra qu'en présence de M. de Praslin ou de la gouvernante.* »

Mlle Deluzy ne demanda aucune explication sur cet extraordinaire règlement qui empêchait une mère de pénétrer dans la chambre de ses enfants. Devinant qu'elle entrait dans une maison où le drame couvait, elle se contenta de placer la feuille de papier dans son réticule en promettant soumission et obéissance.

Un mois plus tard, elle était la maîtresse du duc et commençait à régenter toute la maison au grand déplaisir de Fanny qui ne fit rien pour cacher sa jalousie.

Les scènes devinrent bientôt quotidiennes.

En juillet 1847, sur l'intervention personnelle du maréchal de Sébastiani, Mlle Deluzy fut priée de se retirer.

Un mois plus tard, la duchesse de Praslin était découverte égorgée dans sa chambre...

Les mobiles du crime paraissent clairs : le duc, animé par une de ces passions que les moralistes jugent excessives, avait désiré supprimer l'obstacle qui le séparait de sa maîtresse.

Un point reste, pourtant, obscur dans cette affaire : pourquoi la duchesse n'avait-elle pas le droit de s'occuper de ses enfants ? Il faut, nous dit le docteur Cabanès, « chercher la réponse du côté de Lesbos... ».

Retournons, une fois encore, en arrière : Fanny avait eu, dans son adolescence, une préceptrice, Mlle Mendelsohn, connue pour ses amitiés particulières. Son nom avait été mêlé à une affaire de mœurs assez scabreuse [74] et on l'avait accusée d'avoir sur ses élèves une influence pernicieuse.

Dès lors, tout s'éclaire : Fanny, qui avait été initiée aux jeux lesbiens par Mlle Mendelsohn, revint probablement, à plusieurs reprises, à ses premières amours. (Le comte Horace de Viel Castel, dans ses *Mémoires,* fait d'ailleurs allusion à une liaison qu'aurait eue la duchesse avec Mlle Després.) Informé de ce vice, le duc avait immédiatement soupçonné sa femme des pires turpitudes, allant jusqu'à l'accuser de vouloir corrompre ses propres filles...

D'où le règlement.

Mais l'affaire allait avoir d'autres rebondissements, au grand dam de ce malheureux Louis-Philippe.

Le 19 août, au cours de l'après-midi, un bruit étrange courut Paris. Lancé on ne sait où, il fut bientôt véhiculé par mille bouches gourmandes de Neuilly à Chaillot, atteignit les hauteurs de Montmartre, se faufila dans les ruelles de la Butte-aux-Cailles, se gonfla aux Ternes et s'épanouit dans les jardins de Vaugirard. On racontait que le duc de Choiseul-Praslin n'avait tué sa femme ni pour les beaux yeux de Mlle Deluzy ni pour préserver ses enfants d'une corruption possible, mais pour défendre l'honneur d'une des femmes les plus haut placées de la dynastie orléaniste.

Cette femme, les braves gens en prononçaient le nom en tremblant.

74. Pierre Chaine, *Le duc assassin. L'affaire Choiseul-Praslin.*

Il s'agissait, murmurait-on, de la duchesse d'Orléans, dont le mari, premier héritier du trône de France, s'était, cinq ans plus tôt, tué accidentellement près de la porte des Ternes [75].

A ceux qui s'étonnaient que la duchesse pût être mêlée au meurtre de Mme de Choiseul, on expliquait fort sérieusement qu'après trois ans d'un chaste veuvage, la jeune femme était devenue, en 1845, la maîtresse du duc de Choiseul-Praslin. Les mêmes informateurs ajoutaient que, le 17 août, Mme de Praslin avait découvert dans le secrétaire de son mari une correspondance compromettante pour la bru du roi. Elle avait alors menacé le duc de faire éclater un scandale en alertant la presse d'opposition et en publiant les lettres.

Épouvanté, le duc s'était introduit, à l'aube du 18 août, dans la chambre de sa femme pour y reprendre les documents. Devant la résistance de la duchesse, il était allé jusqu'au meurtre pour s'en emparer.

Qu'y avait-il de vrai dans cette histoire ?

Depuis plus d'un siècle, les historiens en discutent âprement, les uns pour affirmer que la duchesse d'Orléans était fort capable d'avoir un amant, les autres pour la défendre avec une passion qui confine à l'amour paternel.

En 1847, les Parisiens n'avaient pas, on s'en doute, le même souci de la vérité historique. Aussi répétaient-ils allégrement que la veuve du prince héritier n'était qu'une « Marie-couche-toi-là... ».

Ils en étaient là de leurs commentaires lorsque, le 20 août, une nouvelle stupéfiante courut la capitale : le duc de Choiseul-Praslin, malgré la surveillance de la police, avait réussi à absorber de l'arsenic. Il était mourant.

Naturellement, ce suicide parut suspect. Et de nombreux journalistes, reflétant l'opinion populaire, accusèrent le gouvernement d'avoir fourni le poison au duc. L'un d'eux écrivit : « La cour fait disparaître un témoin gênant. »

Affolé par l'ampleur que commençait à prendre l'affaire, Louis-Philippe ordonna, le 21, la réunion de la Chambre des pairs ou Cour de justice. Le duc fut immédiatement arrêté et transporté, moribond, à la prison du Luxembourg, rue de Vaugirard. Le 24, au soir, il mourait sans avoir avoué son crime.

Aussitôt, la Chambre des pairs se dépêcha de prendre un arrêt déclarant que l'action publique étant éteinte à l'égard de l'accusé, il y

75. Le 13 juillet 1842, le jeune duc se rendait au château de Neuilly dans une calèche tirée par deux chevaux. Il était onze heures et demie du matin. Il faisait très chaud. Soudain, près de la porte des Ternes, les chevaux s'emballèrent. Se voyant en danger, le duc sauta sur la route et se fractura le crâne. Transporté dans l'arrière-boutique d'une épicerie, il mourut à quatre heures de l'après-midi sur un grabat, entouré de la famille royale en larmes. Il avait trente-deux ans. Une petite chapelle fut élevée sur l'emplacement de l'épicerie. Elle demeura au n° 25 du boulevard Pershing jusqu'à la construction du boulevard périphérique. A ce moment, elle fut déplacée d'une centaine de mètres.

avait lieu de clore le dossier. De son côté, le procureur général s'empressa de suivre la même politique. L'affaire fut classée [76].

Le préjudice moral causé à la cour par l'opportun suicide du duc n'en fut pas atténué pour autant. Au contraire. Car le peuple demeura plus que jamais persuadé que la Chambre des pairs avait fourni l'arsenic au duc pour sauver l'honneur de la duchesse d'Orléans et protéger ainsi la famille royale... Un jour de 1849, le chancelier Pasquier parlant avec Victor Hugo résuma parfaitement cette opinion [77].

— Tenez, le peuple, nous ne lui ôterons jamais de l'idée que nous avons empoisonné le duc de Praslin. Ainsi l'accusé assassin et les juges empoisonneurs : voilà l'idée qu'il s'est faite de toute l'affaire. D'autres croient que nous avons fait sauver ce misérable duc et que nous avons mis un cadavre quelconque à sa place ! Il y a des gens qui disent : « Praslin est à Londres et y mange cent mille livres de rentes avec Mlle Deluzy. » C'est avec tout cela, des propos, des commérages, des choses terribles qu'on a sapé ce vieux monde vermoulu [78].

Le « vieux monde vermoulu » issu de la Révolution de 1830, allait, en effet, disparaître à la suite de tous ces scandales.

Le peuple, écœuré, déçu, commença à considérer le gros Louis-Philippe avec des yeux neufs et peu enclins à l'indulgence.

Aussi lorsque, en février 1848, le roi, poussé par son ministre Guizot — lui-même influencé par sa maîtresse, la princesse de Liéven — interdit un banquet organisé par les partisans d'une réforme de la Constitution, les Parisiens profitèrent-ils de l'occasion.

Des barricades s'élevèrent en quelques heures et des cortèges sillonnèrent les boulevards en chantant des refrains séditieux. Un vent de révolte souffla soudain de Charonne à Passy. Et quand, le 24, la troupe tira sur la foule massée sur le boulevard des Capucines, la manifestation d'humeur se transforma tout à coup en une révolution.

A quatre heures de l'après-midi, Louis-Philippe abdiquait. A cinq heures, vêtu d'une redingote, coiffé d'un chapeau rond, il traversait en courant les Tuileries vers lesquelles l'émeute se dirigeait, parvenait place de la Concorde, grimpait avec la reine dans un fiacre et quittait Paris comme un voleur, avec 15 francs en poche.

Le soir, les fugitifs couchaient à Dreux. Le lendemain, ils gagnaient

76. Mlle Deluzy, qui avait été arrêtée après la découverte du crime, fut relâchée, son innocence ayant été facilement reconnue. Elle s'embarqua pour l'Amérique où elle épousa un pasteur presbytérien du nom de Harry Field. Après sa mort, survenue en 1876, son mari réunit les papiers qu'elle avait laissés et les publia sous le titre inattendu de *Scènes de la vie familiale en France...*
77. Cf. VICTOR HUGO, *Choses vues*.
78. Le bruit courut, en effet, que le duc avait survécu à sa tentative de suicide et qu'il avait fini ses jours en Angleterre. Plusieurs personnes certifièrent l'y avoir rencontré. Et, en 1905, le journal *La Libre Parole* publia une attestation d'un ancien comptable au cimetière Montparnasse. Celui-ci déclarait qu'un fossoyeur nommé Constant avait été chargé, vers la fin du second Empire, d'exhumer le cadavre du duc de Choiseul-Praslin. Or, dans le cercueil, il avait trouvé des cailloux...

Évreux, puis Trouville. Là, ils s'embarquaient, malgré le mauvais temps, sur l'*Express* et passaient en Angleterre.

A ce moment, les Parisiens fêtaient leur nouvelle République et chantaient, en mimant la démarche lourde de leur ex-souverain, ce couplet qu'un auteur populaire avait adapté sur l'air célèbre des *Bœufs*, de Pierre Dupont :

Hier dans une riche étable,
Vivait un bœuf gras, vieux grigoux :
L'acajou remplaçait l'érable
Des grands bœufs blancs marqués de roux.
Chacun admirait sa bedaine
Ronde l'hiver, ronde l'été.
Il gagnait dans une semaine.
Plus d'argent qu'il n'en eût porté.

Refrain

Adieu, roi sacrilège !
Que l'Anglais te protège.
File, file au plus tôt,
Ou bien sur le carreau
Nous traînerons Louis-Philippe et Guizot.

Car les Français, habitués à tout finir par des chansons, enterraient ainsi joyeusement cette monarchie vieille de mille ans, qui venait de disparaître, de façon imprévue, à cause de quelques dames à la cuisse légère...

18

Ces politiciens de 1848 que les femmes allaient aimer...

Les femmes adorent souvent
nos plus grands ridicules...
CRÉBILLON FILS

Louis-Philippe avait quitté la France en laissant dans la capitale insurgée sa belle-fille, la duchesse d'Orléans, et son petit-fils, le comte de Paris, en faveur de qui il avait abdiqué.

— Adieu, lui avait-il dit avant de partir, soyez courageuse !

La jeune femme était devenue livide :

— Quoi ? Vous allez me laisser seule ici, sans parents, sans amis ?...

Alors Louis-Philippe, dont le gros ventre tremblait, « agité, nous dit-on, par la peur », lui avait répondu d'un ton hypocrite :

— Ma chère Hélène, il s'agit de sauver la dynastie et de conserver la couronne de votre fils. Restez pour lui...

Puis, tenant d'une main son chapeau et de l'autre son pantalon mal boutonné, il s'était précipité à travers le jardin des Tuileries, suivi de la reine Marie-Amélie [79].

Une heure plus tard, la duchesse d'Orléans, ayant recouvré son calme, s'était courageusement rendue à la Chambre des députés, en compagnie de ses deux fils [80]. Tout s'était d'abord bien passé. L'Assemblée qui, sans doute, continuait de ne pas prendre la révolution au sérieux, l'avait accueillie par des acclamations enthousiastes, et le président Dupin s'était respectueusement incliné. Il avait alors voulu proclamer le comte de Paris roi des Français « avec la régence à son auguste mère » et s'était écrié :

— Messieurs, il me semble que la Chambre, par ses acclamations unanimes...

Mais, alors que les députés paraissaient favorables, la Chambre avait été brusquement investie par un groupe de révolutionnaires.

Ces individus, dirigés par un garçon boucher armé d'un couteau, s'étaient précipités dans les tribunes en poussant des cris de mort et en hurlant :

— A bas la Régence ! A bas la Régence ! Vive la République !

Immédiatement, le plus grand désordre avait régné. Écoutons un témoin : « Le comte de Paris fut saisi à la gorge par un forcené qui essaya de l'étouffer. Un garde national parvint heureusement à s'emparer de l'enfant et le rendit à sa mère qui avait été séparée de ses deux fils par une vague populaire. »

Tandis que la duchesse s'enfuyait, protégée par des amis, M. de Lamartine, en un discours lyrique et obscur, avait demandé la nomination d'un gouvernement provisoire...

Ledru-Rollin était alors monté à la tribune et avait fait, à genoux, en agitant sa grosse tête et son toupet clownesque, une longue déclaration d'amour à la République.

Deux heures après, alors que le peuple saccageait les Tuileries et pillait le Palais Royal, un gouvernement provisoire avait été constitué sous la présidence de l'incolore Dupont de l'Eure.

Le lendemain, 26 février, la République avait été proclamée et, le 6 mars, Rachel qui, fort excitée par les événements, rêvait, selon son expression, « d'être b... sur le corps d'un guillotiné », chanta, en transe, *la Marseillaise* au Théâtre-Français.

Aussitôt, le gouvernement provisoire, désireux de flatter le peuple, donna à chaque citoyen le titre de *magistrat* et institua ce que ni Robespierre ni Saint-Just — rendus prudents par leur connaissance profonde de la foule — n'avaient voulu : le suffrage universel.

Dès lors, une nouvelle ère commençait. On le vit bien au cours de la période électorale qui s'ouvrit à la fin du mois de mars. Les murs de France se couvrirent d'affiches écrites dans un style auquel ni Sully, ni

79. Louis-Philippe était bien placé, lui, dont le père, Philippe Égalité, avait voté la mort de Louis XVI, pour savoir ce que les révolutionnaires font des rois qui se laissent prendre.

80. La duchesse d'Orléans avait un second fils, Robert, duc de Chartres, né en 1840. C'est le grand-père de l'actuel comte de Paris.

Richelieu, ni Colbert, ni Choiseul, ni Talleyrand, ni Chateaubriand, ni Casimir Perier, ni Guizot n'avaient habitué les Français. Le ton employé par les candidats députés était, en effet, d'une bouffonnerie rarement atteinte. Je dois en donner un aperçu pour montrer à quels hommes politiques les femmes — continuant d'être les instruments du destin — allaient désormais avoir affaire...

Voici quelques exemples de cette littérature emphatique et prétentieuse qui annonçait à la fois le style de nos parlementaires et celui de nos agents de publicité :

« Citoyens !

» Encouragé par des patriotes sincères, je viens offrir à la Patrie mon intelligence, mon cœur et mon bras !

» Serai-je trouvé digne de vos suffrages ? C'est ce que vous aurez à résoudre.

» En tout cas, sachez que de ma bouche ne s'échappera jamais qu'un cri : Vive la République !

Louis Langomanzino. »

La réaction de ce brave homme, lorsqu'on lui marchait sur le pied, devait sembler curieuse. Aussi ne fut-il pas élu.

Tous les moyens étant bons pour s'attirer les suffrages, certains candidats attendrissaient les électeurs en écrivant sans sourciller : « Citoyens !... je suis un *enfant naturel de la Patrie*... »

Ou encore : « J'offre mon dévouement à la République, *ma nourrice !* »

Il y avait aussi les faux humbles :

« Je n'accepterai qu'en m'humiliant et avec une extrême défiance de moi-même l'orageux et souverain mandat dont vous voudrez bien m'honorer... »

Bien entendu, rien n'arrêtait de tels hommes. Et pour s'assurer les voix des croyants dont le républicanisme n'était pas encore bien affirmé, on en vit déclarer qu'avec la République de 1848, *le péché originel était effacé*...

D'autres tranchèrent de façon inattendue, mais catégorique, d'épineuses questions théologiques : « France ! Sois digne de Paris, affranchis le monde ! *Dieu le veut, ou il n'existe pas !*... »

Tous ceux qui avaient pris part aux journées de Février — même en tant que spectateurs — ne manquaient pas de le rappeler ; ceux qui n'avaient pas eu cette chance ou ce courage s'en tiraient habilement, comme Étienne Arago : « Pour moi, écrivait-il, la plume a été une arme et j'ai fait feu avec l'idée comme avec un fusil... »

Un certain J.-B. Amyot écrivait : « Une ère de liberté s'ouvre pour la France. Saluez-la !... Que les fronts s'inclinent pour en remercier l'Être suprême et que les bras se lèvent pour être prêts à la défense des droits du pays... »

Position difficile et fatigante qui rebuta les électeurs...

Certains se paraient de titres étranges. Voici le début d'une affiche qui fut apposée dans le XIVe arrondissement :

« Jean Théodore Joulet, fils de peintre en bâtiment de l'empereur défunt, propriétaire à Paris, se présente aujourd'hui *avec une supériorité virile plus forte que jamais...* »

Hélas ! les femmes en 1848 ne votaient pas ; aussi le pauvre ne fut-il pas envoyé à la Chambre...

Un autre donnait comme preuve de ses capacités à représenter la nation, qu'il était « médecin des aliénés de Bicêtre » !

On ne pouvait pas l'accuser de démagogie...

L'ouvrier et le paysan avaient droit bien entendu à des attentions toutes spéciales.

Un certain M. Ortolan « donnait son cœur à tous les travailleurs de la tête et des bras »...

Et un général écrivait sans rire : « L'agriculture est négligée. N'est-il pas honteux qu'il existe en France un département des *Landes* lorsqu'on peut le transformer en département des *Prairies ?* »

Enfin, un autre s'écriait : « Votez pour moi, cultivateurs, maraîchers, vignerons, *vous qui ne voulez pas que le sol tremble !* »

Comment refuser sa voix à un homme qui peut empêcher les tremblements de terre ?

Quelques purs républicains ne craignaient pas de citer des détails épouvantables pour faire honnir à jamais l'Ancien Régime : « J'ai lu dans l'histoire de France, écrivait un ferblantier qui se présentait dans le 6e arrondissement, qu'un seigneur, en revenant de la chasse, avait froid aux pieds ; voulant une chaleur douce, il fit ouvrir le ventre d'un de ses vassaux et mit ses pieds dedans !... »

Malgré cet agréable talent de conteur, le ferblantier ne fut pas élu.

Il y avait aussi — déjà — des candidats pleins de fantaisie ; l'un d'eux présentait ainsi, à Marseille, son programme peu banal :

« Citoyens ! Sous un système d'Égalité et de Fraternité je viens d'acquérir la conviction que tous les hommes n'étaient point égaux.

» La nature m'a donné des sentiments généreux, un patriotisme élevé et un cœur grand mais une *petite taille.*

» Je croyais qu'on mesurait les hommes à leur valeur personnelle et non point au plus ou moins de centimètres de leur stature.

» Comme je ne suis pas le seul à être petit et que beaucoup de parias de mon espèce doivent se trouver à Marseille, je propose à tous ceux dont la stature est exiguë de se trouver dimanche prochain, à 10 heures, Plaine Saint-Michel, pour organiser une compagnie. Nous prouverons à tout le monde que si la nature fait de petits hommes, les petits hommes peuvent faire de grandes choses.

» La République trouvera en nous de zélés défenseurs... »

Le signataire ne fut pas élu, bien qu'à la date indiquée un grand nombre de petits hommes se fussent mis sous ses ordres...

Un autre afficha le texte suivant, destiné aux 22 000 sourds-muets de France :

« Vous avez besoin de quelques amis partants. Je vous offre mon concours sincère et désintéressé. S'il vous faut une voix pour défendre votre cause et pour porter la connaissance de vos besoins à l'oreille de la Nation, je serai cette voix... »

Mais ce brave homme ne parvint pas à se faire entendre des sourds-muets qui allèrent, si j'ose dire, porter leurs voix ailleurs.

Le citoyen Muré, précurseur de l'automation, écrivait :

« Ce n'est point d'organiser le travail qu'il s'agit, il faut organiser l'oisiveté par la multiplication infinie des machines. Il faut que tous les ouvriers soient remplacés par des chiens savants chargés de surveiller les usines. »

Enfin, un certain citoyen Duvivier terminait ainsi un long et extravagant panégyrique du communisme :

« Pour mettre nos doctrines en pratique et accepter franchement leurs conséquences, les hommes parvenus à l'âge de trente ans sont trop corrompus par les anciennes mœurs, trop endurcis, trop encroûtés dans l'ancien système ; on ne saurait déraciner chez eux des habitudes invétérées et qui sont passées à l'état de seconde nature. Il faut que ces hommes disparaissent de la société pour qu'elle soit régénérée. Il est indispensable, en un mot, de supprimer les hommes de trente ans et au-dessus. Ceux qui sont dévoués à nos principes, qui en veulent sérieusement le triomphe, doivent donc prendre une généreuse initiative en sortant volontairement de la vie, et s'immoler en philosophes pour assurer la régénération du monde et le bonheur de l'humanité. »

Il eut, on s'en doute, peu d'électeurs.

Mais, bientôt, les femmes allaient s'en mêler : les fameuses Vésuviennes dont le nom, ainsi qu'on le verra, se trouvait justifié par un tempérament volcanique...

19

Les ardentes Vésuviennes se donnaient pour la République

> Pour une femme ardente
> tous les prétextes sont bons.
>
> MARCEL PRÉVOST

Tout commença le 1ᵉʳ mars 1848. Ce jour-là, les Parisiens ébahis purent lire une affiche ainsi conçue :

« Le citoyen Borme fils, auteur de plusieurs machines de guerre lançant trois cents boulets ou paquets de mitraille à la minute, auteur du *Feu Grégeois* avec lequel on peut incendier et couler bas les flottes ennemies, auteur d'un moyen avec lequel deux mille citoyennes peuvent lutter contre cinquante mille hommes ennemis,

» AUX CITOYENNES PARISIENNES,
» MES SŒURS EN RÉPUBLIQUE.

» Citoyennes,

» La République vous doit le quart de son existence, c'est par vos exhortations que vos pères, vos frères, vos amis ont affronté la mitraille le 4 février.

» Vous avez mérité de la Patrie, citoyennes, et c'est par cette considération que j'ai demandé au gouvernement provisoire de vous enrégimenter sous le titre de VÉSUVIENNES.

» L'engagement sera d'un an ; pour être reçues, il faut avoir quinze ans au moins et trente ans au plus et n'être pas mariée.

» Présentez-vous tous les jours, de midi à quatre heures, 14, rue Sainte-Apolline, où vos noms, prénoms, professions, âges et demandes seront inscrits.

» Salut et fraternité.

» *Vive, vive et vive la République !*

BORME FILS. »

M. Borme fils venait d'avoir là une idée propre à lui assurer de savoureuses soirées...

Les femmes, en effet, se présentèrent en foule rue Sainte-Apolline et l'auteur du *Feu Grégeois* n'eut qu'à faire son choix. Il en retint une cinquantaine qui constituèrent non seulement une ardente phalange destinée à lutter par tous les moyens pour l'émancipation de la femme, mais encore le plus fougueux harem qui se puisse imaginer.

Voici comment un contemporain nous conte une réunion du *Club-légion des Vésuviennes :*

« Le citoyen Borme aime les femmes et veut les émanciper. Tâche sublime qui lui vaut déjà la reconnaissance profonde de toutes nos sœurs en République. Chaque soir, ce valeureux émancipateur réunit à son domicile un groupe de jeunes femmes qu'il catéchise soigneusement. Ses arguments sont simples mais efficaces :

» — Citoyennes, dit-il, qu'est-ce que la Liberté ? Une femme. Qu'est-ce que l'Égalité ? Une femme. Qu'est-ce que la Fraternité ? Une femme. Qu'est-ce que la République ? Une femme. Et l'on voudrait vous empêcher de voter, de participer à la conduite du char de la Nation ? Citoyennes, le gouvernement provisoire doit tomber. Oui, il faut qu'il tombe... à vos genoux... »

De tels discours mettaient les femmes dans un état proche de la pâmoison. Au cours de la troisième réunion, sentant que son auditoire était mûr, le citoyen Borme fils prit soudain un air sévère et ajouta :

— Citoyennes, pour que l'on reconnaisse vos droits, il faut briser toutes les chaînes qui vous lient et font de vous les esclaves de l'homme. Commencez par la plus barbare de toutes : celle du mariage.

A ce moment, les yeux des jeunes femmes brillèrent.

— Refusez d'être liée à un homme, asservie par un homme. Usez de votre corps librement. Prouvez-vous à vous-même que vous êtes un être libre et vous aurez le droit de vous dire une bonne républicaine...

A ces mots, les jeunes Vésuviennes furent transportées d'enthousiasme.

— Cet acte, continua hypocritement M. Borme fils, ne doit pas être entaché par la luxure. Il s'agit d'un rite de libération, rien d'autre...

Et, baissant les yeux, il ajouta :

— Ce rite, citoyennes, je m'offre à l'accomplir avec vous pour la République une et indivisible.

Alors, les Vésuviennes, animées par les plus purs sentiments républicains, se précipitèrent sur M. Borme fils et cherchèrent à lui retirer ses vêtements.

— Chacune son tour, dit sévèrement le citoyen.

— Moi ! moi ! moi ! criaient les Vésuviennes qui rêvaient de s'allonger sur l'autel de la Patrie.

Mais M. Borme fils était méthodique et sage :

— Par ordre alphabétique, dit-il.

Et, prenant par le bras les deux jeunes femmes qui avaient été désignées par leurs initiales, il les emmena dans ses appartements privés. Là, au nom de la République, et en vertu de pouvoirs qu'il s'était lui-même conférés, il leur donna à tour de rôle une très agréable sensation d'être...

C'est ainsi que, chaque soir, grâce à M. Borme fils, quelques jeunes Parisiennes s'émancipèrent sans avoir besoin du gouvernement provisoire...

En attendant d'être officiellement enrégimentées, les ardentes disciples du citoyen Borme organisèrent à Belleville une sorte de phalanstère. « Elles y étaient logées, nourries et recevaient en outre dix francs par mois », nous dit Henri d'Alméras. Leur costume, pour bien montrer l'égalité des sexes, se rapprochait autant que possible de celui de l'homme. La plupart portaient une jupe, une redingote à épaulettes et se coiffaient d'un képi. Certaines allaient jusqu'à porter des pantalons. Toutes s'initiaient au maniement d'armes. Astreintes, en effet, de quinze à vingt ans, au service militaire, elles devaient être divisées en trois corps : les Ouvrières, les Vivandières et les Infirmières.

Un jour, toutes ces jeunes citoyennes, précédées d'une bannière tricolore, où les plus habiles avaient brodé, en lettres d'or, le mot *Vésuviennes,* se rendirent à l'Hôtel de Ville pour présenter leurs revendications.

Elles réclamaient : 1° le droit de vote ; 2° le mariage obligatoire pour les hommes à vingt-six ans et pour les femmes à vingt et un ans ; 3° la participation de l'homme aux soins du ménage.

Elles furent reçues avec quelques sourires ironiques par les représentants du gouvernement provisoire.

Après quoi, elles regagnèrent leur phalanstère bellevillois en chantant cet hymne qu'un chansonnier s'était amusé à publier dans une revue satirique et qu'elles avaient — en toute innocence — adopté :

Vésuviennes, marchons, et du joug qui nous pèse,
Hardiment affranchissons-nous !
Faisons ce qu'on n'osa faire en quatre-vingt-treize,
Par un décret tout neuf, supprimons nos époux [81]*,*
Qu'une vengeance sans pareille
Soit la leçon du genre humain.
Frappons : que les coqs de la veille
Soient les chapons du lendemain...
Quand le tour sera fait, à ce sexe barbare
Quand plus rien ne restera,
Pour les ensevelir, je veux que l'on prépare
Un monument où l'on lira :
Vous qui passez, priez pour l'âme
Du sexe fort mis à néant.
Le sexe fort battait sa femme,
Mais le battu devient battant !
En avant ! Délivrons la terre
De tyrans trop longtemps debout !
A la barbe faisons la guerre,
Coupons la barbe, coupons tout !

Ce fut là leur seule manifestation politique. Mises en goût par les chaudes soirées qu'elles passaient en compagnie de M. Borme fils, les jeunes femmes ne tardèrent pas à transformer leur phalanstère en un lieu hospitalier où les amoureux de la République pouvaient, au nom de l'égalité et de la fraternité, passer un bon moment...

Dès lors, les Vésuviennes — à qui ce nom convenait de plus en plus — se consacrèrent uniquement à l'amour. Sous prétexte de les convertir à leurs idées, elles attiraient chez elles des hommes, qui s'en retournaient à leur domicile dans un état d'épuisement que le style boursouflé et emphatique des manifestes féministes n'était pas suffisant à expliquer.

Tout citoyen qui venait prendre leur défense et combattre pour leur émancipation était sur-le-champ — et sur un grand lit — récompensé par une ou plusieurs disciples de M. Borme fils.

Un soir, ces ardentes républicaines ayant organisé une réunion publique et contradictoire où les hommes étaient conviés, un auditeur monta sur l'estrade qui servait de tribune et commença son discours par ces mots :

---

81. Ce qui était en contradiction absolue avec les articles 2 et 3 de leurs revendications. Mais ces belles excitées n'étaient pas à une extravagance près.

— Citoyennes ! Je ne serai pas bref, je vous préviens, car la femme est un sujet sur lequel il est agréable de s'étendre...

On ne connut jamais la suite : les Vésuviennes, enthousiasmées, acclamèrent le brave homme, le portèrent en triomphe jusque dans leur dortoir où, finalement, nous dit un échotier du temps, « elles le déshabillèrent avec gourmandise, l'étendirent sur des matelas jetés à terre et lui donnèrent un merveilleux souvenir des premières élections législatives »...

Hélas ! les temps ont changé. Et les femmes politiques de notre époque n'ont plus les mêmes égards pour ceux qui les défendent !...

20

Quand M. de Lamartine était pris pour une femme légère

> Si vous êtes victime d'un quiproquo,
> prenez les choses avec le sourire.
>
> BARONNE DE MESLE *(Manuel du savoir-vivre)*

Le 26 février 1848, Louis-Napoléon Bonaparte travaillait tranquillement à la bibliothèque du British Museum. Plongé dans un énorme *Traité d'artillerie,* il prenait des notes en vue d'un intéressant ouvrage sur « l'art et la manière de tuer le plus grand nombre de soldats au moyen d'un seul coup de canon »...

Soudain, un personnage « paraissant en proie à la plus vive émotion » entra dans la salle, se dirigea rapidement vers le prince, se pencha vers son auguste oreille et, sans même le saluer, lui dit à voix basse :

— Louis-Philippe vient d'abdiquer !

Louis-Napoléon avait appris dans les collèges suisses à penser lentement. Il ne réagit pas tout d'abord. Immobile, les yeux mi-clos, il semblait se répéter mentalement la phrase. Au bout de quelques instants, un déclic parut enfin se produire dans son esprit. Il se leva d'un bond, prit son ami par le bras et l'entraîna précipitamment vers la porte en oubliant ses gants et son parapluie.

Un quart d'heure plus tard, il était à King Street. Miss Howard, qui venait d'être informée des nouvelles de France, l'attendait avec impatience :

— Votre heure est venue, Louis, dit-elle. A Paris, les révolutionnaires semblent divisés. Ils ne savent encore quel régime choisir. Ils hésitent, se chamaillent, n'ont aucun programme. Leurs noms sont inconnus du peuple. Ils viennent de créer une République vide. Ce vide, vous pouvez le combler... Il faut partir immédiatement pour la France !

Le prince prit un air gêné. La jeune femme comprit :

— Vous savez bien que ma fortune est à votre disposition.

Rasséréné, Louis-Napoléon embrassa Harriet.

— Merci, dit-il. Grâce à vous, avant un an je serai à la tête de la France.

Après quoi, ayant empoché l'argent que Miss Howard avait extrait de son coffre personnel, il courut jusqu'à la gare, sauta dans le train et gagna Folkestone. Là, le destin étant malicieux, il embarqua sur le paquebot qui venait précisément d'amener le duc de Nemours, deuxième fils de Louis-Philippe...

Le 1er mars, il était à Paris. Il se rendit rue du Sentier chez Vieillard, son ancien précepteur d'Arenenberg qui l'hébergea.

Sans perdre un instant, il écrivit au gouvernement provisoire :

Messieurs, le peuple de Paris a détruit les derniers vestiges de l'invasion étrangère, j'accours pour me ranger sous le drapeau de la République.

Le lendemain, vêtu comme un dandy, il alla se présenter chez Lamartine, au ministère des Affaires étrangères, boulevard des Capucines. L'amoureux d'*Elvire* le reçut avec courtoisie, le remercia de sa visite en des termes qui eussent semblé excessifs à un Chinois obséquieux, le félicita avec lyrisme d'être venu se mettre au service de la République, mais se permit de lui rappeler que la loi interdisant l'accès du territoire aux membres de la famille Bonaparte n'avait pas été abrogée, et qu'il se pourrait, par conséquent, qu'un gendarme se présentât bientôt rue du Sentier...

Louis-Napoléon, qui avait déjà passé soixante-treize mois en prison, ne se le fit pas dire deux fois. Il s'inclina, laissa le poète osseux à ses rêveries démocratiques, alla reprendre ses bagages et regagna Londres rapidement.

Pendant deux mois, Louis-Napoléon et Miss Howard suivirent les événements dans les journaux. Ils apprirent — et cela les amusa — que certains membres du gouvernement provisoire, grisés par le pouvoir, oubliaient déjà les grands principes égalitaires qu'ils prônaient dans leurs discours pour goûter des joies peu démocratiques. L'ineffable Ledru-Rollin roulait dans les carrosses du roi, Garnier-Pagès chassait à Chantilly, Armand Marrast organisait des dîners fins à Trianon en galante compagnie tandis que Ferdinand Flocon, installé à Saint-Cloud, avait pris possession du Petit-Château.

De Mme Flocon, ancienne grisette qui venait de prononcer ce mot demeuré célèbre : « C'est nous qui sont les princesses », un journaliste écrivait en mars 1848 ces lignes dont le prince Bonaparte et sa compagne se délectèrent :

« Il paraît que les voitures du ministère de l'Agriculture et du Commerce sont bien mal suspendues, car S. Exc. Mme Flocon les a reléguées sous la remise, après s'en être servie une fois. Elle a déclaré que ce sont de véritables fiacres. Son Excellence a été horriblement cahotée, elle a les nerfs si délicats, qu'elle ne peut supporter maintenant que les voitures de Mme la duchesse d'Orléans. »

Ces façons de singer les princes que l'on avait chassés à coups de fusil, finirent par émouvoir le peuple. Les braves gens se demandèrent, avec quelque logique, si cette révolution n'avait pas été faite au seul profit d'une poignée d'ambitieux. Et les chansonniers composèrent des couplets ironiques sur Mme Flocon :

Vous avez, ô princesse, une liste civile,
Des pages, une cour — outre un palais en ville,
Vous avez, m'a-t-on dit, les clés de Trianon ;
Vous signez des brevets, comme une grande reine,
Ô vous, naïve enfant, qui saviez mettre à peine
L'orthographe de votre nom.

Êtes-vous plus heureuse, ô reine provisoire,
En voyant vos laquais rire de votre gloire,
Se refusant parfois d'annoncer vos parents ?
Vous qui marchiez jadis d'une si leste allure,
Êtes-vous plus joyeuse — hélas ! — dans la voiture
De la duchesse d'Orléans ?

La déception du peuple fut bien plus grande encore lorsque les petits journaux révélèrent que les nouveaux maîtres de la France se conduisaient dans le privé avec autant de désinvolture que les tyrans. Des détails sur leur vie intime furent rapidement connus. On apprit que la sémillante Mme Flocon était la maîtresse de Lamartine, ministre des Affaires étrangères et « qu'elle le rendait chaque soir *étranger aux affaires,* par des caresses expertes ». On apprit que Ledru-Rollin, dont on savait déjà qu'il était paresseux, gourmand et sensuel, organisait au ministère de l'Intérieur des réceptions qui dégénéraient en orgies, que d'extraordinaires bacchanales avaient lieu dans son hôtel et que ce qu'il préférait dans le régime républicain, « c'était la liberté de mettre la main sous les jupes des jeunes citoyennes... ».

Un journaliste écrivait :

« Le citoyen Ledru-Rollin aime beaucoup les femmes. Ce sexe, il est vrai, lui a apporté un précieux appui. On sait qu'il épousa une riche Irlandaise séduite par son toupet artistement peigné, son torse avantageux et ses trémolos, ce qui lui permit, sous la monarchie de Juillet, de subventionner des journaux d'opposition et d'accroître sa popularité.

» Mais ce serait faire injure à ce pur républicain que de le croire attiré seulement par les femmes fortunées. Il aime d'un même amour les jeunes ouvrières qui ne possèdent pour toute richesse qu'un minois charmant, un corsage bien rempli et une croupe appétissante. Ceux qui en douteraient n'ont qu'à aller jeter un coup d'œil par le trou de la serrure de l'hôtel de la rue de Grenelle... »

Ledru-Rollin eut bientôt, dans toute la France, une telle réputation de don Juan et de libertin, que les histoires les plus extravagantes coururent sur son compte. On lui prêta des aventures sans nombre. Des gazetiers de province, qui n'avaient jamais entendu parler du chantre d'Elvire, allèrent jusqu'à raconter que le ministre de l'Intérieur avait pour maîtresse une femme de mauvaise vie surnommée la Martine...

Fable qui eut une telle fortune qu'en Corrèze, au moment des élections, des villageois disaient :

— Nous aurions bien voté pour le duc Rollin *(sic),* mais tant qu'il vivra avec cette putain de Martine, nous ne voulons pas entendre parler de lui...

Tous ces potins, on s'en doute, faisaient la joie de Louis-Napoléon et de Miss Howard qui voyaient leur heure arriver lentement, mais sûrement...

21

Louis-Napoléon est élu grâce à Miss Howard

> Le suffrage universel est le symbole
> même de la démocratie.
>
> HENRI BARBUSSE

Il y a en chacun de nous, d'après certaines doctrines hindoues, un nombre considérable de personnages fort différents qui, tour à tour, prennent les rênes de notre « conduite ».

Nous sommes ainsi menés successivement et sans le savoir par le « moi » arriviste, le « moi » flâneur, le « moi » agressif, le « moi » indifférent, le « moi » mystique, le « moi » luxurieux, etc.

En avril 1848, alors que la France votait, Louis-Napoléon était dirigé, lui, par un « moi » d'une effroyable sensualité.

En effet, le prince, sachant que le temps travaillait pour lui, passait ses après-midi dans une chambre de Regent Street en compagnie de deux demoiselles qui avaient, entre autres qualités, un sourire charmant, des yeux malicieux, la main fine et un grand lit.

Écoutons un contemporain, l'auteur de l'*Argus de Londres* :

« Louis-Napoléon ne se contentait pas alors des charmes pourtant fort émouvants de Miss Howard. Chaque jour, après le café, il quittait King Street sous prétexte d'aller étudier de près les pièces d'artillerie qui se trouvaient à la Tour de Londres, et gagnait l'appartement de Regent Street où deux jeunes personnes fort accueillantes le recevaient avec de grands transports [82]. »

Ces demoiselles se nommaient Helen et Betsy, pouvaient avoir dix-huit ans et possédaient un savoir-faire qui leur avait acquis la considération des membres de la haute société londonienne et même de certains personnages de la cour. De plus, elles se disaient sœurs, ce qui ajoutait à l'intérêt que leur portait la clientèle.

Le prince les avait connues par l'intermédiaire du comte d'Orsay qui en aimait les contours. Depuis, il les visitait régulièrement et

---

82. *Argus de Londres. Chronique indiscrète,* 1856.

cherchait à apaiser auprès d'elles les ardeurs qu'un printemps particulièrement suave éveillait en son auguste sexe.

« Les ébats, nous dit l'auteur de la *Chronique indiscrète,* avaient
lieu dans une chambre tendue de bleu ciel où un lit, large de
neuf pieds (2,75 mètres, environ), permettait les plus audacieuses
combinaisons.

» Helen et Betsy devaient raconter plus tard à des amis que Louis-
Napoléon montrait, au cours de ces rencontres quasi quotidiennes, une
telle virilité qu'à plusieurs reprises elles durent appeler une de leurs
voisines — courtisane également — afin qu'il pût étancher complètement
sa soif de caresses... »

Après ces acrobaties amoureuses, le prince remettait son pantalon à
sous-pieds, ses bottines, sa jaquette, son haut-de-forme et revenait en
trottinant sur ses petites jambes jusqu'à King Street où Miss Howard
l'attendait en lisant les journaux français.

Le 28 avril, il la trouva dans un état de surexcitation qui lui donna
à penser que des nouvelles importantes étaient arrivées du continent.

— Nous avons les résultats des élections, dit la jeune femme. Lisez !
Lisez ! C'est extraordinaire !...

Louis-Napoléon promena son œil éteint sur la feuille qu'on lui
tendait et lut des noms qui, pour la plupart, lui étaient inconnus.
Soudain, il pâlit : parmi les élus se trouvaient plusieurs membres de la
famille impériale : le prince Napoléon (surnommé Plon-Plon), fils du
roi Jérôme, le prince Pierre, fils de Lucien, et le prince Murat, petit-
fils de l'ancien roi de Naples...

— Il y a des élections complémentaires au mois de juin, dit Miss
Howard, vous devez être candidat. Vos cousins ont été élus, il n'y a
pas de raison pour que vous ne le soyez pas...

— Ils ne sont pas prétendants au trône, eux ! répondit le prince.

— Eh bien ! il faut créer un mouvement d'opinion en votre faveur...
Ma fortune, je vous le répète, est à votre disposition.

Immédiatement, un plan de propagande fut élaboré par le prince,
Miss Howard et le fidèle Persigny. On allait payer des journalistes,
des dessinateurs, des auteurs de chansons et s'entendre avec des
colporteurs pour que des brochures contenant la biographie de Louis-
Napoléon fussent diffusées dans toutes les campagnes. Il fallait, en
outre, exploiter la nostalgie de l'Empire que le brave Béranger
entretenait dans l'esprit du peuple avec ses refrains. Cela nécessitait
des frais considérables.

Persigny fit les comptes. Pour financer cette campagne publicitaire
sans précédent dans l'Histoire, il fallait environ cinq cent mille francs.

— Vous aurez cet argent après-demain, dit simplement Miss
Howard.

Mais Louis-Napoléon connaissait la force des railleries. Il savait que
si les chansonniers et les caricaturistes étaient informés de cette aide
financière, il allait être l'objet d'attaques féroces et malicieuses dont il

ne se relèverait pas. Il fut donc convenu que, pour sauver les apparences, la jeune Anglaise lui vendrait *à crédit* des terres qu'elle possédait dans les États romains, à Civita Vecchia, sur lesquelles il se ferait prêter de l'argent.

Quelques jours plus tard, en effet, le marquis Palavicino avançait au nouveau « propriétaire » la somme de 60 000 écus romains, soit 324 000 francs...

Pour arrondir la somme, Miss Howard vendit quelques bijoux et les amis du prince, dirigés par Persigny, commencèrent leur campagne. En quelques semaines, des centaines de milliers de gravures, de récits, de complaintes rappelant les victoires de la Grande Armée, des milliers de portraits de Napoléon et de son neveu, des tonnes d'images populaires illustrant des anecdotes plus ou moins authentiques sur la redingote grise, le petit chapeau, la main dans le gilet, les pincements d'oreille et les « Je t'ai vu à Wagram, toi, tu es un brave », furent littéralement déversées sur les chaumières françaises.

Une telle propagande devait porter ses fruits : le 4 juin, aux élections complémentaires, le prince fut élu dans quatre départements à la fois : la Seine, l'Yonne, la Charente-Inférieure et la Corse. En apprenant les résultats, la foule massée devant l'Hôtel de Ville hurla ce slogan lancé par Persigny : « Poléon — Nous l'aurons !... » Alors, brusquement,, les républicains s'alarmèrent. Proudhon écrivit dans *le Peuple* : « Il y a huit jours, le citoyen Bonaparte n'était qu'un point noir dans un ciel de feu ; avant-hier ce n'était qu'un ballon gonflé de fumée ; aujourd'hui, c'est un nuage qui porte dans ses flancs la foudre et la tempête. »

Le 10 juin, plusieurs milliers de personnes se dirigèrent vers la Chambre en criant : « Vive Napoléon II ! », et une échauffourée eut lieu. Le 13, l'Assemblée, fort émue, se réunit. Il s'agissait de savoir si l'élection de ce prince encombrant serait validée. Lamartine et Ledru-Rollin se déclarèrent furieusement hostiles. Au contraire, Jules Favre, « au nom du peuple qui avait élu Louis-Napoléon », se prononça favorablement. Louis Blanc le suivit, déclarant avec emphase :

— Laissez le neveu de l'Empereur s'approcher du soleil de notre République ; je suis sûr qu'il disparaîtra dans ses rayons.

Finalement les députés votèrent l'admission du nouvel élu.

En apprenant ces faits Louis-Napoléon décida, sur les conseils de Miss Howard, de jouer au plus malin et d'utiliser une arme toujours efficace en politique : l'hypocrisie. Il écrivit à l'Assemblée sur un ton humble que son élection étant prétexte à des troubles déplorables, il préférait « pour le maintien d'une république sage », donner sa démission. Ajoutant, toutefois, que si le peuple lui imposait des devoirs, il saurait les remplir...

Manœuvre habile qui augmenta encore sa popularité, car les braves gens s'imaginèrent qu'il avait dû se retirer sur l'ordre du gouvernement...

Deux mois passèrent pendant lesquels Persigny et ses amis, exploitant le mécontentement des Français (la fermeture des Ateliers Nationaux avait fait éclater des troubles sanglants en juin), organisèrent des clubs bonapartistes.

Pour financer ce mouvement, il fallait encore de l'argent. Miss Howard, de plus en plus amoureuse de son grand homme, vendit ses écuries, son argenterie et quelques-uns des plus beaux bijoux qui lui restaient.

Ces sacrifices ne furent pas inutiles : le 17 septembre, aux nouvelles élections complémentaires, le prince était élu dans cinq départements, notamment dans la Seine où il avait réuni plus de cent mille voix. C'était un commencement de plébiscite...

Cette fois, Louis-Napoléon accepta son mandat, choisit d'être député de l'Yonne et prit le bateau pour la France. A Paris, il s'installa place Vendôme, à l'hôtel du Rhin. Le lendemain, Miss Howard arrivait à son tour et descendait à l'hôtel Meurice, rue de Rivoli.

Le 26 septembre, le fils de la reine Hortense parut pour la première fois à l'Assemblée. Le 11 octobre, la loi d'exil qui frappait les Bonaparte était abrogée.

Miss Howard pouvait être fière. Grâce à elle, son amant venait de réussir, devant les hommes de Février éberlués, un véritable petit coup d'État...

La première apparition du prince-député à la tribune de la Chambre ne fut pas très brillante. Incapable d'improviser, lisant ses discours avec un fort accent allemand, estropiant les mots, prononçant *la Répiblique fouzabelle*, il fut immédiatement considéré par les membres de l'Assemblée comme un personnage insignifiant.

M. Thiers, bombant le torse, s'écria :

— Té, il n'est pas très fort, ce prince Bonaparte. C'est un crétin qu'on mènera...

Et Ledru-Rollin, de sa voix grave, ajouta, sentencieux :

— Oui, messieurs, c'est un imbécile. D'ailleurs, il est coulé...

Après quoi, satisfait de cette formule définitive, il alla faire quelques pas dans les couloirs, afin de donner aux députés admiratifs le spectacle de sa belle tête...

Tous ces bruits furent, naturellement, rapportés à Miss Howard. Fine mouche, elle en félicita le prince :

— Bravo, Louis, il vaut mieux passer aux yeux de vos adversaires pour un homme inoffensif. Nous arriverons plus sûrement à notre but.

Ce but, c'était la présidence de la République.

Pendant trois mois, grâce aux fonds de Miss Howard, qui vendit, cette fois, ses meubles, sa maison de Londres et encore quelques bijoux, une extraordinaire propagande fut organisée. Tous les moyens furent employés pour obliger les Français à ne penser qu'au prince.

On utilisa même, sur les conseils de la jeune Anglaise, d'astucieux pickpockets, payés à prix d'or.

Écoutons Alfred Neumann :

« Ces gens-là ne vous volent rien, mais font, au contraire, des cadeaux. Un passant, ayant la goutte au nez, veut prendre son mouchoir. Il trouve dans sa poche un petit objet dur et il oublie aussitôt de se moucher, car il est curieux. Il tient à la main un médaillon de fer-blanc qui représente un aigle surmonté d'un N et comporte une agrafe ou un bouton. Il se met à réfléchir. Où cet aigle peut-il être entré dans sa poche ? Dans la foule, sur la place de la Bastille ? Il y retourne et, cette fois, ouvre l'œil : il y a là un homme, simplement habillé, qui porte l'aigle à la boutonnière, et qui déjà s'approche : "Tiens, camarade !" Il a donné au passant un petit drapeau tricolore couronné d'un N avec une épingle. Au verso, on lit : "Vive Louis-Napoléon !" Le passant continue son chemin en méditant. Devant l'église Saint-Paul, un homme vend des portraits de Napoléon, qu'il tient comme un jeu de cartes. Il répète sans crier : "Un sou ! Un sou !" Au chapeau, il a le petit drapeau tricolore. Le passant, qui connaît l'inscription du verso, se sent déjà un peu conspirateur. Il donne un sou et reçoit la carte ; c'est un très vulgaire portrait de Napoléon avec en sous-titre : "L'homme." Amusé, il retourne aussitôt la carte ; il y a un autre portrait, avec la petite barbiche et une légende : "Le neveu de l'homme." [83] »

Ainsi, tandis que les amis de Ledru-Rollin et de Thiers considéraient Louis-Napoléon avec un air gouailleur, des propagandistes payés par une femme amoureuse préparaient le pays à un véritable plébiscite.

L'élection présidentielle eut lieu le 10 décembre. Le lendemain, grâce au télégraphe Chappe, les résultats parvinrent à l'Assemblée. Ils furent accueillis avec effarement : sur 7 327 345 suffrages exprimés, 5 534 226 voix désignaient le prince Louis-Napoléon. Les autres candidats étaient écrasés. Voici le décompte de leurs voix :

Cavaignac	1 448 107
Ledru-Rollin	370 119
Raspail	36 920
Lamartine	17 940
Changarnier	4 790

Il y avait, en outre, 12 600 voix perdues.

L'amour venait de bousculer toutes les habiles combinaisons préparées par les « politicards » de Février.

Le 20 décembre, Louis-Napoléon fut proclamé président de la République. Après avoir juré de rester « fidèle à la République démocratique, une et indivisible, et de remplir tous les devoirs que lui imposait la Constitution », il alla s'installer au palais de l'Élysée.

83. ALFRED NEUMANN : *Le roman d'un coup d'État. La jeunesse de Napoléon III.*

Aussitôt, il se préoccupa de rapprocher de lui Miss Howard. Le 22, il loua pour elle, 14, rue du Cirque, un petit hôtel dont les communs donnaient sur l'avenue Marigny. Pour passer des jardins présidentiels dans celui de sa bien-aimée, il n'avait donc que cette voie tranquille et déserte à traverser.

Dès le premier soir, le prince-président, faussant compagnie à sa garde, sortit furtivement de l'Élysée et alla retrouver Harriet.

Comme le dit, de façon amusante, un mémorialiste, le baron de Séricourt, « il allait la remercier de ses bons offices avec les moyens que lui avait donnés la nature » [84]...

Le 24 décembre, Louis-Napoléon, monté sur sa jument Lizzie, passa en revue les troupes de la première division militaire. Miss Howard était présente dans une calèche.

La foule, bien entendu, la remarqua. Et, près du comte de Fleury, qui rapporte le propos, un Parisien s'écria :

— Qui a dit que Louis-Napoléon n'a pas d'esprit ? Il a ramené de Londres la plus belle femme et le plus beau cheval du monde !

Toute la France sut bientôt que le prince-président avait une favorite d'une incomparable beauté et que « l'esprit de cette jeune Anglaise égalait son élégance ».

« Hélas ! nous dit encore le comte de Fleury, loin d'être un piédestal comme un cheval, elle menaçait de devenir bientôt une cause de sérieuses préoccupations. »

On le vit bien l'année suivante, lorsque Louis-Napoléon, faisant un voyage de prestige dans les villes de province, fit réquisitionner, à Tours, pour y loger le comte Bacciochi, Miss Howard et une dame de la suite, la maison d'un certain M. André, receveur général des finances, qui était pour lors en villégiature dans les Pyrénées.

M. André était un protestant rigoriste. En apprenant que la maîtresse du président de la République avait logé chez lui, il entra dans une grande fureur, et envoya une lettre de protestation au président du Conseil, Odilon Barrot : « Serions-nous donc revenus à cette époque où les maîtresses des rois promenaient leurs scandales à travers les villes de France ? » écrivait-il.

Odilon Barrot chargea son frère, Ferdinand, secrétaire général de la présidence, de communiquer cette lettre au prince.

Celui-ci prit sa plus belle plume et répondit avec humeur :

Monsieur,
Votre frère m'a montré la lettre de M. André, à laquelle j'aurais dédaigné de répondre si elle ne contenait des faits faux qu'il est bon de réfuter.
Une dame à laquelle je porte le plus vif intérêt, accompagnée d'une de ses amies et de deux personnes de ma maison, désira voir le carrousel de Saumur ; de là, elle vint à Tours ; mais craignant de ne pas y trouver de logement, elle me fit prier de faire en sorte de lui en trouver

84. Baron de Séricourt : *Mémoires.*

un. *Lorsque j'arrivai à Tours, je dis à un conseiller de préfecture qu'il me ferait grand plaisir de chercher un appartement pour le comte Bacciochi et pour les dames de sa connaissance. Le hasard et leur mauvaise étoile les conduisirent, à ce qu'il paraît, chez M. André où, je ne sais pourquoi, on s'imagina que l'une d'elles s'appelait Bacciochi.*

Jamais elle n'a pris ce nom ; si l'erreur a été commise, c'est par des étrangers, indépendamment de ma volonté et de celle de la dame en question. Maintenant, je voudrais savoir pourquoi M. André, sans prendre la peine de rechercher la vérité, veut me rendre responsable et de la désignation faite de sa maison et du faux nom attribué à une personne. Le propriétaire, dont le premier soin est de scruter la vie passée de celui qu'il reçoit pour la décrier, fait-il un noble usage de l'hospitalité ?... Combien de femmes, cent fois moins pures, cent fois moins dévouées, cent fois moins excusables que celle qui a logé chez M. André eussent été accueillies avec tous les honneurs possibles par ce M. André, parce qu'elles auraient eu le nom de leur mari pour cacher leurs liaisons coupables ?

Je déteste ce rigorisme pédant qui déguise toujours mal une âme sèche, indulgente pour soi, inexorable pour les autres. La vraie religion n'est pas intolérante ; elle ne va pas chercher à soulever des tempêtes dans un verre d'eau, à faire du scandale pour rien et à changer en crime un simple accident ou une méprise excusable.

M. André, qu'on me dit puritain, n'a pas encore assez médité sur ce passage de l'Évangile où Jésus-Christ, s'adressant à des âmes aussi peu charitables que celles de M. André, dit, au sujet d'une femme qu'on voulait lapider : « Que celui... » Qu'il pratique cette morale ; quant à moi, je n'accuse personne et je m'avoue coupable de chercher dans les liens illégitimes une affection dont mon cœur a besoin. Cependant, comme jusqu'à présent, ma position m'a empêché de me marier ; comme, au milieu des soucis du gouvernement, je n'ai, hélas, dans mon pays, dont j'ai été si longtemps absent, ni amis intimes, ni liaisons d'enfance, ni parents qui me donnent la douceur de la famille, on peut bien me pardonner, je crois, une affection qui ne fait de mal à personne et que je ne cherche pas à afficher.

Pour en revenir à ce M. André, s'il croit, comme il le déclare, sa maison souillée par la présence d'une femme qui n'est pas mariée, je vous prie de lui faire savoir que, de mon côté, je regrette vivement qu'une personne d'un dévouement si pur et d'un caractère si élevé soit tombée, par hasard, dans une maison où, sous le masque de la religion, ne règne que l'ostentation d'une vertu guindée, sans charité chrétienne.

Faites de ma lettre l'usage que vous voudrez.

Odilon Barrot n'osa pas transmettre cette admirable lettre à M. André...

22

Les lectures grivoises de Louis-Napoléon

Un livre n'est excusable que
s'il apprend quelque chose...

VOLTAIRE

Si la liaison du prince-président était sévèrement commentée dans les milieux bourgeois, en revanche le menu peuple, lui, était ravi d'avoir placé à la tête du pays un homme qui savait apprécier l'arrondi d'un sein, trousser une demoiselle et donner, entre deux portes, la preuve d'une belle virilité...

Louis-Philippe avait ennuyé tout le monde pendant dix-huit ans avec sa sagesse et sa fidélité.

— Ce roi des Français, avaient coutume de dire les femmes, n'est ni un vrai roi, ni un vrai Français !...

La gaillardise de Louis-Napoléon rassurait le peuple.

— Celui-là, disait-on en clignant de l'œil, il est bien de chez nous. Il aime les femmes comme l'Empereur...

Ces propos étaient fidèlement rapportés au prince qui se félicitait d'avoir à présider aux destinées d'un peuple aussi large d'esprit.

Et chaque soir, sans se cacher — bien au contraire — il quittait l'Élysée pour aller retrouver Miss Howard dans son ravissant petit hôtel de la rue du Cirque. Là, libre de toute contrainte, nous dit le docteur Evans, un dentiste américain qui soignait la belle Anglaise, « le prince-président passait ses soirées, prenant une tasse de thé ou buvant à petits traits une tasse de café, ou fumant une cigarette, son chien noir à ses pieds ou sur ses genoux ».

Le dentiste, qui fréquentait régulièrement chez Miss Howard, ajoute : « Il (le prince) prenait plaisir à la musique que l'on faisait dans ces soirées, bien qu'il ne fût pas grand amateur de musique, comme il l'avouait lui-même. Ce qu'il cherchait dans cette maison, c'était les agréments d'un *chez soi* et la conversation de quelques intimes. »

Le brave docteur Evans omet le principal : ce que Louis-Napoléon venait chercher rue du Cirque ne se trouvait ni dans les conversations, ni au coin du feu, mais dans le lit de Miss Howard.

Dès que les invités avaient quitté l'hôtel, le prince entraînait rapidement Harriet dans sa chambre et, l'ayant troussée au bord du lit, il commençait par lui faire une vigoureuse politesse. Après quoi, tous deux se déshabillaient et, par des moyens raffinés, cherchaient mutuellement à se faire plaisir...

Lorsqu'ils étaient parvenus à éteindre pour quelques heures la belle flamme qui les animait, Miss Howard s'endormait souriante et comblée, et le président de la République regagnait son palais.

Dans ce palais, Miss Howard ne paraissait jamais. Non que l'étiquette s'y opposât formellement, mais parce qu'une autre femme y régnait en maîtresse.

Cette femme était la cousine et l'ex-fiancée du prince : la princesse Mathilde, devenue la première « dame » du régime.

La fille du roi Jérôme présidait les réceptions et les bals : elle s'occupait aussi personnellement de la bibliothèque du prince. Connaissant le caractère libertin de Louis-Napoléon, elle s'ingéniait à lui trouver des livres légers. L'un de ces ouvrages est parvenu jusqu'à nous. Il s'intitule innocemment :

Description topographique, historique, critique et nouvelle du pays et des environs de la Forêt Noire, situés dans la province du Merryland, traduction très libre de l'anglais.

En voici quelques extraits. Ils donneront une idée des goûts littéraires du prince-président :

« Le *Merryland*, ou Terre de joie, est la portion d'un vaste continent borné, dans sa partie haute, autrement dit au nord, par une petite montagne appelée mont de Vénus, couverte d'un doux gazon.

» Dès ma première entrée dans ce délicieux séjour, je fis tout ce qu'il dépendait de moi pour acquérir une connaissance parfaite de la position du *Merryland*. Je le considérai sous tous ses différents points de vue.

» Entre beaucoup de choses, je m'appliquai à connaître la longitude et la latitude de ce pays, et je puis dire que mes remarques ne furent pas chargées d'une multitude d'erreurs puisque j'opérais avec le meilleur instrument possible.

» A mon entrée au *Merryland*, mon instrument n'était inférieur à aucun. Mais quelques années après, m'étant encore rencontré dans le même endroit et répétant mes expériences, je trouvai que la longitude et la latitude avaient augmenté de plusieurs degrés, quoique je fusse au même point d'observation, et que je me servisse du même instrument que la première fois.

» Laissons à d'autres à dire comment s'opère ce phénomène. Selon moi, et toujours d'après l'expérience, cette augmentation surprenante ne manque jamais d'arriver lorsque la terre a porté ses fruits et telle est la suite inévitable de deux ou trois récoltes que vous auriez beaucoup de peine à reconnaître le même endroit que vous cultiviez auparavant : le plus triste, c'est que la fécondité d'un terrain n'est pas la seule cause de cette variation dans son étendue ; le seul labour fréquemment répété, quoique le sol ingrat ne rende rien, produit à peu près le même effet.

» En général, cette contrée est si agréable que le voyageur qui peut y arriver sent des transports inexprimables du plus loin qu'il la découvre, et qui augmentent à mesure qu'il en approche.

» On ne saurait traiter de chaque partie du *Merryland* en particulier ; le mieux est de parler des plus remarquables qui sont les suivantes :

» 1. A la fin du grand canal, vers la terre ferme, vous rencontrez deux forts appelés Labiaux entres lesquels il faut nécessairement passer pour arriver à l'intérieur du pays. Les fortifications n'en sont pas extrêmement susceptibles de défense, quoiqu'il y ait courtine, ouvrage à corne, rempart, etc. Elles peuvent bien défendre quelque temps l'entrée mais rarement, ou jamais elles n'ont pu soutenir une attaque vigoureuse.

» 2. Près des forts, on trouve la Métropole, ou capitale, appelée Clitoripolis. Cette partie est la plus précieuse aux femmes ; sans elle, sans cette place, elles ne se soucieraient pas du reste de leur empire ; elles y sont si attachées qu'on peut dire que c'est là où leur âme réside. Elles ne goûtent véritablement de plaisir que dans cet endroit charmant. C'est le siège, le trône de la félicité.

» 3. A l'extrémité supérieure du canal dont on a déjà parlé, il existe un magasin précieux, appelé Utéruge. Plaute nous en donne cette définition :

> » *Il est comme la mer ; ce qu'on donne, il dévore.*
> » *Vous en donneriez trop, qu'il vous dirait : encore.*

» Ce magasin est d'une construction toute particulière ; il faut aller au *Merryland* pour en trouver de pareils. Il est si admirablement fabriqué que ses dimensions sont toujours en raison de ce qu'il contient, c'est-à-dire que, sans art ni violence, il s'élargit ou diminue à mesure que ce qu'on y dépose cube plus ou moins.

» On sait que le *Merryland* fut habité dès la chute d'Adam et que, sans ce premier père, il n'aurait pu s'y former de colonie. Après lui, les patriarches en cultivèrent le terrain avec soin. David et Salomon y firent de fréquents voyages, un nombre infini de nos rois ont honoré cette contrée de leur auguste présence et de leur protection spéciale. François Ier, chez les Français, Charles II, chez les Anglais, furent avec le *Merryland* dans une étroite alliance, ce qui les mit, de leur temps, extrêmement en honneur. Il ne fut pas méprisé de leurs successeurs. Quelques-uns y ont goûté bien des plaisirs et, très souvent, le succès des affaires qui se traitaient à leurs conseils dépendait de l'état où étaient les choses dans la partie du *Merryland* qu'ils avaient le plus affectionnée. »

Le prince-président allait bientôt prouver qu'il n'avait, sur ce point, rien à envier à François Ier...

Miss Howard souffrait de n'être pas admise à l'Élysée. Elle qui avait tout fait, tout donné pour permettre à Louis-Napoléon d'accéder aux plus hautes fonctions de l'État, devait, en effet, se contenter, les soirs de fête au palais présidentiel, du bruit des valses brillantes qui parvenaient jusqu'à son hôtel.

Parfois, il lui arrivait de grimper sur les genoux du prince et de lui demander tendrement quand il l'autoriserait à « traverser la rue »...

Louis-Napoléon prenait alors un air gêné :

— J'ai trop peur que Mathilde ne vous fasse des affronts. Elle est terrible. Parce que vous avez un amant et un enfant sans avoir été mariée, elle vous ignorera ou prononcera devant vous des paroles cinglantes qui vous causeront une peine infinie. Je ne veux pas que vous soyez humiliée...

La princesse Mathilde n'était pourtant pas un dragon de vertu. Et Miss Howard, comme tout Paris, connaissait son passé. A vingt ans, son père l'avait littéralement vendue au comte Anatole Demidoff, richissime boyard qui vivait fastueusement à Florence. Les jeunes époux étaient partis en voyage de noces à Saint-Pétersbourg. Tout de suite, Mathilde s'était aperçue que son mari possédait le caractère le plus jaloux et le plus violent que l'on puisse imaginer. Véritable cosaque, il fouettait ses domestiques, giflait ses invités et brisait la vaisselle à coups de canne lorsque le potage manquait de sel.

En 1841, les Demidoff s'étaient installés à Paris. Or, si toute l'aristocratie avait accueilli chaleureusement la nièce de l'Empereur, Anatole, en revanche, s'était vu écarter. Le faubourg Saint-Germain trouvait ses manières un peu trop tartares. Furieux, il avait alors décidé de retourner à Florence. Là, malheureusement, sa jalousie ayant pris un aspect morbide, il avait commencé à frapper la pauvre Mathilde. Des scènes atroces s'étaient déroulées devant le personnel horrifié. Meurtrie de gifles et de coups de bottes, la princesse se contentait d'aller pleurer dans sa chambre, n'osant se plaindre à personne.

Après Florence, les deux époux étaient repartis pour Saint-Pétersbourg. C'est là que le scandale avait éclaté. Un soir que le tsar donnait un bal, Demidoff refusa d'emmener Mathilde et se rendit seul au Palais d'hiver. Aussitôt, la princesse demanda son traîneau et se fit conduire à la réception. En la voyant entrer, Anatole devint blême de colère et voulut se précipiter pour la jeter dehors. Mathilde courut alors vers le tsar, se jeta à ses pieds et, laissant tomber l'écharpe qui voilait ses épaules, montra sa peau marquée de grands sillons rouges.

— Qui vous a fait cela ? demanda le souverain.

— Mon mari... Délivrez-moi de cet homme !

Nicolas, fâché de voir sa cousine [85] ainsi maltraitée, alla vers Demidoff et le semonça sévèrement. Anatole jura de s'amender, mais quelques semaines plus tard, il souffletait Mathilde en plein bal.

Le lendemain, la jeune femme allait trouver le tsar qui décrétait la séparation des époux.

Depuis, Mathilde vivait à Paris avec un artiste, le statuaire Nieuwerkerke qui était — le destin aimant décidément les situations amusantes — l'arrière-petit-fils de Mme Pater, favorite de Louis XV...

Cet officiel concubinage aurait dû rendre la princesse Mathilde indulgente à l'égard de Miss Howard. Pas du tout ; elle considérait, au contraire, avec dédain et mépris cette « fille-mère » qui n'avait pas

---

85. La mère de Mathilde, Catherine de Wurtemberg, était la nièce de l'impératrice Marie-Féodorovna, mère d'Alexandre Ier.

réussi à cacher ses fredaines derrière ce que Sainte-Beuve appelait « le rideau que les femmes reçoivent en se mariant... »

Voilà pourquoi Miss Howard ne parut jamais à l'Élysée...

La princesse Mathilde ne se contentait pas d'empêcher Louis-Napoléon de recevoir Harriet chez lui, elle s'ingéniait, en outre, à séparer les deux amants. Connaissant le tempérament ardent du prince-président, elle l'incitait à se rendre fréquemment à l'Opéra, où elle savait que les danseuses — déjà — perdaient toute pudeur devant un titre politique. Louis-Napoléon suivit les conseils de sa cousine, ce qui donna lieu, si l'on en croit certains chroniqueurs, à une scène assez savoureuse.

Écoutons l'auteur des *Amours de Napoléon III* :

« Une fois, le président, ayant remarqué à l'Opéra une très jolie danseuse dont les jambes adorables lui faisaient espérer d'autres trésors plus voluptueux encore, désira ardemment la posséder sans voile ; il chargea son pourvoyeur Bacciochi de prévenir l'objet de son caprice et de l'informer de ses désirs. Ce dernier écrivit à cette fille pour l'informer de l'heureuse aubaine qui l'attendait et lui envoya un exprès qui devait la conduire vers le prince. Mais, par une erreur fatale, le messager porteur de la missive se trompa : il remit la lettre à la sœur de la danseuse, grosse fille qui cumulait la profession de figurante avec celle de courtisane, mais dont les robustes appas étaient fort négligés par les chalands.

» A l'heureuse nouvelle qu'on lui communiqua, elle ne pouvait revenir de sa surprise ; aussi suivit-elle avec le plus vif empressement son conducteur.

» Quand elle arriva, on lui dit d'attendre le prince qui ne tarda pas longtemps à venir la rejoindre ; dans l'impatience où il était de s'assurer la possession de certains charmes auxquels il rêvait, il ne prit pas garde à la figure de sa conquête, il les dévora du regard et du toucher, et les trouva, paraît-il, tellement à son goût qu'il connut le plus vif plaisir et s'abandonna plusieurs fois à la volupté la plus grande...

» ... Il en était à approfondir son second ou son troisième examen avec la plus grande ardeur, quand on frappa vivement à la porte de son alcôve. C'était Bacciochi qui, s'étant aperçu de l'erreur de son messager, arrivait avec la danseuse.

» — Prince, dit-il, vous êtes victime d'une erreur ; on s'est trompé... je ramène la bonne : la jolie danseuse... Celle que vous avez est sa grosse sœur !...

» Mais il frappa inutilement pendant un bon moment : le prince, tout entier à son bonheur, n'entendait rien.

» Enfin, après un instant d'attente, la porte de l'alcôve s'ouvrit. Le mercure galant se confondit en excuses, ne sachant comment se faire pardonner.

» Louis-Napoléon sourit, puis, renvoyant la jeune personne dont il venait de se délecter, il fit entrer la nouvelle venue dans sa chambre et lui donna, sur le lit encore tiède, tous les signes extérieurs d'une profonde sympathie... »

L'histoire fut rapidement connue du peuple qui n'en eut que plus d'admiration pour son galant président...

23

Rachel règne au palais de l'Élysée

> Elle avait fait du lit présidentiel un petit théâtre où elle jouait, si j'ose dire, au pied levé...
>
> DR JEAN GUÉRINEAU

Les petites danseuses de l'Opéra ne constituaient qu'un hors-d'œuvre pour Louis-Napoléon. Mis en appétit par ces amuse-gueule, il désira bientôt des mets plus épicés et porta son regard éteint sur les grandes actrices de l'époque. Son oncle avait été l'amant de Mlle George. Il voulut être celui de Madeleine Brohan.

Cette célèbre comédienne avait alors dix-sept ans. Elle était ravissante et possédait un esprit pétillant. Tout Paris répétait ses mots.

Un jour qu'elle annonçait ses fiançailles à une amie, celle-ci crut la vexer en disant :

— Ton futur, je le connais depuis longtemps. C'est mon futur passé.

— Oh ! madame, répondit doucement Madeleine Brohan, croyez que je n'espérais pas trouver un mari qui ne vous ait pas connue...

Un soir qu'un monsieur fort entreprenant l'abordait dans la Chaussée-d'Antin après l'avoir longtemps suivie, elle dit d'un ton sec :

— Vous vous trompez, monsieur, je suis une femme honnête.

Puis, ayant jeté un coup d'œil sur le personnage qui était fort beau garçon, elle ajouta en soupirant :

— Croyez bien que je le regrette infiniment.

Un autre soir, dans un salon, comme elle racontait une histoire personnelle et passait rapidement sur un épisode, ses amis protestèrent, réclamant des détails. Elle s'y refusa. Alors, une dame un peu pincée et fort mal élevée lui dit :

— Il faut, madame, que ce soit quelque chose de bien vilain pour que vous teniez absolument à le cacher.

Madeleine Brohan répondit en souriant :

— Croyez-vous que je sois mal faite parce que je m'habille ?

A la sortie d'un théâtre, une de ses camarades lui dit certain soir, d'un ton un peu grinçant :

— Savez-vous, ma chère, que vous valez mieux que votre réputation ?... On me disait que vous étiez méchante...

— Oh ! répliqua gentiment Madeleine, s'il fallait croire les gens... On m'avait bien dit, à moi, que vous étiez bonne...

Cet esprit se manifestait en toutes occasions. L'ami avec lequel elle vivait lui ayant un jour fait remarquer que ses dépenses excessives, elle promit de tenir un carnet de comptes. Le soir même, elle commença docilement et écrivit :

Donné à un pauvre	5 F
Mouron pour les oiseaux	0,10 F
Divers	1 000 F

Le prince-président savait tout cela. Il savait aussi que tout était séduisant chez Madeleine Brohan, et que ses yeux, ses seins, ses jambes avaient autant d'esprit qu'elle. Aussi pensa-t-il qu'il serait bien agréable de faire entrer dans son lit cette exquise demoiselle que désiraient, chaque soir, un millier de spectateurs.

Il envoya auprès d'elle son fidèle Fleury. Le « grand ordonnateur des plaisirs » du président revint à l'Élysée avec un visage sombre.

— Alors ? demanda Louis-Napoléon.

— Elle refuse de venir dîner avec vous en tête à tête et m'a jeté à la figure l'enveloppe que vous m'aviez donnée pour elle. Furieuse, elle m'a dit qu'elle n'était pas à acheter [86].

Le prince-président alluma une cigarette et, sans répondre, alla faire un tour dans le parc.

Le soir, malgré une crise ministérielle qui durait depuis six jours, un grand dîner avait lieu au palais de Saint-Cloud. Le vicomte de Beaumont-Vassy qui y assistait nous y montre Louis-Napoléon ruminant son échec :

« Le dîner fut triste ; le prince était évidemment préoccupé et la crise que l'on traversait motivait amplement, à mes yeux, ces préoccupations empreintes sur sa figure pâle. Mais que j'étais loin du compte. J'ai su, depuis, quel était le sujet de ses méditations ce soir-là et, vraiment, cela n'avait rien de commun avec la politique. Étrange et insaisissable personnage historique que celui-là qui, lorsqu'on le croyait absorbé par les grandes affaires de l'État, ne songeait, en réalité, qu'au refus très sec de telle actrice en renom (chose assez rare d'ailleurs), et aux moyens à employer pour prendre avec telle autre une éclatante revanche... [87] »

Une petite israélite noiraude, mais douée d'un prodigieux talent, devait être cette « autre ».

Elle s'appelait Rachel.

La grande tragédienne avait alors trente ans. Le prince-président, qui était allé l'applaudir à Londres en 1845, chargea Fleury de l'inviter à dîner à l'Élysée.

Rachel vint et ne repartit que le lendemain matin...

---

86. Cf. VICTOR VENDEX, *L'Empereur s'amuse* : « La belle et séduisante tragédienne ne vendait pas ses faveurs. Aucun prix ne put les acheter. Sa dignité tint bon. César en fut pour ses frais d'avances et dut se résoudre à dévorer en secret la honte de sa défaite et les remords de sa mauvaise intention. »

87. VICOMTE DE BEAUMONT- VASSY, *Mémoires secrets du XIXᵉ siècle.*

Cette victoire facile réconforta Louis-Napoléon. Très fier de sa conquête, il convia régulièrement la tragédienne qui se promena bientôt dans les salons élyséens avec une grande liberté d'allure. Nous avons, à ce sujet, le témoignage d'Arsène Houssaye. L'écrivain, étant invité au palais présidentiel, y rencontra une Rachel fort à son aise. Écoutons-le :

« Arrivé à l'Élysée, on me fit entrer dans un premier salon, puis dans un second, puis dans un troisième où je vis venir à moi, souriante, Mlle Rachel. Il semblait qu'elle fût chez elle. Mais n'était-elle point chez elle partout ? Elle était d'ailleurs depuis quelque temps "la maîtresse de la maison" [88]. »

Le prince-président était volage. Après Rachel, il voulut connaître Alice Ozy, ravissante personne qui triomphait aux Variétés. Alice avait été déjà — ou allait être — la maîtresse de Théophile Gautier, de Théodore de Banville et de Chassériau qui venait de la peindre en *Nymphe endormie.*

Elle fut flattée par l'invitation du président de la République et accourut à l'Élysée à la suite de Fleury.

A la fin du repas, Louis-Napoléon lui demanda de se mettre nue, comme elle le faisait chez Chassériau. La jeune femme obéit docilement. Alors le prince la porta sur un sofa et oublia pendant quelques instants la dignité qui s'attache aux fonctions de président de la République...

Alice Ozy ne revint pas à l'Élysée. Quelques jours plus tard, en effet, Louis-Napoléon trouva sur son bureau une gravure assez légère qui lui donna à réfléchir. Cette image représentait la jeune comédienne nue, en galante compagnie et les deux mains occupées. La légende disait : « Ozy, noçant les mains pleines... »

Le prince-président décida de se tourner désormais vers les femmes du monde...

Le fidèle Fleury, qui était le grand maître des plaisirs du prince-président, se mit en quête de gracieuses personnes ayant à la fois le sein ferme, la fesse joliment arrondie, un tempérament de braise et un nom dans la haute société.

Mais le brave aide camp ne savait pas bien distinguer entre le monde et le demi-monde. Un soir, il amena à l'Élysée une certaine Mlle de B..., fille d'un charcutier de la rue Saint-Victor, qui possédait, grâce à la générosité de quelques messieurs, un attelage somptueux sur lequel elle n'avait pas hésité à faire peindre des armoiries. Cette fausse noble qui s'efforçait de paraître bien née et de se donner grand air, n'en conservait pas moins, dans le privé, un certain laisser-aller...

L'entrevue avec Louis-Napoléon fut, de ce fait, agrémentée d'un incident fort pittoresque. Voici le récit qu'en fit la jeune femme le lendemain soir à quelques amis, récit que l'un de ces privilégiés nota dans ses *Mémoires* [89] :

88. ARSÈNE HOUSSAYE : *Les Confessions. Souvenirs d'un demi-siècle.* 1830-1880.
89. ALPHONSE CRESSARDS : *Souvenirs d'une époque.*

« — Vous connaissez tous Fleury, l'aide de camp du président de la République. Eh bien, messieurs, ce grand personnage m'enleva hier, entre onze heures et minuit. La voiture du ravisseur roula mystérieusement jusqu'à l'entrée du parc ; je me trouvai bientôt devant le plus haut et le plus puissant personnage de ce temps. Un souper délicieux nous fut servi. Ah ! quel fier buveur, mes amis, que ce haut et puissant personnage. Je devinai ce qu'il attendait de moi. Sans faire la mijaurée, je m'exécutai de mon mieux et, comme je m'aperçus que, sur le chapitre des plaisirs, il ne souffre aucun retranchement, je lui procurai le plus robuste bonheur qu'il pût désirer. Je le mis dans un véritable état d'hébétement. Nous bûmes encore, et voici que, brusquement, un petit besoin m'obséda. Oui, j'eus une envie folle de faire pipi. Je suis sans gêne dans ces moments-là.

» — Mon prince, lui dis-je, voulez-vous aller vers la fenêtre et chanter, s'il vous plaît, la chanson de la reine Hortense...

» Sans comprendre les raisons qui me poussaient à désirer entendre la chanson qu'avait composée sa mère, il alla vers la fenêtre et commença à chanter avec une belle voix de basse :

> *Partant pour la Syrie,*
> *Le jeune et beau Dunois*
> *Alla prier Marie*
> *De bénir ses exploits.*
> *Faites, reine immortelle,*
> *Lui dit-il en partant,*
> *Que j'aime la plus belle*
> *Et sois le plus vaillant.*

» Tandis qu'il interprétait cette belle romance en tambourinant sur le carreau, moi, j'allai ouvrir le petit meuble qui se place toujours à la tête du lit et je me soulageai. Lorsqu'il s'aperçut de mon stratagème, le président éclata de rire et se tint les côtes pendant un quart d'heure. Quand il fut calmé, il ouvrit son secrétaire et me dit :

» — Tiens, tu es si drôle que tu mérites une double récompense...

» Et il me donna dix mille francs. »

Bien qu'il se fût amusé de cette scène inattendue, le futur empereur spécifia à Fleury qu'il désirait, à l'avenir, de vraies femmes du monde. Alors, l'aide de camp alla promener son regard de connaisseur dans des milieux plus sélects, cependant que le prince-président faisait lui-même sa petite chasse personnelle... Tant d'efforts conjugués finirent par faire entrer dans le lit présidentiel la ravissante marquise de Belbœuf.

Cette liaison dura quelques mois et Louis-Napoléon, ravi de pouvoir se montrer avec une dame de la bonne société, ne fit rien pour cacher les liens qui l'unissaient à cette jolie marquise. Au contraire. Viel Castel nous raconte qu'à un bal du 15 août, au château de Saint-

Cloud, on vit le président « prendre les cuisses de Mme de Belbœuf, qui n'en parut ni surprise ni émue ».

« Sans doute, ajoute Mirecourt, y était-elle habituée dans le privé. »

Au bout de quelque temps, Louis-Napoléon, qui conservait toujours un tendre sentiment pour Miss Howard, sans qui les choses, pour lui, n'eussent pas été ce qu'elles étaient, quitta la marquise de Belbœuf et devint l'amant de lady Douglas [90]. Il lui sembla, en effet, qu'en prenant du plaisir avec une Anglaise, il trompait un peu moins la douce Harriet. Mais les amours n'étaient jamais de longue durée chez Louis-Napoléon. Il avait le cœur aussi volage que sa mère. Un jour, il chassa la belle lady et n'eut plus de pensée que pour la comtesse de Guyon.

C'était une jeune femme libre d'allure et de paroles. L'amour et ses environs, comme dit Victor Hugo, constituaient chez elle une véritable idée fixe. Pour tout dire, elle ne pensait qu'à cela. Une anecdote, rapportée par Lambert, va nous fournir la preuve qu'elle s'entourait d'amies ayant les mêmes préoccupations qu'elle. Un jour qu'elle faisait une promenade dans la forêt de Fontainebleau en compagnie de Mme de Persigny, elle avisa un âne qui broutait. Considérant avant toute chose certaine partie de cette bête, elle s'écria :

— Voyez donc, chère amie, comme cet animal est fort.

— Quoi ! dit l'autre, cela vous étonne ?... Mais mon mari est comme cela...

— Pas possible ?

— Je vous assure... Il n'entre pas dans mon bracelet...

— Eh bien ! mesurez... nous verrons s'il y a une différence...

Aussitôt ces dames se mirent à l'œuvre. La comtesse saisit l'âne par la tête afin qu'il ne bougeât point, tandis que Mme de Persigny, ayant ôté son bracelet, fixait celui-ci sur la partie qui les intéressait toutes les deux. Cette entreprise émut l'animal dont les sens s'éveillèrent. Affolée, Mme de Persigny voulut retirer le bracelet. Impossible. La comtesse de Guyon vint alors à l'aide de son amie, et les deux femmes tirèrent de toutes leurs forces sur le bijou. L'âne, brave bête qui ignorait le vice, poussa un cri de douleur et s'enfuit au galop.

Les deux amies coururent à sa poursuite jusque dans une ferme voisine où l'animal avait trouvé refuge. Là, elles expliquèrent leur aventure au fermier qui, riant aux larmes, s'empressa de restituer le bracelet...

La comtesse de Guyon, on s'en doute, fit passer de belles nuits à Louis-Napoléon. Puis, comme de toutes les autres, le prince-président s'en lassa et jeta son regard sur la comtesse Le Hon, épouse de l'ambassadeur de Belgique, délicieuse jeune femme que l'on appelait à Paris l'ambassadrice aux cheveux d'or...

---

90. VIEL-CASTEL : « La princesse Mathilde prétend que lady Douglas couche avec le président. Il faut avouer que tout se donne à penser. » *Mémoires.*

Mais cette troublante personne avait déjà un amant.

Et cet amant était M. de Morny, demi-frère du futur empereur...

24

Quand M. de Morny habitait « la niche à Fidèle »

> Ce qu'il y a de meilleur dans l'homme,
> c'est le chien.
>
> CHARLET

M. de Morny était, on le sait, le fruit d'amours coupables. Sa mère, la reine Hortense, en avait reçu la semence du général de Flahaut, lequel était un vigoureux bâtard que M. de Talleyrand avait eu de Mme de Flahaut [91].

Morny résumera d'ailleurs un jour sa situation en une phrase amusante :

— Je suis fils de reine, petit-fils d'évêque, frère d'empereur... et tout cela est naturel [92]...

Son nom aurait dû s'orthographier Demorny. En effet, lors de sa naissance en 1811, il avait été — grâce la complaisance d'un couple de braves gens — déclaré à l'état civil « fils de Louise-Émilie-Coralie Fleury, épouse du sieur Auguste-Jean-Hyacinthe Demorny, propriétaire à Saint-Domingue, demeurant à Villetaneuse, département de la Seine ».

Mais, dès l'âge de quinze ans, le jeune Auguste signa « de Morny ».

A vingt ans, il se donna lui-même le titre de comte et se lança dans une vie où, nous dit un mémorialiste, « la bagatelle et les plaisirs avaient plus de place que la méditation ». Bel homme, dandy cultivé, causeur étincelant, grand séducteur, il sut plaire aux femmes et en tirer quelques avantages.

En 1832, il fit la connaissance aux Tuileries, où il était souvent convié par son ami le duc d'Orléans, de la jeune et ravissante comtesse Le Hon, fille du banquier Moselmann et femme de l'ambassadeur de Belgique. Cette délicieuse blonde, « l'ambassadrice aux cheveux d'or », avait tout juste vingt ans. Elle était si belle, rapportent les chroniqueurs de l'époque, « qu'aux bals de la cour, aucun bijou n'ornait ses toilettes : sa peau fine, sa taille mince, sa splendeur naturelle eussent affadi les joyaux ». Morny en tomba amoureux et, sans se soucier de Philippe d'Orléans, qui était alors l'amant de la belle comtesse, il fit sa cour et, bientôt, comme disent les romanciers pudiques, « il fut agréé... ».

La liaison du sous-lieutenant et de l'ambassadrice devint rapidement officielle. On s'habitua à voir ensemble ces deux êtres élégants, racés,

91. V. chapitre 13.

92. En 1856, il épousera Sophie Troubetzkoï, qui était la fille naturelle du tsar Nicolas Ier...

spirituels, qui lançaient la mode, faisaient des mots et brillaient d'un éclat presque insolite sur le Paris bourgeois du bon Louis-Philippe.

L'ambassadeur, de vingt ans plus âgé que sa femme, avait fini par accepter cette situation, flatté peut-être d'avoir montré, en choisissant Mlle Mosselmann, qu'il possédait les mêmes goûts que M. de Morny...

Ce ménage à trois dura des années et, lorsque la comtesse Le Hon, en 1839, mit au monde une petite fille, les Parisiens chantèrent malicieusement ce couplet qui ne dut faire qu'un plaisir limité à l'ambassadeur de Belgique :

> *Quel est ce visage blond*
> *Qui ressemble à la reine Hortense ?*
> *C'est la fille à Monsieur Le Hon*
> *Morny soit qui mal y pense...*

Sa liaison avec la jolie comtesse n'empêchait pas Morny de courtiser des dames peu farouches et d'organiser en leur compagnie des soirées assez lestes.

C'est ainsi qu'il connut chez Mme de Villeplaine une certaine Mme G... qui, le voyant intéressé par sa personne, lui dit à l'oreille :

— Venez chez moi, je vous montrerai mon champ de bataille.

Alléché, il s'y rendit.

Écoutons un biographe :

« Le champ de bataille était, en l'espèce, un très large lit dans une pièce abondamment pourvue de glaces. Il y avait là des miroirs de toute sorte, des psychés, des spécimens venus de Venise et des Gobelins. Un vrai musée.

» — Vous êtes collectionneuse ? demanda Morny.

» — Oui. Chacun a ses *passions,* répondit-elle en souriant.

» Morny vit par la suite dans quel sens il fallait prendre le mot passion. Mme G... l'entraîna sur son ''champ de bataille'' et il put constater qu'elle n'avait rien à apprendre des plus expertes courtisanes. Elle manipulait les jeux et les poses avec une fantaisie étourdissante. »

Hélas, quelque temps après, le jeune comte apprit que Mme G... avait dans sa chambre, parmi ses nombreux miroirs, une glace sans tain par laquelle des messieurs venaient, contre une somme fort importante, assister à ses acrobatiques ébats. Furieux d'avoir été l'acteur involontaire de « tableaux vivants » à l'usage de vieillards lubriques, il ne remit plus jamais les pieds sur le champ de bataille de Mme G...

Naturellement, la comtesse Le Hon fut informée de l'aventure. Peinée, elle chercha un moyen de s'attacher Morny par des liens solides. Comme elle était fille de banquier, elle pensa que la seule façon de tenir son amant était de lui verser quelques subsides.

Morny avait alors peu de fortune. Il vivait de l'argent de poche que lui donnait son père et d'une petite rente versée par la reine Hortense. Il fut ébloui par les propositions de sa maîtresse et accepta sans se troubler de mettre, selon le mot d'un de ses biographes, « le lit de ses amours en portefeuille »...

Il fut décidé que la comtesse Le Hon aiderait Morny à se lancer dans les affaires. Un notaire rédigea le contrat de commandite et bientôt, le petit-fils de M. de Talleyrand devint propriétaire à Bourdon, dans le Puy-de-Dôme, d'une raffinerie.

Devenu sucrier, le comte montra un sens aigu des affaires et gagna une fortune en peu d'années. En 1842, il se fit élire député, à la grande joie de Mme Le Hon, et revint s'installer à Paris. La comtesse venait de faire construire au rond-point des Champs-Élysées un somptueux hôtel ; elle lui donna un petit pavillon situé à l'entrée de sa demeure. Morny, semblant ainsi jouer le rôle de chien de garde, le pavillon fut surnommé, par les Parisiens, « la niche à Fidèle » ou « la niche à Toto ».

Ainsi, au moment même où Louis-Napoléon, à Londres, était hébergé et nourri par Miss Howard, Morny, à Paris, était logé et commandité par l'ambassadrice de Belgique...

Les deux hommes avaient beau n'être que demi-frères, ils possédaient quelques points communs...

Après la révolution de 1848, le salon de la comtesse Le Hon devint un centre d'opposition orléaniste. La charmante maîtresse de maison, qui avait flirté avec les fils du roi-citoyen et badiné avec l'académicien Jean Vatout, fils naturel de Philippe Égalité (demi-frère, par conséquent, de Louis-Philippe), se sentait fort attachée sentimentalement aux représentants de la monarchie de Juillet.

Morny, ami du duc d'Orléans, partageait, bien entendu, les idées politiques de sa blonde amie. Aussi vit-il sans enthousiasme Louis-Napoléon se faire élire député de la Deuxième République. Ce demi-frère dont il avait suivi avec une pitié amusée les aventures lors des événements de Strasbourg et de Boulogne, ne lui inspirait aucune sympathie particulière. Il l'avait entrevu une fois, par hasard, dans une rue de Londres et n'en avait conservé qu'un souvenir vague. Ce jour-là, Morny était avec son père dans Regent Street. Un inconnu les avait salués.

— Qui est-ce ? avait dit Morny.

— Le prince Louis-Napoléon.

— Ah...

Et il n'avait pas même tourné la tête...

Mais, lorsque cet extravagant demi-frère fut élu président de la République, Morny se demanda s'il n'y avait pas là une belle carte à jouer. Perplexe, il se confia à la comtesse Le Hon qui, malgré ses sentiments orléanistes, le poussa à se présenter à l'Élysée.

Morny s'y rendit. Il fut reçu immédiatement par le prince-président. Face à face pour la première fois, les deux hommes restèrent pendant quelques instants sans dire un mot. Leur extrême ressemblance les troubla profondément. Morny, de son œil vif, implacable, vit que

Louis-Napoléon était sa propre caricature. Il eut envie d'en sourire. De son côté, le prince-président considéra avec un peu d'amertume cette version déplumée mais embellie de lui-même. La conversation, enfin, s'engagea.

Plus tard, Morny devait écrire : « Nous ne nous plûmes guère et, si je n'avais suivi que mon goût, je n'y serais pas retourné. »

Mais Mme Le Hon veillait... et Morny revint souvent à l'Élysée...

Peu à peu, une amitié — ou peut-être plus simplement une connivence — s'établit entre les deux demi-frères. Dès ce moment, sans se l'avouer, Morny et Louis-Napoléon comprirent qu'ils avaient besoin l'un de l'autre pour détruire la République qu'ils haïssaient avec la même ardeur.

Naturellement, Mme Le Hon fut la confidente de son amant. Tout de suite, elle regarda le problème en face.

— Louis-Napoléon ne peut ramener les d'Orléans. Il réinstituera l'Empire. Cette monarchie, à tout prendre, est préférable à la République de médiocres que nous a donnée la révolution de Février. Et puis... vous avez une chance d'y être ministre...

Morny fut, dès lors, un des intimes du prince-président.

En 1851, Louis-Napoléon, prouvant une fois de plus qu'il avait les mêmes goûts que son demi-frère, jeta un œil gourmand sur la comtesse Le Hon. Le commandant Fleury, son confident, se chargea de lui faire comprendre qu'il existait déjà suffisamment de liens naturels l'unissant à Morny pour qu'il fût besoin d'y ajouter celui-là... Le prince-président, la mort dans l'âme, dut renoncer à montrer la rigidité de ses principes républicains à la ravissante ambassadrice...

A ce moment, on était en juillet 1851, Louis-Napoléon avait d'ailleurs d'autres soucis. Élu pour quatre ans, avec des frais de représentation qui lui semblaient dérisoires (2 560 000 francs-or), il voulait obtenir une prolongation de ses pouvoirs et un crédit supplémentaire de 1 800 000 francs par an.

Or, Thiers avait résumé l'opinion de l'Assemblée par ces mots :

— Pas un sou ! Pas un jour !...

La seule solution était donc de proposer une réforme de la Constitution. Malheureusement, la demande de révision fut repoussée par l'Assemblée. Louis-Napoléon se trouvait donc dans l'obligation de faire un coup d'État. Il en accepta tous les risques, sachant que la querelle des partis lui faciliterait les choses.

Écoutons Maxime du Camp :

« La division était telle que nul parti n'était assez puissant pour tenir en échec cet homme taciturne, d'apparence apathique, qui était soutenu par une idée fixe et qui en poursuivait la réalisation avec la ténacité d'un maniaque. Il laissa les orateurs parler, les journalistes écrire, les représentants du peuple se disputer, les généraux destitués l'injurier, les meneurs de groupes parlementaires le menacer ; il restait seul, muet, impénétrable. Ses adversaires le traitaient d'idiot et se rassuraient. Enfermé à l'Élysée, tortillant sa longue moustache, fumant ses cigarettes et marchant le front baissé, à l'ombre des grands arbres, il écoutait toutes ces rumeurs et mûrissait son projet [93]. »

Ses adversaires politiques n'étaient pas les seuls à le traiter d'idiot. Un jour, Mlle George (l'ex-maîtresse de Napoléon Ier), alors âgée de soixante-quatre ans, rencontra Victor Hugo, et lui tint les propos suivants que le poète nota dans ses carnets :

« — Quant au président, c'est un niais, je le déteste. D'abord, il est fort laid. Il monte bien à cheval et il est bon cocher. Voilà tout. J'y suis allée. Il m'a fait répondre qu'il ne pouvait pas me recevoir. Quand il n'était que le pauvre diable de prince Louis, il me recevait place Vendôme des deux heures de suite et il me faisait regarder la colonne, ce bêta-là. Il a une maîtresse anglaise, une blonde, très jolie, qui lui fait toutes sortes de queues [94]. Je ne sais pas s'il le sait mais tout le monde le sait. Il va aux Champs-Élysées dans une petite voiture russe qu'il mène lui-même. Il se fera flanquer par terre quelque jour, par ses chevaux ou par le peuple. J'ai dit à Jérôme : "Je le déteste, votre soi-disant neveu." Jérôme m'a mis la main sur la bouche en disant : "Tais-toi, folle !" Je lui ai dit : "Il joue à la Bourse ; Achille Fould va le voir tous les jours à midi et en reçoit les nouvelles avant tout le monde, puis il va faire de la hausse ou de la baisse. Cela est sûr pour les dernières affaires du Piémont. Je le sais." Jérôme m'a dit : "Ne dis pas des choses comme cela. C'est avec des propos comme cela qu'on a perdu Louis-Philippe !"

» — Monsieur Hugo, qu'est-ce que cela me fait à moi, Louis-Philippe ? »

Bien que ce genre de propos ait perdu Louis-Philippe, il ne semble pas que Louis-Napoléon s'en soit beaucoup inquiété. Il préparait lentement, consciencieusement son coup de force, plaçant aux postes clés du gouvernement et de l'armée des hommes sur lesquels il savait pouvoir compter.

Cette activité secrète ne l'empêchait pas de s'intéresser aux dames. Au contraire. L'excitation qui animait son esprit paraissait se propager dans tout son individu... C'est ainsi qu'il eut, brusquement, le désir de renouer avec Rachel dont il regrettait parfois les étourdissantes initiatives et le beau talent d'hystérique.

La tragédienne revint donc à l'Élysée.

Pas pour longtemps.

Un soir, après un dîner trop copieux sans doute, le prince-président s'endormit dans un fauteuil. Soudain, un bruit l'éveilla. Le spectacle qu'il découvrit alors le déçut beaucoup : Rachel, allongée sur le tapis, était en train de se donner à un maître d'hôtel.

Olympien, le prince-président se leva et sortit sans dire un mot.

Il est juste d'ajouter, toutefois, qu'il n'en pensait pas moins...

---

93. MAXIME DU CAMP : *Souvenirs littéraires.*
94. Ce qui était faux. Miss Howard ne trompa jamais Napoléon, du moins à cette époque.

25

Miss Howard finance, par amour, le coup d'État

> Les hommes politiques sont bien souvent des pions
> que poussent dans l'ombre quelques femmes
> spirituelles ou machiavéliques.
>
> JEAN JAURÈS

A la fin de l'automne 1851, Louis-Napoléon montra une fringale amoureuse dont le brave Fleury lui-même fut étonné. « Le prince, nous dit Lambert, exigeait deux et parfois trois femmes par jour. » Ces jeunes personnes, qui recevaient l'hommage présidentiel sur un coin de canapé, jouaient sans le savoir un rôle important dans la préparation du coup d'État.

Louis-Napoléon avait, effet, besoin d'elles pour s'éclaircir les idées. La mise au point du dispositif destiné à renverser la République en une nuit exigeait une lucidité que le prince n'avait pas de façon habituelle. Son esprit, on le sait, était en permanence obscurci par un désir amoureux. La rencontre, même furtive, d'une dame accueillante et muette (cette condition était essentielle), lui permettait d'avoir, pendant quelques heures, une pensée claire et une vue nette des obstacles qui l'attendaient. C'est pourquoi, pendant les nuits où, silencieusement, secrètement, il fignolait son plan ou préparait des projets de proclamation, Fleury demeurait à proximité avec quelques jeunes femmes peu farouches et bien choisies.

De temps en temps, lorsque le président avait des difficultés à trouver une belle phrase ou un moyen expéditif de se débarrasser de ses adversaires, il quittait son bureau et se rendait dans le petit salon où l'aide de camp attendait en compagnie de ses dernières recrues.

Louis-Napoléon en désignait une du doigt, l'entraînait dans un deuxième salon, la renversait sur un sofa, lui montrait un vigoureux intérêt et la saluait poliment. Après quoi, l'esprit dégagé, il retournait dans son cabinet pour rédiger d'une plume alerte une brillante péroraison ou une liste de personnalités à arrêter...

Ce coup d'État avait été fixé au 2 décembre, date anniversaire d'Austerliz et du sacre de Napoléon Ier. Seuls, Morny et Miss Howard étaient dans la confidence.

Tandis que le bel Auguste s'ingéniait à noyauter l'armée et à préparer l'opinion au moyen d'agents secrets, Harriet, une fois de plus, réunissait des fonds pour financer l'opération. Elle vendit ses chevaux, hypothéqua les diverses propriétés qu'elle possédait encore à Londres et mit en gage ses derniers bijoux. Au comte d'Orsay, son ami, elle écrivit qu'*elle jetait dans la fournaise les meubles de Bernard Palissy*[95]...

Sa confiance en Louis-Napoléon, il est vrai, était totale.

— Je sais que vous réussirez, lui disait-elle. Vous êtes vraiment l'homme providentiel que la France attend...

Miss Howard était toujours éperdument amoureuse de son prince. Celui-ci, malgré ses nombreuses infidélités, lui demeurait, de son côté, tendrement attaché. Après avoir éparpillé au cours de la journée une précieuse semence dynastique avec des demoiselles dont il ne connaissait parfois ni le nom, ni l'âge, ni l'origine, il allait, le soir, savourer l'atmosphère quiète du petit hôtel de la rue du Cirque.

Harriet l'installait près de la cheminée où flambait un grand feu de bois, puis elle s'asseyait par terre, à ses pieds, et lui racontait, dans un charmant idiome franco-anglais qu'elle s'était inventé, tout ce qu'elle avait pu entendre dans la journée au sujet du coup d'État.

Un soir, elle conta une anecdote qui amusa beaucoup Louis-Napoléon :

— Tout le monde en parle, dit-elle, mais personne n'y croit. Hier, chez Mme Le Hon, Mme Dosne a eu un mot qui prouve à quel point vos adversaires politiques sont loin de soupçonner vos projets. Comme le général Estancelin exprimait ses craintes, la belle-mère de M. Thiers l'interrompit : « Monsieur Estancelin, il ne faut pas dire ces choses... Personne ne veut de dictature, *pas même celle de mon gendre...* »

— Cette chère Mme Dosne, dit en souriant le prince-président, l'amour l'aveugle...

Pourtant, un point inquiétait Miss Howard :

— La veille du grand jour, comment ferez-vous pour cacher tous vos préparatifs ?

Louis-Napoléon cligna de l'œil :

— Rassurez-vous, chère amie, je donnerai une grande réception à l'Élysée afin que personne ne soupçonne rien...

Le soir du 1er décembre, en effet, on dansait dans les salons du palais présidentiel. Sans montrer la moindre trace d'anxiété, le prince allait d'un groupe à l'autre et bavardait de la mode féminine.

A certain moment, il s'éclipsa et se rendit dans son cabinet où Mocquard et Persigny l'attendaient. Calmement, il tira une clé de sa poche, ouvrit un tiroir du bureau, y prit un volumineux dossier et écrivit sur la chemise en grosses lettres : « Rubicon ». Puis il le tendit à ses amis :

— Tout est là, messieurs... Allez porter les textes d'affiches à l'Imprimerie nationale. Il faut que tout soit placardé avant l'aube... Vous, Mocquard, faites recopier cette circulaire qui doit être portée cette nuit à tous les ministres. Ici, personne ne se doute de rien...

Après quoi, toujours souriant, il reparut dans les salons. Là, ayant

---

95. Elle remit au prince 200 000 francs-or.

plaisanté un instant avec la princesse Mathilde et le docteur Véron, il s'approcha du colonel Vieyra, chef d'état-major de la Garde nationale, qui était près d'une cheminée. Sans cesser de sourire, il lui dit à voix basse :

— Il faut que vous couchiez ce soir à l'état-major... C'est pour cette nuit !...

Puis, il fit quelques compliments à deux jeunes femmes qui bavardaient et retourna dans son cabinet. Morny venait d'y arriver avec MM. de Maupas, de Saint-Arnaud et de Beville. Le prince-président leur indiqua rapidement les fonctions qu'ils auraient à assumer dans le nouveau gouvernement et retourna finir la soirée avec ses invités.

A minuit, ceux-ci prirent congé et Louis-Napoléon regagna son cabinet.

Cette fois, tout était prêt : l'appel au peuple, la proclamation à l'armée, le décret dissolvant l'Assemblée nationale et l'acte mettant Paris en état de siège. En outre, soixante ordres d'arrestation avaient été lancés contre les militaires et hommes politiques antibonapartises.

Il n'y avait plus qu'à attendre...

— Allons nous coucher, dit Louis-Napoléon, et qu'on me réveille à cinq heures...

Morny lui serra la main en souriant :

— Quoi qu'il arrive, vous aurez demain une sentinelle à votre porte...

Louis-Napoléon se rendit d'un pas calme dans sa chambre, se dénuda complètement, fit, selon son habitude, quelques mouvements d'assouplissement devant l'amoire à glace, enfila une chemise de nuit, se coiffa d'un bonnet de coton, monta dans son lit, souffla la chandelle et, la tête enfouie dans un immense oreiller, s'endormit comme un enfant...

Tandis qu'il faisait de beaux rêves, le Palais-Bourbon était occupé par le 42e de ligne et la police procédait aux arrestations des hommes hostiles à une dictature.

Le général Cavaignac, le général Bedeau, le général Leflo, le général Changarnier, ainsi qu'une dizaine de députés cueillis à leur domicile, étaient déjà à la prison de Mazas lorsque le commissaire Hubaut aîné se présenta place Saint-Georges chez M. Thiers.

L'arrestation vaudevillesque du petit bonhomme vaut d'être contée :

Il pouvait être cinq heures du matin lorsque le commissaire, suivi d'un domestique mal réveillé, pénétra dans la chambre du futur libérateur du territoire. Il écarta les rideaux en damas cramoisi doublés de mousseline blanche et toucha l'épaule de M. Thiers qui dormait paisiblement, coiffé d'un bonnet de coton.

— Monsieur Thiers, réveillez-vous... Je suis M. Hubaut aîné, commissaire de police.

Le député ouvrit un œil, parut effrayé et s'assit en tremblant sur son lit.

— De quoi s'agit-il ?

Le commissaire fut simple dans ses explications :

— De vous arrêter, dit-il avec courtoisie.

Alors, nous dit le rapport de police, M. Thiers fut pris d'une véritable terreur. « Ses paroles étaient incohérentes. » Avec volubilité, il cria qu'il ne voulait pas mourir, jura qu'il n'était pas un criminel, qu'il ne conspirait pas, qu'il ne s'occuperait plus de politique et affirma qu'il allait se retirer à l'étranger...

Le commissaire put enfin prendre la parole :

— Soyez tranquille, on n'en veut pas à vos jours...

Cette parole sembla rassurer M. Thiers qui changea de ton. Toujours assis sur son lit, et toujours coiffé de son bonnet de coton, il s'adressa au commissaire comme s'il se fût trouvé à la tribune de la Chambre :

— Qu'entendez-vous faire, monsieur ? Savez-vous que je suis représentant ?

— Je dois exécuter les ordres que j'ai reçus.

— Mais c'est un coup d'État qu'on fait là. Savez-vous que cela peut vous conduire à l'échafaud ? Suis-je le seul qu'on arrête ?

— Je l'ignore. Veuillez vous lever, monsieur, je vous prie.

M. Thiers repoussa les draps, descendit du lit, alla se placer devant la cheminée où flambait un bon feu et retira sa chemise de nuit. Il apparut alors complètement nu devant les policiers stupéfaits. Tout en exposant son devant et son derrière aux flammes, il fit encore un petit discours politique au commissaire, puis il plaça sur sa poitrine une pièce de flanelle large et épaisse tenue au cou à l'aide d'un ruban, passa une chemise et enfila son caleçon.

Dans cette tenue digne de la scène du Palais-Royal, il courut tout à coup vers un meuble comme s'il allait y prendre des pistolets :

— Et si je vous brûlais la cervelle, monsieur ? cria-t-il en roulant des yeux furibonds.

Le commissaire demeura calme :

— Oh ! Je vous crois bien incapable d'un pareil acte, monsieur Thiers.

Le petit Marseillais, un instant décontenancé, se dressa sur ses ergots :

— Mais connaissez-vous la loi ? Savez-vous que vous violez la Constitution ?

Le commissaire sourit :

— J'exécute les ordres qui me sont donnés comme j'exécutais les vôtres quand vous étiez ministre de l'Intérieur...

Cette fois, M. Thiers se tut. Lorsqu'il fut habillé, M. Hubaut aîné le pria de descendre. A ce moment, Mme Thiers, Mme Dosne et Mlle Félicie Dosne, alertées par le bruit, parurent à la porte dans d'élégants déshabillés de nuit. En voyant leur cher petit homme entouré d'agents de police, elles éclatèrent en sanglots et se jetèrent dans ses bras.

— Vous ne l'emmènerez pas, cria Mme Dosne à M. Hubaut aîné. M. Thiers est député, donc inviolable.

Le commissaire lui montra son mandat.

— J'ai des ordres, madame.

Alors les trois femmes, en larmes, embrassèrent longuement M. Thiers qui, s'étant coiffé d'un gigantesque chapeau, abandonna finalement son harem et suivit les policiers à la prison de Mazas...

A l'aube, les Parisiens furent réveillés par des appels de clairon, des galops de chevaux, des roulements de caissons. Effarés, ils sortirent de chez eux et découvrirent sur les murs, les arbres, les réverbères, les affiches annonçant le coup d'État. Peu désireux d'aller se glacer les os par ce petit matin d'hiver pour tenter de sauver une République mal constituée, ils regagnèrent pour la plupart le coin de leur feu...

Durant toute la matinée, dans son salon de la rue du Cirque, Miss Howard reçut des amis qui la tinrent au courant des réactions de la capitale. A huit heures, on vint lui dire que l'événement était, en général, bien accueilli, et que dans certains quartiers, des hommes du peuple s'étaient même écriés :

— C'est crânement joué !

Mais vers 9 heures, Harriet apprit que des groupes se formaient dans les faubourgs et que des députés de gauche s'élevaient contre le coup d'État. A 10 h 30, elle entendit un grand brouhaha du côté de l'Élysée. C'était Louis-Napoléon qui allait faire à cheval, en grande tenue de général, un petit tour dans Paris. Il était précédé d'un peloton de cavaliers, pistolet au poing, et accompagné du roi Jérôme, du prince Murat, du maréchal Exelmans, du colonel Fleury et de quelques autres amis sûrs.

Miss Howard trembla. Comment Paris allait-il réagir ?

A midi, le prince-dictateur rentra à l'Élysée et aussitôt Fleury courut rue du Cirque.

Harriet se précipita vers lui.

— Alors ?

— Tout s'est bien passé. Quelques exaltés ont bien crié « Vive la République ! » mais, dans l'ensemble, le peuple s'est montré déférent. A la Concorde, le général Cotte a crié : « Vive l'Empereur ! », et les gendarmes mobiles se sont mis à hurler : « Aux Tuileries ! »... Nous avons cru un moment que le prince allait s'y rendre directement, mais le roi Jérôme s'approcha de lui. J'étais à deux pas. Je l'ai entendu crier : « Louis, tu vas trop vite ! Crois-moi, n'entre pas encore au château ! » Alors le prince a tourné bride et est revenu par le pont Royal, le quai d'Orsay, le Palais-Bourbon. Là, la foule l'applaudit. Enfin, sur les Champs-Élysées, un groupe d'hommes cria : « Vive Napoléon ! »...

Miss Howard, qui avait écouté ce récit avec passion, eut soudain les larmes aux yeux. Le cri de ces Parisiens anonymes l'émouvait infiniment.

— Je suis sûre maintenant que « nous » allons réussir, murmura-t-elle.

Cette première victoire, en effet, était un peu la sienne.

Mais on ne peut s'empêcher de penser à la malice du destin qui, pour permettre aux Français de crier à nouveau : « Vive Napoléon ! », avait utilisé une Anglaise...

Au début de l'après-midi, le docteur Evans vint dire à Miss Howard que Paris était toujours calme. Il est vrai qu'une véritable armée « homme contre homme, baïonnette contre baïonnette », écrit Apponyi, occupait les Champs-Élysées, les quais, la place du Carrousel, la place de l'Hôtel-de-Ville, la rue de Rivoli, les boulevards, et que 200 000 soldats entouraient la capitale. Le dentiste américain signala toutefois à Harriet qu'une quarantaine de députés, hostiles au coup d'État, avaient réussi à pénétrer au Palais-Bourbon.

— Ils ont déclaré le président de la République déchu de ses fonctions. Mais M. de Morny, informé aussitôt de cette réunion, vient de donner l'ordre d'évacuer le Palais.

A trois heures, un autre ami vint dire à Miss Howard que les députés avaient été expulsés par la gendarmerie, que certains s'étaient laissé traîner par terre, bref, que la République de 48 se terminait en pantalonnade...

A cinq heures, Mocquard fit une apparition rue du Cirque :

— Fleury, qui chevauchait sur les boulevards en fête d'une colonne, a été blessé d'un coup de pistolet à la nuque. On vient de le ramener à l'Élysée. D'autre part, un groupe d'étudiants républicains s'est heurté à un fort détachement de gardes municipaux. Il y a deux morts et quelques blessés...

Le sang venait de couler pour la première fois, et Miss Howard, soudain, eut peur :

— Pourvu que cela ne dégénère pas en révolution, murmura-t-elle.

A huit heures, le docteur Evans revint et la rassura :

— La journée s'est assez bien passée. Certes, une foule énorme s'est promenée sur les boulevards en criant, de temps à autre : « Vive la République ! », et en montrant le poing aux officiers, mais les magasins sont restés ouverts ; la Bourse n'a enregistré qu'une baisse insignifiante et les théâtres, ce soir, jouent comme d'habitude...

Vers minuit, Harriet devait apprendre que les députés, après s'être rassemblés en différents endroits pour tenter de créer un comité de résistance, se trouvaient réunis quai de Jemmapes, autour de Victor Hugo, et qu'ils avaient décidé de soulever le faubourg Saint-Antoine.

— Vont-ils faire dresser des barricades ? murmura Miss Howard.

— C'est probable.

Inquiète de nouveau, tremblant pour son cher prince, elle demanda ce qu'avait dit Victor Hugo pour enflammer leurs adversaires.

— Il a dit : « Qu'espérons-nous ? Rien ! Que ferons-nous ? Tout ! »...

Cette éloquence de tribun politique rassura complètement Harriet...

— S'ils parlent ainsi, dit-elle en souriant, nous pouvons aller nous coucher et dormir tranquilles...

Miss Howard avait raison. Pendant deux jours, il y eut bien quelques échauffourées, des fusillades, des coups de pistolet, mais le peuple parisien, ébloui par le nom de Napoléon, ne suivit pas les organisateurs de l'insurrection.

On arrêta 26 642 personnes et tout rentra dans l'ordre.

Seules, alors, les âmes sensibles plaignirent le malheureux député Baudin qui, pour vingt-cinq francs, avait fait une démonstration inutile...

Le coup d'État était donc réussi.

Aussitôt, tandis que M. Thiers, qui avait été emprisonné un moment au fort de Ham, était transporté en Allemagne, Louis-Napoléon prépara son plébiscite. Et, le 21 décembre, par 7 430 000 « oui » contre 640 000 « non », le coup de force fut approuvé. Le prince était président de la République pour dix ans.

En fait, l'Empire était virtuellement restauré.

Alors, Miss Howard, folle de joie, pensa que le prince, devenu maître de la France, était maintenant libre de l'épouser.

Un soir, elle lui en parla. Louis-Napoléon, pour toute réponse, lui baisa le creux de la main. Naïve, elle en conçut un espoir démesuré et, déjà, se vit impératrice.

Le prince avait, pour l'heure, d'autres préoccupations. Certes, il préparait son futur règne, mais s'attachait de préférence à certains problèmes, en apparence anodins.

Celui du harem, par exemple.

Considérant que tout souverain devait avoir sous la main, pour son délassement moral, un groupe de dames bien constituées, il demanda à un surintendant des plaisirs, le comte Bacciochi [96], d'aller lui chercher au Moyen-Orient quelques-unes de ces odalisques dont la beauté, l'expérience et le goût pour la volupté étaient généralement chantés par les poètes... Le pauvre comte devait rapporter de cette expédition un curieux souvenir. Écoutons Eugène de Mirecourt.

« Bacciochi fut chargé par Louis-Napoléon de rétablir le Parc aux Cerfs [97]. A cet effet, il fit un voyage à Constantinople dans le but de procurer des beautés orientales à son maître, de lui acheter des Circassiennes et des femmes grecques, pour peupler son sérail ; ce projet honteux fut adroitement déguisé sous celui d'une mission secrète ayant pour objet l'annexion de la province de Tunis à nos possessions africaines. Cette idée, tout impériale, fut abandonnée devant le scandale qu'elle souleva et la réprobation universelle qui l'accueillit.

---

96. Cousin de Louis-Napoléon par Élisa Bacciochi, sœur de Napoléon Ier.

97. Cf. GUIZOT : « On dit qu'il (Louis-Napoléon) s'est fait arranger au Bois de Boulogne une petite enceinte que les malveillants appellent le Parc aux Cerfs. » Lettre à Mme Laure de Gasparin.

» Les proxénètes en furent pour leur honte. Ils durent se contenter de servir les produits indigènes sur la couche présidentielle et renoncer aux odalisques du prophète.

» Mais cette mission ne fut pas, cette fois, toute d'agrément pour le signor Bacciochi dans les nombreux essais qu'il fit des beautés soumises à son choix ; il attrapa avec une superbe Africaine à la peau luisante et noire comme l'ébène, aux formes vigoureusement sculptées, aussi dures que le marbre noir, une très mauvaise maladie. La fille des tropiques lui avait si profondément inoculé son virus que le malheureux Mercure galant chancelait au bout de quelques jours. Le mal fit des progrès tellement effrayants que l'infortuné Bacciochi eut la plus grande hâte de revenir à Paris ; il se présenta clopin-clopant devant le prince qui fut très contristé du piteux état dans lequel était réduit le dévoué pourvoyeur de ses plaisirs. Il lui recommanda de consulter au plus tôt le célèbre Riccord. Quand l'illustre docteur vit l'état déplorable dans lequel était réduit le pauvre Bacciochi, il s'écria : "Malheureux ! où diable as-tu attrapé cela ? Tu as donc fréquenté la femme d'un sénateur, car elles seules font de pareils cadeaux à leurs amants !'' [98]. »

Cette opinion, je m'empresse de l'écrire, n'engage que le docteur Riccord...

26

Stendhal amoureux de la jeune Eugénie de Montijo

L'amour a toujours été pour moi la plus grande
des affaires ou plutôt la seule.

STENDHAL

Au début de 1852, Louis-Napoléon quitta l'Élysée et s'installa aux Tuileries. Aussitôt, on le vit agir en souverain. Il fit frapper des pièces de monnaie qui, si elles portaient encore, côté pile, les mots *République Française,* avaient, côté face, son profil et ses prénoms : *Louis-Napoléon* ; il distribua solennellement des aigles pour la hampe des drapeaux et donna à sa garde personnelle l'uniforme de la garde impériale...

Naturellement, cette élévation comblait d'aise Miss Howard qui, à tout hasard, s'était fait faire la reproduction exacte du lit de Joséphine de Beauharnais... Chaque nuit, elle y faisait des rêves un peu plus précis. Écoutons Fleury :

« L'ambition de la maîtresse avait grandi avec les événements. Une femme comme elle, belle entre toutes, aimée, intelligente, pouvait prétendre aux plus hautes destinées... Par cela même qu'elle avait donné des preuves de dévouement, elle avait le droit d'aspirer à la récompense de son habile abnégation... »

98. EUGÈNE DE MIRECOURT : *Les femmes galantes des Napoléons.*

Et Fleury ajoute :

« Bien que les relations avec Miss Howard fussent très agréables, bien qu'elle ne se départît jamais d'une politesse presque déférente avec nous, son attitude s'était modifiée. Elle devenait plus exigeante pour les rencontres et les promenades qui ne se faisaient plus avec la réserve accoutumée... Si les revues avaient lieu à Versailles, elle ne restait plus à distance, perdue dans la foule. On demandait pour elle une place spéciale, bien en vue [99]. »

Bientôt, on apprit que, lorsque le prince allait passer quelques jours au château de Saint-Cloud, Miss Howard l'y accompagnait en cachette. Un soir de bal, il y eut même un petit scandale. A un certain moment, Louis-Napoléon quitta discrètement le salon où l'on dansait et se rendit jusqu'à l'appartement d'Harriet. Lorsqu'il reparut sous les lustres, une demi-heure plus tard, les invités se regardèrent horrifiés : le prince-président portait sur son pantalon les traces évidentes de sa récente activité...

L'attitude nouvelle de Miss Howard, jusque-là si effacée, irrita l'entourage de Louis-Napoléon. Et, un soir, Viel-Castel nota dans son *Journal :* « Avant-hier, à l'Opéra, grande représentation à laquelle assistait le Président. Ovations, cantate, acclamations... Le public le plus bienveillant a été affligé de voir, en grande loge, couverte de diamants, Mme Howard, la maîtresse du Président ; cela fait mauvais effet. Le prince Jérôme avait sa maîtresse dans sa loge. Nous sommes un peu trop au fait de ce bagage de maîtresses ; ceci n'est plus de notre temps... L'entourage du Président est détestable [100]. »

Au mois de septembre Miss Howard, pensant que le prince ne pouvait épouser qu'une noble, acheta, près de Versailles, le château de Beauregard dont elle ne tarda pas à porter le nom...

Mais Louis-Napoléon ne fut pas sensible à cette métamorphose et, s'il continua de parader dans Paris avec sa maîtresse, il n'en demeura pas moins aussi secret quant à ses intentions matrimoniales.

Alors, Miss Howard voulut brusquer les choses et forcer la main à son amant en officialisant sa situation. Jusque-là, elle assistait aux revues, elle allait au théâtre, elle suivait le prince au château de Saint-Cloud, mais jamais elle n'avait paru aux Tuileries. Elle décida de s'y rendre sans y être conviée.

Un soir de gala, Louis-Napoléon la vit soudain entrer, éblouissante et radieuse au bras du colonel de Beville — qu'on appela dès lors le colonel de Bévue... Il ne dit rien, la salua respectueusement et continua de sourire.

Mais il ne devait jamais lui pardonner cette erreur.

Quant à ses proches, ils furent scandalisés.

Écoutons encore Fleury :

« Quel ne fut pas notre étonnement, lorsque nous vîmes apparaître

99. Général comte Fleury : *Souvenirs.*
100. Comte Horace de Viel-Castel : *Mémoires.*

au bras du colonel de Beville, gagné à sa cause, Miss Howard escortée du comte Bacciochi et précédée d'une femme de son entourage jouant, pour la circonstance, le rôle de la comtesse de Béarn [101]. Dans une toilette de bon goût, l'air radieux, avec sa tête de camée antique, sa taille élevée, son port de duchesse, celle qui devait bientôt s'appeler la comtesse de Beauregard de Béchevet fut remarquée par sa beauté incomparable. Inconnue de la plupart, elle fut prise heureusement pour une *lady* arrivée de Londres pour assister au bal d'un ami. Mais, à partir de cette soirée, Miss Howard nous apparut sous son véritable jour : celui d'une grande courtisane dont il fallait à tout prix déjouer les projets ambitieux... L'impression fâcheuse produite par l'apparition de la maîtresse fut courageusement signalée dans le rapport du préfet de police. C'était une arme... Il fallait s'en servir avec habileté. J'entrepris cette tâche... »

Un jour, en effet, Fleury se permit de dire au prince qu'il souhaitait fort le voir sortir de certaines chaînes et se marier avec une princesse.

— Un mariage princier aurait ce résultat considérable de consolider la confiance au-dedans et de conquérir au-dehors l'ascendant nécessaire pour combattre les préjugés et les méfiances que ne manquera pas d'inspirer le retour de votre dynastie.

Et, comme Louis-Napoléon demeurait impénétrable selon son habitude, le colonel Fleury posa une question directe :

— Avez-vous songé à quelque princesse en âge et en situation d'être épousée et de vous être accordée ?

Cette fois le prince sortit de son mutisme :

— Je reconnais la justesse de vos observations... Mais ma situation est délicate à l'égard des cours. Mon nom les effraye et, quels que soient les services que je leur rende en replaçant l'autorité sur sa base, je ne crois pas le moment venu d'aspirer, comme mon oncle, à une grande alliance...

Après une petite hésitation, il ajouta :

— Cependant, j'ai entamé des négociations avec ma tante, la grande-duchesse Stéphanie, au sujet de sa petite-fille, la princesse Caroline Wasa.

Fleury fut rassuré.

Hélas ! quelques semaines plus tard, le prince Wasa répondait que sa fille était « presque » engagée avec le prince héritier de Saxe... C'était une gifle pour Louis-Napoléon qui, fort désappointé, chargea son cousin Walewski, ambassadeur de France à Londres, de demander la main d'une nièce de la reine d'Angleterre, Adelaïde de Hohenlohe. Walewski revint penaud : les parents d'Adelaïde, étant protestants, avaient répondu que leur fille n'épouserait jamais un catholique...

Cette fois, l'entourage de Louis-Napoléon fut atterré :

— Il va se résoudre à épouser Miss Howard, murmurait-on aux

101. La comtesse de Béarn avait accepté de jouer le rôle de marraine lors de la présentation officielle de Mme du Barry à Versailles.

Tuileries, et nous aurons une impératrice anglaise au passé plus que douteux...

Fleury et ses amis se trompaient, Miss Howard était déjà reléguée au rang des anciennes maîtresses.

Dans le cœur de Louis-Napoléon, en effet, venait de naître un nouvel amour, bien faible encore, mais qui allait grandir... car il était espagnol...

L'objet de cet amour était une admirable créature de vingt-sept ans, grande, distinguée, un peu rousse, au teint rose thé et aux yeux bleus, qui possédait les plus belles épaules du monde, une poitrine ferme, de longs cils et une bouche où les connaisseurs décelaient quelques signes annonciateurs d'une émouvante perversité...

Elle se nommait Eugénie de Montijo.

Louis-Napoléon l'avait rencontrée chez la princesse Mathilde et s'était, dès la première entrevue, senti profondément troublé.

L'idée bien arrêtée de la faire ronronner dans un grand lit avait, dès lors, occupé toute sa pensée.

Mais Mlle de Montijo n'était pas de ces jeunes personnes qui se jettent au cou du premier venu. Elle avait, nous dit M. de Blaye dans son style pittoresque, « baissé les yeux dès qu'un éclair lubrique était apparu dans la brume bleutée du regard de Louis-Napoléon ».

Qui était Eugénie de Montijo ?

Une jeune fille de l'aristocratie espagnole dont le père, un ancien officier de l'armée de Napoléon, répondait au nom sonore de Cypriano Guzman Palafox y Portocarrero, comte de Téba et de Montijo. Sa mère était l'héritière d'un Écossais, William Kirkpatrick y Grivegnée, qui avait fait une belle fortune à Malaga dans le commerce des fruits et des vins fins.

Douée d'un fier tempérament, cette dame que l'on avait mariée très jeune, et un peu contre son gré à Don Cypriano, montrait à l'égard des messieurs qui lui plaisaient une grande liberté de mouvements. Et l'on chuchotait à Grenade « qu'elle prenait du plaisir là où les honnêtes femmes ne doivent trouver qu'à redire... ». Aussi lui attribuait-on un grand nombre d'amants. Certaines gens qui se disaient bien renseignés assuraient même qu'Eugénie et sa sœur Paca étaient les fruits de « l'ensemencement de la comtesse Manuela de Montijo par M. Prosper Mérimée ».

Ragots stupides, bien entendu, puisque la comtesse de Montijo ne fit la connaissance du sarcastique Prosper qu'en 1830, c'est-à-dire quatre ans après la naissance d'Eugénie [102].

En 1834, la comtesse de Montijo vint, avec ses deux filles, s'installer à Paris où elle retrouva Mérimée. Ravi de revoir la charmante Manuela

---

102. En revanche, ce fut la doña qui ensemença l'esprit de Mérimée en lui donnant, un soir, au cours d'une conversation, le sujet de *Carmen*...

dont il avait été probablement l'amant, l'auteur de la *Chronique du règne de Charles IX* se plut à devenir le précepteur des deux fillettes espagnoles.

Bientôt, un deuxième personnage illustre devint le familier du salon de la comtesse de Montijo. Il se nommait M. Beyle et devait se rendre célèbre sous le nom de Stendhal.

Bien qu'elle n'eût que neuf ans, Eugénie tomba amoureuse de ce M. Beyle qui contait si bien les histoires. Plus tard, elle devait confier à Augustin Filon : « Nous n'en dînions pas (ma sœur et moi) tant nous étions impatientes de l'entendre. A chaque coup de sonnette, nous courions à la porte d'entrée. Enfin, nous le ramenions, triomphantes, au salon, le prenant chacune par une main, et nous l'installions dans son fauteuil, près de la cheminée. »

Là, Stendhal prenait les deux fillettes sur ses genoux et leur racontait les batailles de Napoléon.

« Nous ne lui donnions pas le temps de respirer, nous lui rappelions la victoire où il avait laissé l'Empereur auquel nous avions pensé toute la semaine, attendant impatiemment le magicien qui le ressuscitait pour nous. Il nous avait communiqué son fanatisme. Nous pleurions, nous frémissions, nous étions folles... »

Et Eugénie ajoutait : « Il est le premier qui ait fait battre mon cœur... »

Pendant quatre ans, M. Beyle vint chaque jeudi chez doña Manuela et, peu à peu, lui aussi tomba amoureux de la ravissante Eugénie... Amour pur qui nous valut peut-être quelques-unes des plus belles pages de notre littérature. En effet, de nombreux stendhaliens assurent que ce fut pour elle qu'il écrivit, dans *la Chartreuse de Parme,* le récit de la bataille de Waterloo. Abel Hermant, entre autres, écrit : « Les plus profanes s'aperçoivent que cet épisode si complaisamment développé ne mène à rien, il n'a aucun rapport avec la suite du roman, que, s'il était supprimé, l'économie du livre y gagnerait peut-être : on y perdrait trop et on n'aurait garde de souhaiter ce sacrifice barbare ; mais comment ne point songer, quand on lit ces pages, au gros M. Beyle, dans son fauteuil, ses deux petites amies sur ses deux genoux, et leur contant chaque jeudi les batailles de Napoléon ? »

Oui, Stendhal était amoureux d'Eugénie — qu'il appelait Eoukénia — et dans ces notes mystérieuses et souvent inintelligibles dont il remplissait les marges de ses manuscrits, cet étrange prénom revient souvent.

Le 17 mars 1839, les deux fillettes retournèrent à Madrid où leur père venait de mourir. Stendhal fut désespéré. Des mois plus tard, obsédé par cette date, il notait sur une page de *la Chartreuse de Parme :* « Le 17 mars 1839, départ d'Eoukénia, cour des Messageries. » Plus loin, on trouve cette note que les spécialistes de la cryptographie eurent bien du mal à déchiffrer : « P. y E. in Olo. » Ce qui signifie — on le sait maintenant — que Paca et Eugénie étaient passées à

Oloron d'où la future impératrice des Français avait envoyé à l'écrivain une très gentille lettre.

Ainsi, tout au long des manuscrits de Stendhal, le nom ou l'initiale de la fillette aux yeux bleus vient témoigner, en contrepoint, d'une tendre et constante préoccupation...

Un jour, M. Beyle, le cœur gonflé d'amour, et peut-être aussi de reconnaissance à l'égard de sa petite inspiratrice, écrivit en langage clair, au bas d'un de ses cahiers : « J'ai fait ce détail pour *Eouk...* »

Ainsi, à quatorze ans, Eugénie de Montijo, jolie rousse au regard troublant, aidait, sans le savoir, l'un des plus grands romanciers de tous les temps, à révéler son génie [103]...

A Madrid, Eugénie, qui avait des goûts virils, menait une vie fort désinvolte pour une jeune fille de son temps. On nous dit qu'elle « chevauchait sans selle, nageait à la brasse et ferraillait comme un vieux bretteur », ce qui choquait fort les dames de la haute société.

Imaginative, grande lectrice de romans de cape et d'épée, la future impératrice rêvait d'être enlevée par des brigands et de vivre avec eux quelque épouvantable et merveilleuse aventure. Parfois, elle s'identifiait aux personnages de ses romans jusqu'à copier leurs propres réactions. Un jour, un officier anglais s'étant moqué de sa façon de monter à cheval, elle s'enfonça la lame d'un canif dans le poignet...

A seize ans, Eugénie fut l'une des plus ravissantes jeunes filles de Madrid. Quand elle passait à cheval sur la promenade du Prado, tous les officiers la lorgnaient avec des yeux de loups affamés et certains ne pouvaient s'empêcher de lui adresser un compliment sur ses cheveux roux. Or, précisément, ses cheveux roux la désespéraient. Elle les considérait comme une tare et les peignait longuement avec un démêloir de plomb pour qu'ils pâlissent. Ce curieux procédé eut, en quelques mois, un effet prodigieux : Eugénie devint blonde...

Dès lors, pour elle tout changea. Elle considéra les hommes avec une assurance provocante et se mit à rêver d'enlèvement par un seul brigand...

Maxime Du Camp, qui la rencontra en 1842, fut frappé par sa liberté d'allure. Écoutons-le :

« Nous étions en train de faire une partie dont je ne sais plus le nom, qui se joue avec de petites quilles qu'il faut abattre d'une certaine manière, lorsqu'une jeune fille entra en criant : "Pouah, quelle tabagie !" Elle serra la main de lord Howden, dit bonjour en espagnol à Mérimée et, comme nous nous inclinions pour la saluer, elle sauta sur le billard et se mit à danser la cachucha. Faisant saillir ses hanches, poussant sa poitrine en avant, claquant des doigts, soulevant sa jupe et se trémoussant, la tête inclinée, les yeux mi-clos, elle chassait du

---

103. Stendhal ne devait pas revoir sa chère Eoukénia. Il mourut en 1842, gardant près de lui les lettres qu'elle lui avait écrites.

pied les billes et riait. Lord Howden lui prit le mollet ; elle lui donna une tape sur la tête, s'élança vers la porte et disparut. C'était Eugénie-Marie de Guzman, comtesse de Téba... »

Cette nouvelle attitude inquiéta Mérimée qui écrivit un jour à la comtesse de Montijo : « Je crains pour Eugénie les sous-lieutenants de hussards sans un sol vaillant, mais pourvus de belles moustaches et d'un brillant uniforme. Voilà ce qui me fait désirer de la voir pourvue pas trop tard, c'est-à-dire avant qu'elle ait commencé le premier chapitre du roman... »

Le premier chapitre du roman que Mérimée redoutait pour sa « chère petite Eugénie » allait être bien douloureux...

Un jour de 1842, la comtesse de Montijo reçut la visite d'un de ses cousins. C'était un beau jeune homme de vingt et un ans, aux grands yeux tristes et au visage encadré de favoris. Fabuleusement riche, il était duc d'Albe et douze fois grand d'Espagne.

Aussitôt, Eugénie et sa sœur Paca tombèrent amoureuses de leur beau cousin.

De son côté, le duc d'Albe se sentit fortement attiré par les deux jeunes filles, mais sans pouvoir fixer son choix...

Pendant des semaines, il se promena tantôt au bras de l'une, tantôt au bras de l'autre, et tout Madrid, amusé, se demandait laquelle des deux sœurs deviendrait duchesse...

Finalement, au printemps de 1843, le duc, ayant bien réfléchi, alla déclarer à Mme de Montijo qu'il voulait épouser Eugénie.

La comtesse, qui avait une préférence marquée pour sa fille aînée, cacha son mécontentement...

— Je vais réfléchir, dit-elle simplement.

Le duc, un peu étonné, se retira. Aussitôt, Mme de Montijo alla trouver Eugénie et lui ordonna de décourager son soupirant.

— Je veux qu'il épouse ta sœur.

Tout d'abord, la jeune fille regimba. Elle aimait le duc et voulait devenir sa femme. Des scènes pénibles eurent lieu pendant deux semaines. Finalement, la comtesse, usant de tous les arguments — allant jusqu'à frapper sa fille en public — réussit à imposer sa volonté. Un jour, en larmes, Eugénie alla faire l'éloge de sa sœur au duc d'Albe.

— C'est elle que vous devez épouser... Elle vous aime...

Le jeune homme, peu stable en ses sentiments, se laissa facilement convaincre, ce qui acheva de désoler la pauvre Eugénie.

Le lendemain, après avoir tenté de s'empoisonner avec des têtes d'allumettes, elle lui écrivit cette extraordinaire lettre qui la montre tout entière avec son orgueil, sa franchise, sa superbe et son besoin d'héroïsme :

Le 16 mai 1843. Mercredi soir.

Mon très cher cousin,

Tu trouveras très drôle que je t'écrive une lettre comme celle-ci, mais, comme il y a une fin à toutes les choses de ce monde, ma fin est très près d'arriver et je veux t'expliquer tout ce que mon cœur contient, et c'est plus que je peux supporter. Mon caractère est fort... Mais quand on me traite comme un âne, qu'on me bat devant le monde... mon sang bout et je ne sais ce que je fais. Beaucoup de monde croit qu'il n'y a personne au monde plus heureuse que moi, mais on se trompe. Je suis malheureuse parce que je me le fais être, j'aurais dû naître un siècle plus tôt.

Tu diras que je suis romantique et sotte, mais tu es bon et tu pardonneras à une pauvre fille qui a perdu tous ceux qui l'aimaient et qui est regardée avec indifférence par tout le monde, même par sa mère, sa sœur, et, oserai-je le dire, par l'homme qu'elle aime le plus, pour lequel elle aurait demandé l'aumône et même consenti à son propre déshonneur : cet homme, tu le connais. Ne dis pas que je suis folle, je t'en prie, aie pitié de moi : tu ne sais pas ce que c'est que d'aimer quelqu'un et en être méprisée.

Il y a du monde qui sont né (sic), *pour être heureux : tu es un de ceux-là. Dieu veuille que ça te dure toujours. Ma sœur est bonne : elle t'aime, votre union ne sera pas retardée longtemps : alors, rien ne manquera à votre bonheur. Si vous avez des enfants, aimez-les également : songez qu'ils sont tous vos fils et ne froissez jamais l'amitié de l'un pour montrer plus d'affection à l'autre. Suivez mes conseils et soyez heureux : ainsi vous le désire,*

Ta sœur, Eugénie.

Ne me persuade pas : c'est inutile. J'irai finir ma vie loin du monde et de ses affections ; avec l'assistance de Dieu, rien n'est impossible et mes résolutions sont prises, car mon cœur est brisé.

Or, à quelque temps de là, alors qu'elle descendait un escalier à cheval sur la rampe, elle tomba assez rudement au pied d'une vieille dame qui la releva et lui dit :
— Donne-moi ta main, petite. Je vais te dire la bonne aventure... Tu as des lignes merveilleuses !... Tu iras très haut, tu vivras cent ans et tu finiras dans la nuit...

De cette prophétie, Eugénie ne retint qu'une chose : elle vivrait cent ans. Ce qui lui parut long pour pleurer son amour perdu...

27

Louis-Napoléon rencontre Eugénie chez son ex-fiancée

> Il y a de curieux carrefours...
>
> le guide bleu

Paca de Montijo épousa le duc d'Albe le 14 février 1844.
Aussitôt, la comtesse songea à marier sa deuxième fille et invita tous

les jeunes gens titrés de Madrid. Une nuée de prétendants se mit alors à papillonner autour d'Eugénie comme des éphémères par un beau soir d'été...

La future impératrice, qui aimait beaucoup les hommages, oublia peu à peu le duc d'Albe. Elle retrouva son rire, sa coquetterie, ses manières désinvoltes et se promena dans les avenues madrilènes au bras d'un si grand nombre de messieurs que l'on ne tarda pas à murmurer « qu'elle s'était fait planter une banderille dans l'Alcazar[104]... ».

La réalité était beaucoup plus fade : Eugénie se contentait de flirter. Pudique, malgré ses allures émancipées, elle donnait même de grands coups d'éventail sur les mains des soupirants trop audacieux.

La liste de ceux qui en reçurent est assez longue. Citons : le marquis d'Alcañices, futur duc de Sestos, le vicomte d'Aguado, un Rothschild, le comte d'Oultremont, Camerata, petit-fils d'Élisa Bonaparte, le duc de Doudeauville, l'écrivain Édouard Delessert, son cousin Ferdinand de Lesseps, et même le duc d'Aumale, fils de Louis-Philippe, qui pensa un moment l'épouser.

Tous ces « fiancés » passèrent rapidement dans la vie d'Eugénie. Elle riait avec eux, montait à cheval en leur compagnie, dansait dans leurs bras, mais leur refusait obstinément sa main.

Un jour, pourtant, elle hésita. Le prétendant, il est vrai, avait un nom prestigieux.

Il s'appelait Napoléon.

C'était le fils de Jérôme Bonaparte, le frère de la princesse Mathilde et le neveu de l'Empereur. C'était aussi l'ambassadeur à Madrid du prince-président, Louis-Napoléon.

Eugénie, dont l'enfance avait été bercée par les légendes de l'épopée napoléonienne, fut émerveillée. Elle reçut le prince Napoléon — que ses intimes appelaient Plon-Plon — avec une chaleur tendre qui étonna Mme de Montijo.

— Cette fois, pensa la comtesse, ma fille va se marier. Et elle va devenir princesse !...

Ravie, elle laissa entendre au prince que l'union qu'il souhaitait avait son agrément. Aussitôt, le gros Plon-Plon écrivit au prince-président pour lui faire part de ses projets. La réponse qu'il reçut le glaça. Elle avait été dictée à Louis-Napoléon par un destin malicieux. Mais personne alors ne pouvait en savourer la drôlerie. La lettre, en effet, contenait cette phrase :

Vous n'y pensez pas, mon cousin, Mlle de Montijo est de ces filles avec qui l'on couche, mais que l'on n'épouse pas...

Le prince Napoléon ne tarda pas à rompre toutes relations avec Eugénie.

---

104. Ces racontars devaient être repris et amplifiés sous le second Empire par des pamphlétaires de l'opposition.

Vexée, Mme de Montijo décida de voyager. Elle se rendit à Spa avec sa fille et descendit à l'Hôtel de Flandre. Là, vint bientôt s'installer un autre Espagnol qui avait été l'amant de la comtesse et s'intéressait maintenant à Eugénie : le duc d'Ossuma. Tout de suite, il fit une cour pressante à la jeune fille, et, d'après certains mémorialistes, le flirt, cette fois, aurait dépassé les limites du badinage mondain.

Écoutons Stelli :

« Le soir, quand les ombres descendaient lentement des montagnes entre lesquelles fuient les eaux de l'Amblève, le promeneur attardé remarquait, dans la vallée sinueuse, un jeune homme et une jeune fille amoureux du silence et du mystère. A voir leur bras tendrement enlacés, l'échange de leurs regards satisfaits, l'expression de leurs bouches frémissantes, on devinait que ce n'était point là un couple de naturalistes étudiant les caractères géologiques des bandes calcaires ou le plissement des couches perpendiculaires et renversées.

» L'une de ces promenades fut poussée jusqu'à la grondante cascade de Côo. Un artiste, du haut des rochers, admirait le magnifique spectacle de l'Amblève, semblable, par ses fuites, à une série de lacs où se miraient les douces étoiles d'un ciel argenté. Il aperçut à ses pieds, sur un banc de quartz schisteux, ce que le chevalier de Saint-Aignan nommait « deux personnes en une », c'est-à-dire un beau seigneur groupé avec une belle dame.

» Quand l'artiste se rapprocha de la cascade, le banc de schiste était désert ; mais deux ombres effarouchées s'en éloignaient ; en passant devant elles, notre indiscret rêveur crut reconnaître la jeune comtesse et le jeune duc, qui logeaient à l'hôtel de Flandre [105]... »

Mais cette fois encore, Eugénie rompit et Mme de Montijo alla s'installer à Paris. Les deux femmes y louèrent un appartement au 12 de la place Vendôme et fréquentèrent bientôt les salons les plus aristocratiques de la capitale.

Un soir, dans un de ces salons, Eugénie fit la connaissance du prince-président. Cette première rencontre fut contée de bien des façons par les historiens et les mémorialistes. Plus tard, on en fit une chanson qui eut, dans les milieux de l'opposition, un immense succès et dont voici quelques extraits :

> *La belle, au fin fond de l'Espagne*
> *Habitait.*
> *Ah ! la buveuse de champagne*
> *Que c'était.*
> *Quoique Badinguette eût pour père*
> *A c'qu'on dit,*
> *Presque tous les célibataires*
> *De Madrid,*
> *Et si, sur sa naissance on jase*
> *A gogo,*

105. STELLI : *Les nuits et le mariage de César.*

> *On la nomma par antiphrase*
> *Montijo.*
>
> *Un jour sa vieille Maugrabine*
> *De maman*
> *Lui dit : « Nous somm's dans la débine*
> *Bigrement.*
> *V'la ton visage qui s'dégomme*
> *Tous les jours ;*
> *Faut songer à te faire un homme*
> *Pour toujours.*
> *Car, depuis qu't'es pas mal âgée,*
> *Nous mangeons*
> *Un peu trop de vache enragée :*
> *Délogeons ! »*
>
> *V'la Badinguette qui débarque*
> *A Paris.*
> *Et Badinguet qui la remarque*
> *Se sent pris.*
> *« Ah ! dit-il, je l'jur' sur mon âme,*
> *Soyons francs ;*
> *Oncle Jérôme, cette femme*
> *Vaut dix francs ! »*
> *« Non, dit Jérôme, elle en vaut douze,*
> *Entre nous,*
> *Car jamais on n'a vu d'Andalouse*
> *Au poil roux ! »*
>
> *Voilà Badinguet qui pour cause*
> *Cherch' moyen :*
> *De l'avoir pour très peu de chose,*
> *Ou pour rien.*
> *Il s'en va trouver la duègne,*
> *Pas honteux,*
> *Et les embarque pour Compiègne,*
> *Tout's les deux.*
> *C'est là que, n'pouvant plus attendre,*
> *Le grossier,*
> *Dans un grand bal osa lui prendre*
> *Le fessier...*

Les choses — on le devine — ne se passèrent pas aussi lestement. Louis-Napoléon et Eugénie de Montijo se rencontrèrent, pour la première fois, dans le salon de la princesse Mathilde, lieu guindé où les invités n'avaient point l'habitude de mettre la main au « fessier » des dames...

Depuis longtemps, la princesse Mathilde tremblait à la pensée que Louis-Napoléon pouvait épouser Miss Howard. Un soir, bien décidée à aider le destin, elle donna, dans son appartement de la rue de Courcelles, un dîner en l'honneur du prince-président et invita Eugénie de Montijo dont elle venait de faire la connaissance.

Le résultat fut stupéfiant.

A peine entré dans le salon, Louis-Napoléon se pencha vers sa cousine :

— Mathilde, qui est donc cette jeune femme ?

— Une nouvelle venue, une étrangère, de famille andalouse : Mlle de Montijo...

Le prince hocha la tête :

— Ah ! Vraiment ? Mais il faut me la présenter...

Dix minutes plus tard, Louis-Napoléon, dans un coin de cheminée, faisait à Eugénie une cour fort pressante.

L'œil gourmand, la main malheureuse, il considérait avec émotion les bras nus, les épaules, le cou délicat et la poitrine provocante de la belle Espagnole.

« Il ressemblait, écrit Stelli, à un enfant devant un beau gâteau à la crème... »

Tout en la dégustant du regard, il s'enquit des goûts de la jeune fille. En apprenant qu'elle aimait lire, il vit là une occasion d'être agréable et promit de lui envoyer son *Traité d'Artillerie.* Ouvrage bien sérieux sans doute pour une demoiselle, mais qu'Eugénie se déclara poliment enchantée de recevoir...

Le lendemain, un garde lui apportait le *Traité,* ainsi qu'une invitation à un bal. Bientôt, les dames de Montijo devinrent des habitués de l'Élysée.

Un soir, le prince-président, qui ne voyait en Eugénie qu'une favorite possible, essaya de placer une main qui s'impatientait. Un coup d'éventail assez sec vint lui rappeler qu'il n'avait point affaire à une danseuse de l'Opéra... Pourtant, Louis-Napoléon pensa qu'il arriverait à ses fins et poursuivit sa cour.

Quelque temps après, comme il passait à cheval sous les fenêtres de la jeune fille, il s'inclina :

— Comment arrive-t-on chez vous ?

Elle lui répondit en souriant :

— Par la chapelle...

Louis-Napoléon, cette fois encore, crut à une boutade. Il continua d'être galant, invita aux chasses, envoya sa loge à l'Opéra et fit porter des fleurs. En vain. La belle acceptait tout, mais ne donnait toujours rien.

Le soir du 31 décembre 1849, la princesse Mathilde organisa une soirée pour fêter l'année nouvelle. Le prince-président et Eugénie y furent naturellement conviés.

Quand les douze coups de minuit sonnèrent, la princesse Mathilde — à la demande de Louis-Napoléon, qui avait son plan — s'écria :

— Minuit ! Tout le monde s'embrasse !

Aussitôt, le prince se précipita sur Eugénie. Mais celle-ci était souple. Glissant vivement entre les mains présidentielles, elle s'échappa et courut se mettre à l'abri derrière un fauteuil.

— C'est l'usage en France, bredouilla Louis-Napoléon en la rejoignant.

Eugénie lui lança son regard bleu et dit simplement :

— Ce n'est pas l'usage dans mon pays.

Cette fois, le prince comprit que les choses n'iraient pas aussi vite qu'il ne l'avait espéré et que — suivant le mot de Stelli — « il n'était pas pressant de bassiner le lit ».

Alors, il résolut d'attirer la jeune fille dans un traquenard. Un matin, Eugénie et sa mère reçurent une invitation à venir dîner à Saint-Cloud où le prince s'était installé pour l'été.

Elles s'y rendirent et eurent la surprise de trouver le château vide. Des valets vinrent leur expliquer que le prince-président les attendait à Combleval, pavillon caché au milieu du parc, sur le chemin de Villeneuve-l'Étang.

Une voiture conduisit les deux femmes.

A Combleval, elles trouvèrent Louis-Napoléon seul avec son fidèle Bacciochi.

— Nous allons dîner tous les quatre, dit-il en fixant Eugénie de façon gênante.

Puis il mena ses invités à la salle à manger, et il devint vite évident que Bacciochi, tout comme la comtesse, n'étaient là que pour faire tapisserie. « Tout ce repas, nous dit Stelli, ne fut qu'une longue approche en vue d'une nuit sur laquelle la maman espagnole eût dû fermer les yeux. » Après ce stupéfiant « tête-à-tête » devant témoins, le prince proposa une promenade dans le parc et offrit son bras à Eugénie, tandis que Bacciochi se chargeait de Mme de Montijo.

Cette fois, la jeune fille se figea et, d'un ton sec, rappela Louis-Napoléon aux convenances :

— Monseigneur, ma mère est là.

Le prince n'insista pas et les deux dames changèrent de cavalier en silence. La promenade, on le conçoit, manqua de gaieté...

Une heure plus tard, Mme de Montijo et sa fille rentraient à Paris, atrocement humiliées, l'une d'avoir été considérée comme une maîtresse possible, l'autre comme une mère complaisante...

Pour oublier l'affront, elles partirent en villégiature sur les bords du Rhin.

Le prince-président était, lui aussi, fort déçu par la soirée de Combleval. Mais il ne chercha pas l'oubli dans les voyages. Il fit venir à Saint-Cloud une petite actrice du Théâtre-Français qui lui enseigna, nous dit-on, de façon fatigante mais agréable, « les différentes postures du mariage chinois »...

A leur retour d'Allemagne, les dames de Montijo furent conviées à une réception à l'Élysée.

Louis-Napoléon, que l'échec de Combleval n'avait pas découragé, se montra fort galant avec Eugénie, et les témoins remarquèrent « que ses yeux semblaient attachés, comme des sangsues, aux épaules tombantes de la jeune fille »...

Le lendemain, le prince-président, qui cherchait décidément à plaire par les moyens les plus inattendus, envoya à Eugénie son livre intitulé *l'Extinction du paupérisme.*

La jeune Espagnole fut d'abord déroutée par le titre. Puis elle lut l'ouvrage et découvrit en Louis-Napoléon un être rêveur et un peu chimérique, assez semblable à elle-même. Elle en fut touchée.

Si touchée même qu'au lendemain du coup d'État, alors que les barricades s'élevaient dans Paris, elle écrivit à Bacciochi pour lui annoncer qu'elle mettait à la disposition du prince, s'il échouait dans son entreprise, tout ce qu'elle possédait.

Sans doute, ce que possédait Eugénie n'était-il guère important. Mais le geste émut Louis-Napoléon. Il lut et relut cette proposition — étrange de la part d'une jeune fille qu'il avait essayé de violer — et pensa que les femmes étaient douées à son égard d'une stupéfiante générosité...

Pendant toute l'année 1852, le prince-président, sans abandonner ni miss Howard — qui avait financé son coup d'État — ni les petites danseuses de l'Opéra — dont les cuisses légères venaient égayer son lit —, poursuivit la lente et difficile conquête de l'Espagnole.

Régulièrement, il lui écrivait de longues lettres de collégien amoureux, pleines de citations de Racine et d'images poétiques empruntées aux chansonnettes du temps.

En retour, Eugénie, aidée par Mérimée qui s'amusait follement, répondait à cette littérature de midinette par des pages pleines de vues profondes sur l'art de gouverner un État ou sur le mécanisme des alliances depuis Louis XV.

A l'automne, les dames de Montijo, qui avaient voyagé pendant tout l'été, rentrèrent à Paris. Aussitôt, Louis-Napoléon les convia à Fontainebleau où il donnait une chasse à courre. Elles y arrivèrent le 12 novembre, par un train spécialement frété pour les invités.

Au château, elles furent logées, de façon modeste, au second étage de l'aile Louis XV dont les chambres donnaient sur le jardin anglais.

Personne alors n'aurait pu soupçonner qu'Eugénie serait trois mois plus tard impératrice des Français...

Le 13 novembre, il y eut une grande chasse. La jeune Espagnole, montant un cheval des écuries du prince, s'y montra une cavalière éblouissante de hardiesse. Le soir, Louis-Napoléon lui fit remettre le pied du cerf. Honneur qui figea de morgue tous ceux qui allaient bientôt devenir les plus plats courtisans de la belle Andalouse.

Le lendemain était la veille de la sainte Eugénie. Le prince fit porter des fleurs à Mlle de Montijo et la pria d'accepter le cheval qu'elle montait la veille. Cette fois, on jasa et le prince Napoléon, frère de la princesse Mathilde, fit à haute voix des plaisanteries fort déplacées...

Agacée, la pauvre Eugénie écrivit au comte de Galve, beau-frère de Paca : *Tu ne peux pas te figurer ce que l'on raconte sur moi depuis que j'ai accepté ce cheval du diable...*

Elle omettait de dire que Louis-Napoléon, sous le fallacieux prétexte de lui montrer la statue de Charlemagne, avait essayé de l'entraîner sur un canapé.

Le séjour à Fontainebleau se termina le 18 novembre. Le 21, par 7 824 189 « oui » contre 233 145 « non » le plébiscite consacrait le rétablissement de l'Empire, qui fut solennellement proclamé le 1er décembre. Cette fois Mme de Montijo pensa qu'il fallait jouer serré. Louis-Napoléon pouvait, dans un moment de tendresse et de reconnaissance, être ramené vers miss Howard. Il pouvait aussi, cédant aux pressions de Morny et de Mathilde, s'unir à une princesse étrangère. La comtesse devait, nous dit Fillon, « pousser l'empereur à désirer si fort la possession du corps délectable d'Eugénie que rien d'autre au monde ne dût plus compter pour lui ».

Mme de Montijo réussit parfaitement.

Bientôt, le nouveau souverain ne put voir Eugénie sans montrer une énorme et gênante émotion. Phénomène à ce point évident que les familiers des Tuileries, se poussant du coude, ne nommèrent plus Napoléon III que Sa Majesté l'Ampleur...

Le 18 décembre, Napoléon III invita la cour — et les dames de Montijo — à Compiègne. Il voulait tenter un dernier assaut avant de se décider au mariage. Sur ses ordres, l'architecte Lefuel avait percé le mur de la chambre destinée à Eugénie.

Au cours de la première nuit, la jeune fille fut réveillée par d'insolites attouchements. Elle poussa un cri. Une voix qu'elle connaissait bien murmura alors :

— N'ayez pas peur... c'est moi.

A la lueur du feu qui flambait dans la cheminée, elle reconnut l'empereur.

Très calme tout à coup, elle ramena sur elle les couvertures que le souverain avait soulevées et dit :

— J'avais cru venir dans la maison d'un gentleman...

Napoléon III, penaud, repartit par la porte dérobée, « emportant, nous dit-on, sa courte honte et mordu par un amour qui ne lui laissait plus son libre arbitre ».

Le lendemain, Eugénie le salua avec un sourire un peu ironique, mais ne refusa pas la promenade qu'il lui proposait de faire dans le parc. La matinée était belle et cette promenade fut pour l'empereur l'occasion de se faire pardonner son incartade de la nuit. Écoutons M. de Maupas qui assista à la scène :

« Les pelouses étaient couvertes d'une rosée abondante et les rayons du soleil donnaient à toutes les gouttelettes qui chargeaient encore les herbes des reflets et des transparences diamantées. Mlle Eugénie de Montijo, dont la nature était pleine de poésie, se plaisait à admirer les effets capricieux et magiques de la lumière. Elle avait fait remarquer, en particulier, une feuille de trèfle si gracieusement chargée de gouttes de rosée qu'on eût dit un vrai bijou tombé de quelque parure. La promenade finie, l'empereur prenait à part le comte Bacciochi qui, quelques instants après, partait pour Paris. Il rapportait, le lendemain, un délicieux bijou qui n'était autre qu'un trèfle dont chacune des feuilles portait un superbe diamant imitant des gouttes de rosée. Le comte avait fait imiter avec une rare perfection la feuille admirée la veille par la future souveraine [106]. »

Le soir même, une loterie fut organisée et le hasard — aidé par Bacciochi — fit gagner à Eugénie ce ravissant joyau...

Aussitôt, la cour murmura que la jeune Espagnole se devait bien — en échange — de donner à l'empereur son « petit bijou de famille »...

28

Napoléon III pose une couronne de violettes sur la tête d'Eugénie

Il y a des gestes qui en disent long...

PAUL CLAUDEL

Un matin, Napoléon III eut besoin de parler de son amour à quelqu'un. Il fit appeler le comte Fleury, le pria de s'asseoir et alla vers la fenêtre. Un long moment, il regarda en silence les arbres du parc qui semblaient dormir sous le ciel d'hiver. Puis, il se retourna :

— Fleury, j'aime Mlle de Montijo.

Le comte sourit.

— Je le comprends, sire, et je vois bien que ce n'est pas aujourd'hui. Mais alors, il n'y a qu'une chose à faire... Épousez-la !

Napoléon III baissa les yeux.

— J'y pense sérieusement, dit-il.

Il y pensait, en effet, depuis quelques jours, donnant ainsi raison à la princesse Mathilde qui, un soir, avait déclaré :

— Louis épousera, si elle le veut, la première qui lui refusera ses faveurs...

106. M. DE MAUPAS : *Mémoires sur le second Empire.*

Mme de Montijo connaissait ce mot. Aussi rappelait-elle quotidiennement à sa fille de ne pas se laisser entraîner sur un lit par l'empereur...

Eugénie n'avait pas besoin de ses conseils. Elle savait fort bien manœuvrer pour aiguiser le désir du souverain et amener celui-ci au but qu'elle s'était fixé.

Un soir, on joua au vingt et un. Mlle de Montijo était à la droite de Napoléon III. De temps en temps, lorsqu'elle se trouvait embarrassée, elle consultait son voisin. Or, nous dit le comte Fleury, « il arriva qu'en relevant les cartes, elle trouva deux figures. Elle les montra à l'empereur avec un regard interrogateur. A ce regard, il répondit :

» — Tenez-vous-en au point. Il est très beau !

» — Non, répliqua-t-elle. Je veux tout ou rien !

» Et elle demanda des cartes. La personne qui les donnait lui jeta un as. Elle abattit alors son jeu avec un sourire où la volonté semblait affirmer son triomphe sur la fortune... [107] ».

La phrase « je veux tout ou rien » fit une grosse impression sur la cour. Toutes les jeunes femmes qui frétillaient devant l'empereur, avec l'espoir d'attirer son regard, pensèrent que la « petite Montijo » venait de commettre une gaffe.

Elles en ricanèrent pendant toute la soirée. Le lendemain devait leur apporter une énorme déception : à la fin du dîner, Napoléon III prit une couronne de violettes qui ornait la table et la posa sur le front d'Eugénie.

Cette fois, les membres de la cour pâlirent.

L'empereur allait-il faire une déclaration ? Prononcer un mot pour justifier ce geste extravagant ? Ou tout au moins dire une plaisanterie pour retirer tout sens symbolique à ce couronnement ?

Non ! Il se leva en souriant et se dirigea vers le salon où l'on installa les tables de jeu.

La soirée se passa en chuchotements effarés.

Si Napoléon III était maintenant fermement décidé à épouser Eugénie, une question, pourtant, le tourmentait : la jeune Espagnole était-elle encore pure, à vingt-six ans ?

Un matin, alors qu'il se promenait dans le parc avec elle, le souverain lui posa tout benoîtement la question.

Mlle de Montijo le regarda dans les yeux :

— Je vous tromperais, sire, si je ne vous avouais pas que mon cœur a parlé, et même plusieurs fois ; mais ce que je puis vous dire, c'est que je suis toujours *mademoiselle* de Montijo...

Napoléon respira.

Et, en revenant à petits pas vers le château, il arracha d'un chêne une branche de lierre, l'arrondit en couronne et la posa tendrement sur la tête d'Eugénie :

107. COMTE FLEURY et LOUIS SONOLET : *La société du second Empire.*

— En attendant l'autre, dit-il.

A la fin de décembre, la cour rentra à Paris. Aussitôt, Napoléon III se rendit chez Miss Howard. Il lui tardait, en effet, de rompre cette liaison à laquelle, pourtant, il devait tout. De plus, il était inquiet. L'Anglaise avait gardé toutes ses lettres, tous ses billets, et il craignait que, dans un accès de désespoir, elle ne les envoyât à Eugénie... C'était donc pour les lui reprendre — ou pour les lui acheter — qu'il venait rue du Cirque.

Miss Howard savait que Napoléon III aimait Mlle de Montijo. Elle le savait et en souffrait cruellement ; mais elle ignorait que l'empereur, parlant d'elle, avait dit à Eugénie :

— Je ne la verrai plus...

Aussi accueillit-elle avec une tendresse un peu triste cet amant qu'elle adorait.

Dès les premiers mots, elle comprit que cette soirée annonçait une rupture. Sans rien dire, livide, terrée au fond de son fauteuil crapaud, elle écouta l'empereur parler d'argent, de « restitution de lettres », de « dédommagement », de titres, de « nécessité dynastique », d'« indemnités »... Quand il eut terminé, elle lui rappela doucement sa promesse de mariage. Par délicatesse, elle ne fit pas allusion aux sommes importantes qu'il lui devait, mais évoqua les temps difficiles qu'ils avaient vécus ensemble. Alors, il fuma une cigarette d'un air boudeur et finit par s'endormir. Quand il s'éveilla, le feu se mourait dans la cheminée et il était seul. Harriet, effondrée, était allée se coucher. Le lendemain, encore endolorie par l'incroyable muflerie de l'empereur, elle écrivit à un de ses compatriotes cette lettre amère :

Sa Majesté est venue hier soir m'offrir une indemnité de renvoi : oui, le comté, titre personnel, transmissible, un château et un mari français convenable par-dessus le marché... Oh ! quelle pitié que tout ça ! Une dose de laudanum ferait mieux mon affaire... Le seigneur tout-puissant a passé deux heures en discussion avec moi... Plus tard, il s'est endormi sur le sofa rouge et a ronflé pendant que je pleurais...

Le 31 décembre, Napoléon III donna une réception aux Tuileries. Les dames de Montijo y étaient, bien entendu, conviées. Au moment où elle allait passer le seuil de la salle des Maréchaux, Eugénie fut bousculée par Mme Fortoul, femme du ministre de l'Intérieur, qui lui lança d'une voix acide :

— Je ne cède pas le pas à une aventurière !

Livide, Eugénie se rangea et dit :

— Passez, madame !

Après quoi, elle alla prendre place avec sa mère à la table de l'empereur. Tout de suite, celui-ci vit que la jeune fille avait les larmes aux yeux. Il se pencha :

— Qu'y a-t-il ?

— Il y a, sire, qu'on m'a insultée ce soir, mais qu'on ne m'insultera pas une seconde fois... Je quitterai Paris demain...

Alors, Napoléon posa doucement, tendrement, sa main sur le poignet d'Eugénie :

— Ne partez pas... Demain, on ne vous insultera plus...

Après le dîner, Mlle de Montijo rentra se coucher avec des « feux d'artifices » dans la tête...

Le lendemain, 1er janvier 1853, Mme de Montijo pensa que l'empereur allait venir incognito lui présenter ses vœux et en profiter pour demander la main d'Eugénie. Très énervée, elle fit mettre des fleurs dans tous les vases, se para d'une robe de soie vert d'eau et alla se poster à la fenêtre.

Tout au long du jour, de nombreuses voitures s'arrêtèrent devant le 12, place Vendôme, mais Mme de Montijo ne vit sortir d'aucune d'entre elles le gros nez qu'elle attendait.

Le soir, deux plis amers descendaient de sa bouche...

Le 2 janvier, la comtesse attendit avec encore un peu d'espoir. Le 3, elle attendit avec angoisse, le 4 avec colère, le 5 avec haine. Finalement, le 6, elle convia chez elle son cousin, Ferdinand de Lesseps, son ex-amant Prosper Mérimée et le comte de Galve, frère du duc d'Albe, son gendre.

— Que dois-je faire ? leur dit-elle.

Le futur perceur d'isthmes fut formel :

— Il faut partir, quitter Paris, la France même et donner ainsi une leçon à Napoléon III.

Eugénie était de cet avis.

— Nous devons partir tout de suite. Sans un adieu et sans un mot.

Puis elle avoua qu'elle préparait sa malle depuis la veille et elle éclata en sanglots. Cette fois, Mme de Montijo explosa :

— Je ne veux pas que tu souffres ! Partons pour Rome et que notre départ soit comme une gifle à l'empereur. Cet homme n'est qu'un fourbe. Il a trompé toute sa vie !

A ce moment, Mérimée intervint :

— Non ! Ne partez pas. Vous auriez l'air de fuir. Toute la cour ricanerait... Le 12 janvier, il y a un grand bal aux Tuileries. Vous y serez invitées. Allez-y et annoncez vous-mêmes à l'empereur votre résolution...

A la pensée que la cour pouvait ricaner, la comtesse blêmit :

— Vous avez raison. Ne partons pas. Soyons les plus fortes.

Or, tandis que Mme de Montijo s'apprêtait à livrer le dernier combat, Napoléon III subissait les assauts des membres de sa famille et de ses amis intimes.

Un soir, au cours d'un véritable conseil tous lui démontrèrent que, pour assurer ce second Empire naissant, il devait s'unir à une princesse de sang royal et non à une « Mlle de Montijo ».

A tous, il répondit simplement :

— Je l'aime...

Alors Plon-Plon donna des coups de poing sur les tables, la princesse Mathilde cria que ce mariage serait la perte de l'Empire et Persigny, agrippant l'empereur par un bouton de son habit, hurla :

— Ce n'est pas la peine d'avoir risqué le coup d'État avec nous pour épouser une lorette...

Napoléon III, impassible, répéta :

— Peut-être, mais je l'aime...

Finalement, l'ex-roi Jérôme lui mit la main sur l'épaule :

— Fais-en à ta tête... Puisque tu l'aimes, prends-la pour femme... Tu auras au moins une belle fille dans ton lit...

Le 12 janvier, les dames de Montijo arrivèrent aux Tuileries où toute la cour les considéra d'un œil ironique et méprisant. Un incident allait figer tous les sourires...

Écoutons un témoin, le comte de Hübner, ambassadeur d'Autriche :

« Mlle de Montijo parut au bras de James Rothschild, toujours sous le charme de la jeune Andalouse. Un de ses fils conduisait Mme de Montijo. Ces messieurs comptaient placer leurs "dames" sur la banquette occupée par les femmes des ministres. Une d'elles (Mme Drouyn de Lhuys), passionnément contraire au mariage et ne voulant pas l'admettre comme possible, dit sèchement à Mlle de Montijo que ces places étaient réservées aux femmes des ministres. L'empereur s'en aperçut, se précipita vers les deux dames espagnoles en détresse et leur assigna des tabourets *près des membres de sa famille*. Grande fut la confusion de la sévère gardienne des règles de l'étiquette, qui s'aperçut trop tard de son erreur. Mais plus grande fut la surprise des témoins de cette scène presque burlesque, qui leur révélait les intentions matrimoniales de l'empereur. On peut dire qu'à ce bal a eu lieu la déclaration de mariage [108]. »

Malgré l'honneur qui venait de lui être fait, Eugénie était toujours résolue à quitter Paris.

Au second quadrille, l'empereur l'invita. Très troublés, tous les deux, ils dansèrent un long moment en silence. Enfin, Napoléon III parla :

— Qu'avez-vous ? Vous paraissez fatiguée... Il faudrait pourtant que je vous parle...

— Moi aussi, sire. Je dois vous faire mes adieux.

— Comment ?

— Je pars demain.

L'empereur pâlit.

— Venez !

Et, devant les invités ébahis, il entraîna la jeune fille vers son cabinet. Ils en sortirent une demi-heure plus tard, souriants et presque goguenards. Toute la cour, immédiatement, pensa qu'une scène importante venait de se jouer.

---

108. COMTE DE HÜBNER : *Neuf ans de souvenirs d'un ambassadeur d'Autriche à Paris sous le second Empire*.

Mais laquelle ?

Personne ne pouvait soupçonner que l'empereur des Français venait — presque sous la dictée d'Eugénie — d'écrire une lettre adressée à une autre femme.

Cette femme, il est vrai, était Mme de Montijo.

Quant à la lettre, la voici :

Madame la Comtesse,

Il y a longtemps que j'aime Mademoiselle votre fille et que je désire en faire ma femme. Je viens donc aujourd'hui vous demander sa main, car personne plus qu'elle n'est capable de faire mon bonheur, ni plus digne de porter une couronne. Je vous prierai, si vous y consentez, de ne pas ébruiter ce projet avant que nous ayons pris nos arrangements.

Recevez, Madame la Comtesse, l'assurance de mes sentiments de sincère amitié.

Napoléon.

Mme de Montijo allait pouvoir remettre des fleurs dans les vases de son salon...

Le lendemain matin, la lettre de l'empereur parvenait 12, place Vendôme. Dès qu'elle en eut pris connaissance, Mme de Montijo courut embrasser sa fille qui, rayonnante, s'en alla dans sa chambre rédiger calmement ce bulletin de victoire pour la duchesse d'Albe :

Ma chère et bonne sœur,

Je veux être la première à t'annoncer mon mariage avec l'empereur. Il a été si noble, si généreux avec moi, il m'a montré tant d'affection que je suis encore tout émue. Il a lutté et vaincu...

Napoléon III, dans sa lettre à Mme de Montijo, avait demandé que son projet de mariage ne fût pas ébruité. Il ignorait que des valets du palais, fort bien renseignés, allaient se charger de propager la nouvelle.

Le 16, en effet, tout Paris était au courant et s'effarait. Écoutons Horace de Viel-Castel :

« Le mariage fait un bruit du diable. Hier, la Bourse a eu une baisse de deux francs. Les anciens partis se réveillent pour crier au scandale, pour parler de l'honneur national compromis, pour faire courir les bruits les plus calomnieux sur Mlle de Montijo. Le faubourg Saint-Germain fait le scandalisé, l'empereur ne dit mot et poursuit son projet. Thiers répète à qui veut l'entendre, dit-on : ''Qu'il n'y a rien à craindre des gens qui ne sont que gris, mais qu'il faut redouter le moment où ils sont tout à fait *saouls*.'' [109]. »

D'autres approuvaient ce mariage pour des raisons saines. M. Dupin, par exemple, qui déclarait :

— L'empereur fait bien d'épouser qui lui plaît et de ne pas se laisser marchander quelques scrofuleuses princesses d'Allemagne aux pieds

109. HORACE DE VIEL-CASTEL : *Mémoires.*

larges comme les miens. Du moins, lorsque l'empereur b... sa femme, ce sera par plaisir et non par devoir...

Or, tandis qu'Eugénie savourait son triomphe et que tout Paris commentait passionnément l'annonce du mariage impérial, que faisait Napoléon III ?

Il préparait sa nuit de noces.

En effet chaque après-midi, l'empereur recevait dans un salon secret des Tuileries une jeune danseuse de l'Opéra connue pour sa science amoureuse. « Cette demoiselle, prénommée Adèle, nous dit Stelli, avait acquis ses talents en travaillant pendant quelques années chez une courtisane de la rue d'Antin où fréquentait tout ce que Paris comptait de plus vicieux, de plus dépravé et de plus imaginatif. Elle connaissait toutes les attitudes enseignées par les Chinois et avait même inventé une figure qu'elle appelait tout bonnement le *tire-bouchon,* mais dont certains grands personnages de la cour ne parlaient qu'avec respect. »

Cette brillante partenaire avait, quelque temps auparavant, enseigné au comte Fleury toutes les subtilités d'un petit jeu amoureux que l'on trouve décrit dans les manuels d'érotisme sous le nom évocateur de « sauterelles gourmandes »...

En compagnie d'Adèle, on peut donc penser que l'empereur améliorait son savoir-faire dans le but, fort louable, d'émerveiller Eugénie de Montijo, au soir des noces impériales...

29

Miss Howard devient dame de Bel-Ébat

> Il y a des coïncidences exagérées...
>
> LOUIS PAUWELS

Le 21 janvier, Napoléon III ayant demandé la main d'Eugénie — et l'ayant obtenue — se trouva soudain fort embarrassé.

Comment allait-il annoncer ses fiançailles à Miss Howard ?

Après avoir longuement réfléchi le souverain pensa que le plus simple était de ne rien dire du tout, d'éloigner l'Anglaise et de faire en sorte qu'elle apprît la nouvelle par les journaux.

Il se rendit donc rue du Cirque avec un bon sourire.

Harriet l'accueillit avec joie, lui sauta au cou, lui tira les moustaches et l'entraîna sur un sofa où elle se montra disposée à se faire « reluire le casse-noisettes », comme disaient alors les poètes que le romantisme n'avait point contaminés.

Napoléon III, qui connaissait les femmes, pensa qu'une petite politesse mettrait Miss Howard dans d'heureuses dispositions pour l'écouter. Il retira sa redingote et la posa soigneusement sur un fauteuil. Puis il dénoua sa cravate et déboutonna son col, car il était sujet, nous dit Léon Peneau, « au grossissement du cou pendant l'effort amoureux ».

Quelques secondes plus tard, Miss Howard, « belle frégate anglaise, voguait toutes voiles dehors, sur la mer agitée des amours [110] ».

Lorsqu'ils eurent terminé leurs ébats, les deux amants, fort satisfaits d'eux-mêmes, allèrent s'asseoir près du feu et l'empereur parla :

— Ma chère Harriet, dit-il, j'ai décidé de vous charger d'une mission officielle.

Cette marque de confiance fit rougir de plaisir Miss Howard. Elle embrassa tendrement Napoléon III qui lui expliqua alors qu'il était menacé d'un scandale par un maître chanteur anglais.

— Vous allez vous rendre à Londres, dit-il. Là, il vous faudra étudier l'affaire et prendre des contacts discrets avec les personnes dont voici la liste. M. Jean Mocquard vous accompagnera dans ce voyage. Vous partez demain.

Harriet, folle de joie à la pensée de pouvoir rendre service à son amant bien-aimé, prépara aussitôt ses bagages. Et, le lendemain, à l'aube, accompagnée du chef de cabinet de l'empereur, elle monta dans sa calèche et partit pour Le Havre où il était convenu qu'elle devait s'embarquer aussitôt pour l'Angleterre.

Alors Napoléon III soupira. Il allait pouvoir, en toute tranquillité, annoncer officiellement ses fiançailles. Quand les journaux publieraient la nouvelle, Miss Howard serait en Angleterre.

Et quelques heures plus tard, tandis que la jeune femme et M. Mocquard roulaient vers la côte normande, l'empereur s'adressait aux Corps constitués réunis dans la salle du Trône. Certain de s'être à tout jamais débarrassé de la malheureuse Harriet, il parla, d'un ton badin, de son projet de mariage :

— L'union que je contracte n'est pas en accord avec les traditions de l'ancienne politique.

» C'est là son avantage.

» Quand, en face de la vieille Europe, on est porté par la force d'un nouveau principe à la hauteur des anciennes dynasties, ce n'est pas en vieillissant son blason et en cherchant à tout prix à s'introduire dans la famille des rois qu'on se fait accepter. C'est plutôt en se souvenant toujours de son origine et en prenant franchement devant l'Europe le titre de parvenu, titre glorieux quand on "parvient" par le suffrage d'un grand peuple. Je viens donc dire à la France : j'ai préféré une femme que j'aime et que je respecte à une femme inconnue dont l'alliance eût eu des avantages mêlés de sacrifices...

Puis il évoqua Eugénie avec une émouvante tendresse :

— Celle qui est devenue l'objet de ma préférence est d'une naissance élevée. Française par le cœur, elle a, comme Espagnole, l'avantage de ne pas avoir en France de famille à laquelle il faille donner honneurs et dignités. Catholique et pieuse, elle adressera au ciel les mêmes prières

110. LÉON PENEAU : *Les nuits du second Empire.*

que moi pour le bonheur de la France. Gracieuse et bonne, elle fera revivre *dans la même position* les vertus de l'impératrice Joséphine [111].

Le soir même, les dames de Montijo s'installèrent à l'Élysée. Aussitôt, Eugénie écrivit à sa sœur cette lettre célèbre :

Hermania mia,

J'arrive dans ce moment à l'Élysée, je n'ai pas eu un moment pour te dire l'émotion que j'éprouve. Tout ce moment est bien triste. Je dis adieu à ma famille, à mon pays, pour me consacrer exclusivement à l'homme qui m'a aimée au point de m'élever jusqu'à son trône. Je l'aime, c'est une grande garantie pour notre bonheur, il est noble de cœur et dévoué ; il faut le connaître dans sa vie intime pour savoir à quel point il faut l'estimer. Son discours a produit un effet magique parce qu'il parle au peuple et au cœur, deux choses qu'on n'invoque jamais inutilement en France. Aujourd'hui, je regarde encore avec effroi la responsabilité qui va peser sur moi et cependant j'accomplis ma destinée. Je tremble, non de peur des assassins, mais de paraître moindre dans l'Histoire que Blanche de Castille et Anne d'Autriche. Je t'envoie le discours de Louis-Napoléon, je suis sûre qu'il te plaira.

Adieu. Aujourd'hui, c'est pour la première fois qu'on a crié : Vive l'impératrice ! Dieu veuille que ça ne change jamais, mais l'adversité me trouvera plus ferme et courageuse que la prospérité.

Ta sœur qui t'adore.

EUGÉNIE.

Après avoir annoncé son mariage, Napoléon III était rentré dans ses appartements, avait dîné et s'était couché le cœur léger...

Il ne se doutait pas que les hasards d'une dépression atmosphérique allaient bouleverser tous ses plans. En effet, une grosse tempête s'étant élevée sur la Manche, Miss Howard et M. Mocquard, dans l'impossibilité d'embarquer, avaient dû passer la nuit dans une auberge du port...

Et le 23, au matin, à l'heure même où l'empereur, de plus en plus guilleret, se levait en chantonnant, Harriet, qui attendait le paquebot de Southampton, acheta un journal, y jeta un coup d'œil distrait et blêmit : sur la première page s'étalait ce titre :

« Sa Majesté l'Empereur a annoncé ses fiançailles avec Mlle de Montijo. »

Miss Howard éclata en sanglots :

— Voilà donc pourquoi il m'envoyait en Angleterre !...

Mais elle se reprit bientôt et déclara simplement :

— Nous rentrons à Paris !

Une demi-heure plus tard, la jeune femme et M. Mocquard, fort gêné, se trouvaient dans la calèche qui, à bride abattue, roulait vers la capitale.

---

111. Cette dernière phrase, on s'en doute, fit sourire les membres de l'Assemblée, qui savaient que la chasteté n'avait pas été la vertu principale de Joséphine.

Dans la soirée, malgré une rupture d'essieu qui occasionna un retard de six heures, Miss Howard arrivait rue du Cirque.

— Allez dire à l'empereur que je suis là, dit-elle au chef de cabinet, et ajoutez qu'il aura très bientôt de mes nouvelles...

Après quoi, elle entra chez elle.

Un spectacle extraordinaire l'y attendait. Les meubles étaient renversés, saccagés, les fauteuils éventrés. On avait retiré les tiroirs des commodes, des secrétaires, des buffets et leur contenu s'empilait dans les plus grand désordre sur le tapis.

Épouvantée, Harriet bondit au premier étage : là, sa garde-robe avait été pareillement maltraitée : ses fourrures lacérées, ses dentelles déchirées, son linge en morceaux recouvraient tout le plancher.

Alors, elle courut vers son boudoir : toutes les serrures avaient été fracturées et le secrétaire béant était, nous dit Mme Simone André-Maurois, « pareil à une châsse profonde après le sacrilège »[112]...

Harriet s'approcha en tremblant et vit que le tiroir secret avait été arraché. Elle fouilla fébrilement dans la cachette, en retira des écrins où ne manquaient « ni un pendentif ni une boucle d'oreille », mais sa main chercha en vain les lettres que lui avait envoyées naguère son « cher empereur »...

Dès lors, Miss Howard comprit tout : il ne s'agissait pas d'un cambriolage, mais d'une perquisition.

Napoléon III, à la veille de ses noces, avait eu cette idée monstrueuse d'utiliser la police pour reprendre ses lettres d'amour...

Miss Howard ne pleura pas longtemps. La colère l'emporta bientôt sur le chagrin qu'elle éprouvait. Repoussant d'un geste nerveux tous les objets qui encombraient la tablette de son secrétaire, elle écrivit un billet à l'empereur.

En quelques mots fort secs, elle exigeait une audience prioritaire « toute affaire cessante ». Une femme de chambre alla porter la lettre aux Tuileries. Le soir même, Napoléon III, fort penaud, se présentait rue du Cirque.

Miss Howard le fit asseoir. Puis, elle lui tendit le journal qu'elle avait acheté au Havre et dit simplement :

— D'habitude, vous me faites part vous-même de vos projets...

L'empereur baissa son gros nez.

Elle désigna ensuite le désordre qui régnait encore dans la pièce et prit un ton suave :

— Je vous remercie d'avoir envoyé vos amis, dit-elle. Avec votre délicatesse habituelle, vous avez compris que c'était le seul moyen de reprendre vos lettres... J'avais la faiblesse d'y tenir plus qu'à ma vie et vous saviez que je me serais fait tuer plutôt que de vous les rendre...

Napoléon, rouge jusqu'aux oreilles, considérait sans rien dire le feu qui flambait dans la cheminée.

112. SIMONE ANDRÉ-MAUROIS, Miss Howard, la femme qui fit un empereur.

Miss Howard reprit :

— Je ne vous ai pas demandé cette entrevue pour vous parler du passé... mais de l'avenir... Nous avons déjà envisagé ensemble l'éventualité d'une rupture. A plusieurs reprises, vous avez exprimé le désir de me voir épouser un fonctionnaire veuf parvenu à l'âge de la retraite. Comme nos vues diffèrent sensiblement à ce sujet, j'ai rédigé quelques notes. Les voici. Vous voudrez bien en prendre connaissance et me répondre demain. Il n'y est pas question des sommes que je vous ai, à plusieurs reprises, avancées. Mais je compte, là encore, sur votre délicatesse...

Napoléon III se leva. Maladroitement, il s'approcha de Harriet et tenta de l'enlacer. La jeune femme se dégagea d'un geste brusque.

— J'attends votre réponse demain soir...

L'empereur s'inclina, sortit sans prononcer un mot et regagna les Tuileries. Là, il étudia le document que lui avait remis Harriet et vit qu'il comportait quatre clauses que Mme Simone André-Maurois a pu résumer ainsi :

« 1. Puisque Sa Majesté l'exigeait, Miss Howard promettait de se marier, mais elle voulait avoir le droit de choisir elle-même son futur conjoint. Au "parti honorable" qu'on lui proposait (et qui était un fonctionnaire veuf, parvenu à l'âge de la retraite), elle avouait préférer "n'importe quel Anglais".

» 2. N'ayant jamais troublé l'ordre public, ni commis le moindre délit, elle ne voulait pas être exilée à cent lieues de Paris. Que l'Empereur se contentât de reléguer sa victime en Seine-et-Oise ! Dès le mois de septembre 1852, craignant le pire, elle s'y était ménagé un refuge. Vouée aux placements immobiliers, elle y avait acheté un domaine de 184 hectares comprenant le château et le parc de Beauregard, la ferme de Béchevêt et le haras de Bel-Ébat. Si, conformément à l'étiquette de l'ancienne monarchie, Miss Howard devait être mise quelque part en résidence forcée, que ce fût au moins sur ses propres terres.

» 3. Si la châtelaine était, après cela, faite comtesse de Beauregard, quel nom porterait son fils ? Ce détail l'inquiétait. Dans l'intérêt de Martin-Constantin, Miss Howard insistait pour un titre héréditaire.

» 4. Elle ne tenait pas moins à conserver la garde de "ses bien-aimés fils adoptifs", Louis et Eugène (bâtards que l'empereur avait eus de Mlle Vergeot, la petite blanchisseuse du fort de Ham). »

De sa petite écriture, Napoléon III rédigea sur-le-champ la réponse qu'attendait Harriet. Le lendemain, un garde la portait rue du Cirque. En voici le résumé (on remarquera que l'empereur avait ajouté une cinquième clause) :

1. Miss Howard était autorisée à épouser un Anglais. La liberté de choix s'étendait à tous les citoyens britanniques, qu'ils fussent célibataires, veufs ou divorcés.

2. L'ex-favorite serait comtesse de Beauregard et de Béchevêt après

érection de ces terres nobles en majorat. Et, comme Agnès Sorel avait été dame de Beauté, Harriet Howard serait ainsi dame de Bel-Ébat.

3. Martin-Constantin, son héritier naturel, lui succéderait dans ses privilèges, dignités et bien terrestres. Avec la nationalité française, l'empereur offrait à ce jeune homme la possibilité d'entrer dans la carrière diplomatique.

4. Eugène et Louis ne seraient pas séparés de leur éducatrice. Pendant toute la durée des études secondaires, les fils Vergeot partageaient le sort de Martin-Constantin, jusqu'à ce qu'ils eussent choisi un état ou manifesté une vocation. Alexandrine Vergeot, leur mère, ne voyait à cela aucun inconvénient. (Elle s'y prêtait d'autant plus volontairement qu'elle avait maintenant un troisième enfant, né le 12 août 1850, de sa liaison avec Pierre Bure, trésorier général de la Couronne, et baptisé Pierre-Alexandre.)

5. Dans son appartement de Saint-Cloud, Miss Howard avait ajouté, au mobilier national, des portraits, bronzes et porcelaines qui lui appartenaient en propre. L'empereur ayant pensé qu'il lui serait agréable de présider elle-même à l'emballage, puis à l'enlèvement de ses objets d'art et effets personnels, elle était autorisée à se rendre et à séjourner au château.

Quelques jours plus tard, comme les Parisiens commençaient à pavoiser pour le mariage impérial, Miss Howard fit ses bagages et se rendit à Saint-Cloud.

Elle y était encore le 30 janvier, lorsque le canon et les cloches annoncèrent qu'Eugénie de Montijo était impératrice des Français [113].

Elle fut heureuse alors d'être loin de la capitale ; mais le soir, quand elle apprit que les nouveaux époux allaient venir passer leur nuit de noces au château de Villeneuve-l'Étang, situé à l'extrémité du parc de Saint-Cloud, elle éclata en sanglots et décida de rentrer rue du Cirque [114].

Tandis que Miss Howard pleurait, à Paris, une foule en délire acclamait les souverains.

Cette fois, Eugénie, qui avait connu tant d'affronts, pensa qu'elle avait définitivement gagné la partie et que son titre d'impératrice des Français ferait taire tous ses adversaires.

Elle se trompait.

Le soir même, les rédacteurs du *Trombinoscope,* journal humoristique, écrivaient :

113. Le 29 janvier, à neuf heures du soir, la cérémonie du mariage civil avait eu lieu aux Tuileries. Le 30, au matin, Napoléon III et Eugénie furent unis devant Dieu à Notre-Dame par l'archevêque de Paris.

114. Le lendemain, elle envoya ce dernier mot à l'empereur : *Sire, je vais partir. Je me serais aisément sacrifiée à une nécessité politique, mais je ne puis pardonner de m'immoler à un caprice. J'emmène avec moi vos enfants et, nouvelle Joséphine, j'emporte votre étoile.*

Je sollicite seulement une dernière entrevue pour vous faire un adieu éternel. J'espère que vous voudrez bien ne pas me la refuser...

L'empereur la reçut et elle rentra tristement chez elle.

« En 1851, Mlle de Montijo parut aux fêtes de l'Élysée qui devaient la conduire si vite au faîte du pouvoir. Elle ne tarda pas à s'y faire remarquer par sa grâce et le talent qu'elle avait de s'habiller avec presque rien. Un soir, Napoléon III valsa avec elle ; elle était en corsage (typographes, pas de coquille !). Le lendemain, Eugénie de Montijo était demandée en mariage par l'empereur. Elle avait alors vingt-sept ans. En face d'une pareille proposition, les convenances exigeaient qu'elle rougît et baissât les yeux ; elle y parvint en rappelant les souvenirs de sa plus tendre enfance. L'empereur devenant pressant, elle demanda à consulter sa mère et la chronique assure qu'elle eut assez de présence d'esprit pour refuser le denier à Dieu que l'empereur lui demandait. Son mariage fut célébré à Notre-Dame ; la messe fut dite au maître-autel, la *chapelle de la Vierge étant en réparation...* »

Ce ne fut pas la seule note discordante. Au moment même où Napoléon III et Eugénie, quittant leurs invités, s'apprêtaient à gagner le petit château de Villeneuve-l'Étang pour s'y savourer en paix, le bon peuple de Paris chantait des couplets ironiques. Les uns étaient allusifs :

> *Depuis que de César en ses sacrés parvis*
> *Un archevêque a béni l'amourette,*
> *Notre-Dame de Paris*
> *C'est Notre-Dame de Lorette.*

D'autres étaient plus directs :

> *Montijo, plus belle que sage,*
> *De l'Empereur comble les vœux.*
> *Ce soir, s'il trouve un pucelage,*
> *C'est que la belle en avait deux !*

Bref, le règne d'Eugénie commençait curieusement...

1853. Le second Empire — qui n'eût pas existé sans Miss Howard — va ressembler pendant dix-sept ans à un quadrille. Au rythme de la musique trépidante d'Offenbach, Napoléon III, les moustaches bien lissées et le mollet tendu dans un bas de soie, changea inlassablement de partenaires, jusqu'au jour où, ces dames trop fougueuses l'ayant épuisé, il se retrouvera faisant cavalier seul devant Sedan...

Alors, quelques belles créatures bien en chair, comme on les aimait à cette époque, dotées de la silhouette appétissante d'un édredon pincé par le milieu, deviendront les maîtresses de solennels barbus en gibus et en jaquette, pour aider à l'édification d'une IIIᵉ République une, indivisible et égrillarde par hérédité...

Livre X

DU SECOND EMPIRE A LA IIIe RÉPUBLIQUE

C'est en France, le pays de la galanterie par excellence, que les femmes ont exercé la domination la plus facile et la plus universelle.

ADRIEN DESPREZ

1

La nouvelle impératrice découvre avec stupeur l'esprit libertin qui règne aux Tuileries

La pudeur est une seconde chemise.

STHAL

Il ne faut pas tortignonner, comme disait le marquis d'O à Henri IV. Non, il ne faut pas tortignonner.

Si M. Fould, officier de l'état civil du quartier des Tuileries, put rentrer chez lui le 29 janvier 1853 en disant :

— Je viens de marier devant la loi S.M. l'empereur et Mademoiselle de Montijo...

Si Monseigneur l'archevêque de Paris eut raison de déclarer, le 30 janvier à midi en sortant de Notre-Dame :

— Je viens d'unir devant Dieu Louis-Napoléon Bonaparte et Mademoiselle de Montijo...

... En réalité, Eugénie ne devint véritablement impératrice des Français que pendant la nuit du 30 au 31 janvier au château de Villeneuve-l'Étang, sur un grand lit que le souverain se chargea de transformer, avec sa fougue habituelle, en un champ de bataille qui préfigurait — en petit —, nous dit Pierre de Lano, « la plaine de Reichshoffen le 6 août 1870, après le passage des célèbres cuirassiers »...

Le biographe de Napoléon III eût pu, avec plus de vraisemblance encore, comparer la couche impériale à la place de Sébastopol le 8 septembre 1855 car, pour s'emparer de la « petite redoute » d'Eugénie de Montijo, il avait fallu onze mois pleins à Napoléon III, c'est-à-dire le temps exact qu'il faudrait à l'armée de Mac-Mahon pour prendre le fort de Malakoff...

Cette nuit de noces fut assez décevante pour l'empereur qui s'attendait à trouver une Espagnole chaude et vibrante et qui, selon le mot peu élégant d'Alexandre Dumas, « dut beluter une femme aussi sensuelle qu'une cafetière ».

Pensant qu'elle était peut-être intimidée par la présence à ses côtés d'un homme beaucoup plus âgé qu'elle, l'empereur entreprit de l'apprivoiser en utilisant ses dons d'amuseur.

A table, sous les yeux ahuris des laquais, il transformait sa serviette en un lapin qu'il faisait sauter dans son assiette. Puis, tout en contant des anecdotes, il modelait, en mie de pain, des petits bustes à la ressemblance des principaux personnages de la cour. Enfin, il se livrait, au dessert, à d'éblouissantes expériences de physique amusante. Devant Eugénie émerveillée, il retournait un verre rempli d'eau sur une feuille

de papier, confectionnait une lanterne vénitienne avec une orange, ou faisait tenir en équilibre, sur la pointe d'une lame de couteau, un bouchon dans lequel étaient piquées deux fourchettes...
De tels exploits eussent enchanté le public d'un cirque. Ils ne parvinrent pas à « émouvoir le beau marbre espagnol ». Bien sûr, Eugénie s'efforçait d'être affectueuse et manifestait même au lit une bonne volonté attendrissante. Mais ses efforts s'arrêtaient là. « Dans sa fierté ibérique, nous dit Pierre de Lano, il lui eût semblé indigne et déshonorant de simuler un sentiment qu'elle n'éprouvait pas. »

Qu'elle n'éprouvait pas, en tout cas pour Napoléon III, car depuis quelque temps, elle pensait, avec un grand trouble, au beau marquis d'Alcañises qui l'avait courtisée jadis à Madrid. Elle y pensait au point que le 28 janvier, veille de son mariage avec l'empereur, elle avait dit brusquement à la marquise de Bedmar :

— Si Alcañises venait me chercher, je partirais avec lui.

Mais Alcañises n'était pas venu et elle se trouvait liée à ce souverain de dix-huit ans son aîné dont elle considérait parfois avec un étrange sourire les jambes courtes, les yeux délavés, le gros nez, la moustache jaunie par le tabac et l'air légèrement abruti [1].

Curieuse lune de miel en vérité ! Fort heureusement les tête-à-tête des nouveaux époux étaient coupés de promenades dans les environs de Villeneuve-l'Étang. Eugénie demanda d'abord à son mari de la mener à Trianon. Elle voulait, au début de son règne, se recueillir un moment à l'endroit où Marie-Antoinette avait vécu ses plus beaux jours [2]. Puis, elle désira visiter la manufacture de Sèvres où on lui montra les fameux bols-seins qui, suivant la légende, avaient été moulés sur la poitrine de la dernière reine de France. Détail qui la fit rougir et lui donna à penser que le peuple dont elle devenait l'impératrice était décidément bien frivole et bien égrillard...

Enfin, le 7 février, les souverains regagnèrent Paris et Eugénie s'installa aux Tuileries.

Tout de suite, elle s'adapta merveilleusement au rôle qu'elle allait devoir tenir pendant dix-sept ans. Car c'est bien d'un rôle qu'il s'agissait. N'avait-elle pas écrit à sa sœur Paca :

Depuis hier on me donne le titre de Majesté et il me semble que nous jouons la comédie... Quand je faisais chez toi mon rôle d'impératrice, je ne savais pas que je le jouerais nature...

Et elle jouait à être la souveraine la plus élégante, la plus souriante,

---

1. Le marquis d'Alcañises devait épouser, quelques années plus tard, sous le nom de duc de Sestos, la veuve de M. de Morny.
2. Ce goût qu'Eugénie montrait pour tout ce qui touchait à Marie-Antoinette avait conduit la cour d'Autriche à lui envoyer un très singulier portrait. Il s'agissait d'une miniature en pied représentant la dauphine avant son mariage, vers l'âge de 14 ans. Détail extraordinaire : *elle avait un bras relevé et montrait du doigt son cou élégant entouré, suivant la mode du temps, d'un étroit ruban de couleur rouge qui figurait comme une mince trace de sang...*

la plus courtoise d'Europe. Scrupuleuse, elle tint à prendre des leçons de maintien auprès d'une tragédienne.

Le destin étant malicieux, comme chacun le sait, elle choisit Rachel et les domestiques du palais savourèrent pendant quelques jours le plaisir voluptueux de voir l'ex-maîtresse de Napoléon III enseigner à l'impératrice les subtilités de la révérence...

Cette dignité un peu affectée d'Eugénie ne s'accordait pas toujours, il faut bien le dire, avec le laisser-aller de l'empereur. Alors qu'elle l'appelait Sire et le vouvoyait, lui, au contraire, la tutoyait, même en public, l'appelait par son prénom qu'il prononçait d'ailleurs *Ugénie* et usait d'un vocabulaire assez vert.

Mais l'impératrice n'était pas seulement choquée par les libertés de langage de son mari. La licence qui régnait à la cour la scandalisait. Eugénie, en effet, malgré une adolescence agitée, était fort prude. Cette sévérité à l'égard du badinage s'accompagnait même d'un mépris hargneux pour les jeux du lit. Absolument dénuée de sensualité, la pauvre impératrice traitait de « saletés » les galantes entreprises de son époux.

Par sa pudibonderie, son austérité, son peu de goût pour le déduit, Eugénie était à l'opposé des dames de la cour. Aux Tuileries, en effet, tout n'était que désordre et beauté, luxe, spasme et volupté...

Voici le tableau que nous en brosse un témoin, le comte Horace de Viel-Castel.

« Quant à la vertu des femmes, je n'ai qu'une réponse à faire à ceux qui m'en demanderaient des nouvelles ; c'est qu'elles ressemblent fort aux rideaux des théâtres, car leurs jupons se lèvent chaque soir plutôt trois fois qu'une.

» Les femmes n'ont même plus assez des hommes, la tribaderie fait parmi elles de grands progrès.

» A notre époque, on ne vit que par les sens et on ne leur refuse rien de ce qui peut satisfaire leurs caprices.

» Les pédérastes ne sont plus honnis ; le marquis de Custine est reçu comme un homme très aimable.

» Pourvu que vous n'attentiez pas aux vices de votre voisin, il respectera les vôtres.

» La conversation du monde voile à peine le libertinage de la pensée ; les femmes raffolent des entretiens *gazés,* c'est-à-dire polissons, mais avec des mots honnêtes, c'est ce qui se décore du titre de bonne compagnie.

» Qu'un homme demande crûment à une femme : "Voulez-vous coucher avec moi ?", ce sera un malappris, de mauvais ton ; mais qu'il lui dise en se portant à des attouchements définitifs : "Vous me rendez fou !'' et qu'il la traite sans façon, il n'est plus qu'un homme à bonnes fortunes, un charmant [3]. »

La pudeur de la pauvre impératrice était chaque jour, on s'en doute, mise à rude épreuve. D'autant que l'empereur et Morny se faisaient un malin plaisir de lui rapporter des anecdotes polissonnes qui se colportaient sur les membres de la cour. Ils s'amusèrent ainsi à la faire rougir en lui contant l'aventure arrivée à un fringant capitaine des Guides, nommé Duval.

Cet officier avait été convié par une princesse qui le considérait depuis longtemps d'un œil gourmand. Avant de se rendre à l'invitation, il en avait parlé à ses camarades qui, bien entendu, avaient fait mille plaisanteries :

— Quand on se rend chez Mme Putiphar, s'était écrié l'un d'eux, il faut être décidé à en sortir comme Joseph...

— N'ayez crainte, avait répondu Duval. Cette princesse n'a rien de séduisant. Elle est grosse comme une baleine et je n'ai aucune envie de devenir son amant...

Le lendemain, ses camarades l'interrogèrent :

— Alors ?... Reviens-tu comme Joseph ?...

Duval baissa la tête :

— Non... Comme Jonas !...

Mais l'impératrice rougit bien plus encore lorsqu'elle apprit l'horrible mésaventure dont avait été victime un familier de la cour.

Ce personnage — le vicomte Agénor de V... — était un déséquilibré sexuel qui ne pouvait éprouver de plaisir qu'avec des vierges. Aussi offrait-il aux fruits verts qui voulaient bien mûrir en sa compagnie des sommes fabuleuses. Une jeune courtisane qui, pourtant, avait déjà « rôti le balai » avec une grande partie des cent-gardes, pensa qu'elle pouvait tirer profit de ce goût prononcé pour les primeurs. Elle alla trouver une vieille entremetteuse qui connaissait une pommade permettant aux femmes de se refaire une virginité, et lui en acheta, à prix d'or, un grand pot.

Quelques jours plus tard, ayant appliqué l'onguent miraculeux à l'endroit voulu, elle rencontra le vicomte qui, fou de joie, crut avoir affaire à une véritable jeune fille.

Or, le lendemain, le bel Agénor, pénétrant dans le cabinet de toilette de sa nouvelle maîtresse, aperçut le pot de pommade. Souffrant d'une gerçure aux lèvres, il pensa bien faire en s'appliquant un peu de cette matière grasse. Hélas ! nous dit Pierre de Lano, « à sa grande stupéfaction, ses lèvres se contractèrent et se rétrécirent au point qu'il n'y pouvait même plus introduire le doigt... ».

En entendant cette histoire, Eugénie fut plus pincée que jamais...

Un soir de mars 1853, un grand bal costumé eut lieu au palais des

---

3. Comte HORACE DE VIEL-CASTEL, *Mémoires sur le règne de Napoléon III.*

Tuileries. L'empereur, l'œil mi-clos, considérait les dames de la cour avec « l'air d'un renard à l'affût près d'un poulailler » !

Soudain, son regard s'alluma. Une jeune femme venait de paraître dans un costume étrange dont le décolleté laissait voir presque intégralement les plus jolis seins du monde.

La main agacée, l'empereur tortilla sa moustache...

Bien loin de partager son ravissement, l'impératrice Eugénie se montra scandalisée :

— Il est bon de montrer ses épaules, murmura-t-elle, mais pas jusqu'au nombril !

A ce moment, le président Dupin qui, lui aussi, considérait depuis quelques instants ce généreux décolleté, fut interpellé par la jeune femme :

— Qu'avez-vous à me regarder ainsi, monsieur le président ?

M. Dupin s'en tira par un compliment :

— J'admirais, chère madame, l'originalité de votre costume... Que représente-t-il ?

— Je suis Amphitrite, la déesse de la Mer...

M. Dupin sourit :

— Amphitrite !... Ah ! oui... Mais à marée basse alors !...

La jeune femme s'éloigna, rouge de confusion.

L'impératrice avait entendu le dialogue. Elle s'en montra choquée, trouva la plaisanterie grossière et cessa, pendant plusieurs mois, d'inviter M. Dupin à ses réceptions...

De nombreuses anecdotes témoignent de la rigidité de l'impératrice devant un mot ou une représentation un peu lestes. Un jour, Prosper Mérimée, qui lui faisait visiter l'abbaye de Cluny, se pencha vers elle et lui dit à l'oreille :

— Ici, je vous défends de lever la tête !

Eugénie se redressa :

— Je voudrais bien savoir qui oserait me défendre quelque chose ! dit-elle.

Et, levant la tête, elle aperçut au-dessus d'elle une gargouille où les artistes du XIIIe siècle avaient mêlé agréablement la malice, le symbolisme et la gaillardise. Il s'agissait d'un moine en train de traiter assez familièrement un gros porc...

Blême de colère, Eugénie donna sur le bras de Mérimée un grand coup d'ombrelle.

— C'est pour me faire voir ce genre de choses que vous avez voulu être nommé inspecteur des monuments historiques ? Je vous félicite !...

Et elle ramena dare-dare l'auteur de *Colomba* aux Tuileries.

Naturellement, cette pruderie s'accompagnait d'une certaine candeur... La cour put en avoir la preuve un jour que l'impératrice visitait

une exposition. S'arrêtant devant une statue qui représentait *la Pudeur,* elle émit quelques critiques :
— Ces épaules sont trop étroites, dit-elle. Ce n'est pas joli !
Nieuwerkerke, qui l'accompagnait, lui fit remarquer qu'une figure de jeune fille devait avoir des formes moins développées qu'une figure de femme et que « ce peu de développement convenait même à l'expression du sentiment pudique ».
L'impératrice répondit alors avec sa vivacité habituelle, et sans réfléchir au sens que des esprits malicieux pouvaient donner à ses paroles :
— On peut être très pudique sans être étroite : je n'en vois pas la nécessité !...
Les officiels eurent bien du mal à ne pas éclater de rire...

Naïve, ingénue, presque virginale, l'impératrice découvrait chaque jour un peu plus ce que Marcel Prévost nomme les « abîmes du stupre». La malheureuse y était aidée par l'empereur et le duc de Morny qui continuaient malicieusement à la tenir au courant des turpitudes de la haute société. C'est ainsi qu'un matin, ils lui contèrent cette anecdote sur Marie d'Agoult que nous rapporte M. de Viel-Castel :
« La comtesse d'Agoult est cette femme enlevée par Liszt dont elle a trois enfants, puis revenue à Paris, maîtresse d'Émile de Girardin, de Lehma, etc., puis enfin écrivain socialiste sous le nom de Daniel Stern.
» Un soir, où nous étions seuls à prendre le thé chez elle au coin du feu, elle me dit :
» — J'ai voulu savoir quel bonheur il pouvait y avoir à être à deux hommes en même temps.
» — Comment ? répondis-je.
» — Comment ? répliqua-t-elle, vous avez mangé des sandwiches ?
» — Oui...
» — Savez-vous comment on les fait ?
» — Parbleu ! c'est un morceau de pain avec du beurre d'un côté et du jambon de l'autre [4].
» — Très bien ! j'ai fait un sandwich, et j'étais le pain... »
On imagine l'émotion d'Eugénie en apprenant qu'il existait de tels divertissements...

L'impératrice conserva d'ailleurs toute sa vie une extrême candeur. Elle en fournit la preuve bien des années plus tard à Biarritz, ce petit village de pêcheurs dont elle avait fait une magnifique station balnéaire. Chaque soir, les hommes de la cour qui voulaient s'amuser un peu se rendaient clandestinement à Bayonne où ils pouvaient rencontrer

4. A l'époque, le sandwich était réellement préparé ainsi. Aujourd'hui, Marie d'Agoult serait... le jambon !

quantité de dames accueillantes. Un jour, l'impératrice fut informée de ces fugues. Elle interpella les coupables :

— Messieurs, qu'allez-vous donc faire tous les soirs à Bayonne ?

Fort embarrassé, l'un d'eux répondit :

— Madame, nous allons voir l'évêque !

— Ah bon ! dit Eugénie.

Mais à quelque temps de là, l'évêque vint lui rendre visite et elle lui dit :

— Je vous en veux beaucoup, Monseigneur, d'attirer ces messieurs chez vous tous les soirs. Leurs épouses ne sont pas satisfaites.

Le prélat, qui avait de l'esprit, comprit qu'il servait de saint alibi à quelques polissons.

— Je promets à Votre Majesté, dit-il, de clore désormais mes réceptions beaucoup plus tôt et de libérer ces messieurs à une heure convenable.

Puis il ajouta avec un sourire malicieux à l'adresse des coureurs de jupons :

— Leur vision du Paradis en sera un peu écourtée, mais ils pourront ainsi rentrer faire leur prière en compagnie de leurs chères épouses...

Eugénie, qui était vraiment sans malice, se déclara enchantée.

Un autre jour, se promenant sur la plage, elle aperçut Mme de Cossette dans une singulière situation : cette dame était immobile face au grand large, et regardait la mer avec une sorte d'extase, tandis qu'un homme enfoui sous sa crinoline, et dont on ne voyait que les pieds et le bas du pantalon, se livrait, dans l'ombre des jupons, à une mystérieuse besogne.

Mme de Cossette salua la souveraine d'un air un peu crispé, mais Eugénie se détourna en rougissant.

Le soir, elle demanda des explications. Mme de Cossette raconta suavement que M. de Magnac, qui l'accompagnait dans sa promenade, s'était simplement abrité sous sa crinoline pour allumer son cigare...

Cette fois encore, la candide impératrice fut soulagée...

2

L'impératrice Eugénie, trompée, interdit son lit à l'Empereur

> Jamais l'exil n'a corrigé les rois.
>
> BÉRANGER

Un soir de fête aux Tuileries, Napoléon III se promenait dans les salons d'un air soucieux. La princesse Mathilde s'approcha et lui demanda ce qui le tourmentait.

— J'ai fort mal à la tête, lui répondit l'empereur. De plus, je suis poursuivi par trois femmes.

— Comment pouvez-vous vous donner tant de tracas ? Trois femmes, c'est de la folie !

L'empereur prit alors sa cousine par le bras et lui désigna ses trois amoureuses :

— J'ai, voyez-vous, la blonde du rez-de-chaussée, dont je cherche à me défaire. J'ai, ensuite, la dame du premier, qui est sans doute fort belle mais qui m'assomme. J'ai encore la blonde du second qui, celle-là, est en chasse de moi et me poursuit.

La princesse Mathilde sourit :

— Mais... l'impératrice ?...

Napoléon III haussa les épaules :

— L'impératrice ? Je lui ai été fidèle les six premiers mois de notre union, mais j'ai besoin de distractions... Je ne peux me faire à rien de monotone... Cela ne m'empêche pas de toujours revenir à elle avec plaisir [5]...

Cette dernière phrase voulait être galante. Elle était mensongère. En réalité, Napoléon III n'éprouvait aucun agrément à retrouver sa froide épouse et il n'entrait dans son lit que par devoir. Comme nous le dit Stelli, « lorsque l'empereur, les moustaches bien lissées et la tête froide, venait bricoler l'impératrice, il le faisait avec application, l'œil bleu fixé sur un rêve dynastique »...

Dans ces conditions on est en droit de se demander s'il ne faut pas féliciter Napoléon III, dont on connaît l'humeur volage, d'avoir été fidèle à Eugénie pendant six mois...

Au terme de ces cent quatre-vingts jours de sagesse et de constance, l'empereur, à bout de forces, se jeta un soir sur une ravissante jeune femme blonde un peu écervelée, dont l'éclat, depuis quelque temps, émerveillait la cour.

Elle se nommait Mme de La Bedoyère.

C'était, nous dit Frédéric Lolliée, « une fleur de bals et de soirées. Le jour, son teint avait quelque chose d'incolore et d'effacé. La nuit, tout s'avivait en elle, sans artifices : les bluets de ses prunelles et le rose de son visage ».

Mme de Metternich était plus catégorique encore :

— Quand Mme de La Bedoyère apparaît, c'est un lustre qui s'allume...

Papillon ébloui, Napoléon III vint tournoyer autour de cette lumineuse jeune femme de façon si désordonnée que toute la cour sut bientôt que Sa Majesté l'impératrice allait être cornette...

Quelques jours plus tard, la chose était faite.

On vit alors Mme de La Bedoyère reparaître aux Tuileries avec un air extasié « qui en disait long sur les hommages qu'elle avait reçus de l'empereur ».

Pendant quelque temps, elle put à peu près tout se permettre, les courtisans lui pardonnant, bien entendu, toutes ses étourderies. L'une d'elles est assez réjouissante. Un soir de réception, Mme de La Bedoyère

5. Toute cette conversation a été rapportée par la princesse Mathilde elle-même.

vit entrer une petite dame brune qu'elle ne connaissait pas. Se penchant vers M. Rouher, qui était son plus proche voisin, elle dit :

— Qui donc est ce petit pruneau ?

Le ministre s'inclina en souriant :

— C'est ma femme, madame !...

Mme de La Bedoyère, fort gênée, s'excusa, quitta M. Rouher et alla vers un groupe d'amis.

— Il vient de m'arriver, leur dit-elle en riant, la chose la plus désagréable mais la plus drôle du monde. Je parlais avec M. Rouher quand une petite dame brune — vous voyez... celle qui est là-bas — entre dans le salon, et je m'écrie : « Qui est donc ce petit pruneau ? »

— Et j'ai eu l'honneur de vous répondre : « Madame, c'est ma femme... »

Mme de La Bedoyère se retourna. Derrière elle, se trouvait, toujours souriant, M. Rouher qui l'avait suivie...

Napoléon III dont Mérimée disait : « Il se monte la tête pour un chat coiffé pendant une quinzaine de jours, puis, quand il y est parvenu, il se refroidit et n'y pense plus », se lassa vite de cette charmante gaffeuse.

Pour la remercier des bons moments qu'elle lui avait procurés, il donna à son mari — déjà chambellan — une charge de sénateur et porta ses regards sur d'autres appas[6].

Après six mois de calme, il avait besoin de s'agiter un peu. Il loua donc rue du Bac un petit hôtel situé entre les quais et le boulevard Saint-Germain et en fit sa garçonnière. Le soir, vêtu d'une redingote bleue et d'un pantalon gris à sous-pied, coiffé d'un chapeau de bourgeois, sa canne de rhinocéros à la main, il sortait des Tuileries par une petite porte discrète. Une voiture, où se trouvaient déjà deux gardes du corps, le conduisait alors rue du Bac. Là, il retrouvait, selon les jours, une actrice, une cocodette, une soubrette, une femme du monde, une courtisane...

Tout lui était bon, en effet. Il l'avoua lui-même un jour qu'aux Tuileries on jouait à répondre à cette devinette : « Quelle femme a le plus de valeur en amour, du point de vue purement passionnel : la femme du monde ou la courtisane ? »

Quand vint son tour de répondre, il dit :

— Toutes les femmes se valent en amour, quelle que soit la qualité sociale de leur élégance !

Puis il ajouta en souriant :

— Un jardin sur lequel nul ne met le pied contient d'excellents fruits que goûte seul son propriétaire. Pourquoi le jardin ouvert à tous ne renfermerait-il pas d'aussi délicieux fruits ?

6. La promotion de M. de La Bedoyère fit rire toute la cour. Et M. de Viel-Castel put écrire : « Son père a été fusillé en 1815. Sa femme en a fait un superbe cocu,

Ah ! monsieur le sénateur
Je suis votre humble serviteur ! »

Ce goût pour la femme fut à l'origine d'un savoureux incident. Un soir de fête, l'empereur qui traversait un petit salon obscur aperçut une jupe allongée sur un canapé.

Il s'approcha, glissa sa main, caressa une jambe et risqua quelques privautés.

Un cri éclata.

Et Napoléon III n'eut plus qu'à présenter ses plus humbles excuses à l'évêque de Nancy qui, fatigué par la fête, était venu se reposer un moment sur ce canapé et s'était benoîtement endormi...

Eugénie, bien entendu, ne soupçonnait rien des frasques impériales. Elle glissait au milieu des turpitudes de la cour comme un beau cygne blanc sur une nappe d'eau douteuse. Rien ne l'atteignait. Au milieu des bals où, selon l'expression d'un mémorialiste, « les regards n'étaient que des appels à la luxure », elle souriait de son sourire un peu triste et un peu pincé de femme frigide.

Placée, par une disgrâce de la nature, hors du courant qui entraînait les hommes et les femmes vers la volupté, elle était incapable d'imaginer des êtres tourmentés par le désir d'amour. Aveuglée, en outre, par la bonne opinion qu'elle avait de sa beauté, elle ne concevait pas que l'empereur pût lui préférer une autre femme...

La surprise fut donc totale, lorsqu'elle apprit que Napoléon III avait renoué avec Miss Howard...

Ce regain de faveur datait de la fin du mois de juin. Le 2 juillet, en effet, un « observateur » écrivait au préfet de police Maupas (Archives du ministère impérial de la Police) :

Il se dit que Louis-Napoléon a repris complètement toutes ses relations avec Miss Howard, ce qui fait lever quelques nuages dans le ménage impérial.

Le policier aimait l'euphémisme. En réalité, ces quelques nuages étaient une véritable tempête qui secouait les Tuileries. L'impératrice ne pouvait supporter qu'on touchât à ses affaires. De plus, elle était maniaque. Pour un coussin déplacé dans sa calèche elle devenait blême de colère.

On imagine, par conséquent, sa fureur et sa peine en pensant aux objets impériaux dont Miss Howard d'une main brouillonne pouvait déranger la belle ordonnance...

Des scènes terribles eurent lieu pendant quelques semaines.

Les valets et les courtisans, ravis, vécurent l'oreille tendue vers les appartements privés ; et le préfet de police put noter à la date du 21 septembre :

« L'impératrice, ayant appris qu'il y avait entre l'empereur et Miss Howard un rapprochement (selon les uns), une simple correspondance (selon les autres), aurait signifié à son auguste époux son intention de quitter Saint-Cloud et la France, si l'empereur ne voulait pas prendre soin de sa dignité et mieux comprendre ce qu'il doit à la femme qu'il a choisie. Une scène très vive aurait eu lieu. Sa Majesté l'impératrice aurait dit à l'empereur qu'elle ne tenait pas au trône, mais à son mari ; que ce qu'elle avait épousé, ce n'était pas le souverain, mais l'homme ; et qu'un premier outrage serait décisif... L'empereur, toujours calme et doux, même quand il a tort, aurait fini par apaiser cette colère en s'engageant à rompre toute correspondance avec la personne en question. »

Mais Napoléon III ne tint pas parole car, le lendemain, M. Maupas notait encore :

« 22 septembre 1853. — Miss Howard reprend le dessus, au grand déplaisir de l'impératrice. L'ancienne maîtresse a des caprices fort chers... Tout récemment, il a fallu consentir à lui donner 150 000 F que M. Mocquart a jugés indispensables pour la faire rester un peu tranquille... »

Miss Howard, en effet, prenait un malin plaisir à se placer sur le passage des souverains pour les saluer. Eugénie, les yeux fixes, les narines frémissantes, demeurait immobile, tandis que Napoléon III, d'un large coup de chapeau, rendait le salut...

Les jours où l'empereur allait inspecter ses troupes au camp de Satory, la favorite, qui habitait alors Versailles (d'où elle surveillait les travaux entrepris à Beauregard), se promenait sur la route en voiture légère.

L'impératrice n'étant pas là, ces rencontres ne se bornaient pas — on s'en doute — à un simple coup de chapeau...

Écoutons Fouquier :

« Aux environs de Versailles, j'étais quelquefois convié aux Loges, chez Brinquant. Je ne puis oublier un fait qui me fut conté par Mme Brinquant mère et qui a la couleur de son époque. Napoléon III était venu à Versailles passer la revue des troupes au camp de Satory... Après le défilé, il regagnait une voiture qui l'attendait. C'était celle de Miss Howard... avec laquelle il se rendait au château de Beauregard, voisin du Chesnay. Pour transformer sa tenue militaire en tenue civile, il avait, dans cette voiture, enlevé son képi et sa tunique, revêtu un haut-de-forme et une redingote, en gardant sa culotte d'uniforme rouge et ses bottes vernies. Ceux qui l'ont vu traverser les rues de Versailles avec cet accoutrement bizarre dans le *pony-chaise* de Miss Howard ne l'ont pas oublié. L'amour pour la belle Anglaise expliquait tout... [7] »

Naturellement, l'impératrice fut informée de ces escapades. Cette fois, elle ne cassa pas une assiette, elle ne prononça pas une injure, elle décréta simplement « une suspension des rapports légitimes et défendit à son seigneur et maître l'accès de la chambre nuptiale »...

Napoléon III fut très ennuyé, car il désirait fonder une dynastie. Or, Eugénie était la seule femme au monde qui pût donner un héritier au trône. Il fallait donc, à tout prix, qu'elle acceptât de recevoir le pollen impérial.

---

[7]. MARCEL FOUQUIER, *Jours heureux d'autrefois.*

Napoléon III, la mort dans l'âme, demanda à Miss Howard de quitter la France pour un moment et de faire un séjour en Angleterre où, aux termes du contrat de rupture de 1852, elle devait, d'ailleurs, trouver un mari.

Harriet, effondrée, capitula. Rendue méconnaissable par le chagrin, elle partit quelques jours plus tard pour Londres en emmenant son fils et les deux bâtards que l'empereur avait eus, au fort de Ham, d'Éléonore Vergeot...

Alors seulement, Eugénie rouvrit son lit à l'empereur. Celui-ci s'y précipita avec la volonté bien arrêtée de forger le prochain maillon de la chaîne des Bonaparte...

Hélas ! les mois passèrent sans apporter aucune espérance au couple impérial, et Eugénie, qui avait fait une fausse couche en avril 1853, se désolait.

Furieux d'œuvrer inutilement avec une femme pour laquelle il n'avait plus d'attirance, Napoléon III se tourna de nouveau vers des demoiselles espiègles et « actives de la fesse » comme dit Lambert, qui, si elles ne pouvaient lui donner de dauphin, lui procuraient du moins de profondes satisfactions...

En février 1854, la malheureuse impératrice apprit coup sur coup que son mari la trompait avec une jeune comédienne et que Miss Howard était à Paris, dans son hôtel de la rue du Cirque, pour quelques semaines... Elle s'enferma dans sa chambre et pleura. Ce chagrin, auquel se mêlait l'humiliation de ne pouvoir donner un héritier à l'empereur, fut vite connu du public et, le 7 février, l'informateur habituel du préfet de police écrivit :

L'impératrice est d'une très grande tristesse qu'on attribue, soit à la douleur de n'avoir pas d'enfant, soit à l'affliction intime que lui donne son époux. Il est beaucoup question d'une demoiselle A... qui serait, pour le moment, la rivale préférée par l'empereur. L'ancienne affection, dégénérée en amitié, pour Miss Howard, se perpétue d'ailleurs toujours et les visites aux Champs-Élysées sont d'une extrême fréquence...

Cette fois, l'impératrice changea de tactique. Pour ramener l'empereur vers elle, il lui sembla que le seul moyen était de lui donner un enfant. Et ce fut elle, cette fois, qui demanda tous les soirs à son mari de venir la rejoindre...

Cette persévérance fut bientôt couronnée de succès. En mai, Eugénie annonça à Napoléon III qu'elle était enceinte [8].

Hélas ! trois mois plus tard, elle faisait encore une fausse couche.

La cour s'alarma :

— Jamais nous n'aurons de « dauphin » !...

Informé des bruits qui couraient, Napoléon III, furieux, manda aux Tuileries le célèbre accoucheur Paul Dubois.

---

8. C'est à ce moment, le 16 mai exactement, que Miss Howard, définitivement délaissée, se maria avec un de ses compatriotes, Clarence Trelawny. Elle mourra le 19 août 1865 dans son château de Beauregard.

— Veuillez, je vous prie, examiner l'impératrice !...

Dubois était timide. A la pensée de se glisser en un endroit réservé à Sa Majesté, il fut pris de panique :

— Je vais vous envoyer une sage-femme de la maternité, dit-il.

— Jetez au moins un coup d'œil, proposa amicalement l'empereur...

Mais Dubois, rougissant, s'y refusa.

Le lendemain, la sage-femme se présentait au palais. Penchée sur Eugénie, elle se livra à une inspection prolongée, puis releva la tête :

— Tout est en bon état, sire ! dit-elle.

La France respira...

Lorsque la cour apprit la déclaration de la sage-femme, certains commencèrent à murmurer que le « défaut » n'était peut-être pas chez l'impératrice mais chez l'empereur. Les plus hardis allaient jusqu'à prétendre que les excès génésiques dont le souverain se rendait coupable depuis vingt ans avaient fort bien pu entamer ses facultés procréatrices.

— Il est usé, déclaraient-ils.

D'autres, plus indulgents, assuraient que les soucis qui assaillaient Napoléon III en ce début d'année 1854 l'empêchaient de « hanter l'impératrice avec la belle humeur qui le caractérisait ».

Le baron de V..., dans une lettre à son beau-frère, résumait cette opinion en termes crus :

Songez, écrivait-il, *que la France est ravagée par le choléra, que les dernières récoltes ont été catastrophiques et que nous sommes menacés d'une guerre avec la Russie... Comment voulez-vous qu'il... érige*[9] *!...*

L'empereur, en effet, était fort soucieux. Le tsar, qui voulait s'emparer de Constantinople, avait occupé, à la fin de 1853, les principautés danubiennes et armait, à Sébastopol, une flotte imposante. En accord avec l'Angleterre, Napoléon III, qui s'était assuré la neutralité de l'Autriche et de la Prusse, avait résolu de donner un premier signal de résistance à la Russie en envoyant la flotte française de la Méditerranée à Salamine, avec l'ordre de pénétrer dans la mer Noire, au moindre incident.

A la fin de février, la flotte anglaise se joignit à nos unités.

On était à la veille de la guerre.

Et Napoléon III qui, avant d'être couronné, avait affirmé : « L'Empire, c'est la paix », formule heureuse qui avait généralement plu, était fort ennuyé...

Au mois de mars, la destruction par les Russes d'une flottille turque à Sinope fut le signal du début des hostilités. La flotte franco-anglaise entra dans la mer Noire, et, le 27, la France déclarait la guerre à la Russie, décision qui allait précipiter des milliers d'hommes vers la « fournaise de Sébastopol », faire connaître aux Parisiens l'existence

9. Le mot employé par le baron — on s'en doute — est moins scientifique.

de la Crimée et permettre à une ancienne maîtresse de l'empereur de faire un joli mot d'esprit.

Au moment de la déclaration de guerre, Rachel, en effet, se trouvait à Saint-Pétersbourg où elle donnait une série de représentations. A regret, elle dut faire ses malles pour rentrer en France. Mais, avant son départ, les officiers de la Garde l'invitèrent à dîner.

Ne voulant pas déplaire à ces militaires qui, la veille encore, l'applaudissaient, elle accepta.

Au dessert, on servit le champagne et un colonel se leva, coupe en main :

— Nous ne vous disons pas adieu, madame... mais au revoir ! Car, ajouta-t-il au milieu des rires de ses camarades, nous entrerons bientôt à Paris et nous boirons encore à votre santé et à vos succès !...

Rachel ne sourcilla point. Elle se leva à son tour et répondit en souriant :

— Messieurs, je vous remercie beaucoup de votre réception et de vos vœux ; mais je dois vous avertir que la France ne sera certainement pas assez riche pour offrir le champagne à ses prisonniers de guerre !...

Ce qui jeta un froid.

Dès que les trente mille soldats furent en route vers la Crimée, où vingt-cinq mille Anglais devaient les rejoindre, Napoléon III respira.

La guerre étant commencée, il pouvait de nouveau s'intéresser à l'impératrice.

Hélas ! celle-ci se plaignit bientôt de douleurs « causées par les bons soins répétés de l'empereur », et les médecins prescrivirent un séjour à Biarritz.

En pleine guerre, la cour quitta donc les Tuileries pour aller en villégiature au bord de l'Atlantique.

Dès son arrivée, Napoléon III décida que, pour permettre à l'impératrice de prendre plus facilement le repos dont elle avait besoin, toute étiquette était bannie.

— Plus de service d'honneur, plus d'audiences, dit-il, nous sommes entre amis !...

Aussi chaque soir après dîner, l'impératrice organisait-elle des jeux auxquels tout le monde participait — même l'empereur qui prenait un vif plaisir à sauter par-dessus les chaises, les fauteuils et les canapés...

Naturellement, les familiers de la cour étant « grands amateurs de folâtrerie », les amusements de la villa Eugénie prirent rapidement un tour assez spécial. Et Charles Simond nous dit que les distractions les plus prisées étaient « ces petits jeux qui permettent les frôlements équivoques ou amènent d'amusantes culbutes, les jupes étant pour lors très évasées et les pantalons ouverts »...

Certains jeux étaient, il est vrai, assez curieux. Écoutons encore Charles Simond :

« Un homme, à genoux, enfouissait sa tête dans les jupes d'une femme assise, et les autres, hommes et femmes mêlés, montaient sur son dos jusqu'à ce qu'il pliât sous la charge et que la grappe humaine s'effondrât dans un méli-mélo amusant et parfois suggestif.

» Il y avait aussi une très naïve distraction qui consistait à s'asseoir en cercle, les jambes étendues de façon que les pieds des hommes et des dames se rejoignissent. On jetait alors au milieu un bracelet, un mouchoir, un soulier, que l'on faisait passer sous les jambes de chaque joueur, tandis qu'en dehors du cercle une personne cherchait à s'emparer de l'objet qui courait ainsi sous les pantalons noirs et les jupes bouffantes. Il arrivait que l'objet se mussât trop longtemps dans un même endroit. Il fallait alors que le "chat" essayât de mettre la main sur la "souris" — tels étaient les deux termes employés —, ce qui prêtait à des méprises tout à fait délicieuses... »

Le jeu de cache-cache lui-même perdait, au cours de ces soirées, beaucoup de son innocence ainsi qu'on va le voir :

« Un soir, une dame qui sacrifiait volontiers sur les autels de Lesbos, voulut profiter du jeu pour essayer de conquérir une jeune femme pour laquelle elle éprouvait un fort penchant. Sournoisement, elle avait guetté de quel côté cette dernière se sauvait, et se précipita. Arrivée au lieu où elle était sûre de la trouver, elle la serra si fort et avec un tel luxe de palpations et d'attouchements non équivoques, que la personne, soumise à ce régime de caresses intensives, éleva une voix indignée. Stupéfaction ! Il y avait eu substitution et les avances allaient à un vieux laideron à qui il fallut faire d'humbles excuses !... [10] »

Enfin, on s'amusait à Biarritz — tout comme on le fera plus tard à Compiègne — aux tableaux vivants...

Ce divertissement, qui consistait à représenter des scènes galantes, et le plus souvent mythologiques, donna lieu à une bien jolie lettre d'adolescente.

La fille du maréchal Magnan, ayant été choisie pour tenir le rôle d'Éros, écrivit à son père :

Mon cher père, je fais l'Amour ce soir, envoyez-moi au plus vite tout ce qui est nécessaire...

On imagine la tête du maréchal en recevant ce billet...

Le 27 août, Napoléon III quitta Biarritz pour se rendre à Boulogne où il devait rencontrer le prince Albert, époux de la reine Victoria.

Eugénie resta seule avec ses dames de compagnie.

Aussitôt, les gens malintentionnés murmurèrent que la jeune souveraine allait profiter de sa liberté pour « mettre au front de l'empereur les attributs que celui-ci lui faisait porter depuis un an »...

C'était mal connaître Eugénie. Alors que, seule et libre, elle eût pu, en Espagnole coquette, faire tourner les têtes, elle se contenta de faire tourner les tables...

10. CHARLES SIMOND et M.-C. POINSOT, *La vie galante aux Tuileries sous le Second Empire*.

Le spiritisme, en effet, la passionnait. Depuis quelque temps déjà, elle évoquait des esprits et correspondait avec de célèbres défunts.

Certains, particulièrement doués pour les cancans, lui avaient même donné des renseignements fort précis sur les belles favorites de l'empereur et, s'il faut en croire d'estimables historiens, ce fut par cette étrange voie qu'elle apprit la liaison de Napoléon III et de Mme de La Bedoyère...

A Biarritz, Eugénie interrogea les tables sur la guerre de Crimée, cherchant à savoir si les combats seraient longs et si la flotte franco-anglaise coulerait beaucoup de navires russes. Mais les esprits se montrèrent peu bavards et l'impératrice dut se contenter de participer — sans le concours de l'au-delà — à l'optimisme général [11]...

Le 18 septembre, elle quitta Biarritz et gagna Bordeaux où l'empereur était venu à sa rencontre. En retrouvant l'impératrice, Napoléon III montra une joie enfantine. Devant la foule amassée sur les marches de la gare, il lui baisa passionnément les mains et lui prit le bras avec une tendresse qui émut le petit peuple...

Le lendemain, les souverains montèrent dans le train de Paris [12] et regagnèrent les Tuileries.

Le séjour à Biarritz et les bains de mer répétés avaient fait le plus grand bien à Eugénie. Aussi les médecins conseillèrent-ils à Napoléon III de « reprendre ses essais dans le lit conjugal ».

Pendant tout l'hiver, l'empereur, d'un cœur vaillant, s'efforça d'être efficace. Hélas ! pas plus que les armées franco-anglaises qui piétinaient devant Sébastopol, nous dit A. de Sazo, il ne put « rédiger un bulletin de victoire »...

Naturellement, les bruits les plus fâcheux circulaient à la cour. Des gens qui se disaient bien renseignés assuraient que l'impératrice était affligée d'une malformation qui obligeait l'empereur à d'épuisantes acrobaties. D'autres racontaient que, dans son adolescence, Eugénie avait été déflorée par un officier espagnol trop bien pourvu qui l'avait mutilée... D'autres, enfin, plus aimables, se contentaient de dire, en haussant les épaules, que Napoléon III avait épousé un radis creux...

Tous ces propos, bien entendu, étaient rapportés à l'empereur et le pauvre en souffrait. Aussi fut-il ravi lorsque, au début de 1855, plusieurs scandales bien parisiens vinrent, pour un moment, détourner l'attention maligne des courtisans.

Le premier éclata le 13 janvier. Le voici rapporté par cette mauvaise langue de Viel-Castel :

« On parle bien bas dans le monde d'une petite affaire de Mme la comtesse de Nansouty née Perron, qui depuis quelque temps affectait

---

11. Plus tard, l'impératrice accordera toute sa confiance à un occultiste écossais nationalisé américain, du nom de Daniel Dunglas Home qui se livra devant toute la cour ébahie à d'extraordinaires expériences de lévitation.

12. La ligne Paris-Bordeaux était ouverte depuis le 18 juillet 1853.

les dehors d'une grande piété, renonçait presque au monde et ne portait plus de bijoux. Le mari voulut voir les bijoux, on lui refusa leur exhibition, il se fâcha, s'empara de la clé du secrétaire !... Pas de bijoux !... Il cherche partout... rien... et Mme de Nansouty refuse de s'expliquer.

» Le comte de Nansouty consulte le commissaire de police qui conseille une visite générale dans l'hôtel. Mme de Nansouty, froide, hautaine, impassible, ne s'y oppose pas. Les bijoux sont retrouvés chez la femme de chambre qui les réclame comme un don de sa maîtresse. Le comte de Nansouty lui répond :

» — Votre maîtresse, si elle vous avait donné ces bijoux, nous l'aurait dit, puisqu'elle sait que le commissaire de police fait une fouille générale ; vous n'êtes qu'une voleuse !

» La femme de chambre, exaspérée, voyant qu'il y allait de la prison et de la cour d'assises, s'écrie alors :

» — Eh bien ! si c'est comme ça et que Madame me laisse accuser, je vais tout vous dire : ces bijoux sont bien à moi ; je suis l'amant de Madame, et pour me décider à coucher avec elle, ce que je ne voulais pas faire, elle m'a donné peu à peu tous ces bijoux...

» A cette assertion, on descend dans la chambre de la comtesse qui, perdant tout son calme, tombe dans des spasmes nerveux et pleure à sanglots.

» La femme de chambre devient arrogante, nomme tous ''ses amants'', parmi lesquelles la marquise d'Ada. Elle maintient son assertion sur la possession des bijoux et finit par exiger 80 000 F pour prix de son silence... [13] »

Le second scandale fut également provoqué par une dame aux mœurs infléchies... Il éclata le 31 janvier. Ce jour-là, on apprit à la cour que la marquise de Beaumont, née Dupuytren, avait été surprise dans une maison de filles « alors qu'elle s'exerçait à la fricatelle »...

Tout le monde éclata de rire.

Hélas ! les chefs d'État ne peuvent compter indéfiniment sur les turpitudes de leurs sujets pour distraire le pays. Bientôt ces histoires furent oubliées et la cour recommença à ironiser sur la stérilité de l'impératrice.

Au mois d'avril, la mort dans l'âme, les souverains se rendirent à Londres où la reine Victoria les avait conviés. Accueillis avec cordialité, ils se laissèrent aller, un soir, à confier à la jeune reine — qui était une « pondeuse d'enfants » — leur regret de n'avoir point d'héritier. Victoria s'exprimait sans périphrase. Elle se tourna vers l'empereur :

— C'est bien simple, dit-elle. Mettez un coussin sous les reins de l'impératrice !...

Le conseil devait être bon, car deux mois plus tard, Eugénie, triomphante, annonçait à l'empereur qu'il allait être papa.

13. Comte Horace de Viel-Castel, *Mémoires*.

3

Le curieux Journal intime de la comtesse de Castiglione

> Elle courait tracer un signe mystérieux dans son
> journal quand on lui avait mis la main aux fesses.
>
> CLAUDE VILLARET

Le 8 septembre 1855, après un siège de douze mois, les zouaves de Mac-Mahon s'emparèrent de Sébastopol.

La guerre de Crimée touchait à sa fin.

Alors, on commença à parler d'un congrès international réunissant les plénipotentiaires des nations belligérantes en vue d'« un règlement de la question d'Orient et d'une cessation des hostilités ». « La paix que nous voulons, écrivit un journaliste optimiste, doit asseoir l'Europe sur des bases solides et durables pour mille ans. De plus, elle doit effacer à tout jamais le souvenir humiliant du Congrès de Vienne... »

Or, la conclusion de cette paix, que tout le monde espérait, allait avoir une influence déterminante sur le destin d'une jeune Piémontaise de dix-huit ans que ses amis appelaient « la plus jolie femme d'Europe »...

Elle se nommait Virginia Oldoïni, vivait à Turin, entourée d'admirateurs éblouis et portait, depuis son mariage, célébré le 9 janvier 1854, le titre de comtesse de Castiglione...

Son enfance avait été singulière.

A l'âge où les petites filles jouent encore à la poupée, la future comtesse, dont la grande beauté stupéfiait tous les hommes, était courtisée comme une femme. Consciente du désir qu'elle inspirait aux messieurs haletants, elle murmurait, dit-on, avec un petit sourire méprisant, baissant à peine ses yeux verts :

— Soyez patients ! Je vais grandir...

Et tout le monde avait envie de crier :

— Plus vite ! Plus vite !...

A seize ans, sa vue aurait dû être interdite aux apoplectiques.

A ce moment, elle épouse François Verasis, comte de Castiglione, qui est attaché à la maison du roi de Piémont, Victor-Emmanuel, et qui a dix ans de plus qu'elle.

Quelques semaines plus tard, elle est présentée au souverain. Celui-ci la contemple en montrant tous les signes d'un trouble extrême. Il bafouille, s'empourpre et doit finalement, « sa nature étant demeurée très instinctive, cacher sous son chapeau la manifestation inopinée d'une débordante admiration pour la comtesse ».

Flattée, la jeune femme rêve aussitôt d'aventures romanesques et de cabrioles dans une couche princière.

C'est alors que — pensant lui faire plaisir — Castiglione lui donne un enfant. Comment pourrait-il supposer, le maladroit, que Virginia, empêchée de recevoir, pendant les dernières semaines de sa grossesse, les admirateurs qui encombrent généralement son salon, va lui reprocher d'être privée d'hommages à cause de lui ?

L'enfant naît le 9 mars 1855. C'est un garçon, dont elle s'occupe peu. Elle préfère tenir son Journal intime.

Ce journal, Alain Decaux l'a retrouvé, en 1951, à Rome. Il constitue, sans doute, le plus extraordinaire document dont un historien puisse rêver. Virginia s'y montre telle qu'elle est avec ses petitesses, ses roueries, ses rares élans, sa vanité et ses étonnantes façons de midinette. Ne la voit-on pas, en effet, tracer un B (barré) lorsqu'on l'a embrassée, un F barré) lorsqu'elle s'est donnée complètement et un BX lorsqu'on lui a fait, si j'ose dire, des caresses intermédiaires ?

Ce code, elle va bientôt avoir l'occasion d'en utiliser toutes les finesses.

Depuis quelque temps, un ami d'enfance, Ambrogio Doria, avec qui elle a joué jadis à La Spezia, lui fait la cour. Après ses relevailles, ce soupirant devient plus pressant et, un soir de juin, tout émue de ce qui vient de se passer, elle écrit :

Je suis allée à la messe à neuf heures. En revenant par le jardin, j'ai trouvé Ambrogio Doria qui est venu dans ma chambre, pendant que les domestiques déjeunaient. Je me suis déshabillée, mis le peignoir blanc, sans peigne ; causé jusqu'à onze heures sur le canapé. BX... Il est parti par le jardin...

Ce BX si facilement accepté va décider de sa carrière amoureuse.

Doria revint quelques jours plus tard, alors que le comte de Castiglione est allé passer la soirée chez un ami, et Virginia écrit dans son Journal :

J'ai dîné avec la Vimerati, seule. François était chez Cigala. Elle est partie à sept heures, quand Doria est venu dans le salon. Causé dans l'obscurité. BX. BX. BX. BX...

Cet ardent Ambrogio aura droit à un F (barré) le surlendemain, 7 juillet...

Quelques jours plus tard, la jeune comtesse écrit :

Doria est revenu. Resté jusqu'à cinq heures. Causé dans ma chambre...

Un F (barré) témoigne de l'intérêt que Virginia a pris à cette conversation...

Comme il n'y a que le premier faux pas qui coûte, la belle Nicchia (c'est le nom que lui donnent ses admirateurs) ne va pas s'arrêter en si mauvais chemin...

Ambrogio Doria a un frère, Marcello, dont le nom apparaît bientôt dans le Journal intime. Et, à la date du 13 octobre, Virginia trace les

chiffres suivants : 12, 5, 18, 19, 21, 5, 13, 20, 18, 20, 17, 11, 9, 19, 1,
21, 5, 3, 12, 14, 9...
Ce qui signifie : *Marcello est venu sur le lit avec moi...*

Les doux ébats auxquels se livrait Nicchia avec les frères Doria ne
furent bientôt plus à la mesure de son orgueil grandissant. Elle rêvait
d'étreintes royales...
Une occasion inespérée d'utiliser sa beauté à des fins exaltantes allait
lui être donnée...
Cavour, Premier ministre de Victor-Emmanuel et cousin de la
volcanique comtesse, avait un grand dessein : faire l'unité de l'Italie
qui était alors un véritable puzzle : on y trouvait le Piémont, royaume
de la Maison de Savoie, la Lombardie et la Vénétie, provinces occupées
par les Autrichiens, les duchés de Parme, de Modène et de Toscane,
les États de l'Église et le royaume des Deux-Siciles.
Pour parvenir à unifier ces États et à chasser les Autrichiens, il
fallait le concours d'un souverain européen puissant et favorable à
l'Italie. Il n'y en avait qu'un, en cette fin de 1855, au moment où les
armées françaises venaient de remporter une victoire définitive en
Crimée sur les troupes du tsar : c'était Napoléon III...
Cavour connaissait la réputation galante de l'empereur. Il résolut de
se passer des habituels diplomates et d'envoyer à Paris la comtesse de
Castiglione, avec une mission précise : devenir la maîtresse de Napoléon
III et amener celui-ci à prendre parti pour la péninsule.
Informée des intentions de Cavour, Virginia, enthousiaste, n'eut
plus, dès lors, qu'un seul but : noter dans son Journal intime : *Causé
avec Napoléon III. F...*

Le 16 novembre 1855, à huit heures du soir, un personnage mystérieux
vint frapper à la porte du jardin de Virginia. Le valet Pongio, qui
attendait sous un arbre — il pleuvait —, se précipita, s'inclina
profondément et accompagna le visiteur qui se dirigea d'un pas rapide
vers la maison.
Là, une porte-fenêtre s'ouvrit et la comtesse de Castiglione, vêtue
d'une robe de velours noir, fit une respectueuse révérence.
Victor-Emmanuel, roi de Piémont, venait rendre visite à la plus belle
femme d'Europe...
Il entra, retira son manteau et alla s'asseoir près d'un grand feu de
bois qui pétillait dans la cheminée.
L'œil allumé, il considéra Virginia dont les seins fermes pointaient
sous le velours. Mais ses mains demeurèrent sagement sur les bras de
son fauteuil. Le roi n'était pas venu chez Mme de Castiglione pour se
livrer à des gamineries.
Après quelques paroles aimables, il prit un ton grave et parla de
l'Italie, des provinces occupées par l'Autriche, de la nécessité d'une
unification et de la mission qu'il avait décidé de lui confier auprès de
Napoléon III.

— Le général Cigala, votre oncle, dit-il, vous a déjà parlé de notre projet. Je tenais à vous demander moi-même si vous acceptez de servir de cette façon un peu spéciale la cause de l'unité italienne...

Mme de Castiglione sourit :

— J'accepte, sire !...

Le roi inclina la tête :

— Je vous remercie, madame. D'ici peu, nous vous donnerons des instructions précises et un code pour vous permettre de correspondre avec nous sans danger... Dans quelques jours je dois me rendre à Paris en compagnie de M. Cavour. Nous préparerons votre arrivée.

A dix heures, Victor-Emmanuel quitta Virginia et rentra dans son palais en pensant que l'empereur des Français allait être amené à œuvrer pour l'unité de l'Italie par un canal bien agréable.

Tout était donc prêt pour que la comtesse pût aller faire, selon le mot de Saint-Aulaire, « de la politique d'oreiller » dans le lit de Napoléon III.

Le 20 novembre, le roi de Piémont monta dans un wagon spécialement aménagé pour son auguste personne. Le surlendemain, il était à Paris.

L'empereur l'accueillit avec une grâce exquise, s'enquit de l'Italie, « ce pays qu'il aimait tant », et des familles qu'il y avait connues autrefois.

Les réponses de Victor-Emmanuel stupéfièrent la cour pourtant peu farouche. Le roi, en effet, se plaisait à raconter des anecdotes graveleuses sur les dames de la haute société piémontaise avec des gestes fort nombreux et fort déplacés.

Scandalisé, le comte de Viel-Castel nota un soir dans son journal :

« Le roi de Piémont est un véritable sous-officier, il en a le ton et les manières : il fréquente beaucoup les filles et paraît fort disposé à traiter cavalièrement toutes les femmes ; sa conversation est plus que légère ; sa légèreté du fond n'est pas même gazée par la pudeur de l'expression, il aime le terme grossier. Il parle sans retenue de ses bonnes fortunes et il nomme les femmes les plus considérables de Turin en disant simplement : "Celle-là a couché avec moi."

» On nommait une famille de la plus haute aristocratie, il a souri en articulant hautement qu'il avait couché avec la mère et les filles [14]. »

Napoléon III fut plus indulgent que le comte de Viel-Castel. Quand il sut que le roi de Piémont était — tout comme lui — un grand coureur de jupons, il fit en sorte que son hôte conservât de la France un souvenir ébloui...

Un soir, à l'Opéra, voyant que Victor-Emmanuel lorgnait avec insistance une ravissante danseuse, l'empereur murmura :

— Cette petite vous intéresse ?...

Le Piémontais baissa ses jumelles :

— Beaucoup ! Combien coûterait-elle ?

14. Comte HORACE DE VIEL-CASTEL, *Mémoires*.

Napoléon III sourit :

— Je ne sais pas, demandez à Bacciochi, il connaît tout dans ce domaine...

Victor-Emmanuel se tourna vers le premier chambellan — celui que l'on nommait « le grand ordonnateur des plaisirs de l'empereur » :

— Vous connaissez cette danseuse ?...

— La troisième à droite ? C'est Eugénie Ficre... Elle est délicieuse et facile. On a écrit sur elle ce quatrain :

> *Eugénie est un petit rat*
> *Cher aux pachas !*
> — *Paye, dit-elle, et tu verras*
> *Mes entrechats !...*

Victor-Emmanuel était cramoisi :

— Combien ? dit-il.

— Oh ! sire... pour Votre Majesté ce serait cinquante louis...

— Ah diable ! c'est cher !...

Alors Napoléon se pencha :

— Bacciochi, vous mettrez cela sur mon compte !...

Pendant que Victor-Emmanuel racontait ses bonnes fortunes et passait son temps avec les danseuses, Cavour, lui, agissait. Il rencontrait Walewski, devenu ministre des Affaires étrangères, s'efforçait de l'intéresser à la cause de l'Italie et surtout — très habilement — préparait l'arrivée de Mme de Castiglione.

Car, comme le dit Alain Decaux (à qui, pour cette « dame de cœur de l'Europe », il faut toujours revenir), « il y eut, en effet — si surprenant, si romanesque que le fait puisse apparaître —, une véritable *préparation* à la venue de Virginia à Paris »[15]. Devant des auditeurs extasiés, Cavour dépeignait le visage, l'élégance, les charmes de la comtesse aux yeux verts...

Certains s'enquéraient :

— Ne viendra-t-elle pas un jour à Paris ?...

Le Premier ministre italien hochait la tête :

— Peut-être...

Bientôt, toute la capitale ne parla plus que de Mme de Castiglione...

Alors, Victor-Emmanuel et Cavour se rendirent à Londres pour y saluer la reine Victoria et rentrèrent à Turin.

Virginia, à qui, quelques jours auparavant, un agent secret était venu donner le chiffre au moyen duquel elle correspondait désormais avec Cavour, préparait ses malles.

Ces préparatifs n'empêchaient pas l'ardente comtesse de songer à la bagatelle ainsi qu'en témoigne son Journal intime :

15. ALAIN DECAUX, *La Castiglione, dame de cœur de l'Europe.*

Mercredi 12 décembre. Fait les caisses, travaillé. A 1 heure venu Doria dans ma chambre sur le canapé. Causé. F jusqu'à 3 heures [16].

A ce rythme, il fallut près d'une semaine pour remplir les caisses.

Le 17, veille du départ, Ambrogio Doria vint, en larmes, faire ses adieux à Virginia. Elle le consola de son mieux :

Dans ma chambre, Doria sur le canapé, puis près du feu, assise par terre. F. F.

Quelques heures plus tard, alors qu'elle bouclait ses dernières malles, on vint l'avertir que le roi l'attendait dehors. Sans doute devina-t-elle que Victor-Emmanuel se montrerait entreprenant car elle renvoya tout son monde avant de le faire entrer dans le salon. Que se dirent-ils ? On ne le saura sans doute jamais. Mais au moment de quitter celle qui avait le sort de l'Italie « entre ses jolies mains », Victor-Emmanuel fut animé par un beau désir. Ils étaient dans le jardin. Malgré l'endroit — et la saison —, le roi se montra fougueux amant, ainsi que nous le prouve ce passage du Journal de Virginia :

A 11 heures, il est parti. Je l'ai accompagné jusqu'au jardin où il m'a cinq... F... Je suis venue dans la toilette arranger les choses...

C'était, si j'ose dire, le coup de l'étrier car, le lendemain, Mme de Castiglione quittait Turin.

Honorée par un roi, elle allait se faire déshonorer par un empereur...

4

Mme de Castiglione séduit Napoléon III sur l'ordre du roi de Piémont

Quand le diplomate a échoué, il reste la femme...

proverbe turc

Avant de s'embarquer pour la France — et pour Cythère — Virginia se rendit à Florence où elle voulait embrasser sa mère. Là, un bienheureux hasard lui fit retrouver le comte Lao Bentivoglio, quadragénaire ardent qu'elle avait connu quand elle était petite fille. Elle lui sauta au cou, par habitude.

Le comte était impressionnable et imaginatif. Il rêva aussitôt de la prendre sur ses genoux, comme il le faisait encore cinq ans auparavant, et de jouer à la petite bébête qui monte...

Le soir même, il lui fit part, sur un ton humble mais pressant, de son désir de renouer avec le passé...

La jeune comtesse, flattée de cet hommage inattendu, se contenta de sourire. Bentivoglio, plein d'espoir, décida alors de l'accompagner à Gênes où elle devait embarquer et de profiter de l'affolement du départ pour se glisser dans son lit...

16. Ce F, je le rappelle, indique que Mme de Castiglione a fait don de sa personne...

— Je devais prendre le bateau pour la Syrie, dit-il (il venait d'être nommé consul de France à Alep), mais je vous suis [17].

Virginia lui donna un léger coup d'éventail sur les doigts et il comprit que ses affaires étaient en bonne voie.

Deux jours plus tard, ils arrivaient à Gênes où le comte de Castiglione se trouvait déjà. La présence du mari ne gêna pas le consul qui, à la faveur des derniers préparatifs et entre deux amoncellements de caisses, parvint d'une main experte à s'assurer du bien-fondé de son admiration. La petite comtesse ne donna bientôt plus de coups d'éventail et le soir du 25 décembre, elle mit son corps délicieux dans les souliers de Bentivoglio...

Le comte Lao fut ivre de joie. Jamais il n'avait eu un aussi beau cadeau de Noël. Il le dit à Virginia qui lui promit d'être à lui jusqu'à l'embarquement.

Le bonheur des deux amants dura dix jours. Ce fut pour la jeune femme une liaison enrichissante, exaltante et pourtant sans danger. Le comte de Castiglione, impatient de voir arriver le bateau de Marseille, tenait, en effet, les yeux fixés sur l'horizon, sans se douter que son épouse se familiarisait avec le roulis et le tangage sur un grand lit où Bentivoglio faisait office de lame de fond...

Ces dix jours furent un enchantement pour le consul. Plus tard, il écrira à Virginia :

Je t'aimais quand tu avais douze ans, même quand tu en avais dix et je t'aimerai toute la vie. Je savais que j'aimais quelqu'un avant de te le dire, mais je ne savais pas que c'était toi ; mes yeux, mon cœur se sont ouverts le jour où tu es arrivée à Florence et que je t'ai embrassée sur le front dans la chambre de ta mère ; quand tu es entrée, un voile est tombé et je vis le véritable amour, le seul vif, puissant, terrible, qui me fera ou beaucoup de bien ou beaucoup de mal.

Et, comme il aimait la précision, il évoquera *le souvenir du 25 décembre 1855 au 4 janvier 1856, le matin,* ajoutant : *Quelle fin d'année 1855 et quel commencement de 1856 ! Mon Dieu ! Mon Dieu ! C'est donc un véritable rêve et dois-je le considérer comme tel désormais ?*

Le consul avait été tellement ébloui qu'il finissait par croire à une sorte d'hallucination. Tout était bien vrai cependant. Comme l'écrit de façon savoureuse Alain Decaux : « Ce qui prouve que le "rêve" de Bentivoglio fut des plus palpables, c'est que Virginia, un mois plus tard, conçut quelques inquiétudes sur un point très précis. Elle s'empressa d'en faire part à Bentivoglio, en l'accusant, ce qui paraît hasardeux étant donné les entretiens qu'elle avait eus les jours

---

17. Bentivoglio, d'origine italienne, était de nationalité française. Il avait exercé à la cour de Napoléon III les fonctions de « lieutenant des chasses à tir ».

précédents avec Victor-Emmanuel et Ambrogio Doria [18]. » Très ennuyé, Bentivoglio répondit aussitôt :

Je vous donne ma parole que je n'ai fait aucun Casa del Diavolo qui puisse avoir des suites désagréables, pourtant vous savez ou vous ne savez pas qu'il arrive de drôles de choses en ce genre ; ce que je peux vous jurer sur la tête de ma mère, c'est que je suis innocent comme l'enfant qui vient de naître, mais prenez vos précautions, si vous craignez quelque événement de ce côté-là...

Bien entendu, le 4 janvier 1856, jour de l'embarquement, Virginia ne connaissait pas encore ces craintes. Surexcitée par l'aventure que représentait pour elle la traversée Gênes-Marseille, elle courait d'une chambre à l'autre pour y embrasser à tour de rôle, et avec la même tendresse, Bentivoglio, Ambrogio Doria, qui étaient venus lui faire leurs adieux, et son mari qui, pourtant, partait avec elle...

Après une courte halte à Marseille, les Castiglione arrivèrent à Paris le 6 janvier. Ils s'installèrent aussitôt dans un appartement luxueux qu'une agence leur avait trouvé à l'entresol d'un immeuble situé 10, rue de Castiglione...

Dès qu'elle eut retiré son manteau de voyage, Virginia ouvrit sa fenêtre, regarda les fiacres qui passaient, se pencha un peu, vit les arbres du jardin des Tuileries et sourit. Le malicieux hasard qui la faisait résider dans une rue dont elle portait le nom la plaçait également à proximité du palais où vivait l'homme qu'elle devait séduire.

Le 9 janvier, Mme de Castiglione fit une entrée éclatante dans le monde parisien. Conviée par la princesse Mathilde [19], elle arriva avec des plumes roses dans les cheveux. « Elle semblait, nous dit un témoin, le comte de Reiset, une marquise d'autrefois coiffée à l'oiseau royal. »

Tout le monde l'admira, l'entoura, lui fit mille compliments. Soudain, on annonça l'empereur. Mme de Castiglione blêmit. L'homme qu'elle devait rallier à la cause italienne venait d'entrer. Elle le croyait grand, majestueux, jupitérien. Il était petit, un peu voûté, il trottinait sur de courtes jambes et posait sur l'assistance un œil bleu délavé.

La princesse Mathilde présenta les Castiglione au souverain. Le regard impérial devint alors un peu plus vif et s'attacha au décolleté de Virginia. Les invités considéraient la scène en silence. Au bout de quelques secondes, Napoléon III, dont l'intérêt allait croissant, tortilla sa moustache et dit quelques mots aimables à la jeune femme. Toutes les oreilles féminines se tendirent. Qu'allait répondre Virginia ?

La jeune comtesse, tremblante pour la première fois de sa vie, ne trouva rien à dire et se contenta de baisser le plus ravissant nez du monde.

Alors, le souverain, un peu déçu, s'éloigna et dit à haute voix — selon son habitude :

18. Alain Decaux, *La Castiglione, dame de cœur de l'Europe.*
19. La princesse Mathilde, qui avait passé une partie de son enfance à Florence avec son père, le roi Jérôme, connaissait fort bien le grand-père de Virginia, Antoine Camporecchio. Celui-ci avait été le conseiller de la famille Bonaparte en exil.

— Elle est belle, mais elle paraît être sans esprit !

Cette phrase, on le devine, plongea dans le ravissement toutes les femmes qui, depuis l'entrée de Virginia dans le salon de la princesse Mathilde, souriaient avec une envie de mordre...

Virginia devait prendre sa revanche quelques jours plus tard.

Le 26 janvier, invitée à un bal par l'ex-roi Jérôme, elle arriva — au bras de son mari — à l'instant précis où Napoléon III se retirait. La reconnaissant, le souverain inclina la tête et dit galamment :

— Vous arrivez bien tard, madame...

Virginia fit une petite révérence :

— C'est vous, sire, qui partez bien tôt...

Ce n'était pas une réplique étourdissante d'esprit, mais le ton en était si désinvolte que les témoins demeurèrent stupéfaits. Quant à Napoléon III, il considéra avec un intérêt nouveau cette belle Florentine qui semblait vouloir entamer avec lui un dialogue badin.

Le soir même, le comte Bacciochi, dont Viel-Castel nous dit qu'« il alimentait le lit de son maître de toutes les femmes et filles que convoitait la luxure impériale », reçut l'ordre d'inscrire Virginia sur la double liste des « invitations courantes » et des « invitations réservées ».

Le poisson avait mordu.

Il était temps.

Le tsar ayant reconnu sa défaite le 16 janvier, les journaux annonçaient que la paix serait réglée en février par un Congrès réuni à Paris. Déjà les Parisiens accrochaient des drapeaux à leurs fenêtres. Déjà des bals s'organisaient.

Cavour, qui s'apprêtait à quitter Turin pour venir suivre à Paris les travaux du Congrès, écrivit une lettre pressante à Virginia :

Réussissez, ma cousine, par les moyens qu'il vous plaira : mais réussissez...

Ces conseils étaient superflus. La comtesse de Castiglione savait déjà par quels moyens elle amènerait Napoléon III à défendre les intérêts de l'Italie au moment de la signature du traité de paix. Mais il fallait le revoir. Et le revoir sans tarder.

On imagine donc sa joie lorsqu'elle reçut une invitation de Sa Majesté pour un bal donné au palais des Tuileries le 29 janvier.

Non seulement le poisson avait mordu, mais il se manifestait...

Il n'y avait qu'à ferrer...

Le 29 janvier, à 9 heures du soir, le chef des huissiers du palais annonça :

— Le comte et la comtesse de Castiglione !

Tout le monde se tourna vers la porte. Et Virginia, éblouissante dans une robe bleu argent — de la couleur de ses yeux —, pénétra pour la première fois aux Tuileries. D'un pas léger, elle se dirigea en compagnie de son mari jusqu'à la salle des Maréchaux où se trouvaient les trônes de Leurs Majestés.

Là, elle fit une exquise révérence devant Napoléon III qui put ainsi plonger un œil salace dans le fond d'un décolleté fort généreux. Il en fut, nous disent les témoins, « profondément ému dans ses fibres ».

En se relevant, la comtesse lança savamment son regard dans celui du souverain et se dirigea vers la salle de jeux où elle attendit, sûre d'elle-même. Ce ne fut pas long.

Quelques minutes plus tard, l'empereur, quittant son trône, venait retrouver la jeune femme qui, le lendemain, allait pouvoir écrire dans son Journal : *L'empereur est venu me parler. Puis tout le monde regardait et sont* (sic) *venus me voir. Je riais...*

Elle pouvait rire, en effet, car sa « mission » s'annonçait bien.

Les jours suivants, l'empereur devait se montrer avec elle de plus en plus empressé, ainsi qu'en témoigne le Journal intime :

Samedi 2 février. — *A 9 heures, je suis allée au petit bal des Tuileries, où je suis restée jusqu'à 2 heures ; causé avec l'empereur qui m'a donné à souper des oranges...*

Mardi 5 février. — *Je suis allée au bal costumé de M. Le Hon où j'ai parlé avec l'empereur masqué...*

Jeudi 21 février. — *Peignée avec la poudre, perles, plumes ; allée au concert des Tuileries où il n'y avait que les diplomates. Dîné, causé avec l'empereur...*

25 février. — *Allée au concert des Conférences de paix commencées aujourd'hui...*

Ce soir-là, Virginia dut avoir avec Napoléon III une conversation assez importante touchant la politique, car le lendemain Cavour, qui venait d'arriver à Paris, écrivait à son ami Luigi Cibrario, chargé à Turin, durant son absence, des Affaires étrangères :

Lundi 25 février, nous entrons en scène. Je vous avertis que j'ai engagé dans la carrière la très belle comtesse de XXX et l'ai invitée à coqueter et à séduire, si le cas se présentait, l'empereur.
Elle a commencé discrètement sa mission au concert des Tuileries d'hier. Adieu.

L'unification de l'Italie était en bonne voie...

Tandis que Virginia œuvrait dans l'ombre pour son pays, Paris fêtait joyeusement l'ouverture du Congrès. Une atmosphère de fête régnait dans tous les quartiers, car, une fois de plus, le bon peuple croyait que ce traité allait lui valoir la paix pour mille ans...

Or cette joie s'accrut subitement le 27 février, grâce à un article de journal qui contait une aventure fort savoureuse arrivée à Alexandre Dumas quelques années auparavant.

L'auteur des *Trois Mousquetaires* habitait alors rue de Rivoli avec Ida Ferrier, une comédienne de mœurs légères qu'il venait d'épouser. Elle occupait un appartement au premier étage, lui trois pièces au quatrième.

Un soir, il se rendit à un bal aux Tuileries. Trois quarts d'heure plus tard, il revint tout crotté, se fit ouvrir l'appartement de sa femme et pénétra dans la chambre d'Ida en maugréant :

— C'est dégoûtant, il fait un temps de chien, j'ai glissé dans la boue. Je ne peux pas aller à cette soirée, je viens travailler près de toi.

Ida tenta de le renvoyer dans son appartement.

— Non, dit Dumas, tu as un bon feu. Ma chambre est froide. Je m'installe ici...

Et, prenant du papier, de l'encre, une plume, il se mit à travailler devant la cheminée.

Au bout d'une demi-heure, la porte du cabinet de toilette s'ouvrit et un homme, à peu près nu, apparut en disant :

— Après tout, j'en ai assez de geler dans ce cabinet !

Ce personnage de vaudeville était l'écrivain Roger de Beauvoir.

Dumas, tout d'abord surpris, se leva et, furieux, injuria l'amant de sa femme. En homme habitué à écrire pour le théâtre, il improvisa une tirade majestueuse, dont il fut visiblement satisfait.

Ida se faisait toute petite dans le lit. Quant à Roger de Beauvoir, il écoutait en grelottant.

Enfin, Alexandre, montrant la porte d'un grand geste, s'écria :

— Et maintenant, monsieur, désertez ma demeure, nous nous expliquerons demain matin !

Dehors la pluie claquait contre la vitre et le vent hurlait. Changeant de ton, Dumas dit à Beauvoir :

— Je ne peux tout de même pas vous renvoyer par ce temps-là. Asseyez-vous au coin du feu. Vous passerez la nuit dans ce fauteuil.

Et, se remettant devant ses papiers, il reprit son travail.

A minuit, il se coucha aux côtés d'Ida et souffla les bougies. Au bout d'un moment, le feu s'étant éteint, il entendit Roger de Beauvoir claquer des dents.

— Tenez, monsieur de Beauvoir, je ne veux pas que vous vous enrhumiez.

Et il lui lança un édredon.

Mais le beau Roger continuait de grelotter, et Dumas l'entendit tisonner quelques derniers charbons.

— Écoutez, je ne veux pas que vous preniez du mal, dit-il. Venez vous coucher. Nous nous expliquerons demain matin.

Beauvoir ne se le fit pas dire deux fois et se glissa dans le lit auprès d'Ida et d'Alexandre. Deux minutes plus tard, le trio dormait du sommeil de l'innocence.

A huit heures du matin, Alexandre Dumas s'éveilla le premier et secoua Beauvoir en souriant :

— Nous n'allons tout de même pas nous brouiller pour une femme, même légitime, dit-il. Ce serait stupide.

Puis, saisissant la main de Roger, il la posa sur la partie peccante de son épouse et termina par ces mots magnifiques :

— Roger, réconcilions-nous, comme les anciens Romains, sur la place publique...

5

Napoléon III devient l'amant de Mme de Castiglione au cours d'une fête de nuit

> Une fête où l'on ne se trémousse pas
> est une fête où l'on s'ennuie.
>
> GYP

Le 15 mars au soir, l'impératrice, qui était au terme de sa grossesse, se mit à crier qu'elle allait accoucher.

Ce fut aussitôt l'affolement au palais.

Les médecins, les princes, les dignitaires qui devaient assister à la naissance de l'enfant impérial, couraient en tous sens. Mme de Montijo, venue d'Espagne pour la circonstance, clamait des conseils que personne n'écoutait, et l'empereur trottinait en pleurant [20]...

L'accouchement le plus vaudevillesque de l'Histoire commençait...

Tout d'abord, l'un des médecins qui s'agitaient autour d'Eugénie, M. Jobert de Lamballe, fut pris d'une indigestion, se trouva mal et tomba sur le tapis. Il fallut le porter rapidement dans une pièce voisine et lui donner des soins.

Ensuite, ce fut l'empereur qui, toujours en larmes, eut un malaise. On dut l'emmener dans un salon où il s'allongea sur un canapé, secoué par de gros sanglots.

Enfin, à trois heures, Eugénie poussa un grand cri et le prince impérial vint au monde.

Le docteur Conneau alla chercher l'empereur :

— Sire... Un fils ! Venez !...

Napoléon III, titubant d'émotion, s'élança vers la chambre, se prit le pied dans le tapis et tomba dans les bras de Conneau. Les gardes se précipitèrent et l'on porta le souverain jusqu'au lit d'Eugénie. Celle-ci venait d'avoir une petite syncope. Elle demanda faiblement :

— Alors ? Est-ce une fille ?

L'empereur s'était agenouillé par terre. Il bredouilla :

— Non !

Les yeux de l'impératrice brillèrent de joie.

---

20. Persigny écrira à lord Malmesbury : « L'empereur, qui n'a pas quitté une minute la chambre de sa femme, était dans un état nerveux indescriptible. Il a sangloté sans interruption pendant quinze heures ! »

— C'est un garçon ?
Napoléon III, complètement égaré, secoua de nouveau la tête :
— Non.
Eugénie fut affolée.
— Mais alors, qu'est-ce que c'est ?
Le docteur Dubois s'approcha vivement :
— Mais si, madame, c'est un fils !...
L'impératrice l'interrompit :
— Non ! C'est une fille, mais on me le cache. Je veux savoir.
Le docteur prit le nouveau-né et montra à l'assistance « les pièces qui en faisaient un prince de sexe masculin ».
On applaudit.
Alors l'empereur, soudain exalté, se releva d'un bond et détala en direction des salons où l'attendaient, pêle-mêle, les dignitaires, les fonctionnaires de la cour et les domestiques du palais.
— C'est un fils ! C'est un fils ! criait-il.
Fou de joie et incapable de se contrôler, il se jeta sur les premières personnes qu'il rencontra et les embrassa à pleines joues...
Leur air effaré lui fit retrouver enfin un peu de dignité. Confus, il murmura :
— Je ne puis vous embrasser tous !... Mais je vous remercie de l'intérêt que vous me témoignez !
Puis il regagna la chambre de l'impératrice en s'essuyant les yeux...

On pouvait croire que cette suite de scènes bouffonnes était terminée. Il n'en était rien.
A quatre heures, M. Fould, ministre de la Maison de l'empereur, annonça qu'il venait de dresser l'acte de naissance. Et, s'inclinant, il se tourna vers le prince Napoléon, premier prince du sang.
Mais Plonplon était de fort méchante humeur. Jusqu'au dernier moment, il avait espéré qu'Eugénie mettrait au monde une fille. Le prince qui venait de naître lui retirait son titre d'héritier présomptif et l'éloignait à tout jamais du trône...
L'œil mauvais, il refusa de signer.
M. Fould, interloqué, insista, disant que le paraphe de Son Altesse était indispensable. Mais Son Altesse secoua la tête et tapa du pied :
— Non !
Soudain, un événement imprévisible se produisit : Plonplon, prenant ses jambes à son cou, se précipita hors du salon.
Une extravagante poursuite s'engagea. Le prince Murat, Morny, Fould et Baroche, président du Conseil d'État, courant aux trousses du prince, criaient :
— Altesse ! Altesse ! Signez !
Mais Plonplon, malgré son embonpoint, galopait à travers le palais. Enfin, le groupe arriva dans un petit salon où sommeillait la princesse Mathilde. Le bruit la réveilla en sursaut :
— Que se passe-t-il ?

M. Fould lui expliqua respectueusement que Son Altesse ne voulait pas signer l'acte de naissance du prince impérial. Elle haussa les épaules :

— Ne voyez-vous pas, mon frère, que le fait de signer ou non ce papier d'état civil ne change rien à rien ? Le prince impérial est né. Qu'y pouvez-vous ?...

Le prince Napoléon prit donc la plume que lui tendait M. Fould, mais, d'un geste rageur, se contenta de faire une énorme tache d'encre sur la page du registre d'état civil.

Le ministre de la Maison de l'empereur dut se contenter de cette singulière signature...

En apprenant la naissance de l'héritier du trône, Mme de Castiglione fut ravie. Elle pensa que l'empereur, libéré des soucis que lui causait la grossesse de l'impératrice, allait pouvoir lui consacrer tout son temps et tout son esprit.

Sûre d'elle-même, Virginia ne donna, dès lors, plus de limites à son outrecuidance.

Elle parut à la cour dans des décolletés tellement audacieux qu'un soir le colonel de Galliffet, fixant ses seins à peu près nus, lui dit :

— Je les connais maintenant, les deux superbes rebelles à tout frein. Mais prenez garde, comtesse, tout à l'heure, les vêtements des hommes vont devenir trop étroits !...

La phrase était leste. Pourtant, elle fit sourire Virginia. Il est vrai qu'elle ne détestait pas les plaisanteries les plus graveleuses. Un soir, chez Mme de Pourtalès, Vimercati lui tendit un drageoir rempli de bonbons à la fleur d'oranger, en lui disant :

— Comtesse, aimez-vous sucer ?...

— Sucer quoi ? répondit Virginia en éclatant d'un rire égrillard.

Les témoins, pourtant habitués à un certain laisser-aller, demeurèrent pantois...

Un matin de mai 1856, Virginia se réveilla de mauvaise humeur. Elle rejeta ses draps de soie noirs [21], se leva, retira sa chemise de nuit et se plaça, nue, devant une grande glace. Longuement, avec amour, elle regarda ce corps dont rêvaient tous les hommes de la cour, ses seins qui pointaient vers le ciel [22], son ventre à peine bombé, ses cuisses parfaites, sa croupe émouvante, son « buisson touffu » et soupira...

On était le 9 mai. Il y avait donc exactement quatre mois qu'elle avait rencontré Napoléon III pour la première fois, et le désir impérial

21. Elle couchait dans des draps noirs pour faire ressortir la blancheur laiteuse de sa peau.
22. Viel-Castel, qui l'avait bien regardée, écrit : « La fière comtesse n'a pas de corset ; elle poserait volontiers devant quelque Phidias s'il s'en trouvait un par le temps qui court, et elle poserait parée de sa seule beauté ; sa gorge est vraiment admirable ; elle se dresse fièrement comme la gorge des jeunes Mauresques ; les attaches n'ont pas de pli ; en un mot, les deux seins semblent jeter un défi à toutes les femmes. » *Mémoires.*

ne s'était encore manifesté que par un tortillement de moustache, une lueur dans le regard ou une rougeur subite. A aucun moment, le souverain n'avait cherché à l'entraîner sur un canapé. Mieux : il n'avait jamais eu, à son endroit — si j'ose ainsi m'exprimer —, un de ces gestes rapides, mais précis, qui en disent plus long qu'un poème et que la femme de Cro-Magnon devait déjà considérer comme un hommage...

Connaissant la réputation galante de l'empereur des Français, Virginia était atrocement vexée.

Que fallait-il donc faire pour que Napoléon III sortît de son étonnante réserve ? Le plus simple, pensa la jeune femme, était de montrer que la nature ne l'avait pas seulement dotée d'un ravissant visage, mais que le reste constituait un « morceau » digne d'un souverain.

Peu habituée aux demi-mesures, Mme de Castiglione décida de se rendre aux Tuileries dans une tenue qui ne laisserait à peu près rien ignorer de son corps.

L'entreprise était audacieuse. Elle réussit. Écoutons un témoin effaré, le comte de Maugny, nous conter l'arrivée de la comtesse à peine voilée au palais impérial :

« Je n'oublierai jamais un certain bal costumé aux Tuileries où elle apparut à demi nue comme une déesse antique. Ce fut une révolution. Elle était en ''Romaine de la décadence'', la chevelure dénouée, retombant épaisse et soyeuse sur ses luxuriantes épaules ; sa robe, fendue sur le côté, laissant voir une jambe moulée dans un maillot de soie et un pied invraisemblable de perfection, surchargé de bagues de prix à tous les doigts, à peine protégé par de mignonnes sandales. Précédée du comte Walewski qui faisait écarter la foule, et donnant le bras au comte de Flamarens, encore très décoratif quoiqu'il eût passé depuis longtemps l'âge de la galanterie, elle arriva vers deux heures du matin, après le départ de l'impératrice et provoqua un tumulte indescriptible. On l'entourait, on se pressait pour la voir de plus près. Les femmes, perdant la tête et n'ayant plus aucun souci de l'étiquette, montaient sur les banquettes afin de la mieux observer ; quant aux hommes, ils étaient littéralement hypnotisés [23]. »

Si les femmes montèrent sur les canapés et si les hommes furent congestionnés, on imagine bien que l'empereur ne demeura point indifférent. Il lorgna, les yeux mi-clos selon son habitude, tout ce que Virginia lui avait jusqu'alors caché et prit de bonnes résolutions.

Le lendemain, avec son sens inné du vaudeville, il alla demander à l'impératrice d'avoir la gentillesse d'inviter Mme de Castiglione à une partie de campagne...

Trois semaines plus tard, un valet de pied à la livrée impériale apportait à Virginia la lettre suivante :

Chère Madame. Je suis chargée de la part de l'impératrice de vous

23. Comte de MAUGNY, *Mémoires du Second Empire. La fin d'une société.*

dire que vous recevrez une invitation pour vendredi soir à Villeneuve-l'Étang et que vous êtes priée d'y aller en robe montante et en chapeau, parce qu'on se promènera sur le lac et dans le parc. Je serai heureuse, chère Madame, de vous y rencontrer. Recevez, je vous prie, mille amitiés.

ÉMILIE DE LAS MARISMAS.

Virginia comprit que les événements allaient se précipiter...

Le vendredi soir, elle arriva à Villeneuve-l'Étang vêtue d'une robe de mousseline transparente et coiffée d'un chapeau garni d'une auréole de marabout blanc.

« Toilette d'apparition, écrit la comtesse Stéphanie Tascher de La Pagerie. Que de vertu il eût fallu pour y résister, et ce n'était point de vertu que se piquaient les hommes dans ces sortes de réunions !... »

Napoléon III fut subjugué [24] ! Il se précipita vers Virginia et, tandis que la fête de nuit commençait, il entraîna la jeune femme vers l'étang où l'on avait disposé des barques ornées de lanternes vénitiennes. L'une d'elles était pavoisée.

— Celle-ci est la mienne, dit-il. Voulez-vous que nous fassions un tour jusqu'à l'île ?

Virginia monta dans la barque et l'empereur prit les rames.

L'instant d'après, ils voguaient en silence.

On ne devait les voir réapparaître que deux heures plus tard. Napoléon III était un peu décoiffé et la robe de Virginia avait perdu sa belle allure...

Tous les invités, naturellement, ricanèrent et le comte de Viel-Castel put écrire le lendemain dans son Journal :

« A la dernière fête de Villeneuve-l'Étang, la comtesse de Castiglione s'est longuement égarée dans une île placée au milieu du petit lac ; elle est revenue, dit-on, un peu chiffonnée et l'impératrice a laissé voir quelque dépit... »

La pauvre Eugénie. Elle avait bien pensé à exiger de ses invitées des robes montantes. Elle n'avait pas prévu les dangers des promenades en barque...

Dès le lendemain, tout Paris sut que l'empereur était devenu, de façon champêtre, l'amant de Mme de Castiglione. Bientôt, une petite chanson un peu leste courut dans le peuple :

Aussitôt que la comtesse
A retiré son corset,
Elle court, elle s'empresse

24. « Il n'était pas jusqu'au maître de céans qui ne témoignât d'une admiration très vive et d'un goût très prononcé pour la splendide Italienne ; il me paraissait oublier un peu trop que l'Europe tout entière avait été surprise de son mariage d'amour et n'était pas revenue de sa surprise. Quant à elle, elle me produisit l'impression d'une personne parfaitement calme et froide préparant et ménageant ses effets, et tendant sans dévier au but qu'elle s'était proposé... » Comtesse STÉPHANIE TASCHER DE LA PAGERIE, *Mon séjour aux Tuileries.*

Vers le lit de Badinguet.
Gai, gai, larirette,
Vers le lit de Badinguet.

Elle se blottit, conquise,
Dans les bras de son emp'reur
Qui, retirant sa chemise,
Lui fait voir... sa « belle humeur ».
Gai, gai, larirette,
Lui fait voir... sa « belle humeur ».

Mais ici rien ne l'étonne
Car, chaqu'jour, de sa maison,
Elle aperçoit la colonne
D'un autre Napoléon...
Gai, gai, larirette,
D'un autre Napoléon [25]...

Cette chanson plut beaucoup à Virginia...

Si Mme de Castiglione aimait les histoires graveleuses et ne détestait pas tenir elle-même des propos fort lestes, en revanche aucune polissonnerie ne se mêlait à ses jeux amoureux avec l'empereur.

Elle se considérait alors en service commandé, prenait gravement son plaisir, et lorsque le souverain lui demandait une de ces gentillesses qui se font entre amants, elle gardait l'œil fixé sur la péninsule italienne...

Entre deux étreintes, elle amenait fort habilement la conversation sur son pays, exposait les inconvénients d'une Italie divisée, pleurait avec art et notait les réactions de Napoléon III.

Le soir, un rapport chiffré partait pour Turin.

Ainsi, nous dit Alain Decaux, « put-elle vivifier chez l'empereur les sympathies italiennes et informer très régulièrement Cavour de l'état d'esprit du souverain français »...

Ce travail d'agent secret dura jusqu'au mois de juillet.

A ce moment, Napoléon III quitta Saint-Cloud pour aller prendre les eaux de Plombières.

Virginia resta à Paris et s'ennuya.

Elle n'était pourtant pas aussi seule qu'elle se l'imaginait. Le ministre de l'Intérieur, soupçonnant l'activité occulte de cette trop bruyante Italienne, la faisait surveiller. On la suivit, on nota ses propos, on épia ses rencontres, on ouvrit même ses lettres, sans résultat d'ailleurs, car la belle était rusée. Elle avait obtenu — par un sourire — du directeur général des Postes que son courrier italien lui fût déposé à la légation de Sardaigne. En outre, et pour plus de sûreté, elle avait séduit le comte de Puliga, secrétaire de la légation.

Ce brave homme, follement amoureux, lui écrivait : *Je vous ai*

---

25. Virginia habitait toujours rue de Castiglione, à deux pas de la place Vendôme.

quittée avec le cœur si gros, si gros, que dans la rue je me suis senti le visage couvert de larmes... Quand je me sépare de vous, il me semble vraiment que toutes mes fibres se déchirent et toutes mes entrailles aussi.

Ce n'était certes pas cet idolâtre qui allait remettre à la police les lettres que Virginia recevait du Piémont...

Pendant tout l'été, et malgré une surveillance constante, la comtesse put ainsi demeurer en relation avec Cavour, à l'insu d'un ministre pourtant perspicace.

Napoléon III revint de Plombières, montra à Virginia que la séparation n'avait pas entamé son bel allant, fit des prouesses de jeune homme, puis s'en alla reprendre son souffle à Biarritz. A son retour, toujours aussi amoureux, il fit inviter Mme de Castiglione à Compiègne [26].

La cour fut éberluée. La maîtresse de l'empereur allait donc dormir sous le même toit que l'impératrice ? Qu'allait dire Eugénie ?

Eugénie ne dit rien. Malgré sa jalousie, malgré son chagrin, elle pensa qu'il était adroit de se taire, sachant bien que Mme de Castiglione ne pouvait faire une longue carrière dans le cœur volage de son mari.

Le séjour à Compiègne fut pour Virginia un enchantement. Dans la journée, la cour admirait sa façon de se vêtir, et la nuit, l'empereur appréciait ses déshabillés. Lorsque tout le monde était couché, il allait, en effet, la retrouver dans sa chambre et lui donnait un vigoureux échantillon des forces impériales...

Traitée en favorite officielle, Mme de Castiglione se crut Mme de Pompadour. Son orgueil, dès lors, ne connut plus de bornes et un jour, un journaliste ayant écrit quelques phrases enthousiastes sur sa beauté, elle y ajouta — sans rire — les lignes suivantes :

Le Père Éternel ne savait quelle chose Il créait le jour où Il l'a mise au monde. Il la pétrit tant et tant que, lorsqu'Il l'eut faite, Il perdit la tête en voyant Son merveilleux ouvrage...

Elle fit photographier ses pieds, ses mollets, ses mains, ses épaules, promena sa beauté dans les salons comme s'il se fût agi d'une châsse que l'on dût vénérer, poussa l'audace jusqu'à porter les mêmes coiffures que l'impératrice, agrémentées des mêmes ornements, et n'adressa plus la parole aux femmes.

Cette attitude grotesque irrita, bien entendu, toute la cour. Et la malicieuse Mme de Metternich résuma, un soir, l'opinion générale, en disant de Mme de Castiglione qu'elle était « bête à couper au couteau ».

Le mot fit rire. Il n'était pas excessif. On en eut la preuve le jour

26. Chaque année, la cour impériale passait un mois à Compiègne, de la mi-octobre à la mi-novembre. Napoléon III faisait alors inviter par « séries » tout ce que la France comptait d'illustre. Chaque « série » demeurait une semaine à Compiègne. Il y avait la série diplomatique, la série militaire, la série sérieuse, constituée de personnages officiels, la série élégante, etc. Tous les courtisans rêvaient d'être conviés à ces festivités que l'on appela bien vite « les Compiègnes ».

où Virginia écrivit sur une photographie ces trois phrases d'une magnifique sottise : « J'égale les plus hautes dames par ma naissance ; je les surpasse par ma beauté ; je les juge par mon esprit ! »

Agacé par tant de vanité, Mérimée, qui tournait la manivelle du piano mécanique à Compiègne pour faire danser la cour, déclara un soir :

— Elle m'exaspère ! Son impertinence me met en fureur et j'ai souvent envie de lui retrousser les jupes et de la fesser à main plate. Puis de lui faire subir les derniers outrages...

Il ajouta en riant :

— Qui sait d'ailleurs si cela ne provoquerait pas en elle de merveilleuses réactions !...

L'auteur de *Colomba* avait raison. Mme de Castiglione avait besoin d'être fessée...

Malheureusement personne n'eût osé meurtrir un endroit qui plaisait tant à Sa Majesté l'empereur des Français !...

La cour revint à Paris passer l'hiver et Virginia continua ses extravagances au grand déplaisir de l'impératrice qui commençait à montrer, elle aussi, de l'irritation. On en veut la preuve au cours d'un bal donné au ministère des Affaires étrangères. Mme de Castiglione arriva vêtue en « Dame de cœur ». Eugénie examina la robe de la favorite, parsemée de gros cœurs en velours rouge, attarda son regard sur l'un d'eux, placé en un endroit « peu favorable », et dit :

— Le cœur est un peu bas !...

Toute la cour éclata de rire.

Mme de Castiglione ne sourcilla pas. L'air hautain et méprisant, elle passa dans un autre salon où, hiératique, elle se donna en spectacle à des invités qui avaient bien du mal à cacher leurs ricanements.

Ces mondanités ne faisaient pas oublier à Virginia le but de son voyage en France. Sur l'oreiller, elle continuait d'intéresser l'empereur à l'Italie. Parfois, se blottissant dans ses bras, elle lui parlait tendrement du rôle que pourrait jouer la France. Et Napoléon III commença à songer sérieusement à une intervention armée.

Les deux amants se retrouvaient — quand Virginia était seule à Paris — au 28 de l'avenue Montaigne où les Castiglione avaient loué un hôtel.

Or, une nuit d'avril 1857, alors que l'empereur sortait de la maison de la comtesse et regagnait son coupé qui l'attendait devant la porte, trois hommes s'élancèrent vers lui. Il n'eut que le temps de monter dans la voiture et de crier : « Aux Tuileries ! »

Les individus cherchèrent à saisir le cheval à la bride, mais le cocher les cingla d'un grand coup de fouet. Ils s'éloignèrent en hurlant et la voiture put filer vers le palais.

Recroquevillé sur la banquette, Napoléon III avait passé un très mauvais moment.

Le lendemain, tout Paris sut que le souverain avait failli être assassiné en sortant de chez sa maîtresse.

On imagine sans peine la jolie scène de ménage que dut subir ce jour-là Sa Majesté.

La police ne tarda pas à mettre la main sur les agresseurs de l'empereur.

Il s'agissait de trois Italiens nommés Tibaldi, Grilli et Bartolotti, qui appartenaient à un groupe de conspirateurs dirigé par le révolutionnaire Mazzini.

Un aventurier nommé Giraud servait d'agent de liaison entre les trois hommes et Ledru-Rollin qui, de Londres où il était exilé, avait accepté de patronner le complot.

Mais au dernier moment, ce politicien, dont on ne dira jamais assez le ridicule, la balourdise et la poltronnerie, avait, dans un instant d'affolement, dénoncé Giraud à la police impériale. Arrêté aussitôt, celui-ci se croyant trahi « par le socialisme tout entier » s'était empressé de donner le nom de ses complices...

Ainsi, une fois de plus, les hommes de 1848 faisaient involontairement le jeu de Napoléon III...

Naturellement, la nationalité des trois conspirateurs fit jaser les ennemis de Mme de Castiglione :

— Cette Italienne a certainement trempé dans le complot !... D'ailleurs, il fallait être bien renseigné pour savoir que l'empereur se rendait, cette nuit-là, précisément, au 28 de l'avenue Montaigne !...

Virginia, informée des bruits qui couraient, fut épouvantée. Elle s'enferma chez elle. Eut-elle, à ce sujet, des conversations avec l'empereur ? C'est probable, bien qu'elle n'en ait rien noté dans ses carnets...

Quoi qu'il en soit, lorsque au mois d'août le procès des trois Italiens commença, Napoléon III, craignant probablement des révélations gênantes, conseilla à Virginia de faire un voyage en Angleterre[27]...

Bien entendu, les conjurés ne parlèrent point de Mme de Castiglione, et la comtesse — qui avait eu le temps de séduire, à Londres, le duc d'Aumale — revint à Paris, souriante et soulagée.

Fut-elle en vérité mêlée à ce complot ? Il est difficile de le croire, car on ne voit pas les raisons qui l'eussent poussée, en avril 1857, alors qu'elle était au faîte de sa faveur, à faire assassiner l'empereur.

Pourtant, le général Estancelin fit un jour de troublantes révélations.

27. A ce moment, Viel-Castel écrit dans son Journal : « Il est curieux, en lisant les détails de cette affaire, de voir avec quel soin on évite de nommer la comtesse de Castiglione dont les assassins devaient surveiller l'hôtel dans la prévision de pouvoir y surprendre l'empereur, soit à son arrivée, soit à son départ... Toute cette finesse est comme le secret de polichinelle !... »

Dans une lettre privée qu'a publiée Alain Decaux, le général écrivait en effet :

Vous ai-je rappelé qu'un agent de police près de l'empereur était venu trouver quelqu'un que je sais[28] *pour assassiner le grand chef*[29], *et que cet individu était en rapport avec la comtesse de Castiglione ? Vous ai-je renvoyé l'écho lointain de ces paroles dans une conversation à deux :*

— Si je l'avais fait assassiner, qu'auriez-vous dit ?

— Rien !...

Non, je ne m'étonne de rien. Mais ce n'eût pas été par vengeance d'amour ni par intérêt. C'était donc une raison politique... Laquelle ?

Et le général Estancelin concluait :

Il reste beaucoup à approfondir dans les ténèbres de cette grande existence si agitée. Et d'ailleurs, sait-on jamais la vérité de ce que dit une femme et une femme politique surtout ?

Le mystère demeure entier.

Revenue à Paris, Virginia renoua immédiatement ses relations galantes avec l'empereur. Le comte de Castiglione ayant eu la bonne idée de retourner en Italie, les amants purent se rencontrer en toute tranquillité.

Au mois d'octobre, la comtesse fut de nouveau conviée à Compiègne. Elle y trouva l'empereur et tous les invités fort joyeux à cause d'une aventure assez leste qui venait d'arriver à la femme du docteur Koreff, médecin de Marie Duplessie.

Écoutons cette aventure contée par un chroniqueur du temps, le fameux Lambert, qui se disait « élève posthume de Saint-Simon et de Tallemant des Réaux » :

« Mme Koreff avait de jolies dents, assez de gorge, la langue bien pendue ; toute sa petite personne était d'une pétulance à ne s'endormir ni sur les marguerites cueillies au printemps ni sur la rhubarbe conjugale : on pouvait l'aimer pour elle-même.

» Le marquis Harrenc de La Condamine, qui fut assez longtemps son chevalier servant, resta toutefois à l'état de soupirant. Si la porte dérobée lui avait résisté, il avait vu s'ouvrir à deux battants celle du grand escalier, et l'estime lui faisait les honneurs du logis comme l'avant-coureur d'un sentiment plus tendre.

» Loin que le mari fût jaloux, il sortait la plupart du temps en laissant sa clef sur la porte, de sorte que, si les domestiques s'absentaient en même temps que leur maître, on entrait sans sonner et sans être annoncé.

» Le marquis ne s'en fit pas faute, un beau matin, où il apportait à la hâte une lettre de recommandation que Mme Koreff lui avait

28. Vraisemblablement l'un des princes d'Orléans avec lesquels Estancelin était très lié.
29. Napoléon III.

demandée la veille, en faveur d'un de ses protégés, surnuméraire dans un ministère. Il s'arrêta au seuil de la chambre à coucher, craignant d'y trouver son amie endormie. Ayant entendu parler, il avança résolument.

» Un spectacle imprévu l'attendait.

» Mme Koreff, complètement nue, se trouvait sur le lit en compagnie du jeune surnuméraire qui était "vêtu" seulement d'une chaîne d'or et d'une médaille de saint Boniface...

» Laquelle médaille, ajoute Lambert, ne pouvait cacher grand-chose à la nudité du jeune homme, attendu que, pour la liberté de ses mouvements et afin de ne point incommoder Mme Koreff, il la tenait entre ses dents...

» Fort troublé de voir cette femme qu'il désirait, "recevoir d'un autre ce qu'il eût tant aimé lui donner", le marquis recula. Son geste fit tomber une canne posée contre le mur. Les deux amants, effarés, tournèrent la tête.

» Devant leur confusion, le visiteur s'esquiva avec l'intention généreuse de faire comme s'il n'avait rien vu.

» Son embarras recommença pourtant le lendemain lorsqu'il rencontra Mme Koreff et que celle-ci essaya de s'excuser. La voyant rougissante, il ne put s'empêcher de lui dire :

» — Mais, madame, pourquoi pas moi ?...

» La réponse de la jeune femme fut sublime :

» — C'est que je tiens trop à mes amis, dit-elle en baissant les yeux !... »

Mme de Castiglione devait oublier bien vite cette amusante histoire. Sa liaison avec l'empereur allait, en effet, prendre fin brusquement, quelques jours après.

Un soir, rue du Bac, où elle s'était rendue, le souverain l'accueillit avec une froideur qui la stupéfia. Elle demanda des explications. D'une voix sèche, il répondit qu'elle avait « parlé ».

Craignant toujours la jalousie de l'impératrice, Napoléon III exigeait de ses maîtresses une discrétion absolue et se montrait sans pitié pour les « bavardes ».

Mme de Castiglione crut à une rupture passagère, alors qu'elle venait d'être à tout jamais disgraciée.

Pendant cinq semaines, elle attendit en tremblant, un mot, un appel, un signe de pardon. En vain. Finalement, humiliée, désespérée, persuadée d'avoir « raté » sa mission, elle prit le train pour l'Italie emportant, en guise de réconfort, le souvenir extasié de ses dernières nuits avec l'empereur.

Ce souvenir lui sera si cher que, quarante-deux ans plus tard, faisant son testament et décrivant minutieusement sa toilette funéraire, elle demandera à être ensevelie dans « *La chemise de nuit de Compiègne, 1857* »...

6

Mme de Castiglione triomphe :
Napoléon III décide d'intervenir en Italie

> Les femmes n'aiment que les guerres
> qu'elles ont fait déclarer.
>
> BALZAC

En Italie, Virginia refusa de reprendre la vie commune avec son mari. Elle loua, aux environs de Turin, la villa Gloria et s'y installa en compagnie de son fils, le petit Georges, qui avait près de trois ans. Elle eût voulu y cacher son humiliation, mais Cavour vint lui rendre visite. Au bord des larmes, elle lui révéla les raisons de son « échec ». Le Premier ministre, fort déçu, exprima ses craintes avec netteté :

— Napoléon III, dit-il, est un homme dont on peut attendre tous les revirements. Votre présence à ses côtés était nécessaire pour combattre l'influence de l'impératrice... Eugénie a peur de l'unité italienne car, en bonne catholique, elle est hostile à tout changement susceptible d'atteindre le Saint-Siège... Favorable à l'Autriche, elle peut rallier l'empereur à ses idées...

Mme de Castiglione baissa la tête.

— J'ai tout essayé, croyez-le bien...

Cavour continua :

— Eugénie continue d'être jalouse de vous. Et sans doute pense-t-elle que ce serait une belle victoire de femme que de pousser l'empereur à devenir l'allié des ennemis de l'Italie...

Virginia était accablée. Après avoir cru en la toute-puissance de sa beauté, cette défaite lui donnait un vertige amer.

— Que dois-je faire ?

— Rien... Attendons !

Elle n'eut pas longtemps à attendre.

Le 16 janvier 1858, en ouvrant le journal, elle apprit que Napoléon III avait failli être victime d'un attentat. Alors qu'il se rendait à l'Opéra avec l'impératrice, trois bombes lancées par Orsini avaient éclaté devant la voiture impériale. Les souverains étaient sains et saufs, mais on déplorait 8 morts et 156 blessés...

Ce nouvel attentat risquait de monter l'opinion française contre l'Italie et d'amener l'empereur à se rapprocher de l'Autriche.

Mme de Castiglione, cette fois, fut atterrée. Elle ignorait que le peuple est capable des réactions les plus inattendues.

Au procès, Orsini déclara qu'il avait agi par patriotisme :

— J'ai voulu tuer l'empereur parce qu'il s'opposait à la libération de mon pays !

Et Jules Favre, devant un auditoire soudain attentif, lança un appel de l'accusé à Napoléon III :

— Que Sa Majesté ne repousse pas le vœu suprême d'un patriote sur les marches de l'échafaud, qu'elle délivre ma patrie et les bénédictions de vingt-cinq millions de citoyens la suivront dans la postérité !...

Alors, le peuple fut retourné. Orsini devint un héros. On en parla avec des tremblements dans la voix. L'impératrice elle-même déclara qu'il avait « toute son estime ». Et, lorsque cet homme qui avait atrocement massacré des femmes et des enfants monta vers la guillotine, des centaines de Parisiennes étaient en larmes...

Comme l'écrit Alain Decaux :

« En France comme en Italie, on s'émut, on fut conquis, bouleversé, enthousiaste. L'empereur s'était trouvé ancré dans son rêve italien qui, lors du procès, avait secoué l'opinion. L'action de la comtesse de Castiglione, très vite, allait ainsi trouver sa justification et sa récompense... [30] »

Dans sa villa piémontaise, Virginia suivit avec l'intérêt que l'on devine l'évolution de la politique française.

Au mois de mai, elle apprit que Napoléon III avait chargé Mac-Mahon d'une mission secrète en Italie. En juillet, on vint lui dire en confidence que Cavour, invité par l'empereur, se rendait à Plombières sous le nom de Giuseppe Benso, pour envisager une action commune. A son retour, le Premier ministre lui fit part des conditions posées par Napoléon III :

— L'empereur accepte de nous aider à chasser les Autrichiens de nos territoires, à condition que la Savoie et le comté de Nice deviennent français... J'ai fini par accepter... En outre, il demande que la fille aînée du roi Victor-Emmanuel épouse le prince Napoléon, son cousin... J'ai accepté aussi, malgré l'extrême jeunesse de la princesse Clotilde et la vie agitée du prince Napoléon...

Mme de Castiglione, peu à peu, reprit confiance. Ses longues conversations avec Napoléon III n'avaient pas été inutiles : la France allait aider l'Italie à se libérer des Autrichiens.

Un peu réconfortée, elle rêva de se réinstaller à Paris et de redevenir favorite malgré la présence aux Tuileries de Marie-Anne Walewska, la nouvelle maîtresse de l'empereur.

Elle écrivit au prince Poniatowski pour lui demander conseil. La réponse fut des plus franches :

Je ne l'ai pas vu encore (Napoléon) ; *il me traite mal, parce qu'on l'a persuadé qu'il existait des rapports entre nous ; du reste, il croit avec beaucoup d'autres que tu es la maîtresse du roi* (Victor-Emmanuel) ; *et on a dit en sa présence : « Maintenant qu'elle est séparée* (de son mari), *elle ne sera plus reçue nulle part. » Au fond, il ne s'intéresse pas à toi ; ç'a été un caprice qui lui a causé des ennuis*

30. ALAIN DECAUX, *La Castiglione, dame de cœur de l'Europe.*

et il préfère ne plus en entendre parler. Vérité très dure, mais il est préférable que tu la connaisses pour te servir de guide et n'être pas induite en erreur. Si tu faisais le coup de la restitution (des bijoux), *je ne crois pas que tu aurais beaucoup à gagner : ou il accepte, et alors c'est fini, ou il refuse en te donnant toutes les bonnes paroles possibles, et alors les affaires se compliquent... En ce qui concerne l'empire de son cœur, je crois que ni toi ni d'autres ne l'auront jamais. Je te dis cela parce que je serais vexé si tu perdais il banco e il beneficio* (le banc et le bénéfice).

Le prince, on le voit, était de bon conseil...

Un peu plus loin, Poniatowski parlait de Marie-Anne Walewska :

Elle est toujours en faveur, mais un peu refroidie avec la Patronne (l'impératrice).

Des mois passèrent, pendant lesquels Virginia se tint à l'affût des nouvelles.

Au mois de mars 1859, elle apprit avec joie que, malgré l'Angleterre, qui voulait maintenir la paix, et malgré l'impératrice, qui s'opposait à la guerre[31], Napoléon III recevait Cavour à Paris. Enfin, le 20 avril, les journaux annoncèrent que l'Autriche, exaspérée par les provocations du Piémont, venait d'adresser un ultimatum à Turin. Le jeune François-Joseph sommait Victor-Emmanuel de désarmer dans les trois jours.

Cavour rejeta l'ultimatum. C'était la guerre ! Le 24 avril, les régiments de Paris se dirigèrent vers la gare de Lyon au milieu d'une foule en délire.

A la villa Gloria, Virginia suivit les événements avec émotion.

Le 3 mai, elle trembla en lisant dans les journaux que Napoléon III, laissant la régence à l'impératrice, venait de rejoindre l'armée dont il assumait le commandement suprême. « Dans quelques jours, disait le communiqué, l'empereur sera en Italie. »

Alors, un grand espoir naquit dans le cœur de Virginia et, à tout hasard, elle fit préparer la chemise de nuit de Compiègne...

Napoléon III débarqua à Gênes, le 12 mai. Dès cet instant, Virginia, frissonnante, attendit une lettre, un billet, un mot...

Mais l'empereur ne pensait pas à elle. Il était tout à « sa » guerre. C'était la première fois, en effet, qu'il commandait des troupes en campagne ; la première fois qu'il allait pouvoir imiter les gestes, la voix et les mouvements de menton de son oncle vénéré. On comprendra que, dans son trouble, il ait un peu oublié Mme de Castiglione...

Après avoir embrassé Victor-Emmanuel, il se rendit, moustaches bien lissées, à Alexandrie (en Piémont) pour y diriger les opérations

---

31. Cf. Octave Aubry : « L'impératrice, que Napoléon, pour être plus libre dans sa vie privée, laisse prendre part aux affaires et qui en parle maintenant avec les ministres, les ambassadeurs, à bâtons rompus, d'une façon impulsive et capricante, l'impératrice jette flammes, prédit les pires catastrophes. » *Le Second Empire.*

militaires. Tout de suite, les combats furent favorables aux troupes piémontaises et Virginia, cachée dans sa villa, put suivre la marche triomphante de son « petit homme ».

A défaut de lettres d'amour, elle recevait des bulletins de victoire.

Ce fut Casteggio, Palestro, Magenta, Solferino...

A ce moment, la Prusse, que les succès français commençaient à inquiéter, annonça qu'elle mobilisait. Apeuré, Napoléon III conclut, le 6 juillet, un armistice avec l'Autriche. Après quoi, il se rendit à Turin pour y faire ses adieux à Victor-Emmanuel.

Le roi était effondré. Aux termes de l'accord franco-autrichien, le Piémont ne s'agrandissait que de la Lombardie et de Parme. La Vénétie restait à l'Autriche, et Modène et Florence étaient rendues à leurs princes.

On était loin de l'unité italienne espérée par Cavour.

Aussi l'empereur fut-il reçu assez froidement. Quand il sortit du palais royal, il eut un choc : aux fenêtres flottaient des drapeaux en berne et les vitrines étaient remplies de portraits d'Orsini, l'homme qui avait voulu l'assassiner...

Comprenant qu'il n'avait pas intérêt à s'attarder, il repartit immédiatement pour la France, sans même songer à faire les quelques kilomètres qui le séparaient de la villa Gloria...

Horriblement vexée, Virginia rangea en pleurant sa chemise de nuit historique...

De retour à Paris, l'empereur put se croire un moment le grand Napoléon, dont il copiait les manières depuis sept ans. Il rentrait auréolé de gloire militaire et retrouvait une favorite nommée Walewska...

Depuis le départ de Virginia, le souverain était, je l'ai dit, l'amant de la ravissante Marie-Anne de Ricci, l'épouse de ce comte Walewski que Napoléon avait conçu près de Schönbrunn, au cours d'une nuit avec son amie polonaise...

La jeune femme l'accueillit joyeusement et, dès le lendemain, en voiture fermée, elle alla le retrouver dans la garçonnière qu'il avait louée rue du Bac pour y cacher ses fredaines.

Tant de précautions étaient superflues : la cour connaissait tout de la nouvelle liaison, l'impératrice n'en ignorait aucun détail et le comte Walewski fermait les yeux pour conserver le portefeuille des Affaires étrangères [32].

La complaisance sans limites du ministre fut révélée par M. de Chaumont-Quitry un soir, à Compiègne. Comme on parlait de la favorite, la princesse Mathilde s'écria :

— Mme Walewska est une véritable petite rouée qui a su, tout en couchant avec l'empereur, se faire une amie de l'impératrice ; mais

32. Le général Ricard écrit : « A Fontainebleau, l'empereur a fait construire un petit escalier qui va de sa chambre à l'alcôve de la chambre de Mme W... La chambre de M. W... communique pourtant avec celle de sa femme. Le mari est probablement sourd et ne visite pas son épouse. » *Autour des Bonaparte.*

elle a une peur bleue de son mari et je mettrais ma main au feu que M. Walewski ignore tout [33]...

M. de Chaumont-Quitry riposta aussitôt :

— Votre Altesse impériale est, je crois, dans l'erreur la plus complète ; l'ignorance de M. Walewski est une comédie ; je l'ai vu, de mes yeux vu, dans le parc de Villeneuve, tourner la tête et rebrousser chemin lorsqu'il entrevoyait dans une allée l'empereur et sa femme. Mais j'ai vu mieux que cela cette année à Cherbourg. Un matin, M. Walewski et moi, nous nous trouvions dans une pièce qui précède la chambre de l'empereur. Mocquard arrive pour parler au souverain, il ouvre la porte sans frapper, puis recule stupéfait dans mes bras ; par la porte ouverte j'avais pu voir Mme Walewska au bras de l'empereur, et M. Walewski, placé à côté de moi, a dû voir tout ce que j'ai vu...

La princesse Mathilde alors voulut bien admettre que l'empereur montrait parfois une assez grande liberté d'allure, même en chemin de fer :

— Je sais, dit-elle, que l'empereur est très imprudent, qu'il ne se gêne guère et que, l'année dernière, à Compiègne, comme nous étions tous en chemin de fer dans le wagon impérial, divisé en deux compartiments, Mme Hamelin et moi avons été témoins des entraînements amoureux de Sa Majesté pour Mme Walewska... Mme Hamelin et moi étions assises contre la porte battante qui sépare les deux compartiments. L'empereur était seul d'un côté avec Mme Walewska ; l'impératrice, M. Walewski, tout le monde enfin se trouvait dans l'autre compartiment. La porte battait par le mouvement même du wagon et nous a permis de voir mon très cher cousin à cheval sur les genoux de Mme Walewska, l'embrassant sur la bouche et plongeant une main dans son sein.

Le comte Horace de Viel-Castel, qui rapporte ces propos dans ses *Mémoires,* ajoute un trait qui achève de nous dépeindre Napoléon III :

« Le soir, après cette conversation, en revenant à Paris, Quitry me disait qu'il avait quelquefois surpris l'empereur en bonne fortune, que, dans ces cas-là, l'empereur le salue et tire sa moustache, que lui en fait autant sans rire, tous deux avec la gravité des chantres entonnant l'Épître, et que tout est dit... »

Mme Walewska n'avait pas plus de pudeur que l'empereur et son comportement laissait parfois à désirer. A ce propos, le même Chaumont-Quitry nous conte cette anecdote significative :

« Cette petite intrigante de Mme Walewska est une si rouée putain que je l'ai surprise un jour à deux pouces d'une langue fourrée avec Fould... »

La liaison de Napoléon III et de Mme Walewska dura près de deux ans pendant lesquels la favorite reçut des cadeaux somptueux et fit accorder à son mari des « faveurs d'argent » inouïes.

Les libéralités du souverain firent d'ailleurs jaser les braves gens et,

---

33. Comte Horace de viel-castel, *Mémoires.*

un jour, le maréchal Vaillant traduisit la pensée générale en une phrase d'une crudité toute militaire.

C'était à Pierrefonds. Mme Walewska admirait un lézard-gargouille qui venait d'être placé dans la partie restaurée du château :

— C'est très bien exécuté, dit-elle ; mais voilà une conduite d'eau qui doit coûter cher !...

— Moins que la vôtre ! répliqua le maréchal Vaillant.

Ce qui n'était pas du meilleur goût, mais avait du moins l'avantage d'être compris de tout le monde.

7

Scandale en Europe : l'impératrice Eugénie fait une fugue

Ce ne fut qu'un éclat de rire
de Londres à Saint-Pétersbourg.

Dr CABANÈS

Sa liaison avec Mme Walewska n'empêchait pas Napoléon III de continuer à s'intéresser à des rondeurs plus plébéiennes.

Connaissant les goûts du souverain, Bacciochi invitait dans la garçonnière de la rue du Bac de ravissantes danseuses, chez qui la légèreté de la cuisse n'était pas due uniquement à la pratique du jeté-battu ou de l'entrechat...

L'empereur venait alors prendre avec ces jeunes femmes des distractions qui, nous dit le docteur Breille, « lui décongestionnaient heureusement le cerveau ».

Œuvre utile, si l'on en croit un auteur du XVIᵉ siècle qui écrivait : « Les souverains et hommes publics qui s'échauffent le sang et s'alourdissent le cerveau dans la conduite des affaires de l'État, doivent recourir souvent à l'amour physique pour se clarifier l'esprit et rendre celui-ci plus propre aux intrigues de cour et autres procédés de gouvernement. » L'auteur ajoute : « L'acte amoureux, s'il est accompli avec une femme ardente, avisée et gracieuse, permet de chasser les humeurs peccantes qui se forment dans le corps et risquent d'obscurcir l'entendement [34]. »

Napoléon III n'avait pas à craindre de tels désagréments. Plusieurs fois par semaine, de jeunes ballerines au sang vif venaient l'aider avec gentillesse et ingéniosité à clarifier son esprit, pour le plus grand bien des affaires de l'État...

Ces demoiselles n'étaient pas toujours conviées dans la garçonnière de la rue du Bac. Parfois, l'empereur les faisait venir dans l'appartement secret qu'il avait fait aménager aux Tuileries.

Hélas ! dans sa hâte de chasser ses humeurs peccantes, le souverain ne prenait pas toujours la précaution de tirer le verrou.

34. PIERRE DE VIVET, *L'amour et le corps humain.*

Un soir de novembre 1860, l'impératrice, descendue à l'improviste, ouvrit la porte du petit cabinet où elle savait que son époux se retirait souvent pour lire d'austères traités de balistique, et poussa un cri : Napoléon III, en compagnie d'une jeune femme complètement déshabillée, était en train de se livrer à une occupation qui n'avait rien de spécifiquement militaire...

C'était la première fois qu'Eugénie prenait l'empereur en flagrant délit d'adultère. Elle referma la porte et remonta dans sa chambre en pleurant.

Napoléon, tout penaud d'avoir été découvert, « répara vivement le désordre de sa toilette, salua la demoiselle qui, pour se donner une contenance, avait éclaté en sanglots, et courut rejoindre l'impératrice » [35].

Il y eut alors une scène terrible. Mêlant le français à l'espagnol, Eugénie injuria le souverain qui baissait son gros nez. Finalement, l'impératrice annonça qu'elle ne se rendrait pas à Compiègne et qu'elle allait faire un voyage à l'étranger.

Cette fois, Napoléon III fut atterré. D'une voix tremblante, il essaya de démontrer qu'un tel déplacement était maladroit, que l'opposition ne manquerait pas d'en tirer des conclusions fort désobligeantes et que toutes les cours d'Europe allaient s'amuser à leurs dépens...

Ces arguments n'eurent aucun effet. Quelques jours plus tard, accompagnée de quatre personnes seulement, Eugénie partit pour l'Écosse.

Pendant près d'un mois, le cœur triste, elle parcourut sous la pluie le plus mélancolique des pays. On la vit à Carlisle, à Holyrood, à Glasgow et dans les lochs où dansaient d'étranges brouillards.

Elle se faisait appeler comtesse de Pierrefonds. Les autorités respectaient son incognito, mais l'Europe, comme l'avait prévu Napoléon III, s'étonnait de cette fugue. Jamais encore une impératrice n'avait, dans l'histoire du monde, quitté le domicile conjugal...

Au début de décembre, Eugénie revint à Paris. Son chagrin s'était apaisé. Pourtant, elle n'eut plus pour l'empereur les élans qu'elle avait jadis. Parfois, elle le regardait d'un œil fixe et les habitués du palais disaient alors que « Sa Majesté l'impératrice considérait dans son souvenir des images bien peu agréables... » [36].

Napoléon III n'aimait pas du tout ce genre de regard. Il regrettait l'heureux temps de liberté qu'il avait connu pendant la campagne d'Italie.

Et certains soirs, devant l'impératrice renfrognée, il rêvait d'une belle guerre qui l'éloignerait pendant quelques mois du palais des Tuileries. Un familier de la cour put alors noter sur ses carnets : « Il serait capable de mettre le feu aux quatre coins de l'Europe pour se soustraire à une scène de ménage... »

C'était vrai. Il était prêt à tout pour cela.

---

35. AMÉDÉE PRADIER, *Les secrets des Tuileries.*
36. IMBERT DE SAINT-AMAND, *L'Impératrice Eugénie.*

On le verra ainsi céder à l'impératrice au sujet du pape pour se faire pardonner de nouveaux entretiens amoureux dans la garçonnière de la rue du Bac...

De nombreux pamphlétaires ont prétendu que l'impératrice Eugénie, malgré son peu de goût pour le jeu que les poètes du XVIIIᵉ siècle appelaient aimablement « le criquon-criquette », s'était alors vengée des infidélités de l'empereur.

Certains lui ont prêté une liaison avec un fringant officier de chasseurs. D'autres, une idylle un peu poussée avec le duc d'Ossuna. D'autres enfin l'ont dépeinte sous les traits d'une ardente maîtresse de maison chez qui il était agréable de se casser un bras. Voici, en effet, ce que nous conte sans sourciller l'auteur de *Paris sous le Bas-Empire,* publié en 1871 à Londres :

« Un soir, le comte de Glaves, en conduisant un quadrille échevelé aux Tuileries, tomba sur le parquet et se fractura le bras gauche. On transporta, par ordre de l'impératrice, le blessé dans une des chambres du palais.

» La nuit suivante, Napoléon III fut tiré de son sommeil de lion par le bruit de joyeux éclats de rire. Il se leva et se rendit dans l'appartement d'Eugénie.

» Jugez de son effroi. Elle en était absente ! Mortifié et fort en colère, il parcourut en chemise tous les corridors du palais en criant à tue-tête :

» — Où es-tu Eugénie ? Où es-tu ?

» Dans sa course furieuse, il arriva tout à coup devant la chambre du comte de Glaves et y pénétra sans frapper.

» O surprise ! O terreur ! Il vit son épouse couchée à côté du blessé et put se convaincre que tous les membres de l'Espagnol n'étaient pas fracturés.

» Une heure après, un agent de police prenait le comte de Glaves et le conduisait à la frontière.

» Napoléon III aurait dû se rappeler, quand il épousa Mlle de Montijo, ces vers immortels :

> *Et la garde qui veille aux barrières du Louvre*
> *N'en défend pas les rois !* [37] »

Naturellement — est-il besoin de le dire — tout cela est entièrement inventé. Eugénie ne trompa jamais l'empereur. Pourtant, comme toutes les femmes, elle aimait exciter le désir des hommes qui l'entouraient et sentir leur trouble. Plaisir un peu équivoque, dont son pudique biographe, Frédéric Lolliée, jamais à court d'euphémismes, parle en termes voilés. Il nous dit en effet que la souveraine avait le goût « d'allumer les âmes »...

37. LAMBERT, *Paris sous le Bas-Empire, 1871.*

Elle en « alluma » beaucoup. De nombreux personnages qui fréquentaient la cour furent, en effet, amoureux d'elle : Sesto, qui épousa plus tard la veuve du duc de Morny, Edmond About, Octave Feuillet, Viollet-le-Duc, Metternich, le chevalier Nigra, etc. Ce goût du flirt poussa parfois l'impératrice à commettre des imprudences extravagantes que seule sa fougue espagnole parvient à expliquer. La marquise Irène de Taisey-Chatenoy, qui fut, un soir, dans la chambre bleue de Compiègne, renversée sur un lit comme une servante d'auberge par Napoléon III, raconte dans ses *Mémoires* l'étonnante aventure survenue à Eugénie lors d'un séjour de la cour à Fontainebleau.

L'impératrice, ayant appris qu'un village voisin célébrait sa fête patronale, désira se mêler incognito au bal champêtre « afin d'avoir l'âpre plaisir d'être serrée à pleins bras par quelque rustre »...
Elle appela Mme de Grenelle :
— Trouvez-nous deux costumes de paysannes, nous nous déguiserons et nous irons danser !...
La jeune comtesse trouva finalement les jupes, les sarraus, les fichus, les coiffes et les sabots qui convenaient, et déposa le tout dans la cabane d'un cantonnier. Après quoi, « craignant une responsabilité trop lourde », elle avertit son mari. Épouvanté, celui-ci alerta Duperron et Ravillet (l'un, aide de camp, et l'autre, écuyer de l'empereur) et leur demanda de se joindre à lui, sous un déguisement de paysan, pour protéger la souveraine dans son équipée.
Le soir, Mme de Grenelle mena discrètement l'impératrice à la cabane du cantonnier, et toutes deux changèrent de vêtements. Transformées en villageoises, elles coururent au bal où, bientôt, deux maçons les invitèrent à danser. « Prises d'une tardive pudeur, nous dit-on, elles refusèrent en riant. Mais les ouvriers insistèrent pour les faire boire et valser. Excités par leur grâce et quelques verres de vin, ils s'enhardirent et, l'un d'eux, prenant la souveraine par la taille, manifesta le désir de l'embrasser ; le second ne s'en tint pas aux intentions et plaqua un solide baiser sur la joue de Mme de Grenelle qui poussa un petit cri de peur et de satisfaction. »
A ce moment, trois villageois qui étaient dissimulés dans un coin d'ombre se levèrent avec l'intention évidente d'intervenir. Il s'agissait de Duperron et de Ravillet commandés par M. de Grenelle qui, voyant sa femme si ardemment embrassée, estimait que la plaisanterie devait prendre fin. Tous trois s'efforcèrent de repousser les maçons trop entreprenants. Mais ceux-ci se fâchèrent et, « d'une voix avinée, apostrophèrent ceux qui semblaient vouloir leur prendre leurs charmantes payses. Une dispute s'ensuivit avec bousculades et horions. » Alors, un des « villageois » s'approcha de l'impératrice et murmura :
— Que Votre Majesté ne craigne rien !
Eugénie, « confuse et rassérénée », reconnut Duperron. Elle prit Mme de Grenelle par la main et recula d'un pas tandis que les cinq hommes se battaient à coups de pied et à coups de poing.

Tout à coup, nous dit la mémorialiste, « des casquettes volèrent et, avec elles, ô stupéfaction, les perruques et les fausses barbes des deux maçons dans lesquels on reconnut le prince de Nassau et le prince Murat ! »...

Tous deux, en effet, avaient été mis au courant de l'équipée de l'impératrice et, pris du désir de corser la comédie, s'étaient déguisés à leur tour. « Malheureusement, le dîner préalable trop copieux et les vins, trop abondants, leur avaient échauffé la tête, et ils en étaient venus à dépasser les bornes de la familiarité avec l'impératrice et Mme de Grenelle [38]. »

Les braves gens du village, pensant que les deux faux maçons étaient des brigands recherchés par les gendarmes, tombèrent sur eux à bras raccourcis. M. de Grenelle, l'aide de camp et l'écuyer de l'empereur eurent bien du mal à les faire monter sains et saufs dans les voitures qui les avaient amenés de Fontainebleau.

Quant à Eugénie et Mme de Grenelle, elles profitèrent du désordre pour courir jusqu'à la cabane du cantonnier. Un quart d'heure plus tard, les deux femmes, mal remises de leurs émotions, montaient dans un coupé qui attendait à une croisée de chemins et se faisaient ramener au château de Fontainebleau.

Bien entendu, l'empereur fut informé de l'aventure d'Eugénie. Il se fâcha, disant qu'une souveraine ne devait pas courir les bals de village, même sous un déguisement. Pour toute excuse, l'impératrice éclata en sanglots.

Elle allait, bientôt, commettre une imprudence plus grande encore...

Un soir, au cours d'un bal masqué donné chez le duc de Morny, Eugénie, déguisée en marquise du XVIIIᵉ siècle et le visage dissimulé par un loup de velours bleu, s'amusait à circuler parmi les invités en accentuant sa langoureuse démarche d'Espagnole.

L'un des plus célèbres don Juan de l'époque, le marquis de Charnacé, était là, habillé en domino. Ce personnage, que ses opinions légitimistes empêchaient d'être invité à la cour, n'avait jamais approché l'impératrice. Il fut intrigué par cette mystérieuse marquise et la suivit en lui murmurant à l'oreille quelques-uns de ces compliments dont il avait le secret et qui donnaient généralement aux femmes, nous dit-on, « l'envie irrésistible de s'aller coucher en position d'offrande ».

Eugénie fut troublée. M. de Charnacé s'en aperçut et devint plus pressant :

— Viens dans le salon rose et laisse-moi voir ton visage. Je t'aime [39] !...

Eugénie, cette fois, eut peur d'être allée un peu loin. Elle s'échappa, courut à l'autre extrémité du salon et se perdit dans un groupe de danseurs.

M. de Charnacé retrouva sa mystérieuse marquise dans une petite

---

38. Marquise de Taisey-Chatenoy, *A la cour de Napoléon III.*
39. Le tutoiement était de rigueur entre dominos.

pièce, assise auprès de la duchesse de Bassano. Tendrement, il la prit par la main et l'entraîna vers une fenêtre.

Eugénie, ravie de vivre une telle aventure, le suivit en tremblant.

— Je ne te quitte plus, lui dit-il à l'oreille. S'il ne m'est pas permis de connaître ce soir le visage que tu caches sous le velours, je veux savoir au moins ton nom.

Elle secoua la tête.

— Tu n'y consens pas, c'est bien. Je le saurai cependant. Bientôt, on appellera ta voiture. Je serai là, et, si je n'ai pas entendu le mot que j'espère, je volerai aussi vite que les chevaux pour être en même temps à ta porte. Il ne me sera pas difficile, alors, de connaître ton nom !...

Très mal à l'aise, Eugénie réfléchit un instant. Soudain, elle eut une idée :

— Écoute, murmura-t-elle, si ton cœur n'est pas sincère en ses déclarations, je n'ai pas à m'en préoccuper. Suis ton caprice. Mais si, au contraire, je dois croire aux sentiments que tu exprimes, je te demande de ne pas chercher à trahir mon secret. En échange de ta parole, je te promets de répondre au désir que tu manifesteras si ce désir est raisonnable !...

— Que puis-je souhaiter, sinon un rendez-vous ?

— Un rendez-vous ! La chose n'est pas simple !... Tu l'auras cependant ; mais ce ne sera pas chez moi. Vois ce domino, là-bas, qui me fait signe d'abréger la conversation ; c'est mon mari qui s'impatiente et me presse de revenir... Adieu ! Tu pourras me voir demain après-midi, à trois heures, au bois de Boulogne, près du lac. Je serai dans un landau découvert, je passerai deux fois un mouchoir sur mes lèvres et tu sauras que c'est moi...

M. de Charnacé, ravi de voir que, somme toute, l'intrigue commençait bien, rentra chez lui en chantonnant.

Le lendemain, à l'heure indiquée, il était près du lac, guettant le landau de la belle inconnue. Or, tandis qu'il rêvait aux suites possibles de son aventure, un mouvement se produisit dans l'allée. Des piqueurs venaient de s'annoncer, devançant l'attelage de l'impératrice. Respectueux, le marquis se découvrit pour saluer la souveraine qui passait devant lui à l'allure ralentie de ses chevaux. Soudain, il se crut victime d'une hallucination : lentement, à deux reprises, Eugénie se passa un mouchoir sur les lèvres...

M. de Charnacé fut accablé. Ainsi, lui, le plus pur des légitimistes, avait fait la cour à l'impératrice !... Il n'était pas encore revenu de son effarement que l'écuyer de service — c'était ce jour-là le baron de Bourgoing — se détacha du cortège et vint à lui :

— Monsieur, dit-il, Sa Majesté vous fait demander quel jour il vous serait agréable d'être invité aux Tuileries...

— L'honneur que me fait Sa Majesté et sa gracieuse intention me comblent de gratitude, répondit le marquis. Je me permettrai de l'en remercier par une lettre qui lui parviendra demain.

Le baron de Bourgoing sourit :

— Oh ! les lettres ne vont pas si vite ni si facilement aux mains de l'impératrice ! Il serait préférable que je puisse lui transmettre votre réponse de vive voix !...

Le marquis ne voulait point passer par l'intermédiaire d'un écuyer :

— Souffrez, dit-il, que je maintienne ce que je viens de dire et veuillez avoir la bonté de présenter à Sa Majesté mes hommages [40].

M. de Charnacé rentra chez lui, « le haut-de-forme soucieux et la moustache basse ». Repoussant les épreuves de son dernier livre, il écrivit une lettre dans laquelle il disait notamment : *Madame, en me rendant à une invitation aussi séduisante, j'eusse contenté le plus cher désir de mes yeux ; mais d'y obéir serait démériter auprès de Votre Majesté ; car ce serait donner un démenti au caractère inviolable des principes que Votre Majesté me connaît. Je prie Votre Majesté de me permettre d'en décliner la tentation...*

Eugénie fut-elle déçue de ne point voir aux Tuileries — chez elle — cet homme qui, l'espace d'un soir, l'avait troublée ? Peut-être.

Quoi qu'il en soit, elle le rencontra toujours avec un plaisir évident et lui montra jusqu'à la fin de l'Empire une sympathie particulière qui fit souvent jaser.

Écoutons Frédéric Lolliée : « Elle agréa de reprendre l'intime causerie en d'autres occasions de fêtes, encore chez le duc de Morny. Elle fit davantage. Elle ne craignait point de favoriser d'une sorte d'entretien public l'homme qui avait su parler à son âme ou à son caprice. C'était aux courses de Fontainebleau. Laissant sa cour en arrière, elle avança de plusieurs pas et demeura quelques moments à causer, seule à seul, avec le féal et intransigeant monarchiste. Ce fut une sorte de scandale politique dans le cortège impérial. Descendre de sa tribune pour aller presque au-devant d'un gentilhomme de lettres qu'on ne voyait pas aux Tuileries, n'était-ce pas outrepasser les bornes de la fantaisie ? Les ralliés non plus n'en revenaient pas de la surprise. Pourquoi ? Qu'était-il ? Qu'avait-il fait [41] ? »

Ce qu'il avait fait ? Il avait, à la faveur d'un quiproquo, tenu à Eugénie des propos égrillards ; ce que personne, pas même Napoléon III, ne s'était permis auparavant. Il avait exprimé son désir en des termes clairs ; ce qui, pour une souveraine habituée au langage ampoulé des courtisans, constituait un hommage d'un goût *nouveau* et fort émoustillant. Bref, il avait, pendant quelques instants, donné à l'impératrice des Français la vertigineuse impression d'être courtisée comme une soubrette...

40. Tous ces dialogues ont été rapportés par les intéressés eux-mêmes. Cf. FRÉDÉRIC LOLLIÉE, *Les femmes du Second Empire.*
41. FRÉDÉRIC LOLLIÉE, *op. cit.*

N'est-ce pas là le désir secret de toute grande dame [42] ?

8

Le « flirt » d'Eugénie entraîne la France dans
la désastreuse campagne du Mexique

> Le flirt, c'est jouer avec les allumettes.
> Et quand on joue avec les allumettes, on
> finit toujours par mettre le feu quelque part.
>
> GEORGES BELLEC

Eugénie commit tant d'imprudences que certains familiers de la cour se permirent à son endroit des regards et des propos d'une polissonnerie dont Napoléon III lui-même s'émut.

L'un de ces effrontés paya d'ailleurs cher son insolence.

Écoutons deux chroniqueurs bien renseignés, Charles Simond et M.-C. Poinsot :

« Un officier des plus assidus au palais se vit subitement congédié ou, ce qui revient au même, mis par ordre dans la nécessité d'aller prendre du service en Afrique. Pourquoi ? Parce que l'empereur, à plusieurs reprises, avait découvert des œillades incendiaires, des sourires équivoques et que, s'il en distribuait, lui, avec abondance, il n'aimait point que sa femme en fût aussi prodigue [43]. »

Or, lors d'une chasse à Fontainebleau, ce jeune et beau soupirant, qui galopait derrière le cheval de l'impératrice, dit d'une voix claironnante à un de ses amis :

— Voilà deux croupes superbes, mon cher ! Et je redeviendrais bien vulgaire cavalier sans galons si l'on me priait de les soigner l'une et l'autre, comme le dernier de mes hommes d'écurie !

Plaisanterie d'une verdeur toute militaire et — il faut bien le dire — d'un goût douteux, mais qui amusa l'ami. Celui-ci riait déjà sans retenue, quand une voix retentit qui jeta un froid.

---

42. A propos des imprudences d'Eugénie, le général de Ricard, ancien aide de camp du roi Jérôme, écrit : « L'Impératrice est plus légère que jamais ; incapable de se livrer un seul instant à une occupation sérieuse, elle s'amuse, il lui faut des distractions. Déjà, elle s'est compromise, gratuitement je crois, jusqu'à présent, avec M. de C... qui a reçu de l'avancement et a quitté la maison ; avec le prince prussien de Reuss et aujourd'hui avec un officier d'ordonnance des Tuileries ; mais ceci paraît plus sérieux ; on échange avec lui des œillades compromettantes, on l'invite quand son service ne l'appelle pas au château. De son côté, le jeune fat feint une passion subjugante ; il s'éloigne pour chercher à la surmonter ; alors on lui écrit trois lettres pour le rappeler, il revient pendant que l'empereur est à Bade ; l'impératrice lui donne un bouquet, il le porte avec affectation à ses lèvres en lançant des regards langoureux à la fille Montijo ; celle-ci reprend le bouquet, le donne à la princesse Czartoriska et le lui reprend avec précipitation, en écarte les fleurs maladroitement pour s'assurer qu'il n'y a pas de billet. Quatre-vingts personnes sont témoins de tous ces manèges. » *Autour des Bonaparte.*

43. CHARLES SIMOND et M.-C. POINSOT, *La vie galante aux Tuileries sous le Second Empire.*

Elle appartenait, en effet, à Napoléon III :
— Une croupe vous suffira, Monsieur ! Et vous irez la panser en Kabylie !
Les deux officiers baissèrent la tête. Le lendemain, le coupable était dirigé sur un régiment d'Afrique et ne revint jamais en France...

Un autre amoureux, le prince de Cammerata, qui rêvait de se livrer sur l'impératrice au plus savoureux des crimes de lèse-majesté, connut un sort plus cruel encore, si l'on en croit certains mémorialistes. Ce gentilhomme, à qui la passion — et peut-être aussi l'attitude provocante d'Eugénie — avait fait perdre le sens des convenances, s'oublia, un soir de bal aux Tuileries, jusqu'à se pencher sur « l'objet de ses désirs » et lui dire à haute voix :
— Je t'aime !...
La souveraine blêmit. L'espace d'une seconde, elle comprit combien elle avait été légère et à quelles insolences elle risquait de s'exposer désormais. Comme nous le dit Pierre de Lano avec un humour gaulois : « Aujourd'hui, le prince de Cammerata la tutoyait en public et se permettait de lui avouer sa passion ; demain il mettrait la main à ses fesses impériales... »
« Comme une couleuvre blessée », Eugénie courut vers l'empereur et lui apprit ce qui venait de se passer.
Le soir même, le prince de Cammerata fut livré au policier Zambo qui l'abattit d'un coup de pistolet dans la tête...
Mais la coquetterie de l'impératrice n'eut pas seulement des conséquences fâcheuses sur le destin de quelques hommes de la cour. Elle devait en avoir aussi sur celui de la France. L'un des « flirts » d'Eugénie fut, en effet, à l'origine d'une des entreprises les plus malheureuses et les plus sanglantes du Second Empire : la campagne du Mexique...

Tout commença un matin, à Biarritz. L'impératrice se promenait en calèche, « son petit chapeau hongrois posé sur le front, son ombrelle à la main ». Sur le trottoir, un jeune homme la salua respectueusement. Il était beau, portait un collier de barbe et avait l'œil chaud. Eugénie le regarda et reconnut avec surprise un de ses amis d'adolescence, José Hidalgo, un jeune Mexicain qui l'avait fait danser jadis en Espagne. L'ancien « joli cœur des *tertulias* de Carabanchel », comme l'appelle plaisamment M. Jean Descola, était maintenant diplomate. L'impératrice l'invita à venir le lendemain bavarder avec elle. José Hidalgo était un charmeur. Il devint vite un familier de la villa « Eugénie ».
Ravie, séduite, passionnée, la souveraine l'écoutait parler du Mexique, ce malheureux pays que l'arrivée au pouvoir de Juarez avait livré à l'anarchie.
— Il faut chasser cet ancien berger d'Oaxaca, disait José Hidalgo, ressusciter la Nouvelle-Espagne, sauver la race latine et le catholicisme par une restauration monarchique !...

Eugénie, vibrante, pensait que son ancien danseur avait toutes les qualités requises pour devenir un nouveau Cortès !

C'est alors qu'elle décida de l'aider, et de pousser Napoléon III à intervenir dans les affaires mexicaines...

Le rôle d'Eugénie allait être déterminant. Quelques graves auteurs, gênés, sans doute, par l'apparition gracieuse d'une femme au milieu de conseillers d'État et de chefs militaires, assurent que l'impératrice n'eut aucune part dans la préparation de la guerre du Mexique. Je me permets de les renvoyer à la source la plus autorisée qui soit en l'occurrence : à l'impératrice elle-même.

En effet, un jour de 1904, Eugénie devait avouer sa responsabilité totale à Maurice Paléologue, au cours d'un entretien qui eut lieu à l'hôtel Continental, face à ce jardin des Tuileries où flottaient tant de fantômes.

Maurice Paléologue venait de s'excuser de rapporter un mot du général Pendézec, assez sévère sur l'expédition du Mexique :

« A cette évocation, écrit l'ambassadeur, l'impératrice rejette le buste en arrière, comme si une décharge électrique lui sillonnait l'épine dorsale. Et, d'une voix forte, les prunelles étincelantes :

» — Vous excuser... Pourquoi ? Je n'ai pas honte du Mexique ; je le déplore : je n'en rougis pas... Je suis même toujours prête à en parler, car c'est un des thèmes que l'injustice et la calomnie ont le plus exploités contre nous. »

« Elle s'applique alors, poursuit Paléologue, à me démontrer que l'aventure mexicaine, dont les origines ont un si mauvais renom, fut au contraire la résultante d'une méditation très élevée, l'accomplissement d'une très haute pensée politique et civilisatrice :

» — Je vous affirme que, dans la genèse de l'entreprise, les spéculations financières, les recouvrements de créances, les bons Jecker, les mines de la Sonora et du Sinaloa ne tinrent aucune place ; nous n'y songions même pas. C'est beaucoup plus tard que les agioteurs et les fripons cherchèrent à profiter des circonstances...

» Puis, elle me rappelle que, dès 1846, le captif de Ham rêvait de constituer, dans l'Amérique centrale, un solide empire latin qui eût barré la route aux ambitions des États-Unis. C'est le Nicaragua qu'il visait, de préférence, à cause des facilités qu'on y aurait trouvées pour le creusement d'un canal interocéanique. Aussi eut-il vite fait d'apercevoir l'opportunité d'une intervention française au Mexique, le jour où la dictature de Juarez y déchaîna de nouveau les passions révolutionnaires, tandis que la guerre de Sécession dressait l'une contre l'autre, et pour longtemps, les deux moitiés de la grande république voisine.

» Quand l'impératrice a terminé son préambule, je lui demande :

» — A quelle date l'idée s'est-elle cristallisée dans l'esprit de Napoléon III ? D'où lui est venue l'incitation finale et décisive ?

» Brusquement :

» — *Cela s'est fait en 1861, à Biarritz, par moi.*

» Dans cette déclaration tranchante, je reconnais ce que j'ai maintes fois observé chez l'impératrice, le courageux parti pris de revendiquer hautement toutes les responsabilités propres, si accablantes qu'elles puissent être pour sa mémoire.

» Elle me raconte ensuite les entretiens qu'elle eut à Biarritz pendant l'automne de 1861 avec un émigré mexicain, don José Hidalgo, qu'elle accueillait, depuis quelque temps, dans son cercle intime... [44] »

Le rôle capital joué par l'impératrice dans la campagne du Mexique ne peut donc plus être discuté.

Avant d'intervenir auprès de Napoléon III, Eugénie (selon son habitude) consulta les tables tournantes pour savoir si la France devait installer au Mexique une monarchie catholique et lutter contre les États-Unis protestants. Entourée de quelques amies — dont Pauline de Metternich, femme de l'ambassadeur d'Autriche — elle évoqua naturellement l'esprit de La Fayette. Après plusieurs coups incompréhensibles, la table frappa la réponse suivante :

« L'Amérique dominera le monde. Vous l'aurez voulu. Vous serez à genoux devant elle ! »

Eugénie ne se laissa pas désarmer. Elle déclara que l'esprit de M. de La Fayette devait être, sans doute, mal luné...

L'impératrice, quelques jours plus tard, se rendit dans le cabinet de l'empereur en compagnie de son « flirt ».

— Voici M. Hidalgo dont je vous ai parlé, dit-elle. J'aimerais qu'il vous exposât ses merveilleux projets.

Napoléon III se tassa dans un fauteuil, alluma une cigarette et indiqua d'un geste de la main qu'il était disposé à écouter.

Le jeune Mexicain se lança alors dans un discours véhément, passionné. Il expliqua que Juarez était un aventurier dont il fallait débarrasser le Mexique, parla de la révolte qui couvait dans le pays contre le despotisme du chef révolutionnaire, traça les grandes lignes d'une monarchie catholique qui devrait tout à la France, rappela que les États-Unis, absorbés par la guerre de Sécession, ne pourraient s'élever contre une intervention européenne et conclut en affirmant que l'Empire français recueillerait, dans cette affaire, de riches privilèges commerciaux et une gloire impérissable...

Eugénie écoutait, frémissante, son bel Hidalgo.

— Quel grand dessein ! dit-elle.

Napoléon III, les yeux au plafond, regardait monter la fumée de sa cigarette. Il rêvait d'un empire français d'Amérique, et ce rêve, comme tout ce qui était extravagant, le séduisait.

— J'ajoute, dit le Mexicain, que l'Angleterre et l'Espagne, vivement

44. MAURICE PALÉOLOGUE, *Les entretiens de l'impératrice Eugénie.*

irritées par la mauvaise foi de Juarez, apporteraient vraisemblablement leur aide à cette expédition [45].

Napoléon III continuait de rêver. L'impératrice lui prit la main :

— Il faut intervenir ! Cette guerre sera la plus glorieuse entreprise de votre règne ! Elle aurait enthousiasmé Napoléon Iᵉʳ !

L'empereur, cette fois, fut conquis :

— Mais... quel souverain proposer aux Mexicains ? Un Hohenzollern ? Un Saxe-Cobourg ?

Eugénie s'était longuement penchée sur ce problème avec son amie Pauline de Metternich, épouse de l'ambassadeur d'Autriche.

Celle-ci, « la plus rusée femme d'Europe », disait Morny, avait soufflé le nom de l'archiduc Maximilien, en ajoutant :

— Voilà qui constituerait une belle riposte aux Italiens !

Le mot était adroit. Eugénie détestait l'Italie qui lui rappelait les insolences de Mme de Castiglione. Elle avait applaudi la suggestion de Pauline [46].

L'empereur enroulait sa moustache gauche autour de son index. Il cherchait toujours un futur souverain pour le Mexique :

— Le duc d'Aumale, dit-il, ferait bien l'affaire ; mais j'ai peur de complications en donnant une couronne à un d'Orléans !...

Alors l'impératrice intervint :

— Pourquoi pas l'archiduc Maximilien ?

Napoléon III leva un sourcil :

— Il n'acceptera jamais !

— Voulez-vous que j'en parle demain à M. de Metternich ?

— Si vous voulez !...

Eugénie et José Hidalgo, fort satisfaits, quittèrent le cabinet impérial, laissant Napoléon III rêver d'un vaste empire français s'étendant du Texas à Panama, où Maximilien d'Autriche jouerait le rôle de gérant couronné...

Au mois de novembre, en accord avec Londres et Madrid, la France envoya à Vera Cruz son premier corps expéditionnaire composé de cinq cents zouaves et d'une batterie d'artillerie.

Cinq cents zouaves, c'était peu pour chasser Juarez. Aussi l'impératrice, sur les instances de José Hidalgo, supplia-t-elle Napoléon III d'envoyer des renforts.

Quelques semaines plus tard, Eugénie était heureuse : son bel ami n'avait plus la mine morose. En effet, sept mille hommes étaient partis pour le Mexique, commandés par le général de Lorencey.

45. Juarez venait de faire voter à son Parlement une loi suspendant l'exécution des « conventions étrangères », ce qui revenait à répudier unilatéralement les divers accords de principe conclus pour l'indemnisation des sujets anglais, espagnols et... français. En outre, il avait décidé de ne pas rembourser les 75 millions de francs que son prédécesseur, Miramon, avait empruntés au banquier suisse Jecker.

46. Cf. PIERRE DE LANO : « L'impératrice organisa de toutes pièces cette expédition avec Mme de Metternich, croyant, de bonne foi assurément, faire oublier à l'Autriche la perte de ses provinces en lui donnant un empire lointain à gérer. » *L'impératrice Eugénie.*

Hélas ! A la suite d'une erreur de tactique, ces sept mille soldats furent massacrés devant Puebla par les partisans de Juarez, ce qui donna à Hidalgo un air boudeur dont se chagrina l'impératrice.

— Il faut, lui dit-il, que l'empereur envoie de nouvelles troupes !

Eugénie courut chez Napoléon III. Ce fut pour y apprendre que l'Angleterre et l'Espagne, qui avaient reçu quelques satisfactions de Juarez, venaient de rappeler leurs bateaux.

Très ennuyée, la souveraine revint vers Hidalgo et lui promit de tout tenter pour regagner, au moins, la coopération de l'Espagne. Quelques jours plus tard, elle partit pour Madrid où on la reçut courtoisement sans toutefois lui accorder l'aide qu'elle venait demander.

Rentrée en France, elle retrouva José Hidalgo fort maussade. Pour lui rendre ce sourire qu'elle aimait tant, Eugénie poussa Napoléon III à envoyer de nouvelles forces au Mexique.

L'empereur, tout heureux de voir que l'impératrice ne s'occupait plus de ses frasques, obéit. Le Corps législatif vota des crédits après un discours de Rouher qui affirma, reprenant une phrase d'Eugénie, que « l'expédition du Mexique serait la grande pensée du règne ».

Le mois suivant, vingt-huit mille hommes embarquaient, commandés par le général Forey.

Cette fois, Hidalgo fut joyeux. Il chantonna des airs mexicains à la grande joie de l'impératrice.

— Notre règne sera grand grâce à vous, disait-elle.

Quand les régiments du général Forey quittèrent Paris, elle pensa à la guerre d'Italie qui avait été faite pour les beaux yeux de Virginia de Castiglione, se rengorgea et eut ce mot enfantin :

— Cette fois, c'est pour moi qu'ils vont se battre !...

Hélas !

Au début de 1863, les événements comblèrent de joie l'impératrice. Tout d'abord, le 16 mai 1863, l'armée française entra dans Puebla.

Lorsque la nouvelle arriva en France, la cour était à Fontainebleau. Une dépêche fut portée à l'empereur qui la reçut à la fin d'un dîner. L'ayant lue, il dit à haute voix :

— Puebla est prise !

Aussitôt, tous les convives applaudirent et se tournèrent vers Eugénie qui, tendrement, souriait à José Hidalgo.

Napoléon III fit porter par un valet la dépêche à son épouse. La souveraine y jeta les yeux, pâlit et dit :

— Mais vous ne lisez pas tout !

— Eh bien ! lis, dit l'empereur.

— *Galliffet grièvement blessé.*

Tous les regards se tournèrent vers Eugénie. Personne n'ignorait, en effet, que c'était elle qui avait obligé le jeune capitaine aux Guides à partir pour le Mexique afin de rompre avec une biche à la mode, Mlle Constance, dont le sein bien dessiné et la fesse alerte étaient malheureusement déparés par un langage des plus grossiers.

L'impératrice, au bord des larmes, regardait fixement son assiette. A ce moment, on présenta les sorbets. Eugénie refusa, se pencha vers son voisin, Nigra, et dit :

— Je n'en prendrai plus tant que Galliffet ne sera pas guéri !

Cette réaction enfantine émerveilla la cour. Il semblait à tout le monde qu'une impératrice capable de se priver de sorbets — alors qu'elle les adorait — était une souveraine parée de vertus peu communes et, pour tout dire, digne de l'antique...

Eugénie tint d'ailleurs sa promesse. Elle ne goûta de son dessert favori qu'au retour en France de Galliffet. Ce jour-là, ce fut d'ailleurs le capitaine qui, avec sa verve habituelle, dérida tout le monde en racontant comment, laissé pour mort, le ventre ouvert, il avait rampé jusqu'à l'ambulance avec « ses tripes » dans son képi [47]...

Le 7 juin, les Français occupèrent Mexico. Aussitôt, une junte de notables, nommée par le général Forey, rétablit l'empire et offrit la couronne à l'archiduc Maximilien.

En apprenant ces nouvelles, Eugénie exulta. Son activité occulte grandit encore. Presque chaque jour, le visage couvert d'un voile, elle quittait Saint-Cloud avec son amie, Mme Arcos, et se rendait à la Jonchère, chez les Metternich où José Hidalgo la retrouvait. Là, au cours de véritables conciliabules de conspirateurs, la souveraine, le Mexicain et les ambassadeurs d'Autriche dressaient des plans pour amener Maximilien à accepter la couronne qui lui était offerte.

Des télégrammes rédigés dans le cabinet de l'impératrice partaient régulièrement vers le palais de l'archiduc indécis. Finalement, poussé par son épouse, Charlotte de Belgique, petite-fille de Louis-Philippe, Maximilien s'embarqua au début de mai 1864 pour le Mexique.

Le 10 juin, les nouveaux souverains faisaient leur entrée à Mexico, accueillis par une foule en liesse. Hélas, tout allait bien vite changer.

A la fin de l'année, Juarez, qui avait obtenu l'aide des États-Unis, arma ses partisans et entreprit une guérilla exaspérante et efficace.

Fort déçu, le jeune empereur, qui était, nous dit-on, « doux et sensuel », chercha un dérivatif dans la compagnie de dames ardentes. Ces épuisantes distractions lui firent bientôt oublier non seulement ses déboires, mais aussi ses devoirs de chef d'État.

La situation ne tarda pas à s'aggraver. L'année 1865 fut douloureuse pour Eugénie qui voyait son bel Hidalgo nerveux et inquiet.

1866 aussi. En août, Charlotte quitta Maximilien et vint en France pour demander de l'argent et des troupes à Napoléon III. L'empereur refusa. Il se passa alors une scène stupéfiante. Charlotte, qui n'avait pas la tête solide, devint folle, se tordit les bras, se roula par terre et montra à l'empereur des Français des choses qu'elle réservait habituellement à son mari.

---

47. Plus tard, Galliffet sera surnommé « le don Juan au nombril d'argent » et Thiers dira de lui : « Chaque fois que ce sabreur a une bonne amie nouvelle, tout le monde le sait : le surlendemain, elle est enrhumée. »

Enfin, en 1867, le malheureux Maximilien qui avait été traîné sur le trône du Mexique par un quarteron de femmes légères, sentimentales ou ambitieuses, tomba sous les balles d'un peloton d'exécution...

Quand elle sut que Maximilien avait été fusillé et que les rêves d'Hidalgo étaient à jamais anéantis, Eugénie alla se cacher dans ses appartements. Pendant une semaine, hors son service intime, personne ne la vit.

Le mécontentement, il est vrai, était immense. Écoutons Frédéric Lolliée :

« Le lendemain du jour où s'était propagée la nouvelle de la mort violente de Maximilien, Hyrvoix, chef de la police secrète, pénétrait dans le cabinet de l'empereur ; c'était l'heure matinale où ce fonctionnaire avait coutume de venir lui exposer son rapport sur l'état de l'opinion publique.

» — Que dit le peuple ? commença par demander Napoléon.

» — Le peuple ne dit rien, sire.

» Mais la physionomie de Hyrvoix trahissait de l'embarras et sa réponse de l'hésitation.

» — Vous ne me dévoilez pas la vérité. Que dit le peuple ?

» — Eh bien ! sire, puisque vous me le commandez, je parlerai sans feinte : la nation est profondément irritée des suites de cette malheureuse guerre mexicaine. On la commente partout dans le même esprit de réprobation. Et l'on va plus loin, on proclame que c'est la faute de...

» — La faute de qui ?

» Hyrvoix garda le silence.

» — La faute de qui ? Je veux le savoir !

» — Sire, balbutia le policier dont la conscience brûlait de s'ouvrir et à qui la prudence commandait de se taire, sire, du temps de Louis XVI, on disait : "C'est la faute de l'Autrichienne."

» — Oui... Eh bien, continuez !

» — Sous Napoléon III, on dit : "C'est la faute de l'Espagnole."

» Ces mots étaient à peine tombés dans le calme de la chambre où Hyrvoix se croyait seul avec l'empereur que l'impératrice, qui avait tout entendu derrière la tapisserie, apparut brusquement. Elle était en robe de chambre blanche et ses cheveux flottaient sur ses épaules. D'un bond, elle s'élança vers l'homme qui avait osé se faire l'organe des propos qui circulaient dans le peuple :

» — Répétez, s'il vous plaît, monsieur Hyrvoix, les paroles que vous venez de prononcer, commanda-t-elle.

» — Certainement, madame. Répondant au désir de l'empereur de connaître l'état de l'opinion publique après le triste événement qui vient de s'accomplir à Queretaro, je lui disais que les Parisiens parlent, aujourd'hui, de "l'Espagnole", comme ils parlaient, il y a soixante-quinze ans, de "l'Autrichienne".

» — L'Espagnole ! L'Espagnole ! s'écria-t-elle, je suis devenue française, mais je montrerai à mes ennemis que je puis être espagnole à l'occasion !

» Et, sur ces derniers mots, elle disparut. Le chef de la police secrète restait là, navré d'avoir parlé ; il s'en excusa auprès de l'empereur.

» — Vous avez obéi à votre conscience, dit simplement Napoléon en lui serrant la main.

» Cette approbation ainsi exprimée n'empêcha point que, peu de jours après, Hyrvoix était déplacé et envoyé en province comme receveur général du Jura. L'impératrice avait exigé qu'il ne se trouvât plus sur son chemin [48]. »

Malgré ce mouvement d'humeur, Eugénie continua de montrer son affliction. Pendant des semaines, elle ne porta que des vêtements noirs.

Elle était en deuil d'un beau rêve, d'un tendre "flirt" et de sept mille soldats français...

9

Bacciochi « essayait » les maîtresses de Napoléon III

En toutes occasions, sachez où vous mettez les pieds.

guide du fantassin en campagne

Pendant toute la campagne du Mexique, Napoléon III avait été l'homme le plus heureux de France. Eugénie occupant tout son temps à mettre une partie de l'Amérique du Nord à feu et à sang pour les beaux yeux de José Hidalgo, il avait pu, en effet, se consacrer entièrement — et en toute tranquillité — à sa seule passion : les femmes.

Avec l'âge, son obsession sexuelle avait pris une ampleur qui inquiétait les médecins. Il était, nous dit-on, « attiré par la possession physique avec gloutonnerie ».

Bacciochi avait l'ordre d'amener, chaque après-midi, une jolie femme à la garçonnière de la rue du Bac. Ces jeunes personnes devaient pouvoir donner brillamment la réplique au cours du « dialogue » qu'elles allaient avoir avec le souverain. Pour s'assurer de leurs qualités, Bacciochi les faisait se dévêtir, les étendait sur un lit et, consciencieusement, les « essayait »... Il ne fallait pas que l'empereur fût amené à s'engager à la légère dans un chemin trop frayé, obstrué d'obstacles, ou à peine ouvert. Bacciochi allait ainsi — en éclaireur — reconnaître, si j'ose dire, la voie de son maître...

Il arrivait que les demoiselles manquassent d'initiative. Le bon serviteur, qui connaissait les goûts et les manies de l'empereur, donnait alors des conseils, suggérait une fantaisie, indiquait une attitude, bref, faisait un véritable cours d'éducation sexuelle.

Patient, il recommençait inlassablement ses leçons :

— Allons, mon petit, refaites-le-moi encore une fois !

Les demoiselles, soucieuses de se montrer expertes avec le souverain,

---

48. FRÉDÉRIC LOLLIÉE, *La vie d'une impératrice : Eugénie de Montijo.*

répétaient le geste sans discuter, car Bacciochi exigeait qu'elles le sussent parfaitement.

Certains jours, l'ordonnateur des plaisirs impériaux faisait une surprise à l'empereur : il amenait plusieurs femmes rue du Bac. Napoléon III alors exultait et se livrait à mille facéties, s'amusant, par exemple, à prendre les seins de ces dames et à les faire sauter dans ses mains « comme de petits ballons »...

Un après-midi, Bacciochi avait convié trois ravissantes danseuses de l'Opéra : une brune, une rousse et une (vraie) blonde. En les voyant étendues sur le lit, Napoléon III sourit avec gourmandise. Puis, soulevant les chemises de nuit, il découvrit les toisons multicolores, et déclara :

— Quelle palette !

L'hiver, pour fuir l'impératrice, Napoléon III allait parfois patiner sur le lac gelé du bois de Boulogne.

En redingote et chapeau haut de forme, il exécutait de savantes figures au milieu des Parisiens émerveillés et s'amusait, nous dit-on, à imiter, un pied en l'air, la pose du Génie de la Bastille [49].

Avec cette belle désinvolture qui le caractérisait, il donnait souvent des rendez-vous galants sur la glace. On le voyait alors guider de charmantes demoiselles sur leurs patins. La plus remarquée fut Miss Sniell, une très jolie Anglaise qui savait tomber, raconte M. de Fleury, « en donnant au public le plus ravissant et le plus impudique des spectacles ».

Un jour de janvier 1863, Eugénie accompagna l'empereur. Tous deux virevoltaient depuis quelques instants lorsqu'une jeune femme emmitouflée d'hermine et bottée de cuir rouge s'élança sur la glace et se livra à une série d'extraordinaires évolutions.

L'empereur s'arrêta, intrigué :

— Qui est-ce ?

Le prince Joachim Murat sourit :

— Une Américaine, sire, Mrs. Moulton.

— Elle est ravissante... J'aimerais la complimenter...

Le prince Murat alla, d'une glissade savante, rejoindre la gracieuse patineuse. Napoléon le suivit. Il arriva, rapporta Lillie Moulton, « hors d'haleine et soufflant comme une locomotive ».

L'Américaine fit une révérence. L'empereur la releva :

— Mes compliments, madame. Vous patinez à merveille !...

Mrs. Moulton, rougissante, expliqua qu'elle s'adonnait à ce sport depuis son enfance.

Napoléon bondit sur l'occasion qui s'offrait :

— Il faut, en effet, avoir commencé très tôt pour atteindre à cette perfection. Oserai-je demander à une aussi brillante patineuse de guider sur la glace l'humble patineur que je suis ?...

49. On imagine mal, de nos jours, le chef de l'État allant faire ce genre d'acrobaties sur le lac du bois de Boulogne, ou même sur le bassin de l'Élysée...

Mrs. Moulton, ravie, répondit qu'elle en serait à jamais honorée. Puis, elle prit l'empereur par la main et l'entraîna dans une course folle devant la cour stupéfaite et l'impératrice fort pincée.

A certain moment, le chapeau impérial s'envola et alla rouler sur la glace. Mrs. Moulton, en une pirouette élégante, s'en saisit et le tendit au souverain.

L'instant d'après, tous deux, bras dessus bras dessous, atteignaient la berge. La cour applaudit et quelques dames particulièrement venimeuses se tournèrent vers l'impératrice. Elles furent ébahies : Eugénie, maintenant, souriait.

On n'allait pas tarder à en connaître la raison...

Le lendemain, tout Paris était au courant de la rencontre de l'empereur. Et les gens bien renseignés se racontaient que Mrs. Moulton, née Lillie Greenought, vingt ans plus tôt, à Boston, était la femme de Charles Moulton, fils d'un richissime banquier américain installé en France dès le règne de Louis-Philippe. On précisait qu'elle habitait un délicieux hôtel, rue de Courcelles, et qu'elle était cantatrice.

C'était vrai : Lillie chantait. Élève de Manuel Garcia — le frère de la Malibran — elle possédait une voix qui, d'après les spécialistes du temps, avait « la rondeur et la coloration des plus ravissantes perles ». Et les familiers de la cour disaient malicieusement que l'empereur allait être ravi « de connaître un aussi bel organe »...

Mais Eugénie avait son plan.

Quelques jours plus tard, Lillie Moulton fut invitée aux Tuileries. Napoléon III, croyant que l'impératrice avait décidé de se montrer désormais compréhensive, « fit le beau » en pétrissant sa barbiche, et bredouilla quelques compliments éculés.

Or, au moment où son œil vitreux semblait pris de vertige devant le décolleté impressionnant de la jeune Américaine, Eugénie apparut, souriante :

— Voulez-vous m'accompagner, madame Moulton ?

La cantatrice salua l'empereur et suivit la souveraine jusqu'à l'extrémité du salon.

Là, brillant, élégant, spirituel, le duc de Morny contait les derniers potins parisiens devant un groupe d'auditeurs charmés.

Mrs. Moulton fut immédiatement séduite.

« Il lui sembla soudain, nous dit Lambert, qu'elle se trouvait devant un personnage dont elle ne connaissait que la caricature [50]. »

Le duc de Morny s'inclina et plongea son regard de séducteur dans celui de Lillie, qui rougit.

— J'aimerais beaucoup vous entendre chanter, madame.

— Quand vous voudrez...

Cela s'engageait bien.

---

50. En effet, Napoléon III était un vivant portrait-charge de son demi-frère.

Eugénie, rassurée, alla rejoindre l'empereur qui, pour lors, marchait en crabe, selon son habitude, au milieu des invités.

Quelques semaines plus tard, l'impératrice apprenait que le duc de Morny était l'amant de la sémillante Américaine. Son plan avait réussi...

Naturellement, la souveraine ne pouvait pas aiguiller toutes les jolies femmes vers le lit de son demi-beau-frère. Malgré sa vigilance, certaines parvenaient jusqu'à la garçonnière de la rue du Bac. C'est ainsi qu'au printemps de 1863, l'une des plus célèbres courtisanes de Paris vint, à plusieurs reprises, s'y faire donner ce qu'on appelait l'« obole impériale ».

Elle était, depuis quelques années, marquise de Païva, éblouissait la capitale par un luxe tapageur et vivait dans un des plus beaux hôtels des Champs-Élysées [51].

Ses débuts avaient été plus modestes. Thérèse Lachmann était née dans un ghetto de Pologne. A seize ans, elle avait épousé un petit tailleur français, Antonin Villoing. Elle avait alors échangé pour la première fois ses haillons contre une vraie robe. Puis elle était allée mener une vie galante dans les bas quartiers de Constantinople, de Londres et de Berlin, avant d'échouer, en 1841, à Paris.

Là, elle avait fait le trottoir, animée par la folle ambition de devenir un jour l'une des reines de la capitale. Le ciel devait curieusement l'aider...

Un soir qu'elle était assise sur un banc des Champs-Élysées, guettant le client devant une masure, elle avait fait une rencontre déterminante. Écoutons-la nous conter elle-même ce souvenir.

— Sur ce banc, j'étais, un soir, assise ; pas un sou dans mes poches ; à peine une croûte de pain. Aux pieds, des souliers troués qui prenaient l'eau à la plus légère averse. Sur le dos, un chiffon rapiécé vingt fois. Je ne connaissais personne. Je restais là, regardant passer les calèches. Sans envie, parce que je savais qu'un temps viendrait où je roulerais, moi aussi, en calèche et couverte de diamants. Oui, je savais cela, mais je ne savais pas où je coucherais cette nuit-là, ni comment je mangerais le lendemain. Un homme, à la nuit tombante, vint s'asseoir auprès de moi. C'était Henri Herz, le pianiste. Il n'était pas riche, il était gauche, il me parla doucement, il ne voyait pas, dans l'obscurité grandissante, mes sales nippes, ni mes cheveux dépeignés ni la maigreur de mes épaules. Il fut bon pour moi. Je ne l'ai pas oublié. Je me suis juré, cette nuit-là, que lorsque je serais riche, lorsque j'aurais conquis Paris, je ferais élever un palais à la place de la masure qui m'avait vue à demi nue, le ventre torturé par la faim.

Or, dix ans plus tard, Thérèse, qui était devenue marquise de Païva [52], avait reçu, au même endroit, un autre signe de la bienveillance des

51. Cet hôtel existe toujours. Il se trouve au 25, avenue des Champs-Élysées.
52. Elle avait épousé, en 1851, le marquis Ajauro de Païva, cousin du ministre du Portugal à Paris.

dieux. Elle revenait du Bois en calèche avec Arsène Houssaye. Ses bras, ses mains, ses chevilles étaient couverts de bijoux. Désignant la masure à l'écrivain elle avait dit :

— Regardez cette petite maison. Un jour, là, je me suis fait une promesse.

Puis elle s'était laissée aller à conter son histoire. Après quoi, elle avait demandé :

— Savez-vous à qui est cette bicoque ?

Houssaye avait alors éclaté de rire :

— A moi !

— Ne plaisantez pas !

— Je ne plaisante pas. C'est une ébouriffante coïncidence : j'ai acheté terrain et bicoque, hier soir, à Émile Pereire...

— C'est extraordinaire !... Écoutez ! Je ne veux pas savoir combien vous avez payé le tout ; je vous en donne le double. Il me faut ce terrain ! Il m'est promis depuis dix ans. Je l'ai toujours considéré comme étant à moi !

— Je l'ai payé 200 000 francs, avait dit Houssaye, il est à vous pour le même prix. C'est une trop belle histoire pour que je veuille y gagner un sou !

La Païva avait embrassé l'écrivain.

— Je me souviendrai de votre geste. Et, vous savez, je suis « homme de parole ». Quand je dis quelque chose, c'est du solide. Si jamais vous avez besoin de moi [53]...

En 1856, l'hôtel de la Païva avait commencé à sortir de terre et tout Paris s'était amusé d'un mot d'Edmond About. Quelqu'un lui ayant demandé où en étaient les travaux, l'écrivain avait répondu :

— Oh ! L'hôtel de la Païva est presque terminé... Il y a déjà le trottoir...

La liaison de l'empereur avec cette courtisane de haute volée dura peu. Le jour où elle comprit qu'elle ne serait jamais reçue aux Tuileries, Thérèse cessa de venir rue du Bac. Napoléon III ne la regretta pas. Plus tard, il dira :

— Elle ne parlait que du prix de ses meubles !

Cette fois encore, Eugénie poussa un soupir. Elle ne se doutait pas qu'une femme beaucoup plus dangereuse allait entrer bientôt dans la vie de l'empereur...

---

53. Cette histoire se trouve dans les *Souvenirs d'un demi-siècle,* d'Arsène Houssaye. Elle a été certainement très enjolivée par l'écrivain...

10

L'empereur des Français devient l'amant de « Margot la Rigoleuse »

Il aimait le peuple et savait le lui prouver.

ANTOINE FILON

Le 16 juin 1863, malgré l'orage qui menaçait Saint-Cloud, l'empereur partit faire un tour en calèche. Soudain, un énorme coup de tonnerre éclata, et tout aussitôt une pluie diluvienne s'abattit sur le parc. Les promeneurs coururent se réfugier sous les arbres. Une ravissante jeune femme, que l'averse avait surprise alors qu'elle traversait un carrefour fort découvert, était blottie au pied d'un chêne, la robe collée contre le corps, les cheveux dégoulinants, les chaussures pleines d'eau.

Elle attendait en frissonnant la fin de l'orage lorsqu'une voiture aux armes impériales apparut dans l'allée. C'était l'empereur qui rentrait. La jeune femme s'inclina respectueusement.

Quelque chose d'assez extraordinaire alors se passa : de la calèche, une couverture jaillit et vint tomber dans la boue aux pieds de la belle promeneuse.

Napoléon III avait eu, nous disent les historiens du temps, « une inspiration de galant homme ».

Voulant juger de l'effet produit, il se pencha un instant hors de la capote ruisselante et sourit : la jeune femme, toujours immobile sous son arbre, semblait stupéfaite.

Quand la calèche eut disparu, elle ramassa le plaid, s'en couvrit la tête et les épaules, et rentra chez elle.

Le destin venait de mettre sur le chemin de l'empereur l'une des amoureuses les plus ardentes et les plus expérimentées de son siècle.

Elle se nommait Julie Lebœuf, mais se faisait appeler Marguerite Bellanger. C'était une fille assez grande, mince, blonde, fort drôle, dont les mots, nous dit-on, « étaient des cabrioles ». Son goût pour la plaisanterie l'avait fait surnommer par ses amants « Margot la Rigoleuse ». Elle avait, nous dit Marie Colombier, « ce charme "peuple" si provocant qui ravit les grands heureux de s'encanailler »[54]. Douée d'une extrême souplesse, elle s'amusait, ajoute un de ses biographes, « à entrer dans les salons sur les mains, à la stupéfaction des dames, mais au ravissement des messieurs qui admiraient les plus belles jambes du monde ».

Elle était née en 1839 à Saint-Lambert, un petit bourg du Maine. En 1856, elle avait quitté son village pour Nantes où, après avoir eu

54. MARIE COLOMBIER, *Mémoires. Fin d'Empire.*

une bonne dizaine d'amants, elle avait acquis une solide technique amoureuse dans le lit d'un président du tribunal.

Ayant ainsi fait son apprentissage, elle était venue à Paris où, naturellement, l'art dramatique l'avait attirée. Elle était entrée dans la troupe d'un minuscule théâtre de la rue de La Tour-d'Auvergne. Hélas, ses débuts n'avaient pas été très brillants. Écoutons Frédéric Lolliée qui en tenait le récit de Ludovic Halévy :

« Elle avait eu l'ambition de jouer *Mademoiselle de Belle-Isle,* tout comme Mme Arnould-Plessy. Elle devait y paraître, ce soir-là, en même temps qu'une femme rendue célèbre par le détournement d'un mineur, un mineur de dix-sept ans, le jeune Brousse, qui, après s'être laissé séduire sans résistance, fut réclamé par sa famille, s'assagit, devint sur le tard un homme grave et fonda des prix d'Académie.

» Armée d'un beau courage, et d'ailleurs jolie comme un cœur, Marguerite entra en scène. Elle manquait évidemment de préparation. Elle parut gauche ; et les amateurs de céans commencèrent à manifester leur opinion d'une manière indiscrète. Les murmures grossissaient jusqu'au tapage. Elle ne s'obstina point mais, arrêtant les frais du dialogue sur un dernier mot au public : ''Zut !'' elle ramassa ses jupes et quitta la scène.

» Ces façons lestes n'étaient pas pour ramener le calme dans les esprits. L'assistance, qu'on laissait là sans pièce et sans acteurs, poussait des cris aigus. Le directeur Boudeville était dans la désolation et conjurait Meilhac de ramener la fugitive.

» — C'est une affaire très ennuyeuse, soupirait-il, et, ce qui est plus désagréable encore, c'est que nous allons être obligés de rendre l'argent !... Voyons, mon cher monsieur Meilhac, vous avez de l'autorité sur cette capricieuse. Décidez-la donc à revenir !...

» Meilhac ne dit pas non, va retrouver Marguerite Bellanger dans la coulisse, lui fait valoir de bonnes raisons, et n'obtient, malgré tout, aucun succès de son ambassade.

» — Je joue pour m'amuser, répliquait-elle. Je ne veux pas qu'on m'ennuie ! Et puis, j'en ai assez !

» Les gens, au-dedans, continuaient leur vacarme. On avait éteint le gaz en la salle. N'importe, ils réclamaient encore à pleine voix, du milieu de l'obscurité. Il fallut cependant qu'ils s'en allassent. Et ce fut l'unique représentation de Mlle Bellanger [55]. »

C'était donc cette joyeuse cocodette, sémillante et incongrue, qui avait reçu, non pas le mouchoir comme au temps de Louis XV, mais la couverture impériale.

Marguerite, rentrée chez elle, se fit un bol de vin chaud et se coucha sous le plaid orné d'un « N »...

Le lendemain matin, sa résolution était prise. Elle s'habilla, fit un paquet de la couverture et se rendit à Saint-Cloud.

---

55. Frédéric Lolliée, *La fête impériale.*

— Je viens solliciter une audience de Sa Majesté, dit-elle à la garde.

Un aide de camp vint s'entretenir avec elle, puis se rendit auprès de l'empereur.

— Majesté, une jeune femme sollicite une audience...

Napoléon III haussa les épaules :

— Que veut-elle ?

— Elle déclare qu'elle a un paquet à remettre en main propre à Votre Majesté.

— Comment est cette femme ?

— Elle est jeune, blonde, et assez jolie...

— Faites-la entrer.

Quelques instants plus tard, Margot la Rigoleuse pénétrait dans le cabinet impérial, son paquet sous le bras. Après une révérence, elle dit sans se troubler :

— Sire, je viens rendre à César ce qui est à César. Il s'agit d'une couverture que Votre Majesté a eu la bonté de me prêter hier...

Napoléon III sourit :

— Vous étiez transie...

Puis il s'inquiéta de sa santé et finit par la prendre familièrement par l'épaule.

Marguerite se serra contre lui. Sentant que l'empereur était envahi par un grand trouble, elle se permit, nous dit Alphonse de Tréville, « quelques mouvements d'une savante lasciveté ». Le front impérial s'empourpra. Alors la jeune femme poussa Napoléon III dans un fauteuil et s'assit sur ses genoux.

— Voici donc, dit-elle en riant, ces fameuses moustaches qui font trembler l'Europe...

Le souverain l'embrassa, puis la conduisit sur un sofa où il se laissa guider seulement par la nature.

Une heure plus tard, les jambes flageolantes, l'œil vitreux, il la reconduisait à la porte. Elle était radieuse.

— Adieu, cher Seigneur [56] ! lui dit-elle.

L'empereur des Français venait de bénéficier des bonnes leçons données jadis à Margot par le président du tribunal de Nantes...

On a dit que le manteau de vison était la Légion d'honneur des femmes.

Au XIXᵉ siècle, les demi-mondaines ne se contentaient pas d'une fourrure pour signaler leur réussite. Il leur fallait posséder un hôtel particulier et un bel attelage.

Aussi, quelques jours après sa première visite à Saint-Cloud, Marguerite Bellanger quittait-elle son petit appartement de la rue Boccador pour aller s'installer, rue des Vignes à Passy, dans un ravissant hôtel que Napoléon III venait de lui offrir.

Pendant un mois, le souverain se rendit régulièrement dans cette

56. C'est ainsi que, pendant les deux ans que dura leur liaison, Margot appela Napoléon III.

maison pour y prendre, en compagnie de la cocodette, un plaisir illicite, fatigant, mais bien agréable.

Il y contracta bientôt des habitudes. En arrivant, il s'asseyait dans un grand fauteuil, buvait un verre de sirop de menthe et jouait avec l'épagneul de Margot. Après quoi, il entraînait la jeune femme vers la chambre où un grand lit frais les accueillait [57]...

Au mois de juillet, Napoléon III annonça qu'il partait faire sa cure à Vichy.

Marguerite s'assit sur les genoux impériaux :

— Emmenez-moi !...

Le monarque commença par refuser :

— Impossible !... L'impératrice sera avec moi. Votre présence à Vichy risquerait de provoquer des drames. Je n'ai pas besoin de ce genre de soucis en ce moment !...

Margot savait que les nouvelles de l'expédition du Mexique n'étaient pas très bonnes. Elle insista pourtant :

— Cher Seigneur, vous n'avez rien à craindre. Personne ne saura que je vous ai suivi. Je serai très sage !...

Puis elle fit valoir au « cher Seigneur » qu'entre deux verres d'eau minérale, il aurait ainsi la possibilité de jouer avec elle au « tire-bouchon auvergnat »...

Cette fois, Napoléon III réfléchit [58].

— Eh bien, soit ! Tu viendras !...

La jeune femme l'embrassa.

Le 16 juillet, l'empereur et l'impératrice arrivaient à Vichy et s'installaient dans le chalet du parc qui leur était réservé.

Le 18, Margot débarquait à son tour et louait une chambre dans un hôtel.

Pendant quelques jours, tout se passa sans incident ; mais un soir que l'empereur se promenait au bras d'Eugénie place Rosalie (aujourd'hui place de l'Hôpital), un bel épagneul noir s'élança vers lui en aboyant joyeusement. C'était le chien de Margot.

La pauvre, très ennuyée, faisait des signes désespérés à l'animal qui continuait de manifester son affection en léchant les mains de l'empereur.

L'impératrice dit simplement :

— Ce chien semble vraiment bien vous connaître !...

Puis, sans un regard pour sa rivale, elle lâcha le bras du souverain et regagna seule ses appartements.

Penaud, Napoléon III la suivit. Un quart d'heure plus tard, la

57. Un jour, ils se retrouvèrent dans un petit pavillon de chasse, près de Saint-Cloud. Comme l'empereur, peu empressé, contemplait la forêt, elle lui dit :
— Alors, qu'est-ce qu'on fait ? Vous n'êtes pas venu ici pour enfiler des perles... A moins que je ne sois la perle, ajouta-t-elle avec un gros rire.
58. Dans ce cas-là, nous dit-on, il penchait d'abord la tête de côté, ce qui le faisait ressembler à « un perroquet ayant avalé de travers », puis il tirait ses moustaches en avant et se donnait ainsi l'air d'une grosse écrevisse...

résidence impériale était le théâtre d'une scène épouvantable. Tour à tour en français et en espagnol, selon son habitude, Eugénie hurlait à l'adresse de Margot des insultes rares et fort désobligeantes.

Napoléon III voulut calmer l'impératrice. Il s'y prit mal.

— Je ne te comprends pas, ma bonne Ugénie, dit-il tendrement. Pourquoi montrer tant de sévérité aujourd'hui pour Mlle Bellanger ? Tu acceptais bien, hier encore, mes bêtises avec Mme V...

La souveraine bondit :

— Comment ? Mme V... était aussi votre maîtresse ?...

L'empereur comprit qu'il venait de commettre une grosse gaffe. Il baissa le nez.

— Je l'ignorais, reprit Eugénie. Mon Dieu, oui, je l'ignorais. Voici la première fois que j'apprends une de vos infidélités de votre propre bouche !...

Le soir même, elle quitta Vichy et rentra à Saint-Cloud.

Le départ de l'impératrice causa une vive surprise et l'on se demanda quel drame couvait encore dans le ménage impérial. Des valets indiscrets se chargèrent de répondre aux questions que se posaient les baigneurs et tout Vichy sut bientôt que, libéré de la présence de son épouse, l'empereur faisait venir, presque chaque soir, Marguerite Bellanger dans son chalet.

Au mois d'août, Marguerite suivit Napoléon III à Plombières. En septembre, elle était avec lui à Biarritz où, d'ailleurs, il la trompa. Obligé pendant plus d'un mois d'honorer deux femmes particulièrement ardentes, le souverain qui, à cinquante-cinq ans, était presque gâteux, eut une alerte dont s'inquiéta son entourage. Écoutons Viel-Castel :

« L'empereur a eu à Biarritz une nouvelle maîtresse ; c'est une femme jeune, élégante, et très excellente écuyère qui vit maritalement, m'a-t-on dit, avec un Belge qui prête les mains à ce commerce.

» Or, en revenant de chez M. Fould, l'empereur a couché avec ladite dame et y a pris tant de plaisir que le lendemain, à déjeuner, soit fatigue, soit tout autre chose, il s'est trouvé mal et qu'il a eu même, quelques heures plus tard, une seconde faiblesse [59]... »

En novembre, Napoléon III revint aux Tuileries et Margot à Passy.

Tous les jours, vers quatre heures de l'après-midi, le souverain allait retrouver la favorite. En le voyant monter dans son coupé privé, les familiers de la cour hochaient la tête :

— L'empereur, disaient-ils, va chez son confesseur !...

Et, pour ceux qui semblaient ne pas comprendre, on ajoutait :

— Oui, Sa Majesté se rend chez l'abbé... Langer !...

Cette plaisanterie amusa les Parisiens tout l'hiver.

Heureuse époque !...

Au mois de novembre, un bruit courut la capitale : on se chuchotait

59. Horace de Viel-Castel, *Mémoires.*

de bouche à oreille que la maîtresse de l'empereur était enceinte. En effet, la taille de la demoiselle s'arrondissait visiblement.

Au mois de janvier, Marguerite cessa de sortir et, le 24 février 1864, on apprit qu'elle avait mis au monde un garçon baptisé Charles, que trois personnages — des familiers de la princesse Mathilde — avaient déclaré à la mairie du 8e arrondissement « né de parents inconnus »... Personne ne fut dupe, naturellement, et l'on attribua la paternité de ce petit Charles à Napoléon III.

— « Margot la Rigoleuse » a donné un petit frère au prince impérial et aux enfants de La Sabotière, disaient les Parisiens en clignant de l'œil.

Leurs plaisanteries furent interrompues au mois d'avril, lorsque des gens bien informés affirmèrent que, si l'enfant avait bien l'empereur pour père, *il n'était pas de Marguerite Bellanger...*
Alors, qui était sa mère ?... Et pourquoi cette mystification ?

Une explication circula bientôt dans les milieux de l'opposition. La voici rapportée par Lambert dans une brochure publiée en 1871 :
« En 1863, Napoléon III manifesta le désir de goûter aux charmes un peu acides d'une vierge. Aussitôt, des amis obligeants — que ne ferait-on pas pour plaire à une Majesté — se mirent en quête d'une demoiselle jolie, délurée et possédant un papa dévoué aux Bonaparte. Ils ne cherchèrent pas longtemps : cet oiseau rare se trouvait à portée de la main. Il s'agissait de Mlle Valentine Haussmann, fille cadette du préfet démolisseur. Cette jeune personne avait quinze ans. Elle était ravissante, précoce et peu farouche. De plus, son père n'avait rien à refuser à l'empereur.

» Valentine fut donc conduite un jour rue du Bac où elle eut l'honneur d'être dévirginisée par le fils de la reine Hortense.

» Hélas ! quelques mois plus tard, la demoiselle s'aperçut qu'elle allait être mère. Elle en informa Napoléon III qui trembla. Quel scandale, en effet, dans toute l'Europe, si l'on apprenait que l'empereur des Français avait donné un enfant à une fillette de quinze ans !... Il fallait au plus vite préparer une substitution permettant de mettre hors de cause la maladroite Valentine.

» L'évadé du fort de Ham eut alors l'idée de demander à sa maîtresse du moment, Marguerite Bellanger, de faire semblant d'être enceinte. La jeune femme accepta et, pendant que la fille du baron Haussmann cachait sous une crinoline l'arrondi de son petit ventre, Margot, au contraire, s'entourait de tissu, de bandages et de coussins de plus en plus volumineux pour faire illusion.

» Cette comédie s'acheva le 24 février lorsque le médecin de l'empereur se présenta chez Marguerite Bellanger, rue des Vignes, les bras chargés d'un gros paquet entouré de linges. Après avoir franchi la porte de la chambre où la jeune femme était couchée, il lui dit :
» — Ça y est !... Voilà l'enfant. Criez !

» Obéissante, Margot poussa des hurlements tandis que le bon docteur retirait un nouveau-né du paquet.

» Le lendemain, tout Paris apprenait que l'ancienne cocodette avait mis un enfant au monde. Le baron Haussmann pouvait se promener le front haut. La farce était jouée... [60] »

Que faut-il penser de cette extravagante histoire qui semble avoir été imaginée par un auteur de roman-feuilleton ?

Il est difficile de le dire.

Pourtant, trois faits semblent l'authentifier.

1° Un soir de 1863, au bal des Tuileries, la jeune Valentine Haussmann, ayant, par mégarde, pris la place de Mme Oscar de Vallée, celle-ci lui dit d'un ton aigre :

— Je vous cède la place, mademoiselle, car l'on voit bien que vous êtes la maîtresse ici !

2° Au mois de janvier 1864 la femme de chambre de Marguerite Bellanger déclara à plusieurs dames de Passy :

— C'est curieux, quand Madame est au lit, elle paraît beaucoup moins grosse que quand elle est debout !...

3° Le 24 février, jour de la naissance, la même domestique raconta que l'accoucheur était venu chez Marguerite Bellanger avec un paquet volumineux d'où s'échappaient des bruits bizarres :

— J'ai cru qu'il apportait des chiots à Madame !...

Alors ?

Il semble donc bien exact que Napoléon III ait demandé à sa maîtresse de devenir la « mère » du fils qu'il avait donné à Mlle Haussmann [61]...

Bien entendu, l'impératrice qui était « protégée des nouvelles du dehors », comme le dit joliment un mémorialiste, ignora tout de cette machination.

Ravi d'avoir échappé à une série de scènes de ménage, Napoléon III multiplia dès lors ses frasques. Mal lui en prit. Un jour d'août, il tomba en syncope alors qu'il revenait de chez Margot. Cette fois, Eugénie eut peur.

Le lendemain matin, elle appela Mocquard :

— J'ai une course à faire. Je désire que vous m'accompagniez. J'ai commandé le petit coupé.

Quand ils furent assis dans la voiture, elle dit simplement :

— Chez Marguerite Bellanger !

Mocquard fut effaré :

— Quoi ! Madame !... Nous allons chez cette fille ?...

— Oui. J'ai deux mots à lui dire...

Un quart d'heure plus tard, le coupé s'arrêtait devant la maison de

60. LAMBERT, *Paris sous le Bas-Empire,* 1871.
61. Ce fils de l'empereur prit le nom de Charles Lebœuf. Après une vie paisible et obscure, il mourut en 1902.

Marguerite. Eugénie descendit et sonna. Une femme de chambre ouvrit :

— Je veux voir Mlle Bellanger tout de suite. Je suis l'impératrice !...

Stupéfaite, la domestique fit entrer Eugénie. Au fond du salon Marguerite était étendue sur un divan. Elle se leva d'un bond, mais Eugénie n'attendit pas la révérence :

— Mademoiselle, vous tuez l'empereur, dit-elle.

La cocodette tomba à genoux en pleurant.

— Votre Majesté !... Votre Majesté !...

— Si vous avez quelque respect pour moi et quelque attachement pour l'empereur, reprit Eugénie, vous devrez renoncer à lui et vous ferez en sorte qu'il renonce à vous. Il faut que vous ayez quitté cette maison demain.

Margot promit. Alors, l'impératrice se tourna vers Mocquard :

— Monsieur Mocquard, Mademoiselle recevra par votre entremise les dédommagements mensuels auxquels je lui reconnais droit.

Puis, tournant le dos à Marguerite, elle regagna son coupé. L'entretien n'avait duré que quelques minutes.

Aussitôt rentré au palais, Mocquard courut informer l'empereur de l'équipée de l'impératrice. Napoléon III, fort ennuyé, se rendit dans la chambre d'Eugénie. Une scène violente éclata alors entre les deux époux, à la grande satisfaction des domestiques qui, tous, pensaient à écrire leurs Mémoires...

Finalement, l'impératrice s'écria :

— Eh bien ! si elle ne s'en va pas, c'est moi qui m'en irai !

Quelques jours plus tard, en effet, sous prétexte d'une cure, elle partit incognito pour Schwalbach, dans le Nassau.

L'empereur, vexé à la pensée que l'Europe entière commentait en ricanant ses aventures conjugales, envoya des télégrammes suppliants à Eugénie.

Au bout de six semaines, celle-ci accepta de revenir à Paris. Mais elle y posa une condition : « Qu'il n'y eût plus, entre elle et l'empereur, de rapports d'époux. »

Napoléon III, piteux, accepta.

Alors, la souveraine rentra aux Tuileries, bien résolue à utiliser désormais, dans le domaine de la politique, les forces qu'elle employait jusque-là dans le lit impérial...

Ce qui allait coûter cher à la France...

Au début de novembre 1864, sur la demande expresse de l'impératrice, Marguerite Bellanger fut priée de quitter Paris pour quelque temps. La jeune femme ne récrimina point. Elle exprima seulement le désir de voir une dernière fois l'empereur. Celui-ci se rendit donc un après-midi à Montretout où elle avait une délicieuse maison. Il s'assit et, d'un ton triste, commença à invoquer la raison d'État. Margot l'interrompit d'un geste, retira sa robe sous laquelle elle était nue et s'allongea sur un canapé en disant :

— Voilà, cher Seigneur, tout ce que vous devrez oublier...

Tortillant sa moustache, le souverain promena pendant quelques minutes son œil délavé sur ces appas qu'il connaissait bien ; après quoi, et malgré les conseils du docteur Conneau, son médecin habituel, il rendit à la jeune femme un vigoureux hommage en guise d'adieu [62].

Le lendemain, Margot se retirait dans la ferme paternelle, à Villebernier, près de Saumur.

Pendant trois mois, Napoléon III — qui avait secrètement renoué avec Valentine Haussmann — connut quelque tranquillité dans son ménage. Si elle ne souriait pas, du moins l'impératrice ne faisait-elle plus de scènes. Ce qui constituait une amélioration qu'appréciaient les valets sensibles.

Ce temps calme, hélas, dura peu.

Les souveraines les mieux préservées de la rumeur publique ont toujours à côté d'elles une dame suffisamment idiote ou suffisamment venimeuse pour les informer de ce qu'elles devraient ignorer. C'est ainsi qu'un jour de février, Eugénie apprit que Marguerite Bellanger avait eu, l'année précédente, un enfant. Elle courut aussitôt chez l'empereur.

— Je viens d'apprendre que vous avez un fils de cette crapule, cria-t-elle. La France sera bientôt remplie de vos bâtards !...

— Ugénie, implora le souverain.

— Laissez-moi parler ! Je ne veux pas que l'Europe me soupçonne d'être la complice de vos adultères ! Cette fois, je pars pour Biarritz où je vivrai désormais !

Napoléon dit alors en tremblant :

— Je sais que Marguerite Bellanger a eu un fils ; mais cet enfant n'est pas de moi !...

— Donnez-m'en la preuve !

Et Eugénie sortit en claquant la porte.

L'empereur, affolé, fit appeler immédiatement M. Devienne, premier président de la Cour d'appel de la Seine. « Aux termes des statuts de la famille impériale, c'est à ce magistrat, en effet, qu'incombait la mission de conciliation prévue par le code au cas d'instance en séparation entre les époux [63]. »

— Monsieur Devienne, j'ai une mission importante à vous confier. Vous allez prendre tout à l'heure le train pour Saumur. Là, vous louerez une voiture et vous demanderez que l'on vous conduise à Villebernier où se trouve Mlle Marguerite Bellanger. On vous indiquera la ferme de ses parents... Vous la prierez de vous écrire une lettre...

Napoléon III sembla soudain un peu gêné. Il alluma une cigarette et continua :

— ... Une lettre dans laquelle elle vous avouera qu'elle m'a trompé...

62. LAMBERT, *Paris sous le Bas-Empire*.
63. Cf. ADRIEN DANSETTE, *Les amours de Napoléon III*.

Que l'enfant qu'elle a eu est d'un autre — je n'ai pas besoin qu'elle donne de nom... Et qu'elle m'en demande pardon...

M. Devienne s'inclina :

— Comptez sur moi, sire...

L'empereur le retint :

— Ce n'est pas tout ! Elle devra aussi m'écrire, à moi, une lettre d'adieu dans laquelle elle se déclarera coupable, implorera son pardon et manifestera de la reconnaissance pour ce que j'ai fait pour elle... Cette lettre, mon cher Devienne, vous devrez naturellement la lui dicter... Allez, et songez que du résultat de votre mission dépend ma tranquillité !...

M. Devienne pensa que les préoccupations de Napoléon III, au moment où l'empereur Maximilien se rendait coupable, au Mexique, de procédés blessants pour la France, étaient pour le moins singulières. Il n'en dit rien pourtant et promit de remplir sa mission.

Le lendemain, le premier président à la Cour d'appel arrivait à Saumur et se faisait conduire à Villebernier. Là, il trouva Margot « en capeline rustique, mangeant une soupe aux choux et vidant des pichets de cidre »[64].

Elle entraîna M. Devienne dans sa chambre. Tous deux eurent alors un long entretien. Le premier président à la Cour d'appel de la Seine, assis sur une chaise boiteuse, démontra à la jeune femme avec beaucoup d'adresse que les lettres qu'il lui demandait seraient, pour l'empereur, un témoignage de tendresse et d'amour. Margot était bonne fille : elle accepta d'écrire, sous la dictée, l'aveu d'une faute qu'elle n'avait pas commise...

En échange de sa docilité, M. Devienne lui annonça que Sa Majesté la faisait propriétaire de la magnifique terre de Mouchy.

Margot raccompagna le premier président jusqu'à sa voiture avec force révérences et lui proposa de le rejoindre le soir à Saumur. Comme personne ne pouvait l'entendre, elle aurait même ajouté à mi-voix :

— Et tu sais, mon vieux, tu vas me payer à souper !...

Mais le digne M. Devienne n'était pas venu pour batifoler avec l'ex-favorite. Ayant accompli sa mission, il avait hâte de revenir à Paris...

Le lendemain, l'empereur alla montrer les lettres de Margot à l'impératrice avant de les enfermer dans un coffret où on les découvrit en septembre 1870, après la chute de l'Empire.

Voici la première, destinée à M. Devienne :

Monsieur,

Vous m'avez demandé compte de mes relations avec l'empereur et, quoi qu'il m'en coûte, je veux vous dire toute la vérité. Il est terrible d'avouer que je l'ai trompé, moi qui lui dois tout ; mais il a tant fait pour moi que je veux tout vous dire : je ne suis pas accouchée à sept mois, mais bien à neuf. Dites-lui bien que je lui en demande pardon.

64. Adrien Dansette, *op. cit.*

J'ai, Monsieur, votre parole d'honneur que vous garderez cette lettre. Recevez, Monsieur, l'assurance de ma considération distinguée.

MARGUERITE BELLANGER.

L'autre est adressée à l'empereur :

Cher Seigneur,
Je ne vous ai pas écrit depuis mon départ, craignant de vous contrarier ; mais, après la visite de M. Devienne, je crois devoir le faire d'abord pour vous prier de ne pas me mépriser, car sans votre estime, je ne sais ce que je deviendrais ; ensuite pour vous demander pardon. J'ai été coupable, c'est vrai, mais je vous assure que j'étais dans le doute. Dites-moi, cher Seigneur, s'il est un moyen de racheter ma faute, et je ne reculerai devant rien ; si toute une vie de dévouement peut me rendre votre estime, la mienne vous appartient, et il n'est pas un sacrifice que vous me demanderiez que je ne sois prête à accomplir. S'il faut, pour votre repos, que je m'exile et passe à l'étranger, dites un seul mot et je pars. Mon cœur est si pénétré de reconnaissance pour tout le bien que vous m'avez fait que souffrir pour vous serait encore du bonheur. Aussi, la seule chose dont à tout prix je ne veux pas que vous doutiez, c'est de la sincérité et de la profondeur de mon amour pour vous. Aussi, je vous en supplie, répondez-moi quelques lignes pour me dire que vous me pardonnez. Mon adresse est : Mme Bellanger, rue de Launay, commune de Villebernier, près Saumur.

En attendant votre réponse, cher Seigneur, recevez les adieux de votre toute dévouée, mais bien malheureuse

MARGUERITE.

Ainsi, le fils de Napoléon III et de Valentine Haussmann devenait officiellement celui de Marguerite Bellanger et d'un inconnu...
C'est tout ce que demandait Sa Majesté l'empereur...

Essayer de dénombrer les maîtresses de Napoléon III pendant la campagne du Mexique est impossible. Quelques noms seulement flottent au-dessus d'une foule d'anonymes : la belle Valtesse de la Bigne ; Bernardine Hamaekers, une chanteuse de l'Opéra qui avait fait, auparavant, les belles nuits du duc de Morny ; la fille du peintre Pomeyrac et Mme de Persigny, épouse de l'ancien complice de la première heure...
La mort de Maximilien allait mettre un terme à l'existence voluptueuse de Napoléon III. Cessant d'avoir l'œil fixé sur le Mexique, Eugénie, en effet, surveilla de nouveau son époux. Ce qu'elle découvrit la plongea, on s'en doute, dans une grande fureur. Elle cassa des vases, hurla des injures en espagnol et menaça de s'en aller définitivement vivre à Biarritz avec le prince impérial. L'empereur, fort gêné, promit une fois de plus d'être sage désormais. Après quoi, il se rendit chez le prince Napoléon pour lui demander une bien curieuse chose. Écoutons Pierre de Lano nous conter la scène, d'après un témoin direct :
« Au sujet des relations existant entre Napoléon III et son cousin, il

m'a été conté par M. D..., l'un des fameux Cinq, une anecdote très amusante qu'il m'a donné l'autorisation de reproduire, ne voulant pas, me dit-il, la faire figurer dans aucun de ses ouvrages.

» Un après-midi, comme M. D... se trouvait avec le prince Napoléon dans son cabinet, deux ou trois coups légers furent soudain frappés à une porte dérobée qui menait sur un couloir souterrain reliant les deux palais.

» Le prince ayant permis d'entrer, ce fut l'empereur qui se présenta.

» M. D... se leva aussitôt et voulut se retirer. Mais l'empereur, se tournant gracieusement vers lui, le pria de demeurer.

» Après un échange de mots quelconques et après un silence, Napoléon III, s'étant adossé à la cheminée, interpella ainsi son cousin :

» — Dis-moi, Napoléon, ta femme te fait-elle des scènes ?

» Le prince regarda l'empereur, étonné.

» — Quelles scènes me ferait-elle ? répondit-il.

» — Des scènes de jalousie, par exemple, continua l'empereur.

» — Non.

» — C'est bien étrange ; car enfin, tu es mauvais sujet, un coureur de guilledou, toi, Napoléon, chacun sait cela, et Clotilde, pas plus que les autres, ne doit l'ignorer.

» — C'est vrai, déclara le prince avec quelque philosophie, je suis ce que vous dites, sire, et ma femme, sans doute, est au courant de mes habitudes. Mais pourquoi Clotilde m'ennuierait-elle, m'adresserait-elle des reproches ? Victor-Emmanuel, son père, n'est-il pas aussi un coureur de guilledou ? Elle le sait. Et puisque son mari ressemble à son père, elle doit penser, dans son honnêteté, que c'est ainsi chez les rois.

» L'empereur se mit à sourire.

» — Tu es un singulier moraliste, dit-il. Et tu es un homme heureux. Je voudrais bien avoir une femme comme la tienne. La vie est impossible avec Eugénie. Je ne puis recevoir en audience quelque visiteuse, ou jeter l'œil sur quelque jupe, sans courir le risque d'une querelle violente. Les Tuileries sont pleines des lamentations trop bruyantes de l'impératrice.

» Il y eut un silence, encore, quelque gêne, même.

» Mais bientôt l'empereur reprit la parole.

» — Dis-moi, Napoléon, tu ne connaîtrais pas un moyen pour empêcher Eugénie d'être ainsi querelleuse ?

» Le prince réfléchit un instant, puis, avec sa brusquerie ordinaire :

» — Il n'y en a qu'un, sire.

» — Et lequel ?

» — C'est de f... à votre femme une bonne raclée la première fois qu'elle se permettra de vous faire une scène.

» L'empereur secoua tristement la tête, sans être autrement surpris de cette liberté de langage qu'il aimait d'ailleurs chez son cousin.

» — Tu n'y penses pas, murmura-t-il simplement. Si j'avais le malheur de menacer seulement Eugénie, elle serait capable d'ouvrir l'une des fenêtres des Tuileries et de crier à l'assassin [65]. » L'impératrice ne sut jamais à quoi elle venait d'échapper.

Malgré les scènes que lui faisait l'impératrice, Napoléon III continua de montrer les signes les plus navrants d'une « érotomanie sénile ». Il poursuivait les femmes de chambre dans les lingeries, réclamait de jeunes vierges ou se faisait amener par Bacciochi des prostituées dont la science amoureuse s'était enrichie « au contact de toutes les dépravations et de tous les vices »...
Ce qui faisait dire à Henri de Rochefort :
— Maintenant, il a les yeux plus gros que le bas-ventre !...
Mais le « bas-ventre » n'était pas le seul à jouer des tours au souverain. Ses facultés intellectuelles diminuaient de jour en jour. Il demeurait parfois pendant des heures à fumer cigarette sur cigarette, dans un état de torpeur fort alarmant.
Naturellement, cet affaiblissement fut bientôt connu. On en parla d'abord à mots couverts dans les salons, puis, plus ouvertement, dans certaines réunions politiques. Émile Ollivier osa même se faire l'écho de ces bruits devant l'empereur. La scène mérite d'être contée :
Un soir Napoléon III, qui était affalé dans son fauteuil, dit au ministre :
— Monsieur Ollivier, j'aimerais savoir ce que l'on dit de moi dans Paris. Répondez-moi franchement... Comme si je n'étais pas l'empereur...
Émile Ollivier hésita un instant et répondit :
— Sire, on trouve que vos facultés baissent...
Napoléon III demeura impassible.
— Cela est conforme à tous mes rapports, dit-il simplement.
Puis il retomba dans sa rêverie.

Les souverains d'Europe ne tardèrent pas à savoir à leur tour que Napoléon III, épuisé par la luxure, n'était plus capable de diriger la France. La plupart s'en réjouirent, bien entendu. Le roi de Prusse entre autres, qui rêvait de cristalliser l'Allemagne autour de son royaume (comme le Piémont avait cristallisé l'Italie autour de lui) et qui convoitait déjà l'Alsace et la Lorraine...
Un autre homme se frottait les mains en pensant au délabrement de Napoléon III ; cet homme était un hobereau prussien, intelligent et fin diplomate que le roi Guillaume avait nommé président du Conseil.
Il s'appelait Otto de Bismarck-Schönhausen...
Bismarck connaissait bien Napoléon III. En 1862, il avait été ministre de Prusse à Paris. Invité à Fontainebleau, à Saint-Cloud et à Compiègne, il s'était aperçu rapidement que l'empereur des Français glissait vers le gâtisme.

En rentrant à la cour de Prusse, il avait résumé son opinion par cette phrase sévère :

— J'ai rencontré en France deux femmes amusantes, mais pas un homme !

En 1865, désireux d'avoir des conversations personnelles avec Napoléon III, il s'était rendu à Biarritz où la cour batifolait, inconsciente du danger qui se préparait à l'est.

Bismarck, cette fois, avait été stupéfait. L'entourage des souverains s'était montré, en effet, pendant son séjour, d'une incroyable légèreté. Prosper Mérimée lui-même avait organisé une grosse farce à laquelle le Prussien s'était trouvé involontairement mêlé.

Écoutons l'auteur de *Colomba* nous conter la chose [66] :

« Mme de La Bédoyère en sa qualité de compatriote [67] admire fort M. de Bismarck et nous la tourmentions en la menaçant des hardiesses du grand homme qu'elle semblait encourager.

» Il y a quelques jours, j'ai peint et découpé la tête de Bismarck, très ressemblante et, le soir, Leurs Majestés et moi, nous sommes entrés dans la chambre de Mme de La Bédoyère. Nous avons mis la tête sur le lit, un traversin sous le drap pour présenter la bosse formée par le corps humain ; puis, l'impératrice a mis sur le front un mouchoir arrangé comme un bonnet de nuit. Dans le demi-jour, l'illusion était complète.

» Quand Leurs Majestés se sont retirées, nous avons retenu quelque temps encore Mme de La Bédoyère pour que l'empereur et l'impératrice allassent se poster au bout du corridor ; puis, chacun a fait mine d'entrer dans sa chambre, Mme de La Bédoyère est entrée dans la sienne, y est restée, puis est sortie précipitamment et est venue frapper à la porte de Mme de Lourmel, en lui disant d'une voix lamentable :

» — Il y a un homme dans mon lit.

» Malheureusement, Mme de Lourmel n'a pas gardé son sérieux et, à l'autre bout du corridor, les rires de l'impératrice ont tout gâté... [68] »

Que des souverains fussent capables de telles plaisanteries avait décontenancé le grave Prussien. Et il était revenu à la cour de Guillaume Iᵉʳ en pensant — hélas avec raison — que Napoléon III allait bientôt cesser d'être le premier et le plus puissant monarque d'Europe.

L'année suivante, en 1866, se doutant bien que la France n'interviendrait pas, Guillaume Iᵉʳ avait déclaré la guerre à l'Autriche.

66. Prosper Mérimée, *Lettres à une inconnue.*
67. Née de Bruges, à Berlin, elle appartenait à une ancienne famille française fixée en Prusse depuis la révocation de l'Édit de Nantes.
68. L'impératrice adorait faire des farces. Un soir, à Biarritz, accompagnée de quelques amis, elle escalada le mur d'une propriété voisine de la villa Eugénie. Là, tout le monde se cacha derrière une haie qui séparait le jardin d'un chemin assez fréquenté. Bientôt un promeneur passa. La souveraine, qui s'était armée d'une baguette, se leva rapidement et lui appliqua un grand coup sur la tête. L'homme partit en titubant. Le second passant fut moins discret. Il poussa de tels cris qu'il ameuta le propriétaire de la villa. Ce fut alors une course folle et un écuyer dut faire la courte échelle pour permettre à Eugénie de rentrer chez elle...

Le 6 juillet, l'armée autrichienne avait été écrasée à Sadowa. Cette victoire prussienne marquait la fin de l'hégémonie française.

Le 1ᵉʳ avril 1867, Napoléon III et Eugénie, dont l'insouciance stupéfiait tout le monde, inaugurèrent l'Exposition universelle. Le roi de Prusse, le tsar, les souverains de Belgique, le vice-roi d'Égypte, le sultan de Turquie, le roi de Suède, le roi du Portugal, l'empereur d'Autriche, Louis Iᵉʳ et Louis II de Bavière, furent reçus à Paris avec une pompe extraordinaire [69].

Bismarck, qui accompagnait le roi Guillaume et la reine Augusta, retrouva Napoléon III. Avec une satisfaction qu'il ne chercha même pas à dissimuler, il constata que l'empereur, complètement éteint, n'était plus capable d'avoir une opinion.

Il obéissait passivement à l'impératrice. Or, un soir, au cours d'un bal, Eugénie, qui bavardait avec la reine Augusta, déclara en minaudant :

— Vous verrez... Vous verrez... Nous vous ferons la guerre !...

Une heure plus tard, la reine de Prusse, éberluée, rapportait ces propos extravagants à Bismarck. Le futur chancelier ne put s'empêcher de sourire.

La France était mûre pour toutes les aventures...

11

Napoléon III retrouvait Mme de Mercy-Argenteau dans une sacristie

> Il n'y a pas d'amour vrai sans un peu de religion.
>
> SAINTE-BEUVE

C'était en septembre 1867. Dans le grand salon de Compiègne, la cour, réunie autour des souverains, assistait à un spectacle de tableaux vivants.

---

69. Louis Iᵉʳ de Bavière, qui avait dû abdiquer en 1848 en faveur de son fils Louis II à cause du scandale provoqué par sa maîtresse Lola Montès, était sourd. Un soir, aux Tuileries, voyant Joachim Murat causer avec le prince de Metternich, il s'approcha de la femme de l'ambassadeur d'Autriche et lui dit :
— Comment s'appelle ce monsieur qui parle avec M. de Metternich ?
— Murat.
— Comment ?
— Le prince Murat !
— Quoi ?
La princesse dut crier sa réponse si fort que tout le monde entendit. Le silence se fit aussitôt. L'ex-roi de Bavière s'écria alors :
— Ah Murat ! Je me rappelle l'époque où le prince de Metternich, père de votre mari, était l'amant de la reine Caroline.
Il y eut un moment de gêne intense et l'ambassadeur d'Autriche baissa modestement les yeux. Mais le prince Murat prit gaiement la chose. Se tournant vers son interlocuteur, il lui dit :
— Eh bien, mon cher, comme nous n'y pouvons plus rien changer, rions-en !
Et tout le monde éclata d'un bon rire...

Après une « Rencontre de Judith et d'Holopherne », particulièrement piquante, le rideau tomba. On remarqua alors que Napoléon III, l'œil allumé, trottinait vers les coulisses. Arrivé devant la ravissante comtesse de Mercy-Argenteau, qui avait tenu le rôle fort dénudé de Judith, il s'inclina :

— Madame, vous avez été merveilleuse !

Puis, sans se soucier des témoins, il dit à haute voix :

— Vous êtes adorable... Pourquoi un tel bijou a-t-il été si longtemps éloigné de nous ?

Mme de Mercy-Argenteau était la petite-fille de Mme Tallien [70]. C'est-à-dire qu'elle avait le sang chaud et la réplique facile.

— Sire, répondit-elle, si bijou il y a, il est au service de Votre Majesté.

Cette façon simple de s'offrir plut à l'empereur. Le lendemain, le duc de Percigny se rendit au 18 de la rue de l'Élysée, dans l'hôtel que venait d'acheter pour sa femme le comte de Mercy-Argenteau.

Il demanda à voir la comtesse. Louise, qui attendait depuis la veille un envoyé de l'empereur, le reçut aussitôt.

— Madame, lui dit Percigny, Sa Majesté a le plus vif désir de vous rencontrer seule. Bien entendu, ces rencontres doivent être secrètes. Or, un destin aimable et malicieux a fait choisir à votre mari la seule demeure qui soit reliée au palais de l'Élysée par un souterrain...

La comtesse parut fort étonnée :

— Un souterrain ? Où est-il ?

— Pouvez-vous me conduire dans votre boudoir ?

Louise se leva, très excitée :

— Venez !

Lorsqu'ils furent dans une petite pièce tendue de rose, Percigny désigna une tache dissimulée dans la sculpture d'une boiserie :

— Voulez-vous appuyer ici ?

Louise obéit et un pan de mur tourna silencieusement sur lui-même, découvrant un escalier.

A l'entrée, un chandelier surmonté d'un globe était posé sur une planchette.

— Puis-je allumer ce chandelier ? demanda Percigny.

La comtesse croyait rêver.

— Faites, dit-elle à mi-voix.

Elle regardait l'escalier secret où elle venait de découvrir une cordelière de velours rouge qui tenait lieu de rampe. Ce souterrain, qui datait probablement du temps où la Pompadour habitait l'hôtel d'Évreux (devenu l'Élysée), avait dû servir au prince-président lorsqu'il préparait son coup d'État avec Percigny.

Le duc avait allumé le chandelier.

— Suivez-moi, madame.

Ils s'engagèrent dans l'escalier. Mme de Mercy-Argenteau, qui était

70. Née Louise de Caraman-Chimay, elle avait épousé, en 1860, le comte de Mercy-Argenteau, qu'elle trompait avec une belle allégresse.

fort grande, marchait courbée[71]. Après quelques marches, ils arrivèrent dans un couloir d'une vingtaine de mètres. A son extrémité, un autre escalier remontait vers l'Élysée. Percigny y précéda Louise et appuya sur un bouton. Une porte s'ouvrit :

— Entrez !

La comtesse pénétra sur la pointe des pieds.

— Où sommes-nous ?

— Dans la sacristie ! C'est ici que l'empereur vous retrouvera.

L'idée de se livrer à des ébats amoureux dans une sacristie sembla curieuse à Mme de Mercy-Argenteau. D'autant qu'il n'y avait pour tout mobilier, dans cette pièce austère, qu'une table peinte en noir, une chaise, un vieux lutrin, un portemanteau où pendait un surplis fané et deux énormes chandeliers de cuivre...

— Sa Majesté va faire aménager la pièce, dit Percigny. Elle vous y attendra ce soir à six heures.

Le soir, à l'heure convenue, la comtesse pénétra dans la sacristie et vit avec plaisir que Percigny n'avait pas menti. Le mobilier branlant et les objets du culte avaient disparu pour faire place à un tapis, deux fauteuils confortables, un guéridon et un large canapé... Au mur, on avait accroché un tableau représentant une nymphe nue qu'un petit Éros s'efforçait de réveiller par des agaceries particulièrement libertines...

L'empereur n'étant pas encore arrivé, Louise alla regarder par la fenêtre les arbres jaunissants du grand jardin. Un léger bruit la fit se retourner. Napoléon III lui tendait les bras. L'instant d'après le canapé les recevait pour le meilleur et pour le pire...

Deux heures plus tard, l'empereur ayant trouvé chez Mme de Mercy-Argenteau de belles qualités d'amoureuse, une solide expérience et une certaine gaminerie dans le détail, reboutonnait sa redingote avec un sourire un peu las, mais satisfait.

— Je veux vous revoir souvent, dit-il. Mais comme l'impératrice est fort jalouse, nous allons convenir d'un signe pour nos rendez-vous. Chaque après-midi, vous irez vous promener au Bois. Quand vous rencontrerez le duc de Percigny avec un bouquet de violettes à la boutonnière, vous saurez que je vous attends le soir, ici, à six heures...

Louise trouva le procédé amusant et, tous les jours, alla se promener au bord du lac. A trois heures exactement, le duc de Percigny apparaissait, sur son cheval noir. Lorsque sa boutonnière était ornée de violettes, la comtesse rentrait rapidement chez elle, prenait un bain parfumé et se préparait à rencontrer l'empereur.

Naturellement, l'impératrice ne tarda pas à être au courant des

71. Mérimée disait d'elle : « Je la trouve belle mais trop grande et trop forte pour moi. Mes principes sont de ne jamais violer une femme qui pourrait me battre. Si vous ne pratiquez pas cet axiome, vous avez tort ! »

promenades fleuries de Percigny et des rendez-vous dans la sacristie de l'Élysée.

Une fois de plus, le palais des Tuileries retentit d'injures, de pleurs et de grincements de dents.

— Vous voilà maintenant acoquiné avec une femme qui traîne le scandale derrière elle, dit un soir Eugénie, une femme qui a poussé au suicide le comte de Stackelberg et qui se donne à n'importe qui... N'est-elle pas la maîtresse du banquier Oppenheim ? J'exige que vous rompiez immédiatement cette liaison misérable.

Comme d'habitude, Napoléon III, les larmes aux yeux, promit :

— Ne crie pas, Eugénie, je vais cesser de voir cette femme.

L'impératrice connaissait suffisamment la faiblesse de l'empereur pour craindre l'influence de la nouvelle favorite.

— J'espère qu'elle ne se mêle pas des affaires de l'État ?

L'empereur rougit.

— Mais non !

Or, Mme de Mercy-Argenteau, comme sa grand-mère, Mme Tallien, avait du goût pour la politique et n'allait pas tarder à le montrer...

Pendant toute une semaine, M. de Percigny se promena au bois de Boulogne sans montrer la moindre violette à sa boutonnière.

Atterrée, Mme de Mercy-Argenteau crut qu'elle avait cessé de plaire au souverain. Elle regretta de ne s'être pas montrée plus audacieuse dans ses caresses et passa ses après-midi à confectionner tristement un herbier dans son boudoir.

Un jour qu'elle collait dans son album une belle feuille de châtaignier ramassée près du lac, trois petits coups retentirent contre la porte du souterrain. Elle bondit, ouvrit, et crut rêver : l'empereur était dans l'escalier, tenant un flambeau d'une main, un bouquet de violettes de l'autre.

Elle le débarrassa, poussa le verrou et se jeta dans ses bras. L'instant d'après, ils étaient sur le tapis et fêtaient leurs retrouvailles avec la simplicité de ceux qui ont le cœur pur.

Lorsque tout fut terminé (à la satisfaction de chacun), les deux amants allèrent s'asseoir près de la cheminée et Napoléon III parla de la jalousie de l'impératrice :

— Sa police a découvert le moyen que j'utilisais pour vous fixer rendez-vous. Désormais, M. de Percigny viendra mettre un billet sur l'étagère qui se trouve dans l'escalier du souterrain. Vous n'aurez qu'à regarder tous les jours au début de l'après-midi.

Mme de Mercy-Argenteau caressa les oreilles de l'empereur :

— L'impératrice me hait, n'est-ce pas ?

Napoléon III réfléchit un instant et, avec une gravité comique, répondit simplement :

— Oui !

— Vous a-t-elle demandé de ne plus me voir ?

— Oui !

Mme de Mercy-Argenteau était une femme qui aimait avoir une connaissance parfaite de ses ennemies :
— Elle a dû me traiter de putain ?
La question était, il faut le reconnaître, assez embarrassante. Napoléon III y répondit en faisant preuve d'une diplomatie qui eût étonné les chancelleries :
— Oui, dit-il, mais en espagnol !
La comtesse ne fut pas moins vexée.

Lorsque l'empereur eut regagné l'Élysée par le souterrain, Louise chercha un moyen de se venger de l'impératrice. Comme elle était finaude, elle le trouva bientôt : Eugénie était passionnée de politique ; il fallait l'empêcher de paraître au Conseil ! Pour cela, elle décida d'utiliser Percigny. A plusieurs reprises, elle rencontra le duc qui n'aimait guère Eugénie et lui démontra qu'il devait agir. Quelques jours plus tard, le 11 novembre 1867, Percigny écrivit une longue lettre à Napoléon III, critiquant violemment la présence de l'impératrice au Conseil et son immixtion dans les affaires de l'État.

Hélas ! la lettre ne fut pas ouverte par l'empereur. Écoutons Octave Aubry nous conter la scène :

« Napoléon était couché, souffrant du corps et de l'âme. Eugénie lui lisait les passages importants des journaux qu'elle avait, comme chaque matin, parcourus et encadrés de crayon bleu.

» Félix, l'huissier du cabinet, apporta une lourde lettre cachetée de cire, et qui portait : *Pour l'empereur seul, de la part du duc de Percigny.*

» — Allons, dit Napoléon, je suis sûr que voilà encore une récrimination de Percigny. Ah ! qu'il est fatigant ! Tiens, lis-moi cette lettre, je n'en ai pas la force aujourd'hui.

» L'impératrice rompit les cachets, tira une douzaine de feuilles.

» Une récrimination ? C'était un long, un dur acte d'accusation contre Eugénie. Sa présence au Conseil, le parti qu'elle avait laissé se former autour d'elle avaient peu à peu affaibli l'autorité de Napoléon. L'État, à présent, avait deux maîtres. Dualité qui facilitait les intrigues, faussait le contrôle et, encourageant l'opposition, conduisait l'Empire à l'abîme. Le duc n'y voyait qu'un remède : Napoléon devait reprendre la France en main, tandis que l'impératrice se contenterait de briller aux fêtes de cour.

» En lisant, Eugénie tremblait de rage. Elle se trompait, les mots courant trop vite devant ses yeux. Sa main froissait le papier. Elle le jeta par terre quand elle fut aux dernières lignes. Napoléon semblait impassible. Elle éclata :

» — Jamais plus je ne mettrai les pieds au Conseil, non, jamais ! Je ne veux plus m'exposer à de pareilles avanies. C'est trop injuste, trop humiliant !

» La colère montant par vagues submergeait tout en elle ; elle piétinait. Percigny ! Un enfant perdu que le pouvoir, la richesse

n'avaient pu changer ! Il l'avait toujours poursuivie de sa haine. A
présent que les difficultés s'amoncelaient autour d'eux, il l'accablait.
Oh ! elle se défendrait ! Tout à l'heure, elle écrirait au duc, lui dirait
ce qu'elle pensait d'une attaque si perfide !...
» L'empereur essayait de la raisonner :
» — Calme-toi. Cette nouvelle sottise de Percigny n'a aucune
importance. J'estime que ta place est au Conseil et tu ne cesseras pas
d'y siéger. C'est moi le maître...
» Il voulut excuser Percigny, rappela ses services passés. Elle
s'emporta encore. Il lui répondit sans sortir de sa patience. Elle finit
par s'apaiser ; aussi bien avait-elle gagné la partie. Mais, selon sa
promesse, le jour même, elle envoya huit pages si dures que Percigny
évita dès lors de venir à la cour [72]. »

L'échec qu'elle avait enregistré avec Percigny ne découragea pas
Mme de Mercy-Argenteau. Elle se tourna vers l'opposition, flirta avec
Émile Ollivier et poussa Napoléon III vers un « empire libéral » [73].

Toute l'année 1868 fut consacrée par Louise à des tractations
compliquées dont le but était de rendre tous ses pouvoirs au Parlement,
afin d'empêcher définitivement l'impératrice de jouer un rôle politique.
Elle savait qu'Eugénie avait l'intention de faire abdiquer Napoléon III
pour mettre sur le trône le prince impérial (âgé de douze ans) et régner
personnellement avec le titre de régente. Il fallait donc agir rapidement.
Elle incita l'empereur à rencontrer Émile Ollivier à plusieurs reprises.

Les deux hommes sympathisèrent et eurent de longues conversations.

Eugénie s'inquiéta. Elle interrogea ses policiers personnels qui lui
apprirent que Mme de Mercy-Argenteau était une amie d'Émile Ollivier.
Le soir même, les Tuileries tremblaient.

— Quittez cette femme immédiatement ! Elle vous conduit vers une
politique de faiblesse qui vous fera perdre votre trône ! Si vous la
gardez auprès de vous, je vous quitterai une troisième fois et vous
serez la risée de l'Europe !...

Napoléon III promit, bien entendu, de rompre avec Louise, mais
continua d'aller batifoler dans la sacristie de l'Élysée.

Alors Eugénie, le 30 septembre 1869, quitta Saint-Cloud avec sa
suite et, sur un adieu glacé à l'empereur, s'en alla inaugurer le canal
de Suez que venait de percer son cousin, Ferdinand de Lesseps...

Le train spécial conduisit l'impératrice à Turin, puis à Venise où
elle embarqua sur le yacht impérial à vapeur *l'Aigle*.

Après une escale à Athènes, Eugénie s'arrêta à Constantinople. Le
sultan la reçut fastueusement et des dames turques lui envoyèrent un
cadeau. Eugénie défit le paquet et découvrit avec stupéfaction un tapis

72. Octave Aubry, *L'impératrice Eugénie.*
73. Cf. Lucien Perreau : « Après avoir comploté avec Percigny, Mme de Mercy-
Argenteau se tourna vers Émile Ollivier et sut le charmer... »

représentant Napoléon III, brodé au petit point et orné *d'une vraie barbe et de cheveux naturels...*
Présent étrange, qui fit passer une joyeuse soirée à toute la suite impériale. Puis Eugénie se rendit au Caire. Le khédive, galant, l'installa dans un palais qu'il avait fait construire pour elle sur les bords du Nil...

Le 5 novembre, la souveraine monta dans une *dahabieh*, bateau plat traîné par un remorqueur, et s'en alla visiter la Haute-Égypte.

Éblouie, elle découvrit Louqsor, Thèbes, Assouan, parcourut les sables à dos de chameau, s'arrêta pour boire aux oasis, chevaucha de petits ânes et rêva sous les étoiles.

Le soir, elle se faisait raconter par l'égyptologue Mariette l'histoire des pharaons.

Peu à peu, ce dépaysement agit sur l'âme de l'impératrice. Elle pensa à l'empereur avec moins d'amertume et, certains après-dîners où, sur le Nil, flottaient tous les parfums d'Afrique, elle lui trouvait même des excuses...

Sans doute courait-il effrontément le guilledou ; mais n'avait-elle pas des torts, elle aussi ? Le dégoût avec lequel elle accomplissait le devoir conjugal avait dû décourager l'empereur, l'exaspérer, peut-être... Elle finit par regretter d'être partie fâchée et d'avoir laissé son mari seul, et peut-être désemparé, au moment où l'opposition se manifestait en France avec une violence jamais atteinte. Tenue au courant des événements par le télégraphe, elle imaginait les attaques et les pièges de M. Thiers, de Jules Favre et de leurs amis. Un soir, elle rompit le silence et envoya à Napoléon III cette très belle lettre :

Mon bien cher Louis,
Je t'écris en route, sur le Nil... J'ai de tes nouvelles et de celles de Louis tous les jours par le télégraphe. C'est merveilleux et bien doux pour moi, car je suis tenue à la rive amie par ce fil qui me rattache à toutes mes affections... J'étais bien tourmentée de la journée d'hier et de te savoir à Paris sans moi, mais tout s'est bien passé à ce que je vois par ta dépêche. Je pense qu'il faut ne pas se décourager. Je suis bien loin et bien ignorante des choses pour parler ainsi, mais je suis intimement convaincue que la suite dans les idées, c'est la véritable force. Je n'aime pas les « à-coups » et je suis persuadée qu'on ne fait pas deux fois dans le même règne des coups d'État...

Il faut se refaire un moral, comme on se refait une constitution affaiblie, et une idée constante finit par user le cerveau le mieux organisé. J'en ai fait l'expérience, et de tout ce qui, dans ma vie, a terni les belles couleurs de mes illusions je ne veux plus garder le souvenir ; ma vie est finie, mais je revis dans mon fils et je crois que ce sont les vraies joies, celles qui traverseront son cœur pour venir au mien...

Je t'embrasse.

EUGÉNIE.

Après avoir visité les pyramides et le Sphinx, Eugénie regagna *l'Aigle* et cingla vers Port-Saïd où devaient avoir lieu, le 16 novembre, les fêtes de l'inauguration du canal.

Un homme étrange agrémenta la dernière partie du voyage impérial : le confesseur de l'impératrice, Mgr Bauer.

Protonotaire apostolique et attaché à la grande Aumônerie impériale, ce prélat mondain avait un passé assez hétéroclite. D'origine juive et hongroise, il avait exercé successivement les professions de peintre, commis voyageur et photographe. Ordonné prêtre, il s'était acquis assez rapidement, auprès des dames, une belle réputation de prédicateur, et l'un de ses biographes n'hésite pas à écrire en toute candeur que « son organe violent et métallique les pénétrait avec force »...

Enivré par sa rapide renommée, Mgr Bauer était devenu le plus élégant des évêques *in partibus*. « Il se faisait remarquer, nous dit Fleury, par l'excessive coquetterie de sa tenue et par des allures assez singulières chez un homme d'église. Ne l'avait-on pas vu arriver à Saint-Cloud pour y dire sa messe, revêtu de sa soutane violette, conduisant en personne un poney-chaise attelé à deux petits chevaux faisant sonner leurs grelots et flanqué de deux énormes lévriers qui bondissaient autour de l'attelage ? Il montait à cheval avec un costume qui rappelait les petits maîtres de la Régence : chapeau bas à larges bords, cravate violette avec col rabattu, redingote dessinant une très fine taille, culotte de velours et bottes molles à éperons [74]. »

Rencontrant, un matin, au Bois, dans cet équipage, le général de Galliffet, Mgr Bauer avait jugé bon de lui adresser un salut militaire. Un peu surpris, le spirituel soldat avait répondu par un grand geste de bénédiction sacerdotale...

Malgré sa fâcheuse réputation, l'impératrice avait tenu à ce qu'il la rejoignît en Égypte afin de montrer son éloquence aux fêtes d'inauguration.

A bord de *l'Aigle,* Mgr Bauer reçut un accueil glacial. Ses gestes précieux et ses « toilettes » déplurent à tout le monde, en particulier au second commandant, M. Sibour.

On le vit bien un soir. C'était au début du dîner. Le confesseur de l'impératrice demanda brusquement :

— Êtes-vous parent de Mgr Sibour ?...

Le marin répondit :

— Je suis son fils !

Il y eut alors un silence pendant lequel chacun, le nez dans son assiette, s'efforça de ne pas éclater de rire.

On s'en amusa pendant quelques jours.

Mais Mgr Bauer n'avait pas fini de réjouir ses compagnons de voyage.

Lorsqu'on apprit qu'il était devenu successivement l'amant d'une

---

74. Comte FLEURY et LOUIS SONOLET, *La société du Second Empire.*

jeune Égyptienne des bords de la mer Rouge et d'une fellahouine du Delta, les amis de l'impératrice surnommèrent une partie de lui-même — qu'il est difficile de désigner clairement — « le petit canal de Suez » [75].

Quant à lui, on l'appela le « Porc-Séide »...

Car on aimait le calembour sous le Second Empire.

12

La marquise de Païva, espionne de Bismarck

> On trahissait chez elle, sans le savoir,
> entre la poire et le fromage.
>
> JULIEN CABANEL

Le 17 novembre 1869, à Port-Saïd, en présence de l'empereur d'Autriche, du kronprinz de Prusse, du prince des Pays-Bas et de milliers de personnes venues de tous les pays du monde, Eugénie inaugura le canal de Suez.

Mgr Bauer prononça un discours fleuri et l'assistance narquoise remarqua que son œil brillait en parlant de « ces jeunes Égyptiennes qui pourront désormais mirer leur beauté dans l'eau mêlée des deux mers »...

Le soir, il y eut un feu d'artifice sur le canal et le lendemain *l'Aigle* partit pour Ismaïlia. Là, le khédive donna un dîner, et certains pensèrent qu'il avait — comme on dit — une idée derrière la tête.

Pendant tout le repas, en effet, il adressa à l'impératrice des compliments d'une extrême galanterie et, nous dit-on, « son regard chaud témoignait de la sincérité de ses paroles ». Devant la suite impériale effarée, le monarque égyptien comparait Eugénie à une « douce gazelle », assurait que ses lèvres devaient avoir le goût du miel et prétendait qu'il n'y avait pas, dans toutes les mers du monde, de coquillages plus jolis que ses oreilles...

Bref, il était amoureux et personne ne pouvait en douter.

L'impératrice un peu gênée feignait de croire que tous ces hommages n'étaient dus qu'à l'exquise politesse orientale. Elle souriait gentiment, ne voulant point que cette merveilleuse soirée se terminât par un scandale.

Malheureusement, le khédive s'imagina que le sourire d'Eugénie était une invite. Après le dîner, il alla la rejoindre dans le salon. Affolée,

75. A son retour à Paris, Mgr Bauer ne retrouva plus la faveur de la cour ni celle du public. En 1870, aumônier aux ambulances de la presse, il fit bravement son devoir, sans renoncer pour cela aux bottes molles et aux culottes violettes. Après avoir séduit une jeune comédienne, il jeta le froc aux orties et se lança dans une vie assez déréglée. Abonné de l'Opéra, il devint un des habitués les plus assidus du foyer de la danse. A soixante-dix ans, l'ancien confesseur de l'impératrice se maria avec une jeune artiste israélite et mourut quatre ans après, en 1903.

l'impératrice groupa autour d'elle les dames de sa suite et lança la conversation sur l'histoire des Pyramides...

Le souverain égyptien, fort déçu, comprit que la belle princesse française ne le recevrait pas dans le palais qu'il avait fait bâtir pour elle. Alors, nous dit Irénée Mauget, « il voulut absolument, ne pouvant mieux faire, lui baiser la main, et l'on eut toutes les peines du monde à lui faire comprendre que le protocole interdisait cette politesse ! [76] ».

Le soir, rentrée dans sa chambre, Eugénie écrivit à Napoléon III : *Le khédive me tient des propos qui te feraient dresser les cheveux sur la tête...*

Lettre que l'empereur lut avec un malin plaisir et qu'il commenta longuement en compagnie de Mme de Mercy-Argenteau...

Après s'être rendue à Suez, Eugénie revint à Port-Saïd où elle laissa M. de Lesseps au bras de Louise-Hélène Autard de Bragard, sa fiancée [77]. Ayant vécu sans le savoir les dernières belles journées de son existence, elle rentra en France où l'attendait un Paris agité par l'opposition.

Aux Tuileries, elle fut saisie : l'empereur, malade, soucieux semblait avoir vieilli de dix ans. Il passait des heures sans rien dire à faire des réussites ou à remuer les bûches de la cheminée avec des pincettes pour faire jaillir des gerbes d'étincelles.

Après les jours de fête, après l'apothéose ensoleillée de Port-Saïd, Eugénie eut une impression de vertige. Dans ce palais, lugubre, où un monarque rendu gâteux par des excès de libertinage étalait des cartes en silence, « flottait un parfum de mort ».

Elle décida de réagir.

Alors que la presse d'opposition annonçait la chute prochaine de l'Empire, qu'Henri de Rochefort, dans sa *Lanterne* rédigée à Bruxelles, donnait déjà la date de la création d'une Troisième République, elle résolut de reprendre en main les affaires politiques.

Hélas ! pendant son absence, Napoléon III s'était laissé séduire par Émile Ollivier.

— C'est le seul homme capable de sauver la situation, disait-il.

Le 2 janvier 1870, le ministre marseillais fut nommé président du Conseil. Avec lui commençait l'Empire libéral où, naturellement, Eugénie n'allait plus avoir aucun rôle actif à jouer.

Furieuse, elle prédit à l'empereur toutes les catastrophes. Napoléon III ne répondit pas. Impassible, l'œil mi-clos, il continua ses « patiences ».

A la fin du mois de mai, les résultats du plébiscite qui donnaient 7 336 000 *oui* contre 1 560 000 *non* et 1 894 000 abstentions réconfortèrent légèrement l'impératrice.

Pour peu de temps, toutefois. A la distribution des prix, un incident fort significatif lui rendit tout son pessimisme. Les lauréats recevaient

---

76. IRÉNÉE MAUGET, *L'impératrice Eugénie*, 1909.
77. M. de Lesseps avait soixante-quatre ans ; Mlle Autard de Bragard, vingt ans. Ils se marièrent quelques semaines plus tard et eurent douze enfants.

leurs récompenses des mains du prince impérial. A certain moment, le jeune Cavaignac, fils de l'ancien adversaire de Napoléon III, fut nommé par le jury. Il refusa de monter sur l'estrade.

De retour aux Tuileries, Eugénie dit au prince impérial, tout triste :

— Mon pauvre petit, maintenant, on ne nous passe plus rien !

Puis elle s'enferma dans sa chambre où elle eut une crise de nerfs. Dès lors, Eugénie vécut dans l'angoisse. Obsédée par la fin de Marie-Antoinette, elle ne sortit dans Paris qu'en tremblant.

— Jamais, disait-elle, je ne descends cet escalier sans retomber dans ma hantise. Jamais je ne sors de ce palais sans me demander si j'y rentrerai vivante !...

Un jour qu'elle passait sur les Champs-Élysées dans sa calèche, elle eut peur brusquement, annula sa promenade au Bois et rentra aux Tuileries.

Incident qui prend une étrange saveur quand on pense qu'il eut lieu à la hauteur du Rond-Point, c'est-à-dire à quelques mètres d'une maison où vivait une femme qui allait participer à la destruction de l'Empire.

Cette femme était la Païva.

Depuis quelques années, la courtisane vivait avec un riche Allemand, ami intime de Bismarck, le comte Henckel de Donnersmarck. Or, malgré ce protecteur aristocrate, la Païva n'était reçue ni aux Tuileries, ni par les membres de la cour et, nous dit-on, « son amertume lui tordait le foie ». Un soir, au cours d'un dîner dans son hôtel de parvenue, elle déclara :

— Si je peux collaborer à l'œuvre de la justice divine contre les insolents Français, je le ferai !

Le comte Henckel qui, lui aussi, haïssait la France, allait l'aider à se venger de cette société qui lui avait fermé ses salons...

Dès 1869, la Païva envoya régulièrement à Bismarck des renseignements sur les intentions françaises et les préparatifs militaires de Napoléon III.

Ces renseignements, elle les obtenait en invitant à dîner des hommes de lettres et les directeurs de journaux.

Écoutons l'un de ses biographes, Marcel Boulenger :

« La Païva recevait force écrivains et journalistes. Ceux-ci comme ceux-là savent toujours des nouvelles et parlent beaucoup. De son côté, le comte Henckel, grand seigneur prussien, demeurait en rapports continuels avec les diplomates de son pays et la colonie allemande de Paris ; en de telles conditions, c'était un jeu que de répéter utilement à ceux-ci d'imprudents propos de table qu'avaient tenus ceux-là, de propager telle ou telle opinion tendancieuse, telle ou telle calomnie bien placée.

» Était-ce là faire de l'espionnage ?

» C'était un travail bien pire. On entend le plus souvent par ce mot, une espionne, quelque malheureuse créature sans ressources qui, pour bel argent comptant, livre à un pays les secrets militaires ou politiques dérobés à un pays voisin. Il va de soi que, pour la Païva, il ne pouvait s'agir de rien de tel : une femme si riche n'allait pas se faire payer, bien sûr, ni descendre à des livraisons de documents volés. Besogne inférieure, fi donc !

» La Païva faisait, pour ainsi dire, de l'espionnage de luxe. Sans correspondre directement, lourdement avec Berlin, il arrivait souvent, très souvent, le plus souvent possible, soit à son mari, soit à elle-même, de raconter à des diplomates prussiens ce qu'Émile de Girardin ou Arsène Houssaye avaient rapporté la veille à dîner, touchant l'état de l'opinion publique ou les rêveries de la cour, la candeur de certains généraux, l'optimisme effrayant de l'Empire libéral. Messieurs les diplomates recherchaient ces conversations, excellaient à les faire naître. Et quoi de plus facile, après cela, quoi de plus naturel pour un conseiller d'ambassade que de demander : "Mais, pardon, telle chose dont vous me parlez là, vous la savez avec précision ? Vous en êtes bien sûr ? Vous pourriez me donner des chiffres ?"

» — Vous les aurez demain... répondait Henckel, froissé qu'on ne l'en crût pas sur parole.

» Quant à la Païva, elle se montrait flattée qu'on eût recours à ses lumières, et bavardait, le cas échéant, tant qu'on voulait. Elle faisait tout son possible pour pousser les uns à la guerre, tout en rassurant les autres. C'était de la perversion par la confiance, de l'empoisonnement d'opinion : pour moins que cela, en temps de guerre, on bannit, on jette au cachot, on fusille parfois. Mais la Païva donnait de si beaux dîners... [78] »

De beaux dîners qui allaient conduire un jour les Parisiens à manger du rat...

A la fin du printemps de 1870, Eugénie reprit bon teint et bon appétit.

Cette transformation avait une cause paradoxale. Elle était due, non pas à une détente dans les relations franco-prussiennes, mais au contraire à l'éventualité d'une belle guerre.

Attitude étrange et qui pourrait tromper sur la véritable nature des sentiments de l'impératrice. Aussi, faut-il préciser que ce n'est pas à la pensée des probables massacres qu'elle reprenait goût à la vie. La guerre, pour Eugénie, était une occasion de chasser les libéraux et de rétablir l'Empire autoritaire. Elle comptait, en effet, sur la victoire pour se débarrasser d'Émile Ollivier et de ses amis.

---

78. MARCEL BOULENGER, *La Païva*. — De son côté, Édouard Drumont accuse formellement la Païva d'espionnage lorsqu'il écrit : « Le comte Henckel de Donnersmarck, homme du monde accompli, prodigieusement intelligent, spirituel et souriant, avait pour la France la haine farouche d'un Blücher. Il avait été l'amant de cette Païva, qui est bien l'une des figures les plus extraordinaires de la juiverie politiquante. En réalité, il avait, avec elle, contribué à organiser cet immense réseau d'espionnage véritablement génial, qui enveloppait la France, en 1870, et qui permit aux Prussiens de s'avancer à coup sûr dans un pays d'ignorance, ne se doutant pas une minute de ce qui se préparait. »

— Après la campagne, disait-elle, nous verrons s'ils auront encore l'audace de nous offrir des avis et de porter obstacle à mes desseins.

Le premier de ces desseins était, bien entendu, pour Eugénie, de reprendre sa place au Conseil.

Mais, pour en arriver là, il fallait une guerre, et l'impératrice, le cœur battant d'espoir, regardait vers l'est.

Or, au moment précis où cette souveraine insensée appelait de tous ses vœux la catastrophe qui devait engloutir le trône de son mari, comme par un signe du destin éclatait le dernier scandale du Second Empire, celui qui mettait, par son énormité même, un point final à dix-huit ans de libertinage doré et souvent crapuleux.

Il y avait alors un marinier nommé Timothée Rageot, si généreusement doté par la nature, qu'il faisait le bonheur des dames, de Bray-sur-Seine (où il allait embarquer du vin) jusqu'à Elbeuf (où il devait le livrer).

Tous les trois mois, son bateau s'arrêtait au port de Saint-Cloud, pour la plus grande joie des riveraines. « Chacune dans son cœur, nous dit Pierre Blacard, espérait bien séduire le puissant marinier. » Les plus hardies — ou celles qu'il avait déjà honorées précédemment — se précipitaient sur la berge, l'œil brillant et la fesse émue.

Timothée Rageot les accueillait alors trois par trois à son bord, avant même d'avoir bu le rituel pot de vin de Suresnes à l'Auberge des Bateliers.

« Quelques instants plus tard, nous dit encore Pierre Blacard, le bateau oscillait comme saisi par la tempête. »

Naturellement, la réputation de cet amoureux infatigable avait atteint le château de Saint-Cloud et bien des dames de la cour rêvaient d'« étreintes fluviales ».

Un soir de juin 1870 — Timothée était là depuis vingt-quatre heures — la comtesse de L... et la baronne de V..., poussées par une curiosité des plus malsaines, allèrent, en costume paysan, rôder autour de l'Auberge des Bateliers. L'objet de leurs désirs, entouré d'amis, était attablé sous une tonnelle. Elles le contemplèrent avec un grand trouble et continuèrent leur chemin en silence.

Timothée les avait vues. Il se leva et les rejoignit dans le sentier qui longeait le fleuve. Dix minutes plus tard, la comtesse et la baronne, tremblantes, gravissaient la passerelle qui devait les conduire, nous dit-on, à un « bonheur surhumain »...

Timothée avait tout de suite deviné qu'il s'agissait de dames de la cour. Aussi se permit-il des audaces qu'il n'aurait jamais montrées avec des vraies paysannes. La comtesse et la baronne, émerveillées, revinrent les soirs suivants.

A chaque fois, la virilité anormalement développée du marinier était prétexte à mille petits jeux qu'il m'est difficile de décrire ici [79].

79. A vrai dire, ces folâtreries n'avaient rien d'érotique, elles étaient simplement une manifestation de ce goût qu'ont toutes les femmes d'orner ce qui leur appartient...

Un soir, après qu'elles eurent été comblées, Mme de L... et Mme de V... décidèrent de transformer Timothée en bateau à voiles. Idée curieuse, qui allait être à l'origine d'un scandale dont la cour n'avait pas besoin.

Des cordonnets attachés au « mât » servirent de gréement que les deux amies garnirent avec leurs mouchoirs découpés en triangle.

L'effet obtenu fut si surprenant que Mme de V... suggéra de mettre Timothée dans la Seine. La nuit de juin était douce, le marinier accepta. L'instant d'après, par un beau clair de lune, il faisait la planche, toutes voiles dehors, à la grande joie de ses admiratrices.

Soudain, Timothée fut pris d'un malaise et coula à pic. Affolées, Mme de L... et Mme de V... appelèrent au secours. Des hommes sortirent d'un bateau, plongèrent, et parvinrent à ramener le malheureux sur la berge où de vigoureuses frictions le firent revenir à lui.

Rassurées sur le sort de leur amant, Mme de L... et Mme de V... regagnèrent à toutes jambes le palais impérial en se félicitant de n'avoir pas été découvertes. Elles ignoraient que Timothée, au même instant, était transporté à l'Auberge des Bateliers où « son gréement et sa voilure » faisaient sensation. Devant un bol de vin chaud, et bien enveloppé dans des couvertures, il dut expliquer son « déguisement »... Il le fit avec tant de verve que l'aubergiste lui demanda les mouchoirs en souvenir...

Timothée les lui donna. On s'aperçut alors, sous la lampe, qu'ils portaient chacun une petite couronne brodée.

— Mais ce sont des dames de la cour, tes deux luronnes, dit l'aubergiste. Je vais accrocher cela dans ma salle.

Le lendemain, tout Saint-Cloud gouailleur défila pour voir les mouchoirs, tandis qu'au palais, Mme de L... et Mme de V..., décolorées par la peur, passaient leur temps en prières.

L'opposition s'empara naturellement de l'aventure, pour dénoncer l'immoralité de l'entourage impérial. Des échos perfides furent même publiés par certains journaux. Et sans doute eussent-ils révélé un jour ou l'autre le nom des deux imprudentes amoureuses si, brusquement, des événements beaucoup plus graves n'étaient venus accaparer toute l'attention des journalistes.

Le 2 juillet, en effet, la reine d'Espagne abdiquait et le gouvernement espagnol envoyait une députation en Allemagne pour offrir la couronne au prince de Hohenzollern...

Napoléon III ne pouvait supporter qu'un prince allemand régnât en Espagne. Il demanda à Léopold de Hohenzollern de retirer sa candidature. Bismarck tempêta, donna du poing sur la table de Guillaume de Prusse et fit trembler l'Europe.

Dans son fauteuil, Eugénie souriait.

La guerre, tant désirée, était imminente.

Pendant quelques jours, notre ambassadeur en Prusse, M. Benedetti, tint un langage ferme au roi Guillaume.

Celui-ci, tout à fait étranger à la machination montée par Bismarck, souhaitait un arrangement. Il s'efforça de décider Léopold de Hohenzollern à se désister. Mais celui-ci, selon le mot de Paul Cambon, « renâclait ».

Le 10 juillet, le duc de Gramont, ministre des Affaires étrangères, affolé par la violence de la presse qui, unanimement, réclamait la guerre télégraphia à Benedetti :

« Nous ne pouvons plus attendre... Si le roi ne veut pas conseiller au prince de Hohenzollern de renoncer, eh bien ! c'est la guerre tout de suite et, dans quelques jours, nous sommes au Rhin... Vous ne pouvez imaginer à quel point l'opinion publique est exaltée : elle nous déborde de tous côtés et nous comptons les heures !... »

En effet, à Paris, l'excitation était extrême. Tous les partis se trouvaient soudain d'accord pour réclamer une marche armée sur Berlin. Chaque jour, des cortèges parcouraient les boulevards en chantant *la Marseillaise* et en criant :

— La guerre ! La guerre ! Vive la guerre !... A Berlin !...

La presse était d'une violence inouïe. Cassagnac, dans *Le Pays,* écrivait : « La Prusse est entre la menace et la honte, qu'elle choisisse ! Ou elle se battra ou elle cédera ! » Émile de Girardin, dans *La Liberté,* renchérissait : « La Prusse est une nation de proie, traitons-la en nation de proie... Ne perdons pas notre temps à chercher des alliés... Ne songeons qu'à localiser la guerre entre la France et la Prusse. A coups de crosse dans le dos, nous la contraindrons de passer le Rhin et de vider la rive gauche... »

Tous les journaux avaient le même ton. Certains, il est vrai, étaient inspirés par les amis de l'impératrice, toujours assoiffée de gloire, d'autres recevaient des ordres de la Païva et de son amant Henckel de Donnersmarck, amis de Bismarck qui, lui aussi — et plus que jamais — désirait un conflit.

Car, dans cette affaire, il n'y avait, paradoxalement, que Napoléon III et le roi de Prusse qui ne voulaient pas la guerre...

Le 11, tandis qu'à Paris le Conseil des ministres décidait de rappeler les permissionnaires, à Berlin, Benedetti, sur l'ordre exprès de l'empereur, cherchait une solution avec Guillaume. Celui-ci, bien qu'un peu irrité par les armements français, promit de faire pression sur Léopold de Hohenzollern, qui, poussé par sa femme — et par Bismarck —, refusait toujours de renoncer au trône d'Espagne.

Les arguments qu'il employa furent finalement convaincants et le 12, un communiqué était envoyé aux journaux : « Le prince héritier de Hohenzollern, pour rendre à l'Espagne la liberté de son initiative, décline la candidature au trône, fermement résolu à ne pas laisser sortir une possibilité de guerre d'une affaire de famille, secondaire à ses yeux. »

Guillaume, fort satisfait, se frotta les mains et pensa que *l'incident espagnol* était clos.

Il dut déchanter rapidement. Quelques heures après la publication du communiqué, en effet, il reçut la visite d'un envoyé de Bismarck. Celui-ci, furieux de voir la guerre s'écarter, lui donnait sa démission... Au même moment, des scènes semblables se déroulaient en France. En effet, lorsqu'il apprit le désistement de Léopold, Napoléon III poussa un soupir :

— C'est un grand soulagement pour moi, dit-il à ses officiers. Je suis heureux que tout se termine ainsi. Malheureusement, je crains que le pays ne soit désappointé...

Puis il demeura un instant songeur, et ajouta :

— Je sais que l'opinion publique aurait préféré la guerre... Il va être difficile de faire admettre la paix !...

Après quoi, d'un pas lent, car la pierre qui s'était formée dans sa vessie le faisait terriblement souffrir, il quitta les Tuileries et se dirigea vers sa calèche.

Une heure plus tard, il était à Saint-Cloud. Dans la salle de billard, il trouva l'impératrice, le prince impérial et quelques familiers.

— C'est la paix ! cria-t-il joyeusement.

L'impératrice blêmit :

— Quoi ?

Napoléon III comprit que la nouvelle, là non plus, ne faisait pas plaisir. Il tendit à Eugénie la dépêche annonçant le désistement du prince de Hohenzollern.

— Lisez !

La souveraine, ayant lu, entra dans une violente colère, froissa le papier et le jeta à terre :

— Cette guerre était la seule occasion d'assurer le trône de votre fils, et vous ne l'avez pas saisie !... C'est une honte !... L'Empire va tomber en quenouille !...

A ce moment, le duc de Gramont entra. Pensant aux réactions du corps législatif, il suggéra de considérer le communiqué prussien comme insuffisant et de continuer à harceler le roi de Prusse.

Cette idée fut immédiatement adoptée par Eugénie.

— Il faut, dit-elle, demander à Guillaume la garantie qu'il n'autorisera pas de nouveau la candidature du prince de Hohenzollern. Et s'il refuse... nous faisons la guerre !...

Napoléon III, très ennuyé, tenta de discuter et de défendre la paix. Mais l'impératrice, surexcitée, insista avec tant de chaleur et tant de véhémence que, la mort dans l'âme, il céda une fois encore.

Ce devait être la dernière. Car les exigences françaises allaient donner à Bismarck l'occasion de retourner la situation en falsifiant, comme on le sait, la fameuse dépêche d'Ems...

Cette responsabilité de l'impératrice est nettement dénoncée par le général du Barrail qui écrit dans ses *Mémoires :*

« Je suis bien forcé de reconnaître que l'impératrice a été, sinon l'unique, au moins le principal auteur de la guerre de 1870. Elle comprenait quelle faute elle avait commise en 1866, en empêchant l'empereur d'accepter, par une initiative hardie, les offres que M. de Bismarck était venu lui apporter à Biarritz. Et cette faute, elle voulait la réparer. Elle poussa donc désespérément à la guerre et son influence fut considérable. Elle avait sur l'empereur un pouvoir à peu près sans limites. Elle le dominait moins encore par ses charmes que *par le souvenir des circonstances trop nombreuses où il les avait méconnus.* »

Le 19 juillet, la France déclarait la guerre à la Prusse. Le 22, des lettres patentes conféraient la régence à l'impératrice qui devait exercer ses fonctions « à compter du jour où l'empereur quitterait Paris pour prendre le commandement des armées ».

Eugénie vécut, dès lors, dans un tel état d'exaltation que ses paroles dépassaient souvent sa pensée. Au point que certains assurent qu'elle se serait laissée aller jusqu'à dire : « Cette guerre sera ''ma'' guerre »...

Mot qui la suivra jusqu'à sa mort, mais qu'elle se défendra toujours farouchement d'avoir prononcé.

En 1906, au Cap Martin, dans sa villa Cyrnos qui domine la mer, elle dira, en effet, à Maurice Paléologue venu bavarder avec elle :

« C'est à M. Thiers que revient la paternité de l'odieuse légende ; il s'est permis d'affirmer que, le 23 juillet 1870, recevant à Saint-Cloud le premier secrétaire de notre ambassade à Berlin, Lesourd, qui venait de notifier à Bismarck la déclaration de guerre, je lui avais dit :

» — Cette guerre, c'est moi qui l'ai voulue ; *c'est ma guerre !*

» Or, jamais, vous m'entendez, *jamais,* cette parole sacrilège ni aucune autre analogue n'est sortie de ma bouche ! D'ailleurs, plus tard, j'ai fait interroger Lesourd : il a loyalement reconnu, dans une lettre dont je possède l'original, que je ne me suis jamais vantée à ses yeux d'avoir déchaîné la guerre ! [80] »

Quoi qu'il en soit, cette guerre comblait tous ses vœux.

Le 28 juillet, à dix heures du matin, Napoléon III quitta Saint-Cloud pour rejoindre son quartier général à Metz. Il était accompagné du prince impérial.

Au moment où tous deux montaient en wagon, Eugénie vint les embrasser.

— Adieu, Louis, dit-elle à son fils. Fais ton devoir !

L'empereur qui, torturé par son mal de vessie, avait dû se maquiller pour cacher un teint trop livide, s'efforça de sourire.

— Notre devoir, nous le ferons tous ! dit-il.

Le train partit sous les vivats. Alors seulement, Eugénie comprit ce qu'elle avait déclenché. « L'impératrice, nous dit Albert Verly, se couvrit le visage de ses deux mains. Rentrée au château, elle s'agenouilla dans son oratoire et pria longuement pour la France, pour son fils et pour l'empereur... »

Cet empereur qu'elle ne devait plus revoir que vaincu, déchu et exilé...

80. Maurice Paléologue, *Les entretiens de l'impératrice Eugénie.*

Le lendemain, Eugénie retrouva son allant. Elle était régente, les ministres écoutaient ses conseils, les journaux célébraient quelques succès d'avant-postes. Tout allait bien. Mais, le 30, une lettre de l'empereur vint, selon sa propre expression, « lui casser bras et jambes ».

Napoléon III, en arrivant à Metz, avait trouvé une armée mal équipée, indisciplinée, encadrée d'incapables et vivant dans le plus grand désordre. Conditions qui rendaient impossible l'offensive immédiate dont rêvait Eugénie pour surprendre et bousculer définitivement les Prussiens.

L'impératrice se tordit les mains :

— Mon Dieu, dit-elle à ses familiers, où allons-nous ?...

Le 2 août, elle reçut de Sarrebrück une dépêche qui la réconforta un peu :

Louis vient de recevoir le baptême du feu, télégraphiait l'empereur. *Il a été admirable de sang-froid. Nous étions en première ligne, les balles et boulets tombaient à nos pieds. Louis a conservé une balle qui était à ses pieds. Il y a des hommes qui pleuraient en le voyant si calme.*

Fière de son fils, Eugénie montra le télégramme à Émile Ollivier.

— Il faut le publier, dit le ministre. Il fera un effet prodigieux sur l'opinion !...

— C'est une dépêche personnelle, murmura l'impératrice... Son utilisation à des fins politiques me gêne un peu.

Ollivier n'avait pas les scrupules d'Eugénie. Il insista et obtint finalement que le texte fût communiqué aux journaux.

Maladresse qui allait être immédiatement exploitée par les adversaires du régime. Le lendemain, en effet, toute la presse d'opposition se moquait sans retenue de l'incident de Sarrebrück et surnommait le prince « l'enfant de la balle »...

Eugénie pleura.

— Qu'ont-ils donc dans le cœur pour railler le courage d'un petit Français de quatorze ans ?

Le 6, l'impératrice, livide, apprit la défaite de Wissembourg. Le 7, à onze heures du soir, comme elle allait se coucher, Pepa, sa femme de chambre, vint lui annoncer M. de Piennes.

— Qu'il entre !

Le chambellan tenait une dépêche qu'Eugénie lui arracha des mains. Elle lut et chancela. En quelques lignes, le communiqué annonçait la défaite de Frossard à Forbach, celle de Mac-Mahon à Frœschwiller, la retraite des troupes françaises, l'invasion de l'Alsace et la menace qui pesait désormais sur Paris.

La régente se raidit :

— La dynastie est condamnée, monsieur. Vous ne devez plus penser qu'à la France !

A minuit, elle quitta — à jamais — le château de Saint-Cloud où elle avait passé les plus belles années de sa vie, et se fit conduire aux Tuileries.

A trois heures du matin, elle réunit le Conseil et décida de convoquer les Chambres.

Émile Ollivier protesta :

— Vos pouvoirs de régente, madame, ne vous permettent pas de réunir le Parlement !

Eugénie riposta sèchement :

— L'heure n'est pas à s'embarrasser de forme. Il faut sauver la France ! Pour cela, nous devons nous appuyer sur la nation... De plus, il faut envoyer les bataillons parisiens à la guerre. Je n'ai pas besoin de troupes pour me défendre !...

Les ministres, stupéfaits devant une telle autorité, s'inclinèrent.

A cinq heures, Eugénie alla se coucher. A huit heures, quand elle se réveilla, un bourdonnement étrange lui parvint de la rue. Elle courut à la fenêtre et vit une foule de Parisiens s'agiter devant les grilles. En la voyant paraître, quelques-uns crièrent :

— Déchéance ! Déchéance !...

Eugénie alla s'agenouiller devant son oratoire.

Elle en sortit rassérénée et rédigea une proclamation qu'elle fit afficher sur tous les murs de la capitale :

Français, le début de la guerre ne nous est pas favorable, nous avons subi un échec. Soyons fermes dans ce revers et hâtons-nous de le réparer. Qu'il n'y ait parmi nous qu'un seul parti, celui de la France, qu'un seul drapeau, celui de l'honneur national !

EUGÉNIE.

Deux heures plus tard, elle empêchait Émile Ollivier de commettre une nouvelle gaffe. Le Premier ministre, affolé par l'effervescence des Parisiens, voulait faire arrêter les chefs républicains, Gambetta, Jules Favre, Jules Ferry et Arago...

A midi, elle rencontra Trochu qui la quitta, éberlué, en disant :

— Cette femme est une Romaine !...

Puis elle télégraphia à l'empereur :

Je suis très satisfaite des résolutions prises au Conseil des ministres... Je suis persuadée que nous mènerons les Prussiens l'épée dans les reins jusqu'à la frontière. Courage donc : avec de l'énergie, nous dominerons la situation. Je réponds de Paris et je vous embrasse de tout cœur tous les deux.

EUGÉNIE.

Hélas ! tout ce courage ne pouvait rien contre un ennemi bien organisé et supérieur en nombre.

En outre, Napoléon III qui, depuis son arrivée à Metz, urinait du sang et souffrait horriblement, n'était pas en état de prendre des décisions. Il suivait les troupes...

Le 12 août, le prince Napoléon, le voyant appuyé contre un arbre, pâle et haletant de douleur, lui dit :

— Vous ne commandez plus l'armée. Vous ne gouvernez plus. Alors, que faites-vous ici ? N'êtes-vous plus que le correspondant du *Times* ? Rentrez à Paris !

Rouher, qui était, ce jour-là, de passage au quartier général, regagna la capitale et annonça à l'impératrice que l'empereur envisageait de revenir aux Tuileries.

Eugénie bondit :

— Quoi ? L'empereur à Paris ? Mais ce serait la révolution ! Ce retour aurait l'air d'une fuite ! Sa seule place est à l'armée ! Il ne peut reparaître ici que vainqueur !...

Elle avait le pouvoir, elle ne voulait pas le lâcher. Napoléon III dût-il en périr...

Les derniers jours d'août furent un épouvantable calvaire pour l'empereur. Ballotté dans des voitures qui fuyaient devant l'ennemi, tordu par la souffrance à chaque cahot, considéré avec pitié par ses soldats, il n'avait qu'un espoir, être tué dans un combat.

A plusieurs reprises, il alla s'exposer seul, sans bouger, au milieu des balles qui sifflaient. Mais son destin n'était pas de mourir en soldat.

Le 31 août, il était à Sedan.

Le 1er septembre, la tuerie fut si terrible que, le soir, Napoléon III, jugeant tout combat désormais inutile, dit à ses officiers :

— Messieurs ! Il y a trop de sang déjà versé. Je ne veux pas qu'on en répande davantage. Je désire un armistice...

A quatre heures, le général Reille se rendit auprès du roi Guillaume et lui remit ce billet :

Monsieur mon frère,

N'ayant pu mourir à la tête de mes troupes, il ne me reste plus qu'à remettre mon épée entre les mains de Votre Majesté.

Je suis, de Votre Majesté, le bon frère.

NAPOLÉON.

Le lendemain, l'empereur était prisonnier...

13

Prisonnier en Prusse, Napoléon III réclame la tendresse d'Eugénie

> Quand il eut pour État le quart d'une pelouse
> Il se souvint alors qu'il avait une épouse.
>
> GUSTAVE FOURNIER

Le 3 septembre, à trois heures de l'après-midi, le ministre de l'Intérieur, Henri Chevreau, entra dans le cabinet de l'impératrice. Il était livide. Sans prononcer un mot, il tendit le télégramme qu'il venait de recevoir de Sedan. Eugénie le prit et lut :

L'armée est défaite et captive ; n'ayant pu me faire tuer au milieu de mes soldats, j'ai dû me constituer prisonnier pour sauver l'armée.

NAPOLÉON.

La régente se leva, jeta la dépêche en boule sur le tapis et hurla :
— Non ! Ce n'est pas vrai !...
Puis elle appela Conti et Filon, ses secrétaires, « comme on appelle au secours », dira-t-elle plus tard.
Les deux hommes arrivèrent en courant. Ils la trouvèrent « défigurée, avec des yeux de folle, aigus et étincelants ».
Elle leur cria :
— Vous savez ce qu'*ils* prétendent ? Que l'empereur s'est rendu ! Qu'il a capitulé ! Vous ne croyez pas cette infamie ?...
Les deux hommes, épouvantés, se taisaient. Elle marcha sur eux, presque menaçante :
— Vous ne le croyez pas ?...
— Madame, bredouilla Conti, il y a des circonstances où les plus braves...
Eugénie l'interrompit en hurlant « d'une voix terrible » :
— Non ! l'empereur n'a pas capitulé ! Un Napoléon ne capitule pas ! Il est mort !... Vous m'entendez : je vous dis qu'il est mort et qu'on veut me le cacher !...
« Les traits convulsés, les yeux hagards, telle une Érinnye », nous dit Maurice Paléologue qui tenait ces détails de Conti lui-même, elle agitait les poings au-dessus de sa tête :
— Il est mort !...
Puis, criant toujours, elle se contredit, montrant ainsi le désordre de sa pensée :
— Pourquoi ne s'est-il pas fait tuer ?... Pourquoi ne s'est-il pas fait ensevelir sous les murs de Sedan ?... Il n'a donc pas senti qu'il se déshonorait ?... Quel nom va-t-il laisser à son fils ?
Après cette explosion, elle s'apaisa soudain, fondit en larmes et se jeta à genoux sur le sol en invoquant l'empereur :

— Pardonne-moi !... Pardonne-moi !...

Enfin, elle tomba évanouie.

Une heure plus tard, ayant retrouvé son calme et ses forces, Eugénie convoqua les ministres.

— Tout indique que l'insurrection est imminente, déclara Chevreau. Depuis que l'on a appris la reddition de l'empereur, des groupes se sont formés dans les faubourgs. On me signale la présence de bandes criant « Vive la République »... Tout à l'heure ou demain, ces hommes marcheront sans doute vers les Tuileries. Que doit-on faire ?...

Eugénie demeura calme :

— Quoi qu'il arrive, les soldats ne doivent pas tirer sur le peuple !...

Toute la soirée fut employée à mettre au point des mesures susceptibles d'arrêter la marche des Prussiens sur Paris.

A dix heures, une lettre de l'empereur parvint aux Tuileries. L'impératrice l'ouvrit en tremblant comme au temps où Napoléon III lui envoyait de tendres billets. Elle lut :

Quartier général, 2 septembre 1870.

Ma chère Eugénie, il m'est impossible de te dire ce que j'ai souffert et ce que je souffre. Nous avons fait une marche contraire à tous les principes et au sens commun, cela devait amener une catastrophe. Elle est complète. J'aurais préféré la mort à être témoin d'une capitulation si désastreuse, et cependant, dans les circonstances présentes, c'était le seul moyen d'éviter une boucherie de soixante mille personnes.

Et encore, si tous mes tourments étaient concentrés ici ! Je pense à toi, à notre fils [81], à notre malheureux pays, que Dieu le protège ! Que va-t-il se passer à Paris ?

Je viens de voir le roi [82]. Il a eu les larmes aux yeux en me parlant de la douleur que je devais éprouver. Il met à ma disposition un de ses châteaux près de Hesse-Cassel. Mais que m'importe où je vais ! Je suis au désespoir. Adieu, je t'embrasse tendrement.

NAPOLÉON.

De grosses larmes coulaient sur les joues de l'impératrice.

— Le malheureux ! murmura-t-elle.

A ce moment, Eugénie, oubliant toutes ses rancœurs, ne pensait plus qu'à l'homme malade, vaincu et désespéré dont elle était l'épouse.

Toute la nuit, l'impératrice brûla des papiers intimes tandis que la foule, éclairée par des torches, venait aux cris de « Vive la République » se masser devant les grilles du palais.

A sept heures, le 4 septembre, elle alla entendre la messe. Puis elle visita l'ambulance des Tuileries remplie de blessés ramenés des Ardennes.

81. Le petit prince, séparé de son père, était alors à Landrecies. Le 4, grâce à ses aides de camp, il parviendra à passer en Belgique.
82. Guillaume Ier de Prusse.

A midi et demi, une délégation de députés favorables à l'Empire vint au palais.

M. Buffet, qui la conduisait, prit la parole :

— Madame, étant donné la force grandissante de l'opposition, il y a urgence à traiter avec elle si l'on veut conserver une part d'autorité. Que Votre Majesté ne compromette pas l'avenir de la dynastie impériale.

Alors, selon le mot d'André Castelot, « cette femme du monde, que les hasards de la vie — et de l'amour — avaient portée sur le trône », répondit aux députés en vraie princesse :

— L'avenir de notre dynastie ne compte plus pour moi ; je ne pense qu'à l'avenir de la France. Mon unique souci personnel est de remplir, dans toute leur étendue, les devoirs que mon rang et ma fonction m'imposent ; or, le plus clair de ces devoirs est de ne pas déserter mon poste... Quant aux représentants du pays, leur devoir me paraît aussi évident que le mien : ils doivent ajourner leurs querelles de parti et se serrer autour de moi pour faire masse contre l'invasion. Ils tiennent le sort de la guerre entre leurs mains...

Hélas ! dans Paris, les événements se précipitaient. On vint bientôt informer l'impératrice que le peuple avait arraché les aigles du Palais-Bourbon, que la place de la Concorde était noire d'une foule grondante et que les troupes levaient la crosse.

A trois heures, les cris devenant menaçants, Eugénie prit des jumelles de théâtre et, d'un coin de fenêtre, observa la populace massée devant le palais.

A trois heures et demie, le préfet de police apparut, essoufflé :

— Madame, les grilles vont être forcées !

Metternich, ambassadeur d'Autriche, et Nigra, ambassadeur d'Italie, entrèrent à leur tour.

— Madame, dit Metternich, il faut partir ! Vous ne pouvez demeurer ici un instant de plus.

— Non ! répondit l'impératrice en frappant du pied.

Dehors, la foule hurlait :

— A bas l'Espagnole !

Alors Conti s'approcha :

— Vous ne voulez pas abdiquer, madame. Eh bien ! dans une heure, vous serez aux mains de gens qui vous feront abdiquer de force et vous aurez sacrifié les droits dont vous êtes dépositaire !... Si vous consentez à partir, *où que vous alliez, vous emporterez ces droits...*

Cette dernière phrase ébranla Eugénie :

— Vous croyez ?

Elle n'entendit pas la réponse. Une assourdissante clameur s'élevait des Tuileries. La grille de la place de la Concorde venait de céder.

— Vite ! Vite ! dit Metternich.

Eugénie comprenant enfin où était son salut, embrassa ses dames, mit son chapeau, passa un léger manteau, glissa dans sa poche la miniature de son père et quitta le salon bleu.

Écoutons Mme Carette — témoin direct — nous conter cette fuite à travers les couloirs des Tuileries et du Louvre :

« L'impératrice, traversant les appartements intérieurs, prend l'escalier qui conduit au rez-de-chaussée pour gagner le perron du prince impérial, celui de droite dans la cour des Tuileries.

» Un petit coupé, le brougham de l'aide de camp de service, stationne là comme d'ordinaire ; le cocher se tient correct sur son siège, prêt à partir au premier signe. On va pour l'appeler ; mais le prince de Metternich fait observer que la cocarde de la maison et la couronne impériale peinte sur les portières peuvent attirer l'attention.

» — Ma voiture attend sur le quai, dit-il, il vaudrait mieux la faire avancer.

» L'officier d'ordonnance se propose pour aller la chercher.

» L'officier s'éloigne et l'impératrice, toujours entourée des mêmes personnes, s'assied sur un siège du vestibule pour attendre.

» L'officier a vite franchi les soixante mètres environ qui séparent le palais de la grille. Au moment où cette grille va être ouverte pour le laisser passer, une colonne d'émeutiers, débouchant par les cinq grands guichets du Louvre, se précipite sur la place du Carrousel en proférant des cris de mort, des chants, des menaces. La retraite est coupée. L'officier revient en courant afin que l'impératrice ne se hasarde pas de ce côté. Pendant qu'il regagne le perron du prince impérial, la foule tumultueuse s'est précipitée sur les grilles qu'elle vient battre en vociférant.

» L'amiral Jurien alors s'avance seul vers la foule afin de parlementer pour tâcher de gagner du temps. La grille, malgré une poussée formidable, tient solidement.

» — L'impératrice a quitté les Tuileries, dit l'amiral en s'adressant aux premiers rangs des assaillants. Épargnez-vous des violences inutiles.

» A ce moment, un groupe de gardes nationaux, qui venait pour relever les chasseurs, se joint à ceux-ci et l'officier qui les commande se met, avec beaucoup de courage et de défense, aux ordres de l'amiral.

» — Empêchez seulement qu'on ne brise cette grille afin d'éviter que tout ne soit saccagé, dit l'amiral. L'impératrice n'est plus là.

» — Comptez sur nous, monsieur, disent ces braves gens. Et ils essayent de parlementer ; mais on ne veut pas les entendre. Alors, à coups de crosse, ils dégagent la grille et la populace se rue vers une autre entrée.

» Cependant l'impératrice, voyant le torrent populaire se ruer sur les Tuileries, avait pris le parti de remonter dans les appartements, afin de traverser le Louvre et de gagner la sortie de côté de la place Saint-Germain-l'Auxerrois...

» Se dirigeant vers la salle des États, elle parcourait ainsi, en fugitive, le même trajet qu'elle avait fait si peu de temps auparavant entre son mari et son fils pour se rendre, au milieu d'un imposant cortège, à la séance de gala dans laquelle on remettait à l'empereur les résultats d'un plébiscite triomphant.

» Les abords de la salle des États étaient encore encombrés de matériaux à travers lesquels il fallut se frayer un passage. On traversa la salle, mais la porte du musée était fermée. On frappe, on appelle pour attirer l'attention des gardiens. On n'entend que les rumeurs du dehors. Enfin, M. Thélin, le trésorier de l'empereur, ayant appris de quel côté se dirigeait l'impératrice, arrive fort heureusement avec un passe-partout qui ouvre toutes les portes du palais...

» Puis on suit les galeries de tableaux et l'on prend l'escalier qui descend au musée assyrien.

» A ce moment, Sa Majesté n'a plus auprès d'elle que Mme Lebreton, le prince de Metternich, dont elle prend le bras, et M. Nigra.

» On voulait sortir par le guichet qui donne sur la place Saint-Germain-l'Auxerrois ; mais, de ce côté encore, des émeutiers gardent les grilles. Toutes les issues sont occupées. Cependant, une poussée se fait vers l'église, la place se déblaie un moment. Les fugitifs en profitent pour sortir du Louvre.

» Le prince de Metternich et le chevalier Nigra s'éloignent pour aller chercher une voiture... Un fiacre passe, Mme Lebreton l'arrête, entraîne l'impératrice et donne l'adresse d'un de ses amis, M. Besson, conseiller d'État.

» A l'instant où la voiture s'ébranle, un gamin s'écrie :

» — Tiens ! l'impératrice !...

» Sa voix est étouffée par le tumulte [83]. »

Bientôt le fiacre disparut dans la foule, emportant deux femmes tremblantes...

M. Besson habitait boulevard Haussmann. Le fiacre dut traverser une foule d'émeutiers qui, dans la rue de Rivoli, hurlaient « Déchéance ! Déchéance ! » et arrachaient les écussons impériaux dont quelques devantures étaient ornées.

A un certain moment, un ouvrier passa la tête par la portière de la voiture et cria :

— Vive la Nation !...

Mais, aviné sans doute, il ne reconnut pas Eugénie. Le cheval continua d'avancer au milieu des manifestants. Recroquevillées au fond de leur fiacre, ballottées comme sur une mer en furie, les deux fugitives priaient. Rue du 29-Juillet, un coup de bâton fut donné sur le marchepied. Mme Lebreton sursauta.

— N'ayez pas peur, dit l'impératrice impassible.

Pourtant, au coin du boulevard des Capucines, elle baissa la tête. Des soldats de la garde impériale, pipe au bec, se mêlaient aux braillards et criaient : « Vive la République ! »

Après la Madeleine, la voiture pénétra brusquement dans un quartier silencieux et désert. Il semblait que tous les Parisiens, émeutiers ou badauds, fussent autour des Tuileries. Fantomatique, le fiacre remonta

83. Mme CARETTE, *Souvenirs intimes de la cour des Tuileries.*

le boulevard Malesherbes, puis le boulevard Haussmann. Enfin, il s'arrêta devant la maison de M. Besson. Mme Lebreton, qui avait sur elle cinq cents francs (Eugénie ne possédait pour tout bagage que deux mouchoirs), paya le cocher et le congédia.

— C'est au troisième étage, dit l'impératrice.

Les deux femmes montèrent, tirèrent le pied de biche et attendirent. Personne ne parut. Sans doute le conseiller était-il, lui aussi, près du palais.

Déçues, Eugénie et Mme Lebreton s'assirent sur une marche d'escalier. Au bout d'un quart d'heure, l'impératrice se leva :

— Je ne puis rester plus longtemps ici. Partons !

Sur le trottoir, les deux femmes se concertèrent. Où aller ?

— Par là, dit l'impératrice.

Elles partirent, sans but précis, vers l'Étoile. Soudain, un bruit de voiture les fit se retourner. Un fiacre découvert arrivait derrière elles. Mme Lebreton l'arrêta. Eugénie lança l'adresse de M. de Piennes, avenue de Wagram, et toutes deux s'assirent sur les coussins de drap bleu.

Avenue de Wagram, elles montèrent chez le chambellan. Hélas ! lui aussi était sorti.

— Nous allons l'attendre, dit Eugénie.

Mais la domestique l'avait reconnue. Elle barra la porte et cria :

— Vous voulez attendre M. le Marquis ? Pour qu'il soit arrêté et fusillé avec vous ?... Allez-vous-en, et remerciez-moi de ne pas vous dénoncer [84] !...

L'impératrice et Mme Lebreton se retrouvèrent fort angoissées sur le trottoir.

— Si nous allions à la légation américaine ? proposa Mme Lebreton... Nous serions à l'abri. M. Washburne nous protégerait...

— C'est une merveilleuse idée, dit l'impératrice. Allons-y ! Où est-ce ?...

Elles s'aperçurent alors qu'elles ignoraient l'adresse de la légation américaine. Soudain, Eugénie prit le bras de sa lectrice :

— Allons chez mon dentiste, le docteur Evans. Il est américain aussi et sans fonctions politiques. C'est un ami, il nous donnera asile !...

Près de l'Étoile, elles trouvèrent un fiacre qui les conduisit avenue de Malakoff où habitait le docteur Evans.

Là, un domestique les fit entrer :

— Le docteur n'est pas là. Il va bientôt revenir. Voulez-vous vous asseoir dans la bibliothèque et l'attendre ?...

Les deux femmes s'installèrent dans des fauteuils en soupirant. Enfin, elles étaient à l'abri de la populace !

Une heure plus tard, à six heures, le docteur Evans, qui était allé faire un tour dans Paris, rentra chez lui. Le valet de chambre lui dit qu'il était attendu par deux dames qui n'avaient pas dévoilé le but de leur visite.

84. Maxime du Camp, *Mémoires*.

Le dentiste, intrigué, se rendit dans la bibliothèque.

Écoutons-le nous conter la scène :

« Lorsque je me trouvai en présence de l'impératrice Eugénie, j'éprouvai un étonnement sans bornes.

» — Vous êtes peut-être surpris de me voir ici, dit Sa Majesté. Vous savez ce qui s'est passé aujourd'hui : que le gouvernement est aux mains des révolutionnaires.

» Puis, en quelques mots, elle me dit comment elle avait été obligée de quitter les Tuileries sans avoir pu faire aucun préparatif.

» — Je suis venue à vous, ajouta-t-elle, pour avoir protection et assistance, parce que j'ai une entière confiance dans votre dévouement à ma famille. Le service que je vous demande maintenant, pour moi et pour cette dame qui est avec moi, Mme Lebreton, mettra votre amitié à rude épreuve.

» J'assurai immédiatement Sa Majesté que je serais trop heureux de lui donner la protection qu'elle cherchait.

» — Vous le voyez, dit-elle, je ne suis plus heureuse. Les mauvais jours sont venus et on m'abandonne.

» Elle s'arrêta, et des larmes remplirent ses yeux. A la vue de cette femme que j'avais connue, pendant tant d'années, souveraine de la France, venant en fugitive sous mon toit, à la pensée que celle qui avait été entourée d'amis, de courtisans et de tous les pouvoirs de l'État, semblait maintenant abandonnée et oubliée de tous dans son propre pays, et qu'elle avait dû chercher de l'aide auprès d'un étranger, je ne pouvais manquer d'éprouver un sentiment de douleur en même temps que de sympathie...

» Je demandai à Sa Majesté si elle avait formé un plan particulier qu'elle voulût mettre à exécution.

» Elle me répondit qu'elle désirait aller en Angleterre, si elle le pouvait, et exprima, en particulier, le vif désir de quitter Paris aussi vite que possible. Elle pensait que, lorsqu'on aurait découvert qu'elle avait quitté les Tuileries, on ferait peut-être des recherches pour la retrouver, et que les promoteurs de la révolution pourraient bien donner l'ordre de l'arrêter. Elle voulait aussi se mettre hors de l'atteinte de la populace, parce qu'elle savait fort bien que les bruits faux et malveillants que s'étaient appliqués à répandre sur son compte les ennemis du gouvernement impérial, et d'après lesquels elle aurait été personnellement responsable de la guerre, avaient excité contre elle, dans une partie de la nation, une vive animosité, toute prête à se manifester par un acte de violence. Aussi était-elle d'avis qu'il ne fallait pas perdre de temps, mais se mettre immédiatement en route sans trop réfléchir sur la direction à prendre ou sur le lieu où l'on s'arrêterait [85]. »

— Il faut partir, dit-elle, quitter Paris et la France !... S'*ils* me trouvent, *ils* me tueront comme Marie-Antoinette !...

Ainsi, Eugénie de Montijo, petite-fille d'un marchand de vin

85. Docteur Thomas Evans, *Mémoires*.

écossais, risquait-elle de connaître le même destin qu'une archiduchesse d'Autriche parce qu'un empereur l'avait aimée...

A onze heures du soir, le docteur Evans alla faire une petite reconnaissance en direction de la porte Maillot par laquelle il devait tenter de quitter Paris avec Eugénie. Il vit que les grilles n'étaient pas fermées [86] et que les voitures entraient et sortaient sans être fouillées. Soulagé, il rentra chez lui.

Le lendemain matin à 5 heures, il alla réveiller l'impératrice :
— Nous partons dans une demi-heure, madame. Mon landau est prêt.

Après un petit déjeuner léger, Eugénie, Mme Lebreton, le docteur Evans et son collaborateur, le docteur Crane, qu'il avait mis dans le secret, montèrent dans la voiture.

Le ciel était sans nuages. Une très belle journée s'annonçait.
— En route, dit le dentiste.

Eugénie lui sourit. Cette route n'allait-elle pas se terminer à la barrière de l'Étoile à cause d'un fonctionnaire trop perspicace ?...

Les roues du landau crissèrent sur le pavé de l'avenue Malakoff.

Écoutons le docteur Evans :

« En traversant la partie de la ville comprise entre mon hôtel et le bas de l'avenue de la Grande-Armée, nous vîmes des balayeurs à leur travail, des boutiquiers qui enlevaient leurs volets, des voitures de maraîchers et de laitiers qui se dirigeaient vers le centre de la ville, et d'autres signes de l'activité spéciale aux premières heures du matin, preuve que les événements de la veille n'avaient pas troublé, d'une façon sensible, le fonctionnement des rouages essentiels à la vie de la capitale.

» Lorsque nous arrivâmes à la grille, on nous ordonna de nous arrêter. Quand le chef du poste s'approcha de notre voiture, j'abaissai la glace que j'avais à ma droite ; lorsqu'il fut tout près de la portière, je me penchai en avant, de façon à remplir en partie l'ouverture avec ma tête et mes épaules, et, comme il me demandait où nous allions, je lui dis que j'allais avec ma voiture, mes chevaux et mon cocher à la campagne pour y passer la journée en compagnie des amis qui étaient avec moi, que j'étais connu de tout le monde dans le voisinage [87]. »

Cette réponse sembla satisfaire le chef de poste qui recula et dit au cocher :
— Allez !...

Le landau roula sur le pont-levis qui enjambait le fossé des fortifications, dépassa les postes avancés et se trouva bientôt dans la campagne.

Les fugitifs soupirèrent. Ils étaient hors de Paris et le premier obstacle était franchi. En outre, l'absence d'une surveillance spéciale aux portes de la capitale prouvait que la disparition de l'impératrice

86. Il y avait alors des grilles aux « barrières » de Paris.
87. DOCTEUR THOMAS EVANS, *Mémoires*.

n'avait pas encore été remarquée par les révolutionnaires qui palabraient sans discontinuer depuis plus de douze heures à l'Hôtel de Ville...

A six heures, le landau passa en vue de la Malmaison d'où Napoléon Iᵉʳ, en 1815, était parti, lui aussi, avec l'espoir de gagner l'étranger.

Eugénie sourit tristement :

— Comme l'histoire de France se répète ! dit-elle. Depuis cent ans, tous les gouvernements y ont fini par la révolution et par la fuite ! Tout récemment, comme quelques personnes exprimaient la crainte qu'une nouvelle défaite ne provoquât la chute du gouvernement impérial, je leur déclarai que je ne quitterais jamais les Tuileries en fiacre, comme Charles X et Louis-Philippe !... Et c'est précisément ce que j'ai fait !...

Après Meulan, le docteur Evans et le docteur Crane s'arrêtèrent pour se restaurer dans un cabaret et rapportèrent du pain et du saucisson aux fugitives qui s'en régalèrent.

A Mantes, l'impératrice apprit par les journaux que la République avait été proclamée la veille et que Trochu était président du gouvernement.

Elle pâlit :

— Comment a-t-il pu nous trahir ainsi ? Pas plus tard qu'hier matin, il m'a affirmé spontanément sur son honneur de soldat, sur sa foi de catholique et de Breton, qu'il ne m'abandonnerait jamais !

Et elle pleura.

A Évreux, la voiture dut traverser une foule chantant *la Marseillaise* et hurlant « Vive la République ! ». Par bonheur, les braves Ébroïciens avaient arrosé la chute de l'Empire avec tant d'allégresse que personne ne pensa à regarder les voyageurs...

A dix heures du soir, après mille incidents, le docteur Evans décida de s'arrêter dans une auberge de rouliers de la Rivière-Thibouville pour y passer la nuit.

L'impératrice, au bras du docteur Crane, traversa la salle pleine de buveurs en feignant de boiter.

— J'accompagne une malade, avait dit Evans à l'aubergiste.

Dans la chambre une curieuse scène se passa. Eugénie, ayant jeté un coup d'œil sur l'ameublement plus que rudimentaire, fut prise, soudain, d'un extraordinaire fou rire...

Ses amis la regardèrent, atterrés.

— Mon Dieu, madame, lui dit Mme Lebreton à mi-voix, comment pouvez-vous rire dans cette situation ?... Je vous en supplie, ne riez plus... Tout le monde nous épie et il y a dans la chambre à côté des gens qui peuvent vous entendre.

Mais Eugénie continuait de s'esclaffer :

— Regardez ces meubles... ce papier... cette cuvette ébréchée... C'est vraiment trop drôle !

Puis elle tira des mouchoirs de sa poche et les lança à terre en
gloussant.
— Je vais les laver !
Mme Lebreton voulut s'interposer.
— Non ! Laissez-moi faire, dit Eugénie. Je n'ai jamais tant ri de
ma vie.
Elle versa alors de l'eau dans la cuvette, frotta ses mouchoirs et les
colla à la vitre pour les faire sécher.
— Maintenant, je vais essayer de dormir... Bonne nuit !
Et, comme ses amis se retiraient fort tristes à la pensée que, peut-
être, les événements lui avaient dérangé l'esprit, elle se mit au lit en
riant aux éclats. Auraient-ils pu comprendre que cette femme trouvait
finalement comique d'avoir été impératrice la veille et de ne plus
posséder le lendemain que deux mouchoirs ?...

Au réveil, le docteur Evans décida qu'il valait mieux abandonner la
route et prendre le train. Les quatre fugitifs gagnèrent la station à
pied.
A huit heures cinq, le train de Serquigny entra en gare.
— Voilà un compartiment vide, dit Evans. Montons vite !
Tous quatre s'installèrent avec une impression de sécurité.
« Mais, nous dit le docteur Evans, lorsque le chef de gare, passant
le long du train, ouvrit la porte puis la referma après avoir jeté un
coup d'œil à l'intérieur, l'impératrice observa sur sa physionomie dure
un sourire méchant, une expression de haine qui l'alarma. »
L'homme l'avait reconnue...
Qu'allait-il faire ?
Sans doute répugna-t-il à dénoncer une femme, car il rentra dans
son bureau et n'alerta pas la police.
Quand le train s'ébranla, Eugénie poussa un soupir de soulagement.
En quelques secondes, elle s'était vue arrêtée, livrée à la populace,
malmenée, jetée dans un cachot, jugée comme Marie-Antoinette...
Toutes les souveraines en fuite pensent à Marie-Antoinette. Marie-
Louise y avait pensé en courant vers Rambouillet et la reine Amélie
aussi, qui accompagnait Louis-Philippe sur ce même chemin, de Paris
à la Manche...
A Serquigny, les fugitifs changèrent de train et montèrent dans
l'express qui arrivait de Paris. A neuf heures vingt, ils étaient à Lisieux.
Là, il fallut trouver une voiture pour rallier Deauville où Mme Evans
était en villégiature. Il pleuvait. Le docteur Evans abandonna ses
compagnons sous la porte cochère d'une fabrique de tapis et partit en
ville. Au bout d'une demi-heure, il revint avec un landau loué à prix
d'or.
« Lorsque j'arrivai dans la rue conduisant à la gare, écrit-il, je vis
l'impératrice debout sous la pluie, à l'entrée de la fabrique, semblant
seule et présentant une si parfaite image de l'abandon que l'impression
que j'en ressentis ne s'effaça jamais de mon esprit. »

Un court instant, il pensa à cette même femme qui, moins d'un an auparavant, inaugurait le canal de Suez au milieu d'un faste sans pareil...

A ce moment, un sergent de ville passa sur le trottoir en malmenant un ouvrier. Cette scène allait provoquer un incident extravagant. Eugénie, indignée, oublia sa situation, sortit de son abri et cria :

— Lâchez cet homme, je vous l'ordonne ! Je suis l'impératrice.

Stupéfaits, quelques passants s'arrêtèrent. Heureusement, le docteur Evans arrivait à la hauteur de la fabrique de tapis. Il descendit rapidement, se toucha le front pour indiquer que l'on avait affaire à une folle et fit monter prestement l'impératrice et ses compagnons dans le landau...

A trois heures de l'après-midi, ils atteignaient Deauville. Le dentiste américain fit arrêter la voiture devant une petite porte de l'Hôtel du Casino où s'était installée sa femme, et l'impératrice entra sans être remarquée. L'instant d'après, elle se glissait dans la chambre de Mme Evans et murmurait :

— Oh ! mon Dieu ! Je suis sauvée !...

Il fallait encore trouver un bateau. Le docteur courut à Trouville, décida un Anglais, sir John Burgogne, à prendre l'impératrice à bord de son yacht et le soir, à minuit, Eugénie embarquait.

Au petit jour, la *Gazelle* leva l'ancre. Presque aussitôt, une tempête terrible se déchaîna. Vingt fois, le yacht long de quinze mètres faillit se retourner et sombrer corps et biens.

« Ce petit bâtiment sautait sur les vagues comme un bouchon, raconta plus tard Eugénie. Je croyais que nous étions perdus. La mort dans ce grand tumulte me paraissait enviable et douce. Je songeais que j'allais disparaître et que nul ne connaissant le parti que j'avais pris de passer en Angleterre, on ignorerait à jamais ce que j'étais devenue. Ainsi un mystère impénétrable aurait enveloppé la fin de ma destinée [88]. »

Mais le petit yacht ne sombra pas, et, à quatre heures du matin, il était rangé dans la rade de Ryde.

Eugénie, cette fois, était réellement sauvée.

Quelques heures plus tard, elle retrouvait à Hastings le prince impérial qui venait d'arriver, lui aussi, en Angleterre, après un court séjour en Belgique. Tous deux s'embrassèrent en pleurant et, nous dit Pierre Fournel, « les assistants furent si émus que certains, trente ans plus tard, sanglotaient encore en racontant cette rencontre... ».

Le 24 septembre, l'impératrice et son fils s'installèrent à Chislehurst, à vingt minutes de Londres, dans une grande bâtisse de brique rouge entourée d'un parc, baptisée Camden Place.

L'aventure était finie. L'exil commençait...

Le soir même, Eugénie écrivit à l'empereur prisonnier au château de Wilhelmshöhe, en Prusse. Cette lettre marquait le début d'une

88. Mme CARETTE, *Souvenirs intimes de la cour des Tuileries.*

correspondance pleine de tendresse entre les deux époux. Le 6 octobre, l'ex-empereur écrivait :

J'ai le cœur brisé de voir par tes lettres combien le tien est meurtri. Pourvu que j'y aie toujours une petite place...

Les favorites étaient oubliées. Déchu, malade, captif, Napoléon III quémandait humblement la tendresse d'Eugénie.

Le 16, celle-ci lui répondit :

Cher et bien bon ami,
Des grandeurs passées il ne reste rien de ce qui nous séparait. Nous sommes unis, cent fois plus unis, parce que nos souffrances et nos espérances se confondent sur cette chère petite tête de Louis. Plus l'avenir se rembrunit, et plus le besoin de s'appuyer l'un sur l'autre se fait sentir...

La période des orages, des frasques et des scènes de jalousie était terminée. Les chagrins communs ramenaient les deux ex-souverains l'un vers l'autre.

Dès lors, Eugénie n'eut plus qu'un désir : obtenir l'autorisation du gouvernement prussien de se rendre auprès de l'empereur à Wilhelms-höhe et de se serrer contre lui comme au temps de leurs fiançailles...

Cette autorisation, Bismarck la lui refusa.

— Nous ne pouvons recevoir sur notre sol le chef d'une armée ennemie, dit-il.

On pourra s'étonner d'une telle appellation à la fin de septembre 1870, c'est-à-dire près d'un mois après la proclamation de la République. Il faut se souvenir qu'Eugénie était la maîtresse nominale de l'armée de Metz demeurée fidèle au gouvernement impérial qu'elle représentait. Elle se trouvait donc toujours personnellement en état d'hostilité avec la Prusse. Situation qui s'opposait, en effet, à son passage en territoire ennemi.

L'ex-impératrice eut alors une idée. Elle proposa à Napoléon III de se constituer prisonnière et de partager sa captivité.

L'ex-empereur, très touché, refusa. *Votre place,* écrivit-il, *est aux côtés de notre fils...*

Eugénie se résigna. Presque tout son temps fut, dès lors, occupé par la politique. Chaque jour, elle lisait les journaux venus de France et suivait avec passion le déroulement des opérations. Le moindre succès la faisait frémir d'espoir.

— Bazaine tient toujours dans Metz, disait-elle. S'il parvenait à effectuer une sortie et à bousculer l'ennemi, tout changerait peut-être pour nous !... Et puis, il y a l'armée de la Loire qui peut refouler les Prussiens... Allons, rien n'est perdu !...

Elle espérait aussi que des nations neutres interviendraient dans le conflit. Dès son arrivée à Chislehurst, elle avait écrit au tsar et à François-Joseph pour leur demander leur aide. Tous deux s'étaient empressés de lui répondre des lettres remplies de bonnes paroles mais qui ne contenaient aucun engagement.

Au début d'octobre, elle rencontra le comte Bernstorf, ambassadeur de Prusse à Londres, et le pria candidement de demander au roi Guillaume de ravitailler la place de Metz pour quelques jours, en attendant l'ouverture des pourparlers de paix.

Le roi de Prusse, stupéfait, répondit que « ce genre de complaisances n'était pas dans les usages militaires »...

Eugénie s'en montra fort déçue...

Le 27 octobre, Metz capitula.

Eugénie fut écrasée par cette nouvelle qui anénantissait tous ses espoirs. Elle s'enferma dans sa chambre et pleura.

Le 28, elle réapparut, toute habillée de noir, et annonça à son entourage qu'elle partait pour Wilhelmshöhe.

— Plus rien maintenant ne m'empêche d'aller voir l'empereur. Je dois décider avec lui de la conduite à tenir devant la situation nouvelle. La reddition de Bazaine enlève tout gage au régime impérial ; pour négocier avec la Prusse, s'il en reste encore quelque chance, plus un moment n'est à perdre !...

Elle partit sur-le-champ, sans bagage, accompagnée seulement du comte Clary, passa la mer et arriva à Kassel, le 30, dans l'après-midi.

Là, elle craignit que son arrivée soudaine ne causât une trop grande émotion à l'ex-empereur.

— Vous irez devant, dit-elle à son compagnon, et vous préviendrez Sa Majesté de ma venue...

Un quart d'heure après Clary, elle partit à son tour et fit seule les six kilomètres qui la séparaient de Wilhelmshöhe. Il était cinq heures lorsque sa voiture s'arrêta devant le perron du château. Elle en descendit, pâle, tremblante et vit Napoléon III, entouré de quelques officiers, qui l'attendait sur la dernière marche. Elle s'élança vers lui, voulant l'étreindre. Mais l'ex-empereur, qui n'était guère exubérant, se contenta de lui serrer les mains, comme s'il l'avait quittée la veille. Eugénie fut décontenancée. Un instant, nous dit-on, « ses yeux montrèrent de l'irritation ». Puis elle se laissa prendre par le bras et conduire dans le cabinet du prisonnier.

Quand ils furent seuls, tout changea. Napoléon III la serra contre lui et tous deux pleurèrent longuement. Par petites phrases, ils se demandèrent des nouvelles de leur santé, puis ils parlèrent du prince impérial...

Tandis qu'elle répondait aux questions, Eugénie regardait son mari. En deux mois, il avait terriblement vieilli. Ses yeux étaient troubles, ses joues flasques, ses cheveux blancs.

De son côté, lui la contemplait avec tendresse. Ce n'était plus la belle Espagnole qu'il avait aimée, mais c'était le seul être au monde sur lequel il pouvait compter désormais.

Le lendemain et les jours suivants, Eugénie tenta de pousser Napoléon III dans des négociations avec le roi Guillaume :

— Je suis persuadée que Bismarck, qui craint l'établissement d'une République en France, préférera traiter avec nous !...

L'ex-empereur secoua la tête :

— Non ! Il me faudrait consentir à trop de sacrifices ! J'ai agrandi la France ; comment pourrais-je signer son démembrement ?...

Eugénie insista. En vain. Le « doux entêté » demeura inflexible. Finalement, elle quitta Wilhelmshöhe le 1er novembre et rentra en Angleterre décidée à se tenir désormais à l'écart de la politique. Le 16, pour sa fête, elle reçut quelques fleurs du captif. Le 31 janvier 1871, ce fut elle qui lui adressa cette lettre qui « effaçait tout le passé » :

Cher ami,

C'est aujourd'hui l'anniversaire de notre mariage. Il se passera tristement, loin l'un de l'autre, mais du moins je peux te dire que je te suis bien profondément attachée. Dans le bonheur, ces liens ont pu se relâcher. Je les ai crus rompus, mais il a fallu un jour d'orage pour m'en démontrer la solidité et plus que jamais je me souviens de ces mots de l'Évangile : « La femme suivra son mari partout, en santé, en maladie, dans le bonheur et dans le malheur, etc. » Toi et Louis, vous êtes tout pour moi et me tenez lieu de toute ma famille et patrie. Les malheurs de la France me touchent profondément, mais je n'ai pas un instant de regret pour le côté brillant de notre existence passée. Être réunis enfin, et ce sera le but de mes désirs. Pauvre cher ami, puisse mon dévouement te faire oublier un instant les épreuves par lesquelles ta grande âme a passé. Ton adorable mansuétude me fait penser à Notre Seigneur. Tu auras, crois-moi, aussi ton jour de justice. En attendant, Louis et moi t'embrassons de tout notre cœur.

A toi,

EUGÉNIE.

Napoléon III, déchu et malheureux, avait retrouvé l'amour de sa femme. Les sages diront que cela valait bien un empire...

14

La dernière maîtresse de Napoléon III tente de fléchir Bismarck

Cet empire qu'il devait à une femme,
qu'une autre femme avait contribué à lui faire perdre,
une troisième femme voulait le lui rendre...

G. LENOTRE

Napoléon III occupait ses heures de captivité à écrire des brochures sur l'encerclement de Sedan et sur les causes de la défaite. Le soir venu, pour oublier son échec, il faisait des réussites.

Au début de février 1871, cette vie calme fut troublée par une visite imprévue.

Un matin, on vint annoncer au prisonnier que la comtesse de Mercy-Argenteau désirait le voir.

Napoléon III fut stupéfait. De toutes ses maîtresses, Louise était donc la seule qui ait eu le courage d'entreprendre un voyage difficile pour lui apporter un peu de tendresse.

Très ému, il alla à sa rencontre. Quand ils furent face à face, elle tomba à genoux en pleurant. L'ex-empereur la releva et l'entraîna dans sa chambre. Là, il la prit dans ses bras :

— Votre visite me touche infiniment, Louise...

Puis il lui caressa un sein — ce qu'il n'avait pas osé faire à Eugénie — et regretta de n'avoir plus sa belle virilité de naguère pour savourer cette comtesse pulpeuse dont il connaissait toutes les ressources. Patiente, la comtesse se laissa titiller un long moment en poussant de petits cris qui rappelaient à Napoléon III les bons moments passés à la sacristie de l'Élysée.

Enfin elle rangea soigneusement son sein et aborda le sujet qui l'amenait à Wilhelmshöhe.

— Sire, j'ai un projet à soumettre à Votre Majesté. Je connais bien M. de Bismarck. Il m'a toujours porté un intérêt particulier. Ses compliments et sa galanterie à mon égard n'étaient pas de pure forme. Je crois qu'ils témoignaient d'un désir très vif de me plaire...

Elle sourit :

— Une femme voit tout de suite de quelle façon un homme la regarde !... Je pense donc que si Votre Majesté voulait bien me confier une mission auprès de M. de Bismarck, j'obtiendrais des adoucissements aux conditions de paix...

Napoléon III vit là un moyen de remonter sur le trône.

— J'accepte, dit-il. Vous allez vous rendre au château de Versailles où s'est installé Bismarck et vous lui direz que, pour établir une paix capable de faire renaître la prospérité dans nos deux pays, il doit traiter non pas avec les démagogues qui ont usurpé le pouvoir, mais avec le gouvernement légitime... Rappelez-lui que j'ai été plébiscité en mai dernier par 7 millions de Français. Je suis sûr qu'à moi, il offrira une paix moins onéreuse que celle qu'il veut imposer à l'Assemblée de Bordeaux. Après quoi, dites-lui que je suis prêt à signer avec l'empereur d'Allemagne une alliance fondée sur une appréciation équitable des intérêts de nos deux pays...

Fort excitée, Mme de Mercy-Argenteau quitta le soir même Wilhelmshöhe. Trois jours plus tard, elle arrivait à Versailles, s'installait à l'Hôtel des Réservoirs et demandait une audience à Bismarck.

Le chancelier la reçut au palais, dans les appartements de Marie-Antoinette, et lui offrit une flûte de champagne.

Le sourire ambigu, l'œil prometteur, Louise rappela les jours de paix, puis, de plus en plus chatte, exposa l'objet de sa visite.

— Rien ne manque à Sa Majesté l'empereur Guillaume, si ce n'est de faire une grande paix qui, au lieu de laisser comme traces de son passage la ruine, le désespoir et l'anarchie, témoigne de la grandeur de son caractère et de la profondeur de ses vues politiques. Pour cela, il faut refuser de traiter avec l'Assemblée nationale qui doit être élue le 8 février et négocier avec Sa Majesté Napoléon III... Je vous demande d'y penser... Je vous le demande, pour moi...

Elle lança son regard bleu dans les yeux du chancelier. Mais Bismarck n'était plus l'homme qu'elle avait connu. Il se contenta de sourire :

— Chère madame, je suis très heureux et très honoré de votre visite... Mais nous ne faisons pas la guerre avec des gants [89] !...

Louise attendit quelques jours avant de repartir pour Wilhelmshöhe. Le 8 février, elle apprit que l'Assemblée nationale venait de nommer M. Thiers chef du pouvoir exécutif de la République française. « Dès qu'il aura constitué son ministère, écrivait un journaliste, le nouveau chef du gouvernement doit rencontrer M. de Bismarck à Versailles pour entamer les pourparlers de paix... »

Louise fut atterrée.

Quelques jours plus tard, les journaux publièrent les conditions imposées par l'Allemagne : « Une indemnité de guerre de 6 milliards,

---

[89]. Quelque temps auparavant, une autre femme s'était déjà entremise pour obtenir un armistice et essayer d'adoucir les conditions de paix. Une femme que l'on ne s'attendrait d'ailleurs pas à voir mêlée aux négociations franco-allemandes puisqu'il s'agit de Mme de Castiglione.

M. Thiers était allé la voir à Florence, le 12 octobre 1870, pour la prier de demander à Bismarck, qu'elle avait bien connu à Paris, de le recevoir à Versailles. L'ex-favorite, trop heureuse de jouer enfin un rôle politique, s'était empressée d'écrire, et M. Thiers avait été reçu par le chancelier au début de novembre. Fort satisfait de l'entrevue, le petit Marseillais avait remercié sa belle amie (avec laquelle il correspondait au moyen d'un chiffre). Celle-ci s'était aussitôt jetée sur sa plume pour écrire à Bismarck une grande lettre qu'a retrouvée Alain Decaux. En voici un extrait :

Monsieur le Comte,
Votre courtoise adresse n'a pas besoin d'éloges, mais mérite reconnaissance. Veuillez accepter la mienne, ce n'est que celle d'une femme, mais elle vous vaudra celle de la postérité à venir (sic)...
Ne faites pas naître la haine, une haine implacable alliée à la vengeance en tuant les affections et les amours...

Parlant des Français, elle ajoute :

Ils ont perdu, ils sont perdus, et c'est à vous de céder, il faut en avoir la fière générosité. Permettez-moi le conseil, et recevez-le comme venant de moi en particulier... Faites un dernier pas vers les Parisiens, arrivez jusqu'à leur permettre de vivre puisqu'ils consentent à la conservation de Paris, et je vous assure de l'efficace et sincère coopération de ceux qui sont à la tête de sa défense pour former un gouvernement régulier et stable avec lequel vous puissiez signer la paix qu'amènera l'avenir inévitablement...

Hélas ! les négociations avaient été rompues le 6 novembre sur l'ordre du gouvernement de Défense Nationale où les partisans de la guerre à outrance, entraînés par Gambetta, traitaient M. Thiers de traître à la patrie. Et Mme de Castiglione avait été furieuse de ce nouvel échec politique.

la cession de l'Alsace, y compris Belfort qui résistait encore, et la Lorraine avec Metz. »

Le surlendemain, une lettre de Napoléon III parvenait à Mme de Mercy-Argenteau :

Ce n'est pas une paix que conclut l'empereur d'Allemagne, c'est nous tuer et, au lieu de rétablir la paix, elle sème pour l'avenir la haine et la méfiance. Est-ce un bon calcul, même pour l'Allemagne ? Je ne le crois pas. L'état de civilisation dans lequel se trouve l'Europe fait que les nations sont liées entre elles par une foule d'intérêts communs, de sorte que la ruine de l'une réagit sur toutes les autres... Trente-huit millions d'hommes n'ayant dans le cœur que le désir de vengeance, c'est maintenir une plaie ouverte sur un des membres principaux du corps social...

Mme de Mercy-Argenteau fit ses bagages et reprit tristement la route de Wilhelmshöhe.

Napoléon III ne lui reprocha pas son échec. Il la conduisit dans un salon où, sous le portrait de la reine Hortense, se trouvait une épinette.

— Jouez, dit-il.

La comtesse joua *Plaisir d'amour*.

L'ex-empereur s'était étendu sur un canapé et rêvait. Quand elle eut terminé, Louise alla s'agenouiller près de lui.

— Je crois que tout est fini maintenant, murmura-t-il.

Le lendemain, Louise annonça son intention de retourner à Paris.

— Peut-être y a-t-il encore quelque chose à faire, dit-elle.

L'ex-empereur l'embrassa sans répondre. Puis il lui tendit une médaille.

— Cette médaille appartenait à ma mère. Je suis heureux de vous l'offrir. Merci d'avoir tout tenté !...

Puis il l'étreignit longuement et elle monta dans sa voiture.

Ils ne devaient jamais se revoir [90]...

A Paris, Mme de Mercy-Argenteau eut une mauvaise surprise. Dans son courrier se trouvait une chanson intitulée *Le Mea Culpa de Badinguet* dont voici quelques couplets :

Ici je le confesse
En toute humilité,
Je suis un grand Jean-fesse,
Sans foi, sans dignité,
Mais... J'en suis consolé
Parce que j'ai volé.

C'est moi qui suis cet homme

90. Mme de Mercy-Argenteau eut une vieillesse agitée. « Une vie errante la mena de capitale en capitale ; vieillie, brouillée avec sa famille et démunie d'argent, elle acheva ses jours à Saint-Pétersbourg où, vêtue d'une robe de laine noire, elle vivota dans un médiocre logement meublé de pitchpin. » ADRIEN DANSETTE, *Les amours de Napoléon III.*

De qui vous parlez tant,
Et que partout on nomme
Le lâche de Sedan.
Je suis ce grand larron
Nommé Napoléon.

Ma charmante Eugénie,
La blonde aux cheveux d'or,
Secondait mon génie,
Et j'ai peut-être eu tort
De fuir ses chastes seins
Pour courir les catins...

Louise en conclut que l'amitié des grands présentait quelques inconvénients...

Malgré une fesse dont M. de Frémilly qui l'avait eue en main nous dit qu'« elle constituait la huitième merveille du monde », Mme de Mercy-Argenteau avait donc échoué.

D'autres femmes allaient avoir plus de chance. A l'heure où les hommes politiques palabraient sans agir, de ravissantes personnes, avec leur charme et leur sourire pour seules armes, remportaient en effet d'éclatantes victoires sur nos vainqueurs.

Les républicains fervents et les historiens austères mettent généralement l'accent sur le rôle tenu à cette époque par Thiers, Jules Favre et Gambetta. Qu'une femme ait pu aider à la réalisation de certaines négociations, dans l'ombre, leur semble probablement choquant, car ils n'en soufflent mot. Il m'a paru juste, équitable — et pourquoi pas, salutaire — de mettre les choses au point.

« Les femmes eurent alors, écrit en effet Pierre de Lano, quelque influence, quelque initiative dans l'enchaînement des événements, et les jours qui suivirent la chute de la dynastie impériale sont surtout curieux par l'esprit d'intrigue dont elles les marquèrent, par l'intelligence incontestable qu'elles surent mettre à la disposition des hommes d'État occupés à liquider la situation fort embarrassée et fort délicate qui résultat de la guerre [91]. »

La comtesse de Valon fut une de ces femmes. C'était une jolie blonde aux yeux mauves douée d'un charme troublant et d'un tempérament de salpêtre.

Fille du marquis de la Rochelambert, sœur de Mme de la Moskowa et de la Poëze, dames du palais de l'impératrice Eugénie, elle se trouva curieusement mêlée aux événements de 1871.

Mme de Valon avait vécu à la cour du roi de Prusse où son père était ambassadeur de France. Elle y avait connu tous les jeunes aristocrates allemands et l'un d'eux, le comte Arnim, était tombé amoureux d'elle.

91. Pierre de Lano, *L'empereur Napoléon III*.

Les deux jeunes gens avaient envisagé un mariage que diverses circonstances avaient empêché. De retour en France, Mlle de la Rochelambert s'était mariée avec le comte de Valon et sans doute ne se serait-elle jamais retrouvée devant son ancien soupirant sans la défaite de 1870.

En 1871, Thiers, chef du pouvoir exécutif avec mission de débattre le traité qui devait mettre fin aux hostilités entre la France et la Prusse, nomma M. Pouyer-Quertier, un ami intime de la famille de la Rochelambert, au ministère des Finances. Ce ministre fut désigné par l'Assemblée pour discuter le montant de l'indemnité de guerre réclamée par les Allemands.

Or, l'homme chargé par l'empereur Guillaume d'écraser la France « sous une dette de plomb » s'appelait M. d'Arnim...

Quand elle apprit que M. Pouyer-Quertier allait se trouver face à face avec son ancien amoureux, Mme de Valon pensa qu'elle devait intervenir. Écoutons Pierre de Lano conter cette scène peu connue :

« Elle se rendit auprès du vieil ami de sa famille et lui dit :

» — M. d'Arnim est, sous des apparences doucereuses et courtoises, d'une obstination et d'un rigorisme extrême. Il a la haine du Français par-dessus tout, quoi qu'on dise, et il sera implacable dans la mission qu'il a acceptée. Je connais d'Arnim par cœur. Voulez-vous que je vous l'amène à composition, que je vous serve en même temps que je servirai les intérêts du pays ? Si oui, laissez-moi faire, donnez-moi carte blanche. M. d'Arnim, naguère, a voulu m'épouser ; je sais qu'il ne m'a pas oubliée. Voulez-vous que je le revoie ? Je suis certaine que, de cette rencontre, naîtra, pour vous, quelque circonstance favorable qui facilitera votre tâche.

» M. Pouyer-Quertier connaissait assez Mme de Valon pour comprendre qu'elle ne parlait pas en vain.

» — Mais comment vous y prendrez-vous ?

» — De deux choses, l'une : ou, comme on me l'a dit, M. d'Arnim ne m'a point oubliée, et alors je me charge de lui ; ou il m'a oubliée, et toute ma diplomatie échouera devant ses résolutions. Dans un cas comme dans l'autre, que risquez-vous à me mettre en sa présence pour la réussite de vos négociations, pour le bien du pays ?

» — Soit ! dit M. Pouyer-Quertier. Faites comme il vous plaira. M. d'Arnim doit venir ici demain, vers 2 heures. Soyez au ministère comme par hasard. Je le mets entre vos mains.

» Le lendemain, un peu avant l'heure fixée, Mme de Valon arrivait au ministère et, après un entretien rapide avec M. Pouyer-Quertier, s'installait dans le vestibule sur lequel donnait l'escalier conduisant au cabinet officiel.

» Bientôt, M. d'Arnim se présenta. »

En voyant Mme de Valon, debout, bien droite sur la première marche de l'escalier, il s'arrêta net. Les lèvres tremblantes, il considéra un instant cette femme qu'il n'avait pas cessé d'aimer et comprit les raisons de sa présence en ce lieu. Il pensa — il l'avouera plus tard — : « Je suis vaincu ! »

« Puis, dans un trouble, dans une émotion à peine cachés, poursuit Pierre de Lano, il s'avança vers la comtesse et leur quatre mains s'unirent.

» Mme de Valon l'entraîna, remonta avec lui quelques marches et, s'asseyant avec lui *dans l'escalier* même, lui parla rapidement, et chaleureusement, en allemand.

» Que lui dit-elle ? On peut le deviner. M. d'Arnim l'écouta sans l'interrompre, la tête baissée, la main toujours dans sa main et, quand elle se tut :

» — Je vous obéirai, fit-il dans un effort ; et il répéta ces paroles : "Soyez certaine que je vous obéirai !..."

» Mme de Valon se leva alors et lui rendit sa liberté :

» — Songez à votre promesse, dit-elle. Le ministre vous attend et vous allez redevenir Allemand devant lui, trop Allemand même. Mais je serai dans une pièce à côté de son cabinet et j'entendrai toute votre conversation. Si vous me trompez, j'entrerai et je vous rappellerai votre serment.

» Pendant l'entretien qui eut lieu entre M. Pouyer-Quertier et M. d'Arnim au sujet de la libération du territoire et des conditions relatives au versement des frais de guerre, Mme de Valon se tint dans un salon proche du cabinet ministériel ; et, lorsque la discussion semblait prendre, entre les deux hommes, une tournure défavorable, elle apparaissait par la porte laissée entrouverte, ramenant ainsi l'ambassadeur à la modération qu'elle lui avait imposée⁹². »

Grâce à Mme de Valon, les conditions de paix furent donc adoucies. N'était-il pas juste de rendre hommage à son souvenir ?

15

Les femmes pendant le siège de Paris

A bon rat, bon chat...
PIERRE SISSER.

Dès les premiers jours du siège, les Parisiens s'étaient engagés en masse dans le Garde Nationale pour défendre la cité.

Bientôt, les Parisiennes voulurent « servir » elles aussi. Des centaines d'entre elles devinrent ambulancières, ou infirmières. On les vit dans la neige, sous les obus, soigner les soldats et les « moblots » blessés. D'autres furent cantinières. Mais, au début d'octobre, certaines femmes du peuple, que démangeait l'envie de tenir un fusil, réclamèrent la création d'un bataillon féminin.

Déjà quelques-unes portaient l'uniforme en fraude. Un jour, au

---

92. PIERRE DE LANO, *L'empereur Napoléon III*.

Champ-de-Mars, un étrange colonel avait passé en revue une compagnie de la Garde Nationale. Doté d'une taille de guêpe, de hanches rondes et d'une poitrine qui pointait joliment vers les gardes nationaux médusés, il marchait en « tortillant de la croupe ».
— Mais c'est une femme ! avait dit quelqu'un.
C'était une femme, en effet. Le colonel désigné n'ayant pas terminé sa partie de manille, avait envoyé sa maîtresse à sa place.
Les Parisiennes attirées par le métier militaire ne voulaient pas, on s'en doute, se contenter de ces faux-semblants. Elles désiraient être enrégimentées officiellement. Un homme se fit leur porte-parole. Il s'appelait Félix Belly.
Le 10 octobre, tous les murs de Paris furent couverts d'affiches vertes portant ce texte qui avait l'avantage d'être à la fois documentaire et exaltant :

1ᵉʳ BATAILLON DES AMAZONES DE LA SEINE

Pour répondre aux vœux qui nous ont été exprimés par de nombreuses lettres et aux dispositions généreuses d'une grande partie de la population féminine de Paris, il sera formé successivement, au fur et à mesure des ressources qui nous seront fournies pour leur organisation et leur armement, dix bataillons de femmes, sans distinction de classes sociales, qui prendront le titre d'AMAZONES DE LA SEINE.

Ces bataillons sont principalement destinés à défendre les remparts et les barricades, concurremment avec la partie la plus sédentaire de la Garde Nationale, et à rendre aux combattants, dans les rangs desquels ils seraient distribués par compagnies, tous les services domestiques et fraternels compatibles avec l'ordre moral et la discipline militaire. Ils se chargeront, en outre, de donner aux blessés, sur les remparts, les premiers soins qui leur éviteront le supplice d'une attente de plusieurs heures. Ils seront armés de fusils légers, ayant au moins une portée de 200 mètres, et le Gouvernement sera prié de les assimiler aux Gardes Nationales pour l'indemnité de 1,50 F.

Le costume des AMAZONES DE LA SEINE se composera d'un pantalon noir à bandes orange, d'une blouse de laine noire à capuchon, d'un képi noir à lisérés orange, avec une cartouchière en bandoulière.

Un bandeau d'enrôlement est ouvert rue Turbigo, 36, de 9 heures du matin à 5 heures du soir, pour la formation du 1ᵉʳ bataillon, sous la direction d'un officier supérieur en retraite. On ne pourra s'y présenter qu'accompagné d'un garde national comme répondant. Le bataillon comprendra huit compagnies de 150 amazones, en tout 1 200 ; et chaque compagnie sera immédiatement exercée par des instructeurs au maniement du fusil et à la marche régimentaire.

Pour couvrir les frais de cette création qui doit être improvisée, sous peine de devenir inutile, un appel adressé par la voie de la presse à toutes les dames des classes riches sollicitera de leur patriotisme et de leur intérêt, bien entendu, le sacrifice de leur superflu à la cause sacrée du pays. Elles ont assez de bracelets, de colliers et de bijoux, que leur arracherait le

brigandage prussien si Paris succombait, pour armer cent mille de leurs sœurs. Elles ne se refuseront pas, je l'espère, à témoigner de leurs sentiments civiques par les plus larges souscriptions, et à renverser ainsi la barrière qui les a trop longtemps séparées des classes laborieuses.
    Les moments sont précieux. Les femmes, elles aussi, sentent que la patrie et la civilisation ont besoin de toutes leurs forces pour résister aux violences sauvages de la Prusse. Elles veulent partager nos périls, soutenir nos courages, nous donner l'exemple du mépris de la mort et mériter ainsi leur émancipation et leur égalité civile. Elles ont plus que nous le feu divin des grandes résolutions qui sauvent, et le dévouement actif qui soutient et console. Ouvrons nos rangs pour recevoir, sur les remparts, les compagnes aînées du foyer ; et que l'Europe apprenne avec admiration que ce ne sont pas seulement des milliers de citoyens, mais encore des milliers de femmes qui défendent, à Paris, la liberté du monde contre un nouveau débordement de barbares.
    Le chef provisoire du 1ᵉʳ Bataillon :

FÉLIX BELLY.
Paris, 10 octobre 1870.

Quinze cents volontaires se présentèrent rue Turbigo. Et une élève du Conservatoire, qui avait dû connaître quelques ennuis avec des professeurs trop entreprenants, s'écria :
— Maintenant, les hommes ne nous considéreront plus simplement comme des instruments de plaisir !...
D'autres, au contraire, ne voyaient dans l'uniforme noir et orange qu'un moyen de séduction. Des prostituées s'engagèrent... Naïf, le chef provisoire du 1ᵉʳ Bataillon se frottait les mains. Malheureusement, les attroupements formés devant le 36 rue Turbigo finirent par agacer les voisins qui jetèrent des pots d'eau et des épluchures de pommes de terre sur les Amazones braillardes...
De véritables charivaris s'ensuivirent et la police intervint. Finalement, Félix Belly renonça à son bataillon de femmes et écrivit cette pensée désabusée : « Le projet des Amazones a sombré dans la boue et la voyoucratie... »

Alors un *club* de femmes fut créé par le citoyen Jules Allix ; ce personnage était un curieux hurluberlu qui s'était fait connaître sous le second Empire par l'invention d'un système de télégraphie sans fil au moyen d'*escargots sympathiques*... D'après lui, « deux escargots élevés ensemble acquéraient un synchronisme de mouvements si parfait qu'il suffisait de placer l'un de ces gastéropodes sur un damier-alphabet pour qu'aussitôt son frère, fût-il à cent lieues, allât immédiatement ramper sur la case correspondante d'un damier semblable[93] ».
Jules Allix eut bientôt plusieurs centaines d'adhérentes à son *club*.

93. Cf. BARON MARC DE VILLIERS, *Histoire des clubs de femmes et des légions d'Amazones*. L'auteur ajoute : « Émile de Girardin, qui ignorait sans doute qu'Allix sortait de l'asile de Charenton, prit l'invention au sérieux... Et il ne fut pas le seul !... »

Ces braves femmes, tout à la joie d'être enfin considérées comme des Françaises à part entière, écoutaient sans sourciller des discours ahurissants dont Francisque Sarcey nous donne une idée :

« Comme il faut, dit-il, que Paris soit toujours la ville des excentricités, il s'y fonda un *Club de Femmes* où les hommes n'étaient admis que comme spectateurs. Le président était une présidente, les assesseurs des assesseuses. J'ignore s'il tint plusieurs séances. Le récit de celle qui eut lieu au Gymnase Triat, dans le courant d'octobre, amusa tout Paris. Le citoyen Jules Allix, secrétaire du comité de ces dames, y soutint deux propositions : la première, c'est que les femmes devaient être armées ; la seconde, c'est qu'elles étaient invitées à protéger leur honneur contre les ennemis. Et par quel moyen ? Ici, l'orateur prit un temps habile et, repartant d'une voix forte : au moyen de l'acide prussique. L'acide prussique ! Le citoyen Jules Allix, avec un sourire, fait alors remarquer combien il est curieux que l'acide prussique puisse servir à tuer les Prussiens. Puis il entame la description d'un appareil avec lequel il sera facile de tuer tous les Prussiens qui entreraient dans Paris. L'inventeur avait appelé cet appareil le *Doigt de Dieu !* Mais le citoyen Jules Allix croit qu'il vaut mieux l'appeler le *Doigt prussique*. Il consiste en une sorte de dé de caoutchouc que les femmes se mettent au doigt. Au bout de ce dé est un petit tube contenant l'acide prussique. Le Prussien s'approche, vous étendez le doigt, vous le piquez, il est mort. Si plusieurs Prussiens s'approchent, tandis qu'autrement la femme ne sortirait de leurs mains que folle ou morte, celle qui a le doigt prussique les pique ; elle reste tranquille et pure, ayant autour d'elle une couronne de morts[94]. Ainsi parle le citoyen Allix, et les femmes versent des larmes d'attendrissement, et les hommes rient à se tordre. On aborde ensuite la question du costume, et Allix va reprendre la parole pour discuter les avantages de la ceinture hygiénique, quand une voix fait remarquer qu'en sa qualité d'homme, l'orateur doit être exclu du bureau. Le citoyen Jules Allix interpelle le possesseur de la voix et le défie de se montrer. Le possesseur de la voix est un garde national de six pieds de haut qui saute d'un bond à la tribune. A sa vue éclate un tumulte épouvantable ; présidente, assesseuses et zouavesses se jettent sur lui, le pincent, l'égratignent, et il ne s'échappe qu'en lambeaux de leurs mains[95]. »

Fort heureusement, toutes les Parisiennes n'étaient pas animées par le désir de ressembler aux hommes. La plupart demeuraient fidèles à leur état, et certaines surent aider les soldats sans avoir besoin de fusil...

Je ne citerai qu'un exemple :

---

94. Jules Allix préconisait également le fusil à eau chaude. Enfin, pour exterminer les soldats prussiens, il proposait de lâcher dans la bataille les lions et les tigres du Jardin d'Acclimatation. On ne put jamais lui faire comprendre qu'il était difficile d'apprendre aux fauves à respecter les Parisiens et à manger uniquement les Prussiens.
95. FRANCISQUE SARCEY, *Le siège de Paris.*

Le soir de Noël, une jeune veuve, Mme Rigal, qui habitait non loin de la barrière des Ternes, fut soudain prise de pitié à la pensée de ces braves moblots qui montaient la garde dans la neige. Elle s'enveloppa d'un châle, courut vers les fortifications et aborda un jeune garde :
— Veux-tu venir réveillonner avec moi ?
Le garçon fut ébahi :
— Je n'ai pas le droit de quitter mon poste.
— Dans une demi-heure tu seras de retour... Je te le promets...
Il accepta et suivit la jeune femme chez elle. Là, sur la table de la salle à manger, devant un maigre feu de bois, il n'y avait qu'un verre de vin.
— C'est bien peu, dit la veuve... mais je suis là !
Le soldat la regarda sans comprendre.
— Oui, ajouta-t-elle en baissant les yeux ; j'ai pensé que je pouvais constituer un réveillon assez agréable pour un brave soldat.
Le garçon fut aussi de cet avis. L'instant d'après, il réveillonnait dans un grand lit...
Mme Rigal était une bonne Française. Grâce à elle, en cette nuit de Noël 1870, dix-sept jeunes gardes mobiles eurent un savoureux réveillon et un verre de vin...

Le 23 janvier 1871, le général Trochu et les membres du gouvernement de Défense Nationale qui avaient juré solennellement aux Parisiens de ne jamais capituler furent extrêmement confus en apprenant que la capitale n'avait plus de pain que pour cinq jours [96]...
Jules Favre, ministre des Affaires étrangères, convoqua le général d'Hérisson et lui dit en tremblant :
— Général, nous sommes navrés... Tout est perdu... L'administration s'est trompée... Nous n'avons plus de pain... Il faut entrer en pourparlers avec Bismarck... Demain matin, à l'aube, vous irez porter cette dépêche aux avant-postes allemands. Je demande un entretien au chancelier... Mais je vous en conjure, personne ne doit connaître le but de votre démarche !...
Il soupira et se remit à trembler.

96. Paris investi mangeait du rat, du zèbre, de l'éléphant, du kangourou, du singe. Tous les animaux comestibles finissaient leur existence dans des casseroles, et Henri d'Alméras nous dit que même les poissons rouges des bassins des Tuileries qui, « gardant un silence prudent, avaient vainement espéré qu'on les laisserait tranquilles », furent pêchés et frits comme de vulgaires goujons...
Pour distraire un peu les Parisiens de leurs préoccupations alimentaires, certains éditeurs publièrent des brochures scandaleuses sur la vie intime de Napoléon III, d'Eugénie et des autres membres de la famille impériale. Quelques titres suffiront à donner le ton de ces pamphlets : « La femme Bonaparte, ses amants, ses orgies », « Les Tuileries, lupanar impérial », « Louis-Napoléon, le satrape », « La fille Mathilde Bonaparte et son maquereau Demidoff », etc.
Les Parisiens, heureux de pouvoir oublier pendant quelques instants les bombardements, le froid intense de cet hiver de guerre (le thermomètre descendit jusqu'à — 15°), et les files d'attente devant la boulangerie ou le laitier, se repaissaient avec avidité de cette « littérature d'évasion ».

— Dieu seul connaît les épreuves par lesquelles la population parisienne va nous faire passer lorsque nous allons être obligés de lui dire la vérité...

Et, pitoyable dans sa redingote trop longue dont le col était constellé de pellicules, il secoua sa tête hirsute et barbue :

— Surtout, ne dites rien !...

Le général d'Hérisson salua ce ministre dont la silhouette allait servir de modèle à plusieurs générations de politiciens de la IIIᵉ République, et se retira.

Le lendemain, il fit tenir le message à Bismarck qui autorisa M. Favre à traverser les lignes prussiennes et à venir jusqu'à Versailles.

— Allons-y tout de suite, dit le ministre des Affaires étrangères.

Ils partirent par le bois de Boulogne, parvinrent à la Seine, et découvrirent une barque trouée comme une écumoire où ils s'installèrent. Tandis que le général d'Hérisson ramait, M. Favre, en haut-de-forme et en redingote, sa serviette ministérielle sous le bras, écopait, au moyen d'une vieille casserole en fer-blanc, l'eau qui montait dans l'embarcation...

Sur la rive droite du fleuve, plusieurs officiers prussiens attendaient les parlementaires français. M. Favre fut conduit à Versailles où Bismarck le déconcerta dès la première phrase :

— Oh ! Monsieur le ministre, vous avez beaucoup blanchi depuis Ferrières [97] !

M. Favre eut les larmes aux yeux.

— J'ai tant de soucis ! soupira-t-il.

Bismarck hocha la tête d'un air compréhensif, puis, brusquement, attaqua :

— Vous venez bien tard, M. Favre... Je suis en train de traiter avec un envoyé de Napoléon III.

Le ministre blêmit :

— Quoi ?

Les gros sourcils de Bismarck se rapprochèrent :

— Pourquoi traiterais-je avec vous ? Pourquoi donnerais-je à votre République une apparence de légalité en signant une convention avec ses représentants ? Au fond, vous n'êtes qu'une bande de révoltés !... Votre empereur, s'il revenait, aurait le droit strict de vous faire fusiller tous comme traîtres et comme rebelles !...

Jules Favre ne s'attendait pas à cela.

— Mais, s'il revient, s'écria-t-il éperdu, c'est la guerre civile !... c'est l'anarchie !...

— En êtes-vous bien sûr ? Et d'ailleurs, la guerre civile, en quoi pourrait-elle nous nuire à nous, Allemands ?...

Favre, dont la figure, nous dit-on, ressemblait à « un croissant de lune attristé », se redressa et dit, dans un joli mouvement de menton :

---

97. Le 18 septembre, Jules Favre avait rencontré Bismarck à Ferrières et avait pleuré. « On aurait dit, écrit le général d'Hérisson, une vieille chèvre gémissante entre les pattes d'un lion. »

— Mais vous n'avez donc pas peur, monsieur, d'exaspérer notre résistance ?

Le chancelier donna un coup de poing sur la table.

— Ah ! vous parlez de votre résistance !... Ah ! vous êtes fier de votre résistance ? Eh bien ! Monsieur, sachez que si M. Trochu était un général allemand, je le ferais fusiller ce soir ! On n'a pas le droit, m'entendez-vous, on n'a pas le droit, en face de l'humanité, en face de Dieu, pour une vaine gloriole militaire, d'exposer, comme il le fait en ce moment, aux horreurs de la famine, une ville de plus de deux millions d'âmes. Les lignes ferrées sont coupées de toutes parts. Si nous n'arrivons pas à les rétablir en deux jours, et cela n'est pas certain, il vous mourra, par jour, cent mille personnes, de faim, à Paris. Ne parlez pas de votre résistance : elle est criminelle [98] !

Le ministre des Affaires étrangères, penaud, changea de conversation.

Le lendemain, l'atmosphère fut plus détendue. Bismarck invita les Français à déjeuner. Repas étrange où l'on vit M. Favre, plus triste que jamais, pleurer à plusieurs reprises et s'essuyer les yeux avec sa serviette tandis que le jeune général d'Hérisson s'amusait à se moquer des Prussiens.

L'un d'eux, ayant pris une mine apitoyée pour parler des restrictions alimentaires dont les Parisiens souffraient, l'officier l'interrompit et dit sur un ton confidentiel :

— Ne croyez pas que nous soyons aussi affamés qu'on le raconte... Tout le monde s'est débrouillé... Je vais vous en donner un exemple : au début du siège, les sergents de ville circulaient par groupe de trois pour se prêter main-forte au besoin. Aujourd'hui, ils vont par deux...

Il prit un temps et ajouta en baissant la voix :

— Eh bien ! on affirme que les deux qui restent ont mangé le troisième !...

Les Prussiens se regardèrent, perplexes.

Le 26 janvier à minuit, les bombardements allemands cessèrent. Le 27, le gouvernement informa la population des pourparlers engagés avec l'ennemi, et le 28 l'armistice fut signé à Versailles par Jules Favre et Bismarck.

Aussitôt, tous les Parisiens se précipitèrent en banlieue pour chercher du ravitaillement. On les vit rentrer le soir chargés de poulets, de lapins, de canards, de miches de pain, de beurre et de saucisson... On allait de nouveau pouvoir caresser son chien sans arrière-pensées [99]...

Le 17 février, Thiers fut élu chef du pouvoir exécutif, et le 26, les préliminaires de paix étaient ratifiés.

---

98. Tout ce dialogue est rapporté par le général d'Hérisson dans son *Journal d'un officier d'ordonnance.*

99. A ce propos, on connaît le mot d'Aurélien Scholl : « Pendant le siège, toutes les femmes ont mangé du chien. On pensait que cette nourriture leur inculquerait des principes de fidélité. Pas du tout ! Le chien a produit sur elles un tout autre effet : elles ont exigé des colliers... »

Les braves gens crurent leur malheur terminé. Le 1ᵉʳ mars, quand les armées prussiennes firent une entrée symbolique à Paris, ils demeurèrent chez eux, tous volets clos, et bien peu s'intéressèrent alors aux quelques émeutiers qui s'étaient emparés des canons, sous prétexte de les soustraire à l'ennemi.

A ce moment, la seule préoccupation de tous ces Parisiens qu'un siège de quatre mois et demi avait coupé de la province, était, selon le mot de Jean de Fauvet :

> *... De renouer les liens*
> *Que dans sa rage de rapace*
> *Avait brisés l'aigle prussien.*

La paix allait permettre à des époux, des fiancés ou des amoureux de se retrouver et de s'étreindre...

Pierre Vivet, dans ses amusants *Souvenirs d'un Parisien assiégé,* nous décrit une de ces retrouvailles :

« Ce matin (7 mars). Petit événement dans la maison. M. Bouchard, le mari de notre voisine, est rentré de Limoges où il était depuis cinq mois. En le voyant, Mme Bouchard s'est évanouie de joie. Margot, qui est une mauvaise langue, prétend que c'est de frayeur. D'après elle, notre voisine n'aurait pas encore rompu avec sa "liaison de siège". Je n'en sais rien, n'étant pas l'heureux élu. Je sais cependant que ces "liaisons" ont permis à certaines Parisiennes de ne point avoir trop froid au lit quand il gelait à pierre fendre. Ma foi, on se réchauffe comme on peut !...

» 8 mars. Quelle nuit ! Nos voisins ont fêté leurs retrouvailles. Mme Bouchard a été à l'honneur !... Je ne sais si, comme le dit Margot, elle a donné des coups de canif dans le contrat, mais je puis assurer que M. Bouchard n'a pas eu à Limoges de "liaison de siège". Ou alors, c'est un homme comme il en eût fallu cent mille à ce pauvre Trochu pour forcer le blocus !... Quelle vigueur ! Nous avons compté — sans avoir besoin de mettre l'oreille au mur — huit belles reprises ! Mazette !... Margot m'a regardé en soupirant. Je lui ai dit qu'à Limoges, on n'avait pas mangé de rat... »

D'autres couples, séparés par la guerre, allaient se reformer. Et le plus désuni, le plus boiteux, le plus hétéroclite d'entre eux, allait même enfin trouver son équilibre.

Je veux parler du couple impérial...

L'article 6 des préliminaires de paix stipulait que tous les prisonniers de guerre devaient être immédiatement libérés.

Le 15 mars, Napoléon III commença à s'étonner d'être toujours interné. Pourquoi ne bénéficiait-il pas des avantages du traité ? Son aide de camp, le général Castelnau, rencontra Bismarck et lui posa la question.

La réponse du chancelier constitue un des chefs-d'œuvre de l'urbanité en temps de guerre :

— Si, dès la signature des préliminaires, l'empereur Guillaume s'était empressé de dire à son auguste prisonnier qu'il était libre, *il aurait paru avoir hâte de mettre fin à l'hospitalité qu'il lui donne*...
Castelnau, un peu abasourdi, mais très calme, répondit que « l'auguste prisonnier » ne se froisserait pas d'être autorisé à prendre congé...
Il fut alors convenu que l'empereur quitterait Wilhelmshöhe trois jours plus tard, à destination de l'Angleterre.

Le 19 mars, après déjeuner, Napoléon fit aimablement ses adieux aux Prussiens et monta dans le train qui devait le conduire en Belgique. Deux minutes avant le départ, un journaliste, Mels-Cohn, apparut une dépêche à la main. Il la tendit à l'ex-empereur qui s'en saisit et la lut. C'était la nouvelle de la révolution communaliste à Paris. La veille, le gouvernement de M. Thiers avait envoyé des troupes pour faire enlever de la butte Montmartre les canons soustraits par le peuple. La Garde Nationale s'était opposée à l'entreprise. Des coups de feu avaient éclaté. Les femmes, exaltées par Louise Michel, s'étaient alors mêlées aux émeutiers...
Quelles femmes ? Gaston Da Costa, l'un des historiens de la Commune, va nous le dire :
« Filles soumises et insoumises venues du quartier des Martyrs ou sorties des hôtels, cafés et lupanars alors si nombreux sur les anciens boulevards extérieurs. Au bras des lignards [100], accompagnées de la légion des souteneurs, elles ont surgi, triste écume de la prostitution sur le flot révolutionnaire, et les voilà s'enivrant à tous les comptoirs, hurlant leur gueuse joie de cette défaite de l'autorité caractérisée pour elles par la préfecture de police et les mouchards. Ce sont elles, et joignez-y quelques pauvresses démoralisées par les atteintes délétères de la misère, qui, à l'angle de la rue Houdon, dépècent la chair chaude encore du cheval d'un officier tué quelques instants auparavant... Ce sont elles qui, entraînant les lignards, se ruèrent sur les prisonniers en proférant des menaces de mort... [101] »
L'après-midi, les généraux Lecomte et Clément Thomas avaient été fusillés à Montmartre, rue des Rosiers et, le soir, les insurgés s'étaient emparés du ministère de la Justice...
Napoléon III mit le télégramme dans sa poche et murmura tristement :
— Deux fois !... Deux révolutions devant l'ennemi !...
Il ne pouvait supposer alors que celle-ci n'aurait aucun point commun avec le simple changement de régime décidé le 4 septembre, et que le peuple, saisi d'une véritable rage destructrice, allait incendier Paris...
A l'heure où le train quittait Wilhelmshöhe, les bataillons insurgés dirigés par le Comité Central de la Garde Nationale venaient d'envahir l'Hôtel de Ville et M. Thiers, toujours prudent, décidait de se retirer à Versailles avec le gouvernement. La Commune commençait...

---

100. Le 88ᵉ bataillon de ligne, mettant la crosse en l'air, avait fraternisé avec les insurgés.
101. Gaston Da Costa, *La Commune vécue*.

A onze heures du soir, Napoléon III arriva à la station frontalière d'Hebertstadt. La princesse Mathilde l'y attendait. Il l'embrassa et monta dans le train spécial qui devait le conduire au bord de la mer du Nord. A trois heures du matin, il était dans le port d'Ostende et s'installait immédiatement à bord du *Comtesse-de-Flandres,* yacht que le roi Léopold avait mis à sa disposition.

Le lendemain, à dix heures, par un brouillard épais, le bateau quitta le quai et mit le cap sur l'Angeterre.

A Douvres, Eugénie et le prince impérial étaient au débarcadère. Napoléon III se précipita vers eux. Cette fois, nous dit Paul Guenit, « sa froideur calculée avait disparu ». Longtemps il les tint serrés contre lui en pleurant.

Le soir même, ils étaient tous à Chislehurst. En entrant à Camdem Place, l'ex-empereur s'arrêta un instant, regarda le parc, la pelouse, les deux cèdres noirs, la grande bâtisse de brique rouge et sembla rêver.

— Voici notre maison, lui dit Eugénie. J'espère qu'elle vous plaira.

Napoléon III, sans rien dire, entra, inspecta le vestibule, les salons, la salle à manger, le jardin d'hiver, demanda à voir les chambres, fit longuement le tour de la plus grande et sourit.

— Allons, dit l'impératrice qui avait suivi cette visite avec un peu d'anxiété, je vois que la demeure que j'ai choisie pour notre exil paraît vous agréer...

L'ex-souverain acquiesça d'un geste de la tête. Puis il redescendit vers le salon où brillait un feu de bois, jugeant inutile d'expliquer à Eugénie qu'une fois de plus le destin lui faisait un clin d'œil malicieux — et un peu égrillard —, Camden Place ayant appartenu, en 1840, au père d'une ravissante créature rousse, Miss Emily Rowles, dont il avait été l'amant...

16

Les communards voulaient faire du concubinage un dogme social

> Comme le Français ne peut avoir qu'une femme,
> il ne la cache pas, de peur que son voisin
> cache aussi la sienne.
>
> MONTESQUIEU

Les historiens de la Commune sont, en général, des personnages graves, austères et d'une pudibonderie quasi calviniste. Ils affectent de présenter leurs héros comme des saints laïcs uniquement préoccupés de fusiller des généraux et d'égorger pieusement des prêtres.

Rien n'est plus faux.

Les communards étaient des hommes qui appréciaient les joies saines de l'existence et savaient mettre la main à la fesse d'une jolie Parisienne, entre deux fusillades.

Raoul Rigault, chef de la Commune, ayant d'ailleurs déclaré : « Je veux la promiscuité des sexes ; le concubinage est un dogme social », le plaisir pris en commun fut considéré comme un des grands principes du régime à venir.

Dans les clubs, les réunions nocturnes, auxquelles assistaient de fort appétissantes communardes, se terminèrent plus d'une fois par des actes que Platon n'avait pas imaginés pour fonder la République... Sur le sol, sur les tables, dans les fauteuils, les fédérés œuvraient en chœur, heureux et fiers d'obéir aux consignes politiques de leur parti.

Ces récréations par quoi s'exprimait tout un républicanisme naïf n'étaient pas réservées seulement à la piétaille communarde ; les chefs en savouraient aussi les agréments à l'Hôtel de Ville, dans les ministères ou à la Préfecture de Police. Mais, dans le but louable de convertir quelques jolies bourgeoises à la doctrine communautaire, Rigault et ses amis ne se livraient à « la promiscuité des sexes » qu'en compagnie de prisonnières. Ces jeunes femmes étaient extraites du Dépôt à leur intention.

Écoutons Maxime Du Camp :

« Le soir, vers neuf ou dix heures, des employés au cabinet du délégué à la Préfecture de Police se présentaient au greffe munis de mandats d'extraction indiquant certaines jeunes femmes incarcérées ou amenées dans la journée de Saint-Lazare. On les remettait à l'envoyé de Cournet, de Rigault ou de Théophile Ferré qui les ramenait le lendemain matin et les faisait réintégrer en prison. Le Dépôt était donc une sorte de harem fourni où les pachas de la Préfecture choisissaient intelligemment quelques compagnes de souper [102]. »

Ainsi, chaque soir, après une journée déjà bien remplie, les chefs communards initiaient de ravissantes prisonnières aux joies de l'érotisme républicain...

Les fédérés, sachant qu'une révolution à laquelle n'adhèrent pas les femmes est vouée à l'échec, ne se contentèrent pas de montrer leur penchant pour le beau sexe. Ils annoncèrent que la Commune avait décidé de légitimer les enfants naturels.

Cette nouvelle enthousiasma toutes les petites ouvrières, lingères, cuisinières, repasseuses, etc., qui traînaient derrière elles des marmots nés de pères différents et souvent inconnus. Elles s'enrôlèrent dans les clubs, assistèrent à des réunions patriotiques organisées dans des églises, dont l'autel était recouvert d'un drapeau rouge, se promenèrent avec des fusils, tuèrent avec allégresse et au nom de la liberté tous ceux qui ne pensaient pas comme elles, et versèrent du pétrole dans des caves où il suffisait ensuite de jeter une allumette pour déclencher un bel incendie...

---

102. MAXIME DU CAMP, *Les convulsions de Paris,* tome I. L'auteur précise que « la dernière extraction de ce genre eut lieu le 20 mai et comprenait cinq jeunes filles nominativement désignées ».

Le soir, elles étaient toutes assurées d'avoir leur récompense entre les bras d'un communard que les vapeurs de vin rendaient fougueux et peu difficile...

Mon propos n'est pas de raconter en détail les terribles journées de la Commune, mais d'en montrer certains aspects que, pour des raisons inexplicables, les historiens cachent pudiquement.

Pourquoi taire, en effet, que les communards aient eu à la fois le goût du sang, de la volupté et de la mort ? Qu'ils aient organisé des soirées un peu lestes en compagnie de demoiselles « qui offraient leur vertu sur l'autel de la patrie » ? Était-il plus noble de massacrer des religieuses et des dominicains sans armes ? On exalte les individus qui ordonnèrent l'exécution des otages ; mais on fait le silence sur le directeur et le greffier de Saint-Lazare — tous nommés par la Commune — qui faisaient venir les détenues dans leur bureau et s'amusaient avec elles à des jeux, somme toute, fort innocents...

Pourquoi ?

Pourquoi taire également le rôle important joué par les prostituées ?

Le 17 mai 1871, les membres de la Commune, délégués au XIᵉ arrondissement, signèrent un arrêté qui allait donner de nouvelles forces à la Révolution : ils ordonnèrent la fermeture des maisons de tolérance.

Aussitôt, les pensionnaires, privées de travail, se répandirent dans les rues et cherchèrent une occupation. N'en trouvant pas, elles prirent un chassepot et allèrent aux avant-postes. Elles furent bientôt les plus enragées, les plus violentes et aussi les plus pillardes des combattantes. Ivres, souvent à demi nues « par habitude professionnelle », coiffées de képis, armées de sabres, elles faisaient boire les femmes du peuple et les entraînaient à leur suite. Ces groupes braillards et surexcités parcouraient les rues en lançant des coups de feu sur les « citoyens tièdes ».

« Toutes ces viragos belliqueuses, écrit Maxime Du Camp, tinrent derrière les barricades plus longtemps que les hommes. Elles furent là où le crime fut sans merci et sans frein : à l'avenue Parmentier, quand on assassina le comte de Beaufort, à l'avenue d'Italie, quand on chassa aux dominicains, devant les murs de la Petite-Roquette, lorsqu'on y tua les otages, à la rue Haxo, quand on y massacra les gendarmes et les prêtres [103]. »

Dans cette horde de harpies déchaînées qui égorgeaient, mutilaient, étranglaient, crevaient des yeux et se livraient à des danses obscènes devant les cadavres dénudés, il n'y avait pas, bien entendu, que des

---

103. Un témoin écrit : Les Dominicains étaient emprisonnés avenue d'Italie. On les fit sortir pour les abattre. Une femme, la plus jeune, une petite blonde assez jolie, chargeait et déchargeait son chassepot. Voyant que l'un des prêtres essayait d'échapper à la fusillade, elle cria :
— Ah ! le lâche, il se sauve !
Et elle le tua !

prostituées et des alcooliques. Certaines, comme Louise Michel que l'on surnomma la Vierge Rouge, étaient d'honnêtes excitées. Mais elles constituaient la minorité. La plupart, en effet, étaient des femmes issues de la populace, animées par les plus bas instincts, et qui tuaient, nous dit-on, « avec une véritable fureur sexuelle » [104].

D'autres enfin étaient poussées paradoxalement par l'amour. Écoutons Henri d'Alméras :

« Là aussi, dans ces explosions de haine, il faut chercher l'éternel mobile de presque toutes les actions féminines, bonnes ou mauvaises, dans ce qu'elles ont de meilleur et de pire : l'amour.

» La mort d'un amant sur les remparts, ou derrière une barricade, transforma certaines femmes en louves enragées. Que d'amantes désespérées et n'ayant plus d'autre désir, d'autre but, que de tuer ou de mourir, parmi ces combattantes dont on ramassa les corps après la bataille, ou qui, par leurs bravades, par leurs injures, obligeaient en quelque sorte les vainqueurs à les fusiller. »

Oui, une fois de plus, l'amour jouait un rôle dans notre histoire. Il allait être sanglant.

Le 24 mai, les troupes de l'armée de Versailles s'étant rendues maîtresses de Montmartre et de l'ouest de Paris, les communards décidèrent d'incendier les monuments de la capitale.

Naturellement, toutes les anciennes prostituées montrèrent une joie hystérique à la pensée de mettre le feu aux Tuileries ou à l'Hôtel de Ville. Elles se saisirent de bouteilles de pétrole et allèrent les vider dans les soupiraux, en criant :

— Il faut que Paris crève !...

Rue Royale, place de la Concorde et aux Tuileries, trois femmes se firent particulièrement remarquer. Elles se nommaient Florence Wandeval, Anne-Marie Menaud et Aurore Machu.

Maxime Du Camp nous dit que ces « trois sinistres femelles animaient, enfiévraient les hommes, embrassaient les pointeurs, et faisaient preuve d'une impudeur qui ne redoutait pas le grand jour ».

L'incendie semblait accroître leur « frénésie de luxure ». Au milieu des maisons en flammes, « les vêtements débraillés, la poitrine presque nue, elles passaient d'homme en homme »...

On imagine leur jouissance lorsque les otages furent fusillés à la Roquette [105]...

Le 29 mai, enfin, les Parisiens dont la ville n'était que ruines et cendres, respirèrent : la Commune avait vécu [106].

Les historiens de ces deux mois de boucherie, de sottise, de

---

104. Alexandre Dumas écrit d'elles : « Nous ne dirons rien de ces femelles par respect pour les femmes à qui elles ressemblent quand elles sont mortes... »
105. Après la Commune, 1 051 femmes furent arrêtées et conduites à Versailles. On comptait parmi elles — selon les euphémismes de la statistique — 246 « célibataires soumises à la police ».
106. L'Hôtel de Ville, les Tuileries, le Palais-Royal, le Palais de Justice, le Palais de la Légion d'Honneur et près de deux cents immeubles n'étaient plus que des carcasses noircies.

violence et de haine, allaient pouvoir commencer à rédiger des pages emphatiques.

En omettant toutefois de préciser que communards et communardes, dans l'ivresse du combat, avaient posé des empreintes de sang sur l'histoire galante de notre pays...

17

Une seule favorite était présente aux obsèques de Napoléon III

> Il n'en vint qu'une, encore
> fut-elle amenée par son mari...
>
> PIERRE BATAILLE

De Camden House, Napoléon III avait suivi avec douleur les événements qui s'étaient déroulés à Paris.

— La France n'a pas de gouvernement, soupirait-il.

Bientôt, il songea à préparer un « retour de l'île d'Elbe » :

— Je vais fréter un yacht. J'aborderai en Flandres, je gagnerai le camp de Châlons où des officiers me sont restés fidèles et je marcherai sur Paris.

A cette idée, il se sentait tout ragaillardi.

— Je suis sûr que les Français m'accueilleront avec joie, ajoutait-il. Tous ceux qui m'ont plébiscité il y a un an — ils sont plus de sept millions — et les autres. Il suffira que le nom de Napoléon leur soit proposé pour qu'ils se lèvent encore une fois et acclament l'Empire...

Des amis lui montraient parfois — timidement — les risques d'une telle entreprise. L'ex-empereur souriait :

— Les Républicains commettent tant d'erreurs qu'ils travaillent pour moi. D'ailleurs, je suis la seule solution...

Eugénie ne partageait pas ces rêves insensés. Avec beaucoup de douceur, elle s'efforçait d'amener Napoléon III à abdiquer en faveur du prince impérial.

Mais l'incorrigible conspirateur ne voulait rien entendre. Il envoyait des lettres, rédigeait des tracts, préparait des appels, faisait des listes d'« hommes acquis », étudiait des cartes, repérait des passages de frontières et se montrait de nouveau prêt à toutes les aventures.

Un soir, son vieil ami le docteur Conneau lui dit :

— Vous n'avez plus vingt ans, sire. Je ne pense pas que votre organisme, dans l'état où il se trouve, puisse supporter l'effort que réclame la préparation d'un coup d'État.

Napoléon III répondit :

— Mon cher, je ne suis pas si vieux que vous voulez bien le dire puisque les femmes m'aiment encore.

C'était vrai.

Malgré ses soixante-cinq ans, son organisme usé, sa déchéance physique et morale, des femmes l'aimaient encore. Comment n'aurait-il pas eu toutes les audaces ?

Une jeune fille lui écrivait des lettres chaleureuses auxquelles étaient jointes des bank-notes de cinq livres « pour l'aider à remonter sur le trône ». D'autres lui adressaient des poèmes.

Enfin, une quinquagénaire exaltée dont les vêtements de couleurs criardes apeuraient les chiens (elle aurait pu servir de modèle à la Folle de Chaillot) vint couronner de façon extravagante la carrière amoureuse de l'ex-empereur.

Écoutons George H. Geenham, un des chefs inspecteurs de la police chargée par le gouvernement anglais de veiller à la sécurité de l'exilé, nous parler de cette « Ophélie aux cheveux blancs », comme l'appelle H. Fleichmann :

« Une vieille excentrique, veuve, âgée de cinquante-cinq ans environ, se figurait que Napoléon III était amoureux d'elle. Elle venait, tous les matins, remettre au portier de Camden House un bouquet de fleurs accompagné d'un billet doux. Cette femme portait des vêtements bizarres formant un mélange singulier de couleurs claires. Elle avait des gants blancs, toujours trop grands, l'extrémité des doigts, trop longue, était tire-bouchonnée. Le visage de cette vieille folle et sa chevelure embroussaillée marquaient une aversion profonde pour l'emploi de l'eau, du peigne et de la brosse. Le manège de cette veuve dura longtemps, mais un jour, ordre fut donné au portier de refuser les bouquets et les lettres de la folle qui, à partir de ce moment, resta des journées entières à attendre son pseudo-amoureux. Dès qu'elle apercevait le vaincu de Sedan, elle se précipitait au-devant de lui et faisait tout ce qu'elle pouvait pour lui remettre lettre et bouquet [107]. »

Cet amour de folle devait être la dernière aventure féminine de Napoléon III.

Au début de l'automne, l'état de santé de l'ex-souverain s'aggrava tout à coup, une énorme pierre s'étant formée dans sa vessie. Il appela le docteur Conneau :

— Je ne peux presque plus marcher. Guérissez-moi vite. Tant que je souffrirai ainsi, je ne pourrai pas organiser mon retour en France.

En décembre, les médecins anglais décidèrent de procéder au broyage du calcul. La première partie de l'opération eut lieu le 2 janvier 1873. Elle réussit. La seconde intervention devait être tentée le 18. Mais le 9, dans la matinée, Napoléon III, que la douleur rendait hagard, se mit soudain à délirer. On l'entendit murmurer :

— Conneau, n'est-ce pas que nous n'avons pas été des lâches à Sedan ?

---

107. Cité par Will Darvillé, *Napoléon III en exil,* dans « Le Progrès de la Côte-d'Or », 14 février 1903.

Eugénie lui prit la main. Quelques intants plus tard, à 10 heures 45, il rendait l'esprit [108].

La mort de Napoléon III, nous dit Pierre Buvet, « frappa les Français de stupeur ». Une grande partie du pays était encore bonapartiste et espérait un retour de l'empereur. « On ne s'habituait pas, écrit Fernand Giraudeau, à le considérer comme un souverain détrôné. Il semblait n'avoir quitté la scène politique que pour réparer ses forces dans la retraite. La France, en effet, n'avait pas fait la Révolution de Septembre, mais elle l'avait laissé faire ; elle n'avait pas mis au pouvoir les auteurs de cet attentat, mais elle les y avait soufferts. Il fallait que Napoléon III mourût pour qu'on mesurât quelle place il occupait dans le monde. »

Les obsèques réunirent à Chislehurst tous les dignitaires de l'Empire venus de Paris par trains entiers.

Pendant la cérémonie, l'assistance ne fut pas aussi recueillie qu'on aurait pu le souhaiter. Les familiers du défunt, entre autres, nous dit-on, « se tordaient le cou en tous sens pour essayer d'apercevoir le visage des dames ». A la sortie, ils se retrouvèrent dans le jardin et l'un d'eux murmura :

— Il n'en est venue qu'une : Mme Walewska !...

De toutes les favorites, en effet, seule la petite comtesse s'était dérangée. Elle avait quitté la Belgique où elle résidait pour venir s'agenouiller devant la tombe de son ancien amant. Elle pleura tant que le comte Walewski, son époux, dut gentiment la consoler...

Quelques jours après la cérémonie, une seconde femme se présenta à Chislehurst. Elle le fit discrètement, et sans doute n'en aurait-on rien su sans la vigilance d'un gardien frappé par son élégance. Pendant qu'elle se recueillait devant le tombeau impérial, le brave homme courut alerter une dame d'honneur de l'ex-impératrice. Celle-ci arriva sur la pointe des pieds et reconnut avec effarement Marguerite Bellanger [109]...

Sur les cent cinquante ou deux cents maîtresses qu'avait aimées et comblées l'insatiable empereur, deux femmes seulement eurent donc la pensée de se rendre à Chislehurst.

Oui, deux seulement, car, bien que certains historiens affirment le contraire, Mme de Castiglione ne fit pas « le voyage du souvenir »...

La belle Virginia avait, il est vrai, d'autres occupations...

---

108. Certains historiens assurent, en se fondant sur une lettre du docteur Corvisart, que l'ex-empereur ne serait pas mort des suites de son opération, mais empoisonné par une dose exagérée de chloral qu'Eugénie lui aurait fait prendre la veille au soir.

109. Margot la Rigoleuse n'avait pas eu besoin de traverser le channel pour venir s'agenouiller à Chislehurst. Elle était mariée depuis peu avec un officier de la Royal Navy nommé Coulback. Quelque temps après, cet époux partait pour les Indes. Il n'en revint pas et Marguerite retourna en France. Après une longue liaison avec le général Lenfumé de Lignières, elle vendit son hôtel de l'avenue de Friedland et se retira en Touraine dans son château de Villeneuve. Elle y mourut d'une péritonite le 23 décembre 1883.

Elle était devenue la prêtresse d'une étrange religion dont l'idole était son propre corps. Elle avait, pour l'assister dans ce culte, d'innombrables servants à qui elle donnait, de temps en temps et par caprice, le droit d'adorer un de ses membres ou un de ses organes qu'elle dénudait lentement. Le soupirant extasié contemplait alors un pied, une cuisse, un sein, ou une aisselle. Quelques privilégiés avaient droit à la vision rapide mais, paraît-il, inoubliable, du « pelage blond et mousseux » de la comtesse. D'autres, plus rares encore, étaient autorisés à manifester virilement leur ferveur. Il s'agissait alors de la célébration d'un véritable sacrifice. Virginia, allongée dans ses draps noirs, offrait son corps à l'adorateur qui devait en baiser dévotieusement chaque parcelle avant d'être admis à pénétrer dans le saint des saints...

Il ne manquait, pour accompagner l'exercice final, que l'encens et les grandes orgues.

Mais il n'est pas sûr que Mme de Castiglione n'y ait point songé...

Naturellement, Virginia ne choisissait pas ses « officiants » dans la plèbe. Parmi ceux dont les noms nous sont parvenus, il faut citer le prince Henri de la Tour d'Auvergne, le prince Poniatowski, Imbert de Saint-Amand, Paul de Cassagnac, le général Estancelin, le duc de Chartres. Il y en eut des dizaines d'autres...

Tous, à peine descendus du lit-autel, éprouvaient le besoin de lui adresser de longues lettres. Il y avait les lyriques comme le banquier Ignace Bauer qui écrivait :

C'était le mardi à mercredi que, dans la nuit, entre un sanglot et un sourire, tu m'ouvris tes bras, ton cœur et le ciel... T'en souviens-tu ?...

Les passionnés, comme Saint-Amand :

Du fond du cœur, merci pour la soirée si impressionnante, si émue, si profondément belle et bonne que vous m'avez fait passer hier... Si vous me permettez de vous revoir, écrivez-moi. Où vous voudrez ! Quand vous voudrez ! Comme vous voudrez !

Il y avait aussi les humoristes comme Paul de Cassagnac qui écrivait :

Madame Nina, on me dit que tu es gelée. Veux-tu que j'aille te chauffer ce soir vers neuf heures ?
Ta grande bûche économique,

PAUL.

Ou encore :

J'ai oublié hier. Je ne sais pas ce que sera demain ; mais ce soir, 23 juillet 1873, je t'aime...

Elle répondait à tous. Et bien des conclusions intéressantes pourraient être tirées par un graphologue d'une étude de cette écriture menue et

régulière qui devenait parfois — à quelques heures d'intervalle — grande, désordonnée, témoignant d'un évident déséquilibre...
Dans chacune de ses lettres, son extraordinaire vanité apparaît :

J'avoue hardiment que je suis incontestablement hors danger pour ce qui est de ne pas être aimée, car autant l'on me déteste en général, autant l'on m'aime en particulier, et il y a de quoi !

Pour un autre correspondant, elle terminait son billet par cette phrase stupéfiante :

Je prie Dieu de me conserver votre amoureuse adoration.

Après quoi, elle ajoutait négligemment :

Croyez à mes bons sentiments pour vous !...

Certaines lettres montrent comment elle agissait avec ses amants. Ceux-ci avaient rarement l'initiative des rencontres :

J'avais pensé à vous pour ce soir, mais cela est impossible. Ne vous en fâchez pas ; je vous dirai quand. Merci toujours [110] !

Si l'on ignore, à deux exceptions près, le chagrin que ressentirent les favorites impériales à la mort de Napoléon III, en revanche, on connaît la peine infinie qu'éprouva Eugénie.
Pour s'étourdir, elle voyagea. Elle se rendit d'abord à Arenenberg où l'empereur avait passé sa jeunesse, puis en Écosse, en Italie, en Espagne. Son seul espoir était de faire du prince impérial un homme capable de monter sur le trône [111].

110. Mme de Castiglione déclina rapidement. A trente-cinq ans elle s'aperçut que « son visage la quittait comme un amant infidèle », suivant le mot le Lucien Daudet, et une sorte de folie s'empara d'elle. Dans sa chambre était accroché son portrait peint par Paul Baudry. Elle en devint jalouse et finit par le déchirer à coups de ciseaux. Cloîtrée dans son appartement de la place Vendôme où elle vivait au milieu de ses chiens et où les miroirs étaient proscrits, elle n'eut bientôt plus aucun contact avec le monde, si ce n'est avec sa concierge qu'elle faisait venir parfois dans son lit pour se réchauffer... En vieillissant, elle devint si laide que ceux qui la rencontraient au cours de ses rares promenades aux Tuileries hésitaient à reconnaître en cette mégère aux traits durs et à l'œil fixe la plus aimée des femmes du xixᵉ siècle. Plus d'un devait penser alors que la Castiglione avait quelques points communs avec cette Troisième République dont on murmurait, répétant le mot de Forain :
— Et dire qu'elle était si belle sous l'Empire !...
Peu à peu, elle devint une sorte de personnage légendaire et la plupart des gens la croyaient morte depuis longtemps lorsqu'elle s'éteignit, 14 rue Cambon, le 28 novembre 1899.
Dans son testament, elle avait demandé à être enterrée avec « la chemise de nuit de Compiègne » et la partition de « La Vague », valse d'Olivier Métra.
Elle repose au Père-Lachaise.
111. Devenu chef du parti bonapartiste sous le nom de Napoléon IV, le jeune homme fit de sérieuses études à l'Académie Militaire de Woolwich, ce qui ne l'empêcha pas de songer à la bagatelle.
Il eut d'abord un amour secret pour Marie de Larminat, la jolie demoiselle d'honneur de l'ex-impératrice ; puis il s'enhardit jusqu'à avoir une liaison avec une jeune institutrice d'origine alsacienne, Joséphine Haab.

A ce moment, Eugénie avait quarante-sept ans. Il est hors de doute que, si l'ex-empereur était resté veuf à cet âge, il n'aurait pas tardé à profiter de sa liberté pour nouer quelque belle idylle.

L'ex-impératrice, prude et austère, n'y songea même pas. L'amour, il est vrai, n'avait pas occupé une place très importante dans sa vie. Tous les historiens sont d'accord à ce sujet.

Et pourtant...

Et pourtant, Irénée Mauget dans son ouvrage sur Eugénie conte une bien étrange anecdote. A l'en croire, l'ex-souveraine aurait eu un amour caché pour le prince Napoléon qui avait voulu l'épouser avant qu'elle ne vînt en France. Révélation stupéfiante lorsqu'on songe à la guerre que ces deux êtres se sont faite pendant vingt ans.

Mais écoutons Irénée Mauget :

« Après le manifeste retentissant que l'on connaît, le prince Napoléon avait été arrêté à Paris et envoyé au Dépôt [112].

» Un jour, une femme voilée, habillée de noir, une grande dame, demanda à être introduite dans la cellule du prisonnier. Cette visiteuse était l'impératrice Eugénie qui, à la nouvelle de son incarcération, avait tout exprès quitté l'Angleterre pour lui apporter des paroles de consolation. Et l'impératrice qui avait, naguère, éloigné systématiquement le prince Napoléon des fêtes des Tuileries, parfois ouvertement, le plus souvent sournoisement, et avait toujours combattu son influence ; l'ennemie acharnée qui avait lancé les légendes ridicules (repas du Vendredi Saint, retour de Crimée, etc.) qui devaient faire à son cousin un dommage considérable ; la femme vaincue, mais toujours altière et maîtresse d'elle-même, qui avait ordonné, aussitôt la mort de l'empereur, le tri des papiers du défunt avant l'arrivée de Jérôme, cette même femme, spontanément, dans un élan, venait réconforter l'homme

A la fin de 1873, celle-ci eut un enfant qui fut prénommé Alphonse. Quelque temps après, « richement dotée », elle se mariait et allait vivre en Suisse. Ce petit Alphonse qu'elle apportait dans la corbeille de mariage était-il le fils du prince impérial ? On l'ignorera toujours. Néanmoins, Suzanne Desternes et Henriette Chandet rapportent que ce fils, qui vivait encore en 1957, se souvenait d'avoir été, dans sa petite enfance, amené de Suisse en Angleterre où un monsieur, qui se disait son parrain, lui faisait de beaux cadeaux : un « Kangourou » (vélocipède avec une roue énorme et une petite), un poney avec son tilbury... « Ce monsieur, assurait le vieillard, était le prince impérial, mon père. Bien que ma mère ait toujours refusé de répondre à mes questions à ce sujet, j'en suis certain. » Une seule chose est sûre, en tout cas : sa ressemblance avec Napoléon III et celle de sa fille avec l'impératrice Eugénie.

Après Joséphine Haab, Louis tomba amoureux de la ravissante princesse Béatrice, dernière fille de la reine Victoria, qui avait un an de moins que lui. Un moment, le public, passionné, crut que l'idylle se terminerait par un mariage. L'attachement des deux jeunes gens à leurs religions respectives fit échouer le projet. Le prince impérial en conçut un immense chagrin.

En 1879, las de dépendre entièrement de sa mère qui le laissait sans argent et continuait de le traiter comme un enfant, il s'engagea dans les troupes anglaises qui se battaient en Afrique du Sud contre le roi des Zoulous, Cettiwayo.

Le 27 février, il s'embarqua à Southampton. Le 3 avril, il était à Durban. Le 1ᵉʳ juin, au cours d'une reconnaissance, il tombait, le corps transpercé de 17 coups de sagaie...

112. Le 15 janvier 1883, le prince Napoléon avait fait placarder sur les murs de la capitale un manifeste extrêmement violent contre le régime républicain.

malheureux qui était enfermé dans la demeure des malfaiteurs et des assassins.

» Ils étaient seuls, à l'abri de toute indiscrétion... L'entretien fut long. Quand l'impératrice sortit enfin, elle, la femme altière, si souvent insensible aux infortunés qui l'entouraient, avait la démarche mal assurée, et un œil scrutateur put voir, sous l'épaisse voilette, un visage ravagé et des yeux remplis de larmes.

» Quelques instants après, un familier pénétrait dans la cellule du prince. Lui qui opposait ordinairement une belle sérénité aux adversités du sort, lui qui s'enthousiasmait vite mais ne s'attendrissait pas facilement, il était tout à la fois accablé et bouleversé. On cherche à savoir la cause de son émotion ; il répondit des paroles évasives d'une voix sourde, brisée. Quand on tenta, plus tard, de le faire revenir sur cette entrevue, lui qui avait flagellé si durement l'impératrice de ses paroles brutales et souvent grossières, même après la catastrophe, il répondait : "Laissons cela... la pauvre femme !... la pauvre femme !..."

» Mais un familier qui avait reçu ses confidences, qui savait la grande passion secrète de l'impératrice, l'amour de toute sa vie — l'amour est si près de la haine — put facilement reconstituer cette entrevue.

» Pendant leur long tête-à-tête, leur conversation ardente et douloureuse, mêlée de charme triste et de regrets cuisants, ils ne firent qu'effleurer le souvenir des événements encore récents et irréparables, des jours de tempêtes et des jours de fête ; ils reportèrent leur pensée, non pas dix, vingt ans, mais trente-cinq ans en arrière. Ils parlèrent d'un bonheur qui fut possible peut-être, qu'elle avait sacrifié à son ambition ; ils parlèrent de ce temps où elle n'était qu'une Montijo, enthousiasmée du génie du grand Empereur, cet empereur qui semblait revivre dans les traits de médaille romaine et dans l'âme fougueuse du fils de Jérôme-Napoléon.

» L'amour ennemi et persécuteur se dénouait dans cette suprême rencontre au versant de deux vies, le dépit amoureux s'achevant dans une idylle quasi tragique, quasi comique, infiniment triste et lamentable [113]. »

Cette histoire publiée en 1909 — du vivant d'Eugénie — dans une biographie fort documentée, semble incroyable. Pourtant il est bien vrai que l'ex-impératrice est venue d'Angleterre visiter le prince Napoléon à la Conciergerie, comme il est vrai — ce qu'Irénée Mauget ne rapporte pas — que dès sa libération, le prince, avant toute chose, adressa à Eugénie la dépêche suivante :

Après vingt-six jours de détention, je suis mis en liberté et le premier usage que j'en fais est pour vous en informer avec l'hommage de mon profond respect.

Auteuil, 9 février 1883.
NAPOLÉON.

---

113. IRÉNÉE MAUGET, *L'Impératrice Eugénie.*

Dépêche à laquelle Eugénie répondit immédiatement par ce télé-gramme :

Reçois votre dépêche, vous félicite de votre mise en liberté, espère que votre santé n'a pas souffert de cette longue et infâme détention.

EUGÉNIE.

Dès lors doit-on penser que l'entrevue à la Conciergerie s'est déroulée telle que le « familier » dont parle Irénée Mauget l'a rapportée ? Il est difficile de l'affirmer. Mais si un jour, grâce à un manuscrit ignoré ou à une lettre jaunie découverte dans un grenier, il est prouvé que ce « familier » a dit vrai, on en pourra conclure que, dans la vie des Espagnoles les plus austères, il y a toujours place pour un petit air de guitare [114]...

18

Léonie Léon transforme Léon Gambetta en gentleman

> Ce qui frappait tout d'abord chez lui,
> c'était la distance exagérée qui séparait
> son pantalon de son gilet.
>
> JULES FAVRE

Le 14 novembre 1868, au Palais de Justice de Paris, on jugeait le républicain Delescluze, inculpé d'avoir ouvert une souscription publique pour l'érection d'un monument à la mémoire du député Baudin [115].

La salle, remplie de membres de l'opposition, était silencieuse, mais hostile.

Soudain, le défenseur de Delescluze se leva. C'était un jeune avocat inconnu. Le public l'observa et le trouva vulgaire. Maurice Talmeyr nous le décrit ainsi : « Un gros homme court et large d'épaules, d'une taille au-dessous de la moyenne, puissant d'encolure, le visage bouffi, huileux, vermillonné, avec un œil mort et un œil flamboyant, la face bestiale et le profil romain. »

Il parla et sa voix fit oublier sa silhouette d'as de pique, malgré « des notes grasses qui sentaient le patriote de table d'hôte »...

Bientôt l'assistance fut stupéfaite. Car, sous prétexte de justifier Delescluze, l'avocat faisait le procès des hommes en place et se livrait à une extraordinaire attaque contre le régime impérial.

Avec une audace stupéfiante qui allait faire dire le lendemain à

---

114. Après la mort de l'empereur, Eugénie vécut encore quarante-sept ans !... Elle verra la naissance de l'automobile, de l'aviation, du cinéma, de la T.S.F., louera de temps en temps un appartement à l'hôtel Continental, rue de Rivoli à Paris, pour voir de sa fenêtre le jardin des Tuileries où elle s'était promenée souveraine, et mourra le 11 juillet 1920, à 94 ans...

115. « Mort pour vingt-cinq francs » sur une barricade du faubourg Saint-Antoine, le 3 décembre 1851.

l'impératrice : « Mais qu'avons-nous fait à ce jeune homme ? », il hurlait :

— Oui ! le 2 décembre, autour d'un prétendant se sont groupés des hommes que la France ne connaissait pas jusque-là, qui n'avaient ni talent, ni honneur, ni rang, ni situation, de ces gens qui, à toutes les époques, sont les complices des coups de force, de ces gens dont on peut répéter ce que Salluste a dit de la tourbe qui entourait Catilina, ce que César dit lui-même en traçant le portrait de ses complices, éternels rebuts des sociétés régulières :

» *Ære alieno obruti et vitiis onusti.* (Un tas d'hommes perdus de dettes et de crimes.)

» C'est avec ce personnel que l'on sabre, depuis des siècles, les institutions et les lois, et la conscience humaine est impuissante à réagir...

A plusieurs reprises, l'avocat impérial tenta de l'interrompre. En vain. Le défenseur de Delescluze, nous dit Jules Claretie, « couvrait la voix de son adversaire, l'anéantissait, le submergeait ». Finalement, les cheveux épars, la robe en désordre, sans cravate, le col nu, l'avocat tomba, épuisé, sur son banc.

Des applaudissements enthousiastes éclatèrent dans la salle. Un nouveau tribun s'était révélé ; et les républicains enthousiasmés par son style ampoulé, ses formules creuses et son pathos démocratique, pensaient déjà à l'usage qu'ils allaient en faire.

Or, parmi les gens qui, debout, criaient bravo, il y avait deux femmes. Deux femmes qui s'ignoraient, deux femmes de condition bien différente, qui venaient d'être subjuguées par le jeune avocat. Toutes deux, au même instant, étaient tombées amoureuses de lui, et toutes deux, discrètement, avaient cherché à savoir comment il s'appelait.

Et à toutes deux le garde avait dit ce nom que, le lendemain, toute la France devait connaître et qui allait avoir tant d'importance dans leur vie :

— Léon Gambetta !

La première s'appelait Marie Meersmans. C'était une élégante blonde aux yeux pervers dont la vie avait été tumultueuse. Née à Bruxelles le 20 novembre 1820, fille naturelle d'une passementière, elle était venue à Paris avec l'intention très nette d'utiliser, pour subvenir à ses besoins, l'admirable corps dont l'avait dotée le Créateur.

Elle s'était donc lancée dans la galanterie et avait brillamment réussi [116]. De riches messieurs, amateurs de rondeurs flamandes, avaient fait de son lit un portefeuille. Attirée, comme de nombreuses courtisanes, par les beaux esprits, les artistes et les écrivains, Marie Meersmans était devenue la maîtresse de Mistral.

---

116. Elle sera connue, à certains moments, sous le nom de Jeanne-Marie Teisseire, puis d'Estelle de Moole, enfin de « comtesse » de Sainte-Marcelle. Ainsi va le demi-monde !...

Comme l'une habitait Paris et l'autre Arles, chacun faisait la moitié du chemin, et c'est à Lyon qu'avaient lieu leurs étreintes félibréennes [117]...

La deuxième femme était une petite brune aux immenses yeux bleus, qui s'efforçait de cacher sous un air humble une grande sensualité. Elle était née le 6 novembre 1838, à Paris. Fille du commandant François-Émile Léon dont le père, Jacob Léon, avait épousé, à l'île de France (île Maurice), une jeune mulâtresse, elle était le résultat curieux et ravissant d'un mélange de race juive et noire.

En 1864, elle avait rencontré Alfred Hyrvois, inspecteur général de police des Résidences impériales, âgé de 45 ans, et était devenue sa maîtresse. L'année suivante, elle avait donné le jour à un joli petit bâtard qui, toute sa vie, devait passer pour son neveu.

A la sortie de l'audience, les deux femmes, émues, frémissantes, se placèrent sur le chemin du jeune tribun.

Léon Gambetta, entouré d'admirateurs, les bouscula sans les voir.

Les jours suivants, toutes deux allèrent rôder autour de la demeure de l'avocat, 45 rue Bonaparte, et s'efforcèrent de se faire remarquer. En vain.

Léonie Léon se rendit alors au Palais de Justice et complimenta Gambetta sur son admirable plaidoirie. Il la remercia d'un air distrait et alla retrouver un groupe d'amis.

De son côté, Marie Meersmans décida de tenter une attaque directe. Un jour, sous le prétexte d'un procès à plaider, elle se rendit rue Bonaparte, fut reçue, se montra aguichante comme aux beaux jours de sa carrière galante et, plus heureuse que Léonie, parvint à séduire le gros Léon.

Le soir même, tous deux connaissaient des joies profondes sur un grand lit...

Marie Meersmans avait acquis, en satisfaisant pendant trente ans une clientèle difficile, une technique qui émerveilla Gambetta dont les amours de jeunesse à Cahors avaient été plutôt fades.

Avec l'autorité des maîtres, la belle Flamande dirigea les opérations et, pendant quatre heures, nous dit joliment Pierre Filon, « obligea l'avocat à montrer son éloquence ».

Vers deux heures du matin, Gambetta s'arrêta pour souffler un peu. Alors Marie, tendre et maternelle, se rendit à la cuisine, fouilla dans le garde-manger, trouva du confit d'oie, du beurre, du fromage, des confitures, une bouteille de bordeaux, et prépara un petit repas qu'elle apporta dans la chambre.

Le tribun soupa de bon appétit. Après quoi, animé de forces nouvelles, il se remit à l'ouvrage...

Quelques jours plus tard, il envoyait à Marie ce petit billet qui le montre déjà très amoureux :

117. Marie Meersmans, qui mourut à 82 ans, en 1903, à Paris, fut inhumée dans le cimetière de Maillane, presque en face de la tombe de Mistral.

Ce dimanche matin, 9 h 1/4.

Ma chère petite Reine,
   Je suis pris, obligé d'aller à une réunion qui se prolongera jusqu'à 6 h 1/2, heure où je serai forcé de me rendre à mon banquet. Je ne pourrai donc venir t'embrasser et te câliner que demain, veux-tu m'attendre vers midi ?
   Ma chère Jeanne [118], *je me sens tout ragaillardi, tu me soignes, tu me dorlotes si doucement que je suis tout transfiguré. Ah ! si je pouvais prendre la clef des champs ! comme nous nous envolerions ici ou là pour nous arracher à tous les ennuis de Paris et nous donner sans réserves au bonheur de nous aimer.*
   Je t'adore, je t'embrasse et je te désire.
   A tes genoux.

LÉON.

   Entre les deux femmes — Léonie qui avait son âge, trente ans, et Marie qui en avait quarante-sept — Gambetta avait donc choisi.
   Ce gros enfant braillard avait besoin d'être dorloté...

   Pendant cinq ans, Marie Meersmans fut, pour Gambetta, la plus maternelle des maîtresses.
   En 1869, lorsqu'il se présenta aux élections, elle le suivit pas à pas, lui prépara des laits de poule pour sa gorge, de l'encre pour ses discours, des cadeaux pour ses électeurs et des bouillons pour son fragile intestin.
   Il fut élu à la fois à Paris et à Marseille, opta pour Marseille et fêta sa victoire en compagnie de Marie.
   — Je suis fière de toi, mon Loulon, lui dit-elle, comme je serai fière quand tu renverseras l'Empire ; car c'est ta voix, et ce sont tes paroles qui ressusciteront la République, j'en suis sûre !...
   Elle soupira :
   — Mais je crains que la réussite que je te souhaite et que tu mérites ne t'éloigne de moi... Un jour, je le sais, tu seras entièrement à la France, et il n'y aura plus de place pour moi dans ta vie...
   Alors Gambetta prit une de ses photographies, la retourna et traça cette dédicace qui devait tant faire jaser : « A ma petite Reine que j'aime plus que la France... [119] »
   Deux mois plus tard, en juillet, le jeune député, qui souffrait d'une entérite chronique, s'en fut à Ems soigner sa tripe républicaine. Marie l'accompagna, lui fit prendre les eaux et « le mignota comme il aimait ».
   En novembre, ils rentrèrent à Paris. Lui s'installa 12 rue Montaigne et elle regagna son appartement de la rue Roquépine. Républicains bourgeois, tous deux craignaient le « qu'en-dira-t-on »...

---

118. A ce moment, Marie Meersmans se faisait appeler Jeanne-Marie...
119. En 1877, Mme Adam acheta à Marie Meersmans cette photographie pour la somme fabuleuse de 6 000 francs-or.

Aussitôt, Gambetta retrouva ses amis du « Tiers Parti » : Crémieux, Grévy, Jules Ferry et, fiévreusement, commença sa lutte active contre le régime.

Le 10 janvier 1870, il monta pour la première fois à la tribune de la Chambre pour interroger le général Lebœuf sur l'envoi en Afrique de deux soldats qui avaient assisté à une réunion électorale.

Marie était là, bien sûr. Elle tremblait de trac comme une maman dont le rejeton doit réciter une fable le jour de la distribution des prix. Mais le gros Léon, sûr de lui, gesticula, tempêta, tonna, vitupéra l'Empire et conclut :

— Ce que nous voulons, c'est qu'à la place de la monarchie, on organise une série d'institutions conformes au suffrage universel et à la souveraineté nationale ; c'est qu'on nous donne, sans révolution, pacifiquement, cette forme de gouvernement dont vous savez tous le nom : la République !...

Les cinquante membres du Tiers Parti applaudirent frénétiquement. Mêlée au public, Marie Meersmans pleurait. L'audace de son Loulou la transportait de joie. Elle gagna la sortie comme dans un rêve et croisa, sans y attacher d'importance, une petite brune qui, elle aussi, avait les larmes aux yeux. C'était Léonie Léon.

Léonie, en effet, continuait de suivre dans l'ombre son grand homme. Attentive et passionnée, elle vint, dès lors, très régulièrement à la Chambre pour l'entendre et l'apercevoir. « Après chaque séance, nous dit Émile Pillias, toute vibrante encore, elle allait à la porte de sortie des députés, attendre son passage, essayant de l'aborder, de lui parler ; mais, distrait ou méfiant, il l'écartait du coude et passait.

» Alors, désolée, mais tenace, elle eut recours à un autre moyen. Elle lui écrivit plusieurs lettres, très belles, où elle disait son admiration et son amour, et Gambetta, intrigué et presque séduit, curieux de connaître l'auteur de ces missives passionnées, accepta enfin d'avoir avec elle quelques minutes d'entretien.

» Mais là s'arrêtèrent les relations [120]. »

A ce moment, Gambetta était trop attaché à Marie, qui satisfaisait à la fois « des sens exigeants et un grand besoin de tendresse », pour être attiré par une autre femme.

L'ardente rousse occupait toute sa pensée. Et, très souvent, au cours d'une séance à la Chambre, ses amis le voyaient griffonner un billet qu'il confiait à un garde. C'étaient quelques mots tendres pour Marie :

CORPS LÉGISLATIF

Paris, mercredi 9 mars 1870

Chère petite Reine,

Après une assez mauvaise nuit, j'ai fini par me lever et par aller à la Chambre où je suis fatalement retenu. Je ne pourrai donc venir t'embrasser aujourd'hui, à moins que ce ne soit dans la soirée vers 10

120. ÉMILE PILLIAS, *Léonie Léon, amie de Gambetta.*

heures. Je t'envoie dans tous les cas un billet de tribune pour demain.
Je n'ai pu en avoir deux.
Mille baisers sur tes yeux et à tes pieds.

LÉON.

Parfois, c'était au siège de son groupe politique que Gambetta écrivait une courte lettre qu'un ami allait porter rue Roquépine :

COMITÉ ANTIPLÉBISCITAIRE DE LA GAUCHE DÉMOCRATIQUE

Lundi 9 mai 1870
Ma chère mignonne,
Il est 6 h 1/2. Tout va très bien. J'ai assez mal à la tête, mais je suis tout seul au fond d'une salle, par conséquent très tranquille. Je t'enverrai encore un petit billet quand tout sera connu.
Bien à toi et excuse ton Loulon s'il n'en dit pas plus long.

L.G.

On eût sans doute bien étonné ce fier républicain en lui disant qu'il agissait comme Henri IV, lequel, pendant le conseil des ministres, écrivait des lettres d'amour à la belle Gabrielle...

Au mois de juillet, la déclaration de guerre de Prusse fournit l'occasion à Gambetta de prononcer quelques phrases sonores accompagnées de jolis mouvements de menton.

— Tant mieux si l'empereur se lave le 2 décembre dans l'eau du Rhin et s'il remporte la victoire : la République en profitera plus tard !...

En fait, la République allait surtout profiter de la défaite. Le 4 septembre, elle était proclamée à l'Hôtel de Ville de Paris et Gambetta, appelé au gouvernement, recevait le portefeuille de l'Intérieur. Immédiatement, les républicains furent divisés sur un point capital : la continuation de la guerre. Jules Simon, Jules Favre, Ernest Picard, comprenant qu'après le désastre de Sedan toute résistance militaire était impossible, voire criminelle, désiraient entamer sans tarder les pourparlers de paix avec Bismarck. Gambetta, au contraire, était pour la guerre à outrance. Le 7 octobre, il monta dans la nacelle de l'*Armand-Barbès* et s'envola de la place Saint-Pierre de Montmartre, en compagnie de son ami Spuller.

Poussé par un vent de sud-est, le ballon survola Saint-Denis, passa à six cents mètres au-dessus des avant-postes prussiens qui tirèrent sans l'atteindre et se posa près de Montdidier. Le soir, les deux hommes étaient à Amiens où on les acclamait.

Quelques jours plus tard, Gambetta arrivait à Tours et organisait un nouveau gouvernement dont il devenait le ministre de la Guerre. Mais bientôt Tours fut menacé par les armées prussiennes et la délégation se replia sur Bordeaux. Là, Gambetta eut une douce surprise : Marie Meersmans, dont il était sans nouvelles depuis des mois, vint le rejoindre. Pendant quelques heures, celui que ses admirateurs commençaient à appeler le « Dictateur » oublia la résistance, la Prusse et Bismarck pour se consacrer entièrement au corps délectable de la belle Flamande. Des amis auxquels il confiait ses plus intimes activités, racontèrent plus tard qu'il passait alors des nuits à reconstituer avec Marie des figures hardies qu'il avait admirées sur des lithographies de Devéria, « mais qu'il ne parvenait pas, malgré la souplesse de Mlle Meersmans, à faire le "jardinier amoureux", acrobatie rustique et libertine qui consistait à transformer sa maîtresse en une appétissante brouette... » (Ici trois lignes de description impossible, hélas ! à reproduire.)

En outre ses confidents nous révèlent que Gambetta avait toujours dans son portefeuille, serrés entre deux cartes de visite, quelques « cheveux » roux cueillis, comme des pâquerettes, à l'endroit chaud de Mlle Meersmans...

Relique que Gambetta conservait religieusement sans que sa laïcité pût être suspectée...

Après la capitulation de Paris, Gambetta, que la présence tonifiante de Mlle Meersmans rendait de plus en plus belliqueux, déclara hautement qu'il voulait continuer la guerre. M. Thiers répliqua par un discours fort sage dans lequel le tonitruant ministre était qualifié de « fou furieux ».

Vexé et épuisé, Gambetta se retira à Saint-Sébastien en compagnie de Marie et s'installa dans une petite maison qu'il avait louée pour trois mois.

Un jour, quelqu'un se présenta et demanda à voir « le grand républicain ».

C'était Léonie Léon qui, inlassable, venait de Paris avec le candide espoir d'être enfin violée par Léon Gambetta.

La tante du ministre, qui tenait lieu de gouvernante, répondit que « le grand républicain » était fatigué et qu'il ne recevait personne, puis elle claqua la porte.

Léonie Léon, en larmes, mais non découragée, reprit le train de Paris.

Après trois mois de flâneries au bord de la mer, avec Marie, Gambetta, frais et dispos, revint en France à la fin de juin 1871 pour se présenter aux élections. Trottinant sur ses petites jambes, sale, la barbe hirsute, le gilet garni de miettes de pain et de taches de sauce, il alla s'égosiller aux quatre coins du pays. Finalement, il fut élu par trois départements : la Seine, le Var et les Bouches-du-Rhône. Il opta pour la Seine.

Quelques jours plus tard, il réapparaissait à l'Assemblée nationale. Une grosse déception l'y attendait : M. Thiers, au nom de la majorité des députés, lui fit comprendre en termes choisis que ses discours assommaient tout le monde. Furieux, Gambetta prit le train et alla postillonner en province. On le vit partout. Peu sensible à la poésie des lieux, il se rendit même en avril 1872 dans les calmes contrées du

Val de Loire et n'hésita pas à troubler la douceur angevine par des gesticulations, des vociférations et des calembredaines démocratiques.

Marie Meersmans ne l'accompagna point et s'en plaignit amèrement. Au moment des adieux, elle pleura, fit une scène et accusa son Loulon d'organiser des voyages de propagande dans l'unique but de retrouver des « donzelles » loin de Paris.

Gambetta haussa les épaules, mais en arrivant à Angers, il écrivit à son amie pour la rassurer :

Angers, dimanche 7 avril 1872

Ma chère petite Reine,

Je suis arrivé en bonne santé, un peu grognon, par suite de ton mauvais caractère et du temps qui est affreux.

Je vais ce soir à un immense banquet, et tu penses dans quel état je vais sortir de là. Mais j'espère être satisfait moralement.

Et toi ? As-tu repris ton courage ? Fi ! vilaine, voilà comment vous accueillez les prévenances et les précautions qu'on imagine pour vous amortir l'absence.

Je compte que ta prochaine lettre me dira que toutes ces larmes sont essuyées, qu'on déménage tranquillement, qu'on attend patiemment son Loulon en pleine confiance.

Pour moi, je t'adore toujours et baise tes petits pieds.

LOULON.

Cette lettre ne calma pas les craintes de Marie. Par retour du courrier, elle envoya un billet plein de rancœur et de jalousie.

Gambetta lui répondit aussitôt sur un ton tendre et badin :

Angers, avril 1872

Ma chère mignonne,

Je reçois à l'instant ton petit mot, je te suis bien reconnaissant de me donner aussi promptement de tes chères nouvelles ; mais, en vérité, je suis fort surpris du petit soupçon qui termine ce charmant petit billet. Je suis capable de rendre des points aux plus célèbres chevaliers des cours d'amour pour la constance à ma belle, et tu le sais bien : mais les femmes veulent toujours croire qu'on peut les tromper, ne fût-ce que pour se donner le galant plaisir de se faire couvrir de protestations. Les miennes sont faites depuis longtemps.

Je t'aime, et les quelques absences que m'imposent mes devoirs et les intérêts dont j'ai la charge ne sont pour mieux dire que de nouveaux aiguillons de mon amour. Donc au plus beau revoir.

Je suis à peine fatigué, parce que j'ai été fort bien reçu et j'ai pu constater que nos affaires vont à merveille. Je pars à l'instant pour Le Mans ; de là, j'irai à Nantes que je ne ferai que traverser. Écris-moi poste restante à Brest. J'ignore encore si je descendrai à l'hôtel ou chez un ami. D'ailleurs tu auras une lettre aussitôt arrivée.

Faites bien le dodo et soyez tout à fait sage et calme.
Je te baise les yeux.

LÉON.

Quand il eut cacheté l'enveloppe, Gambetta sonna un employé de l'hôtel et le pria de porter sa lettre à la poste. Après quoi, soulagé, il alla retrouver en chantonnant une certaine Mme B..., ravissante brunette dont il était l'amant depuis trois jours...

A la mi-avril, tout frétillant, Gambetta rentra à Paris et se rendit directement chez son amie. « Il était heureux et fier, nous dit Albert Vidal, d'avoir pu, dans ces provinces de l'Ouest où fleurissait encore le chardon de la chouannerie, faire belles et généreuses semailles d'idées nouvelles. »

Mais Marie se doutait bien qu'il n'avait pas répandu sa semence républicaine uniquement dans les cervelles angevines. Aussi le reçut-elle fort mal. Hurlant, tapant du pied, sanglotant, elle lui fit des reproches avec une véhémence que l'accent flamand rendait plus terrible encore.

Excédé, Gambetta reprit son bagage, son haut-de-forme, le pot de rillettes de Tours qu'il avait rapporté à sa maîtresse, et partit en claquant la porte.

Marie bondit derrière lui sur le palier :

— Tu ne te conduis pas comme un vrai républicain, glapit-elle.

Gambetta descendit l'escalier sans répondre. Pourtant, comme il avait l'âme pure, l'invective le troubla. Et, dix minutes plus tard, dans le fiacre qui l'emportait vers son domicile, il se demandait en quoi le fait d'avoir troussé une épicière de Bécon-les-Granits pouvait faire douter de son attachement aux principes de 89...

Le 22 avril, L'Assemblée nationale reprit ses travaux à Versailles. Gambetta, qui n'avait pas fait de discours depuis une semaine et en souffrait, s'y précipita la tête bourdonnante de phrases qui ne demandaient qu'à s'échapper.

Un prétexte futile le fit bondir à la tribune et, pendant une heure, il parla, tonna, s'époumona, gesticula, injuria la droite, insulta la gauche, invectiva le centre, étourdit la salle, s'étourdit lui-même et finit par s'écrouler épuisé, les bras ballants, comme Guignol sur la tablette quand la comédie est terminée.

Marie Meersmans, qui continuait de bouder, n'était pas venue à Versailles. Mais Léonie Léon, fidèle et obstinée, était là. Elle applaudit son tribun et, après la séance, alla le féliciter.

Gambetta, cette fois, ne la repoussa pas. Il la regarda attentivement et vit qu'elle était jolie. Puis il considéra ses yeux tandis qu'elle commentait avec intelligence quelques-uns des propos extravagants qu'il avait tenus à la tribune, et comprit que personne au monde sans doute ne l'avait jamais admiré autant que cette jeune femme au regard pervenche.

Il en conçut un certain trouble.

Le lendemain, il la revit à la sortie de l'Assemblée et ils bavardèrent comme des amis, déjà. Pendant quatre jours ils se retrouvèrent ainsi. Enfin, le 27, Léonie demanda à Gambetta de rentrer à Paris avec lui. Il accepta.

— Où puis-je vous déposer ?

— Chez moi, rue Bonaparte [121].

Dans la voiture, il se montra entreprenant. Défaillante de joie, elle fit une petite prière à saint Léon, leur patron commun, pour qu'il osât lui manquer de respect. Le saint fut compréhensif. A Viroflay, Gambetta embrassa la jeune fille. A Chaville, il avait la main dans son corsage. Au pont de Sèvres, ils se tutoyaient.

Rue Bonaparte, Léonie prit le député par le bras et le conduisit jusqu'à son troisième étage.

Un quart d'heure plus tard, enfin, après quatre ans d'attente, elle faisait entrer Gambetta dans son lit et lui montrait qu'elle n'avait rien à envier aux Flamandes les plus expérimentées...

Pendant quelques jours, la petite chambre de la rue Bonaparte fut le théâtre d'exploits dignes de l'antique. Pourtant, le « lion barbu » n'était pas encore amoureux. Léonie ne représentait pour lui qu'une aimable aventure et « son cœur demeurait attaché à Marie Meersmans ».

Émile Pillias est à ce sujet formel :

« Pour Gambetta, écrit-il, cette liaison ne fut au début qu'une curiosité, et surtout le plaisir physique de posséder une jolie fille.

» Méridional et Italien de race, il avait le sang chaud et nous savons, par les confidences féminines qui ont paru parvenir jusqu'à nous, qu'il était grand amoureux.

» Léonie Léon, de son côté, devait au sang créole qui coulait dans ses veines un tempérament ardent, et la sensualité resta toujours un des grands éléments de la liaison, malgré l'insistance voulue de Léonie Léon à la qualifier, dans ses lettres, d'*intellectuelle, exclusivement intellectuelle* [122]. »

Tandis que Léonie rêvait déjà d'une vie commune avec son tribun, celui-ci, les sens apaisés, se réconciliait avec Marie Meersmans.

Pendant tout le printemps et tout l'été de 1872, Gambetta se partagea entre les deux femmes, courant de la rue Bonaparte à la rue Roquépine donner à chacune un peu de son ardeur et de son affection...

---

121. Léonie habitait au 7 de cette rue Bonaparte où Gambetta avait logé avant 1870. Il vivait maintenant dans un entresol de la rue Montaigne.
122. ÉMILE PILLIAS, *Léonie Léon, amie de Gambetta.*

Au mois de septembre, il partit faire une nouvelle tournée de propagande. A Saint-Étienne, il écrivit cette lettre à Marie :

Ma chère mignonne,
Voilà trois grands jours que je t'ai quittée et je n'ai rien reçu de toi.
Où es-tu ? Que fais-tu ? Es-tu déjà arrivée à Bade ou ailleurs ? J'ai hâte d'avoir de tes nouvelles. Quant à moi, je me porte fort bien, le temps me favorise beaucoup, et malgré les fatigues continuelles que m'imposent les réceptions et les banquets, je suis trop satisfait de tout ce que je vois et que j'entends pour ne me sentir de rien.
Je rentrerai le plus tôt possible comme tu peux le croire ; en attendant, prends patience, sois une vraie petite Moumour et compte sur la fidélité de ton

LOULON AMOUREUX.

Ce qui ne l'empêcha pas, dès son retour, de se précipiter chez Léonie.

La petite rouée se doutait bien que Gambetta n'avait pas encore rompu avec Marie Meersmans. Aussi faisait-elle des prodiges pour l'attirer définitivement près d'elle. S'il faut en croire certains confidents de l'orateur, un soir, déchaînée, elle se livra à des espiègleries que les sages auteurs du *Kama Soutra* eux-mêmes eussent trouvées audacieuses et acrobatiques.

Le gros député fut ébloui.

Quelques jours plus tard, il se séparait de Marie.

Léonie avait gagné.

Désormais, Gambetta n'allait avoir dans son cœur que Mlle Léon et la République...

Et pendant dix ans, il ne quittera le lit de l'une que pour se rendre dans la Chambre de l'autre...

L'amour de Léonie était profond, mais lucide.

C'est ainsi qu'en dépit d'une admiration quasi religieuse, elle voyait fort nettement les miettes de pain qui garnissaient la barbe et les plis du gilet de son amant.

Elle n'était pas la seule à les voir. A Paris, les petits journaux satiriques raillaient quotidiennement le laisser-aller du député de la Seine, et le *Grelot* s'amusa même, un jour, à publier, à son intention, des « petits conseils pratiques ». En voici un extrait :

PLUS DE TACHES SUR LES GILETS

Quand on a la barbe longue, il arrive que quelques gouttes de boisson ou de sauce blanche s'échappent des moustaches, roulent sur la barbe et viennent illustrer les gilets de taches abominables autant qu'inutiles.
Comment éviter ce désagrément ? C'est bien simple, il suffit de ne pas mettre de gilet.

En lisant ce texte, Léonie fut atrocement vexée. Depuis leur première rencontre au procès Delescluze, elle, si mesurée de gestes et de paroles, si soignée, si délicate, avait décidé d'enseigner, coûte que coûte, la propreté et les bonnes manières à Gambetta.

L'entreprise était gigantesque. Voici, en effet, comment Maurice Talmeyr nous dépeint le tribun au début de sa liaison avec Léonie :

« Cravaté de blanc, un gros camélia à la boutonnière, se poussant du ventre dans son habit noir, plongeant fortement ses deux mains dans les poches de son pantalon, se brandissant lui-même sur ses genoux tout engorgés de graisse, il avait, en causant, une façon de vous dire : non ! qui lui secouait toute la figure. Il se dégageait de cet homme, dont l'extérieur était, ce soir-là, celui d'un boucher influent qui serait de noce, une inévitable puissance, une autorité réelle. Ses poignées de main, où vibrait la bonhomie des Gaulois de la grande époque, le magnétisme de sa volonté qui emportait le poids des volontés ordinaires, son énorme vulgarité qui faisait place, par moments, à une politesse féline, tout contribuait en lui à une séduction capiteuse qui vous grisait royalement tout d'abord, et devait effrayer, ensuite, ceux qui en avaient fait l'expérience. »

Léonie se mit à l'œuvre. Lentement, habilement, avec beaucoup de tact, elle amena Gambetta à comprendre qu'il ne devait pas se tenir dans les salons parisiens comme il le faisait jadis à Cahors dans la boutique de ses parents [123].

Elle lui apprit à se curer les ongles, à se moucher, à se tenir à table, à se laver les pieds (les bains étaient alors considérés par les purs républicains comme un luxe bourgeois, ridicule, prétentieux et antidémocratique), à s'habiller, à ne plus porter de linge sale, à s'asseoir dans un fauteuil sans s'y affaler, à peler une pêche et à ne plus secouer ses interlocuteurs comme s'ils étaient des chenapans.

Bref, elle le métamorphosa en un homme à peu près convenable. Le public, les journalistes, les autres membres de l'Assemblée et ses amis furent stupéfaits. Écoutons Ludovic Halévy :

« Hier, chez du Lau, c'est un Gambetta absolument correct que je rencontrai : cravate blanche, habit, sortant aussi frais que possible des mains de son perruquier, ne se vautrant pas. Deux ou trois fois, cependant, il fut sur le point de s'abandonner : il glissait déjà sur le canapé. Ça y était : il allait se vautrer ! Mais brusquement, comme mû par un ressort, il se redressait, reprenant une attitude convenable et perpendiculaire... [124] »

L'éducation de Gambetta fut longue. Sa façon d'absorber la nourriture, surtout, parut difficile à modifier. Mais, et c'était là un immense progrès, le député en avait un peu honte. C'est pourquoi, craignant les tendres reproches de Léonie, lorsqu'il arrivait rue Bonaparte, il ne manquait jamais, avant de sonner, de débarrasser sa barbe

---

123. Rappelons qu'un journaliste, ayant à parler des parents de Gambetta dans un article et ne sachant comment les désigner, les avait nommés « Monsieur et Madame Gambetta père ». Trouvaille qui fit rire tout Paris.

124. Ludovic Halévy, *Trois dîners avec Gambetta*.

des morceaux de fromage, traces de béchamel ou débris de pâtisserie qui pouvaient s'y trouver encore...

Peu à peu, Gambetta devint follement amoureux de cette femme qui tentait de faire de lui un gentleman. Il lui demandait conseil pour ses interventions à la Chambre, pour ses votes, pour ses discours, et lui envoyait, de son bureau à l'Assemblée, des lettres passionnées :

Dimanche 9 mars 1873

Chère adorée,

Tu es une fée, et je ne sais rien de plus gracieux, de plus prévenant que ta délicieuse attention. J'ai fait honte à ma tante ; mais tout cela est trop beau, trop riche ; c'est du superflu. Je te prie de revenir promptement pour que je puisse te gronder à loisir ; viens au moins mardi, sinon lundi ; nous passerons encore une des ces divines soirées qui me semblent, le lendemain, un souvenir supraterrestre.

La politique va d'ailleurs à merveille, et je serai bien aise d'en causer avec toi. J'ai à peu près renoncé à parler sur la seconde Chambre ! J'ajourne un projet. Le vieux pensionnaire [125] *est tout à fait remis ; sa santé si précieuse à tous n'inspire plus aucune inquiétude ; c'est là, après tout, notre meilleure constitution, et je ne voudrais pour rien au monde l'ébranler. Donc je vais me taire jusqu'à nouvel ordre.*

Mais il faut au moins que j'aie le bonheur de me mettre à tes genoux car, plus que jamais, je ne peux permettre que tu mettes tant d'intervalles dans tes visites. Viens, je t'appelle, je t'attends, je t'adore.

LÉON.

Hélas ! l'extraordinaire influence qu'avait Léonie sur Gambetta allait être utilisée bientôt par des personnages peu recommandables...

19

Mme Thiers pousse son mari à quitter la vie politique

On compare généralement la politique à un échiquier.
On a tort : c'est un jeu de dames...

AURÉLIEN SCHOLL

Depuis le 4 septembre 1870, la France vivait sous un régime mal défini auquel on avait donné, à la hâte, le nom de République, mais qui n'était fondé sur aucune Constitution.

Au mois de février 1871, quand Thiers avait été élu par l'Assemblée nationale « Chef du pouvoir exécutif », le petit homme s'était fâché :

— C'est une étiquette pour bouteille vide !

Et il avait ajouté, de sa main, les mots « de la République Française » pour que son titre fût moins vague.

125. Thiers.

Il était ainsi devenu président d'une République qui n'existait pas encore.

L'Assemblée, en grande partie monarchiste, s'était émue. Aussitôt Thiers l'avait rassurée :

— Pour l'instant, avait-il confié à quelques-uns des leaders de la droite, vous êtes divisés en légitimistes, orléanistes, bonapartistes. Vous ne pouvez rien construire. Quand vous vous serez mis d'accord, nous ferons la « monarchie unie »... Mais en attendant, nous sommes sous un régime provisoire que j'appelle République parce qu'il faut bien lui donner un nom...

Le fameux Pacte de Bordeaux, daté du 10 mars, confirmait d'ailleurs cette promesse : « Nous ne nous occuperons que de la réorganisation du pays... Lorsque le pays sera réorganisé, nous viendrons ici vous dire : le pays, vous nous l'avez confié sanglant, couvert de blessures, vivant à peine ; nous vous le rendons un peu ranimé. *C'est le moment de lui donner sa forme définitive,* et je vous en donne la parole d'un honnête homme, aucune des questions qui auront été réservées n'aura été altérée par une infidélité de notre part. »

Le 8 juin, l'Assemblée avait voté l'abrogation de la loi d'exil, ce qui permettait aux prétendants légitimistes et orléanistes de rentrer en France.

Aussitôt le comte de Paris, petit-fils de Louis-Philippe, le duc d'Aumale, le prince de Joinville et le duc de Chartres, ses oncles, étaient arrivés à Versailles, tandis que le comte de Chambord, fils de la duchesse de Berry et petit-fils de Charles X, quittait la Belgique pour s'installer au château de Chambord.

La droite, pensant qu'une restauration était imminente, s'était bruyamment réjouie. Ce qui n'avait pas empêché, le 31 août, le député Rivet de proposer à l'Assemblée de donner à M. Thiers le titre définitif de « Président de la République Française ».

Les monarchistes, confiants en la promesse du petit Marseillais, avaient accepté en clignant de l'œil, et la loi Rivet avait été adoptée par 491 voix contre 94.

En attendant que l'Élysée fût prêt à les recevoir, Thiers, son épouse et sa belle-sœur, Félicie Dosne, s'étaient installés à la préfecture de Versailles [126].

Là, les deux femmes avaient commencé à régner sur la France. Règne bouffon de petites bourgeoises mal attifées, prudes et avares.

On aura une idée de la parcimonie de Mme Thiers par cette anecdote : un jour que la princesse Troubetzkoï déjeunait à la présidence, M. Thiers, au dessert, prit une pêche dans un compotier et l'offrit à son invitée.

La pêche était gâtée.

Confus et galant, le président en présenta une autre à la princesse

126. Voir Livre IX.

qui la reçut avec un sourire, mais ne put que la déposer sur son assiette, car elle était également mauvaise.

M. Thiers se désolait. Soudain, son visage s'éclaira : il venait d'apercevoir d'autres pêches, magnifiques celles-là, sur une desserte.

Comme il donnait l'ordre au maître d'hôtel de les servir à la princesse, Mme Thiers intervint sévèrement :

— Non, mon ami, il ne faut pas toucher à ces pêches : elles sont pour le dîner [127] !...

En décembre 1871, les monarchistes qui voyaient M. Thiers recevoir le duc d'Aumale, et qui se souvenaient, en outre, de l'avoir entendu déclarer : « La République, c'est une mauvaise fille ; à peine est-elle entrée dans une maison, elle met son c... à la fenêtre et tout le monde se sauve », avaient commencé à donner des signes d'impatience.

Le petit Adolphe les avait encore calmés. Mais, au début de 1872, découvrant tout à coup ses batteries, il s'était écrié avec humour :

— Nous devons accepter la République ! C'est une des choses que l'Empire nous a léguées avec tant d'autres...

Cette fois, les monarchistes avaient compris qu'ils s'étaient laissé berner...

Quelques mois plus tard, M. Thiers, poussé par son épouse et par sa belle-sœur, toutes deux ravies d'être « présidentes », avait confirmé son attitude de « traître » en déclarant :

— La République existe, elle est le gouvernement légal du pays. Vouloir autre chose serait provoquer une nouvelle révolution, la plus redoutable de toutes...

L'Assemblée (la majorité était toujours monarchiste) avait alors décidé de brimer le petit bonhomme en l'empêchant d'assister à ses débats.

— Vous ne pourrez désormais communiquer avec nous, lui avait-on dit, que par des messages. Si vous voulez vous faire entendre, il faudra nous le demander vingt-quatre heures à l'avance.

Thiers, furieux, s'était répandu en injures, disant qu'on faisait de lui un « porc à l'engrais dans la préfecture de Versailles et un eunuque politique »...

On en était là au printemps de 1873.

Le 23 mai, le duc de Broglie attaqua violemment Thiers. Le lendemain seulement, conformément au nouveau règlement, le président vint répondre.

Lorsqu'il eut terminé, le président de l'Assemblée déclara :

127. Thiers, malgré son grand âge, faisait une cour fervente à la princesse Troubetzkoï. Devançant ses victoires, il se vanta, un jour, d'être l'amant de la jeune femme. Le propos fut répété à l'intéressée qui s'écria :
— Quoi ? Le petit Thiers prétend qu'il s'est livré sur moi à tous les excès ? Eh bien, je ne m'en suis pas aperçue !

— La séance sera reprise hors de la présence du président de la République.

Thiers redressa sa petite taille :

— Et si je me rends dans la tribune présidentielle ?

— Je la ferai évacuer ! Et toutes les autres, s'il le faut !

Thiers s'incrustant, un ordre du jour de défiance fut voté par 360 voix contre 344.

Le président rentra chez lui furieux :

— Je vais constituer un autre ministère...

Mme Thiers se sentit personnellement atteinte par l'attitude de l'Assemblée.

— Non, dit-elle. Tu ne vas constituer aucun ministère. On nous outrage. Nous devons partir... Si nous restons, ces chenapans recommenceront dans quinze jours...

Le soir même, parce que sa femme était trop susceptible, Thiers rédigeait sa lettre de démission...

Tandis que le petit Marseillais libérait le territoire de l'arène politique et que Mme Thiers quittait la préfecture de Versailles en emportant la batterie de cuisine en cuivre, les dessus de cheminée et même les boutons de porte, l'Assemblée procédait à la nomination d'un nouveau chef de l'État. A onze heures du soir, un monarchiste convaincu, Patrice de Mac-Mahon, duc de Magenta, était élu président du pouvoir exécutif.

La droite exulta. Cette fois, l'Élysée devenait l'« antichambre du roi ».

— Dès que les légitimistes et les orléanistes se seront mis d'accord, disait-on, Henri V montera sur le trône.

L'élection de Mac-Mahon stupéfia Gambetta. Comme tous les Républicains, il s'était laissé surprendre par la rapidité des hommes de la droite.

En sortant de l'Assemblée, il se fit conduire directement chez Léonie Léon. Il fulminait :

— Je vais attaquer cette culotte de peau, ce larbin des curés, ce royaliste qui servit Napoélon III, ce descendant d'Écossais dont le nom étranger à la tête de notre pays est une insulte au peuple !

Dans sa colère, le député oubliait que lui-même était d'origine italienne, mais où serait le plaisir pour un homme politique s'il n'avait plus le droit d'être de mauvaise foi ?

Léonie le calma :

— Non ! Tu dois être prudent. Nous sommes peut-être à la veille d'un coup d'État. Pourquoi risquer de te faire arrêter ? Pour défendre tes idées, il te faut la liberté. Profites-en avec habileté. A la tribune, refrène ta violence. Contente-toi d'écrire et n'envoie à l'imprimerie que des articles dont tu auras pesé les mots...

Cette sagesse émerveilla Gambetta. Il promit d'être prudent et, pendant quelque temps, de se consacrer uniquement à son journal *La République Française.*

Il tint parole. Délaissant l'Assemblée, il voyagea et attendit des jours meilleurs.

Léonie en profita pour façonner l'esprit de son gros amant dans un autre domaine. Patiemment, à ce libre penseur qui avait dit : « Le cléricalisme, voilà l'ennemi ! », elle enseigna la tolérance religieuse et même le respect de la papauté [128].

Et cette femme à qui il écrivait : « Tu es pour moi le conseiller toujours clairvoyant et ferme, l'inspiratrice de mes meilleures actions, le guide le plus sûr de mes actes », ou encore : « Je fais plus que de t'aimer, je t'obéis », devait déclarer un jour à Gabriel Hanotaux : « La transformation que vous signalez dans les allures politiques de Gambetta m'est entièrement due. Je ne me vante de rien. J'ai les preuves en main, et encore tout n'a pas été écrit ; nos longues conversations, si les échos pouvaient les redire, révéleraient *ce que j'ai été pour Gambetta, pour la France...* »

Complètement sous l'influence de cette femme intelligente et rusée, Gambetta se laissa voluptueusement diriger. Bientôt il attribuera même une valeur de talisman à sa maîtresse. Il écrira : *Grâce à ta charmante apparition, la journée s'est ouverte sous les plus favorables auspices. L'amour est mon cordial et c'est lui que j'invoque, pour lui que je vais livrer bataille. Léonie,* ora pro nobis !

Plus tard : *Je prendrai près de toi la force et les inspirations pour la lutte. Je te dois le meilleur de mes triomphes, et je sens au fond de mon cœur que je ne peux les compléter, les poursuivre que sous ton aile.*

Ou encore : *J'ai tellement pris l'habitude de consulter l'oracle que je ne peux plus rester loin de lui. Il y a maintenant, dans mon amour, une grosse part de fétichisme dont il faut s'accommoder, si exigeant que je puisse devenir.*

Enfin : *Je te bénis et je t'aime comme le malade, miraculeusement guéri, peut aimer et bénir son fétiche et son Dieu. N'es-tu pas, après tout, ma seule religion et le seul support de ma vie ?*

Naturellement, cet ange gardien, ce fétiche, cette hirondelle du faubourg dont il aimait l'aile protectrice, recevait régulièrement ses vigoureux hommages.

Il allait trois fois par semaine, incognito, rue Bonaparte, toucher Léonie comme une dévote va toucher les pieds de saint Antoine de Padoue. Le mardi était, paraît-il, son jour préféré. Une petite lampe brillait, ce jour-là, dans l'escalier...

Or, ces visites ne passaient pas complètement inaperçues. Face à la maison où habitait Léonie se trouvait une étude d'avoué et les clercs, qui avaient remarqué leur jolie voisine, la surveillaient par la fenêtre,

---

128. « J'ai des lettres de Gambetta, écrira-t-elle, qui prouvent à quel point il a compris ce grand rôle intellectuel de la papauté dans le monde ! »

entre deux rédactions d'actes. L'un d'eux était Gaston Jollivet qui révèle, dans ses *Souvenirs d'un Parisien,* les moyens enfantins dont usait Gambetta pour ne pas être reconnu. Écoutons-le :

« Quand Rougeot (premier clerc de l'étude) s'absentait pour aller chez des clients ou au Palais, il m'arrivait d'aller à la fenêtre, d'écarter les rideaux pour voir ce qui pouvait se passer dans la maison d'en face. Or, de temps en temps, à l'entresol, une silhouette de femme entrevue me rappelait le début d'une pièce de Musset.

» Le rideau soulevé, elle inspectait le ciel. Alors, je pouvais l'apercevoir de face, mais à peine une minute, car elle avait vite fait de baisser le rideau dès qu'elle découvrait ma curiosité braquée sur ses faits et gestes. Aussi à peine l'aurais-je reconnue dans la rue. Et je n'eus rien à objecter le jour où Peugeot, me voyant en observation, me dit : "Fermez donc la fenêtre ! C'est un pruneau !"

» Quelque temps après, mon collègue m'apprit ce qu'il m'avait caché par discrétion, le jour où il me donna son opinion esthétique sur ma voisine d'en face, rue Bonaparte. Le "pruneau" était tout simplement cette Mme Léon que tout le monde désignait comme la maîtresse de Gambetta, et depuis longtemps. Je me rappelai alors avoir vu plusieurs fois, de mon observatoire, en plongeant mon regard dans la rue, devant moi, un gros monsieur que, lui aussi, je n'avais jamais identifié, *parce qu'il maintenait sur sa joue un mouchoir donnant l'impression qu'il souffrait d'une fluxion.* Du reste, plus tard, sa fortune politique aidant, il devint, révérence parler, l'éléphant qui ne cache plus ses amours, ne se gênant pas pour faire arrêter la voiture ministérielle à cocarde tricolore devant la porte de la bien-aimée. Depuis beau temps, il avait cessé de tenir sur sa joue le mouchoir soi-disant dissimulateur d'une fluxion... »

Ce qui prouve que lorsqu'on est ministre on n'éprouve plus le besoin de cacher ses faiblesses...

20

La comtesse de Chambord se trouve trop laide pour être reine de France

> Le peuple pardonne aux rois d'être bêtes,
> jamais d'être laids !...
>
> BALZAC

Pendant que Gambetta faisait de la gymnastique dans le lit de Mlle Léon, les députés royalistes s'efforçaient de réconcilier la branche aînée et la branche cadette, séparées depuis la révolution de 1830 [129].

Ce rapprochement était indispensable pour que la monarchie pût

---

129. La branche aînée (les Bourbons) était représentée par le comte de Chambord, fils du duc de Berry (mort assassiné en 1820) et petit-fils de Charles X. La branche cadette (les d'Orléans) était représentée par le comte de Paris, fils du duc d'Orléans (mort accidentellement en 1842) et petit-fils de Louis-Philippe.

être rétablie. Le comte de Paris se trouvait être, en effet, selon l'ordre de primogéniture, l'héritier du comte de Chambord dont l'épouse ne pouvait avoir d'enfants. Et il était inconcevable que le futur roi et son « dauphin » continuassent à se faire la guerre...

Après bien des démarches, et tandis que l'Assemblée préparait au nez et à la barbe des Républicains une constitution où le mot « République » n'apparaissait pas [130], le 5 août le chef de la Maison de France, qui était retourné à Frohsdorf, accepta de recevoir le comte de Paris.

L'entrevue fut chaleureuse. Les deux hommes sympathisèrent et la famille royale se « ressoua ». Dès lors, il apparut à tout le monde que la restauration était imminente.

Aussitôt, Mac-Mahon, ravi, commença à régler le protocole d'arrivée du souverain. La France allait de nouveau avoir un roi.

Le peuple, qui était resté très monarchiste [131], s'en réjouit bruyamment et le portrait de Henri V, vendu par les colporteurs, apparut dans les chaumières. Les paysans le collaient sur la hotte de la cheminée entre celui de l'Empereur, mort à Sainte-Hélène, et l'image coloriée de saint Saturnin, patron des moissonneurs.

Submergés par la droite, les Républicains, dépités, voyaient s'évanouir tout espoir de constituer une troisième République.

Un détail, pourtant, retardait le vote de l'Assemblée : le comte de Chambord ne voulait pas renoncer au drapeau blanc.

Les députés monarchistes, navrés, s'efforçaient de lui faire comprendre que son entêtement était insensé et qu'il risquait, en refusant le drapeau tricolore auquel le peuple et l'armée demeuraient attachés, d'interdire à jamais le rétablissement des Bourbons sur le trône de France.

En vain.

Au mois d'octobre, un ambassadeur, M. Chesnelong, fut dépêché à Frohsdorf avec mission de faire accepter au prétendant la formule suivante qui réservait habilement l'avenir : « Le drapeau tricolore est maintenu ; il ne pourra être remplacé par un autre qu'avec l'accord du roi et de l'Assemblée. »

Les royalistes, confiants, pensèrent que ce texte aurait l'agrément de Henri V puisqu'il lui permettait de satisfaire l'opinion et, s'il le voulait, de faire broder, après le sacre, les fleurs de lis sur le drapeau de Valmy.

Chesnelong se présenta en souriant et remit la proposition de ses amis. Le comte de Chambord y jeta un coup d'œil et dit simplement :

— Le principe que je représente et le drapeau ne peuvent être séparés !

« Obstination démentielle », écrira plus tard Octave Aubry. Chesnelong, fort ennuyé, proposa alors un drapeau à deux faces : blanc d'un côté, tricolore de l'autre.

---

130. Ainsi, ce texte pouvait s'appliquer automatiquement à un autre régime.
131. On comptait un républicain sur cinq Français.

A ce moment, tout était encore possible, et cet étendard Janus pouvait fort bien symboliser l'union de la France traditionnelle et de la France révolutionnaire. Mais le prétendant sourit :

— Je n'accepterai jamais le drapeau tricolore !

Chesnelong fut atterré.

— Monseigneur me permettra de ne pas avoir entendu cette parole, dit-il.

— Soit ! Mais vous voyez quel est le fond de ma pensée...

Finalement, le délégué, découragé, plaça le comte de Chambord devant ses responsabilités :

— Avec une concession sur le drapeau dont, telle que je la comprends, votre honneur n'aurait pas à souffrir, et dont la France vous serait profondément reconnaissante, je ne dis pas seulement que la monarchie *se fera, je dis qu'elle est faite* et que, demain, la France l'acclamera.

» Si, au contraire, Monseigneur se refuse à toute concession sur le drapeau, si je dois, après-demain, rapporter à Paris cette réponse que votre résolution est inflexible, que vous n'acceptez pas même que la question, renvoyée jusqu'après votre prise de possession du pouvoir, soit résolue alors par l'accord du roi et de l'Assemblée, non seulement la monarchie ne se fera pas, c'est ma prévision absolue, mais on cherchera dans d'autres voies des solutions précaires et fatalement impuissantes...

Le comte de Chambord ne sourcilla pas. Il se leva, tendit la main à Chesnelong et se contenta de dire :

— Mme la comtesse de Chambord prend le train ce soir à sept heures. Nous allons dîner et je l'accompagnerai à la gare. Après quoi nous reprendrons notre entretien. Je suis charmé d'avoir pu causer avec vous des intérêts de notre chère France !...

Cette fois, le délégué fut désespéré. Il alla faire un tour dans le parc en imaginant la déception de ses amis. Puis il pensa que le dîner allait peut-être lui permettre de se faire une alliée de la comtesse et cette idée le rasséréna.

Hélas ! dès le potage, il devait avoir une fâcheuse surprise en constatant que l'épouse du dernier Bourbon était atrocement sourde. Parlant de la nappe quand on discutait du pape, toute espèce de dialogue était impossible avec elle...

A huit heures, le prince étant revenu de la gare, les deux hommes reprirent leur entretien. A minuit, Chesnelong fut autorisé à rapporter à Paris la déclaration suivante :

Mgr le comte de Chambord ne demande pas que rien soit changé au drapeau avant qu'il ait pris possession du pouvoir.

Il se réserve de présenter au pays à l'heure qu'il jugera convenable une solution compatible avec son honneur, et qu'il croit de nature à satisfaire l'Assemblée et la Nation.

Chesnelong, pensant qu'il avait remporté une victoire, rentra à Paris tout joyeux. En lisant le texte de la déclaration, ses amis crurent comprendre, eux aussi, que le comte de Chambord acceptait le drapeau tricolore. Aussitôt, on rédigea dans la fièvre et l'enthousiasme un texte de motion qui devait être présenté à l'Assemblée. En voici le premier article :

La monarchie nationale, héréditaire et constitutionnelle, est le gouvernement de la France. En conséquence, Henri-Charles-Marie-Dieudonné, chef de la famille royale de France, est appelé au trône. Les princes de cette famille lui succéderont de mâle en mâle, par ordre de primogéniture.

L'Assemblée n'avait plus qu'à rappeler le roi.

Le lendemain, la presse annonça que l'accord était fait avec le comte de Chambord, que toutes les libertés civiles, politiques et religieuses qui constituaient le droit public seraient garanties et que le drapeau tricolore serait maintenu.

Aussitôt, la France se prépara à recevoir son roi. Des ordres furent donnés pour que le comte de Chambord n'eût pas à subir les formalités de la douane. On décida qu'il descendrait du train à la dernière station avant la frontière, pénétrerait en France à cheval, ce qui semblait plus noble, remonterait ensuite en wagon et filerait sur Paris où une entrée triomphale était prévue.

Sans attendre le vote de l'Assemblée (qui était acquis), on commanda pour le souverain un uniforme de lieutenant général, on chargea Binder de fabriquer les carrosses de gala, on acheta les chevaux, on fit exécuter par un sellier de la rue Caumartin le harnachement portant l'écusson royal, on exposa rue Vivienne le tapis fleurdelisé destiné à la voiture du roi, on publia l'itinéraire du cortège, on confectionna des cocardes, des lampions, des brassards, ornés de l'inscription « Vive Henri V ». Enfin, on prépara le Louvre.

Personne ne pouvait plus en douter : Henri V allait monter sur le trône.

Mais tous ces préparatifs devaient être inutiles à cause d'une femme qui ne se jugeait pas assez belle pour devenir reine de France...

Le 30 octobre 1873, une lettre du comte de Chambord parvenait à M. Chesnelong.

Le négociateur la lut et demeura foudroyé.

Au moment où tout était prêt pour le recevoir, Henri V, revenant sur sa décision d'accepter provisoirement le drapeau tricolore, déclarait ne pouvoir rentrer en France qu'avec le drapeau blanc.

Le prétendant écrivait notamment :

« L'opinion publique, par un courant que je déplore, a prétendu que je consentais à devenir le roi légitime de la Révolution... On me demande aujourd'hui le sacrifice de mon honneur... Les prétentions de la veille me donnent la mesure des exigences du lendemain, et je ne puis consentir à inaugurer un régime réparateur et fort par un acte de faiblesse... Il est de mode, vous le savez, d'opposer à la fermeté de Henri V l'habileté de Henri IV ; mais je voudrais bien savoir quelle leçon se fût attirée l'impudent assez osé pour le persuader de renier l'étendard d'Arques et d'Ivry... »

C'était une véritable renonciation au trône. Atterrés, les royalistes voyaient s'échapper une occasion qui, sans doute, ne se représenterait jamais plus.

Chesnelong crut avoir trouvé le moyen d'éviter l'irréparable :

— Il faut tenir cette lettre secrète, dit-il, et continuer à préparer l'arrivée du roi. Peut-être finirons-nous par le convaincre.

Mais le comte de Chambord avait pensé à tout. Le soir même, sur ses ordres, le texte de la lettre était publié par *L'Union...*

A Paris, la déclaration du prétendant fit l'effet d'une bombe. Sur les boulevards, une foule fiévreuse, agitée, entoura les kiosques à journaux où étaient affichées les éditions spéciales. Des républicains hilares et des royalistes désespérés se battirent rue Le Pelletier. La Bourse dégringola.

Dans le faubourg Saint-Germain, les ducs et les duchesses étaient furieux.

— C'est à croire que Henri V ne veut pas régner, disaient-ils. Car cet entêtement au sujet du drapeau est ridicule. Tout le monde sait bien qu'avant la Révolution, la monarchie n'avait pas de drapeau...

Ils avaient raison. Sous l'ancien régime, chaque régiment possédait son étendard propre. Quant à la cornette blanche, elle n'était que *l'enseigne personnelle* du colonel-général « dont l'ambition était justement de faire croire que sa troupe n'appartenait pas à la couronne » [132]. Aucune bannière royale, en effet, ne fut jamais de cette couleur. L'oriflamme de Philippe Auguste était d'azur, celle de Saint Louis rouge, le pennon de Louis XI bleu, la cornette de Henri IV, bleu, blanc et orangé [133], etc.

A la Restauration, Louis XVIII avait, certes, adopté le drapeau blanc, mais en 1830, Louis-Philippe s'était empressé de reprendre les trois couleurs.

Le comte de Chambord n'avait donc aucune raison de vouloir à tout prix un drapeau qui n'était demeuré notre emblème national que pendant quinze ans sur dix siècles...

Aussi son obstination est-elle étrange, extravagante et, pour tout dire, suspecte. Car enfin, pourquoi exiger un drapeau qui n'a aucune signification et qui, de plus, est refusé par tout le monde ?

---

132. GUY DE MIRIBEL, *Le comte de Chambord a-t-il voulu régner ?* « Miroir de l'Histoire », n° 163.
133. A. MAURY nous dit qu'en 1670, les chefs de corps choisissaient pour leurs soldats les couleurs qui s'alliaient le mieux entre elles, « ou plaisaient à telle maîtresse adorant le bleu pâle ou à telle idolâtrant le cramoisi ». *Emblèmes et drapeaux de la France.*

Ne s'agirait-il pas d'un beau prétexte pour ne point monter sur le trône ?

Quelques historiens l'ont pensé et l'ont écrit, ajoutant même que ce prétexte avait été soufflé à Henri V par une femme...

Une histoire d'amour serait à l'origine de cette attitude incompréhensible du prétendant. Une histoire d'amour bien mélancolique.

En 1845, le comte de Chambord rencontra aux eaux de Toeplitz le duc de Modène et ses deux filles. La cadette, Béatrice, était d'une éblouissante beauté, et le jeune homme en tomba immédiatement amoureux.

Quelques jours plus tard, il demandait sa main. Tremblant d'émotion, le duc de Modène courut annoncer l'extraordinaire nouvelle à sa fille :

— Mon enfant, il nous survient une grande joie. Dieu distingue notre Maison. Tu vas être reine de France !

Béatrice secoua ses longues nattes :

— C'est impossible, mon père, j'aime mon cousin don Carlos et je me suis promise à lui.

Le duc insista, disant qu'on ne refuse point la main du descendant de Louis XIV. En vain, la princesse ne voulait que don Carlos ou le voile.

Lorsqu'on lui apprit que la femme qu'il aimait n'était pas libre, le comte de Chambord sut qu'il ne serait plus jamais heureux. Désespéré, il décida d'épouser Marie-Thérèse, le sœur de Béatrice, petite adolescente noiraude, sans charme, sans grâce, dotée d'un nez en pied de marmite, d'un regard torve, d'une trop grande bouche, de seins plats, de jambes grêles et de fesses tombantes...

Le mariage, qui ressemblait à un suicide, eut lieu en 1846.

En 1873, Marie-Thérèse, consciente de sa laideur, eut-elle peur d'être une cible facile pour les caricaturistes, les chansonniers et les pamphlétaires parisiens ? Craignit-elle de rendre ridicule la monarchie ? De gêner son mari ? De faire ricaner les cours étrangères ? De faire sourire de pitié Eugénie qui avait été si belle ? D'être tout simplement trop malheureuse ? On ne sait. Mais il est certain qu'elle fit tout pour empêcher Chambord de monter sur le trône.

Merveilleux du Vignaux, qui la rencontra à Frohsdorf, écrit dans ses *Souvenirs :* « Si la cour s'installe bientôt à Versailles, pensai-je alors (il venait de constater l'extraordinaire surdité de Marie-Thérèse), les entrevues avec la reine n'y seront guère faciles. Sans doute, les amateurs de vie et de mouvement préféreront-ils rendre visite à la comtesse de Paris, jeune, spirituelle, très apte au rôle de dauphine. Quel partage inégal aurait à s'établir encore cette nièce brillante et la pauvre princesse infirme, sans beauté ni gaieté ? Et je me demandais *si le trône était tentant pour celle-ci et si nous trouverions chez elle, au moment décisif, l'appui dont nous avions tant besoin auprès de son mari.* »

Robert Burnand est plus catégorique encore :

« Il suffit de penser à Mme la comtesse de Chambord. Si Henri V n'a pas été roi, c'est qu'à ses côtés Marie-Thérèse ne voulait pas être reine. La perspective ne lui souriait guère, de régner sur une nation qu'elle tenait pour capricieuse, frivole, irrespectueuse, pour ne pas dire sacrilège — mais l'idée l'épouvantait d'avoir à subir les regards des Français, des Françaises surtout, d'affronter Paris en atours de Parme ou de Modène, ou tout au plus de Vienne, l'idée de surprendre une ironie derrière tous les hommages...

» C'est pourquoi il est permis de croire que, lorsque tout était prêt pour recevoir le roi, les lampions, les carrosses, les chevaux piaffants, quand il suffisait, pour gagner la partie, de la plus élémentaire souplesse diplomatique — quand on voit avec surprise qu'à peine le terrain déblayé, la route aplanie, une main invisible élevait des obstacles nouveaux —, on peut croire que, patiemment, travaillait à détruire l'ouvrage commencé celle qui priait Dieu de tout son cœur d'épargner au roi l'épreuve de la couronne [134]. »

Il est donc permis d'avancer que si le comte de Chambord avait épousé la jolie princesse qu'il aimait nous n'aurions peut-être jamais eu de Troisième République...

21

Le premier scandale mondain de la IIIe République

> C'n'était pas la peine,
> C'n'était pas la peine, assurément
> De changer de gouvernement !...

Le printemps de 1874 eut sur Léon Gambetta d'affligeants effets.

A l'Assemblée, le tribun, sans se soucier de ses voisins hilares ou peinés, traçait avec fébrilité, sur les feuilles de papier que le Corps Législatif mettait à la disposition des élus, des dessins d'une abominable grivoiserie ; à la rédaction de son journal, il rédigeait pour Léonie des rondeaux libertins auprès desquels nos chansons de salle de garde eussent semblé mièvres et maniérées ; au comité de la Gauche démocratique, il rêvait en soupirant, l'œil fixé sur les seins de marbre d'une statue fort dénudée qui représentait la République Française...

Bref, Gambetta donnait tous les signes d'une vive agitation intérieure...

Pour retrouver son calme, il sautait, le soir, dans sa voiture et se faisait conduire rue Bonaparte. A peine arrivé dans l'appartement de Léonie, il jetait son haut-de-forme sur un fauteuil, dispersait ses vêtements aux quatre coins de la pièce, déroulait à toute vitesse la bande Velpeau dont son gros ventre était entouré et bondissait dans le

---

134. ROBERT BURNAND, *Le duc d'Aumale et son temps*.

lit où, l'instant d'après, il accomplissait des exploits dignes du Grand Turc...

C'est à cette époque qu'entre deux rondeaux lascifs, il écrivit à sa maîtresse cette lettre passionnée :

Chère femme adorée,

Nous nous sentons bien ensemble ; nos âmes n'ont jamais été plus à l'unisson, et je savoure à longs traits l'amour tel que l'ont rêvé de tout temps les plus nobles esprits de l'humanité. Toi seule, entre toutes les femmes, as pu me transporter sur ces sommets éblouissants de la passion et de la communion des intelligences. Je ne distingue plus entre les sensations : elles sont toutes délicates, exquises, et les plus charnelles s'épurent par la domination de l'esprit. C'est un thème infini de méditations et de joies intérieures, et c'est à toi, à toi seule, que je dois d'avoir découvert ce monde supérieur et éblouissant que tant de grands cœurs ont cherché à travers les honteuses tentatives de la vie de désordre, sans pouvoir jamais y pénétrer. Aussi je t'adore comme les saints adorent Dieu, comme un pur esprit. Je te serre à te briser dans mes bras ; viens demain à l'heure que tu voudras ; je me mettrai à tes pieds...

Gambetta, dans sa frénésie, ne se contentait pas de serrer Léonie Léon « à la briser ». Parfois, il la battait. Pour un regard qu'elle avait jeté à un sergent de ville ou à un garde de la Chambre des Députés, il la giflait et lui donnait des coups de bottine. La malheureuse se jetait alors sur son lit en gémissant, et le gros député, honteux et repentant, venait s'agenouiller à son chevet.

— Je suis le plus immonde personnage des temps modernes, hurlait-il. Pardonne-moi, Léonie ! Pardonne à ton tyran !

Quand elle tardait trop à lui tendre la main, il se martelait le crâne de coups de poing.

Un jour, à la suite d'une scène particulièrement violente, il descendit dans la rue à demi vêtu, réveilla son cocher, remonta dans sa voiture et rentra chez lui en poussant des plaintes lugubres.

Le lendemain, pour se faire pardonner, il fit faire, en or, la reproduction exacte de l'anneau offert par Saint Louis à sa femme, Marguerite de Provence, et l'offrit à Léonie.

A l'intérieur étaient gravés ces mots : « Hors de cette annelle point d'amour... »

Ce cadeau réconcilia les amants tapageurs.

Léonie, ayant passé l'anneau à son doigt, pensa qu'une alliance en serait le complément normal. Un matin, au lit, elle en parla à Gambetta. La réaction du tribun la stupéfia. Il commença par se mettre en boule comme un gros hérisson, sa barbe touchant son nombril. Elle répéta sa phrase :

— Je voudrais que tu m'épouses...

Il se recroquevilla encore un peu plus et resta muet.

Elle se serra contre lui :
— Je veux être ta femme... Je ne peux plus supporter cette vie dans l'ombre. J'ai envie d'être madame Gambetta, d'être reçue avec toi, d'avoir une vie normale...
Gambetta faisait toujours le gros dos. Alors, elle parla longtemps, pria, pleura, demanda des explications. Finalement, il se redressa et dit, d'un ton gêné :
— N'insiste pas. Je ne veux pas me marier.
Pourquoi refusait-il d'épouser cette femme qu'il aimait pourtant avec passion ?
Émile Pillias propose trois réponses à cette question :
« Était-ce un reste de défiance envers la femme qui s'était jetée dans sa vie, et que certains de ses amis persistaient à soupçonner d'avoir été "de la police" ? Gardait-il encore quelque attachement à Marie Meersmans ou redoutait-il ses représailles ? Ou, mieux encore, voyant la carrière éclatante qui s'ouvrait devant lui, craignait-il de la compromettre par un mariage discutable, et se réservait-il pour de plus brillantes unions ? [135] »
Léonie Léon se fit sans doute les mêmes réflexions car elle tomba malade de chagrin.
Par la suite, et pendant des mois, elle renouvela sa prière. Hélas !
« au seul mot de mariage, nous dit Léon Peneau, le gros Cadurcien blêmissait, ses mains tremblaient et sa barbe, l'instant d'avant brillante, agressive et presque horizontale, se cachait craintivement dans les plis du gilet ».
Devant un tel désarroi, Léonie finit par être prise de pitié. Puisque l'idée d'une union apeurait tant son amant, elle se résigna à vivre dans l'ombre et à n'être qu'une compagne en marge, celle dont on murmure le nom dans les salons et que l'on ne désigne que par des initiales discrètes dans les articles de journaux.

La fin de l'été fut douce et l'automne lumineux. Le 22 septembre, le ciel était si beau que Gambetta eut envie de passer plusieurs jours à la campagne avec Léonie. De son bureau de l'Assemblée, il écrivit cette charmante lettre de collégien :

Chère mignonne adorée,
Moi aussi, je regrette de voir s'envoler une à une de belles et douces journées d'automne loin de toi, t'appelant sans cesse et ne voyant rien venir ; ah ! que nous les regretterons sur le tard de la vie ces belles heures amoureuses de la jeunesse, et il ne sera plus temps !
Arrive donc au plus vite et allons nous remplir les yeux et le cœur de lumière, de sensations et d'images. Tu sais bien où je veux t'entraîner. Que tardes-tu, mignonne, et pourquoi te laisser embarrasser

135. « Singulier retour, ajoute ÉMILE PILLIAS, quand, plus tard, ayant compris que sa vie, chair, cœur et esprit, est indissolublement liée à celle de Léonie Léon, il voudra l'épouser, c'est elle qui, à son tour, refusera. » *Léonie Léon, amie de Gambetta.*

à chaque pas des vulgarités ou des exigences sociales ? Nous sommes nos maîtres ; la nature nous réclame ; elle a mis ses beaux atours pour nous faire fête. **Donc, je t'attends jeudi ; nous partirons vendredi et nous reviendrons samedi soir au plus tôt. Réponds-moi clairement, car il faut que je prévienne.** *Je t'adore et t'embrasse à perdre haleine.*

Ayant définitivement renoncé à « s'embarrasser », comme disait Gambetta, « des vulgarités ou des exigences sociales », Léonie accepta.

Ils allèrent s'installer incognito dans l'auberge d'un village du Hurepoix ; et là, pendant deux jours, secrètement, avec une sorte de volupté douloureuse, la jeune femme se donna l'illusion d'être madame Gambetta...

Remy de Gourmont dit que « la bête que l'homme tient recluse en lui a besoin de prendre périodiquement des vacances ».

Les deux jours passés à Saint-Léger-en-Yveline furent exactement ces vacances-là pour la bête qui rongeait son frein au cœur de Gambetta. Le député — qui n'avait emporté aucun dossier, aucun projet de discours, aucune épreuve d'affiche à corriger — put se consacrer entièrement au corps brun et satiné de Léonie...

Il s'en donna à cœur joie et rendit à sa maîtresse de si nombreux et si fréquents hommages que, nous dit Jules Varin, « les habitants du pays en parlaient, le soir, à la veillée, comparant le député borgne et barbu à la bête Farrigaude, monstre lubrique qui hantait autrefois le Hurepoix ».

L'extraordinaire jouteur ne connaissait, en effet, aucun repos. La trêve du repas même n'était pas respectée. Dès le premier soir, l'aubergiste, stupéfaite, vit son client se lever brusquement de table et entraîner Léonie dans la chambre avec un œil brillant auquel Mgr Dupanloup, alors évêque d'Orléans, eût sans doute trouvé à redire. Dix minutes plus tard, le couple redescendit et, nous dit-on, « dévora en riant un rôti de veau aux girolles ».

Le lendemain, la fête continua. Les promenades dans le bois furent coupées de haltes tumultueuses qui froissaient les fougères et laissaient les oiseaux étonnés.

Après cette véritable cure, les amants rentrèrent à Paris dans un état d'apaisement qu'ils n'avaient encore jamais connu ni l'un ni l'autre.

Aussitôt, avec l'allant des gens dispos, ils se remirent au travail. Une fois de plus, on vit Gambetta monter sur des estrades, participer à des congrès, plastronner dans des banquets, parler, gesticuler, s'égosiller.

— Quel génie ! criait-on.

Personne alors ne se doutait que, dans l'ombre où on la tenait volontairement, c'était Léonie qui tirait les ficelles de la grosse marionnette...

« Femme jusqu'au bout des griffes », comme l'a écrit Jules Varin, la jeune israélite n'utilisait pas seulement les ressources de son intelligence pour aider Gambetta à triompher. Les jours où avaient lieu d'importants débats à la Chambre, elle « dopait » son amant par d'étourdissantes caresses.

Le lendemain, le tribun lui envoyait des lettres délirantes de reconnaissance. Le 13 janvier 1875, par exemple, il lui adressa celle-ci :

Chère mignonne aimée,
Tu es bien la plus incomparable charmeuse qui soit sortie des mains de la nature et je me sens tous les jours plus pénétré de reconnaissance pour la destinée qui m'a choisi entre tous les hommes pour assister à cette éblouissante féerie de grâce et d'enchantements.

Je ne parviens jamais à distinguer au fond de mon être ce qui est le plus séduit de mon cœur ou de mon esprit : au moment où je vais prononcer, où je crois que mon cœur est le plus attendri, l'esprit réclame et démontre que c'est lui qui a le plus sujet d'être ravi et enamouré. Hier, tu m'as dépassé et tu t'es surpassée ; je ne suis pas sorti du charme : ton petit mot, si délicieux, si attachant, a prolongé mon extase et ouvert ma journée sous la plus heureuse étoile.

Aussi quelle belle et immense victoire nous avons remportée aujourd'hui ! L'armée française est sauvée. L'avenir assuré, la Patrie se refera ; nous vivrons juste assez pour saluer les revanches du droit et de l'honneur national ; et ce jour-là, nous pourrons dire avec orgueil : notre amour fut le génie inspirateur de ces efforts du patriotisme, et c'est ma Léonie qui en fut l'âme.

Je t'adore, je t'embrasse, je suis à tes pieds.

LÉON.

La veille, l'Assemblée Nationale, émue par le discours passionné de Gambetta, avait voté la création de bataillons à quatre compagnies fortes, au lieu de six compagnies faibles. C'était la « belle et immense victoire » annoncée.

Ainsi, l'armée française renaissait quatre ans après Sedan, parce que Mlle Léon s'était livrée sur son amant à des attouchements dignes d'une courtisane grecque...

Malgré les bons soins de Léonie, Gambetta n'était pas pleinement heureux. En effet, la République qu'il appelait de tous ses vœux n'avait toujours aucune existence légale. La droite se faisait d'ailleurs un plaisir de le souligner, en n'appelant jamais Mac-Mahon « Président de la République », mais « maréchal-président ».

Or, le 30 janvier, une initiative imprévue d'un député catholique du Nord, M. Wallon, allait, par hasard, créer la IIIe République.

Ce jour-là, en fin de séance, après de nombreux discours sur l'organisation des pouvoirs publics, M. Wallon proposa candidement l'amendement suivant :

« Le président de la République est élu à la majorité des suffrages par le Sénat et la Chambre des Députés réunis en Assemblée Nationale... »

Ce texte, qui reconnaissait tacitement le régime républicain, fit bondir de joie les députés de gauche. Ceux de droite, naturellement, en refusèrent les termes avec énergie.

Finalement, l'amendement fut voté par l'Assemblée *à une voix de majorité* [136].

La République avait désormais une existence officielle.

Gambetta et Léonie fêtèrent cette victoire inattendue d'une façon qui eût surpris Platon.

Pendant quelques jours, le public se passionna pour les conséquences de l'amendement Wallon. Puis il eut un autre sujet d'intérêt. Plus frivole, à la vérité, car il s'agissait d'une aventure fort leste qui venait d'arriver à Mme C..., l'épouse d'un député.

Mme C... était une jeune femme ravissante, distinguée, et ardente démocrate, qu'un diable, probablement antirépublicain, avait dotée d'un feu qui la poussait à des excès regrettables.

Les dimanches d'été, il n'était pas rare de la voir, à Bougival, au bain de la Grenouillère, barboter dans la Seine et même, nous rapporte un témoin, « attraper au vol des pommes de terre frites que des hommes lui jetaient de la berge.

» Après quoi, excitée par ces ébats fort équivoques, elle se rendait derrière des buissons où, toute heureuse, dans son cœur républicain, de donner le pistil d'une grande dame à un homme du peuple, elle se roulait dans l'herbe en compagnie de robustes canotiers [137] ».

En ce mois de février 1875, c'était à des jeux moins champêtres, on s'en doute, que s'amusait Mme C... On devait en être informé d'une curieuse façon.

Un soir, une rafle eut lieu dans une maison de prostitution clandestine, située quai de la Tournelle. Toutes les filles furent incarcérées. L'une d'elles déclara s'appeler Denise Labat. Son langage châtié éveilla les soupçons de l'officier de police.

— Vous n'êtes pas une prostituée de métier ! lui dit-il.

La femme, que l'on avait trouvée dans une chambre avec deux mariniers, éclata de rire.

— Et si cela était ?

— Qui êtes-vous ?

— Cherchez ! Mais sachez que vous feriez mieux de me relâcher. Cela serait préférable pour votre carrière. Mon mari est au gouvernement...

---

136. Cette voix, les républicains ne l'auraient pas eue sans le concours inattendu de la prostate d'un homme de droite. « Au moment où circulaient les urnes, écrit le Dr Valensin, le monarchiste Mallevergne, député et haut magistrat, fut pris d'un besoin de se précipiter aux toilettes... La voix royaliste qui aurait pu empêcher la République se perdit dans les latrines... » *La Prostate, grandeur et servitudes.*

137. ALAIN PROUX, *La Troisième République. An I.*

Le policier, perplexe, fit reconduire la prostituée dans sa cellule et se livra à une enquête.

Le lendemain, il apprenait que M. C..., député de la Seine, avait signalé la disparition de sa femme.

Mme C... — car, bien sûr, c'était elle — fut relâchée immédiatement, et son mari s'efforça d'étouffer l'affaire. Mais un journaliste qui avait eu vent de l'aventure, publia un article fort documenté, intitulé : « Le mari de Messaline siège à l'Assemblée. »

Le premier scandale mondain de la IIIe République venait d'éclater. Il allait être suivi de beaucoup d'autres...

22

Léonie Léon fut-elle un agent de Bismarck ?

> Toutes les questions sont possibles
> à propos de cette femme.
>
> HENRI DE ROCHEFORT

Pendant l'été de 1875, Gambetta connut la tentation qui guette tous les députés républicains : il fut attiré par les femmes titrées. Tout d'abord, il devint l'amant de la ravissante comtesse de Beaumont, belle-sœur de Mac-Mahon, ce qui — lorsque le maréchal l'apprit — n'améliora pas, on s'en doute, les rapports entre les deux hommes [138] ; puis il désira être reçu chez la Païva. L'ex-courtisane était maintenant flétrie, peinturlurée, emperlée et boursouflée, mais elle possédait toujours son fastueux hôtel des Champs-Élysées. De plus, elle était devenue comtesse...

En 1870, à la déclaration de la guerre, elle avait quitté précipitamment la France pour se réfugier en Silésie dans un château appartenant à son amant, le comte Henckel de Donnersmarck. Celui-ci avait combattu dans les armées prussiennes et s'était montré si zélé que Bismarck l'avait nommé préfet de Sarreguemines, puis de Metz.

En janvier 1871, il était à Paris et, lorsque les armées allemandes avaient défilé sur les Champs-Élysées, une seule maison était demeurée ouverte avec un air de fête : l'hôtel de la Païva où le comte, en grand uniforme, coiffé du casque à pointe, avait regardé passer les drapeaux de son pays.

Quelques mois plus tard, la Païva était rentrée à Paris, et Guido

---

138. D'après ANDRÉ GERMAIN, cette liaison aurait permis à Gambetta d'espionner son adversaire : « L'irrésistible comtesse, écrit-il, se faisait faire la cour par divers jeunes gens politiques, notamment par un très grand seigneur attaché à la personne du maréchal. Dans l'effervescence d'une amitié troublante, des secrets politiques échappaient au jeune grand seigneur : la comtesse s'empressait d'en faire part au tribun. » *Les grandes favorites, 1815-1940.*

Henckel l'avait épousée officiellement le 28 octobre, dans un temple protestant [139].

En novembre, sans pudeur, elle s'était montrée au théâtre. Le public l'avait huée. Mais le lendemain, l'ambassadeur d'Allemagne, le prince de Hohenlohe, s'était présenté chez Thiers pour exiger des excuses et une réparation.

Le petit président avait dû s'incliner. La semaine suivante, au cours d'une soirée à l'Élysée, la Païva s'était assise à sa droite...

Pendant des mois, les Parisiens, qui ne pouvaient oublier ni leurs deuils ni leurs ruines, avaient affecté d'ignorer l'ex-espionne. Puis, peu à peu, des artistes, des journalistes, des écrivains (les Goncourt, Taine, Renan, Théophile Gautier, Émile de Girardin, Arsène Houssaye, entre autres) « gourmands d'un bon dîner » avaient repris le chemin de l'hôtel des Champs-Élysées.

La comtesse avait exulté. Ainsi, elle prenait une revanche sur les familles aristocratiques qui continuaient de la repousser.

— Après ces bourgeois, disait-elle en ricanant, j'aurai les duchesses.

Un peuple battu ne peut pas toujours être arrogant...

Pourtant, elle ne pouvait supporter qu'on l'appelât encore « Païva ». Ce nom qu'elle avait été si heureuse de porter jadis, l'exaspérait.

Elle eût été plus furieuse encore si elle avait connu les anecdotes qui couraient sur son passé. On racontait, par exemple, qu'au lendemain de son mariage avec le marquis de Païva, elle avait tenu ce langage à son époux :

— Vous avez voulu coucher avec moi, et vous y êtes parvenu en faisant de moi votre femme. Vous m'avez donné votre nom, je me suis acquittée cette nuit. J'ai agi en honnête femme, je voulais une position, je la tiens, mais vous, monsieur de Païva, vous n'avez pour femme qu'une putain, vous ne pouvez la présenter nulle part, vous ne pouvez recevoir personne ; il est donc nécessaire de nous séparer, retournez au Portugal, moi, je reste ici avec votre nom et je demeure putain...

Païva, honteux et confus, ajoutait-on, avait suivi le conseil de sa femme et s'était empressé de retourner chez lui, soucieux d'oublier sa déplorable aventure.

Une autre anecdote réjouissait les salons parisiens. La voici telle qu'elle nous est contée par Viel-Castel :

« Un de ses soupirants, à bout de patience, lui exprima un jour, crûment, la volonté bien arrêtée de coucher avec elle ; il le lui dit, si bien et si souvent qu'un matin, elle le prit à part et lui parla ainsi :

» — Vous voulez absolument coucher avec moi, vous y tenez, c'est votre idée fixe, il faut donc en finir pour vivre désormais en paix avec vous. Que pouvez-vous m'offrir ? Vous êtes pauvre, vous possédez trente mille livres de rente, j'aime l'argent, je n'en ai jamais assez,

139. Ainsi Thérèse Lachmann, juive d'origine, se maria tour à tour dans une église russe, dans une église catholique et dans un temple protestant.

pourtant j'en ai plus que vous ; je veux vous faire acheter la faveur que vous sollicitez. Avez-vous dix mille francs ?

» — Non, répondit le solliciteur.

» — Vous avez bien répondu, car si vous aviez avoué posséder dix mille francs, je vous en demanderais vingt mille. Puisque vous n'avez pas dix mille francs, apportez-les-moi, nous les brûlerons, et je serai à vous aussi longtemps que ce feu de dix mille francs durera.

» L'amoureux salua et dit :

» — A demain, marquise.

» Le lendemain, la marquise, assise sur le divan de son boudoir, était sous les armes les plus coquettes ; un guéridon de marbre comme un autel antique semblait attendre une victime ; l'air était parfumé, et le jour pénétrait à peine à travers les épais rideaux des croisées.

» L'amoureux arriva jusqu'à la déesse, non pas orné de bandelettes, mais paré de douze billets de mille francs de la Banque de France ; il avait voulu rendre son sacrifice plus complet.

» La Païva, sans changer d'attitude, et avec un sourire et des regards de vipère amoureuse, palpe les douze mille francs, les trouve adorables, et, les disposant sur la table de marbre du guéridon de façon qu'ils ne puissent brûler que les uns après les autres, met le feu au premier.

» Aussitôt, le jeune homme vole dans les bras de la Païva. Laissant de côté les préliminaires, il arrive droit au but et profite de sa bonne fortune en homme qui connaît le prix du temps.

» Quand tous les billets furent brûlés, l'amoureux satisfait et la Païva "souriante, chiffonnée et goguenarde" arrêtèrent leurs ébats.

» — Partez maintenant, dit-elle.

» Il se leva sans protester et commença à s'habiller. Du fond de son lit, elle le regardait en ricanant. Alors il dit d'un ton suave :

» — Il faut tout de même que tu saches, ma pauvre enfant, que je me suis f... de toi ; les billets avaient été si admirablement photographiés par mon ami Aguado que tu y as été trompée.

» A ces mots, la Païva bondit comme une panthère vers l'imprudent. Ni Camille ni Hermione dans leur fureur ne pourraient faire comprendre la colère de la courtisane bafouée : elle aurait voulu poignarder, étrangler l'insolent. Mais il y a des cours d'assises. Elle se contenta des coups de poignard que la langue peut porter ; elle les prodigua, elle accabla de termes de mépris le satisfait qui n'était plus amoureux, et qui partit en époussetant ses genoux. »

Le comte de Viel-Castel conclut : « Quand la Païva logera dans son palais, les *gens comme il faut* feront des bassesses pour y être admis [140]. »

Léon Gambetta allait être de ceux-là...

On s'étonnera peut-être du prestige insensé qu'une ancienne courtisane comme la Païva, qui était née dans un ghetto et qui avait passé

---

140. Horace de Viel-Castel, *Mémoires*.

les belles années de son adolescence dans une maison close, pouvait exercer sur un homme aussi important que Gambetta.

M. André Germain nous l'explique fort spirituellement dans un ouvrage consacré à l'amour et à la politique [141] : « A de telles femmes, écrit-il, les républiques sont plus favorables que les monarchies, même parvenues. Elles peuvent plus facilement voiler la honte de leurs origines et parader grâce au titre de leur mari, que des hommes publics improvisés prennent pour un certificat, prêts, comme ils le sont, à confondre la noblesse du trottoir avec celle des Croisades, et l'imposture avec la tradition. Alors, dans un milieu corrompu où les uns se laissent prendre par l'argent et les autres — les naïfs — par un éclat emprunté, leur fortune, leur nom acheté et leurs fards habiles les feront irrésistibles. Elles régneront, demi-monde doré, sur un monde débraillé qui a hâte de se classer, qui est avide d'encouragements, affamé de consécrations. »

Si la Païva ne parvenait à se faire accepter ni par l'aristocratie ni par la haute bourgeoisie parisienne, Gambetta, au contraire, était pour elle la victime idéale. « De celui-là, ajoute André Germain, elle n'avait à redouter ni connaissances généalogiques ni tact mondain. Il s'en alla dîner chez elle en toute confiance : pour lui, elle était la comtesse Henckel de Donnersmarck. En sacrant la Païva grande dame, le bon gros tribun préludait à la bienveillance et à la facilité de nos derniers hommes d'État qui prirent pour d'authentiques comtesses et marquises des aventurières ambitieuses et des sardinières zélées... [142] »

Or, en août 1875, lorsque Gambetta pénétra pour la première fois dans le fastueux hôtel des Champs-Élysées, la Païva voluptueuse et enchanteresse dont le corps admirable avait rendu fous tant d'hommes sous le second Empire n'existait plus que dans le souvenir ébloui de quelques personnes douées d'une bonne mémoire.

Qu'était donc devenue cette faunesse qui posait nue devant Paul Baudry ?

Marcel Boulenger va nous le dire sans détour :

« Parlons simplement et déclarons net, écrit-il, qu'elle était devenue horrible ; d'abord, elle s'était empâtée, première et irréparable faute. Ensuite, elle se teignait en blond, prétendent les uns, en roux, en noir, assurent les autres ; en un mot, elle usait de perruques, ce qui la rendait plus ridicule et la vieillissait de dix ans, au lieu de porter avec élégance et esprit ses cheveux gris qui l'eussent rajeunie d'autant. Enfin, elle se fardait, mais ce n'est point assez dire que farder, elle se peinturlurait, se bariolait la figure ; comme si, avec tout son rouge et son blanc et son noir, elle eût voulu forcer chacun à la regarder au visage, pour aussitôt penser tout bas : ''Mais comme elle marque mal, cette Carabosse, avec son badigeon !'' Ajoutez à cela des boisseaux de

141. ANDRÉ GERMAIN, *Les grandes favorites, 1815-1940*.
142. M. André Germain fait ici une malicieuse allusion à l'égérie de M. Édouard Daladier, la marquise de Crussol, dont le père, M. Bézier, dirigeait une sardinerie à Nantes. Les journalistes disaient d'elle : « C'est une sardine qui s'est *crue sole*... »

perles et des kilos de pierreries, et jugez de l'arrogante caricature qu'on appelait alors la Païva [143]. »

Le naïf Gambetta n'en fut pas moins subjugué. Il était chez une comtesse : cela seul comptait. Tout frétillant, il promena son gros ventre sous les plafonds peints, se contempla dans toutes les glaces, baisa des mains, but du vin de Tokay, engloutit le bouillon de moules à la crème fouettée, la poularde et les truffes que lui servirent des valets à perruque ronde, fuma d'énormes cigares, parla de chasse à courre, se passionna pour le blason des Donnersmarck et eut l'impression enivrante de vivre la vie légère, facile et désuète des grands princes européens.

Merveilleuse soirée pour un républicain.

En quittant ses hôtes, Gambetta, ravi, dut promettre de revenir souvent. Il tint parole et, tous les vendredis, à la stupéfaction de ses amis politiques, de Juliette Adam, qui ne pardonnait pas au comte son attitude odieuse lors de l'entrée des Prussiens à Paris, et de tous ceux qui considéraient avec raison les Henckel comme des espions allemands, il alla dîner sous les lambris dorés de l'hôtel des Champs-Élysées [144].

Lorsqu'on le lui reprochait, le tribun protestait :

— La guerre est finie ! D'ailleurs, ce sont des gens charmants, et la comtesse est d'une intelligence supérieure. Ses vues politiques sont d'une grande originalité.

Le « pauvre benêt », comme l'appelle Marcel Boulenger, ne se doutait pas que la comtesse voulait lui faire jouer un rôle dans une entreprise audacieuse à laquelle elle rêvait d'attacher son nom.

Il s'agissait rien de moins que de pousser Gambetta à se rendre secrètement chez Bismarck — qui était inquiet de voir la France se relever si vite — et de conclure un accord avec lui.

Pendant des mois, les Henckel endoctrinèrent habilement leur invité. Celui-ci hésitait pourtant. Mme Adam, soupçonnant ce qui se tramait, lui démontrait, en effet, que tout rapprochement avec l'Allemagne était une trahison qui révolterait les Français.

L'année 1877 se passa donc sans que le « Locarno de la Païva » eût un commencement de réalisation.

Mais au début de 1878, l'ancienne courtisane fut aidée par une alliée inattendue : Léonie Léon. Et ce fut elle, finalement, qui décida Gambetta, l'homme de la guerre à outrance, à désirer une conversation avec celui que les Français appelaient « le Monstre ».

143. Marcel Boulenger, *La Païva*.
144. Louis Andrieux rencontra Gambetta chez la Païva. Il écrit dans son ouvrage *A travers la République* : « Quand j'arrivai à l'hôtel des Champs-Élysées, Gambetta, étendu sur un sofa, fumant un cigare, causait avec Henckel, tandis que Spuller, Arsène Houssaye et la Païva se tenaient discrètement à distance. Un valet annonce : ''Madame est servie !'' La Païva, en grand décolleté, portant dans une châsse de bijoux les reliques de sa beauté, prit le bras de Gambetta et gravit avec lui les escaliers de porphyre et d'onyx qui conduisaient des salons du rez-de-chaussée à la salle à manger du premier étage... »

Une lettre prouve nettement le rôle joué par Léonie Léon dans cette « conversion ». La voici :

23 février 1878

Chère mignonne adorée,
Non, non, il faut toujours m'exprimer librement ton avis, j'en ai besoin : c'est le contrôle le plus sûr, le plus sagace de ma propre pensée, et, dans l'amour que je t'ai voué, il est entré, depuis qu'il existe, une dose toujours grandissante de raison et de jugement. La tentative la plus hardie, et probablement la plus féconde de ma carrière, est née de ton inspiration et des clartés de ton intelligence. Tout ce qui se passe et s'accumule de ce côté démontre que tu as vu juste et que j'aurais vainement cherché dans d'autres directions la voie du relèvement et de la réparation dus à notre malheureux et noble pays... *N'oublie pas que j'aurai toute la journée de lundi et que je te conjure de me la réserver, en m'indiquant l'heure la plus matinale pour en jouir. Mignonne chérie je t'attends sans faute et je baise tes belles mains et suis pour toujours ton adorant...*

Quelques jours plus tard, Léonie voyant que Gambetta craignait les réactions de son parti, rédigea une note sur la nécessité d'un accord avec l'Allemagne. Le député lui répondit aussitôt :

2 mars 1878

Chère femme aimée,
Je t'assure que je ne perds pas un mot de ta jolie prose et que tu n'as jamais mieux écrit et plus finement tourné un mémorandum. Tu as pu juger de l'effet électrique que m'a causé ta harangue.

Il ajoutait il est vrai :

Mes perplexités me reprennent et tu me trouveras demain en pleine agitation, en pleine casuistique...

Alors, Léonie fit venir Gambetta chez elle et lui parla longuement sur l'oreiller. Le lendemain, elle résuma ses arguments en une lettre tendre et persuasive.
Cette fois, vaincu, Gambetta lui écrivit :

11 mars 1878

Ma chère mignonne aimée,
Tu as triomphé de mes dernières résistances. C'est fait, nous irons là-bas avec toutes sortes de précautions.
Je t'embrasse de toutes mes forces...

Le comte et la comtesse de Henckel pouvaient se frotter les mains : Gambetta acceptait de se rendre en Allemagne comme le désirait Bismarck.

Quel jeu jouait donc Léonie Léon ?
De nombreux auteurs intrigués par l'attitude singulière de la jeune femme se sont posé la question.

Certains, comme Léon Daudet qui avait recueilli des renseignements dans l'entourage de Gambetta, comme Francis Laur, qui connaissait Léonie, et comme le marquis de Roux qui s'était soigneusement documenté pour écrire son ouvrage sur l'*Origine et la Fondation de la Troisième République,* ont apporté une réponse effarante. D'après eux, en effet, Léonie eût été un agent de Bismarck.

L'accusation, il faut bien l'avouer, paraît tellement extravagante que l'on est tenté de l'écarter sans même l'examiner. Pourtant, certains bruits qui coururent un moment nous prouvent qu'il y a dans la vie de Léonie Léon de grandes zones d'ombre et de mystère.

C'est ainsi que plusieurs historiens l'accusent d'avoir été non seulement la maîtresse du policier Hyrvoix, mais attachée elle-même aux services de la police, et, à ce titre, chargée d'une mission de surveillance auprès de Gambetta. Ce qui expliquerait — toujours selon eux — la persévérance dont elle fit preuve pour entrer dans l'intimité du député. Après quoi, comme dans un roman pour midinettes, la tendre Léonie serait tombée réellement amoureuse de l'homme qu'elle espionnait.

A ce propos, P.-B. Gheusi, cousin et principal biographe de Gambetta, écrit notamment : « Avait-elle été chargée de l'épier, de gagner sa confiance et de rendre compte de ses plans politiques ? C'est possible... L'espionne prise au piège de séductions irrésistibles devint l'esclave amoureuse de celui qu'elle avait eu, *peut-être,* mission de charmer et de trahir [145]. »

On ne saura sans doute jamais si Léonie appartint ou non à la police impériale. Mais le fait qu'un historien de la valeur de P.-B. Gheusi ait pu en émettre l'hypothèse, rend le personnage douteux et équivoque. Et l'on comprend que des auteurs, troublés par les lettres écrites au début de 1878 par Léonie, aient soupçonné la maîtresse de Gambetta d'être à la solde de Bismarck.

Léon Daudet est formel : « Elle était entrée dans la police politique où elle avait été habilement distinguée et happée par Henckel, écrit-il. Aventurière sans méchanceté, lancée sur la piste du tribun, elle avait trouvé en lui une confiance, une générosité de nature et aussi un bouillonnement qui l'avaient rapidement séduite et entraînée à son tour. D'abord indifférente entre ses bras ardents, elle s'était peu à peu associée à ses élans, à ses espérances, à son ambition, même à ses embryons de pensées. » Plus loin, il précise : « Chargée auprès de lui d'une besogne louche, et accomplissant avec ponctualité sa mission (qui était de le soumettre à l'Allemagne et de le capter par ses baisers), la Léon participait à son ascension. Si bien qu'il y avait des minutes où la Païva, corrompue par une longue existence de ruse et d'espionnage, elle aussi, en éprouvait quelque jalousie. Elle et son mari considéraient non sans un étonnement pervers la conjonction solide en

---

145. P.-B. GHEUSI, *La vie et la mort singulière de Gambetta.*

apparence, fragile en réalité, de cette belle créature et de ce faux dictateur ; Roméo de la quarantaine dont la Juliette était guidée en sous-main par la Wilhelmstrasse et émargeait indirectement au budget de Henckel [146]. »

Ainsi, à en croire Léon Daudet et quelques mémorialistes, Léonie Léon aurait manœuvré habilement Gambetta et se serait efforcée d'éteindre en lui tout désir revanchard. Certains auteurs ajoutent d'ailleurs qu'en obéissant aux ordres de Berlin et aux consignes de la Païva, Léonie ne croyait pas trahir son amant, mais pensait au contraire l'aider à devenir le créateur d'une ère de paix, et l'arbitre, avec Bismarck, de la politique européenne.

« Elle savait certes, écrit Paul Marion, qu'en se rendant en Allemagne chez le Chancelier, Gambetta risquait de décevoir les patriotes qui voyaient en lui le champion de la revanche. Elle savait qu'il pouvait ruiner à tout jamais sa carrière politique. Elle savait aussi, en fille d'officier, que notre pays était honteux de sa défaite militaire et saignait de l'amputation de l'Alsace et de la Lorraine. Mais elle pensait sincèrement que la France et l'Allemagne unies avaient toutes les chances d'être les maîtresses du monde et que, si les Français acceptaient d'oublier leur rancœur et leur désir de vengeance au profit d'une paix durable, Bismarck et Gambetta pouvaient créer le noyau des futurs États-Unis d'Europe. Entreprise merveilleuse à laquelle le nom de son amant serait lié jusqu'à la fin des temps.

» Léonie Léon croyait en la parole de Bismarck. Elle pensait agir pour le bien de l'humanité en transmettant aux Henckel le nom des généraux que fréquentait Gambetta, et en s'efforçant de soustraire celui-ci à l'influence de patriotes belliqueux comme Mme Adam ou Paul Déroulède [147]. »

Patiemment, elle se faisait l'interprète de Bismarck dont le dessein était de parvenir à un accord franco-russo-allemand destiné à intimider l'Angleterre.

Cette alliance qui devait empêcher toute nouvelle guerre entre la France et le Reich supposait naturellement, de notre part, l'abandon définitif de l'Alsace et de la Lorraine. C'était là le point délicat pour Gambetta dont la popularité était fondée sur une attitude résolument revancharde. Après avoir juré au peuple de tout mettre en œuvre pour reprendre les provinces perdues, pouvait-il sans dommage devenir le partisan d'un rapprochement franco-allemand ?

« Léonie, nous dit encore Paul Marion, s'ingéniait à présenter le problème sous son meilleur aspect. Pour cet homme généreux et bon qu'était Gambetta, la perspective d'une ère de paix constituait l'argument le plus convaincant. Aussi la jeune femme en usait-elle abondamment. »

Joseph Fleury va plus loin encore :

---

146. LÉON DAUDET, *Le drame des Jardies*. L'auteur précise que Léonie touchait, chaque trimestre, une somme d'argent de la Païva et qu'elle rencontrait Henckel dans un appartement « loué par intermédiaire », dans la rue de l'Université.
147. PAUL MARION, *Gambetta et Bismarck*.

« Parce qu'elle n'était point aveuglée par un patriotisme ridicule, qu'elle haïssait la guerre et désirait un rapprochement franco-allemand, on a voulu faire de Mlle Léon un agent de Bismarck et une espionne. C'est un absurde mensonge, une de ces accusations inspirées par la haine, la bêtise et l'étroitesse d'esprit des revanchards, ces imbéciles qui, jusqu'à la fin des temps, désireront venger la France des désastres d'Azincourt, de Fachoda, de Waterloo et d'Alésia.

» En réalité, Mlle Léonie Léon était une femme qui voyait juste et loin. L'idée d'un pacte d'alliance franco-germanique n'étonne plus personne. En 1878, elle était d'une audace inouïe, mais prouvait un sens politique exceptionnel. Si Gambetta avait écouté son amie (et si les Français avaient bien voulu suivre Gambetta), nous n'aurions sans doute pas eu de guerre en 1914 [148]. »

D'après cet historien, Léonie Léon aurait donc été un fin politique n'hésitant pas à prôner, contre l'opinion publique attachée à des idées de revanche, le plus spectaculaire des renversements d'alliances afin de permettre la création des États-Unis d'Europe ; une sorte de Talleyrand en jupons, en avance de quatre-vingts ans sur son temps.

Pourtant, il est un fait extrêmement troublant qui empêche de croire au complet désintéressement de la jeune femme.

Ce fait, le voici : avant d'être atteint par la maladie qui devait l'emporter à l'âge de vingt-six ans, Alphonse Léon, fils que Léonie avait eu du policier Hyrvoix, fut employé pendant quelque temps dans une usine de Bédarieux.

Or, cette usine avait été créée *avec des capitaux fournis par le comte Henckel de Donnersmarck* [149].

Alors ?

Que fut donc en réalité Léonie Léon ?

Une nymphomane illuminée désirant tout à coup, pour de simples raisons humanitaires, rapprocher l'Allemagne de la France ? Une femme passionnée de politique et comparable aux plus grands diplomates de l'Histoire ? Ou un agent de Bismarck saisi par la débauche au contact de ce député braillard et sensuel qui avait fait de Mirabeau son maître dans tous les domaines ?

En l'absence de documents (les agents des services secrets n'ont pas l'habitude de laisser traîner des papiers), il est difficile de répondre. Le doute subsistera donc toujours. Et l'on ne pourra pas empêcher certains historiens de continuer à penser que, lorsque Léonie, sur son grand lit de la rue Bonaparte, faisait, en compagnie de Gambetta, le « cor de chasse amoureux » ou la « toupie galante », elle travaillait pour le roi de Prusse...

Léonie Léon demeurera à tout jamais un personnage énigmatique

148. Joseph Fleury, *Gambetta et Juliette Adam*. « Les cahiers de Clio », novembre 1935.
149. Cf. Marquis de Roux, *Origines et fondation de la IIIe République,* et Frédéric Lolliée, *La Paiva*.

car, comme l'écrit dans son style particulier M. Florent Thomasi, « on ne saura jamais si sa mamelle était française ou si elle constituait un avant-poste allemand dans la rue Bonaparte ».

Quoi qu'il en soit, la jeune femme était parvenue à convaincre son amant de la nécessité d'une rencontre avec Bismarck, et le comte Henckel, ravi, s'était rendu à Berlin pour informer le chancelier des bonnes dispositions du député français.

A son retour d'Allemagne, le mari de la Païva désira s'entretenir avec Gambetta. Le 6 avril, il lui adressa un émissaire qui revint fort piteux. Le tribun avait quitté Paris pour se rendre à Nice où sa chère Tata, Mme Jenny Massabie, était morte le 29 mars.

— Les obsèques ont eu lieu il y a cinq jours, dit Henckel, il ne tardera pas à revenir, attendons.

Il ignorait que Gambetta avait décidé de faire un petit voyage en Italie avec Léonie pour oublier son chagrin. Le 12 avril, n'ayant aucune nouvelle du député, Henckel, fort inquiet, envoya à Bismarck un télégramme en langage convenu et assez savoureux :

Prince Bismarck, Berlin.
Primeurs demandées pour le moment introuvables malgré recherches minutieuses. Envoi ne pourra arriver avant huitaine. Détails partent ce soir. Henckel[150].

Gambetta rentra à Paris le 22 avril. Aussitôt il se mit en rapport avec Henckel et lui confirma son intention de se rendre en Allemagne le 29. En sortant de l'hôtel de la Païva où les modalités du voyage avaient été fixées, le tribun écrivit à Léonie pour la prier de hâter son retour de province où elle était allée rendre visite à un prêtre :

Mignonne adorée,
J'ai reçu la dépêche, et j'ai ressenti à distance la joie de Mignonne et de son heureux et pieux ami. Mais j'ai bien d'autres choses et des plus graves et des plus hautes. Arrive, Mignonne, il n'est que temps.
J'ai vu, j'ai promis. Le Monstre rentre pour me recevoir, et j'ai besoin de te voir ; donc à jeudi, il le faut.
Je ne peux en dire plus long : ce sont des choses qu'on ne peut ni écourter ni délayer. Je t'embrasse et je te supplie de me porter le viatique de ta sagesse. A toi toujours.

LÉON.

Ainsi la Païva, Henckel et Léonie avaient réussi à vaincre les craintes de Gambetta : l'entrevue tant redoutée par les revanchards allait avoir lieu. Un télégramme de victoire fut adressé à Bismarck.

Or, le lendemain, Henckel, atterré, recevait la lettre suivante :

Cher monsieur de Henckel,
L'homme propose... le parlement dispose. Quand j'ai accepté, hier,

---

150. « Les primeurs, écrit en souriant M. André Germain, c'était le tribun déjà faisandé... »

avec empressement, je n'avais pas compté avec l'imprévu qui nous tient tous en échec.

Les questions relatives au ministère de la Guerre ont pris les proportions les plus considérables. **On me prévient qu'un grand débat sera ouvert sur le ministère de la Guerre dès la réunion des Chambres.**

Je ne peux abandonner mon poste parlementaire en un pareil moment et laisser derrière moi un incident gros de conséquence.

Je me trouve donc dans la dure nécessité d'ajourner tout au moins après la session, qui sera probablement très courte, l'exécution d'un projet à la réalisation duquel vous avez prêté un concours si efficace et si sympathique. J'en conserve un vif sentiment de reconnaissance, et après la séparation des Chambres, vous me permettrez, s'il est toujours temps, de faire appel à votre intervention.

Veuillez agréer, avec tous mes regrets, l'assurance de mes sentiments dévoués.

L. GAMBETTA.

Le débat de la Chambre n'était évidemment qu'un prétexte puisque Gambetta en connaissait la date depuis son retour à Paris.

Que s'était-il donc passé ?

C'est bien simple : comme à tous les moments importants de notre Histoire, une femme était intervenue.

Le 24 au soir, le député avait été invité par Mme Juliette Adam qui, nous dit Émile Pillias, « ne voyait pas sans irritation, depuis quelques mois, le tribun échapper à son influence égérienne au profit de Léonie Léon, et son patriotisme très vif mais ombrageux s'inquiétait (...) d'une politique nouvelle dont, à tort ou à raison, elle tenait sa rivale pour responsable ».

Après le dîner, Mme Adam, d'un ton enjoué, avait dit à Gambetta :

— Cher ami, vous savez que j'ai un petit talent de devineresse. Je vais vous tirer les cartes.

Sans se méfier, le gros député l'avait suivie dans un coin du salon. Quelques instants plus tard, il s'était inquiété en voyant Mme Adam perplexe devant les cartes qu'il avait étalées sur un guéridon :

— Quelque chose vous tourmente dans mon jeu ?

— Oui. Ce quatre de pique signifie danger. Ce cinq de pique : déshonneur. Ce roi de pique : le diable. Vous courez le danger de perdre votre prestige dans une rencontre diabolique...

Gambetta s'était contenté de baisser son gros nez sans rien dire. Alors Mme Adam avait ajouté, en montrant une dame de pique :

— Les cartes disent de vous méfier des femmes et de leurs conseils. Les unes vous poussent à l'abîme, les autres vous attireraient sur des sommets aussi dangereux. Soyez amant, ami, mais n'ayez que des hommes pour confidents [151] !...

Le député était rentré chez lui fort troublé et avait envoyé à Henckel la lettre que j'ai citée plus haut.

151. Mme ADAM, *Mémoires.*

Ainsi, l'entreprise de Léonie et de la Païva échouait à cause d'une troisième femme.

Les patriotes félicitèrent naturellement Mme Adam pour son habileté et ses talents de « cartomancienne ».

— On peut vraiment tout faire avec des cartes, répétaient-ils en riant, même de la politique...

Ils devaient apprendre quelques semaines plus tard que les cartes pouvaient être utilisées dans bien des domaines et qu'une autre grande dame de la IIIᵉ République naissante s'en servait à des fins beaucoup moins austères que la charmante Mme Adam...

Cette dame, que j'appellerai Mme G., était la maîtresse d'un député parisien. Elle organisait chez elle des soirées fort lestes où, nous dit-on, le goût du jeu se trouvait allié à celui de la volupté. Voici, d'après un de ses intimes, comment les choses se déroulaient :

« La maîtresse de maison qui — on me pardonnera cette affreuse plaisanterie — n'allait pas tarder à être celle de tous ses invités, nous offrait un dîner composé de mets choisis pour leurs qualités aphrodisiaques. On nous servait des asperges, du céleri, de la moelle de bœuf, du piment, du gibier poivré, des morilles, des artichauts cuits au vin, des truffes, de l'oignon, des écrevisses et autres aliments connus pour échauffer le tempérament.

» De plus, je soupçonne notre hôtesse d'avoir bien souvent versé dans les boissons quelques pincées de cette poudre de mouche dont les vertus excitantes étaient déjà connues de nos aïeux.

» Lorsque le repas était terminé, Mme G. nous entraînait à sa suite dans un salon où une grande table couverte d'un tapis vert avait été disposée sous le lustre. »

— Asseyez-vous, disait-elle. Nous allons jouer aux cartes.

Les invités, qui ignoraient à quel traitement ils avaient été soumis, commençaient à se demander quel feu, soudain, les brûlait dans leur intimité. Les femmes regardaient les hommes en se tortillant de façon impudique, tandis que les hommes, l'œil allumé, la parole brève, considéraient les femmes en s'efforçant de cacher, sous des vêtements trop étroits, une émotion grandissante.

Tous ces gens venaient pour la première fois et ne soupçonnaient pas à quel genre de divertissement ils allaient être conviés.

Lorsqu'ils étaient assis, Mme G., dont le regard devenait « lourd et gênant », ouvrait un coffret d'acajou et prenait des cartes.

— Nous allons jouer au *Pélican amoureux,* disait-elle. C'est un jeu suédois. Vous savez que, dans ce pays, règne un froid intense. Les habitants cherchent donc toutes les occasions de se réchauffer.

Et elle riait « d'un petit rire nerveux ».

— Cela ressemble un peu au jeu des « mariages » ; mais c'est beaucoup plus passionnant. Voici deux jeux de cartes : un rose et un bleu. Je vais distribuer le rose aux dames. Nous sommes treize, nous aurons chacune quatre cartes. Le bleu restera en tas sur le tapis. Voici maintenant des dés qui sont destinés aux messieurs. A tour de rôle, ils les feront rouler sur ce plateau. Ceux qui — en trois coups au maximum — parviendront à réunir trois points semblables ou une « suite » auront le droit de prendre au hasard une carte dans le paquet bleu. De cette carte, ils énonceront la couleur et la valeur à haute voix. La dame qui aura la même carte en main devra alors se lever et dire : « Je suis à vos ordres ! »

Lorsque Mme G. en arrivait à ce point du règlement, il y avait généralement chez les dames, nous dit le témoin, des « colorations de visage, de petits cris effarouchés et des soupirs qui en disaient long ». Pour vaincre les dernières hésitations, Mme G. avait soin de faire ce petit couplet :

— Nous sommes dans un monde où règne l'hypocrisie. Le jeu auquel vous allez jouer va vous permettre de vivre pendant quelques heures en complète harmonie avec vos tendances profondes. Je suis sûre que, déjà, vous vous sentez attirés les uns vers les autres. Les obligations et les hasards du jeu vous permettront de former des couples auxquels vous n'auriez peut-être pas songé... Vous êtes tous beaux, nous sommes toutes belles, je ne pense pas qu'il puisse y avoir de mécontents... En outre, ajoutait-elle en souriant, chaque dame, je vous le rappelle, possède quatre cartes...

Pendant que Mme G. distribuait les cartes, les invités, fort émoustillés, mais un peu émus tout de même, s'examinaient du coin de l'œil.

Enfin le jeu commençait.

Dès qu'un joueur avait réussi son coup de dés, les dames qu'un embrasement local rendait nerveuses se trémoussaient sur leur fauteuil. « Je tirai un valet de trèfle, raconte l'auteur du *Paris nocturne*. Aussitôt, une ravissante jeune femme blonde, dont j'avais admiré la gorge pendant le dîner, se leva, les yeux hors de la tête.

» — Je suis à vos ordres ! cria-t-elle.

» Je n'eus pas besoin d'aller la chercher. Elle fit le tour de la table, me prit par la main et m'entraîna sur le tapis.

» Pendant qu'elle me montrait toutes les ressources d'un beau tempérament, autour de la table le jeu continuait.

» — Sept de cœur ! dit un joueur.

» La maîtresse de maison se leva :

» — A vos ordres, capitaine !

» Deux minutes plus tard, le capitaine montait à l'assaut...

» Le jeu dura cinq heures, et le hasard me fit tirer trois autres cartes aussi savoureuses que la première [152]. »

Hélas les belles parties de *Pélican amoureux* de Mme G. devaient se terminer de façon bouffonne.

Un soir, un curieux incident se produisit : comme le député, amant

---

152. JULES VARIN, *Paris nocturne*.

de la maîtresse de maison, annonçait : « As de trèfle », un homme se
leva et dit :
— Je suis à vos ordres !
C'était un avocat de Versailles à qui le port de la robe avait donné
des goûts particuliers.
— Il doit y avoir une erreur, bredouilla le député...
— Pas le moins du monde ! Voyez plutôt !
Et l'avocat exhiba, en effet, un as de trèfle.
— Vous avez triché !
— Ce qui compte, c'est la carte que l'on a en main. Peu importe la
façon dont on se l'est procurée !... Vous devez donc vous plier à la
règle du jeu !
Le député haussa les épaules.
— Il ne saurait en être question, monsieur !
— Pourquoi ? demanda l'avocat ; vous n'aimez pas les habitants de
Seine-et-Oise ?
Le mot fit rire ; mais la maîtresse de maison, qui ne voulait point
que son amant fût maltraité en public, intervint :
— Il y a tricherie !
— Non, non ! crièrent plusieurs joueurs « ravis à la pensée de voir
le Pouvoir succomber sous le bon Droit ».
Les invités se partagèrent alors en deux camps. Il y eut de la hargne,
de la rogne, de la grogne, et le député gifla l'avocat. Une poursuite
s'ensuivit. Rejoint, maintenu, l'amant de la maîtresse de maison fut
amené au milieu du salon. A ce moment, on vit Mme G. brandir un
petit pistolet et tirer sur l'avocat qu'elle atteignit à la jambe droite.
Des hurlements éclatèrent ; les femmes à demi vêtues coururent dans
l'escalier en criant « Au secours » ; les voisins alertèrent la police et le
lendemain tout Paris sut à quelles curieuses parties de cartes s'amusaient
Mme G. et son amant.
Est-il besoin d'ajouter que le scandale fut rapidement étouffé ?

Une autre aventure érotico-politique allait bientôt montrer au bon
peuple de France que, décidément, la République n'était pas ce régime
austère qu'on lui dépeignait dans les discours officiels et qu'il avait
craint un moment de voir s'implanter dans notre pays.
Malgré leur air grave, leurs favoris, leur redingote noire et leur
impressionnant gibus, certains hommes du gouvernement pensaient, en
effet, beaucoup plus à la bagatelle qu'à l'avenir de la Démocratie.
Malheureusement, et cela navrait les citoyens de bonne race, ces
personnages ne savaient pas être libertins. Timorés, honteux, œuvrant
en cachette, consommant à l'écart et en tremblant, ils manquaient de
savoir-aimer comme d'autres manquent de savoir-vivre. Aussi la
satisfaction de leur désir prenait-elle souvent l'aspect de basses turpitudes. Aucun d'eux ne montrait cette belle santé qui caractérise les
vrais grands. Leurs prédécesseurs avaient été paillards. Les hommes de
la IIIᵉ République allaient être libidineux...

« Sous leurs gilets barrés de grosses chaînes de montre, écrit Jules Varin, leur cœur d'hommes du XIXe siècle contenait le pire cochon qui soit : le cochon bourgeois, c'est-à-dire le cochon triste... »

Ce cochon triste devait conduire un ministre dans une fort gênante situation. M. F. [153] était un habitué de certaines maisons de tolérance où l'on donnait des spectacles émoustillants à l'usage des érotiquement faibles. Ces maisons étaient alors nombreuses à Paris, ainsi que nous le dit F. Carlier qui fut chef du service des mœurs à la Préfecture de Police à la fin du XIXe siècle.

« Les unes, écrit-il, donnaient des représentations auxquelles le public était admis, comme au théâtre, en payant sa place. Au milieu d'un grand salon dont les murailles et le plafond étaient garnis de glaces, on plaçait un grand tapis noir sur lequel un groupe de femmes nues se livrait, en présence de nombreux spectateurs, aux pratiques les plus lascives, les plus obscènes.

» Les autres organisaient des représentations de même nature mais d'un autre genre, et *à l'insu des acteurs eux-mêmes.* Tel qui, se croyant seul avec la femme qu'il avait choisie, se livrait, dans une chambre luxueuse, brillamment éclairée, à toutes les exigences d'une lubricité effrénée, avait pour témoins de ses ébats, dans une pièce voisine tenue dans une obscurité complète, des spectateurs des deux sexes, confortablement assis dans des fauteuils, à proximité de petits tubes traversant la muraille et garnis de verres grossissants.

» Cinq ou six avaient fait de leurs tolérances des maisons de débauche à l'usage des femmes entretenues et des femmes du monde. Messalines modernes qui s'en allaient là, mystérieusement le soir, dans le plus strict incognito, pour y trouver des satisfactions sensuelles qu'elles ne pouvaient se procurer ailleurs. Les unes, en se livrant au premier venu, y faisaient, pendant une heure ou deux, métier de filles publiques ; les autres prenaient part à des orgies collectives pour lesquelles le concours de plusieurs filles leur était nécessaire.

» Toutes ces spécialités, défendues par le règlement, étaient exploitées aussi discrètement que faire se pouvait. L'appât de redevances importantes que payaient ceux ou celles qui venaient chercher là un assouvissement à leurs passions érotiques faisait braver par les maîtresses de maison les peines sévères qui les menaçaient.

» Il se produisit d'énormes scandales.

» Un riche négociant qui venait, de temps à autre, dans une de ces maisons assister, invisible, à des représentations lubriques, vit son gendre se livrer à des actes de sodomie. Il tomba évanoui ; on l'emporta chez lui. Le lendemain, il mourut des suites d'une attaque d'apoplexie.

» Un membre haut placé du corps diplomatique étranger compromit sa dignité personnelle à la suite d'un rôle grotesque joué par lui dans

---

153. Je ne peux citer le nom de ce personnage par respect pour ses descendants.

une représentation qu'on lui faisait donner à son insu, et qui avait eu pour spectateurs plusieurs membres du club auquel il appartenait.
» Des femmes du monde furent reconnues.
» Une d'elles se trouva, un jour, en présence de son mari, venu pour son propre compte [154]. »

L'aventure survenue à M. F... fut plus bouffonne encore.

Il se trouvait, un soir, dans une maison accueillante de la rue de Courcelles et contemplait les ébats d'un couple à travers « l'espionne » [155] d'un petit cabinet qui lui était réservé. « Soudain, nous dit Jules Varin, le spectacle auquel il assistait prit une tournure orientale. La pensionnaire de l'établissement, qui avait lu un bréviaire hindou, entraîna son client sur le tapis pour l'initier aux subtilités du "lotus écartelé". »

Intrigué, le ministre s'approcha de « l'espionne » et se haussa sur la pointe des pieds pour essayer de suivre les péripéties de cette étrange figure. En vain. « Les deux jouteurs, nous dit-on, se trouvaient trop près du mur de séparation pour qu'il pût les apercevoir même en se dévissant le cou. » Alors, à tâtons — le cabinet était naturellement dans l'obscurité —, M. F... grimpa sur une chaise et colla son visage contre la fausse glace. Cette fois, il réussit à voir ses voisins et fut stupéfait. Jamais il n'aurait imaginé que de telles acrobaties amoureuses pussent exister. Voulant en découvrir davantage, il descendit, plaça la chaise sur une table, et remonta sur cet échafaudage. Parvenu sur le faîte, il se pencha avidement. Hélas ! ce geste eut les plus navrantes conséquences. La chaise, en effet, glissa et le ministre, perdant l'équilibre, passa d'un seul coup à travers la glace.

En voyant atterrir à côté d'eux ce monsieur qui avait un visage connu, les deux amateurs du « lotus écartelé » furent extrêmement surpris. Mais c'est M. F... ! dit le client. Que faites-vous ici ?

Le ministre, fort piteux, se releva, épousseta sa barbe, et bredouilla en gagnant la porte :

— Excusez-moi, je ne fais que passer !...

Le client, malgré sa tenue sommaire, le prit de haut :

— Vous n'êtes qu'un dégoûtant personnage, monsieur ! Et demain toute la France connaîtra vos sales manies !...

Le lendemain, en effet, grâce aux petits journaux satiriques de l'opposition, toute la France savait que M. F..., ministre revanchard et égrillard, n'avait pas l'œil fixé seulement sur la ligne bleue des Vosges...

---

154. F. CARLIER, ancien chef du service des mœurs à la Préfecture de Police : *Les deux prostitutions.*
155. Miroir d'un tain spécial qui permet, lorsqu'on se trouve derrière, de voir sans être vu.

23

Léonie fut-elle la cause du drame des Jardies ?

Une femme et un revolver ne peuvent
coexister dans la même maison. Car il
suffit qu'elle entre pour qu'il parte...

MAX GALLAI

En juillet 1878, fuyant Paris, Gambetta loua aux « Jardies », sur le territoire de la commune de Ville-d'Avray, la maison de gardiens d'une propriété habitée jadis par Balzac, et s'y installa.

Le 27, Léonie Léon, qui devait désormais vivre avec lui sans se cacher, vint le rejoindre avec une partie de ses bagages. La main dans la main, ils visitèrent les bois environnants et consacrèrent leurs journées — malgré la présence des gardes champêtres — à des exercices qui devaient plus au Kama Soutra qu'au « Petit Guide du cueilleur de fraises ».

Le soir, la jeune femme décida de reprendre le train pour Paris. Gambetta l'accompagna à la gare.

— Tu ne crains pas de faire jaser ? demanda Léonie en chemin.

— J'y ai pensé. Regarde.

Et, désespérant de candeur, il plaça sur son célèbre nez une minuscule paire de lunettes bleues.

— Ainsi, personne ne me reconnaîtra.

Quand le train s'ébranla, le tribun, sûr de son incognito, tira de sa poche un gigantesque mouchoir et l'agita longuement. Deux heures plus tard, les habitants de Ville-d'Avray se répétaient que « monsieur Gambetta avait décidé de vivre dans un concubinage officiel et qu'un destin aveugle ou injuste lui avait fait choisir leur cité pour y commettre ses "saletés" »...

Les dames patronnesses horrifiées décrétèrent que cela constituait un exemple navrant pour les jeunes filles de la ville et qu'elles allaient être obligées de se cloîtrer chez elles pour ne point courir le danger de rencontrer la « créature ».

A la même heure, Gambetta, inconscient du scandale qu'il avait provoqué, bourdonnait joyeusement dans sa maison comme un gros hanneton.

Le lendemain matin, il se leva en chantant et fit porter à Léonie cette lettre de collégien :

Chère femme adorée,
Tu es venue et tout est illuminé ; ma chartreuse me paraît toute
rayonnante et toute embaumée de tes parfums. Je m'éveille le cœur
joyeux et palpitant encore des émotions de la veille ; je me lève en
toute hâte pour aller courir les bois et chercher les lieux désignés de

nos prochaines promenades ; je songe, en riant comme un enfant, que demain lundi je te ramènerai sous le toit de ma chaumière et j'exulte. Je t'embrasse comme je t'aime, sans fin ni trêve et je te dis à demain.

Puis Léonie vint s'installer définitivement aux Jardies et le couple vécut heureux « comme au premier jour du monde ».

Le matin, Gambetta tirait au pistolet pendant que Léonie lisait, et l'après-midi, tous deux s'en allaient faire des promenades en voiture découverte. De temps en temps, on voyait le terrible tribun arrêter l'attelage, descendre, courir dans les champs, s'accroupir et là, gentiment, cueillir des coquelicots.

Parfois, ils allaient à la pêche dans l'étang de Villeneuve. Un jour, un petit incident amusa les habitants de Ville-d'Avray à l'affût des moindres faits et gestes du député. Gambetta était en barque avec Léonie. En voulant ramasser sa ligne posée sur le bord, il glissa et tomba à l'eau. La jeune femme dut lui tendre une rame pour l'aider à regagner la berge.

Lorsqu'il fut en sécurité, les autres pêcheurs assistèrent à une scène curieuse. Ils virent Léonie déshabiller Gambetta dont les vêtements étaient trempés — ne lui laissant qu'un caleçon long — et, soigneusement, comme une lavandière, lui tordre la barbe pleine d'eau...

Tant de soins, tant de tendresse, tant d'attentions quasi conjugales finirent par donner à Gambetta le désir d'épouser Léonie. En 1879, alors qu'il était au faîte de sa carrière politique, il lui proposa de devenir sa femme.

Léonie, qui avait naguère tant désiré ce mariage, refusa. Pourquoi ?

Émile Pillias a cherché, naturellement, une réponse à cette question. Il écrit :

« Quelles raisons pouvaient donc lui faire repousser maintenant ce qu'elle avait demandé naguère avec supplication ? Elle-même, plus tard, songeant à ce refus, ne se l'expliquait plus.

» On peut cependant, dans les regrets, les remords de ses lettres de vieillesse, discerner certains motifs.

» Un sot orgueil, d'abord — elle en a fait l'aveu —, orgueil de femme blessée qui, malgré son amour, n'avait pas oublié...

» Puis la certitude d'être seule et définitive maîtresse du cœur et de la vie de Gambetta. Si, au début de leur liaison, elle avait souhaité d'être épousée, c'était pour se l'attacher ; à quoi bon, maintenant qu'elle était sûre de sa fidélité ?

» Bien plus, un mariage ne risquait-il pas de compromettre, de ruiner cette paisible union par le scandale qui en résulterait sans doute ? Quelle belle occasion pour les ennemis de Gambetta de faire contre lui une nouvelle campagne de diffamation, d'évoquer les tristesses oubliées d'un passé douloureux ! »

Quoi qu'il en soit, Gambetta fut désespéré de ce refus. Pendant trois ans, il supplia la jeune femme de devenir son épouse. Chacun de ses voyages politiques en province ou à l'étranger lui fournissait une occasion de renouveler par lettre sa prière. Le 12 août 1879, il écrivait :

Je t'aime et tu m'aimes... Quand tu diras oui, je serai prêt et tout sera consacré.

Le 10 novembre :
Je ne cesserai de reproduire mes vœux jusqu'à ce qu'ils soient exaucés. Penses-y bien, chère femme, et reviens un beau jour les yeux brillants, la face illuminée de joie, me dire : « Oui, je consens », et nous serons heureux...

Le 27 janvier 1880 :
Je sens au fond de mon âme une confiance grandissante que nos deux existences se confondent de plus en plus étroitement et que nous touchons au moment béni où tu prononceras le mot sacramental et décisif... Je mets toute ma vie dans le creux de ta petite main...

Le 13 février 1881 :
Quant au gage suprême de ton amour, il est encore plus facile à donner : tu n'as qu'un mot à dire, qu'un signe à faire, il est vrai devant monsieur le Maire, et nous entrons dans la terre promise. Tu entends bien : promise.

Au mois de mars, Léonie lui conseilla, pour sa carrière, d'épouser plutôt une riche héritière. Il répondit aussitôt :

Non, mignonne, cette main s'est réservée, elle sécherait plutôt que de s'allier à une autre que la tienne, sois bien assurée de ceci : ou elle restera tristement vide ou elle sera tienne. Quand l'accepteras-tu ? C'est le mot par lequel je finirai désormais tous mes discours à ton oreille.

Le 6 avril 1882, nouvelle prière :
Tu oublies trop qu'il y a quelque part un homme toujours prêt à te recevoir dans ses bras, à te donner son nom et à t'arracher au sort qui t'accable... Je ne vis que pour toi, de toi, en toi. Je te veux tout entière et pour toujours.

Évoquant cette période, Léonie Léon écrira plus tard : « Nuit et jour je revois le pauvre Gambetta se traîner à mes genoux, tout en larmes, non pas une fois mais dix, mais vingt fois et plus encore, me conjurant de l'épouser au plus tôt ; et moi, cantonnée dans un sot orgueil et dans la peur des journaux si déchaînés contre lui, refusant, refusant toujours et puis ajournant enfin à une heure qui n'est jamais venue. »

Au mois de juillet, un événement allait amener pourtant Léonie à changer d'attitude : la mère de Gambetta mourut. Devant la douleur de son amant, la jeune femme fut prise de pitié. Un soir, elle vint lui dire qu'elle consentait au mariage.

Pleurant, tremblant, bégayant, Gambetta l'étreignit. Puis, comme il ne perdait jamais une occasion de faire une belle phrase, il dit :
— Mignonne, j'ai le vertige, car je suis au sommet de la passion !
Pour des raisons de convenances, la cérémonie fut fixée à la fin de l'année. Gambetta vécut dès lors des heures exaltantes. Il fit faire de nombreux aménagement aux Jardies, arrondit son domaine, fit construire des écuries et rêva d'un avenir heureux. Le 19 novembre, il écrivit cette lettre pleine d'espoir :

Chère femme adorée,
Ah ! que j'ai d'impatience d'en finir avec cette vie hachée. Je me console en songeant que nous touchons au terme et que bientôt nous ne nous quitterons plus.
Je t'embrasse comme je t'aime, à l'infini.

Hélas ! un fait inattendu allait empêcher Gambetta de toucher à la « terre promise »...

Le 27 novembre 1882, vers dix heures du matin, le député raccompagna à la grille du jardin le général Thoumas qui était venu lui faire une visite. Le temps était sec et froid, et Gambetta pensa un instant marcher dans le jardin ; mais il rentra et monta dans sa chambre. La maison semblait dormir.
Soudain, il était onze heures moins le quart, un coup de feu éclata.
Les quatre domestiques, Paul Violette, le valet de chambre, Louis Roblin, le cocher, Francis, le jardinier, et Sidonie, la cuisinière, furent alarmés.
Gambetta, depuis un duel maladroit avec M. de Fourtou, tirait presque tous les jours au pistolet. Mais il s'exerçait au fond du jardin, jamais dans la maison.
— Pourvu qu'il ne soit pas arrivé un malheur, dit Sidonie. Allons voir.
Tous coururent vers la chambre. La porte était ouverte. Ils entrèrent et virent leur maître « un peu étourdi, regardant sa main droite blessée d'où coulait un filet de sang comme un petit ruisseau » [156].
Léonie Léon se tenait, en pleurant, près de son amant qui la rassurait. Elle était livide et tremblait.
— N'aie pas peur, ma chérie, ce n'est rien.
Le pistolet était sur le plancher. Paul voulut le ramasser.
— N'y touchez pas ! cria le blessé.
Léonie se tourna vers le cocher :
— Louis, allez vite chercher un médecin, et vous, Sidonie, apportez-moi de l'eau salée tiède.
Puis elle fit asseoir Gambetta dont le sang continuait de couler abondamment.
— Tu n'es touché qu'à la main, tu es bien sûr ?

156. Cf. Lannelongue, *Blessure et maladie de M. Gambetta.* « Gazette hebdomadaire de médecine et de chirurgie », 19 janvier 1883.

— Oui, oui, à la main seulement.

Il se tourna vers Paul et Francis qui n'osaient dire un mot :

— Je ne sais comment cela est arrivé, dit-il. J'ai pris ce revolver où il restait une balle que j'avais oubliée et le coup m'est parti dans la main.

Il montra sa paume.

— La balle est entrée là. Elle ne peut être loin. Il sera facile de l'extraire.

Sidonie revint avec une cuvette d'eau tiède. Elle aida le député à retirer sa veste et remonta la manche de la chemise. A cinq centimètres du poignet il y avait une tache de sang.

— Regarde, dit Léonie, la balle est ressortie par ici.

Tandis que Gambetta plongeait sa main dans l'eau tiède — ce qui eut naturellement pour effet d'accroître l'hémorragie —, Paul inspecta les murs.

— Je l'ai, cria-t-il bientôt. Elle est venue se loger à côté du portrait de Mirabeau.

Avec un couteau, il parvint à arracher la balle et la donna à Léonie qui eut les larmes aux yeux en la contemplant.

— Elle aurait pu te tuer, murmura-t-elle.

Gambetta l'attira de son bras valide et la pressa contre lui :

— Ne pense plus à cela...

A onze heures et quart, le docteur Gilles et le docteur Guerdat, de Ville-d'Avray, vinrent faire au blessé un pansement légèrement compressif qui arrêta enfin l'hémorragie. Et à une heure, le chirurgien Lannelongue arriva de Paris. Il palpa le poignet et hocha la tête :

— Vous avez de la chance, dit-il. La balle a pénétré à peu près au milieu de la paume. Elle a suivi un trajet très surperficiel, parallèle à celui des gaines musculaires, sans occasionner de lésions trop graves.

Le médecin fixa la main du député sur une planchette de bois pour empêcher la rétraction des doigts et ordonna le repos complet au lit.

— La maison est humide, c'est encore là que vous serez le mieux. Montrez votre langue... Oh ! là, là ! Comme tous les hommes politiques vous faites de trop bons repas... Je vous mets à la diète.

— Quand sera-t-il guéri ? demanda Léonie.

— Dans une semaine environ.

— Nous devions nous marier dans trois jours, dit Gambetta. La cérémonie sera un peu retardée, voilà tout.

Il remua l'annulaire de la main gauche et sourit :

— Le principal est que ce doigt-là soit intact !...

Puis il se coucha.

Quand le chirurgien fut parti, Gambetta appela Léonie :

— Mignonne, je vais te dicter quelques lignes que tu feras porter à la rédaction de *La République Française* pour le numéro de demain. Écris : « M. Gambetta, en maniant hier matin un revolver, s'est légèrement blessé à la main. La balle n'a fait que traverser les chairs et la blessure ne présente aucune gravité. »

Il ajouta :

— Voilà qui doit couper court à toute espèce de commentaires tendancieux. Je muselle à l'avance mes adversaires politiques.

Gambetta avait tort d'être aussi optimiste car, déjà, des bruits couraient à Ville-d'Avray.

On racontait qu'un drame passionnel s'était déroulé aux Jardies et que Sidonie avait entendu, en montant l'escalier, une voix crier : « Mon Dieu, je l'ai tué ! » Certains prétendaient que c'était Léonie qui avait tiré dans un accès de jalousie, d'autres que c'était une rivale de le jeune femme, d'autres encore qu'il s'agissait d'un crime commis par une sœur maçonne armée par la Chambre des Lords d'Angleterre (?), d'autres, enfin, que la meurtrière était une belle amante délaissée, fille d'un ingénieur des Ponts et Chaussées de l'Ariège. Bref, le peuple, avec son goût inné du drame, refusait de croire à l'accident.

Vers le soir, un charcutier du village émit son opinion :

— Moi, je crois, dit-il, que Mlle Léon, qui est à moitié folle, a voulu se suicider et que M. Gambetta s'est blessé en cherchant à la désarmer...

Cette dernière hypothèse allait être reprise par de nombreux journalistes.

Le 1ᵉʳ décembre, Henri de Rochefort écrivait en effet dans L'Intransigeant : « C'est comme une fatalité, mais dans tout ce qui concerne le Génois néfaste que nous considérons comme le pire ennemi de la République, il y a quelque chose de louche. On dit que le dictateur en retrait d'emploi aurait été la victime d'une vengeance intime du caractère le plus délicat... » Et le 2, le créateur de La Lanterne donnait des détails : « La mésintelligence entre Mme L... et M. Gambetta règne paraît-il depuis longtemps : mais depuis quelques mois, les scènes qu'elle a occasionnées ont atteint une violence inouïe. Il paraît que dimanche dernier Mme L... alla à Ville-d'Avray. Une explication orageuse eut lieu, mêlée de reproches et de récriminations d'une extrême vivacité, que Mme L... adressait à Gambetta. Tout en parlant, en proie à une grande excitation nerveuse, Mme L... avait pris machinalement sur une table un revolver... ''Faites attention, s'écria Gambetta, il est chargé !'' En même temps, il aurait étendu instinctivement le bras, le coup partit, on sait le reste. »

Le lendemain, Rochefort précisait : « Nous croyons pouvoir ajouter que la scène est née d'un projet de mariage que M. Gambetta serait résolu à contracter. »

En lisant ces lignes, Léonie fut atterrée.

Elle allait en lire bien d'autres...

Une deuxième version du drame ne devait pas tarder à circuler dans les salons revanchards où Léonie continuait d'être considérée comme un agent de Bismarck.

Cette version, qui a été reprise par quelques historiens, est bien entendu combattue violemment par les admirateurs de la jeune femme. Par souci d'objectivité, je la livre telle que Léon Daudet l'a présentée dans son ouvrage *Le Drame des Jardies*.

D'après l'écrivain, qui fit une longue et sérieuse enquête auprès des intimes du député, Gambetta, le 27 novembre au matin, reçut — alors que le général Thoumas se retirait — la visite du facteur qui venait lui remettre une lettre recommandée contenant une effroyable révélation. Écoutons Léon Daudet :

« C'était une enveloppe de toile jaune, dûment cachetée de rouge, et qui portait le timbre du bureau central de la Bourse à Paris. Le tribun signa le reçu, regarda l'écriture de la souscription qui ne lui rappelait rien, rentra dans la salle à manger, où Paul mettait le couvert, et ouvrit la lettre. Il y avait là-dedans quatre pièces séparées qu'il dissocia de ses gros doigts fébriles et une photographie. Les premières étaient trois reçus d'une même somme de quatre mille francs, portant sur trois trimestres consécutifs, et où se lisait, avec le nom du comte Henckel, la signature de Léonie Léon. Puis une liste de généraux en activité, avec annotations et chiffres joints, d'une longue écriture de pensionnaire que Gambetta reconnut immédiatement. Enfin, le portrait était celui de Léonie avec dédicace, affectueuse et humble, à la Païva. Aucun doute sur l'authenticité.

» Tout d'abord, il ne comprit pas. Il tournait et retournait ces papiers, cherchant aussi, dans l'enveloppe vide, si un mot d'explication n'était pas joint. Le cachet était celui, très reconnaissable, de Henckel. L'adresse, examinée plus attentivement, était aussi de sa main. Pourquoi diable cette communication, et que signifiaient ces reçus ? La photographie portait une date : novembre 1874. C'était seulement l'année suivante que Gambetta avait présenté sa maîtresse à la Païva, en grand mystère, à l'hôtel des Champs-Élysées. Sans doute y avait-il erreur. Mais le ton était bizarre : ''A Madame la comtesse Henckel, puissante et bienfaisante. Sa petite esclave qui lui doit tout : L. L.''

» — Allons, allons, se dit l'amoureux inquiet, je ne vais pas me monter la tête pour si peu. Ce sont là de menues brouilles, que les deux vipères me renvoient, à la veille de notre mariage, afin de me mettre en suspicion vis-à-vis de ma mignonne. Mais à quoi rime cette liste de généraux, et comment était-elle en leur possession ?

» Levant la tête, il aperçut dans une glace son visage décomposé, écarquillé, livide, qui lui fit peur. Sur son front, devant ses yeux, passait et repassait comme un nuage noir. La pièce tournait autour de lui. La terrible vérité venait de lui apparaître et il essayait en vain de la chasser. Il était seul, Paul ayant achevé de mettre le couvert. La sueur coulait sur ses tempes et sur son col. Il se leva pesamment, comme s'il eût des pieds et des chaussures de plomb. L'aspect du vestibule, du petit escalier était autre. Il frappa à la porte de la chambre de sa fiancée.

» — Entrez !

» Du premier coup d'œil, voyant son attitude, son égarement et les papiers dans sa main tremblante, elle avait compris. Il venait d'apprendre ! Il savait ! Il ne lui restait plus, à elle, malheureuse, qu'à avouer tout. Mais l'impossibilité, la honte d'un tel aveu, en pleine confiance amoureuse, lui apparaissait, à la façon d'un coup de foudre et d'un éclair, dans un cauchemar.

» — Peux-tu me dire ?...

» La lèvre du pauvre "gros" était collée à son palais, il articulait avec peine, lui l'orateur : "... Ce qui..., ce que..., d'où et pourquoi ces gens... mais c'est bien ton écriture, n'est-ce pas ?... Mon Dieu, parle !"

» Elle se jeta à genoux : "Pardonne-moi !... Ce sont des misérables... J'étais contrainte par la misère... J'avais l'enfant de ma sœur, séduite comme moi, à élever..."

» Il s'était appuyé, chancelant, près d'elle, prostrée, à la table à coiffer qui tomba sur le sol. Le tiroir s'ouvrit et le revolver vint rouler à portée de la main de Léonie, comme pour la tenter. Elle le saisit sournoisement, se releva... Elle ne pouvait plus que le quitter, lui, son ami dupé et bien-aimé... Mais comme dans un geste rapide et sûr elle tournait l'arme froide contre sa poitrine, il vit le mouvement, lui saisit et retourna la main. Le coup partit, une brusque détonation sèche, et le bras de Gambetta, retombant, se mit à saigner aussitôt : d'abord un filet mince, puis à bouillons :

» — Oh ! Mon Dieu ! qu'ai-je fait, tu es atteint !

» Cependant que le gros homme, secoué, bouleversé par une émotion double, pleurait et balbutiait : "Ce n'est rien, ne pensons plus à cela... N'en parlons plus jamais... Ce n'est rien !" [157]. »

Tandis que les domestiques, alertés par le coup de feu, arrivaient en courant. Léonie se serait alors emparée des papiers et de la photo envoyés par les Henckel et les aurait cachés dans un tiroir.

Que seraient-ils devenus ?

C'est bien simple, explique Léon Daudet :

« Le soir, tandis que Gambetta reposait, la jeune femme brûla le tout dans la cheminée. »

Ainsi, d'après le polémiste, les Henckel, furieux de voir Léonie échapper à leur emprise pour s'unir à Gambetta, auraient été à l'origine du drame des Jardies.

D'autres explications du drame furent proposées, chaque journaliste ayant la sienne. On vit même certains polémistes soutenir successivement des thèses fort différentes. C'est ainsi que Henri de Rochefort, qui avait prétendu le 2 décembre que le coup était parti presque par hasard, au cours d'une scène de jalousie, donna dans ses *Mémoires* une version

---

157. Léon Daudet, *Le drame des Jardies.*

nouvelle des faits, d'après les confidences qu'il aurait reçues d'un ami intime de Gambetta. En voici le résumé :

Le 27 novembre, Léonie Léon aurait découvert son amant en compagnie de Mme de Beaumont — la belle-sœur de Mac-Mahon — allongés « au travers d'un grand lit »... Furieuse, elle se serait alors précipitée sur un revolver qui traînait dans la pièce et aurait visé sa rivale. Mais Gambetta, généreusement, se serait jeté devant la jeune femme et aurait reçu la balle dans la main [158]...

Cette histoire, disons-le tout de suite, paraît invraisemblable. Gambetta était certes, par bien des côtés, ce « Léon Grosbêta », dont parle Clemenceau, mais il est difficile de le croire assez niais pour recevoir Mme de Beaumont aux Jardies *alors que Léonie s'y trouvait !*

D'ailleurs, la belle-sœur de Mac-Mahon avait une maison de campagne à Bellevue, commune proche de Ville-d'Avray, où les deux amants pouvaient se rencontrer sans danger [159].

Il est, enfin, une dernière version qui, dans sa simplicité, pourrait bien être la bonne. Elle est rapportée par P.-B. Gheusi, l'auteur le plus documenté sur Gambetta. La voici :

« Alors que le général Thoumas, après son entretien avec Gambetta, se dirigeait vers la grille de sortie, il mit, par mégarde, le pied sur une ordure de la chienne du tribun. Ce dernier se confondit en excuses et, le général parti, éclata en violents reproches contre le valet de chambre, Paul Violette, qui, malgré les ordres reçus, négligeait de tenir l'animal attaché. Puis, saisi d'une soudaine colère, il le chassa. Paul, ancien ordonnance du colonel Léon, monta faire part de son renvoi à Léonie.

» Celle-ci était étendue dans sa chambre : fort souffrante chaque mois, elle était, par moments, d'une nervosité maladive extrême. Envahie d'une révolte subite devant le congédiement de son domestique, elle descendit blême d'indignation auprès de Gambetta : elle lui fit une violente scène, lui reprochant de détester tout ce qui venait de "son passé", et, ayant perdu tout contrôle d'elle-même, saisit un revolver qui traînait sur la table et fit le geste de se tuer.

» Gambetta bondit. Sa grosse main ramassa ensemble la petite main fiévreuse et l'arme... La brusquerie du geste fit partir le coup... [160] »

Cette version, Gheusi la tenait d'Alexandre Léris, beau-frère de

158. Cf. HENRI DE ROCHEFORT, *Les aventures de ma vie.*

159. ÉMILE PILLIAS cite cette lettre d'une dame malicieuse dont, par discrétion, il ne donne pas le nom :
« 25 août 1878.
» Malgré le soin que j'avais pris pour éviter les cancans de mariage avec Gambetta, je reviens pour retrouver bien pis que cela puisqu'on me fait passer six semaines à Ville-d'Avray dans les beaux bras de notre illustre chef, d'ailleurs fort joliment occupés par Mme de Beaumont qui est à Bellevue, et pour laquelle il est allé là-bas, dit-on, tontaine, tonton... »
(Cette mystérieuse épistolière pourrait être Mme Arnaud de l'Ariège dont on annonça, un moment, le prochain mariage avec Gambetta...)

160. P.-B. GHEUSI, *La vie et la mort singulière de Gambetta.*

Gambetta [161], qui l'avait reçue du tribun lui-même au cours d'une visite aux Jardies.

Serait-ce donc à cause d'un domestique négligent, d'un chien mal élevé et d'une hystérique trop impressionnable que Gambetta fut blessé ? On ne le saura, hélas ! jamais.

Aussi — et bien que la source en soit indiscutable — me contenterai-je d'ajouter cette version aux autres.

« Le drame des Jardies, écrivait Louis Barthou, posera éternellement une énigme aux historiens. » Sans doute. Toutefois, il est permis de faire deux remarques :

1° Le nombre des versions proposées par les journalistes et les historiens prouve indiscutablement que la thèse officielle de l'accident, telle que la publia *La République Française,* ne fut pas acceptée par les contemporains du drame ;

2° Toutes les versions mettent en cause Léonie Léon.

Je me garderai cependant d'en tirer des conclusions...

La blessure de Gambetta guérit rapidement. Le 8 décembre, le docteur Fieuzal écrivit à Léris : « Les ouvertures se sont cicatrisées sans donner lieu à aucune suppuration... Les doigts sont parfaitement mobiles, et c'est grâce à toutes les précautions qui ont été prises que ce résultat inespéré a été obtenu. Aussi le laisserons-nous encore une dizaine de jours sans recevoir personne, et sans *lui permettre de se lever* autrement que pour faire son lit... »

Cette prescription ridicule pour un homme complètement guéri allait conduire Gambetta à la mort. En effet, au bout de quelques semaines d'alitement, le gros député souffrait d'une inflammation des intestins. Le 16 décembre, une pérityphlite se déclarait. De graves complications devaient surgir, auxquelles cet homme, miné par la syphilis et ruiné par le surmenage, ne put résister. Le 31 décembre, à 10 heures 45 du soir, Gambetta mourut après avoir prononcé le nom de Léonie.

La pauvre, effondrée au pied du lit, sanglotait, hébétée. Tout était désormais fini pour elle. La famille allait venir, pleurer, recevoir les condoléances, s'occuper des obsèques. Elle n'avait plus rien à faire dans cette maison qui, le matin encore, était la sienne.

Toute la nuit elle mit ses affaires en ordre, et, à l'aube, quand on annonça l'arrivée de Léris et de Benedetta, elle regarda une dernière fois le visage de l'homme dont elle aurait dû — sans ses tergiversations ridicules — depuis longtemps porter le nom, et quitta discrètement les Jardies.

Elle se retira à Paris, rue Soufflot. C'est là que, deux mois plus tard, Léris vint un soir la trouver :

— Madame, certains bruits attribuent la paternité de votre fils à

___

161. Alexandre Léris était le second mari de Benedetta Gambetta, sœur cadette du politicien.

Gambetta. Si la chose est exacte, nous sommes disposés à abandonner la totalité de l'héritage à cet enfant.

Léonie secoua la tête :

— Je vous remercie de votre démarche ; mais M. Gambetta n'était pas le père de mon fils...

Dès lors commença pour Léonie une vie douloureuse faite de regrets, de remords, d'amertume et de désespérance. Le 10 mai 1883, elle écrivait à son amie, Mme Marcellin Pellet :

Mes pauvres nerfs trépident si douloureusement dans l'étreinte du souvenir et de l'éternelle solitude...

Le 19 juillet 1884, à la même amie, elle écrivait encore :

L'amour vrai est très exclusif et, en dehors de l'objet aimé, le reste de l'humanité semble dépourvu de charme, presque même de sexe.

En 1885, elle se rendit à Cahors pour y voir la maison natale de Gambetta, le lycée où il avait fait ses études, l'épicerie de son père, et revint en pleurant à Paris où elle reprit sa correspondance quasi quotidienne avec Mme Pellet. Quelques extraits en montreront l'amertume infinie. Le 4 décembre 1885, elle écrivait :

Ma santé est à souhait, c'est-à-dire mauvaise, et ma décrépitude au-delà de mes souhaits : mes cheveux blanchissent à l'envi. Quel réveil après tant de beaux rêves !

En 1892, dix ans après la mort de Gambetta, sa douleur était intacte :

L'amie à laquelle vous écrivez est devenue diaphane, la fièvre ne la quitte pas et le sommeil ne lui vient plus. Que sont devenus les serments quotidiens du pauvre Gambetta de faire de moi la femme la plus heureuse qui fût jamais, la plus enviée de la postérité ? Mais où sont les neiges d'antan ?

Parfois, le désespoir était trop grand. A la fin de 1893 elle écrivait :

Je souffre, je pleure et appelle la mort de tous mes vœux.

Léonie Léon ne devait mourir pourtant qu'en 1906, d'un cancer au sein.

Vécut-elle ses dernières années dans la misère, comme certains l'ont écrit ? Non. On devait apprendre en 1907 que Mlle Léon avait touché jusqu'à sa mort une pension annuelle de douze mille francs prise sur les *fonds spéciaux* du ministère de l'Intérieur.

Était-ce en récompense d'anciens services rendus à la police ?

La question reste, bien entendu, sans réponse.

Ainsi, jusqu'au bout, Léonie aura mérité cette phrase de Marcel Bouchez : « Gambetta, sans le savoir, avait mis dans son lit l'un des personnages les plus étranges et les plus mystérieux du xixᵉ siècle !... »

Pauvre gros Léon !

24

Les premières amours du général Boulanger

C'est bien simple, il ne pensait qu'à cela !

CLEMENCEAU

Un matin de juin 1880, le jeune général Boulanger qui habitait alors à Valence, où il commandait la 14e brigade de cavalerie, sortit de chez lui d'humeur joyeuse. Il s'apprêtait à promener sa barbe blonde dans les rues ensoleillées quand une voix aigre l'appela :

— Georges !

C'était Mme Boulanger qui avait surgi d'une fenêtre du premier étage. Le général s'arrêta docilement.

— N'oublie pas d'aller te confesser !...

— Je ne sors que dans ce but, ma bonne amie...

La fenêtre se referma avec bruit et le général, d'un pas allègre, partit comme chaque matin à la recherche d'une aventure féminine.

Il n'était pas trop difficile : soubrettes, lingères, blanchisseuses, employées des postes, tout lui était bon, à condition que le sein soit ferme, le visage souriant, le cheveu blond et la fesse d'un bel arrondi...

Cette activité extra-militaire lui permettait d'oublier un peu l'épouse qu'il retrouvait, par devoir, le soir, à la maison. La générale, il est vrai, n'était guère affriolante. Branthôme nous en fait un savoureux portrait :

« Mme Boulanger, écrit-il, était une grande bringasse de femme dévotieuse, renchérie, trop pourvue de qualités insipides et plus agressive dans sa vertu qu'une jument de gendarme. Chez elle, on ne faisait jamais gras, même quand elle servait de la viande. Les rôtis de couvent au jus de lavasse étaient son fait, et les pets de nonne gonflés de mortification, son dessert de choix. A trente-cinq ans, elle avait perdu le souvenir d'avoir été jeune. Quand elle s'asseyait à la table familiale, c'était pour elle un objet de scandale que l'éblouissant visage de son gaillard d'époux qui, plus âgé qu'elle de deux ans, semblait quasiment un fils déjà crû et qu'elle aurait eu dans son jeune temps.

» Elle était toujours fourrée chez les Pères Capucins de la rue du Chapitre et il ne s'en manquait pas de beaucoup que ce ne fût elle qui les catéchisât et qui, du haut de son chameau de jansénisme, leur reprochât leur suave et souriante vertu franciscaine [162]. »

On comprend, dans ces conditions, que le général ait eu le goût de l'adultère. Lui-même l'avouera : « Ma femme ne m'était plus rien. Nous vivions côte à côte comme deux étrangers qui ne restent l'un

162. Branthôme. *Le brave général Boulanger*, 1930.

avec l'autre que par une convention tacite, par les convenances, pour le monde. Dans ces conditions, il fallait bien que je cherche ailleurs. Je me suis mis à courir le cotillon, à papillonner de la brune à la blonde, à voltiger de fleur en fleur, en m'attardant à peine à celle-ci, davantage à celle-là, et en trouvant cette autre tout à fait exquise, mais sans qu'aucune m'enivre vraiment de son parfum. »

Ce matin-là, le destin allait mettre sur sa route une « fleur » d'un parfum spécial sur laquelle, papillon ébloui, il devait, par exception, s'attarder pendant quelques mois...

Après un petit tour dans les rues principales où ne passaient que des jupons sans grand attrait, le général, déçu, se rendit à l'écurie pour y prendre son cheval.

Il eut vite fait de sortir de la ville. Dans les champs il lança sa bête au galop jusqu'à une forêt. Là, il s'engagea dans un sentier au petit trot. La matinée était belle. Il se sentait libre, heureux, détendu.

Quels soucis aurait-il pu avoir ?

A quarante-trois ans, il était général de brigade. Le plus jeune général de France. Les femmes l'adoraient. Il avait la protection du duc d'Aumale, l'amitié des chefs républicains, l'admiration de ses hussards. Il avait montré sa bravoure en Kabylie, en Italie, en Cochinchine, à Champigny pendant le siège. Il était commandeur de la Légion d'honneur. Il serait un jour ministre de la Guerre, il le savait : à cinq ans, il l'avait annoncé à son père...

Il parvint à un carrefour, choisit une direction au hasard et reprit le galop. Soudain, à un tournant de chemin, il vit venir vers lui un break conduit par une jeune femme blonde. Instinctivement, il tira sur les rênes. Arrivé à la hauteur de l'équipage, il salua, l'œil allumé. La conductrice arrêta ses chevaux et dit en souriant d'une façon que Mme Boulanger eût, probablement, trouvée démoniaque :

— N'êtes-vous pas le général Boulanger ?

— Pour vous servir, madame.

La jeune femme se trémoussa sur sa banquette et dit alors d'un ton prometteur :

— Je suis la comtesse de Trêmes...

Le général eut un petit choc. Il connaissait de réputation la comtesse de Trêmes, fille du marquis de Pravons, que l'on présentait comme la plus jolie dévergondée de la région. Depuis l'âge de quinze ans, elle avait la passion des hussards et portait leur dolman pour monter à cheval. Souvent même, au grand scandale des braves gens, elle enfilait aussi la culotte. A dix-huit ans, son goût pour l'extravagance lui avait fait commettre un acte d'une rare audace. Ayant mis l'uniforme d'un sous-lieutenant, elle avait défilé à sa place un jour de grande prise d'armes. Mais on se doute bien qu'une aussi belle nature ne se contentait pas de déshabiller les hussards pour revêtir leur uniforme... Depuis son mariage, tous les officiers de la 14e brigade — ou presque — avaient eu l'honneur d'entrer dans le lit de la petite comtesse.

Le général la détaillait en connaisseur. Elle, les yeux mi-clos, le considérait avec une évidente gourmandise. Enfin, elle rompit le silence :

— Je suis ravie de vous connaître, général. Voulez-vous venir chez moi ? Vous ferez la connaissance de mon grand-père, le marquis de Nerbe, de ma mère et de mon mari... Nous préparons une chasse pour demain. Si vous voulez bien me faire le plaisir d'être des nôtres, je vous garde avec nous et vous offre l'hospitalité pour la nuit...

Boulanger pensa qu'il irait se confesser un autre jour et accepta...

Sa liaison avec cette fougueuse jeune femme dura plus d'un an et enthousiasma le général qui, nous dit Branthôme, « était heureux d'ajouter un ragoût aristocratique à ses aventures jusque-là assez plébéiennes. Il y gagna, en outre, de l'affinement et une qualité meilleure de conversation »...

Mais Boulanger allait connaître, en Amérique, des aventures plus instructives encore...

Le 3 août 1881, il fut nommé chef de la mission militaire qui devait représenter la France aux fêtes du Centenaire de l'Indépendance des États-Unis.

Il en conçut un légitime orgueil, bomba le torse et pensa avec plaisir que la nouvelle allait être désagréable à sa femme.

Il ne se trompait pas. Mme Boulanger entra dans une colère épouvantable, prétendit qu'il s'agissait là d'une entreprise inspirée par le démon pour briser leur ménage et se lança dans la description détaillée des vices que chacun prêtait alors aux femmes américaines.

— Elles sont provocantes et iront vous chercher jusque dans votre bureau pour vous demander d'accomplir avec elles des actes impurs ! Elles vous obligeront à commettre des péchés que vous n'oserez jamais dire en confession. Elles vous traîneront dans le stupre, comme dit M. le doyen... Vous entendez, Georges, dans le stupre !...

Le 24 septembre, très alléché, Boulanger s'embarqua au Havre sur le *Canada*.

En voyant arriver ce beau général aux yeux bleus et pavoisé d'une barbe blonde, les dames de l'ambassade, nous dit Paul Guillermin, « furent saisies d'une émotion dont le cervelet n'était pas exactement le siège ». Littéralement affolées, elles invitèrent Boulanger à des sauteries sans nombre et, si elles ne le traînèrent point dans le stupre, comme l'avait prédit la générale, du moins le conduisirent-elles dans leur chambre à coucher.

Le général ne refusa aucune de ces galantes invitations et passa de délicieux après-midi.

Sa fougue devait d'ailleurs aider à accroître le prestige de la France. Les Américains pensèrent, en effet, qu'un pays qui était représenté par un général capable de telles prouesses amoureuses ne pouvait point demeurer sur la défaite de 1870. « Les forces viriles du général, écrit

Henri Savineau, suppléaient ainsi curieusement à nos forces militaires encore bien pauvres...»

Bref, Boulanger servait son pays en devenant le passe-temps des dames et des demoiselles d'Amérique. C'est aussi l'avis d'un de ses biographes qui nous dit : « Aux États-Unis, Boulanger personnifiait l'armée française de la façon la plus heureuse. Les hommes admiraient la finesse de ses appréciations et l'étendue de son savoir ; les femmes, sa tournure élégante et martiale et la grâce de ses manières. A coup sûr, la France ne pouvait avoir de plus séduisant représentant de l'autre côté de l'Océan. »

Le succès qu'il avait auprès des Américains donna toutes les audaces au général qui montra une autorité dont s'étonnèrent les hommes de la Maison Blanche, habitués à l'inconsistance des diplomates de la IIIᵉ République.

Un exemple suffira. Écoutons Branthôme : « Au moment où la délégation, à Washington, allait s'embarquer sur le *City of Catskill* pour descendre le Potomac et se rendre à Yorktown, Boulanger constata que ce bateau arborait, à côté d'un tout petit drapeau français, un immense drapeau allemand. C'était une politesse bien américaine du secrétaire d'État, Blaine. Le général demanda aussitôt que fût retiré de sa vue ce déplaisant emblème. Mais ce triple extrait de Yankee s'obstina, car il prétendait que l'armée française envoyée par Louis XVI comprenait aussi plusieurs mercenaires allemands. Sans doute deux douzaines de mangeurs de paille. Boulanger déclara que si le drapeau allemand n'était pas immédiatement amené, notre délégation n'avait plus qu'à s'embarquer sur l'heure pour la France. Le président de la République, Arthur, intervint et satisfaction fut donnée au général qui gagna dans cette affaire un surcroît d'admiration de la part des Américains, amateurs d'énergie [163]. »

Boulanger y gagna aussi un surcroît d'estime de la part de ses chefs, car trois mois après son retour à Paris, il était nommé, le 16 avril 1882, directeur de l'infanterie au ministère de la Guerre. Il y demeura deux ans, menant de front une œuvre de réforme militaire et une étude approfondie des demoiselles des postes dont le comportement amoureux l'intriguait.

— Je les observe, disait-il, comme un entomologiste observe les insectes. Pour moi, ce ne sont véritablement que des fourmis...

Il eût été facile de lui répondre qu'on n'avait jamais vu un entomologiste faire à une fourmi ce qu'il faisait aux demoiselles des postes ; mais personne ne se le permettait.

Chercheur passionné, il n'hésitait pas à rapporter parfois des spécimens dans la garçonnière qu'il avait louée à l'entresol du 128 boulevard Haussmann. Là, il pouvait poursuivre ses recherches en toute tranquillité et loin des regards de Mme Boulanger qui ne comprenait point les beautés de l'entomologie.

Le 18 février 1884, Boulanger fut promu général de division et Jules

163. Branthôme : *Le brave général Boulanger,* 1930.

Ferry lui confia le commandement de l'armée d'occupation en Tunisie. Il quitta Paris, laissant en larmes ses deux maîtresses en titre, Mme Pourpe et Mme de V... Il dut également abandonner ses travaux sur les demoiselles des P.T.T. dont les mœurs, de ce fait, ne nous sont pas encore bien connues...

En Tunisie, Boulanger, bouillant comme à l'accoutumée, ne put supporter la mollesse du résident civil Jules Cambon qui, nous dit Branthôme, « ayant l'ambition de devenir diplomate républicain, pensait ne pouvoir mieux se préparer à cette carrière qu'en recevant dans les fesses le plus de coups de pied possible ».

Ils se firent la guerre.

Puis Boulanger eut à combattre un autre ennemi : le président du Tribunal, un nommé Pontois, qui ne pensait qu'à courser les petits garçons dans les couloirs du Palais de Justice.

Finalement, dégoûté, le général envoya sa démission et rentra en France.

Six mois plus tard, le 8 janvier 1886, il était, sur la proposition de Clemenceau, nommé ministre de la Guerre.

La garçonnière du boulevard Haussmann allait se transformer en coulisses du ministère Freycinet...

En apprenant que le général Boulanger allait s'installer rue Saint-Dominique, le colonel de Linage dit à ses amis :

— Boulanger ! Je le connais bien, je suis son camarade de promotion. Vous allez voir le plus grand metteur en scène qui ait jamais existé. C'est un homme qui ne peut rien faire, si simple que ce soit, sans qu'on le remarque et sans que cela paraisse extraordinaire. Il a toujours été ainsi depuis le jour où il est entré sous-lieutenant dans l'armée. Qu'on réunisse cent généraux et, au milieu de tous, c'est lui seul qu'on verra !

Boulanger n'allait pas tarder à donner raison à son camarade de promotion.

Dès son entrée au ministère de la Guerre, nous dit Branthôme, « il jeta par la fenêtre un gros de vieux scribouillards qui étaient à confire dans les encriers... Il brûla quelques tonnes de paperasses qui devaient servir à la pâture de ces bureaucrates » et annonça que sa devise était : « Si cela est possible, c'est fait. Si c'est impossible, cela se fera... »

Chaque matin, levé à cinq heures, il allait faire un peu de galop au Bois. Après quoi, il rentrait à l'hôtel du Louvre (au coin de la rue de Rivoli et de la rue de Rohan), où il habitait avec sa femme et ses deux filles, et prenait son petit déjeuner. A sept heures et demie, il se rendait en landau à son bureau. Le soir, il quittait la rue Saint-Dominique à six heures et se faisait conduire dans sa garçonnière du boulevard Haussmann où une pimpante demoiselle venait le retrouver. C'était le plus souvent une vendeuse de nouveautés. Depuis son retour de Tunisie,

Boulanger, en effet, avait remplacé les demoiselles des P.T.T. par des demoiselles de magasins...

Après des ébats fort tumultueux, aux dires de ses partenaires, il rentrait dîner en famille et se couchait à dix heures.

Grâce à cette vie saine et réglée, le général avait bon pied, bon œil et barbe drue.

En quelques mois, Boulanger prit une série de mesures propres à exalter le peuple français qui, depuis 1871, ne pensait qu'à la revanche et trouvait notre pays militairement faible : service de trois ans ; adoption du fusil Lebel ; adoption de la mélinite ; organisation des services de contre-espionnage ; recrutement régional ; nouveau plan de mobilisation ; organisation des grandes manœuvres de corps d'armée ; emploi des réserves ; construction de baraquements dans la zone frontière ; confection et garde en magasin de huit cent mille uniformes.

Après quoi, Boulanger entreprit de conquérir le cœur des pioupious au moyen de réformes dont les sous-officiers de carrière furent éberlués : amélioration de la nourriture ; installation de réfectoires où les soldats auraient droit, désormais, à de vraies assiettes ; destruction des vieilles paillasses remplacées par des sommiers ; suppression du sac pour les factionnaires ; permissions de minuit ; repos complet du dimanche ; congés réguliers à Noël et à Pâques ; augmentation des primes d'engagement et de rengagement ; unification des soldes ; décoration tricolore des guérites de corps de garde et, surtout, autorisation pour les soldats de porter la barbe, comme lui...

Mais tout cela n'était que préliminaires, travaux d'approche et caresses de Don Juan expérimenté. Au début de juillet, Boulanger se prépara à déclencher une grande offensive de charme pour conquérir Paris. Il l'avoua d'ailleurs à un ami, le général Kerbrech, au cours d'une conversation que celui-ci a rapportée :

— Mon vieux Kerbrech, tu vas te mettre en campagne et m'acheter la monture la plus belle que tu puisses trouver pour le 14 juillet.

— Tu vas faire ton entrée à l'Élysée ?

— Non. Je livre ma bataille. Si ce soir-là, je ne couche pas avec tous les Parisiens et toutes les Parisiennes, je suis foutu...

Le général Kerbrech réussit à découvrir un magnifique pur-sang noir au poil brillant. Et le 14 juillet, la revue de Longchamp donna lieu à un spectacle extraordinaire.

Lorsque, à trois heures de l'après-midi, Boulanger, à cheval, parut en uniforme de gala et coiffé d'un bicorne à plumes blanches, la foule, qui attendait sur la pelouse depuis quatre heures du matin, hurla sa joie, couvrant d'une incroyable rumeur les salves d'artillerie et les musiques militaires :

— Vive Boulanger ! Vive Boulanger !

Dans la tribune officielle, le président de la République, le petit et ridicule Jules Grévy, roulait de gros yeux effarés sans comprendre ce qui se passait. Les ministres, engoncés dans leurs redingotes, se regardaient en hochant la tête. La Sainte Démocratie semblait en péril.

Pendant ce temps, la foule, ivre d'enthousiasme, continuait à hurler, brisait les barrières, repoussait les gardes et courait s'offrir à ce général élégant, beau et souriant, dont elle connaissait les succès amoureux ; ce général qui, selon le mot d'un contemporain, « semblait un soleil brusquement apparu au milieu de la grisaille des parlementaires ». La vulgarité et la laideur insoutenables des Jules Grévy, des Jules Ferry, des Constans et de leurs amis, expliquent en effet cet élan populaire. Et Branthôme a raison lorsqu'il écrit : « Il faut qu'une ville capitale ait le ventre gorgé de nausées par la médiocrité morale et la laideur physique de ses gouvernants pour se donner ainsi en un instant à un inconnu. »

Le soir, à l'Alcazar d'Été, Paulus annonça une nouvelle chanson, *En revenant de la Revue.* Lorsqu'il arriva à la fin du deuxième couplet :

> *Ma sœur qu'aim' les pompiers*
> *Acclam' ces fiers troupiers ;*
> *Ma tendre épouse bat des mains*
> *Quand défilent les Saint-Cyriens ;*
> *Ma bell' mèr' pouss' des cris*
> *En r'luquant les spahis ;*
> *Moi j'faisais qu'admirer*
> *Not' brav' général Boulanger*

il ne put continuer. Le public, debout, hurlait :
— Vive Boulanger ! Vive Boulanger ! Bis !...
Le chanteur dut recommencer vingt fois son couplet. Finalement, la foule s'en alla par les rues et les boulevards chanter elle-même jusqu'à l'aube cette chanson de caf'conc' dont elle faisait un hymne anti-gouvernemental.

Boulanger pouvait être content. Cette nuit-là, selon son désir, tout Paris était amoureux de lui...

25

Le général Boulanger fait le mur pour retrouver Mme de Bonnemains

> Georges ! Marguerite ! Cela rejoint à travers
> les siècles la fable des amants légendaires.
>
> JEAN AJALBERT

Le triomphe de Boulanger, s'il ne parvint pas à dérider la générale qui continua de grommeler des « injures rances » en brodant des nappes de sacristie, enthousiasma du moins deux jeunes femmes fort délurées : Mme Andrée d'A... de V... et Mme Juliette Pourpe, les deux maîtresses en titre du ministre de la Guerre.

Ces dames se partageaient les moments que le général ne passait pas avec les vendeuses à la toilette dont il était de plus en plus friand.

Elles étaient entrées, à peu près en même temps, dans la vie de Boulanger, à l'époque où celui-ci s'intéressait aux demoiselles des P.T.T. Écoutons ce que nous dit Adrien Dansette à leur sujet :

« De 1883 à 1887, Boulanger eut pour maîtresse une employée des postes, Mme Andrée d'A... de V... Elle avait sollicité une audience auprès du directeur de l'infanterie. Les premières heures d'intimité, vite venues, révélèrent la vérité à Mme Boulanger "à cause de l'odeur", écrivait le mari à la maîtresse en lui recommandant la prudence.
» En même temps que Mme d'A... de V..., Boulanger avait une autre maîtresse, une dame Pourpe, fille d'un greffier et épouse d'un employé des Postes — le recrutement ne variait guère —, qui marquait son linge de trois étoiles et de deux drapeaux, en l'honneur de son amant [164]. »

Le général, dont le libertinage croissait avec l'âge, ne se contentait pas de prendre un plaisir sain avec ces deux dames ; il éprouvait le besoin d'écrire des lettres d'une obscénité que son état militaire n'explique pas entièrement.

Écoutons Adrien Dansette :

« A Juliette comme à Andrée, Boulanger écrivait des lettres difficiles à définir. La platitude du style, la pauvreté du sentiment, l'absence de pensée en sont navrantes. Mais cela n'est rien encore. Au milieu de choses et d'autres, sans transition, le général y exprimait son amour — si l'on peut dire — en termes tels que lecture ne pourrait en être donnée dans un fumoir. Boulanger n'avait son centre de gravité ni dans le cerveau, ni dans le cœur. Il est certain que son érotisme confinait au déséquilibre pathologique. »

Après la revue du 14 Juillet, le ministre de la Guerre commença à recevoir une extraordinaire correspondance féminine. Des midinettes lui envoyaient des lettres enflammées, des comédiennes s'offraient, des femmes du monde se déclaraient prêtes à le retrouver où il voulait, des jeunes filles lui proposaient leur « pudeur », des épouses lui contaient que, dans les bras de leur mari, « elles voyaient son image sur l'écran de leurs paupières closes », des vieilles filles lui adressaient des poèmes tarabiscotés et des demoiselles de patronage, ne sachant comment déclarer leur amour, l'appelaient, à tout hasard, « Fils de Jeanne d'Arc »...

Bref, la moitié de la France désirait entrer dans le lit du général.

Ravi, Boulanger plaçait soigneusement toutes ces lettres dans des dossiers et, de temps en temps, convoquait une de ses admiratrices rue Saint-Dominique.

L'heureuse élue arrivait, haletante, et se laissait cueillir dans un fauteuil ou sur un coin de bureau avec un frisson patriotique.

Une femme allait changer tout cela.

164. Adrien Dansette, *Le Boulangisme.*

Au mois de janvier 1887, la comtesse de Saint-Priest, dont le mari était colonel en garnison à Beauvais, invita Boulanger à déjeuner. Elle pensait pouvoir obtenir pour son époux un commandement à Paris en se laissant un peu lutiner. Craignant toutefois d'être victime du trop galant ministre, elle pria une de ses amies intimes de venir l'assister.

Cette amie s'appelait la vicomtesse de Bonnemains.

— Je n'ai guère envie de rencontrer ce général qui est anti-clérical et républicain, dit celle-ci à Mme de Saint-Priest, et c'est bien pour vous faire plaisir que j'irai m'asseoir à ses côtés.

Comme elle était en deuil de son beau-père, le général de Bonnemains, elle vint, vêtue d'une robe à longue traîne en velours noir constellé de paillettes de jais.

Mme de Saint-Priest, qui avait l'esprit de son époque, lui fit remarquer en riant que, malgré son aversion pour le ministre, elle avait des « boules en jais », ce qui acheva de l'agacer.

A midi, le général parut. En voyant cette jeune femme « dans le triomphe de ses trente ans », il fut ébloui. Son regard s'attarda sur la poitrine ferme et bien placée, sur les cheveux blonds, sur les lèvres sensuelles et glissa sur les yeux noisette dont un contemporain nous dit qu'ils étaient « inexpressifs et même calmement sots »...

Boulanger accordait plus d'importance à une fesse bien dessinée qu'à un regard intelligent. L'instant d'après, il était amoureux...

Quelle était donc cette jeune femme envoyée par le destin au moment où Boulanger marchait vers le pouvoir, cette femme sans laquelle la République eût peut-être disparu en l'an dix-huitième de son âge ?

Son nom de jeune fille était Marguerite Brouzet. Elle avait pour grand-père un officier de gendarmerie et pour père un officier de marine. Orpheline à quatorze ans, elle avait fait ses études au couvent du Roule en compagnie de jeunes aristocrates.

A dix-huit ans, elle s'était, hélas ! fiancée.

Écoutons Adrien Dansette :

« Sa fortune attira l'attention d'un jeune viveur, le vicomte Pierre de Bonnemains, fils de général qui commanda une des charges de Reischoffen, et lui-même officier de cavalerie bientôt démissionnaire. Il épousa Mlle Brouzet en 1874 ; elle avait alors dix-neuf ans. Après comme avant son mariage, le vicomte de Bonnemains joua et afficha ses liaisons. La jeune femme, soutenue par son beau-père, obtint un jugement de séparation de corps en 1881. Abandonnée, son foyer détruit, elle écouta des consolateurs ; on cite, parmi d'autres, le prince Léopold de Hohenzollern [165]. »

C'était une jeune femme sentimentale, sensuelle et, depuis quelques

165. Adrien Dansette, *Le Boulangisme.*

mois, entièrement libre, que le général Boulanger considérait d'un œil caressant.

Mme de Bonnemains s'efforça de cacher son trouble en riant très fort et en montrant une agressivité maladroite. Avec stupeur Mme de Saint-Priest l'entendit ironiser sur les femmes qui se jetaient aux pieds du général.

— Je sais, dit-elle, qu'il y a des amazones qui ne vont au Bois que pour vous y rencontrer...

Boulanger sourit suavement.

— Je regrette de ne vous y avoir vue qu'une fois !...

Mme de Bonnemains rougit et fit mine de chercher dans ses souvenirs.

— Oui, continua le général, un matin, au Bois, où, quand j'allais incliner la tête vers vous, j'ai été foudroyé du regard.

Marguerite n'avait pas oublié cette rencontre, l'œillade de Boulanger et sa colère, à elle.

— J'étais furieuse que vous osiez me regarder ainsi, dit-elle.

Puis elle éclata d'un rire nerveux qui donna tous les espoirs à Boulanger.

Jamais Mme de Bonnemains ne s'était montrée aussi provocante et aussi coquette avec un homme. Mme de Saint-Priest la regardait faire avec stupéfaction. A plusieurs reprises, elle avait essayé de prendre la parole, de parler de son mari en garnison à Beauvais et du bonheur qu'elle aurait à le voir nommé à Paris. En vain. Marguerite et Boulanger, les yeux dans les yeux, poursuivaient leur passe d'armes sans rien entendre.

Finalement, Mme de Bonnemains s'écria :

— Nous devrions être fières, car c'est une grande faveur que vous nous faites ce soir... Il paraît que le succès vous a tellement grisé qu'il est impossible de vous faire accepter une invitation à dîner...

Le regard du général devint extrêmement tendre.

— Ceux qui vous ont dit cela, madame, ont eu l'impertinence de vous mentir. Et si vous vouliez en avoir la preuve, il vous suffirait de me faire le très grand honneur de me convier chez vous. Vous me verriez accepter à l'instant.

La vicomtesse, les yeux brillants, les joues en feu, riposta aussitôt :

— Chez moi, général ? Mais avec plaisir, et quand il vous plaira. Fixez vous-même le jour.

— Le plus tôt possible, alors. Demain, si vous le permettez, madame.

— Eh bien, général, à demain !

Lorsque le général eut pris congé, Mme de Saint-Priest s'emporta contre son amie et, dans sa colère, la griffa, paraît-il, au bras gauche.

— C'est indigne, criait-elle, tu t'es donnée à ce militaire, là, devant moi, sur ma table !

C'était à peine exagéré. Mme de Bonnemains, en effet, séduite par le charme de Boulanger, avait, nous dit François Moutier [166] dans son style bien personnel, « senti en son être comme les premiers frissons

166. François Moutier. *Boulanger et la femme du destin.*

d'un plaisir amoureux. Ce duel oratoire était déjà un adultère ; ce tête-à-tête, un corps-à-corps »...

Le lendemain, Boulanger, fringant, se rendit au 39 de la rue de Berri où habitait Mme de Bonnemains.

Le repas fut gai. Marguerite, qui avait changé de ton, demanda au général de lui parler de ses voyages. Il se montra brillant, spirituel, décrivit avec humour New York, Washington, la Tunisie, la Cochinchine, conta des anecdotes, imita des accents. Elle l'écoutait avec une admiration qu'elle ne cherchait plus à dissimuler.

Après le café, Boulanger, la moustache en bataille et la main gourmande, passa à l'attaque. Il y eut soudain des éclairs de jupons et Mme de Bonnemains, ravie, se trouva renversée sur le canapé.

Quelques minutes plus tard, le ministre de la Guerre, qu'un faisan à la purée de marrons n'avait point alourdi, retira son uniforme et sut se montrer agréable... Si agréable même que Marguerite lui demanda de revenir le lendemain.

Il revint tous les soirs, fou de désir et amoureux pour la première fois.

Quand son travail le retenait au ministère, il écrivait des lettres pleines d'extravagantes obscénités que la vicomtesse lisait avec émotion.

Écoutons encore Adrien Dansette :

« Ses lettres à Marguerite — elles passaient par le cabinet du ministre de l'Intérieur — étaient analogues à celles naguère adressées à Juliette et à Andrée. Marguerite les acceptait ! Cela donne à penser. On devine, entre ces deux êtres, la violence de l'attrait physique et l'accord exceptionnel des tempéraments. »

Bientôt, Boulanger ne pensera plus qu'à aller retrouver sa maîtresse, et ses adversaires pourront écrire : « Le général Revanche a une idée fixe ; mais cette idée fixe n'est plus sur le Rhin. Elle se situe très exactement sous les jupes d'une dame de la rue de Berri. »

A la fin de janvier 1887, les boulangistes fervents et les patriotes austères eussent été bien étonnés s'ils avaient pu voir de quelle façon leur idole passait ses soirées.

Assis sur un pouf aux pieds de Marguerite, Boulanger, qui avait lu dans un almanach que Charles IX était parvenu à écrire « je charme tout » avec les lettres du nom de Marie Touchet, sa maîtresse, s'efforçait de composer, lui aussi, une galante anagramme.

Soir après soir, inlassablement, il cherchait toutes les combinaisons possibles. Certaines étaient passionnées, d'autres un peu gaillardes, la plupart approximatives. Il écrivait par exemple avec les dix lettres du nom de la vicomtesse : *Ma bonne amie de nuits,* signé G, ce qui laissait deux *r* inutilisés, ou : *Ma bonne reine m'a séduit,* G., ou encore : *Nu, ton sein ami me regarde,* signé B (Boulanger). Un soir, ils s'aperçurent qu'en écrivant *Baiser d'amour ne ment,* les quatre lettres superflues formaient le mot *Gien.* Ils virent là un signe du destin et décidèrent aussitôt de faire dans cette ville une petite fugue d'amoureux.

Parfois, le jeu devenait plus compliqué, le général mêlant les lettres de *Marguerite de Bonnemains* et de *Georges Boulanger*. Il obtint ainsi : *G. baisera le bout menu de sa gorge mignonne,* phrase qui les enchanta tous deux, bien qu'elle laissât deux *r* de côté...

Quand le ministre de la Guerre était fatigué de chercher des anagrammes, il ouvrait un recueil de poèmes et lisait à Marguerite des vers, en donnant, nous dit François Moutier, « à sa voix faite pour le commandement, des inflexions propres à émouvoir »...

Peu à peu, ces jeux d'amoureux devinrent l'activité principale du général. « Au moment, écrit F. Turner, où Boulanger allait épouser la France, au moment où les bans étaient déjà publiés dans les cœurs et où toutes les cloches d'Europe allaient sonner, Mme de Bonnemains, l'écartant de son devoir, l'entraîna dans une aventure insensée. Tout changea en lui et ses admirateurs eussent frémi en apprenant que, le soir, avant de s'endormir, il ne prononçait plus le nom de la sainte Patrie, mais celui de Marguerite... »

Naturellement, la liaison de Boulanger ne tarda pas à être connue et certains journalistes y firent de plaisantes allusions.

L'un d'eux, par exemple, écrivait assez lestement : « Toute la journée, au ministère, le général est entouré de fripouilles, mais le soir, il est dans de *bonnes mains*... »

Les historiens considéreront les choses moins légèrement. Ils verront en Marguerite, non pas la maîtresse ronronnante et fleur bleue, mais la femme du Destin qui éloigna Boulanger de ses buts.

« Si elle n'a pas voulu user directement de son ascendant sur le général Boulanger, écrit l'essayiste allemand Bruno Weil, il y a pourtant eu de nombreuses circonstances où le souhait d'être auprès d'elle, le désir de la rencontrer, ont poussé celui-ci à négliger des choses plus grandes et plus importantes, et où le seul fait de son existence lui a fait prendre ou laisser certaines décisions. Si, à partir du moment où Boulanger a fait la connaissance de Marguerite de Bonnemains, l'on veut comprendre sa destinée, on ne peut pas s'en tenir aux grands événements de sa vie publique, il faut aussi mettre décidément en ligne de compte les choses discrètes de son amour, la tendresse de ses sentiments, l'audace romantique de son cœur. »

Tous les historiens ne seront pas aussi indulgents pour la vicomtesse et quelques-uns jugeront sévèrement son influence.

« Boulanger, écrit Julien Pradel, était un rapide lancé à toute vitesse sur les rails du triomphe, du pouvoir absolu et de la dictature. Mme de Bonnemains l'aiguilla, par son amour de midinette, sur une voie de garage... »

Au début de février, Mme de Bonnemains intervint pour la première fois dans les affaires de l'État. Boulanger, qui souhaitait l'alliance russe, venait de rédiger une lettre confidentielle au tsar. Au cours d'une promenade, bras dessus bras dessous, sur les boulevards, il en parla à Marguerite.

— Demain, dit-il, notre attaché militaire, le capitaine Moulin, repart pour Saint-Pétersbourg avec cette missive. Je crois avoir agi prudemment en ne mettant pas le Conseil des ministres au courant de mon initiative.

Depuis quelque temps, Mme de Bonnemains cherchait une occasion de connaître l'étendue de son pouvoir. Sans rien connaître de l'affaire, elle dit gravement :

— Tu as tort ! Les ministres doivent être instruits de cette lettre.

Boulanger ne discuta point. Le soir même, il faisait informer Flourens, ministre des Affaires étrangères, de ses tractations. Celui-ci, furieux de voir un de ses collègues entrer en relation avec un gouvernement étranger sans passer par son intermédiaire, alla se plaindre au premier ministre, M. Goblet. Le scandale fut énorme, car Mme Flourens, à qui son mari avait tout raconté, sauta sur son chapeau et courut d'une traite mettre au courant Mlle de Münster, fille de l'ambassadeur d'Allemagne. « Le papa, averti aussitôt, écrit Branthôme, demanda sa voiture et, s'étant transporté à l'Élysée, saboula à la uhlan le président Grévy, vieux Père-la-Colique qui, levant au ciel ses petits bras déjetés, demanda pardon et promit qu'à la première occasion, on se débarrasserait de ce méchant Boulanger. »

Le 18 mai, le ministère Goblet fut renversé après le vote d'une motion désapprouvant le programme budgétaire du ministre des Finances. Ce n'était qu'un prétexte. En fait, Boulanger seul était visé. Et le 30 mai, lorsque Rouvier constitua le nouveau cabinet, l'amant de Mme de Bonnemains quitta le ministère de la Guerre...

Marguerite pouvait être heureuse. Son beau Georges, désormais, allait pouvoir se livrer jour et nuit, sur le tapis de son salon, au jeu passionnant des anagrammes libertines...

Lorsque les Parisiens apprirent que Boulanger ne faisait pas partie du nouveau ministère présidé par Rouvier, ce fut, écrit un journaliste, « comme si un individu, dans un acte insensé de vandalisme, avait détruit l'Arc de Triomphe ou Notre-Dame ».

Toute la nuit, la foule massée sur les boulevards hurla sa fureur, conspua Grévy et chanta ce refrain improvisé que l'on devait entendre pendant trois ans :

> C'est Boulange, lange, lange,
> C'est Boulanger qu'il nous faut !
> Oh ! Oh ! Oh ! Oh !

En quelques heures, un nouveau mouvement politique naquit : le boulangisme.

Dès le lendemain, tandis que Boulanger, ivre de liberté, se séparait de sa femme pour pouvoir ronronner tout à son aise aux pieds de Marguerite, les fabricants de légendes et de gloire — éditeurs d'images populaires et chanteurs de rues — se mettaient au travail [167]. Bientôt, on entendit des complaintes sur le général Revanche aux carrefours et sur les marchés, accompagnées d'un violon ou d'un orgue de Barbarie. Puis l'idolâtrie s'exprima de toutes les façons, même les plus extravagantes : « Après le papier, écrit Adrien Dansette, ce sont les objets : l'épingle buste garnie d'un ruban tricolore ; la lorgnette en os contenant le portrait du général ; la pipe représentant la tête du général ; la pièce de cinq francs (pour trois sous) à l'effigie du général avec cet exergue : "Boulanger, ministre de la France" ; le savon Boulanger "le meilleur de tous les savons, rafraîchissant pour la peau". Plus tard viendra la chaîne de montre patriotique, ornée d'attributs militaires (le fusil Lebel, une épée, un revolver d'ordonnance et la médaille du général Boulanger) ; enfin, le caoutchouc pour imprimer le futur timbre national avec Boulanger en vignette. Les enfants ont des jouets Boulanger : le mirliton patriotique avec l'inévitable portrait ; "le général toujours debout", d'une grande valeur symbolique : "par mécanisme de sa construction, cette statuette se relève avec énergie de quelque manière qu'on cherche à la renverser ; tout patriote voudra posséder et propager cet emblème populaire de la France respectée et de la sauvegarde de la République. Pour recevoir franco, soigneusement emballé, adresser 1,50 F", etc. Les grandes personnes auront aussi leur jeu, un jeu de cartes, patriotique, bien entendu, dont l'un des rois est le général Boulanger. L'alimentation se boulangise : avant de se mettre à table, on déguste du "Boulanger quand même", la seule liqueur "apéritive... ne contenant aucun produit allemand, la seule mettant du cœur au ventre", et, après la poire, on savoure le fromage de Camembert Boulanger [168]. »

Naturellement, une telle propagande ne tarda pas à inquiéter le gouvernement. Ce général qui avait pour lui toute la gauche, tous les patriotes, tous les revanchards, vingt journaux et des amis aussi bruyants que Naquet et Paul Déroulède, pouvait fort bien renverser la République et s'installer à l'Élysée. Grévy eut peur. Des policiers surveillèrent la maison de Boulanger et des rapports alarmants parvinrent quotidiennement au ministère de l'Intérieur.

Chaque fois que le général quittait son domicile et paraissait dans la rue, en effet, une véritable manifestation avait lieu. La foule, agitant des chapeaux, des casquettes, des cannes, des écharpes, hurlait : — Boulanger au pouvoir !... A bas Grévy !... A l'Élysée !... Rouvier, démission !... A bas Ferron !... Ferron-la-Honte !... Vive Boulanger !...

La voiture du général avançait lentement dans ce troupeau de braillards qui voulaient toucher leur idole et s'efforçaient de lui arracher ses boutons de jaquette en souvenir.

---

167. De 1887 à 1889 il sera publié plus de quatre cents chansons sur le brav' général...
168. Adrien Dansette, *Le Boulangisme*.

— Mes amis, mes amis ! criait le général, laissez-moi passer, je vous en prie !

Alors, les rangs s'ouvraient et le cheval pouvait trotter dans la rue de Rivoli.

— Il va travailler pour la France, disaient alors les bonnes gens. Heureusement que nous l'avons !...

Et tous en chœur criaient une dernière fois :

— Boulanger au pouvoir !... A bas Grévy !

Bien sûr, comme toujours, les bonnes gens se trompaient. Le général ne s'en allait pas vers un bureau secret pour y comploter le renversement du régime avec de mystérieux amis, mais plus simplement vers la rue de Berri où l'attendait, dans son appartement douillet, la belle Marguerite en galant déshabillé.

Bien que la liaison de Boulanger et de la vicomtesse fût connue du ministère de l'Intérieur, Jules Grévy continuait de trembler. Il redoutait le 14 Juillet qui menaçait d'être un prétexte à des manifestations plus folles encore que l'année précédente. Aussi, le 4, le Conseil des ministres prit-il, comme dit Rochefort, la décision de « déporter le général Boulanger et de lui assigner comme lieu de détention les montagnes d'Auvergne ». Boulanger fut nommé commandant du 13ᵉ corps à Clermont-Ferrand, avec l'ordre de rejoindre son poste immédiatement.

Le général décida de quitter Paris le 8, par le train de 8 h 07 du soir.

Le 7, tandis que les murs de la capitale se couvraient d'affiches où l'on pouvait lire en lettres énormes « Il ne partira pas », Boulanger passa sa journée entière au lit, rue de Berri, à savourer le corps admirable de Mme de Bonnemains.

Le 8, à 7 h 30, il sortit de l'hôtel du Louvre en redingote et haut-de-forme. Dix mille personnes l'attendaient sur la place du Palais-Royal. Une formidable clameur l'accueillit :

— Vive Boulanger !

Enfin, écrit un témoin, « le général monta dans sa voiture et le mur de poitrines s'écarta. Mais, jusqu'à la Gare de Lyon, le cocher dut éviter les fanatiques qui venaient se dresser devant le cheval ». La chaussée, les trottoirs, les arbres, les balcons étaient couverts de monde. On hurlait, on brandissait des coiffures, on chantait sur l'air de *En revenant de la revue* :

Il reviendra
Quand le tambour batt'ra,
Quand l'étranger m'naç'ra
Notre frontière.
Il sera là,
Et chacun le suivra.
Pour cortège il aura
La France entière !

A la Gare de Lyon, cinquante mille personnes, grimpées sur les toits des wagons, sur les marchepieds, sur les tampons, hurlaient *La Marseillaise*. Écrasé, moulu, soulevé de terre, agrippé de toutes parts, Boulanger parvint jusqu'à une voiture de deuxième classe. Il y monta et se crut sauvé. Mais tout aussitôt, des hommes coururent devant la locomotive et se couchèrent sur les rails. Jamais, de mémoire de lampiste, on n'avait assisté à pareille scène de délire dans une honnête gare de chemin de fer...

Des femmes, saisies par l'hystérie, poussaient des cris stridents et se roulaient par terre. L'une d'elles, dans l'espoir insensé de retenir le général à Paris, se plaça devant la voiture qu'il occupait et, dans un geste qu'elle crut sans doute patriotique, releva ses jupes jusqu'au nombril...

A dix heures du soir, Boulanger s'en fut demander à la foule, par un de ses amis, la permission de faire quelques pas sur le quai pour respirer un peu. Les gens s'écartèrent et le général descendit. Il marcha calmement pendant quelques secondes puis, ayant enfoncé d'un geste brusque son haut-de-forme jusqu'aux oreilles, il courut à toutes jambes vers une locomotive et y grimpa. La machine était sous pression, elle démarra aussitôt. Alors, une clameur lugubre s'éleva. Le général avait réussi à fausser compagnie à ses trop expansifs admirateurs.

Au petit matin, il était à Clermont-Ferrand et adressait ce tendre billet à Marguerite :

Mon aimée,
Tu as dû savoir par les journaux comment les choses se sont passées. Ce fut gigantesque et merveilleux. Mais tu me manques atrocement.
Je vais chercher une auberge tranquille dans la région. Dès que je l'aurai trouvée, tu viendras t'y installer et je t'y rejoindrai pour t'abreuver de caresses. A bientôt, mon amour. Je t'aime et je t'embrasse partout.

Exilé, mais coquin tout de même...

Tandis que le général faisait chercher par Driant, son officier d'ordonnance, une auberge confortable où il pût installer Marguerite, des événements qui devaient ébranler l'Élysée se déroulaient à Paris.

Une ancienne prostituée, nommée Henriette Boissier, qui se faisait appeler comtesse de Boissy, furieuse de ne point parvenir à se faire restituer une robe par une dame Limouzin, venait de pousser son amant, un certain M. Bouillon, à dénoncer celle-ci pour trafic de décorations.

Le préfet de Police, M. Gragnon, ordonna une perquisition chez Mme Limouzin. On découvrit des lettres de généraux, de sénateurs et même de M. Daniel Wilson, gendre du président Grévy. Installé à l'Élysée auprès de son beau-père, ce personnage, qu'un rapport de police traitait d'« orgueilleux inconsistant », vendait la Légion d'honneur vingt-cinq mille francs à ceux que Clemenceau appelait « les tourmentés de la boutonnière ».

Le gouvernement, effrayé à la pensée du scandale qui pouvait éclater, se contenta de mettre le général Caffarel, sous-chef d'état-major compromis dans l'affaire, en non-activité, et fit classer le dossier de Mme Limouzin.

Tout semblait définitivement étouffé quand le sous-chef de la Sûreté, Goron, qui avait dirigé l'enquête, apprit qu'il était menacé de révocation pour une peccadille : il avait prélevé un morceau de peau sur le corps de l'assassin Pranzini pour s'en faire un porte-cartes.

Furieux, il fit publier dans *Le XIXe siècle* un article sur le trafic des décorations mettant en cause tous les personnages compromis, y compris le gendre du président de la République.

L'émotion en France fut considérable. En effet, comme l'écrit Adrien Dansette : « Depuis Sedan, on opposait au favoritisme et à la corruption impériale l'égalité et la vertu républicaine. Le pays ignorait l'immoralité de ses maîtres. De là, l'incalculable portée de l'affaire Wilson, le premier scandale du régime. Les Français apprirent brutalement tout ce que l'anonymat parlementaire pouvait cacher de népotisme et de malpropreté. » De braves gens, qui croyaient en l'avènement d'une démocratie spartiate, furent brutalement débarrassés d'un préjugé ridicule qui pouvait leur coûter cher...

Le nom de Boulanger ayant été prononcé par Mme Limouzin, des journalistes se rendirent à Clermont-Ferrand pour interviewer le général. Celui-ci répondit qu'il n'avait jamais été en relation avec cette dame — ce qui était vrai — et en profita pour attaquer violemment Ferron, son successeur au ministère de la Guerre.

L'article affola le gouvernement. A titre de représailles, Ferron, qui était furieux, prit une mesure extraordinaire : il infligea à Boulanger trente jours d'arrêts de rigueur.

Lorsqu'elle apprit la punition dont son amant était l'objet, Mme de Bonnemains eut le chagrin qu'on imagine. Elle se précipita sur les journaux pour avoir des détails et lut :

« Cette peine comporte l'interdiction absolue de sortir du quartier général.

» Si la violation des arrêts de rigueur était constatée, ils seraient transformés en arrêts de forteresse qui entraîneraient de ce fait l'emprisonnement du général Boulanger, sans préjudice de conséquences plus graves. »

Elle fut atterrée. Il lui faudrait donc attendre encore un mois pour être dans les bras de son amant.

Tandis que Mme de Bonnemains se désespérait ainsi, une hôtelière de Royat, que tout le monde appelait la Belle Meunière (elle se nommait en fait Marie Quinton), recevait la visite de deux hommes étranges.

Comme ils exigeaient un entretien en particulier, l'hôtelière les conduisit dans la salle à manger dont elle dut fermer la porte à clé.

Alors seulement, l'un d'eux parla à voix basse :

— Nous venons pour des amis qui aimeraient prendre pension chez vous pendant quelques jours. Pourriez-vous les accepter et les loger convenablement ?

La Belle Meunière, étonnée qu'une demande aussi banale s'entourât d'autant de mystère, répondit en riant que son métier était précisément de prendre des pensionnaires, et elle montra ses chambres. Les deux personnages s'en déclarèrent satisfaits.

— Fort bien. Mais nous avons à vous demander une faveur exceptionnelle. Voici : nos amis, qui doivent arriver chez vous après-demain soir, tiennent à prendre les plus grandes précautions pour n'être pas reconnus. Il faut, madame, que vous fassiez en sorte que personne, entendez-vous, personne, ne puisse se douter de leur présence ici. Il faudrait donc que vos gens de service ne puissent pénétrer dans l'escalier et dans les couloirs pendant tout le temps qu'ils passeront ici... Il faudrait, en un mot, et c'est la faveur que nous vous demandons, que nos amis soient servis exclusivement par vous...

L'hôtelière, qui recevait souvent des couples irréguliers, pensa que ses futurs clients étaient particulièrement craintifs et, en bonne commerçante, accepta d'agir ainsi qu'on le lui demandait.

Le surlendemain, à six heures du soir, l'un des deux hommes revint, portant de grosses valises et accompagné d'une femme voilée. Tous deux montèrent directement dans la chambre qui avait été retenue — et où brillait un grand feu de bois — et refermèrent aussitôt la porte.

Très intriguée, Marie Quinton attendait sur le palier. Enfin, l'homme ressortit et dit :

— Vous allez laisser, jusqu'à neuf heures, la porte d'en bas entrouverte comme je l'ai trouvée et vous tâcherez qu'il y ait dans l'escalier moins de lumière encore, si possible.

Puis il partit sans ajouter un mot.

Un quart d'heure plus tard, un coup de sonnette retentit. La Belle Meunière, curieuse de voir le visage de son énigmatique cliente, monta en courant dans la chambre.

Écoutons-la : « En ouvrant la porte, je fus éblouie par le spectacle qui s'offrait à mes yeux. La dame se tenait debout, au milieu de la chambre, en grande toilette de soirée en satin lilas, recouverte de dentelles noires. Le corsage, très décolleté, laissait à nu son cou, ses épaules, ses bras. Des diamants resplendissaient de toutes parts. Une aigrette scintillait dans sa chevelure blonde d'or. Elle était féerique à voir.

» Jamais je n'avais vu d'apparition aussi harmonieusement belle. Les nuances des étoffes et l'éclat des bijoux s'accordaient merveilleusement avec la blancheur mate des chairs. Une rose thé était fixée au corsage et un œillet rouge dans les cheveux.

» Elle souriait à mon admiration muette. Je finis par laisser échapper ce cri :

» — Dieu, madame, que vous êtes belle !
» — Il faut être belle pour celui qu'on aime, répondit-elle.
» Puis elle ajouta :
» — Nous allons donc vivre avec vous, chez vous, près de vous pendant quelques jours... Plus tard, vous apprendrez à nous connaître. Vous saurez qui nous sommes... Aujourd'hui, vous ne devez voir en nous que des inconnus [169]... »

La Belle Meunière redescendit vers ses fourneaux. Elle était, écrit-elle, « énervée au plus haut degré ».

A neuf heures, elle entendit la porte d'entrée s'entrouvrir. Elle se précipita. Écoutons-la encore : « Je cours vers l'escalier où vient de s'engouffrer une rafale qui menace d'éteindre la veilleuse. J'aperçois deux silhouettes d'hommes barbus arrêtés au bas des marches et prêtant l'oreille du côté de la route. Au bout de quelques moments, le plus grand de ces hommes prend des mains de l'autre une valise que celui-ci portait et lui dit à voix basse :

» — A demain, neuf heures.

» L'autre s'échappe aussitôt, tandis que le premier se met à monter.

» Je descends vers lui, il m'entrevoit, je prends la valise qu'il me tend. Je remonte, il me suit. Je frappe doucement. La voix argentine de la dame répond. J'ouvre...

» Au même instant, l'homme qui me suivait se précipite dans la chambre et deux cris, deux cris inoubliables, se croisent :

» — Marguerite !

» — Georges !

» Il s'est jeté dans ses bras, il la serre à la broyer, il la couvre de baisers avec une impétuosité sans nom. Elle veut parler, il lui ferme la bouche de ses lèvres et il l'embrasse avec furie sur les cheveux, le front, les yeux, le cou, les épaules, les bras, les mains, partout où sa bouche rencontre la chair de sa bien-aimée... »

Comme un vulgaire deuxième classe, le général Boulanger venait de faire le mur pour retrouver Mme de Bonnemains...

26

Mme de Bonnemains empêche Boulanger de faire un coup d'État

> Chaque nuit, à l'heure du crime,
> cette femme le dissolvait.
>
> ANDRÉ GERMAIN

L'entreprise avait été préparée avec soin. La veille, des maçons étaient venus au quartier général sous prétexte d'assujettir les gonds d'une persienne située au premier étage et avaient laissé, comme par mégarde, leur échelle posée sous la fenêtre. A la nuit tombée, Boulanger

---

169. Marie Quinton, *Journal de la Belle Meunière*, 1895.

était descendu dans le jardin par cette échelle et avait couru vers une charmille où il s'était caché en attendant de pouvoir gagner la rue. Au bout d'une heure, la ville étant devenue silencieuse, le général avait sauté par une brèche du mur de clôture et s'était dirigé vers les faubourgs en rasant les murs. Après avoir fait deux kilomètres dans l'obscurité, il avait retrouvé son officier d'ordonnance qui l'attendait dans une voiture. Une demi-heure plus tard, tous deux étaient arrivés dans le parc de l'établissement thermal de Royat, complètement désert en cette saison. Abandonnant leur voiture, ils s'étaient engagés à travers les ronces dans de petits sentiers. Finalement, le visage, les mains et les vêtements griffés par les épines, le général et son compagnon avaient atteint l'hôtel des Marronniers où Marguerite, but de cette extravagante expédition, attendait près d'un lit entrouvert.

La Belle Meunière avait naturellement reconnu le général ; mais, en hôtelière discrète, elle s'était bien gardée de le laisser voir.

A dix heures, elle apporta le dîner dans la chambre et cacha soigneusement son étonnement en découvrant l'idole de la France et Mme de Bonnemains enlacés sur un canapé.

Le lendemain matin, elle montra le même air absent lorsqu'elle monta le courrier et qu'elle trouva le général couché au fond du lit avec Marguerite dans ses bras.

Croyant qu'il n'avait pas été découvert, Boulanger pensa que l'occasion était bonne de savoir ce que l'on pensait de lui.

— Connaissez-vous le général Boulanger ? demanda-t-il.

— J'en ai entendu parler, répondit l'Auvergnate.

— Comment se fait-il que vous n'ayez pas eu la curiosité d'aller le voir de vos propres yeux ?

La Belle Meunière était habile.

— Oh ! monsieur, dit-elle, j'ai tant à faire à la maison que je ne puis sortir. Pour voir le général Boulanger, il aurait fallu qu'il lui prît la fantaisie de venir jusqu'ici déjeuner ou dîner...

La réponse fit sourire les deux amants.

— Croyez-vous que le général réussira dans le but qu'il poursuit ? demanda encore Boulanger.

— Monsieur, j'en suis sûre, et je ne suis pas seule de cet avis.

— Vous en êtes sûre. Et pourquoi ?

— Parce que je suis sûre qu'il aime et qu'il aimera toujours son but par-dessus tout !

Cette phrase parut troubler le général qui se tourna vers Marguerite et la regarda passionnément. « Ses yeux, écrit la Belle Meunière dans ses souvenirs, jetaient des éclairs. J'ai senti que je devais m'effacer un instant. A peine avais-je refermé la porte que je l'ai entendu se jeter violemment à ses pieds, et s'écrier avec un accent éperdu :

» — C'est toi, Marguerite, c'est toi que j'aime par-dessus tout ! »

Avec son bon sens paysan, la Belle Meunière commença à se demander si Boulanger était bien l'homme que la France attendait...

Arrivés le 24 octobre, les deux amants quittèrent Royat le 29, après être restés cinq jours entiers au lit.

— Nous reviendrons, dirent-ils à Marie Quinton.

Ils tinrent leur promesse. Le 30 novembre, ils se réinstallaient dans leur petite chambre de l'hôtel des Marronniers.

Cette fois, le général n'étant plus aux arrêts de rigueur, la Belle Meunière put lui avouer qu'elle l'avait reconnu. Mme de Bonnemains, qui était restée très jeune de caractère, rit « à en tomber par terre »...

Le 2 décembre, une dépêche apprit à Boulanger que Jules Grévy venait de démissionner à la suite du scandale des décorations. Très excité, il fit appeler le capitaine Driant et envisagea de se rendre sur-le-champ à Paris pour y organiser un coup de force.

— Nous avons toutes les chances de réussir... La France est écœurée par la pourriture parlementaire. Les agissements de Wilson ont à ce point monté les esprits que je n'ai qu'à paraître sur mon cheval noir pour que la foule me conduise à l'Élysée... Mais il faut agir aujourd'hui même, car nous ne retrouverons jamais une pareille occasion. Préparez-vous donc à partir tout de suite. Je rédigerai en route le texte des affiches que nos amis feront apposer dans Paris dès mon entrée à l'Élysée...

Tout paraissait décidé quand, tout à coup, nous dit Marie Quinton, « le général a ouvert la porte en criant à son officier d'ordonnance :

» — Attendez-moi là ! Un instant de réflexion et je reviens ».

Alors, ajoute la malicieuse hôtesse, « il s'est rendu dans la chambre à coucher pour réfléchir... par son cerveau à elle, comme j'ai déjà cru remarquer qu'il le faisait dès qu'il avait une décision importante à prendre ».

Au bout de dix minutes, Boulanger revint dans la pièce où attendait Driant et dit d'un ton grave :

— J'ai bien réfléchi, Driant... Ce serait une folie... Je reste ici !...

Et, tandis que l'officier d'ordonnance, stupéfait de cette volte-face, regagnait Clermont-Ferrand, le général rentrait dans sa chambre et se jetait dans les bras de Marguerite en disant :

— Tu as raison. Je suis bien mieux ici, avec toi !...

Cinq minutes plus tard, il était au lit et Mme de Bonnemains lui faisait oublier les douceurs élyséennes en l'entraînant vers un autre paradis...

Le surlendemain, une dépêche apprenait à Boulanger que le Congrès avait élu Sadi Carnot président de la République [170].

Il la chiffonna et la jeta dans le feu sans commentaire. Une autre

---

170. L'étrange prénom du nouveau président de la République a une histoire. Avant la Révolution, son grand-père, Lazare Carnot, qui était poète, appartenait à la société littéraire des Rosati où l'on célébrait les femmes, le vin et les roses. Grand admirateur du prince des poètes persans Saadi, il avait fait de ce patronyme un prénom qu'il donna à son fils. Prénom qui resta dans la famille...

nouvelle l'affectait alors bien davantage. Marguerite, en effet, venait de lui annoncer qu'elle devait se rendre à Paris pour y donner un dîner. A la pensée d'être seul pendant vingt-quatre heures, le général était accablé. Il remuait les bûches avec un tisonnier en poussant d'énormes soupirs. Finalement, il se précipita à genoux devant Mme de Bonnemains et la supplia de revenir par le premier train. Émue, elle promit. Alors, dans un geste extravagant, il retroussa ses jupes et, disparaissant jusqu'aux épaules, il la baisa fougueusement à la naissance de la cuisse.

Le 4 décembre, Boulanger alla accompagner Marguerite à la gare. Lorsqu'il revint à l'hôtel, Marie Quinton faillit pousser un cri. « Son visage, écrit-elle, était presque méconnaissable tellement la douleur l'avait creusé. Ses yeux étaient rouges, il avait dû pleurer... Il était là, affaissé dans un fauteuil, le regard sans vie. Je lui annonçai que le déjeuner était prêt. Il ne m'entendit pas. Il était comme en état de léthargie. Je répétai, il n'entendit pas davantage. Je pris alors le parti de crier de toute la force de mes poumons :
» — Mon général ! le déjeuner vous attend !... Mon Dieu ! est-il possible que vous vous laissiez tellement abattre ? Elle est partie ? Mais elle ne va pas tarder à revenir ! Demain, à pareille heure, elle sera déjà à mi-chemin... Voyons, mon général... »
Un peu consolé, Boulanger consentit à déjeuner. Au café, il retint près de lui la Belle Meunière et lui dit :
— Voulez-vous savoir à quel point je l'aime et à quel point je suis devenu sa chose ?... Eh bien ! supposez qu'elle entre en cet instant, qu'elle me tende un pistolet chargé, qu'elle me dise de l'appliquer contre ma tempe et de faire feu... J'obéirais sur l'heure, comme un soldat, sans demander pourquoi !...
Le lendemain, Marguerite devait arriver à six heures du soir. Dès cinq heures, Marie Quinton, qui cousait à la salle à manger, entendit Boulanger, fébrile, tourner en rond dans sa chambre. A plusieurs reprises, elle crut percevoir des mots prononcés à haute voix. Intriguée, elle monta sans bruit et regarda par le trou de la serrure. Ce qu'elle vit la stupéfia : Boulanger, penché sur une commode, s'adressait à un bouquet de violettes arrivé le matin de Nice.
— Jolies fleurs, disait-il, vous attendez comme moi la blanche main qui doit vous caresser [171].
La Belle Meunière redescendit dans sa cuisine et commença à préparer le dîner en pensant que l'amour rendait décidément les généraux bien étranges...
A six heures, on apporta une dépêche. L'hôtelière la monta aussitôt à Boulanger. Écoutons-la :

171. Cf. Marie Quinton, *Journal de la Belle Meunière*.

« J'aurais bien dû, en même temps, monter des cordes pour le ligoter.

» Je ne suis jamais allée dans un asile d'aliénés. Je ne me rends pas un compte très exact de ce que peut être un fou furieux. Mais ce dont je suis sûre, c'est que j'ai eu ce soir, devant moi, pendant plus d'une heure, le spectacle d'un amoureux en proie à une crise nerveuse qui devait valoir un accès de folie, à tel point que j'ai pu me croire un instant dans la nécessité d'appeler à l'aide, non pas pour ma sécurité personnelle, mais pour empêcher cet homme de se broyer le crâne contre le mur.

» Et tout cela pourquoi ? Parce que la dépêche annonçait qu'elle n'avait pas pu partir ce matin, mais qu'elle partait ce soir et qu'elle expliquerait demain matin, en arrivant, les causes de ce retard.

» A un moment donné, cette rage a paru se calmer. J'ai cru que c'était fini, et je me suis éloignée pour aller mettre le couvert. Au bout de quelques minutes, j'ai entendu des cris rauques, des espèces de râles qui m'ont bouleversée... Je cours vers la chambre : elle est vide. Je pénètre dans le cabinet de toilette : *le malheureux est là, par terre, à se rouler dans ses vêtements à Elle qu'il a arrachés du mur où ils pendaient, à les embrasser et à les mordre.*

» Cette seconde crise passée, un grand abattement s'est emparé de lui, il a refusé toute nourriture. »

Cédant aux prières de Marie Quinton, Boulanger accepta tout de même de se coucher.

A quatre heures du matin, malgré une tempête de neige, il partit à pied chercher Mme de Bonnemains à la gare de Clermont. Deux heures plus tard, ils arrivaient tous deux à l'hôtel des Marronniers, trempés jusqu'aux os, des flocons dans les sourcils et les oreilles gelées, mais titubant de bonheur...

Immédiatement, ils se mirent au lit pour célébrer leurs retrouvailles.

On se doute bien qu'une telle passion ne pouvait pas ne pas porter ses fruits.

Un matin, la Belle Meunière surprit Marguerite en train de tricoter une brassière. Boulanger, souriant, lui annonça alors qu'ils avaient de grandes espérances.

— Malheureusement, ajouta-t-il, pour le moment, notre situation est très délicate. Mme de Bonnemains n'est pas libre ; moi non plus. Pourrions-nous, à sa naissance, vous confier l'enfant que nous attendons et vous demander de lui servir de mère jusqu'au jour où nous vous le reprendrons ?

Marie Quinton accepta sans hésiter.

Marguerite l'embrassa :

— Merci, Belle Meunière, je sais que, chez vous, mon enfant sera en bonnes mains.

Le général Boulanger se tapa sur les cuisses.

— Cela ne le changera pas ! s'écria-t-il en riant.

Car il aimait les plaisanteries — même usées — et savait être agréable en société...

Le 10 décembre, les deux amants quittèrent Royat. Mme de Bonnemains, le visage couvert d'une grosse voilette, regagna Paris, tandis que Boulanger rentrait à son quartier général de Clermont.

Pendant tout l'hiver, la Belle Meunière suivit dans les journaux les progrès du boulangisme. A chaque élection partielle, le général qui, pourtant, était inéligible puisqu'en activité, avait des milliers de voix et elle s'en réjouissait.

Un soir de mars 1888, il vint lui rendre une visite. Il était triste. Marie Quinton le conduisit dans la chambre qu'il avait l'habitude d'occuper avec Marguerite. Il s'y assit près de la cheminée.

— Ma pauvre Meunière, est-ce que nos plus beaux jours seraient maintenant passés ?...

Les larmes aux yeux, il annonça alors qu'à la suite d'une chute dans un escalier, Marguerite avait fait une fausse couche...

— Elle a failli en mourir, ajouta-t-il. A la première nouvelle que j'ai reçue de l'accident, je me suis rendu auprès d'elle. Or, le ministre de la Guerre, informé de ma présence à Paris, m'a immédiatement intimé l'ordre de rentrer à Clermont et de ne plus m'absenter sans permission... C'est la règle stricte, il est vrai, mais depuis longtemps tombée en désuétude ; aucun des autres commandants de corps d'armée ne l'observe ; on l'a ressuscitée pour moi !...

Quelques jours plus tard, une nouvelle dépêche lui avait appris l'aggravation subite de l'état de Mme de Bonnemains. Aussitôt, sans avoir le temps de demander une permission, il avait sauté dans le train de Paris. Le soir même, il était revenu à Clermont pour se mettre en règle.

— J'ai écrit au ministre pour lui demander la permission d'aller à Paris pendant quatre jours. Il a refusé. Or, en même temps que son refus me parvenaient des nouvelles de plus en plus alarmantes. Par télégramme, j'ai supplié qu'on voulût bien m'accorder au moins une permission de vingt-quatre heures. Nouveau refus ! Alors, une fois encore, je me suis rendu en cachette auprès de Marguerite. Je suis descendu à Charenton où m'attendait son coupé et j'ai gagné discrètement son domicile. Je suis sûr de n'avoir pas été vu. Aussi vais-je repartir tout à l'heure pour Paris.

La Belle Meunière tenta de l'en dissuader :

— Ne faites pas cela, mon général ! Vous voyez bien que les gens du gouvernement sont jaloux de vous, qu'ils ont peur de la force que vous représentez et qu'ils ne cherchent qu'une occasion de vous perdre ! Vous avez déjà commis — pardonnez-moi de vous le dire — une grande imprudence en venant passer une semaine ici à l'époque de vos arrêts de rigueur. Grâce à Dieu, personne ne s'en est douté. Vous êtes allé maintenant à Paris deux fois malgré la défense qui vous en a été

faite. Vous croyez n'avoir pas été aperçu ; mais, espionné comme vous l'êtes, vous ne pouvez échapper davantage à la dénonciation : on signalera vos secrets déplacements et l'on vous accusera d'être allé à Paris pour comploter !...
Le général sursauta :
— Comploter, moi ? Alors que je ne songe qu'à Marguerite !...
— On vous mettra au défi d'expliquer vos voyages...
— Je dirai que je me suis rendu au chevet de ma femme gravement malade...
— Malheureusement, comme Mme Boulanger n'est ni malade, ni disposée à servir vos desseins, on n'aura pas de peine à prouver le contraire... Allons, croyez-moi : ne partez pas...
Boulanger secoua la tête :
— Non ! elle me réclame. Elle me supplie de venir à son chevet. Je dois aller à Paris [172] !
Et le général se rendit auprès de Marguerite, comme il l'avait dit...

Tirard, le chef du gouvernement, était naturellement informé des « voyages secrets » de Boulanger et chaque rapport de police le comblait de joie. Ces actes d'indiscipline, absolument inespérés, allaient, en effet, lui permettre de révoquer le général et de montrer au pays tout entier qu'il n'était qu'un officier comme les autres.

Le 15 mars, c'était chose faite. Et, le lendemain matin, le public, ahuri, pouvait lire dans les journaux :

« Le général Boulanger se voit enlever les fonctions de commandant de corps d'armée. Il est mis en non-activité pour s'être rendu à Paris malgré la défense qui lui en avait été faite, le 24 février, le 2 mars et le 10 mars dernier. Il conserve néanmoins son grade de général et reste à la disposition du ministre de la Guerre. De ce fait, il ne peut accepter de mandat politique. »

Après lui avoir fait perdre son portefeuille de ministre, Mme de Bonnemains lui faisait retirer son commandement.

La décision du gouvernement révolta les boulangistes qui décidèrent, à titre de représailles, de poser la candidature de leur chef à toutes les élections et, le 25 mars, le général, bien qu'inéligible, était « élu » dans le département de l'Aisne par 45 000 voix.

Une fois de plus, le ministre de la Guerre se frotta les mains. Ce défi allait servir de prétexte. Cinq jours plus tard, Boulanger était cité devant un conseil d'enquête militaire qui le mettait à la retraite d'office pour fautes graves contre la discipline.

Le général Revanche était chassé de l'armée !

Cette fois, les braves gens, éberlués, se demandèrent ce que le général allait devenir. Ils le surent le 1er avril. Ce jour-là, Boulanger, « le regard olympien », annonça que, « ravi d'avoir été rendu à la vie civile », son désir le plus cher était de faire de la politique. Et tout

---

172. Tout ce dialogue est rapporté par Marie Quinton dans ses *Souvenirs*.

aussitôt, dans une proclamation adressée aux électeurs du département du Nord, il donna un aperçu de son programme en répudiant tous les partis existants et en attaquant avec violence la politique gouvernementale, le parlementarisme et la constitution. En un mot, le Système... Puis il réclama la dissolution des Chambres.

Le résultat fut stupéfiant : le 6 avril, Boulanger était élu député du Nord par 173 000 voix, alors que 76 000 seulement allaient au candidat du gouvernement, et le 20 avril, il faisait son entrée à l'Assemblée sous les acclamations de la foule.

Allait-il enfin profiter « de la chance insolente que lui offrait périodiquement le destin et répondre aux vœux du public » ? Non ! Quinze jours plus tard, il rêvait déjà de quitter la Chambre des députés pour gagner celle de l'hôtel des Marronniers où Marguerite désirait lui donner le meilleur d'elle-même...

Ils n'arrivèrent chez Marie Quinton que le 13 juin, à deux heures de l'après-midi, affamés et joyeux. Après un bon repas, ils montèrent dans leur chambre, se couchèrent rapidement et se livrèrent sans plus tarder à leur occupation favorite.

Le lendemain, ils prirent leurs repas au lit pour ne point perdre une minute « à ces habillages et à ces déshabillages » qui sont, disait Paul Adam, « les moments creux de l'adultère ».

La Belle Meunière venait poser son plateau sur le couvre-pied et les regardait s'embrasser.

Elle était émerveillée par la passion que se témoignaient les deux amants.

« Comme ils s'aiment, écrit-elle dans son journal à la date du 27 juin. J'avais cru, lors du premier voyage, puis tout au moins lors du second, que leur amour avait atteint ce maximum qu'il doit être humainement impossible de dépasser. Eh bien ! je me suis trompée. Chaque jour, je constate que la violence de cette passion a augmenté d'un degré ! Et je me demande avec anxiété : "Où s'arrêtera-t-elle ?" »

Le 18 juin, ayant passé cinq jours voluptueux, les deux amants reprirent le train de Paris. Si Marguerite était, comme à l'accoutumée, fraîche et rose, Boulanger, en revanche, avait l'œil cerné, le souffle court et la démarche un peu hésitante. Branthôme nous dit, en effet, que « de ces claustrations amoureuses, de ces fusions répétées de sa moelle dans la chair de cette femme embrasée, le général s'échappait en titubant. Sa vue n'avait plus, pour saisir la vie, l'acuité d'autrefois ».

Il dut, à son retour à Paris, prendre quelques jours de repos complet avant de se remettre au travail.

Au début de juillet, il était de nouveau prêt, avec l'aide de l'Union des Patriotes, des bonapartistes, des royalistes et l'argent de la duchesse d'Uzès, à pourfendre le régime.

Le 12, il monta à la tribune de la Chambre et somma l'Assemblée de reconnaître son impuissance :

— La Chambre, s'écria-t-il, doit réclamer elle-même sa dissolution. Elle est incapable de rien produire !... Elle a renversé, pour les motifs les plus futiles, cinq ministères, et le sixième est une déception de plus... La Chambre est en fragments, en débris, en poussière !...

Ces paroles déclenchèrent un épouvantable tumulte. Les représentants de la majorité, debout, hurlaient des injures à Boulanger. Finalement, le président du Conseil, Charles Floquet, fit faire le silence et prit la parole :

— Monsieur, le plus modeste de ces représentants du peuple a rendu a la République plus de services que vous ne pourrez jamais lui faire de mal !

Alors, le général bondit de son siège et traita Floquet de menteur. Aussitôt, le vacarme reprit :

— A la porte !... Vendu !... Culotte de peau !...

Écœuré, Boulanger jeta sa démission de député et rentra chez lui.

Au cours de la nuit, Floquet, se jugeant offensé, chargea Clemenceau d'aller réclamer une réparation par les armes.

Le duel eut lieu le lendemain, au fleuret, dans le jardin d'un hôtel particulier de Neuilly. Devant la grille, Mme de Bonnemains, dans un coupé, assistait au combat.

A la troisième reprise, le général, qui ne savait pas bien se servir d'une épée et se contentait de faire d'invraisemblables moulinets, reçut sept centimètres de la lame de son adversaire dans le cou. Marguerite s'évanouit. Tandis que des amis la ranimaient, on transporta le blessé couvert de sang jusque sur un lit où son état fut jugé grave. Le médecin entreprit d'arrêter l'hémorragie.

— Vous m'étouffez, murmura Boulanger dont la douleur crispait le visage.

Soudain, les assistants le virent sourire. Ils se retournèrent. Mme de Bonnemains, encore bien pâle, venait d'entrer dans la chambre.

Il y eut un court moment de gêne. C'était la première fois que l'on voyait ensemble le général et son amie.

Avec beaucoup d'aisance, Marguerite s'approcha du lit et déclara qu'elle s'occuperait du blessé [173].

Pendant dix jours, en effet, elle soigna elle-même Boulanger qui, le 22 juillet, le cou réparé, put de nouveau se promener la tête haute...

Au mois d'août, les deux amants quittèrent discrètement Paris. Alors que les journalistes les croyaient en Scandinavie, ils goûtaient « la douceur aphrodisiaque des nuits de Barcelone, de Madrid, de Grenade et du Maroc ».

Boulanger revint de ce voyage épuisé et méconnaissable. « Le

---

173. « Aujourd'hui, pour la première fois, Marguerite de Bonnemains s'est décidée à proclamer devant le monde entier la liaison jusqu'alors anxieusement cachée ; aujourd'hui, elle donne son nom, sa réputation en proie à la publicité. » Bruno Weil, *Grandeur et décadence du général Boulanger.*

tempérament de Mme de Bonnemains, écrit Joseph Tavernier, semblait avoir eu pour effet de faire grossir démesurément le nez du général. En fait, ce n'était qu'une illusion d'optique. Et le nez ne paraissait colossal que parce que le reste du corps s'était étiolé dans les auberges mauresques [174]. »

Pendant quelque temps, le général, qui n'avait plus de fonctions officielles depuis sa démission du 12 juillet, borna son activité à préparer, en compagnie de la duchesse d'Uzès, un plan de restauration monarchique. Mais, le 24 décembre, un député de Paris, Auguste Hude, trépassa et Boulanger posa aussitôt sa candidature. Les républicains s'entendirent alors pour ne lui opposer qu'un candidat unique. Tactique qui devait augmenter leurs chances. Toutefois, comme l'écrit Adrien Dansette, « cette décision avait l'inconvénient, en cas de défaite, d'accroître le caractère plébiscitaire du scrutin. On choisirait entre le régime et Boulanger [175] ».

Un comité républicain, réuni le 7 janvier, désigna « pour écraser l'opposition » un brave radical nommé Jacques.

Le choix était maladroit. En effet, tout Paris, le lendemain, riait d'un mot de Henri de Rochefort :

— Jacques n'est qu'un prénom. Je me suis renseigné, ce monsieur s'appelle Hulatoire... Voulez-vous d'un député Jacques Hulatoire ?... D'un député auquel on crierait : « Hé ! Jacques Hulatoire ! »...

Le calembour était sans doute d'un goût douteux. Il allait pourtant aider au triomphe de Boulanger...

27

Mme de Bonnemains empêche Boulanger d'entrer à l'Élysée

La République vous remercie,
Marguerite, de votre soutien.

chanson de l'époque

Les élections avaient été fixées au dimanche 27 janvier 1889. Pendant vingt jours, la campagne électorale des deux candidats allait transformer la physionomie de la capitale. Des affiches multicolores vantant les mérites respectifs de Jacques et de Boulanger furent collées sur les murs, les monuments, les arbres, les becs de gaz et même les trottoirs... « On butait dans le républicain, écrit un journaliste de l'époque, et l'on marchait dans le général... »

Le soir du scrutin, les Parisiens envahirent les boulevards où les journaux, sur de grands tableaux noirs, publiaient les résultats du dépouillement à mesure qu'ils leur parvenaient. A neuf heures, Boulanger avait une sérieuse avance sur son adversaire. A dix heures,

---

174. Joseph Tavernier. *Le général Boulanger et la IIIe République.*
175. Adrien Dansette. *Le Boulangisme.*

sa victoire était acquise. A onze heures, on avait les chiffres définitifs. Boulanger : 244 070 voix. Jacques : 165 520.

Le général était élu.

Aussitôt, la foule, hurlant de joie, se porta place de la Madeleine, devant le restaurant Durand où l'on savait que Boulanger avait dîné avec ses amis. Et une clameur fit trembler les vitres du quartier :

— Vive Boulanger ! Vive Boulanger !

Soudain, quelqu'un lança :

— A l'Élysée !

Le mot sembla électriser les manifestants qui, en transe, reprirent aussitôt :

— A l'Élysée ! A l'Élysée !... Boulanger à l'Élysée ! Boulanger à l'Élysée !...

Ce fut du délire.

Les cris parvinrent dans le salon de l'entresol où le général, l'œillet à la boutonnière, sablait le champagne. Paul Déroulède lui prit le bras :

— Écoutez, mon général. Le peuple de Paris tout entier est avec vous !... La garde républicaine, la police même sont avec vous. Faites un geste, dites un mot et toute cette foule vous portera à l'Élysée !

C'était vrai. Il suffisait à Boulanger de sortir du restaurant et de dire : « Messieurs, allons-y ! », pour que la IIIᵉ République se terminât ce soir-là. Déjà, à l'Élysée, le président Sadi Carnot faisait ses bagages, tandis qu'à l'Intérieur, Floquet se préparait à fuir et que Clemenceau se renseignait sur la vie à Nouméa.

A onze heures et demie, on apprit que Boulanger avait eu la majorité dans tous les arrondissements, dans toute la banlieue. Sur la place de la Madeleine, la foule qui augmentait sans cesse entonna *La Marseillaise*. Alors, Déroulède, volubile et passionné, attirant Boulanger près de la cheminée, s'efforça encore une fois de le convaincre :

— Vous êtes arrivé au point d'intersection, au sommet, mon général ! Il faut agir ! L'Élysée est à cinq cents mètres, nous pouvons y être dans un quart d'heure, vous pouvez y dormir ce soir !...

Boulanger sourit.

— Pourquoi voulez-vous que j'aille conquérir illégalement un pouvoir où je suis sûr d'être porté dans six mois par l'unanimité de la France ?

Naquet, Rochefort, Thiébaud et tout l'état-major boulangiste vinrent se joindre à Déroulède.

— Dites un mot, mon général, et nous marchons. Vous n'aurez peut-être jamais plus une occasion pareille. Ce soir, le pouvoir est à portée de votre main. Écoutez...

Dehors, les Parisiens, qui avaient fini de détériorer *La Marseillaise,* scandaient de nouveau :

— A l'Élysée ! Boulanger à l'Élysée !...

Un peu ébranlé, le général se retira « pour réfléchir » dans un petit salon voisin où se trouvait Mme de Bonnemains.

Que se passa-t-il alors ? On l'ignore. Mais quand il ressortit, la phrase qu'il prononça stupéfia tous ses amis :
— Allons nous coucher [176] !...
Devant le rideau de fer que Durand avait dû baisser de peur qu'on ne lui cassât ses vitrines, la foule commençait à se lasser de hurler le même refrain sans résultat. Les clameurs faiblissaient. Thiébaud regarda sa montre :
— Minuit moins cinq, messieurs. Depuis cinq minutes, le boulangisme est en baisse...
Indifférent, le général, qui ne pensait qu'au lit où il allait retrouver Mme de Bonnemains, enfila son pardessus, mit son chapeau et descendit l'escalier. Quand il parut à la porte du restaurant, dix mille personnes hurlèrent d'amour. Il se précipita dans sa voiture. Les braves gens, croyant qu'il se rendait à l'Élysée, laissèrent passer l'équipage et marchèrent à sa suite dans la rue Royale. Mais à la hauteur du faubourg Saint-Honoré, un long cri de déception monta dans la nuit.
Boulanger, qui avait ordonné de prendre le galop, filait vers la Concorde et son domicile de la rue Dumont-d'Urville où Marguerite devait venir le rejoindre...

A l'Élysée, Carnot, entouré des membres du gouvernement qu'il avait convoqués d'urgence, blêmit quand on lui annonça que le préfet de police demandait à être reçu.
— Qu'il entre !
Tous les ministres s'immobilisèrent et le préfet entra, rouge d'avoir couru et un peu essoufflé.
— Alors ? demanda le président qui s'était ressaisi en comprenant qu'on ne venait pas le mettre en prison.
— Il est allé se coucher ! dit le policier.
— Se coucher ? répéta Sadi Carnot, stupéfait.
— Oui... Avec Mme de Bonnemains !
Les membres du Conseil sourirent. Ils avaient tremblé devant une marionnette dont tous les fils étaient dans la main d'une maîtresse bornée et exigeante. Quelle bêtise ! Pour un peu, ils se seraient donné de grosses bourrades comme des collégiens.
Le président de la République soupira. La grande peur était passée.
— Allons-nous coucher aussi, dit-il.

Au même instant, le général, en chemise de nuit, s'allongeait auprès de Marguerite qui l'accueillit en ronronnant. Elle lui devait bien cela.

---

176. « En ce moment décisif, est-ce, encore une fois, la femme qui le retient, dont l'influence psychique paralyse son énergie, auprès de laquelle il veut rester, à n'importe quel prix ? Oui ! » — Bruno Weil, *Grandeur et Décadence du général Boulanger*. De son côté, Adrien Dansette écrit : « De ses bras amoureux, le retient-elle au bord de l'aventure ? En vérité, Marguerite n'est qu'une maîtresse égoïste. Elle veut conserver son amant. Déroulède, Laguerre, Le Hérissé, Turquet, Laporte, le baron Verly estiment ce soir-là son influence décisive. » *Le Boulangisme*.

A cause d'elle, il venait de laisser passer une occasion qui ne se présenterait jamais plus.

Sur ce point, tous les historiens sont d'accord : « Cette nuit-là que Boulanger passera avec Mme de Bonnemains, écrit Bruno Weil, lui coûtera la présidence de la République, et peut-être — qui sait — la couronne... Il pouvait dormir dans les appartements d'apparat de l'Élysée, il préféra la chambre à coucher de cette femme... Catilina s'est transformé en Roméo... »

Boulanger lui-même, un jour, devait reconnaître le rôle déterminant joué le 27 janvier par Marguerite. C'était quelques jours après l'élection. Les deux amants se trouvaient à Royat « dans leur chambrette ». Après le déjeuner, Boulanger appela Marie Quinton. Écoutons-la nous conter la scène :

« Le général m'a demandé :

» — A propos, Belle Meunière, que dit le pays de mon élection à Paris ?

» J'ai répondu sans hésiter :

» — Mon général, le pays dit que c'est un succès sans précédent qui vous permettait de coucher le soir même à l'Élysée. Et tout le monde se demande pourquoi vous ne l'avez pas fait.

» Il ne s'attendait certainement pas à cette réponse. Ses yeux me fixaient avec une expression indéfinissable. Puis ils se sont abaissés sur Mme Marguerite.

» Enfin, éclatant de rire :

» — Parbleu, s'est-il écrié, c'est Marguerite qui n'a pas voulu !

» Elle avait pâli, les yeux baissés, ce qui, chez elle, est signe de vive contrariété, elle a dit doucement :

» — Georges, vous me faites mal en disant cela !

» Puis ils se sont levés de table. Alors, lui entourant la taille de son bras, il lui a dit d'un ton câlin :

» — Tout de même, si vous n'aviez pas été là-bas à m'attendre, je me serais peut-être laissé aller à commettre cette folie... »

C'est donc bien Marguerite de Bonnemains qui, le 27 janvier 1889, sauva la IIIe République.

Quand ils surent qu'une femme était à l'origine de leur déception, les Parisiens débaptisèrent leur idole. Boulanger était appelé jusqu'alors le général *Revanche,* ils le surnommèrent désormais le général *Romance...*

Le 5 février, les deux amants rentrèrent à Paris.

Aussitôt, les boulangistes se précipitèrent rue Dumont-d'Urville.

— Mon général, il faut agir, et vite ! dit Naquet ; le gouvernement, effrayé par vos succès, veut faire voter une réforme électorale pour vous casser les reins. Il va demander aux Chambres la suppression du scrutin de liste pour rétablir l'ancien vote par arrondissement. Le débat est fixé au 11 février. Il faut que vous interveniez pour que cette réforme soit repoussée.

Boulanger sourit.

— Je m'en occupe immédiatement !
Sans perdre un instant, en effet, il enfila un pardessus, serra les mains de ses amis et grimpa dans sa voiture qui se trouvait devant la porte.
Naquet et ses compagnons étaient éberlués.
— Quel homme d'action ! dit Thiébaud.
Ils quittèrent l'hôtel de la rue Dumont-d'Urville gonflés d'orgueil et confiants en l'avenir.
Ils eussent sans doute été fort surpris s'ils avaient su que le général ne se rendait pas à la Chambre, mais chez son avocat pour faire hâter la procédure de son divorce [177]...
L'après-midi, Boulanger ne s'occupa pas non plus de politique. Il fouilla les tiroirs, vida de vieux portefeuilles et inventoria les placards pour retrouver les lettres aigres que lui avait écrites son épouse. Le soir, enfin, il alla coucher cité Retiro avec Marguerite que la pluie de ce début de février rendait frileuse et « amoureuse de son lit »... Les 8, 9 et 10, il dut, à la prière de la jeune femme, se coucher lui aussi et s'adonner au sain exercice de l'adultère mondain.
Or, pendant qu'il « promenait sa moustache blonde sur toutes les parties du corps de la brûlante vicomtesse », les boulangistes — dont la candeur était sans limites — continuaient de vivre dans l'enthousiasme :
— Il n'y a pas en France un homme à lui opposer, disaient-ils. Lui seul incarne toutes les vertus de notre race...
A ce moment, non seulement le peuple et les bourgeois cocardiers suivaient ce général gouailleur et libertin qui parlait de lui en disant « Bibi », mais aussi les familles les plus collet monté du faubourg Saint-Germain.
L'anecdote suivante donnera une idée de l'état d'esprit qui régnait alors dans les milieux aristocratiques : un jour, le fils aîné de la duchesse d'Uzès, s'arrêtant devant les bustes du duc d'Orléans et de Boulanger qui se faisaient pendant sur la cheminée, dit :
— Cela fait un drôle d'effet ! Cela ne va pas du tout ensemble. Il faut en enlever un !
La duchesse hésita une seconde et sonna un domestique.
— Prenez le buste de Monseigneur le duc d'Orléans, dit-elle, et portez-le au grenier !

Malheureusement, le temps que consacrait le général à effeuiller sa Marguerite était mis à profit par les républicains qui se ressaisissaient peu à peu et, le 11 février, le projet sur le scrutin d'arrondissement fut voté à neuf voix de majorité...
Cette défaite ne troubla pas l'insouciance de Boulanger.
Le 14, bien qu'une séance importante dût avoir lieu à la Chambre, il se rendit chez le juge pour l'ultime tentative de conciliation avec sa

---

177. De son côté, Mme de Bonnemains avait fait, à Rome, une demande d'annulation de son mariage.

femme. N'ayant aucun grief sérieux, il prétendit que Mme Boulanger refusait de réintégrer le domicile conjugal.

— Est-ce vrai, madame ? demanda le juge.

Pour toute réponse, la générale se leva et, regardant son mari dans les yeux, dit simplement :

— Offrez-moi votre bras, monsieur, et rentrons !...

Boulanger, piteux, dut reconnaître que son reproche n'était pas fondé.

— Réfléchissez encore, dit le juge en souriant.

Le général regagna son hôtel, fort mécontent. L'attitude de sa femme l'empêchait de vivre publiquement avec Marguerite. Il s'enferma dans son bureau et, la tête dans les mains, regarda les flammes danser dans la cheminée. A six heures, Naquet vint l'informer que le ministère Floquet était renversé.

— Cela m'est égal, dit-il.

Le féal compagnon se retira, éberlué.

Or, quelques jours plus tard, Tirard formait un nouveau cabinet et confiait le portefeuille de l'Intérieur à Ernest Constans, individu des plus douteux à qui Rochefort avait donné cette devise : *Fluctuat nec merditur,* et dont Branthôme nous fait le portrait suivant :

« Constans avait la moustache noire, tombante, et, au-dessous, la lèvre inférieure pendait, morceau de chair sanguinolente dans laquelle il semblait mordre en avançant les canines dans un rictus nerveux. Cet individu avait été chassé de la magistrature impériale pour une affaire d'une ignominie telle qu'il est à peine décent d'y faire allusion. Ensuite, il avait été, à Alger, tenancier d'une maison close. Rochefort l'accusait publiquement de meurtre. Le maître journaliste lui ayant un jour demandé, à la Chambre : "Qu'avez-vous fait de votre frère ?", il répondit : "Je l'ai mangé !". Et comme les députés trouvaient cela fort charmant, Rochefort leur cria : "Ne riez pas, il en est capable !" »

Ce séduisant personnage allait s'acharner contre Boulanger. Le 28 février, il engagea brusquement des poursuites contre la Ligue des Patriotes de Paul Déroulède. Il demanda la levée de l'immunité parlementaire pour les députés boulangistes Laguerre, Laisant et Turquet, ainsi que pour le sénateur Naquet, tous membres de cette organisation qu'il qualifiait de subversive.

Mais les braves gens comprirent vite que le personnage visé par le ministre de l'Intérieur était Boulanger lui-même.

Aussi un bruit extravagant courut-il bientôt dans Paris : le général allait être arrêté et traduit devant la Haute Cour.

Boulanger affecta une superbe désinvolture. « Devant ses amis effarés, écrit un rédacteur de *La Marotte,* il traite Constans de jean-foutre et jette au feu d'un air bravache les journaux qui annoncent les poursuites entreprises contre la Ligue des Patriotes. Quand ces mauvaises nouvelles flambent dans la cheminée, il parcourt son bureau en se tapant sur la cuisse droite et en chantant :

Hop ! Hop ! les jockeys
Ont fait couper leurs moustaches,
Hop ! Hop ! les jockeys
Ne sont pas des paltoquets !

» Quand il a chanté ce petit refrain qui est depuis quelque temps sa chanson préférée, le général Boulanger s'en va cité du Retiro observer d'un œil tendre divers mouvements de croupe qui lui ont été signalés par son état-major [178]. »

Cet extravagant optimisme se manifestait à tout instant. On le vit bien le 7 mars, lors d'un dîner chez la duchesse d'Uzès. Au dessert, une belle invitée, se tournant vers Boulanger, demanda :

— Que ferons-nous, général, quand nous serons vainqueur ?

Boulanger éclata de rire :

— Mais la noce, madame !... La grande noce !...

Or, le 8, brusquement, les députés boulangistes constatèrent un changement chez leur chef. « Son teint était pâle, dira l'un d'eux, et son œil aux aguets. » Le 9, il parut aux abois. Le 10, il tressaillait au moindre bruit. Le 11, il était vert.

Que s'était-il passé ?

Mme de Bonnemains, une fois de plus, avait transformé en agneau son redoutable léopard... Tous les soirs, en effet, la jeune femme prédisait au général qu'il allait être arrêté. Le 8, elle avait éclaté en sanglots :

— J'ai reçu une lettre anonyme. On m'annonce que, si vous demeurez en France, vous serez jeté en prison.

— Tant pis !

— Ne dites pas cela... La personne qui m'écrit ajoute que le gouvernement vous fera empoisonner dans votre cellule... Vous savez bien que Constans est capable de tout. Il faut partir...

Le général n'était brave qu'à la guerre, entouré de ses officiers et vêtu d'un uniforme chamarré. En civil, il éprouvait une nette répulsion pour le danger.

Il avait donc commencé à trembler.

Les jours suivants, Marguerite s'était ingéniée à lui dépeindre avec une minutie sadique les supplices que Constans s'apprêtait à lui infliger.

Le 12, il n'eut plus d'appétit. Le 13, il fut sujet à des malaises. Le 14, la panique le prit. Après avoir brûlé des papiers compromettants, il fit une valise et courut chez Mme de Bonnemains.

— Dépêchez-vous, dit-il, nous partons pour la Belgique...

— Mon bagage est prêt, répondit-elle.

Une heure plus tard, ils sautaient dans le train de Bruxelles.

Le 15 au matin, tout en buvant son chocolat auprès de Marguerite ronronnante, le général parcourut les journaux français que son hôtelier bruxellois lui avait apportés, et constata qu'aucune action de justice

178. Mme de Bonnemains demeurait cité du Retiro, dans le quartier de la Madeleine.

n'avait été entreprise contre lui. Un peu honteux de s'être enfui aussi précipitamment, il décida de rentrer à Paris.

Mme de Bonnemains, naturellement, s'y opposa.

— Ne vous fiez pas aux journaux, dit-elle. « Ils » vous attendent avec un mandat d'arrêt signé de Constans... Restez ici où personne ne vous veut du mal et où nous pouvons être heureux...

Mais le général, « ce velléitaire », écrit Adrien Dansette, craignait le jugement de la duchesse d'Uzès :

— Nous prendrons le train tout à l'heure !

Le soir même, malgré les larmes de Marguerite, ils étaient de retour à Paris. Les boulangistes, qui avaient été atterrés par la fuite de leur chef, exultèrent.

— Vous pensez bien que je ne vous abandonnerai jamais, leur dit Boulanger avec un joli tremblement dans la voix.

Tous pleurèrent.

Au même instant, place Beauvau, au ministère de l'Intérieur, Constans, lui aussi, commentait le retour du général. Mais sur un autre ton.

— Mais pourquoi est-il revenu, ce c... ? hurlait-il. Nous allons être obligés de l'arrêter...

Or, le ministre de l'Intérieur ne voulait pas faire de Boulanger un martyr. Il savait, en outre, qu'un procès en Haute Cour risquait de permettre à des orateurs comme Déroulède, Laguerre et Thiébaud, de s'adresser au pays par-dessus les juges, de démontrer « l'inanité de l'accusation » et d'accroître la popularité du général.

— Il faut qu'il reparte, criait Constans, et qu'en fuyant, il se déshonore aux yeux de ses amis !

Pendant deux semaines, le ministre s'efforça d'affoler Boulanger à la fois par des menaces publiques et secrètes. Finalement, le 31 mars, il appela un homme de la brigade de recherches :

— Voici un ordre d'arrestation. Allez rue Dumont d'Urville, chez le général, et montrez-le-lui discrètement. Vous direz que vous êtes boulangiste et que vous l'avez volé dans le tiroir du bureau du commissaire Auger. Vous lui conseillerez de fuir.

L'homme courut chez le général et accomplit sa mission. En voyant le mandat, Boulanger devint livide.

— Vous voyez, dit Marguerite, qu'il faut partir ! Si vous restez un jour de plus, vous serez arrêté... Nous serons séparés...

Elle éclata en sanglots :

— Et je mourrai !

Le général se jeta à ses pieds.

— Nous partirons demain, Marguerite, je te le promets !

Le lendemain matin, 1ᵉʳ avril, ils montèrent dans un fiacre, se firent conduire à la gare du Nord, et les inspecteurs de police, hilares, les virent grimper dans le train de Bruxelles. A onze heures trente, ils avaient franchi la frontière. A quatorze heures, ils s'installaient à l'hôtel Mangelle, à Bruxelles, sous le nom de M. et Mme Bruno...

Le soir, à Paris, les boulangistes, désespérés, comprirent enfin que leur chef était entièrement sous la dépendance de sa maîtresse.

— Il a fui comme un maquereau ! s'écria Michelin.

Au ministère de l'Intérieur, Constans et ses amis sablèrent le champagne. Une fois de plus, Mme de Bonnemains avait sauvé la République...

28

Boulanger se tue sur la tombe de Marguerite

> Où qu'il tombe, un officier français
> meurt toujours pour la patrie...
>
> PAUL DÉROULÈDE

Le général Boulanger ne devait pas rester longtemps à Bruxelles. Le 22 avril, le gouvernement belge, apprenant qu'à Paris, le Sénat se constituait en Haute Cour pour juger les chefs boulangistes accusés de complot contre la République, jugea prudent de prier « l'encombrant personnage » de repasser la frontière sous peine d'expulsion.

Le 24, Boulanger et Mme de Bonnemains se rendirent donc à Ostende et s'embarquèrent pour l'Angleterre. A Londres, ils s'installèrent à l'Hôtel Bristol, puis ils louèrent une maison meublée, 51 Portland Place. C'est là qu'ils apprirent, le 15 août, l'arrêt de la Haute Cour : le général, Dillon et Rochefort étaient déclarés coupables sans circonstance atténuante et condamnés par contumace à la déportation à vie dans une enceinte fortifiée [179].

Cette nouvelle irrita Boulanger.

— Il y a huit mois, toute la France votait pour moi. J'étais plébiscité. Aujourd'hui, un gouvernement de vauriens transformant, au mépris de toute légalité, une assemblée politique en cour de justice, me met hors la loi sans que le pays émette la moindre protestation !... C'est inimaginable !...

Le brav' général exilé ignorait que, depuis trois mois, le peuple français, inconstant et frivole à son ordinaire, lui préférait la tour Eiffel. En effet, l'Exposition de 1889 avait été inaugurée le 6 mai, et le monument que Huysmans qualifiait de « suppositoire solitaire » exaltait tous les esprits...

L'arrêt de la Haute Cour, malgré son injustice, ne constituait pas pourtant le principal sujet de tourment pour Boulanger. Marguerite était malade. A Bruxelles, elle s'était alitée et l'on avait diagnostiqué

---

179. L'arrêt avait pour conséquence de priver les condamnés de leurs droits de citoyen, de les rendre inéligibles, de placer leurs biens sous séquestre et de rayer Boulanger de l'ordre de la Légion d'honneur.

une pleurésie. En fait, elle était atteinte de tuberculose. Depuis, elle était secouée par une mauvaise toux. A l'automne, les brouillards de Londres aggravèrent son mal. Elle commença à maigrir et à cracher le sang. Naturellement, la phtisie avait sur cette jeune femme, dont le tempérament était déjà singulièrement chaleureux, ses effets habituels. Bientôt Marguerite devint un brasier. Ce « besoin de volupté » lui donnait d'ailleurs une diabolique beauté qui affolait le général. « Il semblait, écrit Branthôme, que la maladie, avant de détruire ce corps, voulût en tirer une flamme d'un éclat incomparable... Elle avait tout pris à son amant, elle lui donnait avec fureur tout ce qu'elle avait encore. Elle le grisait de son corps embrasé.»

A la fin d'octobre, les deux amants allèrent s'installer dans l'île de Jersey au climat plus doux. Là, leur vie, partagée entre le patriotisme et le plaisir, fut simple. Levés à onze heures, ils déjeunaient, grimpaient sur une falaise d'où, par temps clair, on apercevait les flèches de la cathédrale de Coutances, regardaient la France en pleurant et rentraient bien vite dans leur maison de Saint-Brelade pour s'y aimer frénétiquement. Cette existence exténuante dura deux ans. Au début de 1891, Marguerite, consumée par la maladie, épuisée par les jeux de l'amour, n'était plus qu'« un spectre de femme drapée dans un grand manteau de fourrure »...

Cette phrase est de la Belle Meunière qui vint, à plusieurs reprises, à Jersey rendre visite à ses amis. Dévouée, elle soignait Mme de Bonnemains, s'occupait de ses robes, de ses livres et de ses fleurs. Elle lui rendait aussi sans le savoir des services peut-être moins innocents...

Marguerite, en effet, entretenait avec Paris une correspondance secrète et ignorée du général. Quand la maladie l'empêcha de sortir, elle dut utiliser les moyens les plus extravagants pour recevoir et expédier son courrier. Écoutons Marie Quinton :

« Elle se faisait adresser des lettres sous double enveloppe chez leur boulanger de Saint-Aubin qui les glissait dans l'un des quatre pains de deux livres qu'il envoyait journellement, sur les onze heures ou midi, à Saint-Brelade. La femme de chambre, Catherine, en qui sa maîtresse avait toute confiance, avait mission de guetter l'arrivée du garçon boulanger et de retirer les lettres. Elle me les donnait et c'était alors à moi, conformément à ce que m'avait demandé Mme Marguerite dès le lendemain de mon arrivée, de les lui remettre, soit de la main à la main, soit de quelque autre façon. »

Qu'y avait-il donc dans ces lettres mystérieuses que Boulanger ne devait pas voir ?

— Il s'agit d'affaires d'argent, avait dit brièvement Mme de Bonnemains, et Marie Quinton s'était contentée de cette réponse.

Tout le monde n'allait pas être aussi bienveillant.

Écoutons encore la Belle Meunière :

« Malheureusement, quelque innocente qu'elle fût, cette correspondance en cachette prêtait à des suppositions et à des dénonciations malveillantes. Des lettres anonymes venaient sans cesse, avertissant le général que Mme Marguerite le trompait, qu'elle le trahissait, qu'elle était une vendue placée auprès de lui pour le perdre. Quelques-unes renfermaient des détails si précis qu'une personne de la domesticité pouvait seule les avoir révélés. Mais qui soupçonner du jardinier ou du cuisinier, de l'aide de cuisine ou du garçon de service, du garçon d'écurie ou du cocher ? Mme Marguerite finit par soupçonner ce dernier. Le général l'ayant appelé pour lui demander des explications, cet homme avait répondu que Madame recevait bien d'autres lettres en cachette. Il avait eu sur-le-champ son congé, tout en restant maintenu à son poste jusqu'au jour où l'on quitterait Saint-Brelade. Mme Marguerite lui portait à présent une telle aversion qu'elle ne pouvait le regarder [180]. »

Aversion ou peur ? Une scène extraordinaire qui allait se dérouler un matin permet de se poser la question...

Pendant quelques jours, le général fut extrêmement nerveux. Il marchait en silence et parfois jetait sur Mme de Bonnemains un de ces regards lourds de suspicion qui devaient, quelques années plus tard, faire le succès des acteurs du cinéma muet. Puis il soupirait comme un soufflet de forge et allait s'enfermer dans sa chambre. Cette retraite n'était d'ailleurs qu'une feinte, car au bout de quelques secondes, il rouvrait généralement la porte et fixait un œil terrible sur les personnes qu'il venait de quitter. A d'autres moments, on le voyait secouer les livres comme pour y chercher un billet caché, inspecter les tiroirs, retourner les cadres, découdre les coussins, et même, dira l'aide de cuisine, « soulever le couvercle des casseroles où mijotait le déjeuner ». Bientôt, une nouvelle lettre anonyme parvint à Boulanger :

« Ce n'est pas dans la blanquette de veau ou dans le ragoût de mouton que vous découvrirez la correspondance secrète de Mme de Bonnemains, mais dans le pain. Ouvrez-le et vous serez édifié. »

Le jour même, le général procéda à une vérification.

Écoutons Marie Quinton qui fut témoin de la scène :

« Mme de Bonnemains se trouvait avec moi dans le salon, prête à passer à table dès que le général, qui venait de recevoir son courrier, sortirait de son bureau pour lui offrir le bras. Le général apparut, une lettre à la main, et dit d'une voix tremblante d'émotion contenue :

» — Ma chère amie, nous allons commettre une folie ce matin. Le boulanger doit passer d'un moment à l'autre. J'ai donné ordre qu'on m'en avertisse. Je suis décidé à lacérer tous les pains qu'il aura dans sa voiture... C'est une folie. Qu'importe ? Les pauvres de Jersey en profiteront...

» Au même instant, un domestique vint dire que le boulanger arrivait, et le général sortit.

180. Marie Quinton, *Journal de la Belle Meunière*.

» Je regardai Mme Marguerite : elle restait assise, immobile, les yeux fixés à terre, livide comme une suppliciée.

» Le général rentra, les quatre pains à la main, et les jeta, presque brutalement, sur les genoux de Mme Marguerite :

» — Tenez, fit-il, voilà les pains qui nous étaient destinés ! ce n'était pas la peine de lacérer les autres puisque ceux-là seuls peuvent renfermer la fameuse correspondance politique que cette lettre vous accuse de recevoir par ce moyen... Voici un couteau : ouvrez-les vous-même...

» Il lui tendit le couteau, mais elle ne le prit pas. Elle demeura sans un mouvement pendant que le général, très pâle lui-même, la contemplait.

» Finalement, il ne fut plus maître de sa colère. Il arracha les pains et se mit à les entailler avec fureur. Trois d'entre eux gisaient déjà à terre et je commençais à respirer quand, ayant porté le couteau sur le quatrième, il en fit s'échapper une lettre qui tomba sur le tapis.

» Comment ne l'a-t-il pas tuée sur le coup ?

» Le poing levé, la face injectée de sang, il était terrible à voir. Son poing s'abattit lourdement sur un grand vase de porcelaine qui se brisa avec fracas. Mais déjà sa fureur était tombée et, s'effondrant dans un fauteuil, il se mit à pleurer comme un enfant.

» Ils restèrent ainsi quelques minutes. C'est Mme Marguerite qui parla la première :

» — Georges, sans m'avoir frappée, vous me tuez... Vous en avez le droit et je suis une misérable... Mais vous avez le devoir de lire d'abord cette lettre qui est peut-être une infamie préparée exprès pour me perdre...

» Il leva la tête et la regarda fixement, de ses yeux rougis par les larmes. Puis il ramassa la lettre, déchira l'enveloppe et lut à haute voix. C'était une lettre d'affaires assez insignifiante, se rapportant au collier de perles que Mme Marguerite avait engagé au Mont-de-Piété.

» Quand il eut fini, il se mit à marcher à grands pas dans la chambre, repoussant du pied les éclats de porcelaine qui encombraient le tapis. Il fit reproche à Mme Marguerite d'entretenir des correspondances qu'elle ne lui montrait pas, à lui qui cependant n'avait jamais eu un secret pour elle. Il lui rappela que déjà, à l'hôtel de Bellevue, quelques semaines auparavant, il l'avait surprise écrivant en cachette, qu'ils avaient eu une scène des plus pénibles et qu'elle lui avait juré de ne plus recommencer jamais. Cependant, il convint que le procédé seul était à blâmer et que les lettres surprises n'avaient rien de coupable. Il se radoucissait de plus en plus à mesure qu'il parlait. Ce fut, en fin de compte, lui qui demanda pardon à Mme Marguerite de lui avoir causé une aussi violente émotion [181]. »

Le général alla cependant demander au boulanger quelques explications sur son « pain-boîte aux lettres ».

Le commerçant, qui avait été mis au courant par la femme de chambre de Marguerite, jura ses grands dieux que c'était la première

---

181. Marie Quinton, *Journal de la Belle Meunière*.

fois qu'il introduisait une lettre dans une miche. Boulanger, qui ne demandait qu'à être rassuré, revint à Saint-Brelade avec un bon sourire. Cette alerte n'empêcha pas Mme de Bonnemains de continuer à correspondre avec ses amis parisiens. Toutefois, les soupçons du général avaient fait modifier toute l'organisation du courrier. Les lettres, adressées sous double enveloppe chez le boulanger, étaient retirées par la femme de chambre qui les remettait à Marie Quinton. Celle-ci les glissait alors dans une cachette située au fond d'un placard où Marguerite venait les prendre.

La Belle Meunière était encore chargée d'une autre mission. Lorsque Mme de Bonnemains avait une lettre secrète à écrire, elle devait entraîner le général hors de la maison.

Ce fut le cas, quelques jours après la scène des pains, et Marie Quinton proposa à Boulanger de faire une promenade en voiture.

— Vous avez raison, dit-il. Le temps est beau, cela nous fera du bien.

Et, tandis qu'à Saint-Brelade, la vicomtesse, dans son lit, rédigeait de mystérieux messages, ils roulèrent tous deux dans la campagne. A certain moment, le général tira un papier de sa poche. C'était un billet anonyme qu'il avait reçu le matin même.

— Voici de nouvelles accusations, dit-il. Mais je sais d'où elles viennent : c'est une infamie de la femme chez qui j'ai rencontré Marguerite pour la première fois et qui ne sait qu'inventer pour se venger de ce que nous nous sommes aimés... Je crache là-dessus comme il convient !... A Londres, un de ses émissaires est déjà venu m'offrir de me mettre en main vingt lettres qui devaient me prouver que Marguerite me trahissait et me conduisait à ma perte... Elle, me trahir ! Mais c'était absurde ! Mes intérêts n'étaient-ils pas les siens et y avait-il une somme au monde qui pût lui compenser la situation que j'aurais eu l'orgueil de lui faire si j'étais arrivé au pouvoir ?... Je ne me serais jamais pardonné d'avoir cédé même à une curiosité : j'ai donc refusé net... Comme l'émissaire insistait, je l'ai mis à la porte avec cette réponse : « Et quand même cela serait, j'aime encore mieux me perdre par elle que de jamais la perdre ! »

Puis ils rentrèrent à la maison où Marguerite, son courrier expédié, les attendait avec un sourire innocent.

A la fin d'avril 1891, l'état de santé de Mme de Bonnemains s'aggrava brusquement et le général, affolé, décida de quitter Jersey pour retourner en Belgique.

Le 4 mai, après un voyage épouvantable, les deux amants s'installèrent dans la banlieue de Bruxelles, au 79 de la rue Montoyer. Marguerite était épuisée. Elle se coucha et les rares amis qui vinrent lui rendre visite furent horrifiés en découvrant ce squelette haletant qui les fixait de ses yeux immenses. Secouée par des quintes de toux, ruisselante de sueur, la malheureuse passa deux mois atroces.

Au début de juillet, le général, désespéré, s'adressa à des spécialistes parisiens qui ordonnèrent de remplacer la créosote par un remède nouveau, le gaïacol, administré en injections sous-cutanées. Boulanger tint à faire les piqûres lui-même. Un soir, il eut une grande joie : Marguerite, qui ne toussait plus depuis le matin, parut apaisée et lui dit :

— Je me sens mieux, moins oppressée. Je crois que tu as trouvé le bon remède. Dès que je serai guérie, nous partirons faire un voyage...

Hélas ! quelques jours après, le 14 juillet, elle était saisie de vertiges. On appela le médecin qui prit le général à part :

— Préparez-vous, c'est la fin...

Boulanger s'installa au chevet de la mourante et y demeura douze heures sans prendre un moment de repos. Parfois, elle tendait vers lui ses mains qui se glaçaient. Il les couvrait alors de baisers.

Le 15, dans la nuit, Marguerite le fixa longuement, désespérément et murmura :

— A bientôt...

L'instant d'après, elle entrait en agonie. Pendant des heures, elle râla, l'écume aux lèvres, et à l'aube, « ses yeux ayant tourné », elle rendit l'esprit.

Boulanger, écrasé de douleur, assista aux obsèques sans dire un mot, puis s'enferma dans son appartement, seul avec quelques photographies de Marguerite et une mèche de cheveux blonds.

Au bout de quinze jours, il écrivit cette émouvante lettre à Marie Quinton :

> *Bruxelles, 79 rue Montoyer*
> *Samedi 1er Août*
>
> *C'est bien vrai, ma pauvre bonne meunière, elle n'est plus, cette créature adorable qui m'a donné les seules années de bonheur que j'ai eues dans ma vie. Elle est partie, me laissant seul, tout seul, et au moment même où l'amélioration produite par un traitement nouveau de Paris me faisait croire qu'elle était sauvée.*
>
> *Heureusement, la chère créature tant aimée ne s'est pas sentie mourir. Elle s'est éteinte sans aucune souffrance, faisant encore des projets la veille de sa mort. Je dis heureusement, car elle eût été trop attristée si elle avait compris que nous allions être séparés, pas pour longtemps, je l'espère.*
>
> *Sa famille voulait avoir son corps. J'ai refusé, et je le garde, je le garderai envers et contre tous. Ma seule consolation est d'aller toutes les après-midi au cimetière la voir et causer avec elle. J'ai placé moi-même sur son cercueil le charmant bouquet de petites marguerites que vous et votre sœur lui avez envoyé. Merci en son nom.*
>
> *Je lui fais, en ce moment, construire un caveau où elle reposera en paix au milieu des fleurs qu'elle aimait tant et où elle m'attendra...*
>
> *Car, vous qui l'avez connue, vous devez comprendre, n'est-ce pas, qu'on ne peut survivre à la perte de cet ange de beauté, de grâce, de*

douceur et de bonté. Je sais que je ne m'appartiens pas, que j'appartiens à mon pays. Aussi j'irai jusqu'au bout de mes forces ; mais après, si je pars, personne n'aura rien à me reprocher. D'ailleurs, je ne vis plus que matériellement, je suis un corps sans âme.

Écrivez-moi de temps en temps, ma bonne meunière. Parlez-moi d'Elle, cela me fera du bien. Et pensez souvent à moi qui ai été le plus heureux des hommes et qui en suis aujourd'hui le plus malheureux.

J'espère que vous allez bien, ainsi que votre mère et votre sœur et, pour moi et pour ma pauvre petite morte tant aimée, je vous embrasse du plus profond de mon cœur.

Général Boulanger.

Tous les jours, Boulanger allait au cimetière d'Ixelles où était inhumée Marguerite. En rentrant, il s'efforçait de cacher son chagrin en prenant un ton jovial qui sonnait faux.

— Le grand air m'a creusé, criait-il, j'ai une faim atroce !

Et, nous dit Branthôme : « Il piquait bruyamment dans son assiette pour faire croire qu'il mangeait. Mais dès qu'il passait dans une autre pièce, on tremblait d'entendre soudain la détonation de ce revolver qu'on l'avait surpris plusieurs fois en train d'examiner. »

Le soir, il se couchait dans le lit où Marguerite était morte et lui parlait jusqu'à l'aube en pleurant.

Une telle vie ne pouvait durer longtemps. Lorsque le caveau définitif de Mme de Bonnemains fut terminé, Boulanger décida de se tuer le 30 septembre. Le 29, il rangea ses papiers, brûla les lettres et les documents qui risquaient de compromettre ses amis, paya ses fournisseurs et rédigea deux testaments, l'un politique et l'autre privé, dont voici quelques passages :

Je me tuerai demain, ne pouvant plus supporter l'existence sans celle qui a été la seule joie, le seul bonheur de toute ma vie. Pendant deux mois et demi, j'ai lutté ; aujourd'hui, je suis à bout. Je n'ai pas grand espoir de la revoir, mais qui sait ! Et du moins, je me replonge dans le néant où l'on ne souffre plus. Je désire être inhumé (ceci est ma volonté formelle) dans le caveau que j'ai fait construire au cimetière d'Ixelles pour ma chère Marguerite, caveau dont j'ai le titre de propriété. Mon corps devra être placé dans la case du milieu, juste au-dessus d'elle. Et jamais, sous aucun prétexte, qui que ce soit ne devra être inhumé dans la case supérieure. Je demande que l'on place dans mon cercueil, lequel devra autant que possible être semblable à celui de mon aimée Marguerite, son portrait et la mèche de ses cheveux que j'aurai sur moi au moment de ma mort. Sur la pierre tombale, au-dessous de l'inscription de ma chère Marguerite :

Marguerite,
19 décembre 1855
16 juillet 1891
A bientôt.

Avec les mêmes caractères et la même disposition d'écriture, on devra écrire ces quelques mots :

Georges
29 avril 1837
30 septembre 1891
Ai-je bien pu vivre
deux mois et demi sans toi ?

Puis, toujours aussi calmement, le général rédigea quelques dépêches qui devaient annoncer sa mort. Celle qu'il adressa à sa femme lui posa un problème : comment devait-il désigner la générale ? Finalement, il écrivit :

Mme veuve Boulanger
rue de Satory, Versailles.

Après quoi, il dîna de bonne humeur, discuta gaiement avec un ami et se coucha.

Le lendemain, vers 11 heures du matin, après s'être rasé de près et parfumé d'eau de lavande, il se rendit au cimetière d'Ixelles, un bouquet de roses rouges à la main et son revolver d'ordonnance, modèle 1874, dans la poche de sa redingote. Il était 11 h 30 lorsqu'il arriva devant la tombe de Marguerite. Un ouvrier, non loin de là, finissait d'ériger une croix. Le général attendit qu'il eût terminé. Quand il fut seul, il déposa les fleurs, retira son chapeau, s'assit sur la dalle, prit son revolver, l'appliqua contre sa tempe droite et fit feu.

A Paris, l'annonce du suicide de Boulanger causa une immense émotion. Les femmes qui, depuis toujours, adoraient le général, furent naturellement les plus troublées.

— Comme il l'aimait, dirent-elles.

Les politiciens se contentèrent, pour la plupart, de ricaner ou de hausser les épaules. Clemenceau seul parla. Ce fut pour prononcer ce mot méprisant :

— Boulanger est mort comme il a vécu : en sous-lieutenant !...

29

Mme de Bonnemains fut-elle un agent de Constans ?

Les agents ne sont pas tous de braves gens...

JEAN JAURÈS

Quelques mois après la mort de Mme de Bonnemains, des bruits étranges coururent dans les milieux politiques français. Des gens qui se prétendaient bien renseignés assuraient que Constans, ministre de l'Intérieur, avait fait à ses intimes de curieuses révélations.

— Il paraît, chuchotaient-ils, que Mme de Bonnemains était un agent de la police d'État...

Cette extraordinaire information parvint rapidement aux oreilles des boulangistes. Thiébaud, qui détestait Marguerite, exulta :

— Il y a longtemps que je le soupçonnais de nous trahir. Vous ne vouliez pas me croire. La confidence de Constans me prouve que je ne m'étais pas trompé.

Était-ce bien une preuve ? Le ministre de l'Intérieur n'a-t-il pas cherché, par cette « révélation », à salir la mémoire de Mme de Bonnemains et à ridiculiser du même coup Boulanger qui avait encore de fidèles partisans ?

Non, répondent les adversaires de Marguerite. Au contraire, la déclaration de Constans éclaire le comportement de Mme de Bonnemains qui a toujours empêché Boulanger de faire un coup de force. Elle explique également pourquoi la jeune femme se cachait de Boulanger pour écrire et recevoir certaines lettres.

Débat sans fin où, depuis un siècle, les historiens s'affrontent sans parvenir à se mettre d'accord.

Pour M. André Germain qui s'est documenté auprès de personnages fort bien informés, il semble que la trahison de Marguerite ne fasse pas de doute :

« A première vue, écrit-il, c'est tout simplement une sensuelle tuberculeuse qui a besoin d'un divertissement et d'une proie. Mais, si on regarde de plus près, on a l'impression que Constans, policier de premier ordre, et qui, comme d'une marionnette par lui sculptée, tient tous les fils de Boulanger, ne saurait être étranger aux comportements de Mme de Bonnemains... »

Ce comportement, l'auteur le rappelle brièvement :

« N'est-ce pas grâce à cette étrange alliée qu'il (Constans) sauve la République ? Il est incontestable qu'un certain soir de janvier, renversées par l'enthousiasme des Français, toutes nos institutions gisaient par terre. Entre le restaurant où soupait le général victorieux et l'Élysée où agonisait la République, il n'y avait plus que quelques centaines de mètres et l'épaisseur d'une volonté qu'on ne savait pas si faible. De leurs acclamations, quelques millions de Français poussaient le général à l'Élysée. S'il y était entré, Carnot se serait effondré comme s'effondra deux fois, en février 1934 et en juillet 1940, le triste président Lebrun. L'opération, cette fois, eût même été sans larmes : Carnot avait un visage de bois et ne pleurait pas. Mais au lieu d'aller coucher dans le lit de Carnot, le général préféra celui de Mme de Bonnemains. Chaque nuit, à l'heure du crime, cette femme le dissolvait [182]. »

Bientôt, d'autres révélations furent faites sur la vie des deux amants et on apprit que Marguerite n'épuisait pas seulement Boulanger par des excès amoureux, mais qu'elle lui avait donné, en outre, le goût de l'opium.

182. André Germain, *Les Grandes Favorites, 1815-1940.*

— Cette drogue destinée à détruire le général était fournie par Constans, dirent Thiébaud et Naquet. Cet homme est capable de tout.

Quand il fut démontré que Mme de Bonnemains faisait fumer l'opium à son amant bien avant que Constans ne fût ministre de l'Intérieur et l'adversaire des boulangistes, certains journalistes échafaudèrent une autre hypothèse. Ils accusèrent alors la jeune femme d'avoir travaillé pour l'Allemagne.

Écoutons Adrien Dansette :

« Beaucoup estiment, comme au soir de l'élection de Paris, son influence décisive et lui donnent de ténébreux motifs. Marguerite de Bonnemains agent de Constans, affirme Feuillant ; Marguerite de Bonnemains agent de Bismarck, répondent d'autres. La femme bien-aimée aux gages de l'ennemi de l'intérieur ou de l'ennemi de l'extérieur, est-ce possible ?

» Telle personne bien placée pour savoir les secrets de son existence a soutenu que Marguerite de Bonnemains avait fait de l'espionnage pour l'Allemagne avant de connaître Boulanger. On devine la suite : Bismarck, craignant l'avènement du général, la délégua auprès de lui afin de le détourner de ses projets ; elle réussit à le séduire, le drogua pour affaiblir sa volonté, mais, tombant dans son propre piège, elle s'attacha à sa victime et l'aima... »

Que faut-il penser de ces accusations ?

Écoutons encore A. Dansette :

« Il est exact qu'au moins à certaines heures de sa liaison avec Marguerite, Boulanger prit l'opium. Divers aspects alors mal connus et inconnus de la vie de Mme de Bonnemains, ses grands besoins d'argent, l'amour que lui attribue un document de police pour le prince Léopold de Hohenzollern, donnent aussi à l'accusation d'espionnage un caractère troublant. On sait enfin que la chute de Boulanger était le but immédiat de la politique bismarckienne au début de 1887. Mais aucune preuve n'est encore venue étayer ces indices.

» A l'époque, on vit surtout en la vicomtesse de Bonnemains un agent de Constans. Cette croyance se répandit aussi bien dans les milieux gouvernementaux que dans les milieux boulangistes. Le sous-chef de la Sûreté, Goron, esprit pondéré et précis, la partageait. De son côté, Freycinet devait écrire dans ses *Souvenirs,* où chaque mot est minutieusement pesé : "Il savait (Constans) de source sûre que le général se dérobait à l'incarcération." Enfin, le chef de cabinet du ministre de l'Intérieur, Demagny, l'homme le mieux placé pour être renseigné, donnait des détails : Constans recevait la vicomtesse de Bonnemains le soir, entre 10 et 11 heures ; leurs rapports ne cessèrent qu'en novembre 1889, un mois après la défaite de Boulanger [183]. »

Mais M. Dansette ne croit pas à la trahison de Marguerite. Et il donne ses raisons :

---

183. Adrien Dansette, *Le Boulangisme.*

« Comment, écrit-il, le ministre de l'Intérieur, arrivé au pouvoir en février 1889, aurait-il pu se servir d'une femme qui, depuis deux ans maîtresse de Boulanger, l'aimait éperdument ? Il faudrait supposer, par exemple, que Marguerite de Bonnemains appartenait déjà à la Sûreté, hypothèse purement gratuite. »

Et il conclut :

« Il est probable que Constans, chez qui le souci d'une réputation de grand homme d'État s'alliait au goût de la blague toulousaine, fit lancer, ou laissa courir la version de Marguerite de Bonnemains agent de la place Beauvau. »

Peut-être l'éminent historien a-t-il raison. Pourtant, il reste un point à éclaircir : pourquoi Mme de Bonnemains entretenait-elle une correspondance à l'insu de Boulanger ? Ce manège, découvert par le général à Jersey dans les circonstances que nous avons relatées, durait depuis fort longtemps. La Belle Meunière, dans ses *Mémoires,* écrit, en effet, à la date du 2 décembre 1887 — c'est-à-dire à l'époque du second séjour des amants à Royat — :

« Mme de Bonnemains tenait à la main une lettre fraîchement cachetée.

» — Belle Meunière, m'a-t-elle dit, il faut que vous me rendiez un service... Cette lettre doit partir tout de suite, et il faut que vous la portiez vous-même à la poste la plus voisine... Mais surtout, quand le général reviendra, gardez-vous de laisser échapper que j'ai expédié une lettre pendant son absence !

» En me parlant ainsi, elle me regardait fixement et sa voix tremblait un peu. Je considérai machinalement l'enveloppe que j'avais prise de ses mains ; il y avait dessus :

P.M.L.P.S.
Poste Restante.
Paris. »

Qu'y avait-il dans cette lettre ? Un mot pour un notaire ? Des ordres passés à un banquier ? Ou des renseignements destinés à la Sûreté ?

Une phrase prononcée par Marguerite, précisément le 2 décembre 1887, après que la Belle Meunière eut jeté un coup d'œil sur la lettre adressée à ce mystérieux « P.M.L.P.S. », nous conduirait à opter pour cette dernière hypothèse.

Écoutons Marie Quinton :

« Tout cela me causait une grande surprise. Elle me donna une tape amicale sur la joue et ajouta, d'une voix redevenue subitement très douce :

» — Allez vite et ne vous étonnez de rien... C'est pour Lui que je fais cela... *Ceux qu'on aime, il faut parfois les servir malgré eux !* »

En trahissant Boulanger, Mme de Bonnemains croyait-elle donc le servir ? Peut-être. Et il est possible, en effet, qu'elle ait accepté de communiquer des renseignements à la Sûreté, puis à Constans, poussée par une peur bourgeoise de l'aventure, par le goût du bonheur tranquille et par le désir d'une vie simple à deux, loin du pouvoir et des honneurs. Bref, qu'elle ait trahi par égoïsme et par amour.

Il est enfin un témoignage dont je dois faire état. Il s'agit d'une lettre que m'envoya un jour un ancien journaliste plus qu'octogénaire qui savait par un ami commun que je me penchais sur la vie de Boulanger. Cette lettre apporte de curieuses révélations sur les derniers moments de Marguerite.

La voici [184] :

Mon cher confrère,
Il y avait à Châteauroux, au début de ce siècle, un couvent de Rédemptoristes au nombre desquels figurait un certain père Ehman ou Heyman, je ne connais de son nom que la phonie : Emane. Il est mort depuis très longtemps, mais, avant de mourir, il a raconté à bien des gens l'histoire suivante.
Il avait été appelé brusquement, un jour, au chevet d'une mourante qui se révéla être Mme de Bonnemains. Elle lui avoua avoir été à la solde de la police et avoir ainsi trahi les confidences et les projets du général. Le religieux lui répondit (il avait dû être boulangiste) :
« Madame, vous avez gravement nui à cet homme, je ne vous donnerai l'absolution que si vous m'autorisez à divulguer votre déclaration. »

Elle eut l'absolution.

Si l'on croit ce témoignage, Constans n'a pas menti : Mme de Bonnemains, la plus aimée des femmes de ce XIXᵉ siècle finissant, renseignait bien la police sur les pensées et sur les gestes de son amant.

Décidément, l'amour a des raisons que la raison ne connaîtra jamais...

30

La mort mystérieuse de Félix Faure

Mme Steinheil était d'une nature gourmande.

CURNONSKY

Le 17 février 1899, les Français achetèrent des journaux qui, dans leur majorité, étaient bordés de noir. On y annonçait que le président de la République, M. Félix Faure, était mort à l'Élysée subitement, la veille au soir. Voici ce qu'écrivait le rédacteur du *Petit Parisien :*
« Une foudroyante nouvelle nous arrive : M. Félix Faure est décédé hier soir. Cette mort provoquera dans toute la France une stupeur sans égale. M. Félix Faure, qui avait reçu dans l'après-midi un grand nombre de personnes, s'est senti, à l'issue de ces réceptions, pris d'un malaise subit dans son cabinet de travail. Il était alors cinq heures. Le

184. Mon correspondant m'a prié de ne point publier son nom.

président de la République a fait aussitôt mander auprès de lui M. Le Gall.

» — Je me sens très mal, a-t-il dit au directeur de son cabinet. Je souffre horriblement de la tête ! Cela ne va pas du tout !

» Le directeur du cabinet a transporté M. Félix Faure sur un canapé et lui a donné quelques soins. Le président, revenu de sa syncope, a serré la main de M. Le Gall et l'a remercié avec effusion.

» A sept heures, pris d'une autre syncope, il s'est de nouveau affaissé.

» Mme Félix Faure et Mlle Lucie Faure que l'on venait seulement de prévenir, se sont précipitées, affolées, les yeux en larmes, dans les bras du malade qui les a reconnues et les a embrassées à plusieurs reprises. A huit heures trente, les deux docteurs appelés en consultation ont déclaré que tout espoir était perdu. A ce moment, le président, couché sur un canapé entouré de sa famille et de ses intimes, reconnaissait encore tout le monde, adressant aux uns et aux autres des paroles d'espoir.

» A dix heures moins cinq, M. Félix Faure a essayé de se lever, a jeté autour de lui un regard à demi éteint, puis d'une voix très faible a dit :

» — Pardonnez à tous ceux qui m'ont offensé.

» A peine avait-il prononcé ces mots qu'il s'affaissait et rendait le dernier soupir. »

De son côté, *La Petite République* annonçait en gros caractères :

LA MORT DE M. FÉLIX FAURE
Le président de la République a succombé
alors qu'il était penché sur les affaires de l'État...

Titre qui allait bientôt faire rire toute la France car on ne devait pas tarder à apprendre que les choses s'étaient passées bien différemment...

La version officielle de la mort de Félix Faure ne fut pas acceptée longtemps par le public. Le soir même du 17 février, des gens commencèrent à murmurer que le chef de l'État avait peut-être été assassiné. Bruit étrange car le président était un homme unanimement respecté et admiré pour « son élévation due uniquement, nous dit André Dumas, à son intelligence et à son sens de l'État ». Cette élévation était spectaculaire : fils d'un ébéniste du faubourg Saint-Antoine, il avait commencé dans la vie comme ouvrier tanneur avant de se lancer dans la politique et de gravir tous les échelons, pour parvenir, un jour de 1895, au rang suprême.

Élégant, paré d'un frac impeccable, portant monocle et guêtres blanches, il éclipsait tous les politiciens de son époque qui promenaient leur médiocrité satisfaite dans des jaquettes étriquées et des pantalons en tire-bouchon... Ayant une haute idée de ses fonctions, il rêvait de renouer avec les fastes de l'Ancien Régime. A l'Élysée, où flottait son pavillon personnel frappé de deux F, il avait instauré une étiquette copiée sur celle de Versailles. A table, par exemple, il se faisait servir le premier, disant à ceux qui semblaient s'étonner : « Nous avons toujours fait ainsi à la cour de France ! » Cette allure de souverain lui avait valu le surnom de « Président Soleil »...

Bref, qui donc aurait pu désirer la mort de ce chef d'État prestigieux et fin politique dont la grande allure flattait le peuple et séduisait les bourgeois du faubourg Saint-Germain ?

Personne.

« Sauf un mari jaloux », disaient certaines personnes bien informées en clignant de l'œil. Car ce monarque républicain, grand coureur de jupons, avait des favorites [185]. La plus célèbre avait été Cécile Sorel, et la dernière, une jolie rousse de vingt-huit ans fort appétissante qui s'appelait Marguerite Steinheil — Meg pour les intimes. Elle était l'épouse d'un peintre sans grand talent à qui Félix Faure, bon prince, faisait avoir des commandes de l'État.

Il l'avait rencontrée pour la première fois dans les Alpes, au cours des grandes manœuvres d'été de 1899.

Alors qu'il chevauchait, vêtu d'un costume sport, coiffé d'un chapeau cronstadt gris à gros ruban noir, botté, ganté, monoclé, plus intéressé par les bergères à la poitrine rebondie que par les pièces d'artillerie légère, il découvrit soudain, au détour d'un chemin, un peintre travaillant à une toile posée sur un chevalet. Près de lui, une ravissante dame était assise dans l'herbe. En voyant paraître le cavalier, elle avait saisi un appareil photographique et pris un cliché de Félix Faure qui, galamment, ayant ralenti l'allure de son cheval, s'était tourné vers la jeune femme pour poser pendant quelques instants.

Le lendemain, ayant fait rechercher le nom et l'adresse du couple, il avait invité les Steinheil à dîner sous sa tente. Au dessert, il s'était penché vers sa voisine :

— Avez-vous déjà suivi des grandes manœuvres, madame ?

— Jamais, monsieur le Président.

— La chose vous amuserait-elle ?

Toute émoustillée à l'idée de se promener dans les Alpes avec deux mille hommes, Meg s'était inclinée en souriant :

— Follement !

— Bien. Je vais donner des ordres pour que vous puissiez nous accompagner de la façon la plus confortable qui soit.

Et pendant quelques jours, les soldats, un peu étonnés, avaient vu une jeune femme en robe blanche, coiffée d'une capeline rose, braquer sur eux d'énormes jumelles, puis discuter avec Félix Faure des mouvements militaires et de la position des pièces d'artillerie en affectant un air compétent qui n'était pas sans agacer un peu les officiers de carrière...

A son retour à Paris, le président avait convié Meg à l'Élysée et leur entrevue s'était terminée dans le petit salon Argent, sur le sofa des « plaisirs présidentiels » où elle avait montré un agréable savoir-faire.

---

185. Clemenceau disait : « Vous verrez qu'il rétablira le droit de cuissage ! »

Après quoi, elle était rentrée chez elle, son corset sous le bras et la mémoire enrichie de l'image amusante — et rare — d'un président de la République en chemise...
Depuis, elle se rendait deux fois par semaine faubourg Saint-Honoré.

Avant d'être la maîtresse de Félix Faure, Mme Steinheil, dont le tempérament était ardent et la bourse plate, avait créé un curieux commerce qui lui permettait d'assouvir ses appétits et de vivre largement. Écoutons le professeur Locard :
« La commune renommée affirmait qu'elle s'était spécialisée dans les sorties de métro. Elle montait avec une grâce qui n'appartenait qu'à elle les escaliers par où l'on sort des caves, mais sa cheville trop fine lui jouait le mauvais tour de se tordre au moment précis où passait un monsieur que le hasard faisait suffisamment vénérable, mais toujours cossu. Comment ne pas se précipiter au secours d'une beauté qui fait un faux pas ? Elle s'appuyait donc au bras galamment offert, acceptait l'offre d'une voiture et se laissait accompagner chez elle. Là, c'est-à-dire impasse Ronsin, le monsieur rencontré était présenté au mari. Celui-ci était peintre spécialisé dans les portraits comme sa femme dans le métropolitain. »
Comment imaginer ce mari complaisant, doux et effacé, devenant soudain jaloux et allant assassiner le président de la République ?
« Si ce n'est ce mari-là, disaient les gens bien renseignés, peut-être en est-ce un autre ? »...
Quel autre ? Félix Faure n'avait, au moment de sa mort, que cette unique liaison...
Alors une nouvelle rumeur commença à courir : le président aurait été victime d'un crime politique. On était en pleine affaire Dreyfus et l'on savait que Félix Faure était hostile à la révision du procès. Les Dreyfusards avaient-ils fait assassiner celui qu'ils considéraient comme un obstacle à la réouverture du dossier ? « Cela ne fait aucun doute ! » assuraient certaines gens qui se disaient informés par des policiers chargés de l'enquête, précisant même qu'on avait offert au président un cigare cyanuré...
Le 18 au matin, quelques journaux se firent l'écho de ces rumeurs. *La Patrie,* par exemple, publia l'article suivant :
« La mort de M. Félix Faure a été inattendue.
» D'aucuns la trouvent également mystérieuse.
» Un homme politique, dont nous tairons le nom, nous disait tout à l'heure :
» — Il est toujours très grave de lancer dans le public certaines insinuations ; je ne veux donc rien déclarer, même rien supposer. Il n'en demeure pas moins certain que la nouvelle du décès du président de la République est accueillie avec stupéfaction, car personne ne pouvait prévoir cette mort d'un homme qui, pour tout le monde, était fort bien portant, et dont une certaine maladie de cœur n'a été révélée qu'après coup.

» Cette maladie de cœur, au surplus, ne joue aucun rôle dans les explications qu'on donne de la mort de M. Félix Faure qu'on attribue officiellement à une congestion pulmonaire suivie d'une attaque d'apoplexie foudroyante.

» En présence de ces contradictions, on se demande si M. Félix Faure n'a pas été victime des dangers inhérents à sa haute fonction ; si, pour être plus catégorique, il est bien mort d'une mort naturelle.

» Le chef de l'État était, depuis quelque temps, en butte à l'hostilité de certaines coteries. Son attitude, dans certaines affaires, notamment dans l'affaire Dreyfus, lui avait créé des ennemis irréductibles. Je le répète, je ne suppose rien, mais je crois que le mystère qui entoure le grand événement d'hier soir mérite d'être signalé. »

Puis, certains bruits qui se chuchotaient à l'intérieur de l'Élysée parvinrent dans les salles de rédaction. Prudents, les journalistes se contentèrent tout d'abord de glisser, sous forme de « clin d'œil au lecteur », des allusions à peine voilées.

C'est ainsi que le rédacteur du *Figaro* écrivit malicieusement dans son article nécrologique :

« Il remplissait ses charges avec un dévouement, un tact, et une solidité à toute épreuve. Il y ajouta d'ailleurs des jouissances qui en multipliaient et en rehaussaient les attraits. »

Hugues Le Roux, qui connaissait bien Félix Faure, fut plus catégorique encore :

« Il est mort de ses artères usées. N'a-t-il pas su se défendre contre d'autres imprudences plus dangereuses à son âge et pour le mal dont il souffrait ? »

Puis quelques petits journaux s'enhardirent jusqu'à donner des précisions. Entre autres, le *Journal du Peuple* du 22 février 1899 qui, après avoir noté que Félix Faure était mort « pour avoir trop sacrifié à Vénus en marge du Code et de cette morale officielle dont il était le plus haut représentant », ajoutait : « Nous connaissons le nom et l'adresse de la jeune personne qui jouissait des faveurs présidentielles. Nous la désignerons, si vous le voulez bien, par l'initiale peu transparente de Mme S... »

Cette initiale allait être cause d'un affreux malentendu. Car le public, ignorant l'existence de Mme Steinheil, crut qu'il s'agissait de Cécile Sorel...

Méprise qui devait valoir bien des contrariétés à la pauvre « Célimène ». Celle-ci était alors fiancée avec un riche Égyptien qui, débarquant par hasard à Marseille, le 18 février, s'étonna de voir les drapeaux en berne.

— Le président de la République est mort dans les bras de Cécile Sorel, lui expliqua-t-on.

L'Égyptien devint vert pâle. Sans perdre une minute, il sauta dans le premier bateau en partance pour Alexandrie et disparut à tout jamais.

Enfin, la presse d'opposition commença à parler de « la femme d'un

peintre qui aurait reçu le dernier soupir du président dans une curieuse posture », et, le 20 février, à la Chambre, un député dévoila au public le nom qui circulait dans les milieux politiques :
— Saviez-vous, demanda-t-il, que Mme Steinheil avait rendu visite à Félix Faure le 16 février à 6 heures du soir ?
Alors, les langues se délièrent et peu à peu l'on sut la vérité.

Que s'était-il donc passé à l'Élysée entre 17 et 18 heures, le 16 février ?
Quelques familiers du palais présidentiel vont nous le révéler. Écoutons d'abord M. Maurice Paléologue qui dirigeait les « affaires réservées », c'est-à-dire le service de renseignements du Quai d'Orsay :
« Vers cinq heures et demie, une jeune femme est arrivée, Mme Steinheil, dont le mari a quelque réputation comme portraitiste. Jolie, séduisante, lascive, très experte dans ''l'art de casser les reins aux mâles'', comme disait Guy de Maupassant, elle affolait depuis quelque temps déjà le président par le philtre capiteux de ses ardeurs savantes. Or le beau Félix, malgré la sveltesse de sa taille et la cambrure de son torse, n'avait pas moins de cinquante-neuf ans et, plusieurs fois, on avait remarqué son œil vitreux, ses paupières boursouflées, sa gêne subite dans l'articulation des mots [186]. »
Pour se revigorer et montrer son allant à Mme Steinheil, le président avait recours à des pilules aphrodisiaques. Le 16 février, il devait, hélas, en abuser. Écoutons Gabriel-Louis Pringué :
« Les sentiments amoureux du président manquant de vigueur, cet excellent homme prenait avant les entrevues deux pilules réconfortantes. Un timbre particulier annonçait les visites des intimes. Le jour qui fut le dernier, le timbre résonna. Le président, attendant sa belle amie, avala deux pilules. Hélas ! ce fut le cardinal Richard, archevêque de Paris, qui entra et conversa longuement sur des complications ecclésiastiques. Le président marcha beaucoup de long en large dans son cabinet. Le cardinal enfin partit [187]... »
Félix Faure allait se précipiter dans le salon Argent lorsqu'on lui annonça le prince de Monaco. Très ennuyé car l'effet des pilules devenait gênant, il accorda l'audience, mais fut incapable d'écouter le prince. Tandis que celui-ci lui parlait de l'affaire Dreyfus, « il ne cessait de marcher, la face congestionnée, nous dit Charles Braibant. A un certain moment, il ouvrit la porte d'un geste machinal, comme pour inviter son visiteur à prendre congé. Se ravisant, il s'excusa aussitôt ».
Le prince se leva et l'entretien prit fin. Hélas ! quand il fut seul, le président constata avec désespoir que l'aphrodisiaque avait cessé d'agir.

---

186. Maurice Paléologue. *Journal de l'affaire Dreyfus.*
187. Plus tard, il dira avec un humour involontaire : « — Tandis que je lui parlais, j'avais l'impression qu'il pensait à autre chose... »

Trop vaniteux pour avouer sa faiblesse, il avala deux nouvelles pilules et se précipita vers le salon Argent [188].

Quelques minutes plus tard, c'était le drame. Écoutons encore Maurice Paléologue :

« Vers six heures trois quarts, Le Gall, qui montait docilement sa piteuse faction à la porte du cabinet présidentiel, croit discerner des cris étranges, des cris oppressés qui viennent du boudoir. Il s'approche, puis, ne doutant plus d'un malheur, il se décide à forcer la porte de la chambre close.

» Et que voit-il ? Le président évanoui, foudroyé, dans le dévêtement le plus significatif ; près de lui, toute nue, Mme Steinheil hurlante, délirante, convulsée par une crise de nerfs. Avant d'appeler au secours, il veut rétablir un peu d'ordre. Mais, outre que Mme Steinheil se débat dans les spasmes et les contorsions, le président lui tient les cheveux entre ses doigts crispés• »

Il fallut couper la mèche. Puis Le Gall se tourna vers Meg qui se rhabillait en pleurant :

— Fuyez, dit-il, et qu'on ne vous revoie plus !

Elle disparut, abandonnant son corset qui fut conservé comme une relique par le directeur de cabinet...

Quelques instants plus tard, un prêtre arrivait. La légende veut qu'il ait demandé si le président « avait encore sa connaissance ». Un garde aurait alors répondu :

— Non, monsieur l'abbé, on l'a fait sortir par l'escalier de service...

Mais le mot semble trop beau pour être vrai...

Un journaliste de *L'Intransigeant,* à qui Le Gall avait fait des confidences, rapporta plus tard quelques détails supplémentaires qui permettent de compléter le tableau. Écoutons-le :

« Le président râlait sur un canapé-divan. Son visage était noir. L'explication de ce phénomène s'offrit tout de suite : il avait gardé son faux-col qui l'étranglait... On le fit sauter.

» Mme Steinheil avait le torse nu, les cheveux épars. Elle portait son jupon, ses bottines. Sa chemise, ses bas, son pantalon étaient sur le tapis. Son corset sur un fauteuil.

» Elle natta ses cheveux et les enfouit sous son chapeau. Elle fit un paquet de son linge, passa sa jupe et son corsage et, enveloppée dans un manteau de garde, la poitrine nue sous le corsage dégrafé, fut conduite jusqu'à une voiture. On reprit le manteau. On jeta l'adresse. Elle partit.

» On s'empressait autour du président. Il n'y avait pas grand-chose à faire disparaître (!), mais on dut attendre plus d'une heure avant de

---

188. Cf. Jean Bernard, *La Vie à Paris :* « Félix Faure est mort dans une crise sénile, ayant trop absorbé de la drogue à laquelle il demandait une force qui n'était pas de son âge. Il suffirait de consulter le pharmacien de la rue La Fayette où le vieillard glorieux s'approvisionnait. » Un journaliste fit cette enquête et découvrit la marque du « remontant ». Il s'agissait des « Bonbons du Vert Galant »...

pouvoir compléter sa toilette par suite d'un phénomène bien connu, et que Pétrone décrit dans le *Satiricon* au sujet d'une aventure semblable. Il faut savoir que la cantharide continue ses effets jusque dans l'agonie...»

Nous voilà loin de la version officielle donnée par la presse gouvernementale, et de l'image édifiante d'un chef d'État s'éteignant dignement entre sa femme et sa fille...

Ainsi, le « Président Soleil » amoureux du faste et du panache était donc mort dans des circonstances bouffonnes qui allaient exciter pour longtemps la verve des chansonniers.

Des mots couraient dans Paris :

« Il voulait être César, il est mort Pompée... »

Quant à Mme Steinheil, de mauvais esprits la surnommèrent « la Pompe funèbre »...

Et l'on riait du Tortoni au Café de la Paix !

C'est alors qu'un nouveau bruit circula dans la capitale : Félix Faure n'était pas mort d'un excès d'aphrodisiaque, mais assassiné *par Mme Steinheil* qui aurait été l'instrument des Dreyfusards. Bruit dont se fit l'écho Édouard Drumont dans *La Libre Parole* : « Dalila, écrivait-il, était à la solde des Juifs », ajoutant : « la main gracieuse qui avait tendu à Faure on ne sait quelle délectation, imitait le geste de Caserio [189] levant son poignard emmanché d'un bouquet »...

Ces accusations furent reprises par de nombreux journaux et par quelques historiens, sans qu'aucun d'eux, toutefois, apportât la moindre preuve de ce qu'il avançait.

Il existe pourtant un témoignage, un seul, mais émanant d'un personnage absolument digne de foi. Voici ce qu'écrit André Galabru dans son ouvrage *L'assassinat de Félix Faure* :

« Le seul témoignage accusant Mme Steinheil d'avoir assassiné Félix Faure est celui, verbal, du général Jean-Baptiste Estienne, "le père des chars", à M. Henri Sicard qui, en 1895, avait été, en qualité de Maréchal des Logis au 17e d'Artillerie, l'ordonnance du capitaine Estienne. Rencontrant par hasard dans un train, en 1920, sur la ligne Bordeaux-Paris, son ancien ordonnance avec lequel il avait, dans le passé, souvent parlé de l'Affaire Dreyfus, le général lui aurait affirmé avoir enfin résolu l'énigme de la mort du président Faure. Ayant eu ultérieurement, au cours de sa carrière, l'occasion d'accéder à certains documents classés "secrets d'État", ceux-ci auraient révélé au général que Mme Steinheil avait bel et bien assassiné Félix Faure. Selon lui, un complot dreyfusard aurait décidé d'éliminer le président absolument opposé à la réhabilitation du capitaine Dreyfus. Mme Steinheil aurait été contactée et aurait accepté de jouer ce nouveau rôle de Judith auprès de l'Holopherne élyséen. Des médecins, membres du complot, l'auraient entraînée à pratiquer une piqûre avec une fine aiguille à un endroit précis du bulbe rachidien. »

---

189. Anarchiste qui avait assassiné le président Sadi Carnot, en 1894.

Témoignage qu'il faut prendre avec les précautions d'usage, mais que l'on ne peut ni ignorer, ni repousser a priori...

L'Exposition de 1900 et ses féeries électriques plongèrent Mme Steinheil dans l'ombre. Les journalistes avaient d'autres sujets à traiter, le public d'autres préoccupations, et l'on finit par oublier celle que Willy traitait d'« indécente de lit... »

Les grandes cocottes couvertes de diamants qui festoyaient chez Maxim's avec les grands ducs de Russie accaparaient alors l'attention des braves gens. Et sans doute le nom de Mme Steinheil n'eût-il plus été prononcé qu'à l'occasion de grivoiseries de fin de banquets si, neuf ans après la mort du Président Soleil, cette femme décidément marquée par le destin n'avait été l'héroïne d'un drame mystérieux qui allait alimenter de nouvelles rumeurs et faire renaître tous les soupçons...

Le 31 mai 1908, à l'aube, Meg était découverte par un de ses domestiques bâillonnée et ligotée sur son lit. Dans les chambres voisines gisaient les cadavres de son mari et de sa mère, Mme Japy.

Libérée, elle bredouilla en tremblant :

— J'ai été attaquée par trois hommes barbus vêtus de lévites et par une horrible femme rousse.

Interrogée par la police, et bientôt par M. Hamard, le chef de la Sûreté qui — fait exceptionnel — s'était dérangé en personne, elle s'embrouilla, donna des versions différentes du drame et finalement piqua une crise de nerfs.

Les contradictions de Mme Steinheil, et surtout le fait qu'elle ait été épargnée par ses agresseurs, ne semblèrent pas troubler M. Hamard qui, sans attendre les résultats de l'enquête, déclara à la presse qu'il s'agissait d'un drame familial ou crapuleux.

Cette conclusion hâtive étonna les journalistes qui se demandèrent si on ne leur cachait pas quelque chose et si l'affaire n'avait pas des ramifications politiques.

Soupçons qui se confirmèrent lorsqu'ils apprirent quelques jours plus tard que le 31 mai au petit matin, et *avant même que le double crime de l'impasse Ronsin ne soit connu,* M. Charles Dupuy (président du Conseil au moment de la mort de Félix Faure) s'était fait conduire au ministère de l'Intérieur d'où, presque aussitôt, il était ressorti en compagnie de Clemenceau (nouveau président du Conseil et ministre de l'Intérieur). Les deux hommes s'étaient alors rendus à la Sûreté, puis au Parquet, et Clemenceau avait chargé son ami et homme de confiance, M. Hamard, de prendre l'affaire en main... Toute cette agitation en haut lieu indiquait clairement qu'il ne s'agissait pas, comme on le disait, d'un simple crime « de rôdeurs ». Il y avait autre chose qui inquiétait le gouvernement et que l'on voulait cacher au public. Les journalistes eurent d'ailleurs bien vite l'impression que la police et la justice faisaient tout pour embrouiller l'affaire et finirent par penser qu'on se trouvait devant un crime politique lié à la mort de Félix Faure. Et certains, qui avaient appris par des familiers de l'Élysée que le président, quelques jours avant de disparaître, avait confié à Mme Steinheil des dossiers sur l'affaire Dreyfus, n'hésitaient pas à avancer que les auteurs du double crime s'étaient introduits dans la maison de l'impasse Ronsin pour reprendre ces documents. Quelques-uns allaient même jusqu'à dire que l'opération avait été organisée à l'instigation de Clemenceau, dreyfusard notoire...

Puis des mois passèrent, et si quelques journaux d'opposition n'avaient pas bataillé pour exiger la vérité, le dossier eût, sans doute, été classé. Poussée par cette campagne de presse, la justice procéda à un supplément d'enquête — du moins la fit-elle croire... Finalement le juge, que l'on accusa d'avoir été « aux ordres », conclut, *sans apporter aucune preuve,* à un crime crapuleux, et Mme Steinheil, accusée de complicité, fut arrêtée.

Elle passa en Cour d'assises en novembre 1909 et, malgré ses mensonges et ses contradictions, fut acquittée !

Les journalistes, cette fois, eurent l'impression que ce verdict imprévu récompensait Meg de son silence. « Voilà un acquittement opportun qui doit soulager bien des gens, écrivait le rédacteur de *L'Intransigeant.* En déclarant innocente cette femme sur laquelle pesaient les plus graves soupçons, les magistrats, du même coup, font taire toutes les rumeurs. Joli tour de passe-passe !... Rien n'a été éclairci et, pourtant, Mme Steinheil est libre. Que craignait-on qu'elle révélât si on l'avait condamnée ? »

De son côté, Armand Lanoux qui s'est intéressé à Mme Steinheil écrit :

« La belle Meg avait menti pour éviter une affaire d'État. Les rapports d'autopsie, dépourvus de véracité, furent imposés en haut lieu. Le procès lui-même fut une mise en scène où accusateurs et accusée jouaient des rôles distribués d'avance [190]... »

Dès qu'elle fut sortie de prison, Mme Steinheil se retira en Angleterre où elle épousa, en 1917, Robert Brook Campbell Scarlette, sixième baron Abinger, lord et pair du Royaume-Uni, qui, sans doute, n'aimait pas les femmes avec lesquelles on s'ennuie... Devenue lady, Meg fut pourtant une épouse modèle qui fit honneur à son mari et fut reçue à Buckingham Palace... Elle mourut en 1954, âgée de 85 ans, sans avoir rien révélé des secrets qu'elle détenait.

Alors, que conclure ?

Après Léonie Léon, accusée d'avoir tué Gambetta, et Mme de Bonnemains, soupçonnée d'avoir trahi Boulanger, faut-il voir en Mme Steinheil la meurtrière de Félix Faure ? On ne le saura sans doute jamais. Mais avouons que les hommes politiques de cette fin du xixᵉ siècle avaient bien des déboires avec les dames...

Avec la mort de Félix Faure, une période se terminait. Succédant à des présidents sans panache, il avait aidé la IIIᵉ République à « poser

190. Armand Lanoux, *Mme Steinheil ou la connaissance du président.*

une fesse sur le trône de France », selon l'expression de Kléber Haedens. La position, certes, était instable et bien des Français l'estimaient provisoire. Mais grâce à des dames légères, ambitieuses et intrigantes œuvrant dans les coulisses du régime, l'autre fesse n'allait pas tarder à rejoindre la première pour le plus grand confort du Corps législatif.

Dès lors, une Marianne agréable à contempler dans sa longue robe moulante allait symboliser ce pays qui, depuis mille ans, devait tout — le meilleur et le pire — aux Femmes et à l'Amour...

BIBLIOGRAPHIE

Livre VI

QUAND L'AMOUR ÉTAIT « SANS-CULOTTE »

ABRANTÈS (Duchesse d') : *Mémoires.*
— *Histoire des salons de Paris.*
ALBIN (Pierre) : *Mme Tallien et ses amoureux.*
ALMÉRAS (Henri d') : *Charlotte Corday.*
— *L'amour dans les prisons.*
— *Autour de l'échafaud.*
— *La tyrannie démocratique pendant la Révolution.*
AUBRY (Octave) : *La vie privée de Napoléon.*
AUGUSTIN-THIERRY (A.) : *Un amour inconnu de Bonaparte.*
BACHAUMONT : *Mémoires secrets.*
BAINVILLE (Jacques) : *Histoire de France.*
BALTE (M. de) : *Mémoires d'un émigré.*
BARRAS : *Mémoires.*
BARREAU (J.-M.) : *Souvenirs d'un soldat de l'an II.*
BARTHÉLEMY : *La Révolution et ceux qui l'ont faite.*
BAUMANN (Émile) : *Marie-Antoinette et Axel Fersen.*
BENOIST (Charles) : *Marat à la Convention.*
BERTAUT (Jules) : *Les belles émigrées.*
BEUGNOT : *Mémoires.*
BLANC (Louis) : *Histoire de la Révolution.*
BONAPARTE (Napoléon) : *Manuscrits inédits, publiés par Frédéric Masson.*
BOUILLÉ (Baron de) : *Mémoires.*
BOURRIENNE : *Mémoires.*
BREUIL (M. de) : *Mémoires.*
BRICE (Augustin) : *Mme de Buffon.*
BRICE (Raoul) : *Les femmes et les armées de la Révolution et de l'Empire.*
BRISSOIN (M. de) : *Mémoires.*
BRISSOT : *Mémoires.*
CABANÈS (Docteur) : *Les indiscrétions de l'Histoire.*
— *Les névroses révolutionnaires.*
— *Marat inconnu.*
CAMPAN (Mme) : *Mémoires.*
CASTELNEAU (Jacques) : *Mme Tallien.*
CASTELOT (André) : *Marie-Antoinette.*
— *La tragédie de Varennes.*
— *Philippe-Égalité, le Prince rouge.*
CHÈVREMONT (F.) : *J.-P. Marat, esprit politique.*
DARBOIS (Julien) : *Mme de Genlis amoureuse.*
DARD (Émile) : *Un rival de Fersen.*

DAUDET (Ernest) : *Le roman d'un conventionnel.*
DAVIN (Emmanuel) : *Bonaparte et l'Américaine Charlotte Midelton à Toulon, en 1793.*
DECASSE (Paul) : *Robespierre et la Terreur.*
DESTOUR (Joseph) : *La Révolution à Louveciennes.*
DORIS : *Les amours secrètes de Napoléon et des princes et princesses de sa famille, d'après les documents historiques de M. de B., 1815.*
DREYFOUS (Maurice) : *Les grandes femmes de la Révolution.*
DUCREST (Mme) : *Mémoires sur l'impératrice Joséphine.*
DURUY (Victor) : *Histoire de France.*
DUVAL (Georges) : *Souvenirs de la Terreur, de 1789 à 1793.*
ELLIOTT (Mme) : *Mémoires sur la Révolution française.*
FERRUS (Maurice) : *Mme Tallien.*
FERSEN (Axel) : *Journal.*
FISHER (Carlos) : *Les Salons. (La vie au XVIIIᵉ siècle.)*
FLEISCHMANN (Hector) : *Les coulisses du Tribunal révolutionnaire.*
— *Les secrets de la Terreur.*
— *Robespierre et les femmes.*
— *Marat et sa maîtresse.*
— *Les filles publiques sous la Terreur.*
— *La guillotine en 1793.*
FLEURY (Éd.) : *Camille Desmoulins et Roch-Mercandier.*
FLINS (Comte de) : *Mémoires.*
FRENILLY (Baron de) : *Mémoires.*
FUNCK-BRENTANO : *Marat ou le Mensonge des mots.*
GABORY (Émile) : *Les femmes dans la tempête. Les Vendéennes.*
GASTINE (Louis) : *La Belle Tallien.*
— *Les jouisseurs de la Révolution.*
GAXOTTE (Pierre) : *La Révolution française.*
GONCOURT (J. et Éd. de) : *La femme au XVIIIᵉ siècle.*
GUINDEAU (Pierre) : *La vie privée de M. de Charette.*
HÉNARD (Robert) : *La rue Saint-Honoré, de la Révolution à nos jours.*
HOUSSAYE (Arsène) : *Notre-Dame de Thermidor.*
HUISMAN (Georges) : *La vie privée de Mme Roland.*
JACOB (Louis) : *Fabre d'Églantine, chef des « Fripons ».*
JOINARD (Roland) : *Les femmes-soldats pendant la Révolution.*
JOURDAN (Pierre) : *L'amour sous la Terreur.*
KAGENEK (M. de) : *Correspondance.*
LACOUR (Léopold) : *Trois femmes de la Révolution.*
LACRETELLE : *Précis historique de la Révolution française.*
LAIRTULLIER (E.) : *Les femmes célèbres de 1789 à 1795 et leur influence dans la Révolution.*
LAMARTINE (Alphonse de) : *Histoire des Girondins.*
LANGLADE (Émile) : *La marchande de modes de Marie-Antoinette, Rose Bertin.*
LAPORT (Georges) : *La vie trépidante de Théroigne de Méricourt.*
LAS CASES : *Mémorial de Sainte-Hélène.*
LAURENTI (Joseph) : *Journal.*
LECOUR (Paul) : *Les femmes et la Révolution.*
LENOTRE (G.) : *Un conspirateur royaliste pendant la Terreur : le baron de Batz.*
— *La Révolution par ceux qui l'ont vue.*
LEROY (Alfred) : *Mme du Barry.*
LEROY (Pierre) : *Bonaparte et Émilie Laurenti.*

LÉVIS (Duc de) : *Mémoires*.

MAHUL : *Annuaire nécrologique*.

MARAIS : *Rapports journaliers*.

MARCILLY (Joseph de) : *Les femmes et Napoléon*.

MASSON (Frédéric) : *Napoléon et les femmes*.

MATHIEZ (A.) : *Girondins et Montagnards*.

MATON DE VARENNES : *Histoire particulière des événements qui ont eu lieu en France pendant les mois de juin, juillet, août et septembre 1792*.

MERCIER (J.-Sébastien) : *Nouveau Paris*.

— *Paris pendant la Révolution*.

MICHELET : *Les femmes et la Révolution*.

MITTON (Fernand) : *Les femmes et l'adultère, de l'Antiquité à nos jours*.

MONJOIE : *Histoires de la conjuration de L.-P. d'Orléans, surnommé Égalité, 1800*.

MONTGAILLARD (Comte de) : *Souvenirs*, publiés par Clément de Lacroix.

NABONNE (Bernard) : *La vie privée de Robespierre*.

NEUILLY (Comte de) : *Mémoires*.

OUVRARD : *Mémoires*.

PALATINE (Princesse) : *Mémoires*.

PEREY (Lucien) : *La fin du XVIIIᵉ siècle*.

PERREAU (Antoine) : *Camille Desmoulins et les dantonistes*.

PIGNET (André) : *Mme de Bellegarde et Hérault de Séchelles*.

POUGET DE SAINT-ANDRÉ : *Les auteurs cachés de la Révolution française*.

PRÉRION (J.-B.) : *Mémoires*.

PRIVAT (Arsène) : *Tallien et la Terreur à Bordeaux*.

PRUDHOMME : *Histoire générale et impartiale des erreurs, des fautes et des crimes pendant la Révolution française, 1797*.

— *Journal des Révolutions de Paris*.

ROBESPIERRE (Charlotte) : *Mémoires*.

ROLAND (Mme) : *Mémoires particuliers*.

ROUSSEL D'ÉPINAL : *Correspondance amoureuse de Fabre d'Églantine, 1796*.

SAVANT (Jean) : *Les amours de Napoléon*.

— *Tel fut Napoléon*.

SÉNART : *Mémoires*.

SONOLET (Louis) : *Mme Tallien*.

THIARD : *Souvenirs*.

THIÉBAULT (Général) : *Mémoires, 1893*.

TISSEAU (Paul) : *Une comédienne sous la Révolution : Marie-Élisabeth Joly*.

TISSOT (Docteur) : *L'art de faire des garçons ou Nouveau tableau*.

TRAHARD (Pierre) : *La sensibilité révolutionnaire*.

TRINTZIUS (René) : *Charlotte Corday*.

TURQUAN (Joseph) : *Les femmes et l'émigration*.

— *Les favorites de Louis XVIII*.

— *Napoléon amoureux*.

VALLOTON (Henry) : *Marie-Antoinette et Fersen*.

VAUBLANC (Comte de) : *Mémoires*.

VIBERT (Léon) : *Au temps de la Carmagnole*.

VIVIE (Aurélien) : *Histoire de la Terreur à Bordeaux*.

WALLON : *Les représentants du peuple en mission*.

WALTER (Gérard) : *Marat*.

WILCOCKS (Miss) : *Mme Roland, l'idole des Girondins*.

Anonymes

De la luxure considérée comme un crime contre la Nation, 1791.
Journal d'un bourgeois de Paris sous le Directoire.
Le révolutionnaire qui rêvait d'être roi.
Le Journal de la Cour et de la ville.
La chronique scandaleuse sous la Révolution.
La chronique secrète.
Les sérails de Londres ou Amusements nocturnes, 1801.
Almanach des prisons.
Almanach des adresses des demoiselles de Paris, 1792.
La Révolution en vaudevilles, par le citoyen P..., an III.
Le chansonnier de la Montagne, an II.
Le Moniteur, 1792-1795.
L'Ami du Peuple.
Archives parlementaires de 1787 à 1860.
Archives nationales, carton 500.

Livre VII

NAPOLÉON ET LES FEMMES

ABRANTÈS (Duchesse d') : *Mémoires.*
ADELIN (Pierre) : *Joséphine et ses amants.*
ALMÉRAS (Henri d') : *La vie parisienne sous le Consulat et l'Empire.*
— *Barras et son temps.*
— *Une amoureuse : Pauline Bonaparte.*
ANDRIEU (Pierre) : *Napoléon à Milan.*
ARNAULT (Louis-Vincent) : *Souvenirs d'un sexagénaire.*
AUBRY (Octave) : *La vie privée de Napoléon.*
AUGUSTIN-THIERRY (A.) : *Mademoiselle George, maîtresse d'Empereur.*
AVRILLON (Mlle) : *Mémoires de la première femme de chambre de l'Impératrice.*
BAINVILLE (Jacques) : *Napoléon.*
BARRAS : *Mémoires.*
BAUSSET (M. de) : *Mémoires anecdotiques sur l'intérieur du palais et sur quelques événements de l'Empire, depuis 1805 jusqu'au 1er mai 1814, pour servir à l'histoire de Napoléon.*
BEAUCHAMP (Alphonse de) : *Mémoires secrets et inédits.*
BEAUMONT-VASSY (Vicomte de) : *Mémoires secrets du XIXe siècle*, 1874.
BERTRAND (Général) : *Cahiers de Sainte-Hélène.*
BEUGNOT : *Mémoires.*
BLAZE : *Mémoires d'un apothicaire.*
BOISARD (Léon) : *Napoléon et ses sœurs.*
BOIVIN (Étienne) : *L'amour aux Tuileries.*
BONAPARTE (Joseph) : *Mémoires.*
BONAPARTE (Lucien) : *Mémoires.*
BOUILLÉ (Baron de) : *Mémoires.*
— *Chronique scandaleuse sous l'Empire.*
BOUILLET (Pierre) : *Joséphine et l'amour.*
BOURRIENNE : *Mémoires.*

BRICE (Raoul) : *Les femmes et les armées de la Révolution et de l'Empire.*
BROGLIE (Duc de) : *Souvenirs.*
CABANÈS (Docteur) : *Dans l'intimité de l'Empereur.*
CAULAINCOURT : *Mémoires.*
CHARLES-ROUX (François) : *Bonaparte gouverneur d'Égypte.*
CONSTANT : *Mémoires.*
COUSIN D'AVALLON : *Bonapartiana.*
DESCHAMP (Léonce) : *Pauline Fourès, Notre-Dame de l'Orient.*
DOGUEREAU (Général) : *Journal de l'expédition d'Égypte.*
DORIS : *Les amours secrètes de Napoléon et des princes et princesses de sa famille, d'après les documents historiques de M. de B.,* 1815.
DUCREST (Georgette) : *Mémoires sur l'Impératrice Joséphine.*
DUPONT (Marcel) : *Pauline Fourès.*
DURUY (Paul) : *La souveraine d'Orient,* 1887.
FAVRE (Louis) : *Histoire du Palais du Luxembourg.*
FLEISCHMANN (Hector) : *Napoléon adultère.*
— *Joséphine infidèle.*
— *Napoléon et l'amour.*
— *Bâtard d'Empereur.*
— *L'épopée du sacre.*
FLEURIOT DE LANGLE : *Elisa.*
FOUCHÉ : *Mémoires.*
GARROS (Louis) : *Itinéraire de Napoléon Bonaparte.*
GAVOTY (André) : *Les amoureux de l'Impératrice Joséphine.*
— *La Grassini.*
GEORGE (Mlle) : *Mémoires.*
GIROD DE L'AIN (Gabriel) : *Désirée Clary.*
GOLDSMITH (Lewis) : *Histoire secrète du Cabinet de Napoléon Buonaparte et de la Cour de Saint-Cloud,* Londres, 1814.
GONNEVILLE (Colonel) : *Souvenirs militaires.*
GOURGAUD (Général baron) : *Journal de Sainte-Hélène.*
GRANDMAISON (Geoffroy de) : *Napoléon en Espagne.*
GUILLON (E.) : *Un trottin de l'an VII : Histoire de l'armée d'Égypte. Grande Revue,* novembre 1899.
HASTIER (Louis) : *Le grand amour de Joséphine.*
HAUTERIVE (Ernest de) : *La police secrète du premier Empire.*
HÉRISSON (Comte d') : *Le Cabinet noir.*
— *Souvenirs intimes et notes du baron Mounier, secrétaire de Napoléon Ier, pair de France, directeur général de la police.*
HERRIOT (Édouard) : *Madame Récamier et ses amis.*
HORTENSE (reine) : *Mémoires.*
JOLLOIS (Jean-Baptiste-Prosper) : *Journal d'un ingénieur attaché à l'expédition d'Égypte.* Publié par Lefèvre-Pontalis, 1904.
JOURDAN (Docteur Pierre) : *La complexion amoureuse de Bonaparte.*
LABOUISSE-ROCHEFORT : *Souvenirs et Mélanges.*
LACHOUQUE (Commandant Henri) : *Bonaparte et la Cour consulaire.*
— *Napoléon et la garde impériale.*
LACRETELLE (Pierre de) : *Secrets et malheurs de la reine Hortense.*
LAMOTHE-LANGON (Comte de) : *Les après-dîners de Cambacérès.*
LAS CASES : *Mémorial de Sainte-Hélène.*
LAVALETTE (Comte de) : *Mémoires et souvenirs du comte de Lavalette, ancien aide de camp de Napoléon.*

LECOMTE : *Mémorial ou Journal historique et anecdotique de la Révolution de France*, 1801.

LÉGER (Charles) : *Balzac mis à nu, et les dessous de la société romantique, d'après les Mémoires inédits d'un romantique.*

LENOTRE (G.) : *Napoléon, croquis de l'épopée.*

— *En suivant l'Empereur.*

LÉVY (Arthur) : *Napoléon intime.*

— *Les dissentiments de la famille impériale.*

— *Un grand profiteur de guerre : Ouvrard.*

LOMBROSO : *Lettres de Murat.*

MADELIN (Louis) : *Napoléon.*

MAIGNE : *Journal anecdotique de Mme Campan.*

MARBOT (Général baron de) : *Mémoires.*

MARMONT (Maréchal) : *Mémoires.*

MASSON (Frédéric) : *Napoléon et les femmes.*

— *Madame Bonaparte.*

— *Joséphine répudiée.*

MAUGUIN (Georges) : *L'Impératrice Joséphine.*

MICHELET (Jules) : *Origine des Bonaparte.*

MOLE : *Mémoires.*

MOLLIEN : *Mémoires.*

MONTGAILLARD (Comte de) : *Souvenirs.*

NABONNE (Bernard) : *Bernadotte.*

NAPOLÉON Ier : *Correspondance.*

NETON (Albéric) : *Sieyès.*

OLIVIER (Albert) : *Le 18 Brumaire.*

ORNANO (Comte d') : *Marie Walewska.*

PARNES (Roger de) : *Le Directoire. Portefeuille d'un Incroyable.*

PASQUIER (Chancelier) : *Mémoires.*

PENEAU (Adolphe) : *Napoléon en Italie.*

PERSAING (M. de) : *Mémoires.*

PINGAUD (Léonce) : *Bernadotte et Napoléon.*

PONTHIER (Gustave) : *Les rues de Paris sous le Consulat et l'Empire*, 1890.

RAVINE (M. de) : *Mémoires sur Napoléon et Joséphine*, 1830.

REDHEAD YORKE (Henri) : *Paris et la France sous le Consulat.*

RÉGIS (Roger) : *Napoléon Ier.*

RÉMUSAT (Mme de) : *Mémoires.*

RICARD (Général de) : *Mémoires.*

ROBIQUET (Jean) : *La vie quotidienne au temps de Napoléon.*

ROEDERER : *Bonaparte me disait.*

ROUSSET : *Grand combat au bois de Boulogne entre deux députés, un entrepreneur, un fournisseur de la République et un architecte, pour des propos tenus contre Buonaparte qu'on disait être embaumé par les Égyptiens et envoyé en France pour figurer en momie au Cabinet d'Histoire naturelle.*

ROUSTAN : *Souvenirs d'un mameluk de l'Empereur.*

SAINT-AMAND (Imbert de) : *La jeunesse de l'Impératrice Joséphine.*

— *La citoyenne Bonaparte.*

— *La femme du Premier Consul.*

— *La Cour de l'Impératrice Joséphine.*

— *Les souveraines des Tuileries.*

SAINTE-FOIX (Antoine de) : *Napoléon et le théâtre.*

SAINT-GEORGES DE BOUHÉLIER : *Napoléon, grandeurs et misères.*

SAVANT (Jean) : *Tel fut Napoléon.*
— *Tel fut Barras.*
— *Les amours de Napoléon.*
— *Les ministres de Napoléon.*
— *Les espions de Napoléon.*
— *Napoléon et Joséphine.*
— *Napoléon raconté par les témoins de sa vie.*
— *Les fonds secrets de Napoléon.*
SAVINE (Albert) : *L'abdication de Bayonne.*
SOUBEILLE (Baron de) : *Mémoires.*
STENGER (Gilbert) : *La société française sous le Consulat.*
SYLVAIN (Albert) : *Napoléon et la sexualité.*
TALLEYRAND : *Mémoires.*
TARTARY (Madeleine) : *Sur les traces de Napoléon.*
TERRASSE (Charles) : *Napoléon à Fontainebleau.*
THIARD (M. de) : *Mémoires.*
THIBAUDEAU (A.-C.) : *Mémoires.*
THIÉBAULT (Général baron) : *Mémoires.*
TURQUAN (Joseph) : *Napoléon amoureux.*
— *La générale Junot, duchesse d'Abrantès.*
— *Les sœurs de Napoléon.*
— *Le monde et le demi-monde sous le Consulat et l'Empire.*
— *La générale Bonaparte.*
— *L'Impératrice Joséphine.*
VANDAL (Albert) : *Napoléon et Alexandre Ier.*
VILLEDIEU (Marquis de) : *Souvenirs.*
VOX (Maximilien) : *Napoléon.*

Anonymes

Chronique secrète du Directoire.
Le lit de Napoléon.
Napoléon en vaudevilles.
Les « on-dit » de l'Empire.
L'Arlequin impérial.
Paris, Saint-Cloud et les départements ou Buonaparte, sa famille et sa Cour.
   Recueil d'anecdotes relatives aux personnages qui ont figuré depuis le commencement de la Révolution française, par un chambellan forcé de l'être, 1820.
Chronique scandaleuse du premier Empire.
Discours en chansons sur M. Napoléon Bonaparte, empereur des Français, et quelques dames de sa compagnie habituelle.
Copy of original letters from the army of general Bonaparte in Egypt, intercepted by the fleet under the command of admiral lord Nelson with an English translation.
Bulletin politique de Paris et des départements, an IV.
Revue *Napoléon.*
Archives Nationales, F. VII, 3830.

Livre VIII

L'AMOUR SOUS L'EMPIRE

ABRANTÈS (Duchesse d') : *Mémoires.*
ALMÉRAS (Henri d') : *Une amoureuse : Pauline Bonaparte.*
ARMAILLÉ (Comtesse d') : *Une fiancée de Napoléon : Désirée Clary, reine de Suède.*
ARNAULT (A.-V.) : *Souvenirs d'un sexagénaire,* 1833.
AUBRY (Octave) : *Napoléon et l'amour.*
— *Vie privée de Napoléon.*
— *Le roi de Rome.*
AUDIN (Pierre) : *Pauline Bonaparte.*
AUGUSTIN-THIERRY (A.) : *Notre-Dame des Colifichets : Pauline Bonaparte.*
BACHAUMONT : *Mémoires secrets.*
BAINVILLE (Jacques) : *Napoléon.*
BALCOMBE (Betzy) : *Souvenirs.*
BARRAS : *Mémoires.*
BARTEL (Paul) : *Napoléon à l'île d'Elbe.*
BEAUMONT-VASSY (Vicomte de) : *Mémoires secrets du XIXᵉ siècle.*
BELLIARD (Général) : *Mémoires.*
BERRY (Duchesse de) : *Mémoires.*
BERTAUT (Jules) : *La vie aventureuse de Louis XVIII.*
— *Napoléon ignoré.*
BERTHELOT (Pierre) : *La mission secrète de Marie Walewska.* Article de la Revue des Lettres. Avril 1924.
BERTRAND (Général) : *Cahiers de Sainte-Hélène (déchiffrés et annotés par Fleuriot de Langle).*
BERTRAND (Jules) : *Napoléon et la campagne de France.*
BIBESCO (Princesse) : *Introduction aux Mémoires d'Émilie de Pellapra.* Revue des Deux Mondes, 15 mars 1921.
BILLARD (Max) : *Les maris de Marie-Louise.*
— *La conspiration du général Mallet.*
BLAYS (Baron de) : *Mémoires.*
BONAPARTE (Napoléon) : *Virilités.*
BRO (Général) : *Mémoires.*
CABANÈS (Docteur) : *Au chevet de l'Empereur.*
CAHUET (Albéric) : *Sainte-Hélène, petite île.*
CAMPBELL (William) : *Confessions d'un homme heureux.*
CASTAING (M. de) : *Madame du Cayla, favorite de Louis XVIII.*
CASTELLANE (Maréchal de) : *Journal.*
CASTELOT (André) : *L'Aiglon.*
— *La duchesse de Berry.*
CAULAINCOURT (Général, duc de Vicence, grand écuyer de l'Empereur) : *Mémoires.*
CONSTANT : *Mémoires.*
DESPEAU (Gérard) : *Le rôle politique de Marie-Louise.*
DORIS : *Les amours de Napoléon et des princes et princesses de sa famille,* 1842.
DURAND (Général) : *Napoléon et Marie-Louise.*
ESPITALIER (Albert) : *Napoléon et le roi Murat.*
EYMERY : *Dictionnaire des Girouettes.*
FABRE (Marc-André) : *La duchesse de Berry.*

FLEISCHMANN (Hector) : *Joséphine infidèle*.
— *Napoléon et l'amour*.
— *Marie-Louise libertine*.
— *Napoléon adultère*.
FLEURIOT DE LANGLE : *La Paolina, sœur de Napoléon*.
— *Napoléon et son geôlier*.
FOUCHÉ : *Mémoires*.
GACHOT (Édouard) : *Marie-Louise intime*.
GANIÈRE (Docteur Paul) : *Napoléon à Sainte-Hélène*.
GARROS (Louis) : *Itinéraire de Napoléon Bonaparte*.
GAVOTY (André) : *Émilie de Pellapra n'est pas la fille de Napoléon*. Revue de l'Institut Napoléon. N° 35. Avril 1950.
GIROD DE L'AIN (Gabriel) : *Désirée Clary*.
GOLDSMITH (Lewis) : *Histoire secrète du Cabinet de Napoléon Bonaparte*. 1815.
GOURGAUD (Général baron) : *Journal de Sainte-Hélène*.
HALLAYS (A.) : *En flânant à travers Paris*.
HÉRISSON (Comte d') : *Le Cabinet noir (d'après les papiers de Mounier fils du conventionnel et ancien secrétaire de Napoléon)*.
HORTENSE (Reine) : *Mémoires*.
HUGO (Victor) : *Choses vues*.
JUSTINE (M. de) : *Chronique scandaleuse sous la Restauration*.
KIELMANNSEGGE (Comtesse de) : *Mémoires*.
LABRELIE DE FONTAINE (bibliothécaire de S.A.S. Mme la Duchesse douairière d'Orléans, 1831) : *Révélation sur l'existence de Louis XVII, duc de Normandie*.
LA FORCE (Duc de) : *Dames d'autrefois*.
LAMOTHE-LANGON (Comte de) : *Les après-dîners de Cambacérès*.
LA ROCHEFOUCAULD (Sosthène de) : *Mémoires*.
LAS CASES : *Mémorial de Sainte-Hélène*.
LEHODEY DE SAULTCHEVREUIL : *Histoire de la régence de l'impératrice Marie-Louise et de deux gouvernements provisoires, 1814*.
LEJEUNE (Général) : *Mémoires*.
LEMONNIER-DELAFOSSE : *Seconde campagne de Saint-Domingue, précédée de souvenirs historiques et succincts de la première campagne, 1846*.
LÉVY (Arthur) : *Napoléon intime*.
— *Les dissentiments de la famille impériale*.
LOLIÉE (Frédéric) : *Talleyrand et la Société européenne*.
LUCAS-DUBRETON (J.) : *Louis XVIII*.
— *Le maréchal Ney*.
MADELIN (Louis) : *Napoléon*.
— *Lettres inédites de Napoléon à Marie-Louise*. 1810-1814.
MAHAN (Alexandre) : *Marie-Louise, la Némésis de Napoléon*.
MAITLAND (F.L.) : *Napoléon à bord du « Bellérophon »*.
MARBOT : *Mémoires*.
MARCHAND : *Mémoires*.
MARIE-LOUISE : *Correspondance (1799-1847)*.
MASSON (Frédéric) : *Napoléon et les femmes*.
— *Joséphine répudiée*.
— *L'impératrice Marie-Louise*.
MAUGUIN (G.) : *L'impératrice Joséphine*.
MÉNEVAL (Baron de) : *Napoléon et Marie-Louise. Souvenirs historiques*. 1845.
MISSOFFE (Michel) : *Le cœur secret de Talleyrand*.
MONTHOLON : *Récit de la captivité de l'Empereur Napoléon à Sainte-Hélène*.

NABONNE (Bernard) : *Pauline Bonaparte*.
NADAILLAC (Marquise de, Duchesse d'Escars) : *Mémoires*.
NEIPPERG (Alfred de) : *Mémoires*. 1831.
ORNANO (Comte d') : *Marie Walewska, l'épouse polonaise de Napoléon*.
PASQUIER (Chancelier) : *Mémoires*.
PASSARD (Docteur) : *Napoléon et l'amour*.
PELLAPRA (Mme de) : *Mémoires* (inédits).
PERRAULT (Jules) : *Les Bonaparte à Marseille*.
PERRET (Édouard) : *La dernière favorite des rois de France : Mme du Cayla*.
PEYRRUSSE : *Mémoires*.
PLATEL (Armand) : *Jules Janin et Alexandre Dumas*.
PRAVIEL (Armand) : *Vie de S.A.R. la Duchesse de Berry*.
RICARD (Général) : *Autour des Bonaparte, Fragments de Mémoires*. 1891.
ROBIQUET (Jean) : *La vie quotidienne au temps de Napoléon*.
ROLLET (Docteur Hermann) : *Neue Beitrage zur Chronik der Stadt Baden bei Wien*.
ROUX (M. de) : *La Restauration*.
SABOURET (André) : *Les agents secrets de Napoléon Ier*.
SAINT-AMAND (Imbert de) : *Marie-Louise et la décadence de l'Empire*.
— *Marie-Louise et l'invasion 1814*.
SAINT-ELME (Ida de) : *Mémoires d'une contemporaine*.
SALGUES : *Mémoires pour servir à l'Histoire de France sous le gouvernement de Napoléon Bonaparte*.
SAVANT (Jean) : *Les amours de Napoléon*.
— *Tel fut Napoléon*.
— *Napoléon et Joséphine*.
SAVRARD (Jean-René) : *En suivant Napoléon*.
STENGER (Gilbert) : *Grandes dames du XIXe siècle. Chronique de la Restauration*.
THIÉBAULT (Général) : *Mémoires*.
THOU (M. de) : *Marie-Louise*.
TOURNIER (Léonide) : *Marie-Louise et Neipperg*. 1892.
TURQUAN (Joseph) : *Les sœurs de Napoléon*.
— *L'impératrice Joséphine*.
— *Les favorites de Louis XVIII*.
VAUXBELLE (M. de) : *Louis XVIII et les femmes*.
VÉRON (Docteur) : *Mémoires d'un bourgeois de Paris*.
VILLEMAREST : *Souvenirs d'un inconnu*.
VIVENT (Jacques) : *Charles X, dernier roi de France*.
VOX (Maximilien) : *Napoléon*.
WALTBURG-TRUCHSESS : *Journal*.

Anonymes

Biographie des dames de la Cour, par un valet de chambre congédié. 1826.
Chronique secrète de l'île d'Elbe.
Pamphlets royalistes. 1814.
Paris, Saint-Cloud et les départements ou Bonaparte, sa famille et sa Cour, par un chambellan forcé de l'être. 1820.
La vie de Nicolas (chanson).
Chronique scandaleuse de l'Empire.

LIVRE IX

LA RESTAURATION GALANTE

ALLART (Hortense) : *La femme et la démocratie de nos temps.*
ALLEM (Maurice) : *La vie quotidienne sous le second Empire.*
ALMÉRAS (Henri d') : *La vie parisienne sous la Restauration.*
— *La vie parisienne sous Louis-Philippe.*
— *La vie parisienne sous la République de 1848.*
ANDRÉ-MAUROIS (Simone) : *Miss Howard, la femme qui fit un empereur.*
APPONYI (Comte Rodolphe) : *Journal.*
ARNAUD (Raoul) : *L'égérie de Louis-Philippe : Adélaïde d'Orléans.*
AUBERT (Jean) : *De quoi vivait Thiers.*
AUBRY (Octave) : *L'impératrice Eugénie.*
— *Le second Empire.*
AUFFRAY (Ernest) : *Louis-Napoléon à Londres.*
BAC (Ferdinand) : *Napoléon III inconnu.*
BEAUMONT-VASSY (Vicomte de) : *Mémoires secrets du XIXᵉ siècle.*
BELLEVILLE (Adolphe de) : *Les secrets de Saint-Leu.* 1831.
BERARD : *Les cancans politiques.*
BERNARDY (Françoise de) : *La duchesse de Dino.*
BERRY (Duchesse de) : *Mémoires,* publiés par Alfred Nettement.
BERTAUT (Jules) : *Le roi bourgeois.*
— *Amoureuses et femmes galantes.*
— *Napoléon III secret.*
BLAYE (M. de) : *Souvenirs d'une époque.*
BOIN (Florent) : *Napoléon III intime.*
BOULENGER (Jacques) : *Sous Louis-Philippe : les dandys.*
— *Sous Louis-Philippe : le Boulevard.*
— *Les Tuileries sous le second Empire.*
BRUYS (Victor) : *La duchesse de Berry.*
BURNAND (Robert) : *La vie quotidienne en France en 1830.*
— *Napoléon III et les siens.*
— *L'attentat de Fieschi.*
— *Marie-Amélie.*
CABANES (Docteur) : *Les indiscrétions de l'Histoire.*
— *Les Condés.*
CASTELOT (André) : *La duchesse de Berry.*
CASTILLON DU PERRON (Marguerite) : *La princesse Mathilde.*
CHAINE (Pierre) : *Le duc assassin. L'affaire Choiseul-Praslin.*
CHANLAINE (Pierre) : *Un grand dandy : le comte d'Orsay.*
CHRISTOPHE (Robert) : *Le duc de Morny.*
CRESSARDS (Alphonse) : *Souvenirs d'une époque.*
CUSSY (Chevalier de) : *Souvenirs.*
DANCETTE (Adrien) : *Deuxième République et second Empire.*
— *Les amours de Napoléon III.*
DECAUX (Alain) : *Amours du second Empire.*
— *De l'Atlantide à Mayerling.*
DELECLUZE (E.-J.) : *Journal (1824-1828).*
DERMONCOURT (Général) : *La Vendée et Madame la duchesse de Berry.*
DINO (Duchesse de) : *Chronique de 1831 à 1862.*
DOMINIQUE (Pierre) : *Louis-Napoléon et le coup d'État du 2 décembre.*
— *Les journées de 48.*

DOSNE (Madame) : *Mémoires*, publiés par Henri Malo.

DU CAMP (Maxime) : *Souvenirs littéraires*.

— *Souvenirs de l'année 1848*.

EMERIT (Marcel) : *Madame Cornu et Napoléon III*.

— *Lettres de Napoléon III à Mme Cornu*.

EUGÉNIE (Impératrice) : *Lettres familières* (publiées par les soins du duc d'Albe).

EVANS (Docteur Thomas) : *Mémoires*.

FABRE (Marc-André) : *La duchesse de Berry, la Marie Stuart vendéenne*.

FAUCIGNY-LUCINGE (Prince de) : *Dans l'ombre de l'Histoire*.

FAYE (Jacques de la) : *La princesse Mathilde*.

FILON (Augustin) : *Mérimée et ses amis*.

FLEISCHMANN (Hector) : *Le roi de Rome et les femmes*.

— *Marie-Louise libertine*.

— *Napoléon III et les femmes*.

FLEURY (Général comte) : *Souvenirs*.

FLEURY (Général comte) et SOGNOLET (Louis) : *La société du second Empire*.

GERMAIN (André) : *Les grandes favorites. 1815-1840*.

GIRARD (Georges) : *Les Trois Glorieuses*.

GORSSE (Pierre de) : *Aimables inconstantes*.

GUIBOURG : *Relation de l'arrestation de Madame la duchesse de Berry*.

GUIZOT : *Correspondance*.

HERMANT (Abel) : *Eugénie, impératrice des Français*.

HOUSSAYE (Arsène) : *Les Confessions. Souvenirs d'un demi-siècle. 1830-1880*.

HÜBNER (Comte de) : *Neuf ans de souvenirs d'un ambassadeur d'Autriche à Paris sous le second Empire*.

HUGO (Victor) : *Choses vues*.

JOLIVET (Simon) : *La jeunesse de Napoléon III*.

LABRACHERIE (Pierre) : *Il y a toujours un reporter : le second Empire*.

LACRETELLE (Pierre de) : *Secrets et malheurs de la reine Hortense*.

LAFARGE (Th.-René) : *L'impératrice Eugénie et ses femmes*.

LAJOIE (Hilaire) : *Les bruits de Paris. 1848*.

LANO (Pierre de) : *Le secret d'un Empire : l'impératrice Eugénie*.

— *Le secret d'un Empire : Napoléon III*.

LEBEY (André) : *Les trois coups d'État de Louis-Napoléon Bonaparte*.

LEROUX-CESBRON (C.) : *Le palais de l'Élysée*.

LOLLIÉE (Frédéric) : *Le duc de Morny et la société du second Empire*.

— *La vie d'une impératrice : Eugénie de Montijo*.

LUCAS-DUBRETON (J.) : *Louis-Philippe*.

— *La princesse captive : la duchesse de Berry*.

— *La royauté bourgeoise. 1830*.

LUPPE (Marquis de) : *Mérimée*.

MARICOURT (Baron André de) : *La duchesse d'Orléans, mère du roi Louis-Philippe*.

MAUGET (Irénée) : *L'impératrice Eugénie*.

MAUPAS (M. de) : *Mémoires sur le second Empire*.

MESNARD (Baron de) : *Mémoires*.

MIRECOURT (Eugène de) : *Les femmes galantes des Napoléon. Secrets de Cour et de Palais, illustrés par des lettres et des conversations authentiques. Genève. 1882*.

MONTGOMERY HYDE (H.) : *La princesse de Lieven*.

NEUMANN (Alfred) : *Le roman d'un coup d'État*.

NORMANBY (lord) : *Une année de révolution, d'après un journal tenu à Paris en 1848*.

PAILLERON (Marie-Louise) : *George Sand et les hommes de 48.*
PÉLIER DE LACROIX (abbé) : *L'assassinat du dernier des Condé.* 1832.
— *Mensonges et calomnies pour la baronne de Feuchères par les avocats du suicide,* 1832.
PENEAU (Léon) : *Les nuits du second Empire.*
PERRET (Édouard) : *La dernière favorite des rois de France : la comtesse du Cayla.*
PETITPIERRE (Ferdinand) : *Journal de la captivité de la duchesse de Berry, à Blaye.*
POMARET (Charles) : *Un vrai chef d'État, M. Thiers.*
POULET-MALASSIS (A.) : *Papiers secrets et correspondance du second Empire,* 1875.
POUTHAS (Charles-H.) : *Guizot pendant la Restauration.*
PRAVIEL (Armand) : *La vie de S.A.R. Madame la duchesse de Berry.*
— *L'égorgement de la duchesse de Praslin.*
PROKESCH-OSTEN (Comte) : *Mes relations avec le duc de Reichstadt. Mémoires posthumes,* 1878.
RECLUS (Maurice) : *Monsieur Thiers.*
RÉMUSAT (Charles de) : *Mémoires de ma vie.*
RICARD (Général de) : *Autour des Bonaparte.*
SAINT-AMAND (Imbert de) : *La captivité de la duchesse de Berry (Nantes et Blaye).*
— *Louis-Napoléon et Mlle de Montijo.*
SCHEURER-KESTNER : *Souvenirs,* publiés dans la Revue du 1er juin 1905.
SCHNERB (Robert) : *Ledru-Rollin.*
SÉRICOURT (baron de) : *Mémoires.*
SIMOND (Charles) : *Paris de 1800 à 1900.*
STELLI : *Les nuits et le mariage de César.*
THUREAU (Jean-Baptiste) : *La duchesse de Berry.*
TREICH (Léon) : *Les alcôves de Napoléon III.*
VENDEX (Victor) : *L'Empereur s'amuse.*
VENDÔME (Duchesse de) : *La jeunesse de Marie-Amélie, reine des Français, d'après son journal.*
VERDIER (Charles) : *Marie-Louise amoureuse.*
VIEL-CASTEL (Horace de) : *Mémoires.*
VIENNET : *Journal.*
VITRAC (Maurice) : *Philippe Égalité et M. Chiappini. Histoire d'une substitution.*
VIVENT (Jacques) : *La vie privée de Talleyrand.*
— *Charles X, dernier roi de France et de Navarre.*

Anonymes

Chronique indiscrète pour 1847, publiée par un curieux. Genève.
Chronique scandaleuse du second Empire.
Argus de Londres. Chronique indiscrète. 1856.
Les amours de Marie-Caroline à Nantes. Pamphlet anonyme. 1848.
Histoire populaire et complète de Napoléon II, duc de Reichstadt.
Les papiers secrets du second Empire. 1870.
La revue comique à l'usage des gens sérieux (de novembre 1848 à avril 1849).

LIVRE X

DU SECOND EMPIRE A LA IIIᵉ RÉPUBLIQUE

ADAM (Juliette) : *Mémoires.*
ALLEM (Maurice) : *La vie quotidienne sous le Second Empire.*
ALMÉRAS (Henri d') : *La Vie Parisienne sous le Second Empire.*
— *La Vie Parisienne pendant le Siège et sous la Commune.*
ANDRÉ-MAUROIS (Simone) : *Miss Howard, la femme qui fit un Empereur.*
ANDRIEUX (Louis) : *A travers la République.*
AUBRY (Octave) : *Le Second Empire.*
— *L'Impératrice Eugénie.*
AURIANT : *Les secrets de la comtesse de Castiglione.*
— *Les Lionnes du Second Empire.*
BAC (Ferdinand) : *Intimités du Second Empire.*
BAINVILLE (Jacques) : *La IIIᵉ République.*
BARBIER (J.-B.) : *Outrances sur le Second Empire.*
BELLANGER (Marguerite) : *Mémoires.*
BERNARD (Jean) : *La vie à Paris.*
BERTAUT (Jules) : *Napoléon III secret.*
— *L'opinion et les mœurs.*
BERTRAND (Alphonse) : *Les origines de la IIIᵉ République.*
BLANCHARD (Claude) : *Dames de cœur.*
BOULENGER (Jacques) : *Les Tuileries sous le Second Empire.*
BOULENGER (Marcel) : *La Païva.*
BRANTHÔME : *Le brave général Boulanger,* 1930.
BURNAND (Robert) : *Napoléon III et les siens.*
— *Le duc d'Aumale et son temps.*
CARETTE (Mme) : *Souvenirs intimes de la Cour des Tuileries.*
CARLIER (F.) : Les deux prostitutions.
CHESNELONG (Charles) : *Les derniers jours de l'Empire et le gouvernement de M. Thiers.*
— *L'avènement de la République (1873-1875).*
CLAVEAU (Anatole) : *Souvenirs politiques d'un témoin (1865-1873).*
COLOMBIER (Marie) : *Mémoires. Fin d'Empire.*
COURAN (Robert) : *Ferdinand de Lesseps.*
DA COSTA (Gaston) : *La Commune vécue.*
DANSETTE (Adrien) : *Les amours de Napoléon III.*
— *Deuxième République et Second Empire.*
— *Histoire des Présidents de la République.*
— *Le Boulangisme.*
DAUDET (Léon) : *Le drame des Jardies.*
DECAUX (Alain) : *Amours Second Empire.*
— *La Castiglione, dame de cœur de l'Europe.*
DECAUX (Lucile) : *Charlotte et Maximilien.*
DESCHANEL (Paul) : *Gambetta.*
DESTERNES (Suzanne) et CHANDET (Henriette) : *L'Impératrice Eugénie intime.*
— *Napoléon III, homme du xxᵉ siècle.*
DOMINIQUE (Pierre) : *Marianne et les prétendants.*
DREYFUS (Robert) : *La République de Monsieur Thiers.*
DU CAMP (Maxime) : *Mémoires.*
— *Les convulsions de Paris.*
EUGÉNIE (Impératrice) : *Lettres familières publiées par le duc d'Albe.*

EVANS (Dr Thomas) : *Mémoires.*

FLEISCHMANN (Hector) : *Napoléon III et les femmes.*

FLEURY (Joseph) : *Gambetta et Juliette Adam (Les Cahiers de Clio. Novembre 1935).*

FLEURY et SONOLET : *La société du Second Empire.*

FOUQUIER (Marcel) : *Jours heureux d'autrefois.*

GALABRU (André) : *L'assassinat de Félix Faure.*

GAMBETTA (Léon) : *Lettres (publiées par Émile Pillias).*

GARETS (comtesse des) : *Souvenirs d'une demoiselle d'honneur auprès de l'Impératrice Eugénie.*

— *L'Impératrice Eugénie en exil.*

GERMAIN (André) : *Les grandes favorites (1815-1940).*

GESZTESI (Jules) : *Pauline de Metternich ambassadrice aux Tuileries.*

GHEUSI (P.-B.) : *La vie et la mort singulière de Gambetta.*

— *Cinquante ans de Paris.*

GIRARD (Georges) : *La vie et les souvenirs du général Castelnau* (1814-1890).

GRISCELLI : *Révélations et à bas les masques.* Londres 1868.

GUERIOT (Paul) : *La captivité de Napoléon III en Allemagne.*

GUILLEMIN (Édouard) : *Les titres de la Dynastie Impériale* (1874).

GUILLEMINAULT (Gilbert) : *La jeunesse de Marianne.*

HALÉVY (Ludovic) : *Trois dîners avec Gambetta.*

HERISSON (comte d') : *Journal d'un officier d'ordonnance.*

HERMANT (Abel) : *Eugénie, Impératrice des Français.*

— *La Castiglione.*

HOUSSAYE (Arsène) : *Souvenirs d'un demi-siècle.*

HUGO (Victor) : *Choses vues.*

JOGUET-TISSOT (J.) : *Les armées allemandes sous Paris.*

JOLLIVET (Gaston) : *Souvenirs de la vie de plaisir sous le Second Empire.*

— *Souvenirs d'un Parisien.*

LAMBERT : *Paris sous le Bas-Empire ou Paris actuel.* Londres, 1871.

LANNELONGUE (Dr) : *Blessure et maladie de M. Gambetta.* (Gazette hebdomadaire de médecine et de chirurgie. 19 janvier 1883.)

LANO (Pierre de) : *L'Empereur Napoléon III.*

— *L'Impératrice Eugénie.*

— *L'amour à Paris sous le Second Empire.*

— *Les bals travestis sous le Second Empire.*

LANOUX (Armand) : *Mme Steinheil ou La connaissance du président.*

LAUR (Francis) : *Le cœur de Gambetta.*

LAURIÈRE (Y.-H. de) : *Une Américaine à la Cour de Napoléon III.*

LOLLIÉE (Frédéric) : *La vie d'une Impératrice : Eugénie de Montijo.*

— *Les femmes du Second Empire.*

— *La fête impériale.*

— *Le duc de Morny et la société du Second Empire.*

— *Le roman d'une favorite : la comtesse de Castiglione.*

— *La Païva.*

LOVIOT (Louis) : *Alice Ozy.*

MARION (Paul) : *Gambetta et Bismarck.*

MAUGET (Irénée) : *L'Impératrice Eugénie.*

MAUGNY (comte de) : *Mémoires du Second Empire. La fin d'une société.*

MAURY (A.) : *Emblèmes et drapeaux de la France.*

MENIÈRE (Dr Prosper) : *Journal.*

MÉRIMÉE (Prosper) : *Lettres à une inconnue.*

MIRIBEL (Guy de) : *Le comte de Chambord a-t-il voulu régner ?* (Miroir de l'Histoire, n° 163).

MOUTIER (François) : *Boulanger et la femme du destin.*

PALÉOLOGUE (Maurice) : *Les entretiens de l'impératrice Eugénie.*

— *Journal de l'affaire Dreyfus.*

PILLIAS (Émile) : *Léonie Léon, amie de Gambetta.*

POULET-MALASSIS (A.) : *Papiers secrets et correspondance du Second Empire.*

PRADIER (Amédée) : *Les secrets des Tuileries.*

PROUX (Alain) : *La Troisième République. An I.*

QUINTON (Marie) : *Journal de la Belle Meunière,* 1895.

— *Souvenirs.*

RECLUS (Maurice) : *Monsieur Thiers.*

ROCHEFORT (Henri de) : *Les aventures de ma vie.*

ROUX (marquis de) : *Origines et fondation de la IIIe République.*

SAINT-AMAND (Imbert de) : *Napoléon III et sa Cour.*

— *Les souverains des Tuileries.*

— *L'Impératrice Eugénie.*

SARCEY (Francisque) : *Le siège de Paris.*

SIMOND (Ch.) et POINSOT (M.-C.) : *La vie galante aux Tuileries sous le Second Empire.*

TAISEY-CHATENOY (marquise de) : *A la cour de Napoléon III.*

TASCHER DE LA PAGERIE (comtesse Stéphanie) : *Mon séjour aux Tuileries.*

TAVERNIER (Joseph) : *Le général Boulanger et la IIIe République.*

THOMAS (Édith) : *Les pétroleuses.*

TREICH (Léon) : *Les alcôves de Napoléon III.*

VARIN (Jules) : *L'amour sous la IIIe République.*

— *Paris nocturne.*

VIEL-CASTEL (comte Horace de) : *Mémoires sur le règne de Napoléon III.*

VILLIERS (baron Marc de) : *Histoire des clubs de femmes et des légions d'amazones.*

VIVET (Pierre de) : *L'amour et le corps humain.*

WEIL (Bruno) : *Grandeur et décadence du général Boulanger.*

YRIARTE (Charles) : *Les princes d'Orléans,* 1872.

ZED : *Le demi-monde sous le Second Empire.*

Anonymes

Les papiers secrets du Second Empire. Bruxelles, 1870-1871.

Mémoires secrets du Second Empire.

TABLE

Livre VI

QUAND L'AMOUR ÉTAIT « SANS-CULOTTE »

Livre VII

NAPOLÉON ET LES FEMMES

TABLE 1147

Livre VIII

L'AMOUR SOUS L'EMPIRE

Livre IX

LA RESTAURATION GALANTE

TABLE 1149

Livre X

DU SECOND EMPIRE A LA IIIᵉ RÉPUBLIQUE

Il y a des femmes qui traversent la vie comme ces souffles de printemps qui vivifient tout sur leur passage...

Mme NECKER

Lorsqu'on se penche sur l'histoire de l'Humanité, on constate qu'à l'origine de presque tous les grands événements politiques, littéraires, religieux, philosophiques, artistiques et même scientifiques, il y a une femme...

LAMARTINE

Les femmes remplissent les intervalles de la conversation et de la vie, comme ces duvets qu'on introduit dans les caisses de porcelaine : on compte ces duvets pour rien, et tout se briserait sans eux.

Mme NECKER

Qu'est-ce que c'est qu'une femme ? Pour la définir, il faudrait la connaître. Notre siècle peut en commencer la définition, mais je soutiens qu'on n'en verra le bout qu'à la fin du monde.

MARIVAUX

Les femmes ont permis aux hommes de se civi-
liser. Elles leur ont enseigné la délicatesse, la
galanterie, la courtoisie, la poésie, la coquetterie,
le savoir-vivre et même le savoir parler...
Il suffit d'écouter les propos des hommes lorsqu'ils sont livrés à eux-mêmes, dans une caserne
par exemple, ou simplement dans un déjeuner
d'affaires, pour en être assuré...

René BENJAMIN

Pour détraquer une machine, il suffit d'un grain de sable. Pour détraquer une société, il suffit souvent d'une femme...

Anatole FRANCE